C

C. J. Sansom est n
dans le Sussex. Apr
toire à l'université
divers métiers dont
désormais à l'écritu
pour lequel il fut finaliste au prix Ellis Peters du
roman historique décerné par la prestigieuse Crime
Writers' Association, *Les Larmes du Diable*
(2005), *Sang royal* (2007), *Un hiver à Madrid*
(2008) et *Prophétie* (2009), *Corruption* (2011) est
le cinquième volet des enquêtes de Matthew
Shardlake et le sixième roman de C. J. Sansom à
paraître en français. Tous ses ouvrages sont publiés
chez Belfond et repris par Pocket.

Retrouvez toute l'actualité de l'auteur sur :
www.cj-sansom.fr

CORRUPTION

DU MÊME AUTEUR
CHEZ POCKET

DANS LA SÉRIE MATTHEW SHARDLAKE

DISSOLUTION
LES LARMES DU DIABLE
SANG ROYAL
PROPHÉTIE
CORRUPTION

UN HIVER À MADRID

C. J. SANSOM

CORRUPTION

Traduit de l'anglais
par Georges-Michel Sarotte

belfond

Titre original :
HEARTSTONE

publié par Mantle, une marque de Pan Macmillan
une division de Macmillan Publishers Limited, Londres.

Pocket, une marque d'Univers Poche,
est un éditeur qui s'engage pour la préservation
de son environnement et qui utilise du papier fabriqué
à partir de bois provenant de forêts gérées
de manière responsable.

© C.J. Sansom 2010. Tous droits réservés.
Et pour la traduction française :

© Belfond, un département de place des éditeurs , 2011.
ISBN 978-2-266-22770-4

PREMIÈRE PARTIE

LONDRES

1

Le cimetière était paisible en cet après-midi d'été. Arrachées aux arbres par les violentes bourrasques qui avaient balayé le pays durant l'orageux mois de juin 1545, des branches et des brindilles jonchaient l'allée de gravier. À Londres, nous nous en étions tirés à bon compte. Seules quelques cheminées avaient été emportées par le vent, mais la tempête avait dévasté le nord du pays où, disait-on, étaient tombés des grêlons gros comme le poing sur lesquels étaient gravés des traits humains. Toutefois, comme le savent tous les avocats, en se propageant, les rumeurs deviennent de plus en plus stupéfiantes.

J'avais passé toute la matinée dans mon cabinet de Lincoln's Inn, occupé à étudier de nouveaux dossiers de la Cour des requêtes. Les audiences n'auraient pas lieu avant l'automne, le troisième trimestre de l'année juridique s'étant, sur ordre du roi, terminé plus tôt que d'habitude, à cause de la menace d'invasion.

Depuis quelques mois, je constatais que l'étude de ces dossiers m'insupportait de plus en plus. À part quelques exceptions, les mêmes cas se présentaient aux Requêtes : propriétaires souhaitant expulser les métayers de leurs terres pour y faire paître des moutons afin de s'enrichir dans le commerce de la laine, ou, pour la même raison, cherchant à s'approprier le terrain communal du village dont les indigents avaient besoin pour vivre. Il s'agissait d'affaires sérieuses mais toujours semblables. Or, tandis que j'étudiais les dossiers, mon regard était sans cesse attiré par la missive apportée par le messager de Hampton Court, rectangle blanc orné en son milieu d'un cachet de cire rouge étincelant et posé sur le coin de mon bureau. Le message me tracassait d'autant plus qu'il était succinct. Finalement, incapable d'empêcher mes pensées de vagabonder, je décidai d'aller faire un tour.

En quittant le bâtiment où se trouvent les bureaux des avocats, j'aperçus une jeune fleuriste qui avait réussi à tromper la surveillance du gardien de Lincoln's Inn. Vêtue d'une robe grise et d'un tablier sale, le visage encadré par une coiffe blanche, elle se tenait dans un coin de Gatehouse Court – la cour du Pavillon d'entrée – et présentait ses bouquets aux juristes qui passaient devant elle. Lorsque j'arrivai à sa hauteur, elle s'écria qu'elle était veuve et que son mari était mort à la guerre. Apercevant des giroflées dans son panier, les giroflées ayant été les fleurs favorites de Joan, je me souvins que je ne m'étais pas rendu sur la tombe de ma pauvre gouvernante depuis près d'un mois. J'en demandai un bouquet à la fleuriste. Elle me le tendit d'une main calleuse et je lui donnai un demi-penny. Si elle fit une révérence en me remerciant poliment, son regard resta froid. Je continuai mon chemin, franchis le grand porche et remontai Chancery Lane, rue nouvellement pavée, pour gagner la petite église, située en haut de la côte.

Chemin faisant, je me reprochais mon insatisfaction, me rappelant qu'un grand nombre de mes collègues m'enviaient mon poste d'avocat près la Cour des requêtes et que j'avais de temps en temps à traiter une affaire lucrative que me confiait l'avocat de la reine. Cependant, comme je pouvais le lire, le deviner sur les nombreux visages pensifs et anxieux des gens que je croisais, les événements suffisaient à troubler les esprits. On disait que les Français avaient rassemblé deux cents bâtiments et trente mille hommes dans leurs ports sur la Manche, qu'ils s'apprêtaient à envahir l'Angleterre grâce à une immense flotte de bateaux de guerre, certains contenant des écuries pour leurs chevaux. Personne ne savait où ils allaient débarquer et dans tout le pays on enrôlait de force des hommes pour les envoyer défendre les côtes. Tous les vaisseaux royaux avaient été mis à la mer et de grands navires marchands étaient réquisitionnés et transformés en navires de guerre. L'année précédente, le roi avait levé des impôts sans précédent pour financer l'invasion de la France. L'opération s'était soldée par un échec et, depuis le début de l'hiver, nos soldats étaient assiégés à Boulogne. Et voilà qu'à présent la guerre risquait d'avoir lieu sur notre sol.

J'entrai dans le cimetière. Que l'on soit pieux ou non, l'atmosphère de ce genre d'endroit incite au recueillement. Je m'agenouillai et déposai les fleurs sur la tombe de Joan. Elle avait dirigé ma petite maisonnée pendant vingt ans. Lorsque je l'avais engagée, c'était une veuve de quarante ans et moi un avocat novice. Sans famille, bonne, discrète, efficace, elle avait consacré sa vie à s'occuper de moi. Ayant contracté l'influenza au printemps, elle était morte en une semaine. Elle me manquait énormément, d'autant plus que je constatais à présent que, durant toutes ces années, j'avais trouvé tout naturel son dévouement à ma personne. Quelle amère différence avec le misérable que j'avais désormais pour intendant !

Mes genoux craquèrent quand je me relevai en soupirant. Si cette visite à la sépulture de Joan m'avait apaisé, elle avait remué les humeurs mélancoliques auxquelles j'étais, par tempérament, sujet. Connaissant d'autres défunts inhumés en ce lieu, je continuai mon chemin parmi les pierres tombales et fis halte devant une belle tombe en marbre.

Roger Elliard
Avocat de Lincoln's Inn
Époux et père bien-aimé
1502-1543

Je repensai à une conversation que Roger et moi avions eue, peu de temps avant sa mort, et souris avec tristesse. Nous avions parlé de la façon dont le roi avait gaspillé les richesses qu'il avait tirées des monastères, les dépensant en palais et en fastes, sans rien faire pour remplacer l'aide limitée que les moines avaient apportée aux miséreux. Je posai la main sur la pierre tumulaire et murmurai : « Ah, Roger, si tu pouvais voir ce qu'il nous inflige à présent. » Une vieille femme qui fleurissait une tombe voisine tourna la tête vers moi, fronçant les sourcils d'un air inquiet, à la vue d'un avocat bossu en train de parler aux morts. Je m'éloignai.

Un peu plus loin, se trouvait une autre tombe que j'avais fait creuser, comme celle de Joan, et sur laquelle était gravée une brève inscription :

Giles Wrenne
Avocat de York
1467-1541

Je ne touchai pas la pierre et je ne parlai pas non plus au vieil homme qui gisait sous elle, mais, me remémorant les circonstances de son décès, je me rendis compte que montait en moi un nouvel accès de mélancolie.

Soudain, un bruit tonitruant faillit me chavirer l'esprit. La vieille femme jeta des regards effarés en tous sens. Devinant ce qui devait se passer, je me dirigeai vers le mur qui séparait le cimetière de Lincoln's Inn Fields et ouvris le portail en bois. L'ayant franchi, je contemplai la scène.

✝

Lincoln's Inn Fields était une lande, un terrain vague où, sur le coteau herbu de Coney Garth, les étudiants chassaient les lapins. Un après-midi de semaine, normalement, il n'y aurait eu que quelques passants traversant le terrain dans les deux sens. Or, ce jour-là, une foule de badauds regardait cinquante jeunes hommes, presque tous en chemise et pourpoint, mais certains vêtus du sarrau bleu des apprentis, formant cinq rangs mal alignés. Quelques-uns avaient l'air boudeur, d'autres semblaient inquiets, d'autres encore, au contraire, paraissaient pleins d'ardeur. La plupart portaient des arcs de guerre que les hommes en âge d'être enrôlés étaient légalement tenus de posséder pour s'entraîner, même si beaucoup enfreignaient la loi, préférant jouer aux boules, aux dés ou aux cartes, jeux désormais illégaux pour ceux qui ne jouissaient pas du statut de gentleman. Mesurant six pieds de long, les arcs étaient en général plus grands que leurs propriétaires. Cependant, certains hommes avaient des arcs plus petits, quelques-uns en orme, bois de moindre valeur que l'if. Presque tous portaient un brassard de cuir autour d'un bras et des protège-doigts sur l'autre main. Leurs arcs étaient munis de leur corde, prêts à tirer.

Les jeunes gens étaient alignés en rangées de dix par un militaire d'âge moyen au visage carré, doté d'une courte barbe noire, l'air mécontent et sévère. Il arborait le magnifique uniforme des « bataillons de réserve de Londres » : justaucorps blanc aux manches à crevés, hauts-de-chausses également à crevés pour laisser voir la doublure rouge, casque rond et bien fourbi.

Cent toises plus loin se trouvait la butte de tir, tertre gazonné haut de six pieds. C'est là que les hommes bons pour le service armé étaient censés s'entraîner tous les dimanches. Plissant les yeux, je vis qu'on y avait accroché un pantin de paille vêtu de haillons, coiffé d'un casque cabossé et sur lequel on avait grossièrement peint une *fleur de lis*[1]. Je compris qu'il s'agissait d'une « revue d'armes » de plus, destinée à évaluer l'adresse d'un nouveau contingent d'hommes pour choisir ceux qui iraient rejoindre les armées sur la côte ou à bord des bâtiments royaux. J'étais ravi, moi, bossu de quarante-trois ans, d'être exempté de service militaire.

Juché sur une belle jument grise, un petit homme

---

1. En français dans le texte. (*N.d.T.*)

grassouillet regardait les jeunes gars se mettre mala-droitement en rang. Engoncée dans le caparaçon de la ville de Londres, la jument portait un masque protecteur métallique percé de trous qui donnait à la tête l'apparence d'un crâne. Le cavalier avait les bras et le buste recouverts d'une demi-armure d'acier, tandis que la plume de paon de sa large toque noire ondulait dans le vent. Je reconnus Edmund Carver, l'un des échevins de la ville. Deux ans auparavant, je lui avais fait gagner un procès. L'air mal à l'aise dans son armure, il s'agitait sur sa monture. Homme plutôt honnête, il appartenait au Corps de la mercerie – la corporation des drapiers – dont le principal atout, il m'en souvient, était la bonne chère qu'on y faisait. À ses côtés se tenaient deux autres soldats vêtus de l'uniforme du bataillon de réserve, l'un d'eux portant une longue trompette de cuivre et l'autre une hallebarde. À deux pas se trouvait un clerc en pourpoint noir, une écritoire accrochée autour du cou et sur laquelle reposait une liasse de papiers.

Le hallebardier posa son arme, ramassa une demi-douzaine de carquois de cuir, puis courut le long de la première file des recrues, lâchant une rangée de flèches sur le sol. Le militaire chargé de l'exercice continuait à jauger les hommes d'un œil perçant. Je devinai qu'il s'agissait d'un sous-officier de carrière, semblable à ceux que j'avais rencontrés au cours du grand voyage du roi à York, quatre ans plus tôt. Il était sans doute en train de former le bataillon de réserve, corps de volontaires institué à Londres quelques années auparavant, qui pratiquait un entraînement militaire en fin de semaine.

Il s'adressa aux hommes d'une voix de stentor.

« L'Angleterre a besoin d'hommes en ces temps de grand péril ! Les Français s'apprêtent à l'envahir, à semer le feu et la ruine parmi nos femmes et nos enfants. Mais souvenons-nous d'Azincourt ! » Il s'interrompit pour ménager ses effets. Carver lança un « Bravo ! ». Les recrues l'imitèrent.

Le sous-officier poursuivit son discours. « Nous savons depuis Azincourt qu'un Anglais vaut trois Français et nous allons envoyer à leur rencontre nos légendaires archers ! Ceux qui seront choisis aujourd'hui recevront un manteau et trois pence par jour ! » Son ton se durcit. « On va voir à présent ceux qui parmi vous, les gars, se sont entraînés chaque semaine, comme l'exige la loi, et ceux qui se sont abstenus. Ces derniers… (Il se tut pour ménager le suspense.)… risquent de se retrouver incorporés comme piquiers et d'avoir à affronter les Français de très près ! Aussi n'imaginez pas qu'une prestation médiocre vous évitera de partir à la guerre. » Il parcourut les hommes du regard, certains se dandinant et semblant mal à l'aise. Le visage à la barbe brune du sous-officier avait l'air irrité et menaçant.

« Bon, annonça-t-il. Quand la trompette sonnera, chaque homme tirera, aussi vite que possible, six flèches en direction de la cible, en commençant par celui de gauche, au premier rang. Nous avons préparé un pantin spécialement pour vous, afin que vous puissiez imaginer à sa place un petit Français venu violer votre mère, si vous en avez une ! »

Je jetai un coup d'œil aux spectateurs. Il y avait des gamins surexcités et des miséreux d'un certain âge, ainsi que plusieurs jeunes femmes, l'air angoissé, peut-être les épouses ou les petites amies des hommes rassemblés là.

Le soldat à la trompette l'emboucha et souffla dedans. Armé de son arc, le premier jeune homme, un beau gars trapu en pourpoint de cuir, fit un pas en avant d'un air martial, ramassa une flèche et l'appliqua sur la corde. Puis, il se pencha brusquement en arrière avec souplesse, se redressa et décocha la flèche qui décrivit une longue courbe avant de heurter si violemment la fleur de lis peinte sur l'épouvantail que celui-ci tressauta comme un être vivant. En une minute, tout au plus, le jeune gars lança encore cinq flèches qui atteignirent toutes leur cible. Un staccato de vivats s'éleva du groupe de gamins. Il sourit et souleva ses larges épaules.

« Pas mal ! reconnut le sous-officier à contrecœur. Va te faire inscrire ! » La nouvelle recrue se dirigea vers le clerc, tout en saluant la foule avec son arc.

Le suivant était un grand jeune homme dégingandé en chemise blanche qui semblait avoir moins de vingt ans. Il n'avait qu'un arc en orme, paraissait anxieux et ne portait ni brassard ni protège-doigts. Le sous-officier le regarda d'un air torve rejeter de ses yeux une mèche de sa tignasse blonde, puis se baisser pour saisir une flèche et l'appliquer sur la corde. Bandant l'arc au prix d'un évident effort, il décocha la flèche, qui tomba très loin de la cible et atterrit sur le gazon. L'exercice lui avait fait perdre l'équilibre et il faillit tomber, sautillant quelques instants sur un pied, ce qui fit rire les gamins.

Ratant la cible de beaucoup, la deuxième flèche se ficha dans la butte de tir. Le jeune gars poussa un cri, se courbant en deux de douleur, une main agrippant l'autre, le sang gouttant entre ses doigts. Le sous-officier le fixa d'un air sévère. « Tu ne t'es pas entraîné, pas vrai ? Tu ne sais même pas décocher correctement une flèche. Tu vas aller rejoindre les piquiers, tu peux me croire ! Un grand type comme toi sera utile dans un combat au corps à corps. » Le jeune homme eut l'air effrayé. « Allez ! s'écria le sous-officier. Tu as encore quatre flèches à lancer. Oublie ta main. J'ai l'impression qu'une bonne rigolade ferait du bien aux spectateurs. »

Je me détournai. Ayant moi-même été jadis humilié devant une foule de spectateurs, je n'éprouvais aucun plaisir à voir les autres subir le même sort.

✝

Lorsque je revins à Gatehouse Court, la marchande de fleurs avait disparu. Je regagnai mon cabinet où le jeune Skelly, mon premier clerc, recopiait des injonctions dans le secrétariat. Penché très bas sur son pupitre, il examinait soigneusement le document à travers ses lunettes.

« Il y a une revue d'armes sur Lincoln's Inn Fields », lui dis-je.

Il leva la tête. « Il paraît que le bataillon de réserve doit trouver un millier d'hommes pour la côte sud, déclara-t-il de sa voix douce. Pensez-vous, monsieur, que les Français vont vraiment nous envahir ?

— Je n'en sais rien, Skelly, répondis-je avec un sourire rassurant. Mais, puisque vous avez une femme et trois enfants et que vous avez besoin de lunettes pour voir, vous ne risquez pas d'être appelé sous les drapeaux.

— C'est ce que j'espère. Je prie pour cela, maître.

— J'en suis sûr. » Mais, à cette époque-là, on n'était certain de rien.

« Barak n'est pas revenu de Westminster ? » demandai-je en regardant le pupitre vide de mon assistant. Je l'avais envoyé faire plusieurs dépositions au greffe des Requêtes à Westminster.

« Non, monsieur. »

Je me rembrunis. « J'espère que Tamasin va bien. »

Skelly sourit. « Je suis sûr que le retard n'est dû qu'à la difficulté de trouver un bachot sur le fleuve. Vous savez qu'il est sillonné de bateaux ravitailleurs.

— C'est possible. Dès qu'il rentrera, dis à Barak de venir me voir. Il faut que je retourne à mes dossiers. » Je passai dans mon bureau, certain que Skelly me jugeait trop angoissé. Mais Barak et Tamasin, sa femme, étaient des amis chers. Tamasin était enceinte de sept mois et son premier bébé était mort-né. Je m'affalai dans mon fauteuil en poussant un soupir puis saisis le cahier des dépositions que j'avais lu un peu plus tôt. Mon regard se dirigea derechef vers la lettre se trouvant sur le coin de mon bureau. Je me forçai à détourner les yeux, mais repensai à la revue d'armes, à l'invasion, à ces jeunes gens éventrés et massacrés pour rien sur les champs de bataille.

Je jetai un coup d'œil par la fenêtre, souris et secouai la tête en apercevant la haute silhouette efflanquée de mon vieil ennemi, Stephen Bealknap, en train de traverser la cour ensoleillée. Désormais voûté, vêtu de sa robe noire d'avocat et coiffé de sa calotte blanche, il ressemblait à une énorme pie à la recherche de vers sur le sol.

Se redressant soudain, il regarda droit devant lui

et je vis Barak, sa sacoche de cuir en bandoulière, se diriger vers lui. Je remarquai que, sous son pourpoint vert, le ventre de mon assistant était légèrement protubérant. Son visage s'était également un rien empâté, ce qui adoucissait ses traits et le rajeunissait. Changeant de direction, Bealknap prit à grands pas le chemin de la chapelle. Deux ans plus tôt, cet homme étrange, avare, avait contracté auprès de moi une petite dette. D'habitude plutôt bravache, lui qui se faisait un point d'honneur de ne jamais lâcher le moindre penny se détournait et détalait dès qu'il me voyait. C'était là un constant sujet de plaisanterie à Lincoln's Inn. À l'évidence, il évitait dorénavant également Barak, lequel s'arrêta et fit un grand sourire au dos de mon confrère, qui filait à toute allure. Je me sentis soulagé, car il était clair que rien n'était arrivé à Tamasin.

Il me rejoignit dans mon bureau quelques instants plus tard. « Tout s'est bien passé avec les dépositions ? m'enquis-je.

— Oui, mais ç'a été dur d'avoir un bachot à l'embarcadère de Westminster. Le fleuve regorge de chalands qui transportent des marchandises pour les armées et les barques avaient dû se ranger contre les berges pour laisser le passage. Un grand navire de guerre se trouvait près de la Tour. Je crois qu'on l'a fait venir de Deptford pour que les gens le voient. Mais je n'ai pas entendu de vivats s'élever des rives.

— Ce n'est plus une nouveauté. C'était différent lorsque le *Mary Rose* et le *Great Harry* ont levé l'ancre et que des centaines de gens se tenaient sur les rives et poussaient des hourras. » Je désignai le tabouret placé devant mon bureau. « Viens donc t'asseoir. Comment va Tamasin aujourd'hui ? »

Il s'assit et fit un sourire contraint. « Elle est bougonne. La chaleur l'incommode et elle a les pieds gonflés.

— Elle est toujours certaine que ce sera une fille ?

— Oui. Hier, elle a consulté une voyante qui racole les clients à Cheapside et qui, bien sûr, lui a annoncé ce qu'elle voulait entendre.

— Et toi, tu es certain que ce sera un garçon ?

— Absolument. » Il secoua la tête. « Tammy insiste pour ne rien changer à ses habitudes, bien que je lui dise que les dames de la bonne société gardent la chambre huit semaines avant la naissance. J'ai pensé que ça la ferait réfléchir, mais je me trompais.

— C'est pour dans huit semaines ?

— C'est ce qu'affirme Guy. Il vient l'examiner demain. Même si mame Marris s'occupe bien d'elle. Tammy a été ravie de me voir partir travailler. Elle dit que je m'angoisse trop. »

Je souris. Je savais que Barak et Tamasin étaient heureux à présent. Après la mort de leur premier bébé, ils avaient connu une mauvaise passe et Tamasin l'avait quitté. Il avait réussi à la faire revenir à force d'amour et de persévérance, ce dont je l'aurais jadis cru incapable. Je les avais aidés à trouver une petite maison tout près, ainsi qu'une servante compétente en la personne d'une amie de Joan, mame Marris, laquelle, ayant naguère travaillé comme nourrice, avait l'habitude des enfants.

Je désignai la fenêtre de la tête. « J'ai vu Bealknap changer de direction pour t'éviter. »

Il éclata de rire. « Il se comporte ainsi depuis quelque temps. Il craint que je ne lui réclame les trois livres qu'il vous doit. Quel crétin, ce type ! Vu la chute de la monnaie, vous devriez lui en demander quatre, ajouta-t-il, le regard pétillant de malice.

— Tu sais, il m'arrive de me demander si l'ami Bealknap a toute sa tête. Depuis deux ans, il se ridiculise en me fuyant, et voilà qu'aujourd'hui il fait la même chose avec toi.

— Et entre-temps il s'enrichit. Il paraît qu'il a vendu une partie de son or à la Monnaie pour qu'il soit frappé en pièces et que, maintenant que le prêt à intérêt a été rendu légal, il le prête à des gens pour payer leurs impôts.

— Certains juristes de Lincoln's Inn ont dû emprunter pour payer le don bénévole obligatoire. Heureusement que je possédais assez d'or. Malgré tout, la façon de se comporter de Bealknap est le signe d'un déséquilibre mental.

— Vous êtes devenu trop prompt à voir la folie chez les gens, répliqua-t-il en me lançant un regard perçant. C'est parce que vous accordez trop de temps à Ellen Fettiplace. Avez-vous répondu à sa dernière missive ? »

Je fis un geste d'impatience. « Ne revenons pas là-dessus. Je l'ai fait, et j'ai bien l'intention d'aller à l'asile de Bedlam demain.

— C'est peut-être une pensionnaire de Bedlam mais elle vous mène par le bout du nez. Vous savez pourquoi », ajouta-t-il en posant sur moi un regard grave.

Je changeai de sujet. « Je suis allé faire un tour tout à l'heure. Une revue d'armes se déroulait sur Lincoln's Inn Fields. Le sous-officier menaçait de faire des piquiers de ceux qui ne s'étaient pas entraînés au tir à l'arc.

— Ils savent comme tout le monde que le roi a beau

inventer toutes les lois qu'il veut, seuls les adeptes du tir à l'arc s'exercent régulièrement, répondit Barak avec mépris. C'est très astreignant, et il faut beaucoup pratiquer pour devenir un archer digne de ce nom. » Il prit un ton sérieux. « Et c'est une mauvaise idée de faire des lois trop impopulaires pour être respectées. Lord Cromwell en était conscient et il savait jusqu'où il pouvait aller.

— Pourtant, ils font respecter celle-là. Je n'ai jamais rien vu de tel. Hier, des sergents du guet ramassaient dans la rue des mendiants et des vagabonds pour, sur ordre du roi, les envoyer ramer à bord des galéasses. As-tu entendu les dernières nouvelles, selon lesquelles les troupes françaises auraient débarqué en Écosse et que les Écossais s'apprêteraient à nous tomber dessus, eux aussi ?

— Les dernières nouvelles, répéta Barak d'un ton moqueur. Qui les propage ? Les agents du roi. Peut-être pour empêcher le peuple de se rebeller, comme il y a neuf ans, contre les impôts et la perte de valeur de la monnaie. Tenez, regardez ça ! » Il porta la main à sa bourse, dont il sortit une petite pièce d'argent qu'il plaqua sur le bureau. Je la saisis et le gros visage joufflu du roi me fixa du regard.

« C'est l'une des nouvelles pièces de un shilling, expliqua Barak. Un "teston".

— C'est la première fois que j'en vois un.

— Hier, Tamasin est allée faire des courses à Cheapside avec mame Marris. Là, il y en a des tas. Regardez sa couleur terne. L'argent est tellement allié de cuivre qu'on ne donne que pour huit pence de marchandises en échange. Les prix du pain et de la viande s'envolent. Non qu'on trouve beaucoup de pain, vu que la farine est réquisitionnée pour l'armée. » Les yeux de Barak flambaient de colère.

« Tu veux dire qu'il est possible qu'il n'y ait, en fait, aucune flotte d'invasion française ?

— C'est possible. Je n'en sais rien… Je pense qu'on essaye de m'incorporer dans l'armée, reprit-il après une brève hésitation.

— Quoi ? m'écriai-je en me redressant brusquement sur mon siège.

— Vendredi dernier, en compagnie d'un militaire, le commissaire passait dans toutes les maisons du quartier pour recenser les hommes en âge de porter les armes. Je leur ai dit que ma femme attendait un enfant. Le militaire a déclaré que j'avais l'air apte au service. Je lui ai claqué des doigts sous le nez et l'ai envoyé se faire voir. L'ennui, c'est que Tamasin m'a dit qu'il est revenu hier. Elle l'a vu à travers la vitre et n'a pas ouvert la porte.

— Ton aplomb finira par causer ta perte, soupirai-je.

— C'est ce que dit Tamasin. Mais on n'enrôle pas les pères de famille. Pas beaucoup, en tout cas.

— Les puissances qui nous gouvernent ne plaisantent pas. Je crois qu'il va y avoir une tentative d'invasion, sinon pourquoi recruter ces milliers de soldats ? Fais attention. »

Barak prit un air de défi. « On n'en serait pas là si le roi n'avait pas envahi la France, l'année dernière. On a fait traverser la Manche à quarante mille hommes, et que s'est-il passé ? Il a fallu battre en retraite, la queue entre les jambes, et laisser quelques pauvres malheureux soldats assiégés derrière les murs de Boulogne. Tout le monde dit qu'on devrait faire la part du feu, abandonner cette ville et signer la paix. Mais le roi refuse. Ce n'est pas le genre de notre Harry.

— Je sais. Je suis d'accord.

— Rappelez-vous, l'automne dernier… Les soldats revenant de France, en haillons, pestiférés, gisant sur le bord des routes qui mènent à Londres ? » Ses traits se durcirent. « Eh bien, cela ne m'arrivera pas à moi. »

Je le fixai du regard. Il fut un temps où Barak aurait considéré la guerre comme une aventure. Mais ce n'était plus le cas. « Comment était ce militaire ?

— Un grand type de votre âge, avec une barbe noire, vêtu de l'uniforme des bataillons de réserve de Londres. Il avait l'air d'un ancien militaire d'active.

— C'est lui qui dirigeait la revue d'armes. On n'a pas intérêt à lui tenir tête, à mon avis.

— S'il vérifie les capacités de toutes les recrues, avec un peu de chance il n'aura pas le temps de s'occuper de moi.

— Je l'espère aussi. S'il se manifeste à nouveau, viens me voir.

— Merci », fit-il simplement.

Je pris la missive posée sur le coin de mon bureau. « En échange, j'aimerais avoir ton opinion là-dessus, dis-je en la lui tendant.

— Ce n'est pas encore un nouveau message d'Ellen, hein ?

— Regarde le cachet. Tu en as déjà vu un qui lui ressemble.

— C'est le sceau de la reine. Est-ce de la part de messire Warner ? Un autre dossier à traiter ?

— Lis… Ça m'inquiète », repris-je après un instant d'hésitation.

Il déplia le feuillet et lut à haute voix :

« *J'aimerais avoir votre avis personnel sur un dossier, une affaire de nature privée. Je vous invite à venir me voir ici, à Hampton Court, demain après-midi, à trois heures.* C'est signé…

— Je sais. De la reine Catherine, pas de messire Warner, son avocat. »

Barak relut la missive. « C'est plutôt court, mais elle parle d'un "dossier". Rien de politique, à première vue.

— Je sais. Mais ça doit être particulièrement urgent pour qu'elle m'écrive elle-même. Je ne peux pas m'empêcher de me rappeler la fois où, l'année dernière, la reine a envoyé Warner représenter un parent d'une de ses servantes accusée d'hérésie.

— Elle a promis de ne pas vous impliquer dans ce genre d'affaire. Elle n'est pas femme à manquer à sa parole. »

Je hochai la tête. Il y avait plus de deux ans, quand la reine Catherine Parr n'était encore que lady Latimer, je lui avais sauvé la vie. Elle m'avait alors promis de m'accorder sa protection et de ne jamais m'impliquer dans des questions politiques.

« Quand l'avez-vous vue pour la dernière fois ? demanda Barak.

— Au printemps dernier. Elle m'a accordé une audience à Whitehall pour me remercier d'avoir réglé ce dossier épineux concernant ses propriétés du Midland. Puis, le mois dernier, elle m'a envoyé son livre de prières. Tu te rappelles, je te l'ai montré. *Prières et Méditations.* »

Il fit la grimace. « Des trucs plutôt lugubres. »

Je souris tristement. « Oui, en effet. Je ne m'étais pas rendu compte à quel point elle était triste de tempérament. Elle avait joint un mot personnel dans lequel elle disait qu'elle espérait que cela m'aiderait à me tourner vers Dieu.

— Elle ne vous ferait jamais courir de risques. Il doit encore s'agir d'une affaire de biens fonciers, vous verrez. »

Je lui adressai un sourire de gratitude. Barak connaissant depuis longtemps les dessous de la politique, j'appréciais ses propos rassurants.

« La reine et Ellen Fettiplace le même jour ! plaisanta-t-il. Ce sera une journée fort occupée.

— En effet. » Je repris la lettre. Je me rappelai la dernière fois où je m'étais rendu à Hampton Court et, à la perspective d'y retourner, l'angoisse me tordait l'estomac.

2

Ce magnifique après-midi d'été tirait à sa fin lorsque je terminai l'étude de mon dernier dossier et sablai mes notes. Barak et Skelly étaient déjà partis et je m'engageai dans Chancery Lane pour gagner ma maison, qui se trouvait tout près.

Deux jours plus tôt c'était la nuit de la Saint-Jean, mais, par proclamation du roi, on avait restreint les fêtes habituelles et les feux de joie. Le couvre-feu avait été instauré et les tournées du guet doublées car on craignait que des agents français n'incendient la ville. Au moment où j'atteignais ma maison, je pensai que, loin d'en être tout ragaillardi, comme à l'époque où Joan était en vie, lorsque je rentrais chez moi à présent, je sentais une pointe d'agacement. Quand j'ouvris la porte, Josephine Coldiron, la fille de mon intendant, se tenait sur la natte en jonc du vestibule, les mains croisées devant elle, le regard vide, son visage rond empreint d'une légère inquiétude.

« Bonjour, Josephine ! » Elle fit la révérence et hocha la tête. Un tortillon de cheveux blonds sales s'échappa de son bonnet blanc et retomba sur son front. Elle l'écarta de la main. « Désolée, monsieur », dit-elle nerveusement.

Sachant qu'elle me craignait, je lui parlai avec douceur. « Où en sont les préparatifs du dîner ?

— Je ne les ai pas commencés, monsieur, répondit-elle d'un ton gêné. J'ai besoin que les garçons m'aident à éplucher les légumes.

— Où sont donc Simon et Timothy ? »

L'angoisse se peignit sur son visage. « Euh… Avec mon père. Je vais aller les chercher pour qu'on s'y mette. »

Telle une souris surexcitée, de son pas pressé, elle entra vivement dans la cuisine. Je me dirigeai vers la salle.

Guy, mon vieil ami, qui séjournait chez moi pour le moment, était assis sur une chaise et regardait par la fenêtre. Il se tourna en m'entendant entrer et ébaucha un maigre sourire. Si, en tant que médecin, il jouissait d'une certaine position sociale, cela n'avait pas empêché, un soir, deux mois plus tôt, une bande d'apprentis à l'affût d'espions français de saccager sa maison près de la Vieille Barge. Ils avaient déchiré ses notes médicales, prises au fil des ans, et fracassé son équipement. Heureusement que Guy était sorti, car autrement il aurait pu être tué. Peu importait qu'il fût d'origine espagnole, c'était un étranger connu au visage sombre et qui parlait avec un drôle d'accent. Depuis que je l'avais recueilli, il était plongé dans une profonde tristesse qui m'inquiétait.

Je posai ma sacoche par terre. « Comment allez-vous, Guy ? »

Il me fit un salut de la main. « Je suis resté assis ici toute la journée. C'est bizarre… Je pensais que si je me retrouvais un jour sans travail les heures passeraient lentement, or le temps semble filer très vite sans que je m'en rende compte.

— Barak dit que Tamasin souffre de la chaleur. »

Je fus content de voir son visage s'animer. « Je dois la voir demain. Je suis certain qu'elle va très bien mais ma visite les rassurera. Le rassurera, lui, devrais-je dire. Je pense que Tamasin ne s'en fait pas outre mesure… Je lui ai dit que je la verrais ici, précisa-t-il après une courte hésitation. J'espère que je n'en prends pas trop à mon aise.

— Bien sûr que non. Et vous êtes le bienvenu ici aussi longtemps que vous le souhaiterez, vous le savez.

— Merci. Je crains que la même chose ne se reproduise si je rentre chez moi. Pour les étrangers l'atmosphère devient chaque jour plus irrespirable… Regardez-moi ça ! » fit-il en désignant la fenêtre aux carreaux losangés qui donnait sur le jardin.

Je m'avançai et regardai à travers la vitre. William Coldiron, mon intendant, se tenait dans l'allée, les mains sur ses hanches maigres, une expression farouche sur son visage cadavérique hérissé de poils gris. Mes deux jeunes valets, le grand Simon, âgé de quatorze ans, et le petit Timothy, qui n'avait que douze ans, un manche à balai sur l'épaule, défilaient devant lui, traversant le jardin d'un pas raide, dans un sens puis dans l'autre. Coldiron les surveillait de son unique œil perçant, l'autre étant recouvert par un gros bandeau. « Demi-tour, droite ! » hurla-t-il, et les gamins s'exécutèrent maladroitement. J'entendis Josephine les appeler depuis la porte de la cuisine. Coldiron leva vivement les yeux vers la fenêtre du bureau. Je l'ouvris et lançai d'un ton sec : « William ! »

« Rentrez et préparez le dîner du maître ! hurla-t-il.
Je perds mon temps à essayer de vous former militai-
rement ! » Les gamins lui jetèrent un regard révolté.

Je me retournai vers Guy. « Mordieu, ce type ! » Il
secoua la tête d'un air las. Quelques instants plus tard,
Coldiron apparut dans l'encadrement de la porte. Il
inclina le buste puis se figea au garde-à-vous. Comme
toujours, j'eus du mal à regarder son visage. Une
longue et profonde cicatrice partait de la naissance
des cheveux, courait sur son front dégarni jusqu'au
bandeau, puis continuait jusqu'à la commissure des
lèvres. Durant l'entretien que j'avais eu avec lui avant
de l'engager, il m'avait expliqué qu'il avait reçu un
coup d'épée à la bataille de Flodden contre les Écossais, trente-deux ans auparavant. J'avais compati à son
sort, comme je le fais toujours en présence d'êtres
affligés d'une difformité, et cela avait influé sur ma
décision. En outre, ayant à régler deux versements de
l'impôt dû au roi, je devais faire des économies, et il
ne demandait pas des gages élevés. En vérité, même
alors il ne m'avait guère plu.

« Que faisiez-vous dehors avec les gamins ? m'enquis-je. Josephine me dit qu'on n'a pas commencé à
préparer le dîner.

— Désolé, monsieur, répondit-il d'un ton patelin.
Simon et Timothy m'interrogeaient sur ma vie militaire. Que Dieu les bénisse, ils veulent faire tout leur
possible pour défendre leur pays contre une invasion.
Alors ils m'ont harcelé pour que je leur montre la façon
dont s'entraînent les soldats... Ils n'ont pas cessé de
me houspiller, affirma-t-il en écartant les mains. Ça
les excite de savoir que j'ai combattu les Écossais la

31

dernière fois qu'ils nous ont envahis, et que c'est moi qui ai trucidé le roi Jacques IV.

— Ils vont nous défendre avec des manches à balai ?

— Le moment risque d'arriver où même ces béjaunes seront forcés de s'armer de haches d'armes et de hallebardes. Il paraît que l'armée écossaise va refaire des siennes et qu'elle s'apprête à nous attaquer, tandis que les Français nous menacent au sud. Je crois que c'est vrai, car je connais ces ploucs des Highlands… Et si des espions étrangers incendient Londres… », ajouta-t-il en lançant un coup d'œil de biais à Guy, si bref qu'il aurait pu passer inaperçu. Mais Guy le remarqua et détourna la tête.

« Je vous interdis de faire faire des exercices de ce genre à Timothy et à Simon, lui enjoignis-je. Quelle que soit votre compétence dans l'art de la guerre, votre domaine à présent ce sont les arts ménagers. »

Il resta impassible. « Bien sûr, monsieur. Dorénavant, je n'accepterai plus que les gamins me harcèlent. » Ayant fait à nouveau un profond salut, il quitta la pièce. Je fixai la porte close.

« Il a contraint les garçons à sortir pour faire des exercices, dit Guy. Timothy, en tout cas, n'en avait pas envie.

— Cet homme est un menteur et une crapule. »

Il fit un sourire triste et haussa un sourcil. « Vous ne croyez pas que c'est lui qui a tué le roi écossais ?

— Ne soyez pas dupe ! Le moindre soldat qui a combattu à Flodden se targue d'avoir trucidé le roi Jacques. Je pense le mettre à la porte.

— Ce serait peut-être une bonne idée », déclara Guy à mon grand étonnement, car il était le plus doux des hommes.

Je poussai un soupir. « C'est sa fille que je plains. Coldiron la malmène comme il malmène les gamins. » Je me frottai le menton. « Au fait, je dois aller à Bedlam demain. Pour voir Ellen. »

Il me fixa droit dans les yeux, l'air profondément attristé. « Si vous allez la voir chaque fois qu'elle prétend être malade, il se peut qu'à la longue ça ne vous fasse du bien ni à l'un ni à l'autre. Quels que soient les maux dont elle souffre, elle n'a pas le droit de vous convoquer à tout bout de champ. »

✝

Je partis tôt le lendemain matin pour me rendre à Bedlam. La veille, j'avais fini par prendre une décision concernant Ellen. Je n'aimais pas ce que je m'apprêtais à faire mais je ne voyais aucune solution mieux adaptée à la situation. J'enfilai ma robe d'avocat et mes bottes, pris ma cravache et me dirigeai vers l'écurie. J'avais l'intention de traverser la ville à cheval en empruntant les larges rues pavées. Genesis se trouvait dans sa stalle, les naseaux plongés dans son seau de nourriture. Timothy, qui devait, entre autres, s'occuper de l'écurie, était en train de le caresser. Quand j'entrai, le cheval leva la tête et poussa un petit hennissement de bienvenue. Je lui tapotai la joue et passai la main sur ses moustaches aux poils raides et hérissés. Si lorsque je l'avais eu, il y avait cinq ans de cela, c'était un jeune hongre, c'était maintenant un animal mûr et paisible. « Timothy, tu as bien mélangé les herbes avec son fourrage comme je te l'ai demandé, n'est-ce pas ?

— Oui, monsieur. Et il aime ça. » Mon cœur se serra en voyant un sourire illuminer le visage brèche-dent

33

de Timothy. C'était un orphelin qui n'avait personne au monde à part ma maisonnée, et je savais que Joan lui manquait terriblement. Je hochai la tête et lui dis gentiment : « Timothy, si maître Coldiron veut à nouveau vous faire jouer aux soldats, toi et Simon, tu lui diras que je l'ai interdit. Tu comprends ? »

L'air soucieux, le gamin se dandina d'un pied sur l'autre. « Monsieur, il dit que c'est important qu'on apprenne.

— Eh bien, moi, je dis que vous êtes trop jeunes. Bon, maintenant, sois gentil, va chercher le montoir. » Je vais chasser ce type, pensai-je.

✝

Je descendis la côte de Holborn Hill et franchis à Newgate la porte du mur de la ville, tout à côté de la pierre sinistre, noircie par la fumée, de la prison. Devant l'entrée de l'ancien Christ's Hospital, deux hallebardiers montaient la garde. J'appris qu'on utilisait l'hôpital, comme les autres bâtiments monastiques, pour entreposer les armes et les bannières du roi. Je pensai à nouveau aux projets de mon ami Roger concernant la fondation par les écoles de droit d'un nouvel hôpital pour les indigents. Après sa mort, j'avais essayé de poursuivre son œuvre, mais le poids de l'impôt pour financer les guerres était si lourd que tout le monde se serrait la ceinture.

Comme je longeais les abattoirs, une nuée de plumes d'oie s'échappant de dessous le portail d'une cour effaroucha Genesis. Du sang coulait jusque dans la rue. Pour la guerre, les armureries du roi avaient besoin d'une énorme quantité de plumes et je devinai qu'ils tuaient des oies pour fournir les rémiges aux fabricants de flèches. Je repensai à la revue d'armes à laquelle j'avais assisté la veille. Mille cinq cents hommes avaient déjà été recrutés à Londres et envoyés dans le sud du pays, ce qui constituait un fort contingent par rapport aux soixante mille habitants de la ville. Et la même chose se passait dans tout le pays. Pourvu que le sous-officier à la mine rébarbative oublie Barak !

Je poursuivis ma route et m'engageai dans Cheapside, large avenue bordée de boutiques, de bâtiments officiels et de demeures appartenant à des commerçants prospères. Un prédicateur, qui portait une longue barbe, selon la mode désormais en faveur chez les protestants, se tenait sur les marches de l'édicule de Cheapside Cross et lançait d'une voix sonore : « Dieu doit favoriser nos armes, car les Français et les Écossais ne sont que les tonsurés du pape, les instruments du diable dans sa guerre contre la vraie foi biblique ! » C'était sans doute un prédicateur radical dépourvu de licence, l'un de ceux qui, deux ans plus tôt, auraient été arrêtés et jetés en prison, mais qu'on encourageait désormais pour leur ardent soutien aux préparatifs de guerre. Des patrouilles de sergents du guet, vêtus de leurs uniformes rouges et le bâton sur l'épaule, allaient et venaient pour surveiller les lieux. Les plus jeunes étant partis faire la guerre, seuls les sergents d'âge mûr restaient en ville. Leurs yeux chassieux parcouraient sans cesse la foule, comme s'ils étaient capables de repérer un espion français ou écossais s'apprêtant à... empoisonner les aliments ? Il n'y en avait guère en abondance sur les étals, car, comme l'avait dit Barak, une grande partie était réquisitionnée pour l'armée et, en outre, la moisson de l'année précédente avait été médiocre. Un étal, cependant, était rempli de ce qui avait, étonnamment, l'air d'un monceau d'excréments de mouton, jusqu'au moment où, en m'approchant, je découvris qu'il s'agissait de pruneaux. Depuis que le roi avait légalisé la piraterie contre les Français et les Écossais, toutes sortes de marchandises saisies dans les bateaux capturés étaient apparues sur les étals. Je me rappelai les célébrations du printemps quand le pirate Robert Renegar avait ramené le long de la Tamise un navire espagnol plein d'or en provenance des Indes. Malgré la colère des Espagnols il avait été fêté à la Cour en héros.

Dans tout le marché on entendait de nombreuses discussions dont le ton acrimonieux différait de celui des habituels marchandages. Devant un étal de légumes une grosse femme rougeaude brandissait un teston sous le nez du marchand, les ailes blanches de sa coiffe s'agitant furieusement.

« C'est un shilling ! hurlait-elle. Il y a la tête de Sa Majesté le roi dessus ! »

L'air las, le marchand plaqua ses mains sur l'éventaire et se pencha en avant. « Il contient presque une moitié de cuivre ! Ça vaut huit pence de l'ancienne monnaie. Et encore ! C'est pas ma faute ! C'est pas moi qui ai fabriqué cette maudite pièce.

— Mon mari a été payé avec ! Et vous demandez un penny pour un sac de ces misérables trognons ! s'écria-t-elle en saisissant un petit chou qu'elle agita sous le nez du commerçant.

— Les récoltes ont été abîmées par les tempêtes ! Vous le savez pas ? Ça sert à rien de vous en prendre à moi ! » Le marchand hurlait désormais, à la grande joie de quelques gamins en loques qui s'étaient assemblés autour de l'étal, tandis qu'un chien efflanqué aboyait contre tout le groupe. La femme rejeta le chou sur l'éventaire. « Je trouverai mieux ailleurs !

— Sûrement pas pour l'un de ces picaillons !

— C'est toujours les petits qui trinquent. Y a que le travail des pauvres qui est bon marché ! » fit-elle en s'éloignant, les yeux mouillés de larmes. Le chien la suivit, sautant et aboyant autour de ses jupes haillonneuses. Comme elle se trouvait juste devant moi, elle se retourna et lui lança un coup de pied. Effrayé, Genesis recula. « Attention, la mère ! m'écriai-je.

— Fichu gratte-papier ! cria-t-elle. Sangsue bossue paradant dans sa robe d'avocat ! Je parie que vous n'avez pas une famille à moitié morte de faim ! Le roi et vous on devrait tous vous pendre ! » Se rendant compte de ce qu'elle avait dit, elle lança des regards apeurés alentour, mais il n'y avait aucun soldat dans les parages. Elle s'éloigna, son sac vide claquant contre sa jupe.

« Tout doux ! Brave cheval », dis-je à Genesis. Je soupirai. Après toutes ces années, les insultes à propos de mon physique me faisaient toujours l'effet d'un coup de poignard dans le ventre, mais j'éprouvais également une certaine honte. Même si, comme les autres gentlemen, je vitupérais les impôts, nous avions toujours assez d'argent pour mettre de la nourriture sur notre table. Comment se fait-il, me demandai-je, que nous acceptions tous que le roi nous saigne à blanc ? La réponse était, bien sûr, que l'invasion nous faisait encore plus peur.

Je longeai le marché aux volailles. Au coin de Three Needle Street – la rue des Trois-Aiguilles –, une demi-douzaine d'apprentis dans leurs sarraus bleu clair, les mains accrochées à la ceinture, lançaient en tous sens des regards menaçants. Un sergent du guet qui passait devant eux fit semblant de ne pas les voir. Jadis fléau pour les autorités, les apprentis étaient désormais considérés comme un contingent supplémentaire d'utiles détecteurs d'espions. C'était une semblable bande de garnements qui avait mis à sac la boutique de Guy. Comme je repassais le mur de la ville à Bishopsgate, je me demandai amèrement si je chevauchais vers une maison de fous ou si j'en revenais.

✝

J'avais rencontré Ellen Fettiplace pour la première fois deux ans plus tôt. Je venais voir un client, un garçon enfermé à Bedlam pour manie religieuse. Ellen m'avait d'abord semblé plus saine d'esprit que tous les autres pensionnaires. On l'avait chargée de s'occuper de certains des patients les moins atteints, envers lesquels elle se montrait douce et attentionnée, et ses soins avaient contribué à la guérison de mon client. La nature de sa maladie m'avait étonné : elle était absolument terrifiée à l'idée de sortir du bâtiment. J'avais moi-même été témoin de ses hurlements et de la panique qui s'emparait d'elle si on l'obligeait à en passer le seuil. Je la plaignis encore plus quand j'appris qu'elle avait été internée à Bedlam après avoir été attaquée et violée près de chez elle dans le Sussex. Elle avait alors seize ans. Elle en avait trente-cinq à présent.

Quand mon client fut libéré, elle me demanda si je voulais bien venir lui rendre visite, lui apporter des nouvelles du monde extérieur, car elle ne connaissait quasiment personne. Sachant que nul autre ne venait la voir, j'acceptai à condition qu'elle me laisse tenter de l'aider à s'aventurer à l'extérieur. J'avais depuis utilisé une série de stratagèmes, je l'avais priée de franchir le seuil et de faire un seul pas dehors, en laissant la porte ouverte, j'avais suggéré que moi et Barak la soutenions de chaque côté, qu'elle avance les yeux fermés, mais, faisant montre d'une ruse et d'une opiniâtreté supérieures aux miennes, elle n'avait cessé d'atermoyer et de remettre l'expérience à plus tard.

Peu à peu, elle avait utilisé cette ruse, sa seule arme dans un monde hostile, de plusieurs autres façons. Je lui avais d'abord promis de lui rendre visite « de temps en temps », mais, avec l'habileté d'un avocat, elle avait exploité la formule. Elle m'avait d'abord demandé de venir une fois par mois, puis toutes les trois semaines, sous prétexte qu'elle avait soif de nouvelles, et finalement tous les quinze jours. Si je manquais une seule fois, je recevais un message m'indiquant qu'elle était tombée malade. Je me précipitais alors à Bedlam et la trouvais assise près de l'âtre, d'excellente humeur – s'étant brusquement remise –, en train de réconforter un patient agité. Et, durant les derniers mois, j'avais fini par deviner qu'un nouvel élément, que j'aurais dû apercevoir plus tôt, compliquait la situation : Ellen était amoureuse de moi.

Les gens imaginaient Bedlam comme une sinistre forteresse où, derrière les barreaux, tous les fous gémissaient et faisaient claquer leurs chaînes. Certains, en effet, étaient entravés et un grand nombre d'entre eux geignaient, mais la façade grège du long bâtiment de faible hauteur était d'aspect tout à fait agréable. On traversait une vaste cour où, ce jour-là, on ne voyait qu'un homme grand et mince portant un pourpoint gris taché, qui, le regard fixé sur le sol, tournait en rond en bougeant rapidement les lèvres, mais sans émettre le moindre son. Ce devait être un nouveau patient, sans doute un homme aisé qui avait perdu l'esprit et dont la famille avait les moyens de se débarrasser en payant sa pension à l'asile.

Je frappai à la porte du bâtiment. Hob Gebons, l'un des gardiens, un gros trousseau de clefs suspendu à la taille, vint ouvrir. Trapu, courtaud, âgé d'une cinquantaine d'années, Gebons n'était qu'un geôlier. Il ne s'intéressait nullement à ses patients, envers lesquels il pouvait se montrer inconsciemment méchant, mais il éprouvait pour moi un certain respect, car je tenais tête à Edwin Shawms, le chef gardien, dont la méchanceté n'avait rien d'involontaire, elle. Et Gebons pouvait être acheté. Quand il m'aperçut, il me décocha un sourire ironique, révélant des dents grises.

« Comment va-t-elle ? m'enquis-je.

— Elle est fraîche comme un gardon, monsieur, depuis que vous avez annoncé votre arrivée. Jusque-là, elle croyait avoir contracté la peste. Shawms était furieux de la voir transpirer – à grosses gouttes, croyez-moi –, car il craignait qu'on ne soit mis en quarantaine. Puis votre message est arrivé, et, une heure plus tard, elle allait mieux… Je dirais que c'est un miracle si l'Église reconnaissait toujours les miracles. »

J'entrai dans le bâtiment. Même par cette chaude journée d'été, l'atmosphère y était humide. À gauche, la porte du parloir était entrouverte. Assis autour d'une vieille table tout éraflée, des patients jouaient aux dés.

Sur un tabouret dans un coin, une vieille femme pleurait sans bruit, serrant fortement dans la main une poupée de bois. Les autres patients ne lui prêtaient aucune attention, car on s'habituait vite à ce genre de chose en ce lieu. À droite se trouvait le long couloir de pierre où s'ouvraient les chambres des patients. L'un d'eux frappait à une porte de l'intérieur.

« Laissez-moi sortir ! » criait une voix d'homme.

« Le chef gardien Shawms est-il là ? demandai-je à Hob à voix basse.

— Non. Il est allé voir le directeur Metwys.

— J'aimerais vous dire deux mots. Après avoir vu Ellen. Je ne peux pas rester plus d'une demi-heure, car j'ai un autre rendez-vous important. » Je mis la main à ma ceinture et secouai ma bourse en hochant la tête d'un air entendu. À chacune de mes visites, je lui glissais de petites sommes pour m'assurer qu'Ellen reçoive au moins de la nourriture et du linge de lit corrects.

« D'accord. Je serai dans le cabinet de travail. Vous la trouverez dans sa chambre. »

Nul besoin de lui demander si la porte de la chambre était fermée à clef, puisque, en tout cas, Ellen ne risquait pas de s'enfuir.

Je longeai le couloir et frappai à sa porte. À strictement parler, il était inconvenant que je rende visite à une femme seule sans être accompagné, mais, à Bedlam, les règles de bienséance avaient été assouplies. Elle me fit entrer. Assise sur son lit de paille, ses gracieuses mains nouées dans son giron, elle portait une impeccable robe bleue décolletée. Son visage étroit, aux traits aquilins, était serein, mais ses yeux bleu sombre étaient grands ouverts et emplis d'émotion.

Elle avait lavé ses longs cheveux bruns dont les bouts commençaient à être fourchus et à frisotter. Ce n'est pas le genre de détail que l'on remarque quand on est attiré par une femme. Et c'était bien là le problème.

Elle sourit, révélant de belles dents blanches. « Matthew ! Vous avez eu mon message... J'ai été si malade.

— Vous allez mieux maintenant ? Gebons m'a dit que vous aviez eu une mauvaise fièvre.

— Oui. Je craignais d'avoir la peste... J'étais terrifiée », ajouta-t-elle en souriant nerveusement.

Je m'assis sur un tabouret, à l'autre bout de la pièce.

« J'ai envie de connaître les nouvelles du monde, déclara-t-elle. Voilà plus de deux semaines qu'on ne s'est pas vus.

— Pas tout à fait deux semaines, Ellen, répliquai-je d'une voix douce.

— Et la guerre ? On refuse de nous en parler, de crainte que cela ne nous trouble. Mais le vieux Ben Tudball a la permission de sortir et il a vu défiler une immense troupe de soldats...

— Il paraît que les Français envoient une flotte pour nous envahir et que le duc de Somerset a conduit une armée jusqu'à la frontière écossaise. Mais il ne s'agit que de rumeurs. Personne n'en sait rien. Barak croit qu'elles sont lancées par les hommes du roi.

— Ça ne signifie pas qu'elles soient fausses.

— En effet. » Elle a l'esprit vif et pénétrant, s'intéresse vraiment à ce qui se passe dans le monde, et, malgré tout, elle est coincée ici, pensai-je, en regardant les barreaux de sa fenêtre qui donnait sur la cour. « En longeant le couloir, j'ai entendu quelqu'un qui cognait contre sa porte pour qu'on le laisse sortir.

— C'est un nouveau patient, expliqua-t-elle. Un malheureux qui se croit toujours sain d'esprit. »

Cela sentait le moisi dans la chambre. Je regardai les joncs jetés sur le sol. « Il faudrait les changer, dis-je. C'est à Hob de s'en occuper. »

Elle baissa le regard et se gratta vivement le poignet. « C'est vrai. Vous avez sans doute raison. Je vais demander qu'on les change. » Elle a des puces, me dis-je. Je vais en attraper, moi aussi.

« Pourquoi n'allons-nous pas nous tenir sur le seuil, suggérai-je avec douceur. Pour regarder la cour d'entrée. Le soleil brille. » Elle secoua la tête, entourant son corps de ses bras comme pour se protéger d'un danger. « Ça m'est impossible.

— Vous en étiez capable au début de notre rencontre, Ellen. Vous rappelez-vous le jour du mariage du roi et de la reine ? Nous nous sommes tenus sur le seuil pour écouter les cloches de l'église. »

Elle sourit tristement. « Si j'accepte, vous insisterez pour que je sorte, Matthew. Vous croyez que je l'ignore ? Vous savez à quel point ça me fait peur !... Quand vous me rendez visite, ajouta-t-elle d'un ton amer, c'est pour me harceler et me manipuler en douceur. Ce n'est pas ce dont nous étions convenus.

— Je viens vous rendre visite, Ellen. Même lorsque, comme en ce moment, je suis très occupé et que j'ai des soucis personnels. »

L'expression de son visage s'adoucit. « Vraiment, Matthew ? Qu'est-ce qui ne va pas ?

— Rien. Rien de grave. Ellen, avez-vous l'intention de demeurer ici le restant de vos jours ?... Que se passerait-il, repris-je après une brève hésitation, si la personne qui règle votre pension cessait de la payer ? »

Elle se raidit. « Je ne peux pas parler de ça. Vous le savez bien. Cela me bouleverse et me rend malade.

— Pensez-vous que Shawms vous garderait par charité ? »

Elle tressaillit, puis, me regardant bien en face, répliqua : « Vous savez que je l'aide à s'occuper des malades et que je suis efficace. Il me garderait. Je ne demande rien d'autre à la vie, à part… » Elle détourna la tête et je vis des larmes sourdre dans ses yeux.

« D'accord, dis-je. D'accord. » Je me levai et lui adressai un sourire contraint auquel elle répondit par un sourire radieux. « Comment va l'épouse de Barak ? s'enquit-elle. Quand doit naître son bébé ? »

✝

Je la quittai une demi-heure plus tard en lui promettant de revenir dans deux semaines, « tout au plus ». Elle avait à nouveau légèrement modifié notre accord en sa faveur.

Assis sur un tabouret, les mains nouées sur son pourpoint taché, Hob Gebons m'attendait dans le petit bureau en désordre de Shawms. « Votre visite s'est-elle bien passée, monsieur ? » demanda-t-il.

Je refermai la porte. « Ellen était comme d'habitude… Depuis combien de temps se trouve-t-elle ici ? Dix-neuf ans ? Selon le règlement, les patients ne peuvent demeurer à Bedlam qu'une année… Ils sont censés être guéris entre-temps.

— Ils peuvent rester s'ils paient la pension. Sauf s'ils sont vraiment insupportables. Et ce n'est pas le cas d'Ellen Fettiplace. »

J'hésitai quelques instants. Mais j'avais pris ma décision. Je devais savoir qui était sa famille. J'ouvris ma bourse et brandis un demi-ange en or. C'était un gros pot-de-vin. « Hob, qui paie la pension d'Ellen ? »

Le gardien secoua vigoureusement la tête. « Vous savez que je ne peux pas vous le dire.

— Depuis tout le temps que je viens ici, tout ce que j'ai appris c'est qu'elle a été agressée et violée durant son adolescence dans le Sussex. J'ai également découvert l'endroit où elle vivait alors : Rolfswood. »

Gebons plissa les yeux et me fixa. « Comment l'avez-vous appris ? fit-il d'un ton égal.

— Un jour, comme je lui parlais de la ferme de mon père près de Lichfield, j'ai évoqué les grandes inondations de l'hiver 1524 et elle m'a dit : "J'étais toute jeune à l'époque. Je me rappelle qu'à Rolfswood…" Puis elle s'est tue et a refusé d'en dire plus. J'ai alors interrogé plusieurs personnes et ai ainsi appris que Rolfswood est une bourgade du Sussex dans la région des mines de fer, à la limite du Hampshire. Ellen ne veut rien dire sur sa famille ou sur ce qui lui est arrivé… A-t-elle été violée par l'un des siens ? demandai-je en fixant Gebons. Est-ce la raison pour laquelle aucun membre de sa famille ne vient jamais la voir ? »

Hob jeta un coup d'œil à la pièce que je tenais toujours entre les doigts, puis me regarda en face. « Je ne peux pas vous aider, monsieur, répondit-il lentement d'un ton ferme. Maître Shawms refuse absolument qu'on pose des questions sur le passé d'Ellen.

— Il doit conserver des archives. Peut-être là, dis-je en désignant le bureau du menton.

« C'est fermé à clef, et ne comptez pas sur moi pour forcer la serrure. »

Il fallait que je tranche le nœud. « Quel est le prix à payer, Hob ? Combien voulez-vous ?

— Pouvez-vous payer la somme dont j'aurais besoin pour vivre le reste de ma vie ? fit-il d'un ton soudain furieux et en devenant tout rouge. Parce que si je perçais le secret et si je vous en faisais part, on remonterait jusqu'à moi. Shawms le garde jalousement, ce qui signifie qu'il obéit à un ordre venu d'en haut. Du directeur Metwys. Et je serais chassé. Je n'ai pas l'intention de perdre le toit qui me protège et le travail qui me permet de manger et de jouir d'un brin d'autorité dans un monde qui n'est pas tendre avec les pauvres, expliqua-t-il en soulignant ses propos par une claque sur sa ceinture qui fit tinter le trousseau de clefs. Tout ça parce que vous n'avez pas le courage de dire à Ellen qu'elle est idiote de s'imaginer que vous coucherez un jour avec elle dans sa chambre. Ignorez-vous qu'ici tout le monde sait qu'elle est toquée de vous ? s'écria-t-il, agacé. Ignorez-vous que ça fait rigoler tout Bedlam ? »

Je me sentis rougir. « Ce n'est pas ce qu'elle désire. Comment serait-ce possible après ce qui lui est arrivé ? »

Il haussa les épaules. « Il paraît que ça rend certaines femmes encore plus ardentes. Quel but poursuit-elle, à votre avis ?

— Aucune idée. Un rêve d'amour courtois, peut-être.

— Voilà une façon élégante de s'exprimer, s'esclaffa-t-il. Dites-lui que vous n'êtes pas intéressé.

Facilitez-vous la vie et facilitez aussi celle de tout le monde.

— Je ne peux pas agir ainsi. Ce serait cruel. Hob, il faut que je trouve une façon de sortir de cette impasse. Il faut que je sache qui est sa famille.

— Je suis sûr que les avocats connaissent plusieurs façons de découvrir les choses. » Il plissa les paupières. « Elle est vraiment folle, vous savez. Il ne s'agit pas seulement de son refus de sortir de ces murs... Il y a toutes ces maladies feintes. On l'entend pleurer et, la nuit, marmonner dans sa chambre. Vous devriez vous éloigner et ne jamais revenir, si vous voulez mon avis. Envoyez votre valet lui apporter un message annonçant que vous êtes marié, mort ou parti combattre les Français. »

Je comprenais qu'à sa manière Gebons tentait de me donner les meilleurs conseils possibles. Dans mon intérêt, mais pas dans celui d'Ellen, cependant. Il se fichait d'elle comme d'une guigne.

« Qu'adviendrait-il d'elle si je suivais votre avis ? »

Il haussa les épaules. « Son état empirerait. Mais cela reviendra au même si vous vous taisez. Votre méthode fait seulement durer les choses... Peut-être avez-vous peur de lui parler franchement, ajouta-t-il en me jetant un regard perçant.

— Tenez-vous à votre place, Gebons », rétorquai-je.

Il haussa à nouveau les épaules. « Eh bien, tout ce que je peux vous dire c'est qu'une fois qu'ils ont une idée dans la tête, c'est difficile de la leur arracher. Croyez-moi, monsieur, je les connais bien... Ça fait dix ans que je travaille ici.

— Je reviendrai dans quinze jours », conclus-je.

Il poussa un soupir. « Très bien. Espérons qu'elle pourra patienter jusque-là. »

Je quittai le bureau et passai par le portail principal, que je refermai soigneusement derrière moi. J'étais soulagé de quitter l'atmosphère fétide de ce lieu. Je vais découvrir la vérité sur le passé d'Ellen, me dis-je. D'une manière ou d'une autre.

3

Je remontai à cheval et rentrai chez moi. Ayant rapidement enfilé mes plus beaux vêtements, je gagnai l'embarcadère du Temple afin de prendre un bachot qui me ferait remonter la Tamise jusqu'à Hampton Court, situé à dix milles de là. Bien que la marée nous fût favorable, le batelier s'échinait dans la chaleur étouffante de la matinée. Au-delà de Westminster, nous croisâmes de nombreux chalands qui descendaient le fleuve, chargés de fournitures – ballots de vêtements, grains pour les magasins du roi et, sur l'un d'entre eux, des centaines d'arcs. Suant et soufflant, mon rameur n'étant pas enclin à parler, je contemplais les champs. Si d'habitude, à cette époque-là, les épis de blé étaient dorés, après le mauvais temps des dernières semaines, ils étaient encore verts.

Ma visite à l'asile pesait toujours sur mon esprit. En particulier à cause de ce que m'avait dit Hob à propos de la capacité des avocats à percer les secrets. Je détestais l'idée d'agir derrière le dos d'Ellen. Mais cette situation ne pouvait durer.

✠

Les tours en brique de Hampton Court apparurent enfin, les cheminées surmontées de statues de lions et d'animaux mythiques dorées étincelaient dans le soleil. Je débarquai sur la jetée où des hallebardiers montaient la garde. Comme je regardais les vastes pelouses qui s'étendaient devant le palais de Wolsey, l'appréhension faisait cogner mon cœur dans ma poitrine. Je montrai ma lettre à l'un des gardes. Il fit une profonde révérence, appela un autre garde et lui dit de m'accompagner à l'intérieur du bâtiment.

Je revis ma première et dernière visite au palais où je devais rencontrer l'archevêque Cranmer, après avoir été injustement emprisonné à la Tour. Ce souvenir était la cause de mon angoisse. J'avais entendu dire que Cranmer se trouvait en ce moment à Douvres où, portant une armure et monté sur un cheval blanc, il aurait passé les soldats en revue. Cela paraissait stupéfiant, mais pas plus, en fait, que tout ce qui se passait durant cette période. Le garde m'apprit que le roi était à Whitehall. Je ne risquais donc pas de le croiser. Je lui avais déplu une fois et le roi Henri était rancunier. Comme nous atteignions un large portail de chêne, je priai Dieu – en qui je ne croyais plus guère – que la reine tienne sa promesse et que, quels que soient ses désirs, il ne s'agisse pas d'une affaire politique.

On me fit gravir un escalier en vrille, puis passer par les antichambres des appartements de la reine. J'ôtai mon bonnet au moment où j'entrai dans une salle dans laquelle s'activaient en tous sens des dignitaires et des serviteurs arborant tous à leurs coiffures l'insigne royal de Sainte-Catherine. Nous traversâmes une enfilade de pièces, qui, au fur et à mesure que nous approchions de la salle d'audience de la reine, devenaient de plus en plus silencieuses. Il me semblait que la décoration avait été refaite, qu'on avait récemment repeint avec des couleurs vives les murs et les plafonds ornés de moulures tarabiscotées et tendus de tapisseries aux teintes si éclatantes qu'elles blessaient presque les yeux. Des herbes et des rameaux étaient posés sur les nattes de jonc d'où s'exhalait un mélange de senteurs célestes : amande, rose, lavande. Dans la deuxième pièce, des perroquets voletaient en sifflant dans de vastes cages. Dans une autre cage, un singe au visage de vieillard ridé grimpait aux barreaux mais s'arrêta pour me fixer de ses énormes yeux. Nous fîmes enfin halte devant une porte gardée, au-dessus de laquelle, sur une banderole, se détachait en lettres d'or la devise de la reine : *Faire œuvre utile*. Le garde l'ouvrit et je pénétrai enfin dans la salle d'audience de Sa Majesté.

C'était l'antichambre de l'appartement privé, qui se trouvait derrière une autre porte gardée par un hallebardier. Après deux ans de mariage, la reine Catherine jouissait encore de la grande faveur du roi. L'année précédente, lorsqu'il s'était absenté du royaume pour conduire ses armées en France, elle avait été nommée régente. Toutefois, me rappelant le sort de ses autres épouses, je ne pus m'empêcher de penser que les gardes de la reine pouvaient, sur un ordre du roi, devenir ses geôliers.

Les murs de la salle d'audience étaient revêtus du nouveau papier peint orné, sur fond vert, d'un entrelacs de feuilles, et le mobilier se composait de sièges à hauts dossiers et d'élégantes tables sur lesquelles étaient posés des vases emplis de fleurs. Il n'y avait que deux personnes présentes. La première était une femme aux cheveux gris portant une coiffe blanche et une robe bleu barbeau. Se levant à demi, elle me regarda d'un air inquiet. L'homme grand et svelte, vêtu d'une robe d'avocat, qui se tenait à ses côtés, lui posa délicatement la main sur l'épaule pour lui signifier qu'elle devait rester assise. Messire Robert Warner, l'avocat de la reine, dont le mince visage était encadré par une longue barbe qui grisonnait rapidement alors qu'il avait mon âge, s'avança vers moi et me prit la main.

« Confrère Shardlake. Merci d'être venu. » Comme si j'avais pu refuser… Mais j'étais content de le voir. Il s'était toujours montré amical envers moi.

« Comment allez-vous ? s'enquit-il.

— Assez bien. Et vous-même ?

— Je suis très occupé en ce moment.

— Et comment va la reine ? » Je remarquai que la femme à cheveux gris me fixait attentivement et qu'elle tremblait légèrement.

« Très bien. Je vais vous introduire sans plus tarder. Lady Élisabeth est avec elle. »

Dans la chambre de la reine somptueusement décorée, deux dames d'honneur richement vêtues, ainsi que quatre suivantes portant l'insigne de la souveraine sur leurs toques, étaient assises et cousaient près de la fenêtre qui donnait sur les jardins du palais ornés de parterres de fleurs, de statues d'animaux héraldiques et de bassins dans lesquels nageaient des poissons. Toutes les femmes se levèrent et firent un bref salut de la tête comme j'inclinais le buste à leur adresse.

Sous un dais cramoisi, au centre de la pièce, la reine Catherine Parr était assise dans un fauteuil recouvert de velours rouge. Agenouillée près d'elle, une fillette âgée de onze ans environ caressait un épagneul. Elle avait le teint pâle, de longs cheveux auburn et portait une robe de soie verte ainsi qu'un grand collier de perles. Je compris qu'il s'agissait de lady Élisabeth, la fille cadette du roi qu'il avait eue avec Anne Boleyn. Je savais que, l'année d'avant – poussé par la reine, disait-on –, le roi avait rendu leur place dans l'ordre de succession à Élisabeth et à sa demi-sœur Marie, la fille de Catherine d'Aragon. Or, gardant leur statut de bâtardes, elles n'avaient droit qu'à l'appellation de « lady », pas au titre de « princesse ». Et tandis que Marie, âgée à présent d'une vingtaine d'années, occupait une place prépondérante à la Cour et venait juste après le jeune prince Édouard dans l'ordre de succession au trône, méprisée et rejetée par son père, Élisabeth n'apparaissait que très rarement en public.

Warner et moi fîmes une profonde révérence. Il y eut un silence, puis la reine prit la parole : « Soyez les bienvenus, mes bons messieurs », dit-elle de sa voix claire et envoûtante.

Avant son mariage, Catherine Parr avait toujours été élégamment vêtue, et ce jour-là elle portait une magnifique robe feuille morte, brodée de fils d'or et d'argent. Une broche en or sertie de perles était épinglée sur sa poitrine. Son visage, plus attrayant que joli, était légèrement poudré et ses cheveux roux doré étaient noués sous une toque ronde. L'expression du visage était bienveillante mais circonspecte. La bouche était sévère, tout en donnant l'impression qu'au milieu de toute cette magnificence elle était prête à sourire ou à rire d'un moment à l'autre.

« Est-elle à côté ? demanda-t-elle à Warner.

— Oui, Votre Grâce.

— Allez la rejoindre. Je l'appellerai très bientôt. Est-elle toujours angoissée ?

— Très.

— Alors, réconfortez-la du mieux possible. » Warner s'inclina et quitta la pièce. Je sentais que, tout en caressant l'épagneul, la fillette m'étudiait de près. La reine sourit et lui dit :

« Eh bien, Élisabeth, je vous présente messire Shardlake. Posez votre question et ensuite allez prendre votre leçon de tir à l'arc. Maître Timothy doit vous attendre. » Elle se tourna vers moi, un sourire indulgent sur les lèvres. « Lady Élisabeth souhaiterait vous poser une question sur les avocats. »

Je me tournai avec hésitation vers la fillette. Elle n'était pas jolie, le nez et le menton étant trop longs. Les yeux bleus perçants me rappelaient ceux de son père, mais, contrairement aux yeux du roi, ils ne recelaient aucune cruauté, seulement une intense curiosité. Elle avait un regard hardi pour une enfant, mais ce n'était pas une enfant ordinaire.

« Monsieur, déclara-t-elle d'une voix grave et bien timbrée, je sais que vous êtes avocat et que ma chère mère vous considère comme un honnête homme.

— Je vous remercie. » Ainsi, elle appelait « mère » la reine.

« Et cependant j'ai entendu dire que les avocats étaient de mauvaises gens, des êtres dénués de morale qui acceptent d'assurer aussi bien la défense d'un méchant que d'un homme de bien. On dit que les maisons des avocats sont construites sur la tête des imbéciles et qu'ils se servent des lois comme de rets pour capturer les gens. Que répondez-vous à cela, monsieur ? »

L'air sérieux de la fillette indiquait qu'elle ne se moquait pas de moi et qu'elle souhaitait vraiment connaître ma réponse. Je pris une profonde inspiration. « Milady, on m'a enseigné qu'il est bon que les avocats défendent le dossier de tous leurs clients, sans distinction. Un avocat se doit d'être impartial, afin que les droits de tout homme, bon ou mauvais, soient loyalement défendus devant les tribunaux du roi.

— Mais un avocat doit avoir une conscience et savoir en son for intérieur si la cause qu'il défend est juste ou non, affirma-t-elle avec force. Si quelqu'un vient vous consulter et que vous voyiez qu'il a agi perfidement, par pure malignité contre la partie adverse, qu'il a simplement voulu prendre son adversaire dans les fils barbelés de la loi, n'êtes-vous pas prêt malgré tout à le représenter pour toucher les honoraires ?

— Messire Shardlake défend surtout les indigents, Élisabeth, dit la reine avec douceur. À la Cour des requêtes.

— Mais, mère, tout comme un homme riche, un pauvre peut très bien avoir un mauvais dossier, non ?

— Il est vrai que le système juridique est fort enchevêtré, fis-je. Peut-être est-il trop complexe pour le bien des hommes. Il est également vrai que certains avocats sont cupides et ne se soucient que de l'argent. Malgré tout, un avocat a le devoir de déterminer ce qui est juste et raisonnable dans le dossier d'un client, afin de le défendre correctement. Il peut ainsi agir en son âme et conscience, et ce sont les juges qui rendent la justice. Et la justice est une notion admirable. »

La fillette me décocha un charmant sourire. « Je vous remercie de votre réponse, monsieur, et je vais la méditer. Si je vous ai posé cette question c'est que je veux apprendre… Je pense cependant que la justice ne court pas les rues.

— Sur ce point, je suis d'accord avec vous, milady. »

La reine lui toucha le bras. « Bien. Il est temps que vous y alliez, car autrement maître Timothy va vous chercher partout. Et le sergent royal Shardlake et moi avons une affaire à traiter. Jane, pouvez-vous raccompagner lady Élisabeth ? »

Celle-ci hocha la tête et sourit à la reine. L'espace d'un instant, elle ressembla à une fillette ordinaire. J'exécutai une profonde révérence. L'une des dames d'honneur s'avança et escorta la fillette qui marchait lentement, à pas comptés. Le petit chien s'apprêta à la suivre mais la reine le rappela. La dame d'honneur frappa contre la porte qui s'ouvrit et elles sortirent de la pièce.

La reine se tourna vers moi et me tendit une main fine ornée de bagues pour que j'y pose un baiser. « Vous avez bien répondu, fit-elle. Mais peut-être avez-vous accordé trop de latitude à vos confrères avocats.

— Certes. Je suis plus cynique que ça. Mais lady Élisabeth n'est qu'une enfant, même s'il s'agit d'une enfant véritablement remarquable. Elle discute mieux que bien des adultes. »

La reine éclata de rire, révélant soudain des dents bien alignées et d'une éclatante blancheur. « Quand elle est en colère, elle jure comme un troupier et je crois que maître Timothy l'encourage en ce sens. Mais, oui, elle est véritablement remarquable. Maître Grindal, le gouverneur du prince Édouard, dirige aussi ses études et affirme qu'il n'a jamais connu d'enfant aussi intelligent qu'elle. Et elle est aussi douée pour les exercices sportifs que pour les choses de l'esprit. Elle suit déjà les chasses et est en train de lire le nouveau traité de maître Ascham sur le tir à l'arc. Pourtant, il lui arrive d'être extrêmement triste et sur ses gardes. Voire effrayée. » Elle regarda la porte fermée d'un air pensif et je vis, l'espace d'un instant, la Catherine Parr dont je me souvenais : angoissée, apeurée, cherchant désespérément à agir à bon escient.

« Le monde est un endroit incertain et dangereux, Votre Grâce. On n'est jamais trop prudent.

— En effet... Et vous craignez, je le vois bien, poursuivit-elle avec un sourire entendu, que je ne vous place à nouveau au milieu de ses pires dangers. Mais je ne romprai jamais ma promesse, mon bon Matthew. L'affaire que je souhaite vous confier n'a rien à voir avec la politique. »

J'inclinai la tête. « Vous devinez mes pensées. Je ne sais que dire.

— Alors ne dites rien. Dites-moi seulement comment vous allez.

— Assez bien.

— Trouvez-vous le temps de peindre en ce moment ? »

Je secouai la tête. « J'ai un peu peint l'année dernière, mais en ce moment... Je suis très sollicité, repris-je après une brève hésitation.

— Je vous vois soucieux. » Les yeux noisette de la reine étaient aussi perçants que ceux d'Élisabeth.

« Il ne s'agit que des rides qui viennent avec l'âge. Sauf sur votre visage, Votre Grâce.

— Si vous avez jamais des ennuis je vous aiderai, dans la mesure de mes moyens.

— Ce n'est qu'une petite affaire personnelle.

— Une affaire de cœur peut-être ? » Je jetai un coup d'œil aux dames qui se trouvaient près de la fenêtre, conscient que, pendant tout ce temps, la reine avait parlé assez fort pour qu'elles puissent entendre. Personne ne devait pouvoir raconter que Catherine Parr avait eu une conversation privée avec un homme que le roi n'aimait pas.

« Non, Votre Grâce. Il ne s'agit pas de ça. »

Elle hocha la tête, fronça quelques instants les sourcils d'un air pensif, puis demanda : « Matthew, avez-vous déjà travaillé pour la Cour des tutelles ? »

Je la regardai d'un air surpris. « Non, Votre Grâce. » La Cour des tutelles avait été instituée par le roi, quelques années auparavant, afin de prendre sous son contrôle les orphelins fortunés de tout le pays. Aucune cour n'était plus corrompue, aucune ne rendait moins équitablement la justice. C'était également là que devaient être conservés les documents attestant la démence d'Ellen, car le roi était aussi le tuteur légal des fous.

« Peu importe. Pour le dossier dont je souhaiterais vous charger il faut avant tout un homme honnête, et vous savez quelle sorte d'avocat se spécialise dans les affaires qui dépendent de la Cour des tutelles. » Elle se pencha en avant. « Accepteriez-vous de traiter un dossier qui en dépend ? Pour moi ? J'aimerais vous le confier plutôt qu'à messire Warner, parce que vous avez davantage l'habitude de représenter des gens ordinaires.

« Avant que je ne fasse entrer la personne concernée, il faut en outre que je vous précise un point. Messire Warner me dit que pour traiter les affaires dépendant de cette cour les avocats sont souvent contraints de se rendre auprès des jeunes pupilles afin de recueillir des témoignages.

— Des dépositions. C'est vrai pour toutes les cours, Votre Grâce.

— L'adolescent dont il s'agit vit dans le Hampshire, près de Portsmouth. »

Pour gagner cet endroit en venant de Londres, il fallait passer par le West Sussex, le comté dont Ellen était originaire.

La reine hésita, choisissant ses mots avec soin. « La région de Portsmouth n'est peut-être pas la région la plus sûre où voyager dans les prochaines semaines.

— À cause des Français ? Mais on dit qu'ils peuvent débarquer n'importe où.

— Nous avons des espions en France, et il semblerait qu'ils se dirigent vers Portsmouth. Ce n'est pas certain, mais c'est probable. Je ne veux pas que vous acceptiez cette mission sans que vous soyez informé de ces rumeurs, puisque messire Warner me dit qu'il sera nécessaire de recueillir des dépositions. »

À l'expression de son visage, je devinais qu'elle tenait à ce que je m'occupe de ce dossier. Et si cela me permettait de passer par Rolfswood…

« J'accepte, dis-je.

— Merci. » Elle me fit un sourire de gratitude puis se tourna vers ses dames d'honneur. « Jane, je vous prie, allez chercher mame Calfhill. »

« Eh bien voilà, me dit-elle à voix basse, Bess Calfhill, la personne que vous êtes sur le point de rencontrer, est une ancienne mienne servante, du temps où j'étais lady Latimer. Avant de nous rejoindre à Londres, elle était gouvernante dans l'une des propriétés que nous possédions dans le Nord. C'est une brave et honnête femme qui a eu récemment un immense chagrin. Traitez-la avec délicatesse. Si quelqu'un mérite qu'on lui rende justice, c'est bien elle. »

La suivante revint, accompagnée de la femme que j'avais vue dans la salle d'audience. Petite, frêle, elle marchait nerveusement, les mains fortement nouées.

« Approchez, ma bonne Bess, dit la reine avec chaleur. Je vous présente le sergent royal Shardlake. Jane, apportez-lui une chaise. Et une autre pour messire Shardlake. »

Mame Calfhill s'assit sur une chaise capitonnée et je m'installai face à elle. Elle planta sur moi son intense regard, les yeux gris-bleu brillant dans le visage ridé et triste. L'espace d'un instant, elle fronça les sourcils, peut-être en remarquant que j'étais bossu. Puis elle tourna la tête vers la reine et ses traits se détendirent en apercevant le chien.

« Il s'appelle Rig, dit la reine. N'est-il pas mignon ? Allez, caressez-le ! »

Bess hésita, se pencha en avant et toucha l'animal dont la petite queue s'agita. « Bess a toujours aimé les chiens », me dit la reine. Je compris alors qu'elle avait gardé le petit Rig pour aider son ancienne servante à se détendre. « Bess, poursuivit-elle, racontez tout à messire Shardlake. N'ayez aucune crainte. Il sera pour vous un véritable ami dans cette affaire.

Parlez-lui comme vous l'avez fait avec moi. » Bess se redressa en me lançant un regard inquiet.

« Je suis veuve, monsieur, commença-t-elle d'une voix douce. J'avais un fils, Michael, un bon garçon, très doux. » Ses yeux se mouillèrent de larmes qu'elle refoula bravement en clignant les paupières. « Il était intelligent et, grâce à la bonté de lady Latimer..., veuillez m'excuser, de la reine..., il a étudié à Cambridge, expliqua-t-elle avec fierté. Puis il est revenu à Londres, pour entrer comme précepteur dans une famille de marchands, les Curteys. Dans une bonne maison près de Moorgate.

— Vous avez dû être fière de lui, dis-je.

— En effet, monsieur.

— À quelle époque cela se passait-il ?

— Il y a sept ans. Michael était très heureux dans cette place. M. Curteys et sa femme, des drapiers, étaient de braves gens. En plus de leur maison londonienne, ils étaient propriétaires des bois appartenant à un petit couvent, à la campagne, dans le Hampshire, au nord de Portsmouth. C'était la période où tous les monastères ont été détruits.

— Je m'en souviens très bien.

— Michael affirmait que les sœurs avaient vécu dans le luxe grâce aux bénéfices tirés de la vente du bois. » Elle secoua la tête et fronça les sourcils. « Ces moines et ces sœurs étaient de mauvaises gens, comme la reine le sait bien. » Il était clair que Bess Calfhill était une réformatrice.

« Parlez des enfants à messire Shardlake, souffla la reine.

— Les Curteys avaient deux enfants, Hugh et Emma. Il me semble qu'Emma avait douze ans à l'époque et Hugh un an de moins… Ils étaient si mignons, reprit-elle en souriant tendrement. Grands, les cheveux châtain clair, calmes et doux tous les deux. Leur père était un bon réformateur, un homme aux idées neuves. Il faisait apprendre le latin et le grec aussi bien à Emma qu'à Hugh, ainsi que des exercices de plein air. Étant adepte du tir à l'arc, mon fils l'a enseigné aux enfants.

— Votre fils aimait beaucoup ces enfants ?

— Comme s'ils avaient été les siens. Vous savez comment, chez les riches, des enfants gâtés peuvent rendre infernale la vie des précepteurs. Au contraire, Hugh et Emma aimaient apprendre. En fait, Michael les trouvait trop sérieux, mais leurs parents encourageaient cette attitude, car il voulait qu'ils deviennent pieux. Michael considérait que M. Curteys et sa femme couvaient trop leurs enfants. Mais ils les aimaient tendrement. Et puis… Et puis… » Elle se tut brusquement, baissa les yeux et fixa son giron.

« Que s'est-il passé ? » demandai-je avec douceur.

Quand elle releva la tête, le chagrin avait fait perdre leur éclat à ses yeux. « Il y a eu une épidémie de peste à Londres durant le deuxième été que Michael passait chez eux. La famille a alors décidé de se rendre sur ses terres dans le Hampshire. Elle devait y aller en compagnie d'amis… Les Hobbey, cracha-t-elle presque, après une courte pause.

— Qui étaient-ce ?

— Nicholas Hobbey était drapier lui aussi. Il faisait transformer le couvent en maison d'habitation et les Curteys allaient séjourner chez eux. Michael devait les accompagner dans le Hampshire. Ils faisaient leur bagage lorsque M. Curteys a senti des bubons sous son bras. On venait à peine de le mettre au lit quand son épouse est tombée malade. Le lendemain, ils étaient morts tous les deux. Ainsi que leur intendant, un brave homme. » Elle poussa un profond soupir. « Vous savez comment l'épidémie se déclenche.

— Oui. » Pas seulement l'épidémie de peste, mais de toutes les maladies nées des miasmes de Londres. Je pensai à Joan.

« Michael et les enfants échappèrent au fléau. Hugh et Emma étaient effondrés. Ils pleuraient et s'accrochaient l'un à l'autre pour se consoler. Michael ne savait pas ce qui allait advenir d'eux, car ils n'avaient pas de parents proches. » Elle serra les mâchoires. « Puis arriva Nicholas Hobbey. Sans cette famille, mon fils serait toujours en vie, ajouta-t-elle en plantant sur moi un regard plein de rage.

— Avez-vous rencontré M. Hobbey ?

— Non. Je sais seulement ce que Michael m'en a dit. Il paraît que M. Curteys avait pensé acheter le couvent et toute la terre attenante pour faire un investissement, mais il a estimé qu'il n'en avait pas les moyens. Il connaissait M. Hobbey par le Corps de la mercerie et il était venu dîner plusieurs fois à Londres pour discuter du partage des bois entre eux deux. Le marché a été finalement conclu. M. Hobbey a acheté la plus petite part des bois et les bâtiments conventuels qu'il avait l'intention de transformer en résidence de campagne, tandis que M. Curteys prenait la plus grande partie des bois. M. Hobbey était devenu l'ami des parents de Hugh et Emma au cours de l'opération. Il donnait à Michael l'impression d'être la sorte d'homme qui adopte une position réformatrice s'il se trouve en présence de gens pieux, mais qui aurait fait cliqueter un chapelet s'il avait négocié l'achat de terres avec un papiste. Quant à son épouse, Mme Abigail, Michael la croyait folle. »

Un autre cas de folie. « En quel sens ? »

Elle secoua la tête. « Je n'en sais rien. Michael n'aimait pas me parler de ce genre de chose. » Elle se tut, puis reprit : « M. et Mme Curteys sont morts trop brusquement pour avoir le temps de rédiger leur testament. C'est pourquoi la situation n'était pas très claire. Or, peu après, M. Hobbey est apparu, flanqué d'un avocat, et a annoncé à mon fils que l'on réglait l'avenir des enfants.

— Connaissez-vous le nom de l'avocat ?

— Dyrick. Vincent Dyrick.

— Le connaissez-vous ? me demanda la reine.

— Un peu. C'est un avocat de l'école de droit de l'Inner Temple. Au fil des ans, il a défendu des propriétaires en procès avec mes clients à la Cour des requêtes. C'est un bon défenseur, bien qu'il se montre parfois trop agressif. Je ne savais pas qu'il travaillait également pour la Cour des tutelles.

— Michael le craignait. Comme mon fils et le pasteur des Curteys essayaient de retrouver des parents, M. Hobbey a déclaré qu'il avait acheté la tutelle des enfants. La maison des Curteys allait être vendue et Hugh et Emma devaient aller habiter chez les Hobbey, à Shoe Lane.

— Cela semble avoir été réglé en un tournemain, fis-je.

— Des pots-de-vin ont dû être distribués, déclara tranquillement la reine.

— Ses terres s'étendent sur combien de milles carrés ?

— Vingt en tout, il me semble. La part des enfants couvre environ les deux tiers. »

C'était une vaste propriété. « Savez-vous combien Hobbey a payé la tutelle ?

— Quatre-vingts livres, je crois. »

Cela paraissait bon marché. Si M. Hobbey a acheté la tutelle de Hugh et d'Emma, pensai-je, il contrôle leur part de bois. Dans le Hampshire, près de Portsmouth où il devait exister une forte demande de bois pour les navires de guerre et pas trop loin de la région boisée du Sussex Weald, où les fonderies en expansion avaient constamment besoin de combustible.

« M. Hobbey, poursuivit Bess, paraissait décidé à choisir un nouveau précepteur, alors que Hugh et Emma s'étaient attachés à Michael et lui à eux. Les enfants ont supplié M. Hobbey de garder Michael et il a accepté. » Elle leva les mains en un geste d'impuissance. « À part moi, Michael n'était proche que des Curteys. C'était un garçon très généreux de caractère qui aurait dû se marier. Or, pour une raison ou pour une autre, il n'a jamais cherché à prendre femme. » Elle se rasséréna et continua son récit d'une voix blanche. « On a donc emmené les enfants, et la maison dans laquelle ils avaient vécu toute leur vie a été vendue. Il me semble que c'est la Cour des tutelles qui a été chargée de gérer le fruit de la vente.

— En effet, elle serait le curateur. Ainsi donc, mame Calfhill, votre fils a suivi les enfants à Shoe Lane.

— C'est bien ça. Il n'aimait pas la maison des Hobbey. C'était petit et sombre, et Michael avait un nouvel élève, David, le fils des Hobbey. » Elle prit une profonde inspiration. « Michael disait que c'était un fils unique, choyé, gâté. Bête et méchant, il n'arrêtait pas de narguer Hugh et Emma, leur disant qu'ils n'étaient que tolérés chez lui et que ses parents le préféraient à eux. C'était vrai, je suppose. Je suis sûre que M. Hobbey n'avait recueilli les enfants que pour profiter de leurs terres.

— N'est-ce pas illégal de tirer profit des terres d'un pupille ? demanda la reine.

— En effet. Quiconque achète une tutelle est censé gérer les terres du pupille et en prendre soin, mais sans en tirer personnellement profit. Or ce n'est pas toujours le cas... Et il contrôlerait le mariage de la fille, ajoutai-je, l'air songeur.

— Michael craignait que les Hobbey ne veuillent marier Emma à David, dit Bess, afin que sa part des terres passe dans la famille Hobbey. Ces malheureux enfants ! Hugh et Emma s'accrochaient l'un à l'autre, car ils étaient seuls au monde, même si mon fils était leur ami. Michael m'avait raconté que Hugh et David s'étaient bagarrés parce que David avait dit quelque chose d'inconvenant à Emma, qui ne devait avoir alors que treize ans. Bien que David ait été un garçon robuste, Hugh a eu le dessus. » Elle planta sur moi un regard pénétrant. « J'ai prévenu mon fils qu'il se faisait trop de souci à propos de Hugh et Emma, qu'il ne pouvait leur servir de père et de mère... Puis, poursuivit-elle, l'air à nouveau impassible, la petite vérole a frappé la maison des Hobbey. »

La reine se pencha en avant et posa la main sur le bras de Bess.

« Les trois enfants l'ont attrapée, reprit Bess d'un ton calme, et on a interdit à Michael d'entrer dans leur chambre à cause de la contagion. On a chargé les domestiques de s'occuper de Hugh et d'Emma, mais la mère de David a pris elle-même soin de son fils, pleurant et suppliant Dieu de le sauver. Je la félicite de son comportement à ce sujet, j'aurais fait la même chose pour Michael. » Elle se tut, puis lança violemment : « David a survécu sans la moindre cicatrice. Hugh s'en est tiré avec des marques au visage qui ont abîmé sa beauté. Mais la petite Emma est morte.

— Vous m'en voyez désolé.

— Quelques jours plus tard, M. Hobbey a dit à mon fils que sa femme ne souhaitait plus vivre à Londres, qu'ils allaient habiter définitivement leur maison du Hampshire et qu'on n'aurait plus besoin de ses services. Michael n'a plus jamais revu Hugh, car David et lui étaient toujours en quarantaine au moment de son départ. Ils ont seulement permis à Michael d'assister à l'enterrement de la malheureuse Emma et à son inhumation dans son petit cercueil blanc. Il a quitté la maison le jour même. Il m'a dit que les domestiques brûlaient les vêtements d'Emma dans le jardin au cas où ils auraient retenu les mauvaises humeurs de la maladie.

— Quelle affreuse histoire ! murmurai-je. La mort, la cupidité, et des enfants victimes. Mais, mame Calfhill, votre fils n'aurait pu en faire davantage.

— Je le sais bien. M. Hobbey a donné à Michael une lettre de recommandation et il a trouvé d'autres places à Londres. Il a écrit à Hugh mais n'a reçu qu'une réponse guindée de la part de M. Hobbey, qui lui interdisait d'écrire à nouveau, car ils essayaient de construire une nouvelle vie dans le Hampshire pour le jeune garçon… Quelle cruauté ! s'écria-t-elle. Après tout ce que Michael avait fait pour les enfants…

— C'est une décision brutale, en effet », renchéris-je,

même si je comprenais le point de vue de Hobbey. C'est à Londres que le jeune Hugh avait perdu toute sa famille.

Bess reprit son récit d'un ton morne : « Les années ont passé. Puis, à la fin de l'année dernière, Michael a trouvé une place dans le Dorset comme précepteur des fils d'un important propriétaire terrien. Néanmoins, il n'avait pas oublié Hugh et Emma, leur destin paraissait le hanter. Il disait souvent qu'il se demandait ce qu'était devenu Hugh. » Elle se renfrogna et baissa les yeux.

La reine reprit la parole : « Allons, Bess, il faut que vous racontiez la dernière partie, même si je sais que c'est la plus éprouvante. »

Bess leva le regard vers moi et prit son courage à deux mains. « À Pâques, Michael est revenu du Dorset pour me rendre visite. Quand il est arrivé, il était comme fou, avait une mine affreuse, pâle, l'air égaré. Il a refusé de s'expliquer, mais, quelques jours plus tard, il m'a soudain demandé si je connaissais des avocats. Pour quel motif ? ai-je demandé. À mon grand étonnement, il m'a dit qu'il souhaitait s'adresser à la Cour des tutelles afin que la tutelle de Hugh soit retirée aux Hobbey. » Elle prit une profonde inspiration. « Je lui ai répondu que je ne connaissais pas d'avocats et l'ai prié de m'expliquer pourquoi il souhaitait faire ça, six ans après la mort des parents Curteys. Il a répliqué qu'il s'agissait de faits dont l'évocation blesserait mes oreilles ou celles de toute autre femme, et même de tout homme, à part un juge. Je vous assure, monsieur, que je commençais à craindre pour la raison de mon fils. Je le revois, assis en face de moi, dans la petite maison que je possède aujourd'hui, grâce à la bonté de la reine. Dans la lumière du feu de l'âtre, son visage paraissait ridé…, vieux. Oui, vieux, bien qu'il eût moins de trente ans. Je lui ai suggéré que s'il avait besoin d'un avocat il devrait peut-être aller consulter messire Dyrick. Mais il a poussé un rire amer et m'a dit que c'était la dernière personne à consulter.

— Il avait raison. Si Dyrick représente Hobbey en ce qui concerne la tutelle il ne peut défendre la partie adverse.

— La question n'était pas là, monsieur. Michael était furieux. »

Je perçus un soudain silence dans la pièce et jetai un coup d'œil vers les fenêtres. Les dames d'honneur avaient cessé de coudre et écoutaient avec autant d'attention que la reine et moi.

« Je me suis dit qu'en venant du Dorset, sur le chemin du retour à la maison, Michael avait pu passer rendre visite à Hugh. Je lui ai franchement posé la question et il a reconnu que tel était bien le cas. Il n'avait pas annoncé sa visite, de crainte que M. Hobbey ne refuse de le recevoir. Il m'a alors expliqué qu'en arrivant chez les Hobbey il avait découvert quelque chose d'horrible. Il fallait qu'il trouve un avocat en qui il pouvait avoir confiance, sinon il déposerait plainte lui-même.

— Je regrette que vous ne vous soyez pas adressée à moi, Bess, intervint la reine. C'était tout à fait possible.

— Je craignais que mon fils ne soit en train de perdre la tête. Je ne voyais pas ce qui aurait pu arriver à Hugh et le mettre dans un tel état. Peu après, il m'a appris qu'il avait trouvé un logement car il n'avait pas l'intention de retourner dans le Dorset. Il… » Elle finit par s'effondrer en pleurs et enfouit sa tête dans ses mains. La reine se pencha en avant et la pressa contre sa poitrine.

Elle se rasséréna enfin. La reine lui avait donné un mouchoir qu'elle serrait et tordait entre ses doigts. Elle reprit son récit, mais en courbant tellement la tête que je ne voyais que la calotte de sa coiffe blanche.

« Il s'est installé dans son logement, près du fleuve. Il venait me voir presque tous les jours. Il m'a dit qu'il cherchait du travail, qu'il avait fait lui-même une déposition auprès de la Cour des tutelles et qu'il avait payé les frais d'enregistrement. J'ai eu le sentiment qu'il semblait désormais un peu plus détendu, mais, les jours qui ont suivi, il a eu à nouveau les traits tirés... Plusieurs jours ont passé sans qu'il vienne me rendre visite, puis un matin l'exempt de police du quartier s'est présenté et m'a annoncé... que mon fils avait été retrouvé mort dans sa chambre, poursuivit-elle en levant des yeux chavirés de chagrin. Il s'était pendu à une poutre. Il m'a laissé un mot. Je l'ai là. Messire Warner m'a dit que je devais l'apporter pour vous le montrer.

— Puis-je le voir ? »

Elle sortit de sa robe un morceau de papier sale, plié. Elle me le remit d'une main tremblante. Je le dépliai et lus ces mots griffonnés : « *Pardonne-moi, maman.* » « Est-ce bien son écriture ? demandai-je.

— Croyez-vous que je ne connais pas l'écriture de mon fils ? s'écria-t-elle avec colère. C'est bien son écriture, comme je l'ai dit au coroner à l'audience, devant le jury et tous les curieux du public.

— Allons, allons, Bess ! fit la reine gentiment. Messire Shardlake est obligé de poser ces questions.

70

— Je le sais bien, Votre Grâce. Mais c'est si difficile... Veuillez m'excuser, me dit-elle.

— Je comprends. L'audience a-t-elle eu lieu devant le coroner de Londres ?

— Oui. Messire Grice. Un homme dur et idiot. »

Je fis un sourire triste. « Vous avez bien raison.

— Il m'a demandé si mon fils m'avait paru mal en point et je lui ai répondu qu'il s'était en effet comporté bizarrement ces derniers temps. Ils ont conclu à un suicide et je n'ai rien dit sur le Hampshire.

— Pourquoi donc ? »

Elle releva la tête et me regarda d'un air de défi. « Parce que j'avais décidé de consulter la reine à ce sujet. Et maintenant je réclame justice par la grâce de la reine. » Elle s'appuya contre le dossier de son siège et je me rendis compte que son chagrin n'entamait guère une volonté de fer.

« Selon vous, qu'avait découvert votre fils dans le Hampshire qui aurait pu le conduire à mettre fin à ses jours ? demandai-je d'une voix douce.

— Paix à son âme !... Je n'en sais rien, mais je pense que c'était quelque chose d'atroce. »

Je restai coi. Avait-elle besoin de croire cela et avait-elle, pour s'en libérer, mué son chagrin en colère ?

« Montrez à messire Shardlake la convocation de la cour », lui dit la reine.

Elle plongea la main dans sa robe, en tira une grande feuille de papier, pliée plusieurs fois, et me la tendit. C'était une convocation émanant de la Cour des tutelles et qui enjoignait à toutes les parties concernées par l'affaire de la tutelle de Hugh William Curteys de se rendre au tribunal le vingt-neuf juin, soit cinq jours plus tard. Elle était adressée à Michael Calfhill, le plaignant – on ne devait pas savoir qu'il était mort –, et je vis qu'on en avait remis une copie à Vincent Dyrick de l'Inner Temple. La convocation avait été signée près de trois semaines plus tôt.

« Je ne l'ai reçue que la semaine dernière, dit Bess. Elle est arrivée chez mon fils, d'où on l'a envoyée au coroner, qui me l'a fait suivre, puisque je suis le parent le plus proche.

— Avez-vous une copie de la déposition de Michael ? On appelle ça une "pétition d'information". J'ai besoin d'en connaître les termes exacts.

— Non, monsieur. Je ne sais que ce que je vous ai dit. »

Je regardai Bess puis la reine et décidai de parler franchement. « Quoi que contienne la déposition, elle a été rédigée par Michael, fondée sur des faits qu'il connaissait. Mais il est décédé et il se peut que le tribunal refuse de s'occuper de l'affaire si Michael n'est plus là pour témoigner.

— Je ne connais rien au droit, dit Bess. Je sais seulement ce qui est arrivé à mon fils.

— Je ne savais pas que les tribunaux étaient en session, déclara la reine. J'ai entendu dire qu'on a mis fin à leurs travaux plus tôt que d'habitude à cause de la guerre.

— La Cour des tutelles et celle des augmentations sont toujours à l'ouvrage. » Les cours qui rapportaient de l'argent au roi allaient sans doute siéger tout l'été. Les juges de ces cours étaient des hommes durs. Je me tournai vers la reine. « Sir William Paulet est le président de la Cour des tutelles. Y siège-t-il lui-même, ou a-t-il d'autres devoirs en rapport avec la guerre ? C'est un conseiller d'État.

— J'ai posé la question à messire Warner. Sir William va se rendre bientôt à Portsmouth comme gouverneur, mais la semaine prochaine il siégera à la Cour des tutelles.

— Vont-ils faire venir M. Hobbey ? demanda Bess.

— Je suppose que Dyrick va le remplacer durant la première audience. Le sort que réservera la cour à la déposition de Michael dépendra du contenu de celle-ci et de notre capacité à trouver des témoins pour nous aider. Vous avez dit que, lorsque M. Hobbey a demandé à assurer la tutelle, Michael a sollicité l'aide du pasteur des Curteys ?

— En effet. Le révérend Broughton. Michael affirmait que c'était un homme de bien.

— Savez-vous si Michael l'avait vu récemment ? » Elle secoua la tête. « Je lui ai posé la question et il a répondu que non.

— Quelqu'un d'autre était-il au courant de cette déposition ? Un ami de Michael peut-être ?

— Il n'avait aucune relation à Londres. Il n'y avait pas d'amis… À part moi, ajouta-t-elle d'un ton triste.

— Pouvez-vous faire des recherches ? s'enquit la reine. Pour Bess ? »

J'hésitai. Je ne voyais qu'une série d'intenses rapports affectifs. Entre la reine et Bess, entre Bess et Michael, entre Michael et les enfants. Aucun fait précis, aucun témoignage, un dossier vide, peut-être. Je regardai la reine. Elle voulait que j'aide son ancienne servante. Une relation amicale de longue date. Je pensai au jeune Hugh qui se trouvait au centre de cette affaire. Ce n'était pour moi qu'un nom, mais le garçon était seul et vulnérable.

« J'essaierai, répondis-je. Je ferai de mon mieux. »

4

Je quittai la reine une heure plus tard, la convocation et le petit mot du suicidé dans la poche. Mame Calfhill devait venir me voir un peu plus tard dans la semaine afin que je puisse recueillir son témoignage détaillé.

Warner m'attendait dans la salle d'audience. Il me fit gravir un escalier à vis pour gagner son bureau, pièce exiguë aux étagères pleines de documents et de parchemins attachés avec des rubans roses.

« Donc vous acceptez le dossier », fit-il.

Je souris. « Je ne peux rien refuser à la reine.

— Moi non plus. Mais elle m'a prié d'écrire à John Sewster, le procureur de la Cour des tutelles. Je vais lui dire que l'audience de lundi doit avoir lieu, même si Calfhill est mort. J'expliquerai que la reine le souhaite, dans l'intérêt de la justice. Il en parlera à sir William, ce qui devrait dissuader celui-ci de déclarer la plainte irrecevable. Comme c'est le genre d'homme pour qui seule compte sa carrière politique, il se gardera bien de contrarier la reine. » Il posa sur moi un regard grave tout en triturant sa longue barbe. « Mais nous ne pouvons pas aller plus loin, confrère Shardlake. Je ne veux pas impliquer davantage la reine. Nous ne connaissons pas les tenants et les aboutissants de cette histoire et le dossier est peut-être vide. Mais si Michael Calfhill a vraiment découvert une sérieuse anomalie il se peut qu'il s'agisse d'une affaire à laquelle la reine ne doit pas être publiquement mêlée.

— Je comprends. » Je respectais Warner. Voilà vingt ans qu'il était attaché comme juriste à la maison de la reine, depuis l'époque de Catherine d'Aragon, et je savais qu'il avait conçu une affection particulière pour Catherine Parr, comme la plupart de ceux qui travaillaient pour elle.

« On vous a confié une tâche ardue, reprit-il d'un ton compatissant. Il ne reste que cinq jours avant l'audience et nous n'avons aucun témoin à part mame Calfhill.

— La session des tribunaux étant terminée, j'ai du temps pour en chercher. »

Il hocha lentement la tête. « La Cour des tutelles continue à siéger, car il faut recueillir des fonds. » Comme tous les juristes intègres il parlait avec mépris des Tutelles.

« Je ferai ce que je peux pour trouver des témoins, lui dis-je. Notamment ce pasteur qui a aidé Michael, il y a six ans. Mon assistant va me seconder, il est très doué pour ce genre de mission. S'il existe un autre témoin, on le trouvera. Mais je dois d'abord aller aux Tutelles pour prendre connaissance du contenu de la "pétition d'information" de Michael.

— Et il vous faudra parler à Dyrick.

— Une fois que j'aurai examiné les documents et trouvé des témoins, s'il y en a.

— J'ai déjà eu l'occasion de le rencontrer. » Le milieu juridique de Londres était petit, et tout le monde connaissait tout le monde, ne serait-ce que de réputation. « C'est un adversaire redoutable. Il ne fait aucun doute qu'il déclarera la plainte nulle et non avenue, et dira qu'il s'agit de simples menaces proférées par un fou.

— Voilà pourquoi je souhaite tâter davantage le terrain avant de lui rendre visite. Au fait, que pensez-vous de mame Calfhill ?

— Elle a l'esprit égaré par le chagrin. Peut-être cherche-t-elle un bouc émissaire pour expliquer la mort de son fils. Mais je suis persuadé que vous ferez tout votre possible pour dénicher la vérité. » Il eut un sourire triste. « Vous craigniez qu'il ne s'agisse d'une affaire politique. Je l'ai vu à votre air quand vous êtes arrivé.

— Oui, confrère Warner. C'est bien ce que je redoutais.

— La reine tient toujours ses promesses, confrère Shardlake, répliqua-t-il d'un ton réprobateur. Et elle aidera toujours un ancien serviteur qui a des ennuis.

— Je le sais. J'aurais dû lui faire confiance.

— L'actuelle reine Catherine reste fidèle à ses vieux amis. Plus que toute autre, depuis la première reine Catherine.

— Catherine d'Aragon.

— Oui. Elle était bonne, elle aussi. Même si elle avait ses défauts. »

Je souris. « Son catholicisme. »

Il posa sur moi un regard grave. « Pas seulement. Mais j'en dis plus que je ne devrais. Il est dangereux de parler de politiquë, même si les grands hommes du royaume n'ont guère le temps d'intriguer en ce moment. Hertford, Norfolk, Gardiner sont tous partis en mission militaire. Mais si nous en terminons avec cette guerre, je suis à peu près certain que tout recommencera comme avant. Le parti catholique n'aime pas la reine Catherine. Avez-vous lu son livre ?

— *Prières et Méditations* ? Oui, elle m'en a envoyé un exemplaire, le mois dernier.

— Et qu'en avez-vous pensé ? demanda-t-il en plantant sur moi un regard pénétrant.

— Je ne savais pas que son cœur recelait tant de tristesse. Toutes ces prières nous exhortant à supporter les traits du malheur qui s'abattent sur nous en ce bas monde, dans l'espoir d'être sauvé dans l'autre...

— Ses amis ont été obligés de lui conseiller d'éliminer certains passages, qui avaient des relents de luthéranisme. Heureusement qu'elle nous a écoutés. Elle est toujours très prudente. Par exemple, elle ne va pas quitter ses appartements aujourd'hui parce que sir Thomas Seymour se trouve à Hampton Court.

— Ce voyou ! » m'écriai-je avec force. J'avais rencontré Seymour à l'époque où le roi pressait Catherine Parr de l'épouser, alors qu'elle avait désiré se marier avec le fougueux Seymour.

« Soit. Le roi l'a envoyé inspecter les armées dans tout le sud de l'Angleterre. Il est venu faire son rapport au Conseil privé.

— Je suis content que la reine puisse compter sur des amis loyaux tels que vous, dis-je avec sincérité.

— Oui. Nous allons veiller au grain pour elle... Il faut bien que quelqu'un se charge de l'aspect politique des choses », ajouta-t-il.

✝

Je sortis dans la cour ensoleillée. L'horloge astrono-
mique placée au-dessus de l'arche, devant laquelle je
me trouvais, indiquait quatre heures. C'est à peine si
les bâtiments en brique ombraient la cour où la chaleur faisait rutiler les pavés. Je sentis la sueur perler
à nouveau à mon front. Vêtu de la livrée du roi et
peut-être chargé d'un message pour les chefs militaires,
un messager à cheval traversa la cour à vive allure et
passa sous l'arche située à l'opposé.

C'est alors que je m'aperçus que j'étais observé par
deux hommes qui se tenaient dans l'encadrement d'une
porte. Je les reconnus tous les deux. Warner m'avait
dit que sir Thomas Seymour était à Hampton Court
et, en effet, il se dressait là, portant un gilet d'un
jaune éclatant et des chausses noires qui moulaient
ses longues jambes, son beau visage, prolongé par une
barbe brun-roux, aussi dur et arrogant que dans mon
souvenir. Les mains sur les hanches, il avait l'attitude
d'un courtisan vaniteux, pose dans laquelle Holbein
avait peint le roi. À ses côtés, petit et soigné dans sa
robe d'avocat, se tenait sir Richard Rich, son collègue
du Conseil privé, l'exécuteur des basses besognes pour
le roi depuis ces dix dernières années. Je savais que
Rich avait participé, l'année précédente, à la gestion
financière de l'invasion de la France, et la rumeur
courait qu'il avait eu maille à partir avec le souverain
pour s'être exagérément rempli les poches.

Les deux hommes restaient immobiles et cois, Seymour dardant sur moi son regard méprisant, tandis que
Rich me fixait de ses yeux froids. Ils savaient qu'il
était inconcevable qu'un homme de mon rang fasse
simplement semblant de ne pas les voir. J'ôtais donc
mon bonnet et m'avançais vers eux, tout en forçant

mes jambes à ne pas trembler. Je leur fis une profonde révérence.

Seymour parla le premier. « Messire Shardlake. Voilà longtemps qu'on ne s'est vus. Je croyais que vous aviez repris du service auprès des tribunaux. » Un sourire ironique sur les lèvres, il fit un geste large, exagéré. « Que vous ramassiez de l'argent grâce aux querelles de pauvres gens stupides, pendant que les vrais et robustes Anglais se battent pour sauver leur pays de ses ennemis. » Il me toisa ostensiblement des pieds à la tête, se tordant même un peu le cou pour jeter un coup d'œil à mon dos.

« Dieu m'a donné mes limites.

— En effet ! » s'esclaffa-t-il.

Je ne répliquai pas. Je savais que Seymour se lasserait vite de ses moqueries et me laisserait repartir. Rich prit alors la parole. « Que faites-vous là ? s'enquit-il calmement de sa voix pointue. Je n'aurais pas cru que vous oseriez vous approcher à nouveau de la cour du roi. Après ce qui s'est passé la dernière fois. »

La fois où, pour gagner un procès, il m'avait fait enfermer dans la Tour sur des accusations mensongères. Il était alors en charge de la Cour des augmentations qui gérait les terres monastiques confisquées par le roi. Je défendais le dossier de la cité de Londres et, si j'avais gagné, la valeur de certaines terres aurait baissé. Rich avait eu recours à de faux témoins afin de me faire emprisonner pour haute trahison. Il aurait été ravi qu'on m'exécute, mais les chefs d'accusation s'étaient révélés controuvés. Malgré cela, le conseil municipal avait eu si peur qu'il avait retiré sa plainte.

« Je suis ici pour une affaire juridique, sir Richard. Sur demande du confrère Warner.

« — L'avocat de la reine. J'espère qu'elle ne vous a pas chargé de défendre des hérétiques, comme Warner, l'année dernière.

— Pas du tout, sir Richard. Il s'agit d'une simple affaire de droit privé. Concernant une ancienne servante de la reine.

— Devant quel tribunal ?

— La Cour des tutelles. »

Rich et Seymour éclatèrent de rire tous les deux, le rire tonitruant de Seymour contrastant avec le ricanement de Rich. « Dans ce cas, amusez-vous bien ! lança Rich.

— J'espère que vous avez une bourse bien garnie pour soudoyer tous les agents qu'il faudra, persifla Seymour. Vous en aurez besoin. »

Je m'attendais que ces propos lui valent une réprimande de la part de Rich qui était l'un des juristes officiels, lesquels ressentaient comme un affront toute allusion à la corruption sévissant dans les tribunaux. Mais Rich se contenta d'esquisser un sourire. « Mais qui va garnir cette bourse, sir Thomas ? s'enquit-il. La servante de la reine, j'espère. Si la reine fournissait les fonds, cela signifierait qu'elle finance la défense juridique d'une tierce personne, ce qui est contraire à la loi.

— Vous pouvez être certain que la reine observera les convenances, rétorquai-je. C'est une femme intègre. » C'était là une réponse audacieuse, mais il était temps de lui rappeler de qui j'étais le protégé.

Il inclina la tête. « Je sais que ce n'est pas la première fois que Sa Grâce vous charge d'une mission juridique. Je trouve cela quelque peu étrange, vu l'opinion que le roi a de vous, comme il l'a montré à

York… À cette occasion, messire Shardlake l'avait agacé, dit-il en souriant à sir Thomas, et il a été humilié publiquement pour sa peine. » Il tourna la tête de côté et je vis que, sous son bonnet, ses cheveux commençaient à grisonner.

« Je connais l'anecdote, fit Seymour. Devant la moitié des habitants de la ville le roi l'a traité d'"araignée boursouflée et biscornue". » Il partit à nouveau d'un grand éclat de rire.

Rich inclina légèrement le buste pour me donner congé. « Prenez garde, messire Shardlake. »

Je m'éloignai, très secoué et sentant le poids de leurs regards sur mon dos. Quelle malchance de tomber sur ces deux-là ensemble ! Croyant en avoir depuis longtemps fini avec Rich, j'étais effrayé de penser que ses yeux méchants n'avaient pas cessé de me surveiller. Mais il devait sans doute épier tous les petits dans l'espoir d'attraper l'un d'eux dans ses rets. Heureusement que la reine m'accordait sa protection ! Pour m'éponger le front, j'attendis d'être passé sous l'arche et ainsi d'être hors de vue.

Je rentrai directement chez moi. Je savais que Tamasin devait venir consulter Guy et que Barak l'accompagnerait. À mon grand étonnement, quand j'entrai dans la maison le vestibule était plein de monde. Tamasin était assise au bas de l'escalier, le ventre proéminent sous sa robe, son joli visage pâle en sueur et encadré par les cheveux blonds pendant lamentablement. Josephine, la fille de Coldiron, l'avait débarrassée de sa coiffe qu'elle utilisait pour lui éventer le visage avec de grands gestes. L'air inquiet, Barak se tenait à côté et se mordait les lèvres, tandis que Coldiron contemplait la scène d'un œil réprobateur et que les deux gamins regardaient tout ce monde depuis le seuil de la cuisine.

« Tamasin ! lançai-je, plein d'appréhension. Ma chère petite, que s'est-il passé ? Où est Guy ?

— Tout va bien, messire Shardlake », répondit-elle. À mon grand soulagement, le ton était facétieux. « Il est allé se laver les mains. J'ai dû simplement m'asseoir, car je me suis sentie toute drôle en sortant du soleil.

— Elle est venue jusqu'ici à pied ! tonna Barak avec indignation. Je lui avais donné rendez-vous ici mais je pensais que Jane Marris l'accompagnerait. Elle a marché toute seule par cette chaleur, et aussi vite qu'elle a pu, telle que je la connais. Qu'est-ce qui se serait passé, Tammy, si tu étais tombée au milieu de Chancery Lane ? Pourquoi Jane ne t'a-t-elle pas accompagnée ?

— Je l'avais envoyée faire des courses et elle n'était pas revenue au moment où je devais partir. À cause du tohu-bohu déclenché par les nouvelles pièces de monnaie, les marchés sont sens dessus dessous.

— Tu aurais dû lui dire de revenir à temps pour t'escorter jusqu'ici. As-tu perdu le sens commun, ma fille ?

— Je ne me suis pas évanouie, Jack, répliqua Tamasin d'un ton agacé. J'ai seulement dû m'asseoir... Aïe ! » cria-t-elle au moment où Josephine, en l'éventant avec un peu trop d'ardeur, lui frappa la joue accidentellement. Coldiron s'avança et lui arracha la coiffe des mains. « Prends garde à ce que tu fais, espèce d'empotée ! Retourne à la cuisine et tâche d'éviter de casser un nouveau plat ! » La jeune femme rougit et s'éloigna vivement, la tête basse et l'allure sautillante.

Coldiron se tourna vers moi. « Ce matin, elle a cassé le grand beurrier. Je lui ai dit qu'on en déduirait le prix de ses gages.

— Cela n'a aucune importance, répliquai-je. Dites-lui que j'en paierai un nouveau. »

Il prit une profonde inspiration. « Puis-je suggérer, monsieur, que ce ne serait pas bon pour la discipline ? Les femmes sont comme les soldats : elles doivent obéir à leurs supérieurs.

— Fichez-moi le camp ! m'écriai-je. J'ai déjà assez à faire ici. »

L'espace d'un instant, la colère écarquilla son œil unique, mais il suivit sa fille dans la cuisine. Les gamins, qui s'étaient mis à sourire, filèrent devant lui. Je me retournai vers Tamasin. « Ça va ?

— Bien sûr. Il n'était pas nécessaire qu'il lui parle de la sorte. La malheureuse... »

Guy apparut. Il descendait lentement l'escalier en s'essuyant les mains dans une serviette. « Vous sentez-vous mieux, Tamasin ?

— Tout va bien maintenant », répondit-elle en s'efforçant de se relever. Barak se précipita pour l'aider.

« Dites-le-lui, docteur Malton, insista Barak. Dites-lui que c'était idiot de venir à pied jusqu'ici toute seule. »

Guy se pencha en avant et lui tâta le front. « Vous avez beaucoup trop chaud, Tamasin. Ce n'est pas une bonne chose étant donné que vous êtes enceinte de sept mois.

— D'accord, je ne sortirai plus toute seule... Je te le promets, ajouta-t-elle en s'adressant à Barak.

— Puis-je examiner Tamasin dans votre bureau, Matthew ? demanda Guy.

— Naturellement... Jack, j'aimerais te dire un mot », continuai-je en voyant qu'il s'apprêtait à emboîter le pas à Guy et à sa femme. Tamasin me fit un sourire de gratitude par-dessus son épaule. À contrecœur, il me suivit dans le salon.

Je refermai la porte, l'invitai à s'asseoir et m'installai en face de lui sur un tabouret.

« Nous avons un travail urgent à accomplir, fis-je.

— La reine ?

— Oui. »

Ses yeux s'animèrent comme je lui relatai mon entrevue avec la reine et Bess. « Lady Élisabeth était là quand je suis arrivé.

— Comment est-elle ?

— Exceptionnellement intelligente. La reine et elle sont comme mère et fille. » Je souris puis me rembrunis. « Après cela j'ai rencontré deux vieilles connaissances... Rich et Thomas Seymour. Je crois qu'ils savaient que j'étais là. Je pense qu'ils attendaient que je ressorte pour me narguer.

— C'était juste une coïncidence. Ils devaient sans doute discuter de questions relatives à la guerre quand vous êtes apparu. Si on va dans une fosse d'aisances on ne peut qu'apercevoir des asticots.

— Tu as raison. Mais, à l'évidence, Rich s'intéresse à ma carrière.

— Que vous ayez représenté la reine dans certaines affaires n'est un secret pour personne. Il a probablement appris que vous veniez et a décidé de se moquer un peu de vous. Il s'est alors rappelé vos anciennes querelles.

— En effet. Je ne suis pas un personnage assez important pour éveiller sa curiosité.

— J'ai entendu dire que l'étoile de Rich a un peu pâli.

— Je l'ai aussi entendu dire. Mais il siège toujours au Conseil privé. Le roi apprécie ses talents, ajoutai-je amèrement.

— La politique, c'est comme le jeu de dés. Plus on y excelle, plus on est une crapule.

— On doit faire vite, Jack. L'audience a lieu lundi.

— On n'a jamais encore traité avec la Cour des tutelles.

— Un grand nombre de ses fonctions n'ont absolument rien à voir avec celles d'une cour de justice. Tu connais le principe de la tutelle ? »

Il cita lentement un passage tiré d'un manuel de droit : « "Si un homme possédant un fief de haubert meurt en laissant des héritiers mineurs, la propriété est confiée au roi jusqu'à la majorité ou au mariage des pupilles."

— C'est exact.

— Et le roi a le droit de gérer les terres et d'organiser le mariage des pupilles. En fait, il vend la tutelle au plus offrant. Par l'intermédiaire de la Cour des tutelles.

— Tu as une bonne mémoire. Le "fief de haubert" est une ancienne forme de droit de propriété qui, avant le règne du roi actuel, tombait en désuétude. Ensuite est venue la dissolution des monastères et toutes les terres monastiques confisquées l'ont été en accord avec les dispositions de la loi régissant le fief de haubert. Cela a engendré un si grand nombre d'affaires de tutelle qu'on a aboli l'ancien bureau pour instituer la cour actuelle. Elle s'occupe avant tout d'argent. Elle estime la valeur des terres soumises à tutelle par l'intermédiaire des "curateurs de fief", qui sont des administrateurs locaux. Ensuite la cour négocie avec les candidats à l'achat des tutelles des héritiers mineurs.

— On accorde certaines tutelles aux familles des enfants, n'est-ce pas ?

— Oui. Mais elles sont souvent attribuées au plus offrant, surtout lorsqu'il n'y a pas de famille proche. Comme ç'a été le cas de Nicholas Hobbey à propos des enfants Curteys.

— Je vois très bien pourquoi ça l'a intéressé, dit Barak, l'air soudain très attentif. S'il pouvait marier la fille à son fils, il obtiendrait sa part des bois de son père. Mais elle est morte.

— Avoir gardé Hugh est tout de même une bonne affaire. La part d'Emma a dû passer à son frère, et Hobbey va gérer les terres de Hugh jusqu'à ce qu'il ait vingt et un ans. On a constamment besoin de bois dans le Sud pour les bateaux et de charbon de bois pour les forges. Surtout en ce moment à cause de la guerre.

— Quelle est l'étendue des terres boisées ?

— Près de vingt milles carrés en tout, il me semble. Hobbey en possédait lui-même un tiers, mais le reste va désormais appartenir à Hugh Curteys. Et la loi oblige à préserver la valeur de la terre du pupille. Si Hobbey veut couper des arbres il doit en faire la demande auprès de la Cour des tutelles. Je vais vérifier qu'il l'a fait. Mais je crois que ceux qui achètent des tutelles font souvent des profits illicites en abattant des arbres sur les terres des pupilles, souvent avec la complicité du curateur de fief du coin qui en prélève un pourcentage. De haut en bas, le système est rongé par la corruption. »

Barak se renfrogna. « Rien ne protège les enfants sous tutelle ? » Gosse des rues lui-même, il était toujours bouleversé par le sort des enfants malheureux.

« Pas grand-chose. Les tuteurs ont tout intérêt à bien s'occuper de leurs pupilles car, s'ils meurent, la tutelle tombe. Et s'ils sont censés assurer leur instruction, ils peuvent les marier plus ou moins à qui bon leur semble.

— Par conséquent, les enfants sont pris au piège ? Sans défense et exposés à tous les périls ?

— La cour a pouvoir de contrôle et il est possible de solliciter sa protection contre les mauvais traitements infligés aux pupilles, et c'est ce qu'a fait Michael Calfhill. Mais elle n'aime pas intervenir si les tutelles sont lucratives. Dès demain, je me rendrai aux Tutelles où je devrai sans doute graisser quelques pattes pour avoir accès à tous les documents. » Je pris une profonde inspiration. « Et pendant que j'y serai j'essaierai d'obtenir la copie du document attestant la démence d'Ellen. Cela date d'il y a dix-neuf ans.

— Cette Ellen vous tient comme dans un étau, répondit-il en plantant sur moi son regard grave. La faiblesse peut fournir une étrange sorte de pouvoir, vous savez. Et elle est rusée, comme le sont souvent les fous.

— Enquêter sur sa famille peut faire progresser les choses. Avec un peu de chance je vais retrouver quelqu'un qui puisse s'occuper d'elle et alléger ainsi mon fardeau.

— Vous avez dit qu'Ellen a été violée. Le coupable est peut-être un membre de sa famille.

— Pas forcément. Si la plainte des Curteys est recevable, je risque de devoir me rendre à Portsmouth pour recueillir des témoignages. Il est possible que je fasse un détour par le Sussex. »

Il haussa les sourcils. « Portsmouth ? J'ai entendu dire que beaucoup de soldats sont en route vers ce port. C'est un lieu propice à un débarquement français.

— Je suis au courant. La reine m'a dit que les espions du roi déclarent que c'est bien le projet des Français. Or la propriété des Hobbey se trouve à quelques milles au nord.

— J'aimerais pouvoir vous accompagner mais je ne peux pas laisser Tamasin seule. Pas en ce moment. »

Je souris. « Il n'en est pas question. Mais aide-moi à préparer l'audience concernant la plainte de Michael Calfhill.

— C'est bizarre qu'il se soit suicidé juste après avoir déposé cette pétition d'information. Au moment où il aurait pu faire quelque chose pour le jeune Curteys.

— Tu veux dire qu'il est possible qu'il ait été tué ? J'y ai moi-même pensé. Mais sa mère a affirmé que personne n'était au courant de sa demande, et elle a reconnu son écriture sur le billet qu'il a rédigé avant son suicide. » Je tendis le bout de papier à Barak, qui l'examina.

« C'est quand même bizarre. Ça ne ferait pas de mal de se rendre au logis de Michael pour poser quelques questions.

— Tu pourrais y aller demain ? »

Il hocha la tête en souriant. Fureter dans la rue était

le genre de travail qu'il appréciait particulièrement et pour lequel il était doué.

« Et aller à l'ancienne église des Curteys pour voir si leur pasteur est toujours là ? repris-je.

— En tout premier lieu.

— Je vais t'écrire les adresses... Tiens ! »

Quand, levant les yeux, je lui donnai le papier je vis qu'il me regardait en souriant avec ironie.

« Qu'est-ce qu'il y a ? fis-je.

— Cette histoire vous a remis de l'huile dans les rouages, pas vrai ? Je voyais bien que vous commenciez à vous ennuyer. »

Il se redressa en entendant la voix de sa femme. Nous gagnâmes la porte. Tamasin se tenait sur le palier en souriant. Cela faisait quelque temps que je n'avais pas vu Guy aussi heureux.

« Tout va pour le mieux pour ma fille, dit Tamasin. Ma petite Johanna.

— Mon petit John, rétorqua Barak.

— L'enfant vous alourdit beaucoup, Tamasin, l'avertit Guy. Vous devez vous ménager.

— Oui, docteur Malton », répondit-elle respectueusement.

Barak lui prit la main. « Tu écoutes le Dr Malton mais pas ton seigneur et maître, hein ?

— Peut-être mon bon maître va-t-il me raccompagner à la maison, répliqua Tamasin en souriant. Si vous pouvez vous passer de lui, monsieur », ajouta-t-elle à mon adresse.

Comme ils sortaient de la maison en se querellant amicalement, Guy me dit : « Tamasin affirme que Jack est trop angoissé.

— Eh bien, je lui ai confié un nouveau travail qui va

lui occuper l'esprit. » Je lui mis la main sur l'épaule. « Voilà ce dont vous avez besoin, vous aussi, Guy : vous remettre au travail.

— Pas encore, Matthew. Je suis trop… las. Et maintenant je dois me relaver les mains. Contrairement à ce que pensent certains de mes confrères, je crois que c'est important pour me débarrasser des mauvaises humeurs. »

Il remonta à l'étage. Je me sentis soudain envahi par une certaine tristesse. À cause de Guy, d'Ellen, ainsi que du jeune Hugh Curteys et du malheureux Michael Calfhill, que je n'avais même pas connu. Je décidai de faire un tour dans mon jardin pour mettre un peu d'ordre dans mes pensées.

Comme je tournai au coin de la maison, je vis Coldiron en train de débiter un tas de bois à la hache. Son visage rougeaud luisait de sueur, qui dégoulinait le long du bandeau couvrant son œil jusqu'à son nez. Debout à ses côtés, Josephine se tordait les doigts d'inquiétude et semblait au bord des larmes.

« Des bossus, disait son père, des hommes basanés, des donzelles enceintes qui tombent dans l'escalier et font étalage de leurs gros ventres. » Il sursauta et tourna la tête en m'entendant approcher. Josephine écarquilla les yeux, la mâchoire pendante.

« Estimez-vous heureux que Barak ne soit pas avec moi, lui dis-je d'un ton glacial en le fixant du regard. S'il vous entendait parler de son épouse en ces termes, vous risqueriez de vous retrouver du mauvais côté de cette même hache. » Je le contournai et poursuivis ma promenade. Je l'aurais mis à la porte sur-le-champ si l'épouvante que je vis dans les yeux de Josephine ne m'en avait pas empêché.

5

Une heure plus tard, Guy et moi nous assîmes à table pour dîner. Coldiron avait au moins pour lui d'être un bon cuisinier et nous dégustâmes des anguilles fraîches avec une sauce au beurre. Les yeux baissés, il nous servait avec un respect obséquieux.

Une fois qu'il eut quitté la pièce, je parlai à Guy de ma rencontre avec la reine et de l'affaire Curteys. Je lui dis également que si je devais aller dans le Hampshire ce serait l'occasion de faire une enquête sur le passé d'Ellen.

Il me fixa de ses yeux bruns perçants, hésita un instant, puis déclara : « Vous devriez lui dire que vous connaissez les sentiments qu'elle a pour vous et qu'il n'y a aucun espoir que vous y répondiez favorablement. »

Je secouai vigoureusement la tête. « Je crains l'effet que cela produirait sur elle. Et si je cessais d'aller la voir, elle serait seule. »

Il ne répondit pas, se contentant de continuer à me fixer. Je plaquai mon couteau sur la table et m'appuyai contre le dossier de mon siège. « Si seulement l'amour pouvait toujours être partagé, dis-je d'un ton serein.

J'aimais Dorothy Elliard, mais elle ne pouvait répondre à mon amour. Tandis que pour Ellen je n'éprouve que de… l'amitié. C'est ça. Et de la pitié.

— Un sentiment de culpabilité ?

— Oui, fis-je, après un instant d'hésitation.

— Il faudrait avoir le courage de le lui dire. De faire face à sa réaction. »

Je fronçai les sourcils. « Je ne pense pas à moi ! m'exclamai-je, irrité.

— Pas du tout ? Vous en êtes certain ?

— La meilleure façon de l'aider est de découvrir la vérité sur son passé ! rétorquai-je. Alors…

— Alors le dossier peut donc être confié à un tiers ?

— Il ne m'appartient pas. Mais sans doute la découverte de la vérité ne peut-elle que l'aider. »

Il resta de nouveau silencieux.

✝

Je décidai de consulter mes notes concernant des cas juridiques et des aspects du droit qui remontaient jusqu'à mes années d'étudiant. Il fallait que je relise les règlements et les procédures de la Cour des tutelles. Mais, d'abord, je songeai à Coldiron. Je regrettai un peu de ne pas l'avoir mis à la porte après l'incident du jardin mais je me dis que si je le congédiais maintenant, alors que je devais me rendre dans le Hampshire, personne ne s'occuperait de la maison et des deux gamins, et ce ne serait pas juste d'encombrer Guy de cette responsabilité. Avant de congédier Coldiron, il était plus sage de commencer à chercher un nouvel intendant, en en parlant autour de moi à Lincoln's Inn, et de s'assurer de trouver quelqu'un qui fût une

meilleure personne que lui. En outre, le sort de Josephine me préoccupait. Je ne voulais pas la mettre à la
rue et l'abandonner dans le vaste monde, seule avec
Coldiron. Je maudis le jour où je l'avais engagé.

✝

Je passai le reste de la soirée à prendre des notes et,
lorsque pâlit la lumière du jour, j'ordonnai à Coldiron,
du haut de l'escalier, de monter une bougie. J'entendis Josephine gravir les marches à petits pas pressés.
Elle apporta la bougie, la posa sur mon bureau et fit
une rapide révérence avant de ressortir. Ses petits pas
menus résonnèrent à nouveau dans l'escalier : clip,
clap, clip, clap.

Finalement, je cessai d'écrire et me calai dans mon
fauteuil pour réfléchir. M. Hobbey avait d'abord acquis
une partie du terrain boisé, en plus des bâtiments
monastiques qu'il avait convertis en maison d'habitation, puis il avait acheté la tutelle des enfants. Le
capital nécessaire à toutes ces transactions avait dû
être considérable, même pour un marchand prospère.
Il serait intéressant de déterminer le montant de ces
sommes. Selon Bess Calfhill, Emma n'aimait pas le
jeune David Hobbey, mais mes lectures m'avaient
montré clairement qu'il fallait des conditions excep-
tionnelles pour que la cour considère comme recevable un appel interjeté par une pupille à propos d'un
mariage non désiré. La Cour des tutelles empêcherait
le mariage d'avoir lieu, seulement si l'union risquait
de constituer une « mésalliance », à savoir si le promis
occupait un rang social très inférieur, s'il s'agissait
d'un criminel, s'il était malade ou difforme. Je notai

amèrement que les bossus entraient dans cette dernière catégorie.

Emma étant morte, si Hobbey avait eu l'intention de lui faire épouser son fils, le projet était tombé à l'eau. Son héritage avait dû être attribué à Hugh et alors que, par une bizarrerie juridique, une fille encore célibataire pouvait demander à être libérée de la tutelle à quatorze ans, un garçon ne pouvait « solliciter son émancipation » qu'à vingt et un. Puisque, d'après Bess, sept ans auparavant Hugh avait onze ans, il devait par conséquent en avoir dix-huit à présent. Il lui fallait donc attendre trois ans pour récupérer ses terres.

Je me levai et fis les cent pas dans la pièce. Jusqu'à la majorité de Hugh, Hobbey n'aurait droit qu'au revenu ordinaire que rapportaient les terres de son pupille, et s'il s'agissait d'étendues boisées il n'y aurait aucun loyer à percevoir. Cependant, comme je l'avais dit à Barak, les tuteurs étaient bien connus pour « saccager » les terres de leurs pupilles, afin d'en tirer profit ou de vendre des biens, tels que les bois ou les droits d'exploitation des mines.

Un livre placé sur mon étagère attira mon regard. Il s'agissait d'un ouvrage qui avait appartenu à mon ami Roger et intitulé *Lamentation d'un chrétien contre la cité de Londres*, diatribe contre les maux de la ville. Me rappelant qu'il contenait un passage contre la tutelle, je l'ouvris. « Que Dieu maudisse cette mauvaise, vile et abominable coutume, qui empeste l'atmosphère de la terre au ciel. »

Je refermai le livre et contemplai mon jardin. Il faisait presque nuit. Le parfum de la lavande monta jusqu'à moi par la fenêtre ouverte. J'entendis le glapissement d'un renard, un battement d'ailes quelque part.

J'aurais quasiment pu être à la campagne, dans la ferme où j'avais grandi. En ce moment précis, il était difficile de croire que le pays était en pleine crise, qu'il y avait partout des groupes d'hommes armés en marche, des bataillons en formation, des bateaux en train de se regrouper sur la Manche.

✝

Le lendemain matin, je descendis Chancery Lane pour prendre un bachot et gagner l'embarcadère de Westminster. En traversant Fleet Street, je vis qu'on avait placardé des affiches rédigées à la main sur tout Temple Bar – la barrière du Temple –, exhortant le maire à prendre garde « aux prêtres et aux étrangers » qui cherchaient à incendier la ville. Le temps était encore plus moite ce matin-là et le ciel avait pris une teinte jaune soufre. Je m'engageai dans Middle Temple Lane et descendis la venelle entre les étroits bâtiments. Dans une ruelle latérale, on apercevait la vénérable Temple Church – l'église des Templiers. Vincent Dyrick exerçait à l'école de droit du Temple. Plus que quatre jours, pensai-je, avant l'audience. Je poursuivis mon chemin, dépassai les Temple Gardens – les jardins du Temple – où les orages récents avaient déposé de grandes guirlandes de pétales sous les rosiers, et gagnai l'embarcadère du Temple.

Des bateaux ravitailleurs qui se dirigeaient tous vers l'est sillonnaient toujours le fleuve. Un chaland était chargé d'arquebuses aux canons d'acier longs de cinq pieds qui étincelaient au soleil. Le batelier m'apprit que la flotte du roi avait désormais quitté Deptford et

95

mis le cap sur Portsmouth. « Nous allons couler ces salauds de Français », affirma-t-il.

Deux chalands étaient arrimés à l'embarcadère de Westminster, contenant chacun une dizaine d'hommes penchés au-dessus des rames. Je montai sur le quai et entrai dans New Palace Yard – la cour du Nouveau-Palais –, plongée dans l'énorme ombre projetée de Westminster Hall. Une compagnie d'une centaine de soldats, rassemblés près de la grande fontaine, resplendissaient dans leurs uniformes rouge et blanc des bataillons de réserve de Londres, offrant un spectacle extraordinaire, ce qui était le but de la manœuvre. Leurs armes offraient un saisissant contraste avec leurs uniformes aux lumineuses couleurs : lourdes massues de bois sombre dont les têtes étaient hérissées de pointes et de clous, qui formaient un entrelacs alambiqué et effrayant.

Leur faisant face, monté sur un cheval noir, se dressait un officier râblé, vêtu d'un surtout vert et blanc – les couleurs royales – et coiffé d'un casque métallique à plumet. Une foule de badauds entouraient la place – colporteurs, marchands ambulants et prostituées de Westminster, ainsi que quelques employés des tribunaux. Quand l'une des prostituées tira sur son corsage pour montrer ses seins aux recrues, les flâneurs qui se trouvaient à proximité éclatèrent de rire et poussèrent des vivats. L'officier esquissa un sourire.

Les soldats semblaient attentifs, tendus, au moment où l'officier sortit un parchemin impressionnant d'aspect, le brandit d'un geste large et se mit à en déclamer le contenu. « Par la foi que je porte à Dieu et au roi, j'obéirai fidèlement aux règles et aux lois martiales. » Il se tut et les hommes répétèrent ses paroles, les psalmodiant d'une voix sonore. Je compris qu'il s'agissait d'une prestation de serment et que les hommes s'engageaient solennellement à servir à plein temps. Je me frayai un chemin à travers la foule, protégeant ma bourse de ma main. Je me retrouvai soudain dans la ruelle séparant l'abbaye de Westminster Hall, déserte, à part un vieux clerc chenu qui, ployant sous le poids d'une pile de documents, avançait lentement dans ma direction.

J'atteignis le groupe de vieux bâtiments romans en pierre blanche maculée de suie qui se dressaient derrière Westminster Hall. Au lieu de me diriger comme d'habitude vers la Cour des requêtes, je poussai le lourd portail en bois du bâtiment contigu et escaladai une volée de marches étroites menant à une grande voûte, au-dessus de laquelle était gravé le sceau de la Cour des tutelles. Les armes royales surmontaient la représentation de deux jeunes enfants qui portaient une banderole où figurait la devise latine de la cour : *Pupillis Orphanis et Viduis Adiutor*. Ce qui signifiait : « Soutien des pupilles, des orphelins et des veuves ».

Le vaste vestibule de la Cour des tutelles était sombre, et il y régnait l'odeur familière des tribunaux – mélange de poussière, de vieux papier et de transpiration. D'un côté s'ouvraient un certain nombre de portes, tandis que de l'autre, le visage fermé et les traits crispés, plusieurs personnes, toutes richement vêtues, étaient assises sur de longs bancs en bois. Il y avait un couple âgé d'une trentaine d'années, l'homme portant un beau gilet, la femme une robe de soie et une toque emperlée. Un peu à l'écart, était assis un garçonnet d'une dizaine d'années en pourpoint de satin. Vêtue d'une robe sombre à haut collet, une jeune femme lui tenait la main tout en parlant à un avocat qui m'était inconnu.

« Mais comment ont-ils pu agir de la sorte ? fit-elle. Ça n'a aucun sens.

— Je vous l'ai dit, milady, répondit l'avocat d'un ton patient. En ce lieu, c'est s'attendre à ce qu'on agisse de manière sensée qui n'a aucun sens.

— Excusez-moi, confrère, lui dis-je. Pouvez-vous m'indiquer où se trouve le greffe ? »

Il me dévisagea, l'air intrigué. « C'est la porte derrière vous, confrère. C'est la première fois que vous venez aux Tutelles ?

— Oui. »

Il tapota sa taille à l'endroit où était accrochée sa bourse. Je hochai la tête. L'enfant nous regardait d'un air dérouté, désespéré. Je frappai à la porte du greffe.

La vaste pièce était divisée en deux par un comptoir en bois. Au fond, sous une fenêtre par laquelle on voyait le ciel s'assombrir, vêtu d'une robe poussiéreuse, un clerc mince aux cheveux gris travaillait, assis à un bureau. Un autre commis, plus jeune, au fin visage, était en train de ranger des papiers sur les étagères qui couvraient les murs du sol au plafond. Le plus âgé leva la tête, la plume cessa de grincer, et il s'avança vers moi. Si le visage ridé n'exprimait aucun sentiment, l'œil était pénétrant et calculateur. Il inclina brièvement le buste, avant de poser deux mains tachées d'encre sur le comptoir et, pas du tout intimidé par ma calotte de sergent royal, planta sur moi un regard inquisiteur. Les greffiers détenaient beaucoup de pouvoir dans tous les tribunaux mais ils montraient en général un grand respect envers les avocats et les sergents royaux. Ce n'était pas le cas, semblait-il, à la Cour des tutelles.

« Monsieur ? » fit-il d'un ton neutre.

J'ouvris ma sacoche et posai la convocation de Michael Calfhill sur le comptoir. « Bonjour, maître greffier. Je suis le sergent royal Shardlake. Je souhaite m'inscrire comme acteur dans cette affaire. Je crois que messire Warner, l'avocat de la reine, a écrit au procureur Sewster. »

Il examina le document, puis me regarda à nouveau, son expression un rien plus respectueuse. « En effet, monsieur, on m'a prié d'autoriser une inscription tardive dans ce dossier. Mais messire Sewster m'a également indiqué qu'il faudra rapidement présenter des preuves pour étayer la déposition du plaignant.

— Je comprends. Vous a-t-on informé de la mort de la personne qui a déposé la pétition d'information ?

— Oui. » Il secoua la tête d'un air triste. « La mort du plaignant, un avocat qui prend le dossier quatre jours avant l'audience, aucun témoignage, aucun document… Sir William sera placé dans une position difficile à l'audience. Il faut suivre les procédures adéquates. L'intérêt d'enfants est en jeu, voyez-vous.

— Je serai disposé à vous manifester ma grande reconnaissance pour toute aide que vous pourrez m'accorder dès maintenant. J'espère recueillir très bientôt des témoignages. » Je glissai la main sous ma robe jusqu'à ma bourse. « Maître…

— Mylling, monsieur, greffier adjoint. » Il retourna sa main pour en présenter la paume. Je jetai un coup d'œil à son jeune collègue, qui continuait de ranger des documents. « Oh, ne faites pas attention à lui, dit Mylling. Pour voir tous les documents concernant la tutelle, cinq shillings dans la nouvelle monnaie ou trois en argent sans alliage. »

Je clignai les paupières. Tout le système judiciaire et gouvernemental était lubrifié par les pots-de-vin. De l'argent et de coûteux cadeaux étaient remis aux agents officiels par les diverses parties d'un procès, par les marchands souhaitant devenir fournisseurs des armées et par les candidats à l'achat de biens monastiques. Mais, d'habitude, cela se passait plus ou moins sous le manteau et on affirmait qu'il s'agissait de présents offerts pour manifester son estime personnelle. Et ceux qui exigeaient trop et trop souvent, comme – selon la rumeur – Rich, l'année dernière, s'attiraient des ennuis. Il était malgré tout insolite qu'un greffier demandât ainsi sans détour de l'argent à un sergent royal. Mais j'avais à présent affaire à la Cour des tutelles, me rappelai-je, et je lui remis la somme réclamée. Le jeune commis continua à ranger ses papiers, sans prêter la moindre attention à ce qui était à l'évidence une pratique habituelle.

Mylling se montra alors très amical. « Je vais inscrire votre nom dans le dossier, monsieur, et aller chercher les documents. Mais je vous le dis dans votre propre intérêt, monsieur, il vous faudra des témoins qui puissent apporter quelque crédibilité aux accusations de maître Calfhill. Je suis franc avec vous, comme je l'ai été… avec maître Calfhill, ajouta-t-il après un instant d'hésitation, quand il est venu ici.

— C'est vous qu'il a vu quand il est venu faire sa déposition ?

— En effet. » Il posa sur moi un regard interrogateur. « Vous le connaissiez ?

— Non. Ce n'est qu'hier que j'ai rencontré sa mère et que j'ai accepté de défendre le dossier. Quel genre d'homme était-ce ? »

Il réfléchit un court moment. « Bizarre. Il était évident que c'était la première fois qu'il venait dans un tribunal. Il a dit qu'on avait traité ce jeune pupille de manière atroce et qu'il voulait qu'on mette sur-le-champ sir William au courant de l'affaire. » Il posa ses deux coudes sur le comptoir. « Il était extrêmement agité, paraissant avoir perdu l'esprit. Au début, je me suis demandé si c'était un malade mental, mais ensuite je me suis dit, non il est seulement… révolté, précisa-t-il après une seconde de réflexion.

— Oui, fis-je. Ça semble coller. »

Il se tourna vers son assistant. « Les papiers, Alabaster. » Le jeune homme avait écouté, en fait, car il se mit immédiatement à fouiller dans les piles de documents écornés et ne tarda pas à apporter une épaisse liasse, attachée par un ruban rouge. Mylling le dénoua et me remit le premier feuillet. Il s'agissait d'une pétition d'information, remplie d'une écriture soignée, la signature dans le coin du bas étant identique à celle du mot d'adieu avant le suicide. Je lus :

Je soussigné, Michael John Calfhill, prie humblement cette honorable cour d'enquêter sur la tutelle de Hugh Curteys, accordée à Nicholas Hobbey, résidant au prieuré de Hoyland, Hampshire, anno 1539, le susdit Hugh Curteys ayant subi de monstrueuses atrocités, et d'émettre une injonction empêchant la possession du corps du pupille par Nicholas Hobbey.

Je fixai Mylling. « L'avez-vous aidé à rédiger la pétition ? » Les greffiers n'étaient pas censés le faire mais, Michael Calfhill ne devant pas connaître les formules légales, Mylling l'avait sans doute aidé, en échange d'une somme d'argent.

« Oui. Je lui ai dit que, théoriquement, la pétition aurait dû être signée par un avocat, mais il a insisté pour faire sur-le-champ sa déposition lui-même. Je lui ai conseillé d'adoucir sa déclaration, mais il a refusé. Il me faisait de la peine. » À ma grande surprise, je vis qu'il était sincère. « Quand je lui ai expliqué qu'il aurait besoin de témoins, il m'a répondu qu'il allait parler à un certain pasteur.

— Vous permettez ? » Je tendis la main vers la liasse. Comme je m'y attendais, le document qui se trouvait sous la pétition était la réponse de la partie adverse. Signée de Vincent Dyrick, elle était tout à fait banale, affirmant avec force qu'aucune des allégations n'était fondée. Les autres documents étaient bien plus anciens.

« Y a-t-il un endroit où je pourrais examiner ces papiers en toute discrétion ?

— Je crains que non, monsieur. On ne peut sortir le dossier d'un procès qu'à l'occasion d'une audience. Libre à vous de le consulter sur le comptoir. » Je portai à nouveau ma main à ma bourse, sachant que j'aurais mal au dos si je restais penché au-dessus du comptoir un certain temps. Mais Mylling secoua vigoureusement la tête. « Je crains de ne pouvoir déroger au règlement. »

Je me penchai donc au-dessus du comptoir et compulsai les documents. Presque tous avaient trait à l'accord de la tutelle de Hugh et d'Emma, six années auparavant. Il s'agissait de papiers afférents à la demande de Nicholas Hobbey, gentleman, à l'estimation des terres par les administrateurs locaux, le gérant des successions dévolues à l'État et le curateur de fief. Hobbey avait payé quatre-vingts livres sterling pour la tutelle et trente en divers droits de chancellerie. C'était une forte somme.

Il y avait également une copie de la cession à Hobbey des bâtiments du prieuré ainsi que celle de sa part des terrains boisés, inférieure à celle des Curteys, qu'il avait achetée à la Cour des augmentations. Il avait payé cinq cents livres en tout. Était joint un plan des terres ayant jadis appartenu au couvent. Je cherchai à déterminer si des propriétés de valeur étaient données en location, mais toute la terre, celle de Hugh tout comme celle des Hobbey, paraissait n'être qu'une étendue boisée, à part le village de Hoyland, acheté, en 1538, par Hobbey en même temps que les bâtiments du prieuré. Il était maître et seigneur du village, ce qui renforçait sa position sociale. Je vis qu'il s'agissait d'un tout petit village comprenant trente maisons, soit deux cents habitants environ. D'après la liste des locataires, je constatai que si certains villageois étaient des francs-tenanciers, la plupart n'avaient que des baux de sept à dix ans. Je me dis que les locations ne devaient pas rapporter gros, que personne ne devait en tirer de grands profits. Le document indiquait que le prieuré de Hoyland était situé à huit milles au nord de Portsmouth, « de ce côté-ci de la colline de Portsdown, au nord de Purbrook et au sud de Horndean ». D'après le plan, il se trouvait tout près de la route principale menant de Londres à Portsmouth. C'était idéal pour transporter du bois.

Je me redressai pour soulager mon dos. Hobbey avait fait un gros investissement, d'abord pour acquérir sa part de la terre puis la tutelle. Puisqu'il s'était installé dans le Sud, il avait dû vendre son affaire commerciale de Londres. La métamorphose d'un marchand prospère en hobereau n'avait rien d'insolite. Cela se voyait constamment.

Je levai les yeux. Mylling me jetait des coups d'œil furtifs depuis son pupitre. Il détourna vivement le regard. « L'acquisition de la tutelle s'est faite très vite, dis-je. Deux mois à peine se sont écoulés entre la demande et la cession. Hobbey a payé des droits très élevés. Il devait avoir extrêmement envie de l'acheter. »

Mylling se leva, s'approcha et me dit à voix basse : « S'il voulait que l'affaire soit réglée très vite il fallait qu'il montre son estime pour le procureur Sewster et pour le curateur de fief.

— M. Hobbey a des terres dans le Hampshire contiguës à la propriété de ses pupilles. Et un jeune fils. »

Mylling opina du chef d'un air avisé. « Exactement. S'il mariait la fille à son fils, les deux terres seraient réunies. On rédige un contrat préalable au mariage pendant qu'ils sont encore enfants. Vous connaissez les hobereaux. Mariage en hâte, amour à loisir.

— La jeune fille est morte. »

Il hocha la tête d'un air sagace. « L'acquisition d'une tutelle comporte ses risques, comme n'importe quelle autre opération commerciale. Il reste cependant le mariage du garçon. Le tuteur peut en tirer des bénéfices. » Il se détourna comme la porte s'ouvrait pour laisser passer un gros commis d'un certain âge, chargé d'une liasse de papiers, qu'il déposa sur le comptoir. « La tutelle de l'oncle sur le jeune Edward est confirmée, expliqua-t-il. Sa mère a été déboutée. »

J'entendis à travers la porte les pleurs d'une femme et d'un garçonnet. Le commis passa la main sur les manches flottantes de sa robe. « La mère a dit que l'oncle est si laid que le gamin s'est enfui en le voyant. Sir William l'a réprimandée pour son insolence. »

Mylling appela Alabaster, qui nous rejoignit. « Allez, sois gentil. Rédige les ordres.

— Bien, monsieur. » Il adressa un sourire cynique au gros commis. « La reconnaissance, on connaît pas aux Tutelles. N'est-ce pas, Thinpenny ? »

Le commis se gratta la tête. « Ça, c'est bien vrai. »

Alabaster sourit à nouveau. Méchamment, me sembla-t-il. Puis, voyant que je le regardais, il regagna son pupitre. Thinpenny s'en alla et Mylling retourna s'asseoir à son bureau. Je me replongeai dans le dossier Curteys, qui ne contenait pas grand-chose d'autre, à part un document indiquant les sommes que Hobbey s'engageait à verser pour l'éducation des enfants – de nouveaux débours, pensai-je –, ainsi qu'un bref acte de décès concernant la mort d'Emma Curteys, en août 1539. Et, enfin, une demi-douzaine de commandements datés des dernières années permettant à M. Hobbey d'abattre une quantité limitée d'arbres sur les terres boisées appartenant à Hugh, « vu l'ancienneté des arbres et la forte demande de bois, les profits devant être partagés entre Nicholas Hobbey et Hugh Curteys ». La part de Hugh, comme son héritage, devant être détenue par la Cour des tutelles et la quantité de bois à abattre déterminée « par M. Hobbey et le curateur de fief du Hampshire ». Chaque fois, des sommes entre vingt-cinq et cinquante livres avaient été remises à la cour, accompagnées d'un certificat signé du curateur de fief, un certain sir Quintin Priddis. Voilà enfin, pensai-je, l'odeur fétide d'une éventuelle corruption. Rien ne prouvait que des sommes plus élevées n'aient pas été partagées entre Hobbey et le dénommé Priddis. Mais rien ne prouvait non plus que des pots-de-vin aient été effectivement versés. Je refermai lentement le dossier et me redressai ; un élancement dans le dos me fit grimacer.

Mylling revint vers moi. « Vous avez terminé, monsieur ? »

J'opinai du chef. « Je me demandais si M. Hobbey allait assister à l'audience. »

Il réfléchit quelques instants. « Il suffirait que son avocat assiste à la première séance. Mais si j'étais l'objet d'une telle accusation, je serais personnellement présent.

— En effet. » Je lui fis un sourire amical. J'avais besoin de Mylling pour autre chose. « Je cherche des renseignements sur une autre affaire, qui n'a aucun rapport avec celle-ci. Un certificat d'un *lunatico inquirendo*, attestant la démence d'une jeune femme. Cela a dû se passer il y a dix-neuf ans. Pourriez-vous m'aider en la matière ? »

Il prit un air dubitatif. « Représentez-vous le tuteur ?

— Non. Je souhaite justement savoir qui il est. » Je tapotai ma bourse.

Son visage s'éclaira. « Ça ne relève pas de ma compétence, à proprement parler. Mais je sais où sont entreposées les archives. » Il prit une profonde inspiration, puis se tourna vers le jeune commis. « Alabaster, on va devoir descendre dans la "fosse puante". Va quérir deux lanternes aux cuisines et rejoins-nous là-bas. »

✝

Tous les gens qui attendaient sur les bancs étaient partis. À petits pas pressés, Mylling me fit traverser une enfilade labyrinthique de pièces minuscules. Dans l'une d'elles, assis à son pupitre devant deux piles de pièces en or, un commis transférait des anges et des souverains d'une pile à l'autre et prenait des notes dans un épais registre.

Nous descendîmes une première volée de marches en pierre. Après un palier, une seconde volée s'enfonçait dans le noir. Nous nous trouvions au sous-sol. Alabaster nous attendait sur le palier avec deux lanternes à parois de corne renfermant des chandelles à la cire d'abeille, qui dégageaient une belle lumière jaune. Comment avait-il réussi à nous devancer ?

« Merci, Alabaster, dit Mylling. Nous n'en avons pas pour longtemps… Ce n'est pas un endroit où on a envie de s'attarder », ajouta-t-il à mon adresse.

Le jeune commis inclina le buste, avant de s'éloigner à souples et rapides enjambées. Mylling me tendit une des deux lanternes. « Je vous en prie, monsieur. »

Je descendis derrière lui de très vieilles marches, avec moult précautions car elles étaient usées au centre. En bas se trouvait une très ancienne porte romane incrustée de clous métalliques. « Jadis une partie du trésor royal était gardée ici, m'expliqua le greffier. Cette section date de l'époque normande. » Il posa sa lanterne par terre, fit tourner la clef dans la serrure et poussa la porte. Elle s'ouvrit en grinçant bruyamment. Elle était si incroyablement épaisse et lourde qu'il dut la pousser à deux mains. Près de la porte, il y avait une moitié de dalle qu'il coinça à l'aide du pied contre le chambranle. « Par mesure de sécurité, monsieur. Attention aux marches ! »

Comme je descendais derrière lui dans la pièce plongée dans les ténèbres, une odeur de pourriture et de moisi me prit à la gorge et me fit presque vomir. La lanterne éclaira vaguement une petite pièce au sol dallé. De l'eau dégoulinait quelque part. Une mousse de moisissure tapissait les murs. Des tas de vieux documents, à certains desquels étaient accrochés des rubans fermés par des cachets rouges, pendant au bout de rubans de diverses couleurs, étaient empilés sur des étagères, apparemment humides, et sur de vieux coffres en bois posés les uns sur les autres.

« C'est l'ancienne salle des archives, expliqua Mylling. Le travail des Tutelles augmente à une telle vitesse qu'il n'y a plus de place où entreposer les archives, c'est pourquoi on a mis ici celles concernant les pupilles décédés et ceux qui, ayant atteint leur majorité, se sont dégagés de leurs tutelles. Ainsi que tous les dossiers relatifs aux déments. » Il se tourna vers moi et, dans la lumière de la lampe, son visage paraissait encore plus ridé et plissé. « Les fous ne rapportent rien, voyez-vous. »

L'atmosphère fétide me fit froncer les narines. « Je comprends pourquoi vous l'appelez la "fosse puante".

— Personne ne peut y demeurer longtemps. On se met vite à tousser et à étouffer. Je déteste descendre ici. Quand l'hiver est humide je respire mal même dans ma propre maison. Dans quelques années, tous ces documents seront collés les uns aux autres par la moisissure. Je n'arrête pas de le répéter mais personne ne m'écoute... Bon. Allons-y, si vous êtes d'accord. De quand daterait cette enquête sur une démence ?

— De 1526, il me semble. Il s'agit d'Ellen Fetti-place. Originaire du Sussex. »

Il planta sur moi un regard pénétrant. « S'agit-il d'une autre affaire à laquelle s'intéresse la reine ?

— Pas du tout.

— 1526. Le roi était donc toujours marié à Cathe-rine l'Espagnole. Et son divorce pour épouser Anne Boleyn allait causer un certain trouble. » Il gloussa en hoquetant. « Il y a eu plusieurs autres divorces et plu-sieurs exécutions depuis cette époque, n'est-ce pas ? » Se frayant un chemin au milieu des coffres, il gagna le coin opposé. « C'est là qu'on garde les fous », poursui-vit-il en s'immobilisant devant une rangée d'étagères, sur lesquelles s'entassaient d'autres documents, tout aussi humides d'aspect. Levant sa lanterne, il sortit une liasse de papiers. « 1526 », lut-il. Il la posa sur le sol dallé, s'accroupit à côté et la feuilleta. Quelques instants plus tard, il redressa la tête. « Aucune mention de Fettiplace là-dedans, monsieur.

— Vous en êtes sûr ? Aucun nom plus ou moins semblable ?

— Non, monsieur. Êtes-vous certain que vous avez la bonne année ?

— Essayez donc l'année d'avant et celle d'après. »

Il se releva lentement, des taches d'humidité mar-quant ses chausses, et retourna aux étagères. Comme il fouillait parmi de nouveaux documents, mon nez et ma gorge commencèrent à me piquer. J'avais l'impression que la mousse de moisissure qui tapissait les parois s'infiltrait en moi. En tout cas, le greffier était efficace. Il sortit deux nouvelles liasses et les plaça sur le sol, les feuilletant de ses doigts expérimentés. Je remarquai qu'un énorme champignon luisant poussait à côté de lui entre les dalles. Il finit par se redresser en secouant la tête. « Il n'y a rien là-dedans, monsieur. Personne du nom de Fettiplace. J'ai cherché une année avant et une année après. Si elle avait été là je l'aurais trouvée. »

Je ne m'attendais pas à cela. Comment se faisait-il qu'Ellen fût enfermée à Bedlam s'il n'existait aucun certificat de démence ? Les genoux de Mylling craquèrent quand il se releva. Un coup de tonnerre nous fit sursauter tous les deux. Bien que nous fussions au sous-sol, le bruit avait été assourdissant.

« Écoutez-moi ça, dit Mylling. Quel vacarme ! Comme si Dieu lui-même déchaînait Sa fureur contre nous.

— Nous le méritons bien, vu ce qui se passe ici », dis-je avec une soudaine amertume.

Le greffier leva sa lanterne et me regarda fixement. « Tout ce qui se passe ici, monsieur, c'est de par la volonté du roi. Il est notre souverain maître, ainsi que le chef de l'Église. Ses ordres doivent suffire à apaiser nos consciences. » Peut-être croit-il ce qu'il dit, pensai-je. Peut-être est-ce grâce à cela qu'il peut faire son travail.

« Même s'il nous conduit tout droit en enfer ?

— Je regrette de ne pas avoir réussi à trouver votre démente, dit Mylling pour changer de sujet.

— Il est parfois utile de savoir que quelque chose n'est pas attesté par un certificat. »

Il me regarda, l'œil brillant de curiosité et peut-être

d'un sentiment plus profond. « J'espère que vous allez trouver vos témoins pour l'affaire Curteys, monsieur, fit-il d'un ton neutre. Qu'est-il arrivé à Michael Calfhill ? Bien que messire Sewster ait refusé de me le dire, j'ai un mauvais pressentiment à ce sujet. »

Je le regardai droit dans les yeux. « Il s'est suicidé. »

Il me fixa de ses yeux noirs perçants. « Ça m'étonne de sa part. Il paraissait si soulagé d'avoir formulé sa pétition. » Il secoua sa tête grisonnante, puis, me devançant, prit le chemin du retour et s'engagea dans le labyrinthe des couloirs successifs. J'entendis à nouveau le cliquetis des pièces d'or.

6

Lorsque je ressortis du bâtiment, la lumière étonnamment éblouissante me fit cligner les yeux. Les pavés du passage étaient couverts de grêlons qui étincelaient sous un ciel redevenu d'un bleu éclatant. L'atmosphère s'était dégagée et soudain rafraîchie. Je m'éloignai, marchant avec précaution sur le sol glissant et craquant. Dans Palace Yard, les passants qui s'étaient abrités de l'orage émergeaient à nouveau.

Je décidai de passer par la maison de Barak, située sur mon chemin, pour voir s'il était rentré. Au moment où j'atteignis le haut édicule de Charing Cross, les grêlons avaient fondu et le sol était seulement un peu humide. Comme je longeais les belles demeures des riches de chaque côté du Strand, je pensai à Ellen. Comment avait-on pu l'interner à Bedlam sans une attestation de démence ? Quelqu'un avait été grassement payé pour la recevoir et continuait à l'être. Je me rendis compte qu'elle pourrait en sortir dès demain. Mais là était le paradoxe, car c'était la dernière chose qu'elle avait envie de faire.

Je tournai dans Butcher Lane, une courte rue aux maisons d'un seul étage. Barak et Tamasin louaient le rez-de-chaussée d'une jolie maisonnette, peinte en un plaisant jaune et vert. Je frappai à la porte. Mame Marris vint ouvrir. Âgée d'une quarantaine d'années, c'était une femme forte qui avait d'habitude l'air joyeuse et compétente, mais qui ce jour-là paraissait inquiète.

« Mame Tamasin va bien ? demandai-je d'un ton inquiet.

— Elle, oui, répondit-elle un peu rudement. C'est le maître qui n'est pas dans son assiette. »

Elle me fit entrer dans la petite salle bien rangée qui donnait sur un jardinet plein de fleurs aux couleurs éclatantes. Tamasin était installée sur une pile de coussins, les mains soutenant son ventre. Le visage couvert de larmes, elle semblait en colère. L'air penaud, Barak était assis sur une chaise dure poussée contre le mur. Mon regard passa de l'un à l'autre. « Qu'est-ce qui ne va pas ? »

Tamasin lança un coup d'œil furieux à son mari. « Le militaire est revenu. Jack s'est fait incorporer dans l'armée, l'imbécile.

— Quoi ? Il ne recrute que les hommes célibataires.

— C'est parce qu'il a claqué des doigts sous le nez de ce type. Et aujourd'hui il lui a répondu insolemment. Il croit qu'il peut faire ce qui lui chante. Il se croit toujours le serviteur favori de Thomas Cromwell et pas seulement un clerc de juriste. »

Barak tressaillit. « Tammy…

— Ne m'appelle pas Tammy ! Pouvez-vous nous aider, monsieur ? On lui a enjoint de se rendre à Cheapside Cross dans trois jours pour prêter serment.

— Déjà ? Sans même passer par la revue d'armes ?

— Il a affirmé qu'il voyait que j'étais en bonne

113

forme, me dit Barak, vigoureux de corps et capable de supporter tous les temps. Il a refusé d'entendre mes explications et a commencé à hurler. Il a prétendu que j'avais été choisi, un point c'est tout... Tammy a raison, soupira-t-il. C'est à cause de mon insolence.

— Les recruteurs sont censés enrôler les hommes les plus aptes, sans se laisser dominer par leurs antipathies... Comment s'appelle-t-il ?

— Goodryke.

— Très bien. Dès demain, j'irai voir l'échevin Carver. » Je posai sur Barak un regard grave. « Ce sous-officier veut certainement un pot-de-vin. Tu t'en rends compte ?

— Nous avons un peu d'argent de côté, dit-il tranquillement.

— En effet. Pour le bébé », rétorqua Tamasin, les yeux noyés de larmes.

Il haussa les épaules. « Autant le dépenser maintenant. Sa valeur diminue de jour en jour. Mordieu, Tammy, ne recommence pas à pleurnicher pour un rien ! »

Je m'attendais que Tamasin râle à nouveau contre lui, mais elle se contenta de soupirer. « Jack, dit-elle calmement, j'aimerais que tu acceptes ton rang et que tu vives sereinement. Pourquoi te crois-tu toujours obligé de te battre avec les gens ? Pourquoi ne peux-tu vivre en paix ?

— Je regrette, répondit-il d'un ton humble. J'aurais dû réfléchir. On va s'en tirer. Messire Shardlake nous aidera. »

Elle ferma les yeux. « Je suis fatiguée, dit-elle. Laisse-moi seule un moment.

— Jack, m'empressai-je de dire. Sortons pour discuter de cette histoire. J'ai des nouvelles intéressantes. Je sais où on peut avoir un pâté... » Il hésita mais je voyais bien qu'il valait mieux laisser Tamasin seule un moment.

Dehors, il secoua la tête. « Quel orage ! fit-il.

— Oui. Il y avait une épaisse couche de grêlons à Westminster. »

Il indiqua la maison d'un signe de tête. « Je voulais dire à l'intérieur. »

J'éclatai de rire. « Elle a raison. Tu es incorrigible. »

Nous gagnâmes une taverne située près de la prison de Newgate et que fréquentaient des étudiants en droit et des avocaillons en quête de clients. Il y avait déjà beaucoup de monde. Autour d'une grande table, des étudiants étaient assis, en compagnie d'une demi-douzaine d'apprentis. Les différences entre les classes, avais-je remarqué, commençaient à s'estomper parmi les jeunes en âge d'être incorporés. Déjà passablement éméchés, ils chantaient le chant qui était devenu populaire après notre victoire sur les Écossais, à Solway Moss, trois ans plus tôt.

« Roi Jacques, Jacquou, pauvre Jacquot,
T'as convoqué not' roi, pourquoi t'as fait ça, idiot ? »

Et maintenant, pensai-je, les Écossais s'apprêtent à nous tomber dessus, soutenus par des milliers de soldats français. Rien d'étonnant à cela puisque, depuis trois ans, le roi menait chevaleresquement une guerre contre Marie, leur enfant reine. J'aperçus parmi eux un homme d'âge mûr et reconnus le visage balafré et le cache-œil de mon intendant. Le visage empourpré, Coldiron chantait à tue-tête. Je me rappelai que c'était sa soirée de congé.

« Va me chercher au guichet une bière et un pâté, dis-je à Barak. Je vais m'asseoir là », ajoutai-je en désignant du menton une table séparée par une cloison de la salle principale de la taverne.

Il rapporta deux chopes de bière et deux pâtés de mouton, puis s'assit lourdement et me regarda d'un air penaud. « Je suis désolé, fit-il.

— Tamasin se fait beaucoup de souci.

— Elle a raison, je m'en rends bien compte. Je n'aurais pas dû remonter les bretelles à ce trou-du-cul. Les militaires sont susceptibles. Êtes-vous au courant qu'une bande de mercenaires allemands a déclenché une émeute ce matin à Islington ? Ils voulaient une meilleure solde pour aller en Écosse.

— Les troupes anglaises y vont plutôt sans rechigner.

— Pouvez-vous me tirer de ce mauvais pas ? demanda-t-il d'un ton grave.

— Je l'espère. Tu sais que je ferai tout mon possible. » Je secouai la tête. « J'ai vu une centaine d'hommes appartenant aux bataillons de réserve quitter l'embarcadère de Westminster. Et à Lincoln's Inn, j'ai entendu dire qu'il y a douze mille hommes dans la marine. Soixante mille miliciens sur la côte de la Manche, trente mille dans l'Essex. Vingt mille sur la frontière écossaise… Grand Dieu ! »

De l'autre côté de la cloison, l'un des jeunes fêtards

hurla : « On va dénicher le moindre maudit espion français à Londres ! Minables coqs de combat, sales porcs
qui n'arrivent pas à la cheville des braves Anglais ! »

« Il ne verrait pas les choses de la même façon
s'il avait une femme et un môme. » Barak avala une
bouchée de son pâté et une lampée de bière.

« Si tu avais leur âge et si tu étais célibataire, chan-
terais-tu avec eux ?

— Je n'ai jamais hurlé avec les loups, surtout si
la meute se précipite vers le bord d'une falaise. » Il
s'essuya la bouche, prit une autre lampée. Je regardai
sa chope déjà presque vide. « Ne bois pas si vite.

— Je ne bois plus beaucoup maintenant. Vous le
savez bien. Ç'avait été la cause de ma séparation
d'avec Tamasin. Non pas que ce soit toujours facile.
Ça vous va bien, à vous, de me faire la morale, vous
qui buvez comme un moineau. »

Je souris tristement. Il était vrai que j'avais toujours peu bu. Je me rappelai encore comment, après
la mort de ma mère, mon père passait ses soirées à
la taverne. De mon lit, je l'entendais tituber, marmonner et divaguer, tandis que les serviteurs l'aidaient à
monter l'escalier. Je m'étais juré de ne jamais devenir
comme lui. Je secouai la tête. « Qu'as-tu découvert
aujourd'hui ?

— Je crois qu'il y a quelque chose de louche dans la
mort de Michael Calfhill, dit-il à voix basse. J'ai parlé
à ses voisins et au sergent du guet du coin. C'est un
vieux bavard et je l'ai emmené boire un coup. Il m'a
raconté que Michael avait eu quelques ennuis avec un
groupe d'apprentis du quartier. Des garnements postés
au coin de la rue, à l'affût d'espions français.

— Quelle sorte d'ennuis ?

117

— Le sergent les avait entendus apostropher Michael sur son passage. Apparemment, les gamins n'aimaient pas la façon dont Michael les regardait.

— Quelle sorte de façon ?

— Comme s'il avait très envie de leur passer la main par la braguette. »

J'écarquillai les yeux. « Il ne faut faire aucune allusion à ça à l'audience. Qu'ont dit les voisins ?

— Un jeune couple habite dans la chambre au-dessous de celle de Michael. Ils ne le voyaient pas souvent. Ils l'entendaient seulement passer dans l'escalier ou faire les cent pas dans sa chambre. La nuit où il est mort, ils ont été réveillés par un bruit de chute. Le mari est monté mais, comme personne ne répondait, il est allé quérir le sergent du guet, qui a défoncé la porte et a trouvé Michael pendu à la poutre du plafond. Michael avait découpé une bande de tissu dans un drap, avait fait un nœud coulant, puis était monté sur une chaise qu'il avait ensuite repoussée du pied. C'est la chute de la chaise qui avait causé le bruit. » Il se pencha en avant, s'animant soudain. « J'ai demandé au jeune couple s'il avait entendu quelqu'un monter ou descendre l'escalier. Ils ont répondu que non, mais la chambre est au premier et le sergent du guet a dit que la fenêtre était ouverte.

— Rien de surprenant à ça puisqu'on est en été.

— Je veux dire que quelqu'un aurait pu entrer pendant le sommeil de Michael, l'étrangler avant de le suspendre au plafond. » Il eut son ancien sourire de comploteur. « Si vous voulez, on peut aller jeter un coup d'œil à la chambre demain. Elle n'a pas été relouée. Le sergent a laissé la clef chez le jeune couple.

Je lui ai dit qu'il se pourrait que je revienne avec quelqu'un.

— Je vais y réfléchir. Et le pasteur ?

— Il est toujours dans la même église. Sainte-Éveline, dans Fall Lane. C'est le révérend Broughton. Il n'était pas là et le bedeau m'a dit de revenir demain, à onze heures. »

Je souris. « Bon travail. Il se peut qu'on ait un témoin finalement. Et il nous en faut absolument un. » Je lui racontai ma visite à la Cour des tutelles. « Tu t'en es bien tiré si tu n'as dû payer que quelques bières. Moi, j'ai dû débourser trois shillings d'argent pour obtenir l'aide de Mylling. Nous irons voir le pasteur demain. Et, d'accord, je vais jeter un coup d'œil au logement de Michael. Même si je pense qu'il s'agit vraiment d'un suicide. Sa mère affirme que le mot a bien été écrit par lui. » Je fronçai les sourcils. « Ce qu'il a découvert dans le Hampshire aurait-il pu lui faire perdre la tête ? »

Les voix du groupe de l'autre côté de la cloison étaient montées de plusieurs tons et j'entendis Coldiron hurler d'une voix rauque. « Aujourd'hui les hommes sont trop efféminés ! Dormir à la belle étoile, c'est très bien ! Quelques branches et des couvertures par-dessus, et on peut se vautrer comme des porcs !

— Je préférerais faire un câlin avec ma jolie petite chatte !

— Y a plein de petites chattes dans l'armée ! cria Coldiron par-dessus les rires. Des filles à soldats ! Des traînées, certes, mais qui connaissent leur boulot ! Allons, les jeunes ! Qui va me chercher un autre verre ?

— Vous n'avez pas eu la main heureuse dans votre choix, dit Barak.

— Je le sais. Je me débarrasserai de lui dès que j'aurai trouvé un remplaçant. »

Il vida sa chope. « Vous voulez une autre bière ? Ne vous en faites pas, ce sera ma dernière.

— D'accord. Mais évite de regarder Coldiron. »

Tandis qu'il allait chercher à boire, je réfléchis. « J'ai découvert quelque chose sur Ellen à la Cour des tutelles, lui dis-je à son retour. Elle n'a jamais été inscrite comme démente.

— Alors comment se fait-il qu'elle ait été internée à Bedlam ?

— C'est ce que j'ai l'intention de découvrir. Quelqu'un paie sa pension. Le directeur Metwys est impliqué, c'est obligé. Ainsi que tous les directeurs de Bedlam depuis dix-neuf ans. Ce poste est très lucratif et les courtisans se l'arrachent.

— Vous allez être encore plus lié à elle que jamais. »

Je secouai la tête. « Non. Ça m'est impossible.

— Écoutez. En ce moment, Ellen a un endroit où vivre et une sorte de travail. Si vous furetez dans les secrets de famille, il se peut que la personne qui règle sa pension à Bedlam cesse de le faire. On la mettra certainement à la porte et où logera-t-elle alors ? Chez vous ? »

Je soupirai car il avait raison. « J'agirai prudemment, sans rien brusquer. Mais si je vais à Portsmouth, je ne peux pas rater l'occasion de découvrir ce qui s'est passé à Rolfswood.

— Vous pensez y parvenir ?

— Si on permet à l'affaire de suivre son cours lundi, c'est très probable. Écoute. Je verrai l'échevin Carver demain à propos du pétrin dans lequel tu t'es fourré.

Il me doit une faveur. Ensuite, on pourra rendre visite au pasteur pour l'entendre nous dire ce qu'il sait sur les Curteys. Au fait, Bess devra assister à l'audience, lundi. Je dois la voir samedi. Je ne veux pas qu'elle apprenne que Michael reluquait ces garnements du coin de la rue. Si c'est bien le cas.

— Peut-être ont-ils décidé de lui régler son compte.

— Parce qu'il les lorgnait ? Ne sois pas stupide.

— Et si le pasteur ne nous révèle rien de défavorable contre Hobbey ?

— Alors ce sera plus difficile. Il me faudra souligner la gravité des allégations de Michael et la rapidité avec laquelle a été attribuée la tutelle. Le cas échéant, je dirai que les Hobbey doivent être interrogés. Si la cour me donne raison, je devrai sans doute me rendre dans le Hampshire et recueillir moi-même leur témoignage. J'irai voir Dyrick dès que nous aurons trouvé des gens susceptibles de nous apporter des preuves.

— Il faudra que quelqu'un vous accompagne. Ça risque d'être une sale histoire. Comme celle d'Ellen, d'ailleurs.

— Ce ne sera pas toi, en tout cas, puisque Tamasin est sur le point d'accoucher. Pour ce genre de voyage, un gentleman peut se faire accompagner de son intendant, mais je préférerais m'engager dans l'armée que d'emmener Coldiron. Warner va m'aider. » Je secouai la tête. « Les Tutelles... Connais-tu la devise de la Cour des tutelles ? *Pupillis Orphanis et Viduis Adiutor*.

— Vous savez que le latin n'est pas mon fort.

— Cela signifie qu'elle aide les pupilles, les orphelins et les veuves. La formule est tirée du Livre des Maccabées, à propos des séquelles de la guerre :

"Quand ils avaient donné une partie des dépouilles aux estropiés, aux veuves et aux orphelins."

— Quel pédantisme !

— Je me suis dit que l'inventeur de cette devise était un pince-sans-rire. »

Il resta silencieux quelques instants, puis répondit : « Je crois savoir qui c'est.

— Et qui est-ce ?

— Lord Cromwell m'avait dit qu'on lui avait soufflé une idée qui pourrait rapporter beaucoup d'argent au roi. En accordant les terres des monastères selon la disposition du "fief de haubert" et en plaçant tous les acheteurs sous l'égide de la tutelle. » Il me fixa droit dans les yeux. « L'homme qui lui avait donné cette idée était le chef de la Cour des augmentations, qui s'occupait des propriétés monastiques.

— Richard Rich.

— Il était également chargé des pupilles dans l'ancien bureau des Tutelles. Il a fait d'une pierre deux coups.

— J'avais oublié que Rich s'occupait jadis des tutelles.

— Ce rat mange à tous les râteliers pourris. Il a trahi mon maître à qui il devait ses fonctions. Il s'est retourné contre lui et l'a condamné quand il a perdu la faveur du roi, rétorqua Barak en serrant fortement le poing.

— Tu te souviens toujours de Cromwell avec affection.

— C'est vrai, dit-il d'un ton de défi. Il était comme un père pour moi. Il m'a tiré du ruisseau quand je n'étais encore qu'un gamin. Comment pourrais-je ne pas garder un bon souvenir de lui ?

— Il était extrêmement dur. Il a mis en place bien des hommes de sa trempe qui nous gouvernent aujourd'hui. Sir William Paulet, par exemple. »

Il s'agita sur son siège. « Il y a beaucoup de choses qu'il m'a fait faire qui ne me plaisaient pas, reconnut Barak à voix basse. Organiser des surveillances, récolter des informations, parfois intimider des gens. Mais les courtisans qui s'opposaient à lui ne valaient guère mieux. Ils le détestaient autant à cause de ses origines modestes que de ses idées radicales en matière de religion. Il m'arrive de penser encore à cette époque-là, à mon ancien travail. Ça me faisait parfois me sentir vivant.

— Tamasin ne te fait pas le même effet ? Et la perspective d'avoir un enfant ? »

Il posa sur moi un regard d'une profonde gravité. « Oui. Plus que toute autre chose. Mais pas de la même façon. Je sais que je ne peux pas avoir les deux. » Il se tut quelques instants puis se leva. « Allons-y ! Il vaut mieux que je rentre, ou je vais avoir des ennuis. »

De l'autre côté de la cloison, les cris et les chants continuaient. En traversant la salle, je détournai la tête pour éviter le regard de Coldiron. L'un des étudiants était maintenant vautré sur la table, ivre mort. La voix de mon intendant, pâteuse désormais, se fit à nouveau entendre.

« J'ai été soldat pendant vingt ans. J'ai servi à Carlisle, à Boulogne et même à la Tour. Toujours au service du roi. » Sa voix monta de plusieurs tons. « J'ai tué le roi Jacques. À Flodden, cette grande, cette formidable bataille. Les piquiers écossais ont dévalé la colline pour nous attaquer, appuyés par les tirs de leurs canons, mais on n'a pas flanché.

— Les Anglais ne flanchent jamais ! hurla l'un des étudiants et les autres claquèrent violemment leurs mains sur la table.

— Vous n'avez jamais voulu vous ranger, maître Coldiron ? demanda l'un des apprentis.

— Avec ce visage ? Jamais. De plus, qui veut se plier aux quatre volontés d'une femme ? Tu connais l'adage : "Il n'y a qu'une mégère au monde et tous les hommes l'ont pour épouse !"

Les rires qui s'élevèrent autour de lui nous suivirent tandis que nous passions le seuil. Je me demandai alors : si tu ne t'es jamais marié, qui est donc Josephine ?

7

Le lendemain matin, aux environs de dix heures, je partis pour l'hôtel de ville. La veille, j'avais chargé Timothy de porter un message chez l'échevin Carver, lequel avait répondu qu'il ne pouvait me recevoir plus tôt. C'était fort ennuyeux car j'avais beaucoup à faire. J'avais ensuite envoyé un mot à Barak pour lui donner rendez-vous devant l'église Sainte-Éveline, à onze heures.

Après le petit déjeuner, j'avais mis à nouveau ma plus belle robe, coiffé mon bonnet et ma calotte de sergent royal pour impressionner Carver. J'entrai dans la salle où, après avoir mangé très tôt comme d'habitude, Guy était assis à la table et lisait son précieux exemplaire de *De humani corporis fabrica libri septem* de Vésale. Son premier exemplaire avait été volé par son ancien apprenti et il avait eu beaucoup de mal à en trouver un nouveau, qu'il avait payé très cher. Il était en train de passer le doigt sur l'image d'un bras écorché, l'une des magnifiques mais répugnantes illustrations contenues dans cet ouvrage.

« Toujours plongé dans vos études, à ce que je vois, Guy.

125

— L'intelligence de cet auteur ne cesse de m'étonner... L'autre jour, Coldiron m'a vu le lire, poursuivit-il avec un sourire triste, et ça l'a beaucoup intéressé. Il m'a gratifié de récits sur les quantités d'entrailles humaines qu'il avait vues à Flodden.

— Naturellement... Guy, que pensez-vous de Josephine ? »

Il s'appuya contre le dossier de son siège pour réfléchir à la question. « Elle est timide, et il me semble qu'elle n'est pas heureuse. Mais rien de surprenant à cela quand on a Coldiron pour père.

— Je la comprends... Elle n'a pas de petit ami, n'est-ce pas ?

— Non. Et c'est dommage, car elle a bon caractère et pourrait être assez jolie si elle était un peu coquette.

— Comme Coldiron passe son temps à la critiquer, elle ne peut pas avoir confiance en elle.

— J'étais dans le vestibule, il y a quelques jours de ça, et je l'ai entendu l'enguirlander dans la cuisine. Il la traitait d'écervelée, de bonne à rien, parce qu'elle avait fait tomber quelque chose. Elle a éclaté en sanglots et j'ai été surpris d'entendre son père la consoler. "Tu es en sûreté avec moi", lui disait-il et il l'a appelée sa "Jojo", selon son habitude.

— En sûreté ? Quel danger court-elle ? » Je secouai la tête. « J'ai l'intention de me débarrasser de lui, mais comment la garder, elle ?

— Je crains qu'elle ne dépende entièrement de lui. »

Je poussai un soupir. « Bon. Il faut que j'y aille. Je dois essayer de sauver Barak du péril de la vie militaire, que Coldiron porte aux nues. »

✝

126

Après l'orage, le temps s'était rafraîchi, le soleil rayonnait et le ciel était tout bleu. Tout en marchant, je pensais à ce que j'avais découvert sur Ellen. En bon avocat, je réfléchis aux questions d'organisation et de pouvoir. Un accord avait été passé avec la personne qui dirigeait Bedlam en 1526 et était toujours en vigueur. Mais qui l'avait conclu avec le directeur d'alors ? Il fallait que je l'en délivre, coûte que coûte.

Je longeai à nouveau Cheapside. La matinée était, une fois de plus, très agitée et des querelles éclataient derechef à propos des nouvelles pièces. J'entendis deux marchands affirmer que la grêle avait abîmé de nombreuses récoltes dans les environs de Londres et que, cette année encore, il y aurait pénurie de céréales.

Je m'engageai dans St Laurence Lane puis traversai North Street pour gagner l'hôtel de ville. Après avoir gravi les marches, je pénétrai dans le vaste vestibule sonore. Messire Carver m'attendait, vêtu de sa magnifique robe rouge de magistrat municipal. À ma grande surprise, à ses côtés se tenait le sous-officier barbu que j'avais vu à Lincoln's Inn Fields, portant son uniforme rouge et blanc et une épée à la ceinture. Il planta sur moi un regard sévère.

« Bonjour, sergent royal Shardlake ! lança cordialement Carver. Je suis désolé d'apprendre que votre assistant a des ennuis… Maître Goodryke souhaitait être présent puisque l'affaire le concerne. » Le militaire fronça ses épais sourcils.

« Monsieur, votre clerc a été insolent, déclara-t-il. Son attitude constitue un défi à l'autorité royale. Il ne possède même pas d'arc et ne cache pas qu'il ne s'est pas entraîné.

— Il n'est pas le seul, semble-t-il, répondis-je avec douceur.

— Ce n'est pas une excuse. Le sergent du guet m'a signalé que le dénommé Barak est d'origine juive. Peut-être est-ce la raison pour laquelle il ne montre aucune loyauté envers l'Angleterre, alors que nous sommes sur le point d'être envahis. »

Donc, la nouvelle s'est déjà répandue, pensai-je. Je lui adressai un sourire contraint. « Barak peut être irrespectueux, à l'occasion. Mais c'est un Anglais loyal. Il a travaillé durant de nombreuses années pour lord Cromwell.

— Qui a été exécuté pour trahison, rétorqua vertement Goodryke. Je ne vois pas pourquoi cet homme devrait être exempté parce qu'il travaillait jadis pour un traître. » Il pointa son menton vers moi d'un air agressif.

Je fis une nouvelle tentative. « Il est très préoccupé. Sa femme est enceinte. L'enfant doit naître dans quelques semaines et ils ont perdu le précédent. »

L'échevin Carver hocha la tête, l'air apitoyé. « Ah, ça, c'est dur. N'est-ce pas, maître Goodryke ? »

Goodryke resta de marbre. « Il m'a claqué des doigts sous le nez et m'a dit d'aller me faire foutre, comme si j'étais un rustre et qu'il pouvait tirer au flanc à sa guise. J'ai vu un grand nombre d'hommes inaptes au service mais lui me paraît fort robuste. Il pourrait faire un bon piquier.

— Eh bien, fis-je calmement. Ne pourrait-on parvenir à un accord ?

— En effet, renchérit vivement Carver. Messire Shardlake a travaillé moult fois pour la municipalité. Je me porte garant pour lui. Et j'ai rencontré le dénommé

Barak, qui doit avoir la trentaine aujourd'hui. C'est vieux pour le service armé. Si vous pouviez vous montrer tolérant, je suis certain que le sergent royal Shardlake serait disposé à vous manifester sa reconnaissance. Un don au profit de votre compagnie, par exemple… »

Goodryke s'empourpra. « Ce n'est pas une question d'argent », affirma-t-il d'un ton sévère. Des marchands qui passaient près de nous tournèrent la tête et nous dévisagèrent. « Cet homme est apte au service armé et il faut lui apprendre la discipline et la loyauté. »

Carver se mordit la lèvre. « Messire Shardlake, dit-il. Peut-être pourrions-nous avoir un petit entretien, si maître Goodryke nous y autorise. » Goodryke haussa les épaules. Me prenant par le bras, Carver me conduisit dans un coin.

« Je l'ai mal jugé, me dit-il. J'ai cru qu'il pourrait être acheté. Mais c'est un dur à cuire et il a pris le mors aux dents. Voilà de nombreuses années qu'il est sergent instructeur… Pour cet homme, l'armée est un idéal et il considère que Barak a déshonoré cette institution.

— Le bien-être de Barak et de son épouse me tient beaucoup à cœur, mon cher échevin. Si vous pouviez régler cette affaire, je serais ravi de faire une belle donation à la compagnie de Goodryke, même si Dieu seul sait que je dispose de fort peu d'argent liquide en ce moment, à cause de l'imminence de la prochaine échéance du don bénévole.

— Laissez-moi m'en occuper.

— Je vous remercie.

— Je n'ai pas oublié la façon dont, contre toute attente, vous avez récupéré les terres que mon cousin me réclamait... Et je sais ce que vous ressentez, reprit-il en haussant les sourcils. Les militaires veulent que les gentlemen deviennent capitaines de compagnie et on m'a demandé de commander une compagnie de Londoniens. J'ai réussi à les persuader que je serais incompétent. Je vais parler aux supérieurs de Goodryke. Je sais que la reine vous confie certains dossiers. Puis-je leur en faire part ? »

J'hésitai, peu disposé à utiliser trop aisément le nom de la reine, mais je finis par opiner du bonnet.

« Quant au jeune Barak, assurez-vous qu'il cesse de s'attirer des ennuis. Je vous enverrai un message dès que j'aurai avancé dans cette affaire.

— Merci. »

Il baissa la voix. « Je vous ai vu regarder la prestation de serment, mercredi dernier. Pour être franc, juché sur ce cheval, je me sentais ridicule. Cette guerre... Simplement parce que le roi veut garder Boulogne, qui ne présente aucun intérêt. »

J'acquiesçai de la tête. « En effet. Faites ce que vous pouvez, monsieur. Je vous en prie. » Je m'éloignai et adressai un signe à Goodryke. Lequel me répondit à peine.

✝

Je gagnai Fall Lane, qui se trouvait à deux pas. La ruelle partait de Basinghall Street, et l'on apercevait tout près le mur de Londres et les hautes tours de la porte de Moorgate. Les demeures respiraient la prospérité, avec leurs belles fenêtres à meneaux et leurs montants de porte joliment sculptés, les façades arrière donnant sur les grands jardins du Corps de la mercerie. Accompagnée par deux serviteurs armés et le visage protégé par un masque de toile, l'épouse d'un marchand passa près de moi.

Une petite église ancienne se dressait au bout de la ruelle. Le clocher pointu, surmonté d'une girouette étincelante, était neuf, car il s'agissait d'une riche paroisse. L'air songeur, Barak était assis sur le muret près du porche du cimetière. Il se leva en me voyant approcher. « Le bedeau m'a dit que le révérend Broughton va bientôt venir, annonça-t-il, avant d'ajouter : Quoi de neuf ? »

Je lui relatai mon entrevue avec Goodryke et il se rembrunit en comprenant que son problème n'était pas encore réglé. « Tammy va m'étriper, dit-il.

— Carver fera tout ce qui est en son pouvoir. Il nous soutient. Les échevins en ont assez que le roi leur demande de recruter de plus en plus de soldats. Mais ils n'ont pas oublié ce qui est arrivé à l'échevin Read. »

Il eut un rire amer. « Le contraire m'étonnerait. »

En janvier, l'attitude de défi de Read avait fait jaser tout Londres. Le roi avait réclamé un « don bénévole » aux sujets soumis à l'impôt, un impôt « volontaire », en plus de tous ceux qu'il avait déjà levés pour financer la guerre. Read fut le seul à refuser et avait été enrôlé dans l'armée pour servir sous les ordres de lord Hertford sur la frontière écossaise. Capturé peu après, il était à présent prisonnier des Écossais.

« Le conseil municipal n'a-t-il plus aucun pouvoir ? demanda Barak en donnant un coup de pied dans une pierre. Il fut un temps où les Londoniens avaient une peur bleue des conseillers municipaux. »

Je m'assis près de lui sur le muret, le soleil me

faisait cligner les yeux. « Aujourd'hui ils ont une peur bleue du roi et Goodryke agit en son nom. Mais Carver va s'adresser à ses supérieurs hiérarchiques. »

Il se tut quelques instants, puis s'exclama : « Seigneur Jésus, comment en est-on arrivé là ? On était en paix avec la France depuis vingt ans avant que ce conflit n'éclate.

— Peut-être le roi considère-t-il que garder Boulogne représente son dernier titre de gloire. Il a, de plus, conclu une alliance avec l'empereur Charles Quint l'année dernière, ajoutai-je d'un ton ironique.

— Ça nous fait une belle jambe ! L'empereur a signé une paix séparée et maintenant nous affrontons seuls les Français.

— S'ils parviennent à nous envahir, ils ne nous feront aucun quartier. Ni leurs alliés écossais.

— Je refuse de laisser Tamasin toute seule en ce moment… Ils seront obligés de m'entraîner de force », ajouta-t-il en serrant les poings.

Je me levai en hâte en voyant arriver un homme d'âge mûr en soutane blanche, voûté, et doté d'une longue barbe grise. Je donnai un petit coup de coude à Barak. « Vite. Lève-toi ! » Nous nous inclinâmes devant le pasteur. Si l'expression était grave, les yeux paraissaient bienveillants. « Messire Shardlake ?

— Oui. Révérend Broughton ? Voici Barak, mon assistant.

— Est-ce au sujet de la famille Curteys ?

— En effet.

— Bien. Quelqu'un est enfin venu. »

✝

Il nous conduisit dans l'église. L'intérieur était dépouillé et les niches où se trouvaient jadis des statues de saints étaient vides. Sur les tabourets disposés pour les fidèles étaient placés des exemplaires du nouveau livre de prières obligatoire du roi. Nous ayant invités à nous asseoir, Broughton s'installa sur un tabouret en face de nous. « Je vois que vous êtes avocat, monsieur. Représentez-vous Hugh Curteys ? C'est le seul survivant de cette malheureuse famille.

— Non. Hugh vit toujours avec M. Hobbey dans le Hampshire. Je ne l'ai pas rencontré, mais une plainte contre le traitement que lui infligerait son tuteur a été déposée par son ancien précepteur, Michael Calfhill.

— Je me souviens très bien de Michael, répondit le pasteur en souriant. C'est un jeune homme honnête.

— Vous a-t-il récemment rendu visite ? »

Il secoua la tête. « Ça fait six ans que je ne l'ai pas vu. » J'accusai le coup. J'avais espéré que Michael était venu le voir récemment. « Comment va-t-il ? »

Je pris une profonde respiration. « Michael Calfhill est mort, il y a trois semaines. Je suis désolé. »

Il ferma les yeux quelques instants. « Que son âme soit reçue au paradis. Par la grâce de Jésus.

— Peu avant sa mort, Michael a déposé une pétition d'information auprès de la Cour des tutelles, au motif que Hugh Curteys avait subi de "monstrueuses atrocités". Selon sa mère, il était allé peu avant dans le Hampshire pour rendre visite à la famille.

— Grand Dieu ! Qu'a-t-il découvert ?

— Sa pétition ne le précise pas. Mais une audience doit se tenir lundi et je vais y représenter sa mère. J'ai besoin de témoins qui aient des informations à propos de cette tutelle, révérend. De toute urgence. »

Il rassembla ses pensées, puis me regarda droit dans les yeux. « Je savais qu'il y avait quelque chose de malsain dans cette affaire. John et Ruth Curteys ont été mes paroissiens des années durant. Quand est survenue la réforme de l'Église, ils m'ont infailliblement soutenu pour effectuer la rupture avec les anciennes pratiques. J'ai vu naître leurs enfants, je les ai baptisés, j'ai vu la famille croître et prospérer... Puis j'ai enterré John et Ruth, conclut-il, le visage tordu par l'émotion.

— Avaient-ils d'autres parents ? »

Il croisa ses doigts dans son giron. « Ils avaient quitté Lancaster pour s'installer à Londres. Comme beaucoup de jeunes gens, John était venu y chercher fortune. Ses parents sont morts plus tard. Quand la peste les a emportés, il ne restait dans le Nord qu'une vieille tante de Ruth dont elle parlait parfois et à laquelle elle écrivait. Michael est venu me voir, car il s'inquiétait de l'intérêt que portait M. Hobbey à la tutelle des enfants. Je lui ai suggéré qu'ils cherchent des lettres de cette tante... Monsieur, s'écria-t-il soudain, comment Michael est-il mort ?

— On a conclu à un suicide, répondis-je avec douceur. Ce qu'il a découvert dans le Hampshire lui a peut-être dérangé l'esprit.

— Grand Dieu ! fit Broughton en plaçant sa tête entre ses mains.

— Je suis désolé. Mais, s'il vous plaît, dites-moi tout ce que vous savez sur cette tutelle. Et qu'en est-il de la tante ?

— Michael m'a donné son adresse. À ce moment-là, m'a-t-il dit, Nicholas Hobbey emportait déjà des documents et des registres de comptes. Michael lui a tenu tête, mais Hobbey l'a envoyé promener... Michael n'avait aucune position officielle et il était... Eh bien, disons qu'il n'avait pas un caractère bien trempé.

— Il semble que vous l'ayez bien connu. »

Il soupira, puis secoua la tête. « Chaque dimanche, il venait à l'église avec sa famille... Non, je n'ai jamais eu le sentiment de bien le connaître, ni l'impression qu'il me faisait entièrement confiance. Je me suis demandé un moment s'il n'était pas secrètement papiste, mais je ne le crois pas. Quelque chose le troublait, cependant. Nonobstant, il adorait les enfants et faisait tout son possible pour les aider... Nous sommes devenus des conspirateurs, poursuivit-il en souriant, pour le bien des enfants.

— La mère de Michael affirme que Hugh et Emma étaient très proches l'un de l'autre.

— Oui. C'étaient des enfants sérieux et pieux. » Il secoua la tête, faisant trembler sa longue barbe. « J'ai écrit à la tante. Trois semaines s'étaient déjà écoulées depuis la mort de John et de Ruth. Michael et moi soupçonnions Hobbey de chercher à s'emparer des terres des enfants, mais nous ne nous doutions pas que cela puisse se faire aussi vite.

— C'est inhabituel.

— J'attendais jour après jour une réponse en provenance du Nord, mais vous savez le temps qu'il faut pour recevoir des missives de ces contrées sauvages. Deux semaines sont passées, puis trois. Michael est à nouveau venu me voir pour me dire que Hobbey était constamment dans la maison des Curteys. Ainsi que son avocat.

— Vincent Dyrick.

— Oui. C'était bien ce nom-là. Selon Michael, les enfants avaient peur. Il m'a imploré d'aller voir

Hobbey, ce que j'ai fait. Je me suis rendu dans sa maison de Shoe Lane. » Il fronça les sourcils. « Il m'a reçu dans sa salle, m'a regardé avec l'arrogance hautaine d'un homme qui n'adore pas Dieu, mais Mammon. Je lui ai dit que j'avais écrit à la tante… Comme l'affirme la Bible, poursuivit-il, on doit parfois avoir à la fois la ruse du serpent et l'innocence de la colombe. Eh bien, M. Hobbey m'a demandé d'un ton glacial comment une vieille femme pourrait se traîner sur deux cents milles afin de s'occuper de deux enfants en pleine croissance. Il m'a dit qu'il était le meilleur ami de la famille et leur voisin dans le Hampshire et qu'il veillerait à ce que Hugh et Emma soient traités équitablement… Sa femme, Abigail, nous a rejoints alors, ajouta le pasteur, une expression de colère sur le visage.

— Mame Calfhill a cité son nom. Il paraît que Michael la croyait un peu dérangée.

— Une vraie mégère. Hurlant, divaguant. Elle a surgi dans la salle pendant que je discutais avec son mari, criant que j'étais un fauteur de troubles, un brailleur qui lançait des accusations contre son mari, lequel voulait seulement aider deux petits orphelins.

— Alors que vous n'aviez formulé aucune accusation ?

— Aucune. Mais c'est lorsque cette femme s'est mise à m'apostropher que j'ai commencé à avoir peur pour les enfants.

— Comment Nicholas Hobbey a-t-il réagi à la sortie de son épouse ?

— Il était agacé. Il a levé la main et lui a dit : "Tout doux, ma chère !" Ou quelque chose de ce genre. Elle a cessé de crier, mais ses yeux continuaient à lancer des éclairs en me regardant. Puis Hobbey m'a enjoint de m'en aller sous prétexte que sa femme, cette virago, était toute retournée à cause de moi. Il a ajouté d'un ton narquois que je devais l'avertir si la tante répondait à ma lettre, mais qu'il avait déjà déposé sa demande auprès de la Cour des tutelles.

— La tante a-t-elle répondu ?

— Deux semaines plus tard, j'ai reçu une lettre de son pasteur de Lancaster qui m'informait qu'elle était morte une année plus tôt.

— J'imagine que M. Hobbey le savait déjà.

— Je ne pouvais donc rien faire, apparemment, déclara Broughton en étendant largement les bras. À la décharge de Hobbey, Michael m'a assuré qu'on s'occupait bien des enfants, qu'on pourvoyait correctement à tous leurs besoins. Mais il a ajouté que ni Hobbey ni son épouse ne leur donnaient la moindre affection.

— C'est assez souvent le cas dans les affaires de tutelle.

— Mais il y avait plus grave. Michael craignait que Nicholas Hobbey n'ait l'intention de marier Emma à son fils afin de réunir les terres du Hampshire.

— Vous parlez de David Hobbey ?

— C'est ça. Je l'ai vu en sortant de la maison, ce jour-là. Il se trouvait dans le vestibule et je suis sûr qu'il écoutait à la porte. Il a fixé sur moi un regard insolent, un étrange regard pour un garçon de cet âge. Triomphal, en quelque sorte.

— Il devait alors avoir environ douze ans, non ?

— Oui. Et c'était l'un des êtres les plus disgracieux que j'aie jamais vus. Trapu, le visage gras, noiraud comme son père et la lèvre déjà hérissée de poils. »

Il se tut et leva les mains. « Désolé. Je n'aurais pas dû dire ça. Ce n'était qu'un enfant à l'époque.

— Aujourd'hui c'est presque un homme, remarqua Barak.

— Malheureusement, une fois la tutelle obtenue, M. Hobbey aurait le droit d'organiser un tel mariage », expliquai-je.

Le pasteur secoua la tête d'un air dégoûté. « Faire du sacrement du mariage un acte impie ! Et Michael m'a raconté que David avait mis ses mains sur Emma. D'une façon inconvenante. Hugh s'était battu avec David à cause de ça.

— C'est ce que m'a dit la mère de Michael. Puis Emma est morte.

— Que Dieu accueille l'âme de cette malheureuse enfant ! Entre-temps, les tutelles avaient été accordées et Michael avait emménagé avec les enfants chez les Hobbey dont la maison ne relevait pas de ma paroisse. Après cela, je ne l'ai vu qu'une fois, lorsqu'il est venu m'apprendre qu'Emma était morte et qu'il avait été congédié. » Il secoua la tête. « Il m'a dit qu'Abigail Hobbey n'avait montré aucune affliction à l'enterrement et qu'elle avait assisté d'un air indifférent à l'inhumation du corps. Je crois avoir observé une expression de désespoir sur le visage de Michael quand il m'a décrit cette scène douloureuse. Et, d'après ce que vous dites, il semble que j'aie vu juste… Est-ce que cela vous aide, monsieur ? » me demanda-t-il en fixant sur moi un regard intense.

Je réfléchis un instant. « Un peu seulement, hélas ! Quelqu'un d'autre parmi vos fidèles connaissait-il la famille ?

— Pas vraiment. Il n'y a que moi qui me sois intéressé à la tutelle. Les gens n'aiment pas se mêler de ce genre d'affaire. J'ai cependant entendu dire que M. Hobbey était endetté.

— Alors comment a-t-il eu les moyens d'acheter la tutelle ? Surtout qu'il venait d'acquérir le couvent qu'il faisait transformer en maison d'habitation.

— Ha ! Eh bien, il espérait obtenir la part d'Emma des terres des Curteys en la mariant à son fils ! s'exclama Barak. Si c'est le cas, il n'a pas réussi son coup.

— Il a toujours le droit d'arranger le mariage de Hugh, répliqua le pasteur d'un ton inquiet. Et s'il avait l'intention de lui faire contracter une mésalliance ? C'est peut-être ce que Michael avait découvert. »

Je hochai la tête d'un air songeur. « C'est possible. Mon révérend, je vous serais très reconnaissant si vous pouviez venir à l'audience de. lundi et témoigner au moins du fait que vous n'étiez pas satisfait de la façon dont l'affaire a été traitée. » J'avais besoin du moindre élément de preuve, mais pour le moment il n'y avait rien qu'un bon avocat de la partie adverse ne puisse aisément réfuter. En me levant, un élancement dans le dos me fit grimacer. Broughton se leva lui aussi.

« Monsieur, s'écria-t-il, vous allez vous assurer que justice soit faite ? Réparer le tort qu'on a pu causer à Hugh ?

— Je vais essayer. Mais ce ne sera pas facile. Barak ira à la Cour des tutelles pour préparer votre déposition. L'audience aura lieu lundi.

— Dieu ne souffre pas qu'on fasse subir une injustice aux enfants, s'exclama-t-il avec une soudaine passion. Le Sauveur a dit : "Si vous faites du tort à ces petits, c'est aussi à moi que vous le faites." » Il cita la Bible d'un ton farouche mais je vis qu'il pleurait,

139

que des larmes coulaient sur son visage ridé. « Je suis désolé, monsieur, reprit-il. Je pensai à Michael. Un suicidé. En enfer. C'est si… dur. Mais c'est une décision de Dieu. Alors, comment pourrions-nous la mettre en cause ? » Sur son visage, le désespoir le disputait à la foi.

« La pitié peut tempérer la justice, hasardai-je. C'est un principe important. Selon la loi terrestre, en tout cas. »

Il opina du chef, mais ne prononça plus un seul mot pendant qu'il nous raccompagnait. « À quelle heure dois-je venir, lundi ? demanda-t-il comme nous nous quittions sur le seuil.

— L'audience est prévue à dix heures. À la Cour des tutelles, à Westminster. Arrivez en avance, si possible. »

Il inclina le buste et se fondit dans l'obscurité de l'église. Comme nous passions sous le porche du cimetière, Barak me dit : « La justice ? Il ne la verra pas à l'œuvre à la Cour des tutelles. » Il émit un rire amer. « Seulement un jugement inflexible, comme, d'après lui, ceux que rend Dieu.

— Si Michael Calfhill mérite d'aller en enfer, peut-être que même le jugement de la Cour des tutelles sera plus clément que celui de Dieu. Bon. Changeons de sujet… Nous tenons des propos hérétiques en pleine rue. »

✝

Le logement de Michael Calfhill était situé à l'autre bout de la ville, dans le dédale des rues au bord du fleuve. L'après-midi était déjà bien avancé au moment où nous nous engageâmes dans une voie étroite, surplombée par les avant-toits des hauts bâtiments vétustes, transformés en immeubles d'habitation. La peinture s'écaillait et tombait sur le sol boueux. Des poulets picoraient dans la poussière. Au coin, dans une taverne, un groupe de sept ou huit apprentis de moins de vingt ans, certains portant des épées accrochées à la ceinture de leurs sarraus bleus, nous lancèrent des regards hostiles. Le plus grand, un gaillard blond costaud, me fixa d'un air agressif. Peut-être prenait-il ma robe d'avocat pour la tenue d'un espion français. Barak posa la main sur sa propre épée et le jeune gars détourna le regard.

Barak frappa à une porte de bois blanc. Une jolie jeune femme vint ouvrir, un tablier protégeant sa robe de tiretaine. Elle le reconnut et lui sourit, avant de me faire une profonde révérence. Ce devait être la voisine de Michael, et je devinai que Barak l'avait charmée.

« Je suis accompagné de messire Shardlake, Sally, dit-il d'un ton léger. C'est l'avocat qui s'intéresse au cas du malheureux Michael. Le sergent du guet Harman vous a-t-il remis la clef ?

— Oui, monsieur. Entrez donc. »

Nous la suivîmes dans un vestibule humide, puis entrâmes dans son logement qui comptait une unique pièce au sol couvert de joncs sales. Le mobilier se composait seulement d'un lit et d'une table, sur laquelle était posée une vieille clef métallique. Les fenêtres n'avaient pas de vitres et les lattes des volets étaient ouvertes. Je remarquai que les apprentis observaient la maison. Sally suivit mon regard. « Voilà plusieurs jours qu'ils traînent dans les parages, dit-elle. J'aimerais bien qu'ils s'en aillent.

— À quelle corporation appartiennent-ils ? demandai-je. Leurs maîtres devraient mieux les surveiller.

— Je n'en ai aucune idée. Vu le prix des marchandises, un grand nombre d'apprentis ont perdu leurs places. Mon mari travaillait comme coursier pour le Steelyard, le comptoir des marchands de la Hanse, à deux pas d'ici, sur la rive nord de la Tamise, mais le commerce a cessé, puisque les bateaux sont saisis partout. Il est parti chercher du travail. » Je notai ses traits tirés.

Barak prit la clef. « On peut jeter un coup d'œil ?

— Oui. Le malheureux Michael... », dit-elle d'une voix triste.

Je suivis Barak le long d'un escalier étroit. Il fit jouer la serrure de la porte défoncée d'une chambre donnant sur l'arrière. Elle s'ouvrit en grinçant. On ne discernait que de vagues formes car les volets de la fenêtre étaient clos. Quand Barak les poussa, je vis que la pièce était petite et que des plaques d'humidité maculaient les murs. Un drap déchiré, sur lequel était placé un oreiller, recouvrait le petit lit de paille. À côté du lit, un vieux coffre ouvert laissait voir un tas de vêtements en désordre. Le reste du mobilier se composait seulement d'une table éraflée et d'une chaise renversée sur le sol. Une plume et un encrier sec et poussiéreux étaient posés sur la table. Levant les yeux, je découvris une bande de drap blanc nouée à la poutre du plafond et dont le bout avait été coupé.

« Tudieu ! m'écriai-je, on n'a touché à rien depuis le moment où on l'a détaché.

— Peut-être le coroner a-t-il ordonné qu'on laisse les choses en l'état pour que les inspecteurs de la commission d'enquête examinent la scène.

— Et il a oublié de signaler au propriétaire qu'il pouvait procéder au nettoyage. C'est du coroner Grice tout craché. » Je contemplai la misérable chambre où Michael avait passé ses derniers jours. Barak s'approcha du coffre et se mit à fouiller dedans. « Il n'y a que des vêtements là-dedans, quelques livres, une assiette et une cuiller enveloppées dans un chiffon.

— Laisse-moi voir. » Je regardai les livres. Des classiques grecs et latins, des livres de précepteur. Ainsi qu'une copie du *Toxophilus* de Roger Ascham, son traité sur le tir à l'arc que lisait lady Élisabeth, selon la reine. « Ils auraient dû prendre tous ces livres comme éléments de preuve, dis-je.

— Le coroner n'a passé ici que cinq minutes », expliqua Sally qui se tenait sur le seuil. Elle jeta un coup d'œil circulaire d'un air triste. « N'est-ce pas le but de votre visite, monsieur ? Mettre en cause la négligence du coroner ?

— En effet, renchérit Barak, avant que je puisse répondre.

— Tout est resté comme c'était quand je suis montée ici ce soir-là. Harman, le sergent du guet, a défoncé la porte et a poussé un cri. Samuel a escaladé l'escalier quatre à quatre pour voir ce qui se passait et je lui ai emboîté le pas. » Elle fixa d'un œil affligé la bande de tissu accrochée à la poutre. « Pauvre maître Calfhill ! J'avais assisté à une pendaison, monsieur, et, à l'expression de son visage, j'ai vu que sa nuque ne s'était pas brisée d'un seul coup mais qu'il s'était étranglé lentement. » Elle se signa.

« Que portait-il ? »

Ma question eut l'air de la surprendre. « Juste un pourpoint et des chausses.

— Portait-il quelque chose à la ceinture ? »

— Seulement une bourse, monsieur, qui contenait quelques pièces, ainsi qu'une petite croix en or que sa mère a reconnue à l'audience. La pauvre vieille !

— Pas de poignard ?

— Non, monsieur. Samuel et moi avions remarqué qu'il n'en portait jamais. » Elle sourit tristement. « Nous le trouvions naïf. Maître Calfhill n'avait jamais compris que le quartier est parfois très dangereux. »

Je me tournai vers Barak. « Alors qu'a-t-il utilisé pour couper le drap avec lequel il s'est pendu ?... A-t-on mentionné ce fait à la commission d'enquête ? demandai-je à Sally.

— Non, monsieur, répondit-elle d'un ton amer. Le coroner avait l'air de vouloir boucler l'enquête le plus vite possible.

— Je vois. » Je levai à nouveau les yeux vers la poutre. « Sally, quel genre d'homme était Michael ?

— Samuel et moi disions en plaisantant qu'il vivait dans son monde à lui. Il portait de beaux vêtements, ce qui n'est vraiment pas prudent dans ce quartier. Je pensais qu'il aurait pu s'offrir un meilleur logement, mais il ne paraissait pas se soucier de la saleté ou des rats. La plupart du temps, il semblait perdu dans ses pensées... Et ce n'étaient pas de joyeuses pensées, reprit-elle. On se demandait s'il était l'un de ceux qui se posent des questions à propos de la religion... Samuel et moi nous pratiquons simplement les rites prescrits par le roi, s'empressa-t-elle d'ajouter.

— Le sergent du guet m'a dit qu'il avait des ennuis avec les garnements qui traînent au coin de la rue, dit Barak. Est-ce que ce sont ceux que nous avons vus dehors tout à l'heure en arrivant ici ? »

Elle secoua la tête. « Non, c'est impossible. Ceux-ci ne sont là que depuis ces tout derniers jours.

— Une dernière question, dis-je. (Personne n'avait encore précisé ce point.) Comment était-il physiquement ? »

Elle réfléchit un court instant. « Petit, mince, avec un charmant visage et des cheveux châtains, qui commençaient à tomber alors qu'il n'avait sans doute pas encore trente ans.

— Je vous remercie. Tenez, voici pour avoir eu la gentillesse de nous aider… »

Elle hésita, puis accepta la pièce, avant de faire une révérence et de s'en aller en refermant la porte derrière elle. Entre-temps, Barak s'était approché de la fenêtre. « Venez voir ça », fit-il.

Je le rejoignis. Juste sous la fenêtre, se trouvait le toit en pente d'une dépendance. Couvert de tuiles moussues, il surplombait une petite cour. « Quelqu'un aurait pu aisément grimper par là, dit-il. Moi-même je pourrais le faire, malgré ma vie de patachon », ajouta-t-il en se tapotant le ventre.

De la fenêtre, on pouvait apercevoir le fleuve, comme toujours sillonné de chalands transportant des équipements militaires et des vivres jusqu'à la mer. « Il ne manque aucune des tuiles, répondis-je. Elles ont l'air très anciennes et si quelqu'un avait marché dessus il en aurait certainement descellé quelques-unes. » Me retournant vers l'intérieur de la chambre, je scrutai la poutre. « Si quelqu'un était entré par la fenêtre et s'était jeté sur lui alors qu'il était couché il y aurait eu une lutte.

— Pas si on l'avait assommé dans son sommeil avant de le suspendre à la poutre.

— Le coup lui aurait laissé une marque à la tête, que les membres de la commission auraient remarquée quand ils ont examiné le corps.

— Pas si c'était sur le crâne... Et ils n'ont pas fait une enquête approfondie. »

Je réfléchis posément. « Rappelle-toi de quoi il. s'agit. La gestion de terres dans le Hampshire et peut-être une somme d'argent pour marier Hugh Curteys. Dans trois ans, l'adolescent atteindra sa majorité et les terres lui appartiendront, soit. Mais crois-tu que Nicholas Hobbey ferait assassiner Michael pour cette seule et unique raison ? Ce serait un très gros risque pour un chef de famille jouissant d'une bonne position sociale...

— Peut-être Michael avait-il découvert que Hobbey avait commis un forfait passible de la pendaison.

— Quelle sorte de forfait, d'après toi ? S'il s'agissait d'un délit grave, Michael se serait sans doute rendu chez le magistrat du coin, au lieu de déposer plainte auprès de la Cour des tutelles.

— Et comment expliquez-vous l'absence de couteau ?

— Il a pu être égaré ou volé dans cette pétaudière que Grice appelle le bureau du coroner... Allez, ajoutai-je en souriant, n'avons-nous pas trop tendance à voir des meurtres partout après toutes les aventures que nous avons connues ces dernières années ? Et n'oublie pas que le mot rédigé par Michael avant son suicide était de sa main.

— Rien ne m'ôtera de l'idée que l'affaire sent le poisson pourri.

— En tout cas, il y a une odeur de rat. Regarde ces crottes dans le coin.

— Et pour quelle raison Michael a-t-il quitté la maison maternelle et s'est-il installé dans ce galetas ?

— Je n'en sais rien, répondis-je, après quelques instants de réflexion. Mais je ne vois rien ici qui indique un meurtre, à part l'absence de couteau, et il pourrait facilement avoir été égaré. Nous devons nous concentrer sur l'audience de lundi. » Je parcourus du regard une dernière fois ce taudis, et la pensée me traversa l'esprit que, pour une raison ou pour une autre, Michael avait voulu se punir en quittant sa mère et en venant ici. Mais quelle était-elle ? Je jetai un nouveau coup d'œil à la bande de tissu et frémis. « Viens, dis-je à Barak. Sortons d'ici !

— Ça vous ennuie si je parle à nouveau au sergent du guet ? demanda-t-il comme nous descendions l'escalier. Je sais où le trouver, dans la taverne où je l'avais emmené. C'est à quelques rues d'ici. Peut-être se souviendra-t-il du couteau.

— Tamasin ne va pas t'attendre ?

— Je n'en ai pas pour longtemps. »

†

Nous rendîmes la clef à Sally et quittâmes la maison. Le jour tombait et, entre les bâtiments, je vis le fleuve rougeoyer dans la lumière du couchant. Les garnements avaient quitté le coin de la rue.

« Peux-tu préparer un projet de déposition et l'apporter à Broughton ce soir ? demandai-je à Barak. Et sois au cabinet demain matin à neuf heures. Mame Calfhill doit y venir.

— D'accord. » Il prit une profonde inspiration.

« Vous m'informerez dès que vous aurez reçu une réponse de Carver ?

— Sur-le-champ. »

Il se dirigea vers le fleuve, tandis que je prenais le chemin de la maison. Tout en marchant, je songeais à nouveau à la mort de Michael. Quand il s'agissait de meurtre, Barak avait le nez creux.

Je passai devant l'entrée d'une venelle sombre, puis sursautai en entendant un bruit de pas précipités derrière moi. Je me retournai immédiatement mais n'eus que le temps d'apercevoir de jeunes visages et des sarraus bleus avant qu'on enferme ma tête dans un sac sentant les légumes pourris et que plusieurs paires de mains s'emparent de moi et m'entraînent dans la ruelle. Des voleurs... Comme Michael, j'avais imprudemment fait étalage de ma richesse.

On me plaqua le dos contre un mur de pierre. Je fus horrifié de sentir des mains enserrer mon cou et me soulever du sol. On me tint fermement les bras, tandis que je donnais des coups de pied inefficaces contre la pierre. Je m'étranglais, j'avais l'impression qu'on me pendait. Puis une voix jeune et dure me parla à l'oreille : « Écoute-moi attentivement, messire le bossu. » J'avais le souffle coupé, je suffoquai. De petits éclairs commencèrent à rougeoyer dans l'obscurité du sac.

« On pourrait te trucider en deux temps trois mouvements, poursuivit la voix. Souviens-t'en et ouvre bien tes oreilles. Tu laisses tomber ce dossier et tu l'oublies. Y a des gens qui veulent pas que ça aille plus loin. Bon. Dis-moi que tu as compris. » La pression sur ma gorge diminua, même si d'autres mains continuaient à me tenir fermement les bras.

Hoquetant, je parvins à souffler : « Oui. »

Les mains me relâchèrent et je m'affalai sur le sol boueux, la tête toujours dans le sac. Quand je réussis à m'en libérer, il n'y avait plus personne. Je restai étendu sur le sol, aspirant bruyamment l'air à pleins poumons. Puis je me penchai sur le côté et rendis. mes tripes.

8

Je regagnai péniblement ma demeure, m'arrêtant de temps en temps car la tête me tournait. Au moment où je passai le seuil de la maison, ma gorge était si enflée que j'avais du mal à avaler ma salive. Je montai voir Guy. Quand il m'ouvrit, je pouvais à peine parler et ma voix était réduite à un râle. Il me fit m'allonger et m'appliqua un cataplasme qui me soulagea un peu. Je lui dis qu'on m'avait volé mais il me regarda d'un œil perçant en voyant que ma bourse était toujours accrochée à ma ceinture. J'eus honte mais j'avais décidé de garder pour moi ce qui m'était arrivé.

Guy m'enjoignit de rester couché dans ma chambre pour me reposer, mais on frappa peu après. Je passai la tête par l'entrebâillement de la porte et vis Coldiron sur le palier. Me fixant d'un air intrigué, il m'annonça la visite tardive de l'échevin Carver. Je le priai de le faire entrer dans la salle et, épuisé, descendis lentement.

L'expression du visage grassouillet de Carver m'annonçait qu'il était porteur d'une mauvaise nouvelle. Il posa lui aussi un regard interrogateur sur mon cou. « Excusez ma voix, monsieur, geignis-je. J'ai été agressé un peu plus tôt. Par des voleurs. »

Il secoua la tête. « Il y a de plus en plus de vols maintenant que tant de sergents du guet sont partis faire la guerre. L'époque est folle. Et je crains de ne pas avoir réussi à faire exempter votre assistant.

— Mais sa femme…

— Je me suis adressé au maire Laxton et il a parlé à Goodryke. Celui-ci veut Barak à tout prix. Il a pris le mors aux dents… Barak a dû vraiment le mettre hors de lui. Il prétend que le roi a ordonné qu'on traite sévèrement l'insolence. Laxton suggère qu'on fasse appel au Conseil privé, mais le roi a ordonné à celui-ci d'opposer son veto à toute mesure de clémence.

— Et moi, je ne peux pas prier la reine d'intervenir auprès du roi. Je ne suis pas en odeur de sainteté auprès de lui.

— Son Excellence, le maire, a suggéré une possible manœuvre. » Il haussa les sourcils. « Agissez en catimini. Peut-être Barak pourrait-il disparaître quelque part pendant un certain temps, car il va très bientôt recevoir une convocation pour prêter serment. S'il ne se présente pas, on demandera au conseil municipal d'envoyer des exempts de police pour l'arrêter… Écoutez, poursuivit-il en me gratifiant du sourire calculateur du politicien, ils ne seront pas forcés de remuer ciel et terre pour le trouver. S'il n'est pas là… Eh bien…

— Mais où pourrait-il aller ? Barak et sa femme n'ont plus de famille. J'ai encore quelques parents dans les Midlands, mais, étant enceinte de sept mois, Tamasin est incapable de voyager. Et si plus tard on l'arrête comme déserteur ? La désertion est passible de la peine capitale.

— Goodryke va lui-même, sans aucun doute, partir bientôt pour la guerre… Je ne peux rien faire d'autre, monsieur, conclut-il en étendant ses mains potelées, chargées de bagues.

— Je comprends. Je parlerai à Barak. Merci pour votre intervention. Je vous en suis reconnaissant. » J'hésitai un instant, avant d'ajouter : « Pourrais-je vous importuner encore un peu en vous demandant un renseignement, en rapport avec un dossier. Voilà de nombreuses années que vous siégez au conseil municipal...

— En effet. Près de trente ans, précisa-t-il, son corps grassouillet se gonflant d'orgueil.

— Il paraît que le conseil négocie avec le roi pour assurer la gestion de l'asile de Bedlam.

— Voilà quelque temps déjà. Nous essayons d'obtenir du roi qu'il finance les hôpitaux sous le contrôle de la ville. Prendre la direction de Bedlam ferait partie du projet.

— Le directeur de l'asile est choisi par le roi depuis très longtemps, et je sais qu'en ce moment c'est George Metwys qui occupe le poste. Et, avant son exécution, c'était George Boleyn. Vous rappelleriez-vous qui le détenait avant lui ? Je dois remonter jusqu'en 1526. »

Il se concentra. « Je crois que c'était sir John Howard. Je m'en souviens maintenant... Il est mort alors qu'il occupait le poste. »

Ce lien avec Ellen avait donc disparu. Mais tout accord secret aurait été transmis à ses successeurs. « Encore une chose, monsieur l'échevin. Vous rappelez-vous un certain Nicholas Hobbey, qui appartenait au Corps de la mercerie, il y a quelques années ? »

Il hocha lentement la tête. « Oui, je me souviens de M. Hobbey. Il avait commencé comme apprenti avant de fonder une petite entreprise commerciale. Il ne participait guère aux affaires de la corporation, la seule chose qui l'intéressait était de gagner de l'argent. Je me rappelle qu'il s'est consacré à l'importation des matières tinctoriales et que ses affaires ont périclité quand le roi a rompu avec Rome et que les importations en provenance du continent ont été saisies. Il a alors fermé boutique et s'est retiré à la campagne.

— Le bruit court qu'il était endetté au moment où il a déménagé.

— Je crois me souvenir de cette rumeur... Mais, monsieur, ajouta-t-il en plantant sur moi un regard pénétrant, je ne suis pas censé vous fournir des renseignements sur les membres des corporations...

— Désolé. Peut-être n'aurais-je pas dû vous importuner à ce sujet. Mais il se trouve que je représente le fils orphelin d'un autre membre de la corporation, John Curteys, lequel est mort il y a quelques années. Ce garçon est aujourd'hui le pupille de M. Hobbey. »

Carver opina du chef d'un air triste. « Je me rappelle M. Curteys. Un homme agréable, bien qu'un peu rigide en matière de religion. Je ne le connaissais pas très bien.

— Eh bien, monsieur, merci pour votre aide... Je n'oublierai pas ma promesse à propos d'une donation à la corporation », ajoutai-je en souriant. Je toussotai et me levai. « Veuillez m'excuser mais il faut que je me recouche. »

Il se leva lui aussi et inclina le buste. « Soignez-vous bien. » Il secoua la tête. « Quelle époque... »

✝

Le lendemain, la nuque et la gorge toujours endolories, c'est en marchant lentement et avec difficulté que je me rendis à mon cabinet. Comme je traversais Gatehouse Court, je saluai d'un signe de tête deux ou trois connaissances, qui passaient heureusement trop loin de moi pour apercevoir les contusions qui dépassaient de mon col.

J'entrai dans mon cabinet et m'installai à mon bureau. L'horloge de la chapelle indiquait qu'il était juste après neuf heures. Barak n'allait pas tarder à arriver et mame Calfhill serait là dans une demi-heure. Je défis le col de ma chemise pour soulager la douleur occasionnée par le frottement.

Par la fenêtre, j'aperçus Barak traverser Gatehouse Court à grandes enjambées. Je constatai à nouveau qu'il prenait du poids. Il frappa à ma porte, entra et fixa mon cou d'un air stupéfait. « Tubleu, qu'est-ce qui vous est arrivé ? »

De ma voix toujours défaillante, je lui racontai la scène. « C'est plus grave que ça en a l'air, conclus-je.

— Grand Dieu ! Étaient-ce ces jeunes gars qui traînaient devant le logis de Michael ?

— Je ne les ai pas vus clairement. Ils ont bien pris garde à ce que je ne puisse pas les reconnaître en m'agressant par-derrière.

— Hobbey serait-il le commanditaire ?

— Je n'en sais rien. »

Barak eut l'air songeur. « Hobbey est-il à Londres en ce moment ?

— S'il n'y est pas, il n'a pas eu le temps d'organiser cette agression. Il n'y a que deux jours que je participe officiellement à cette affaire.

— Et Dyrick ? On a dû lui dire que vous vous en occupiez.

— Je doute qu'un avocat mette en péril sa carrière

en s'impliquant dans ce genre d'action. Bien que ce ne soit pas impossible.

— Quand a-t-il pu recevoir les documents ?

— Hier matin, dirais-je. Quel que soit le commanditaire, les choses ont été vite organisées.

— Pensez-vous que ces petits gredins avaient l'intention de vous tuer ? demanda-t-il en posant sur moi un regard intense.

— Ils n'étaient pas si petits que ça. Mais non, je ne le crois pas. Ils voulaient juste me faire peur.

— Je pense quand même qu'il est possible que Michael Calfhill ait été assassiné... Vous ne devriez pas aller à Portsmouth, reprit-il en fixant sur moi ses yeux marron. Et sûrement pas seul, ajouta-t-il d'un ton pressant.

— Tout à fait d'accord. J'ai décidé de parler à la reine. J'ai envoyé un message à Warner hier soir. Si elle pense que je dois faire le voyage, elle trouvera quelqu'un pour m'accompagner.

— Par conséquent, vous êtes décidé à lui obéir si elle insiste pour vous envoyer là-bas.

— Je n'aime pas l'idée qu'une bande de sarraus bleus cherchent à m'intimider.

— Mame Calfhill va bientôt arriver. Allez-vous lui raconter ce qui vous est arrivé ?

— Non. Ça l'effraierait inutilement. Je vais la recevoir et ensuite j'irai voir le confrère Dyrick. Je lui ai fait porter un message hier soir. »

Il tapota sa sacoche. « J'ai apporté la déposition de Broughton.

— Très bien... Mais je dois t'entretenir d'un autre sujet. Carver est venu me voir hier soir. Je crains que

155

les nouvelles ne soient pas bonnes. » Je lui fis part de ce que m'avait expliqué l'échevin.

« Merde ! s'écria-t-il d'un ton farouche. Tammy a raison. J'aurais dû ménager Goodryke.

— Et si je venais chez vous tout à l'heure pour que nous puissions discuter tous les trois ?

— Je refuse que Tammy quitte Londres et voyage sur des routes boueuses. J'ai eu une peur bleue, l'autre jour, quand elle s'est effondrée.

— Je le sais. Mais on va trouver une solution, je te le promets. Bon. Montre-moi la déposition de Broughton. »

Il me remit le document rédigé de son écriture en pattes de mouche et signé par Broughton d'une main ferme. Pendant que je lisais la déposition, il resta assis, les sourcils froncés, l'air soucieux. Le pasteur répétait ce qu'il nous avait dit sur le bonheur de la famille Curteys, la mort des parents, et sur la rapide intervention de Nicholas Hobbey. Il évoquait ses efforts et ceux de Michael pour assurer le bien-être de Hugh et Emma, ainsi que l'hostilité de Hobbey à son endroit. Je levai les yeux. « Rien de neuf, par conséquent ? fis-je.

— Non. Il affirme que c'est tout ce dont il se souvient. Je lui ai demandé si des voisins des Curteys pourraient me renseigner, mais il n'en est pas sûr. La famille semble être restée à l'écart. Selon l'habitude des gens très pieux. »

Une ombre qui passait devant la fenêtre me fit lever la tête. C'était mame Calfhill, le teint pâle comme du parchemin dans la lumière du soleil, plus pâle même que sa coiffe blanche. Elle portait à nouveau une robe noire, même si la période de deuil était passée depuis longtemps. « Va l'accueillir, dis-je à Barak. Explique-lui que j'ai le cou endolori après avoir été victime d'une tentative de vol. Doucement. Un cou meurtri est sans doute la dernière chose qu'elle ait envie de voir. »

Il sortit et je resserrai fortement les cordons de ma chemise, puis pris dans mon bureau le projet de déposition que j'avais préparé pour elle. Barak la fit entrer et elle s'installa en face de moi. Elle jeta un coup d'œil à mon cou, tressaillit légèrement, baissa la tête, plaça les mains dans son giron et se mit à se tordre les doigts. Puis elle leva les yeux et se força à prendre un air serein.

« Merci d'être venue, mame Calfhill, dis-je d'une voix aussi ferme que possible.

— Je le fais pour Michael, monsieur.

— J'ai préparé une déposition, fondée sur ce que vous m'avez expliqué à Hampton Court. Permettez-moi de vous la lire. Nous pourrons alors faire toute correction nécessaire ou ajouter d'autres détails.

— Je suis prête », déclara-t-elle d'une voix calme.

Nous passâmes en revue les divers éléments de son récit. La vieille femme acquiesça fortement du chef quand j'évoquai l'intimité de Michael et des deux enfants et fit « Oui ! » d'un ton à la fois calme et farouche au moment où je relatai la tentative de Michael pour empêcher Hobbey de s'occuper de leurs affaires. « C'est tout à fait ça, monsieur, conclut-elle en hochant vigoureusement la tête. C'est exactement ce qui s'est passé. Merci. Je n'aurais jamais pu le raconter aussi bien. »

Je souris. « J'ai reçu une formation adéquate, mame Calfhill. Mais n'oubliez pas, je vous prie, que c'est vous qui nous dites ce que Michael est censé vous avoir raconté. Si le "ouï-dire" est accepté lorsque la personne est décédée, cela ne vaut pas un témoignage de première main. Et l'avocat de M. Hobbey risque de vous poser des questions à ce sujet.

— Je comprends, dit-elle d'une voix ferme. Nicholas Hobbey sera-t-il présent à l'audience ?

— Je n'en sais rien.

— Je suis prête à leur faire face à tous les deux.

— Nous avons parlé au révérend Broughton, qui s'est montré disposé à nous aider. Il sera là lundi, mais il peut seulement confirmer que Michael et lui ont essayé d'empêcher l'acquisition de la tutelle. Y a-t-il quelque chose que j'aurais omis de signaler. Au sujet des enfants peut-être... »

Elle secoua la tête d'un air triste. « Seulement des broutilles.

— Ils ont dû être élevés par des femmes de la maisonnée avant d'être assez âgés pour avoir un précepteur.

— Oui. Bien que John et Ruth Curteys aient repoussé l'âge habituel pour engager un précepteur. Michael pensait qu'ils aimaient tellement leurs enfants qu'ils n'avaient pas envie de les partager avec un étranger.

— Avez-vous rencontré Hugh et Emma ?

— Oui. Michael les a emmenés me voir deux fois et je suis allée lui rendre visite chez les Curteys parce qu'il s'était fait une entorse à la cheville. M. et Mme Curteys se sont montrés aussi courtois envers moi que si j'étais une dame. Je me souviens que Hugh et Emma sont venus dans la chambre de Michael pour me saluer. Ils riaient parce que Hugh avait attrapé des poux quelque part et qu'on lui avait coupé les cheveux très court. Sa sœur se moquait de son crâne rasé et lui disait qu'il avait l'air d'un vieillard. J'ai dit à Emma qu'elle ne devait pas se gausser de son frère, mais Hugh a ri et répliqué qu'étant un homme il était assez fort pour souffleter sa sœur pour son insolence. Il l'a alors pourchassée dans toute la pièce et les deux hurlaient de rire. » Elle secoua la tête. « Je les revois, les cheveux de la malheureuse petite morte voletant derrière elle, tandis que Michael et moi riions avec eux.

— Pourquoi pensez-vous, mame, demandai-je d'une voix douce, que Michael a quitté votre maison ?

— Je pense que c'était parce que... » Ses lèvres s'agitèrent nerveusement. « ... Parce que je le couvais trop. » Elle baissa la tête et poursuivit son explication. « Mon fils était tout ce que j'avais. Son père est mort quand il avait trois ans et je l'ai élevé toute seule, chez lord et lady Latimer, à Kingston. Lady Latimer, comme elle s'appelait alors, s'est beaucoup intéressée à lui et l'a encouragé, parce qu'il aimait l'étude, comme elle. Elle savait aussi qu'il était très bon. Trop bon, peut-être.

— Eh bien, nous verrons lundi, au tribunal, si nous pouvons faire récompenser cette bonté ! » J'échangeai un regard avec Barak. Nous savions tous les deux que si nous étions autorisés à poursuivre le cours de cette affaire ce ne serait pas grâce à la valeur intrinsèque du dossier, mais à l'influence de la reine.

✝

Un peu plus tard, ma sacoche en bandoulière, je longeai à nouveau Middle Temple Lane, puis tournai à gauche, en direction de Temple Church. Le cabinet de Dyrick était situé en face de l'église, dans un vieux bâtiment en pierre de taille. Un clerc m'ayant indiqué qu'il se trouvait au troisième étage, je grimpai péniblement les lourdes marches d'un vaste escalier en chêne. Je dus m'arrêter à mi-chemin, car mon cou m'élançait. M'agrippant à la rampe, je poursuivis mon ascension. Au troisième étage, sur une plaque de bois fixée à une porte, le nom de Dyrick était inscrit en jolies lettres. Je frappai et entrai.

Tous les cabinets d'avocats se ressemblent. Pupitres, étagères, papiers, clercs… Dans celui de Dyrick, de nombreuses liasses de documents s'empilaient sur diverses tables, signe d'une nombreuse clientèle. Il y avait deux pupitres, mais un seul était occupé par un jeune gars portant la courte robe des clercs. Petit de taille, il avait un visage mince et un long cou où s'agitait une grosse pomme d'Adam, d'étroits yeux bleus et de maigres cheveux décoiffés. Il planta sur moi un regard insolent et désapprobateur.

« J'ai rendez-vous avec le confrère Dyrick, lui dis-je d'un ton sec. Je suis le sergent royal Shardlake. »

Il se leva et esquissa un bref salut. « En effet, messire Shardlake. Messire Dyrick vous attend. »

Une porte s'ouvrit brusquement et Vincent Dyrick sortit de son cabinet. Il se précipita vers moi, la main tendue. Grand, svelte, bien charpenté, il avait à peu près mon âge et respirait l'énergie. Avec son teint pâle et ses longs cheveux roux, il n'était pas beau mais avait un physique remarquable. Si son sourire révéla une dentition parfaite, ses yeux brun-vert étaient durs et vigilants.

« Bonjour, sergent royal Shardlake. Nous nous sommes déjà rencontrés au tribunal. Je vous ai déjà battu deux fois, non ? » Il avait le genre de voix qu'on n'oublie pas. Quoique teintée d'un reste d'accent londonien, elle était profonde, rauque, distinguée. Une voix idéale pour le prétoire.

« Autant qu'il m'en souvienne, nous avons perdu chacun un procès.

— En êtes-vous sûr ?

— Certain.

— Venez dans mon bureau. Cela ne vous ennuie pas que mon clerc, maître Feaveryear, assiste à l'entretien ? demanda-t-il en faisant un large geste en direction du jeune homme.

— Pas du tout. » Ma stratégie consistait à en dire le moins possible, tout en forçant Dyrick à révéler un maximum d'informations.

« Allez-y, Sam. » Dyrick ouvrit brusquement la porte de son cabinet et fit signe à Feaveryear de le précéder. Je le suivis. « Asseyez-vous, je vous prie », me dit-il en montrant un tabouret placé devant un grand bureau de chêne. Il s'installa dans un fauteuil, tout en indiquant à son clerc un autre tabouret à côté de lui. Feaveryear prit une plume bien aiguisée, et la trempa dans un encrier. Des exemplaires de la pétition de Michael Calfhill et de la réponse de Dyrick se trouvaient sur le bureau. Il les mit soigneusement côte à côte et me fixa du regard. Son sourire avait disparu.

« Confrère Shardlake, cela m'attriste de voir un avocat aussi expérimenté que vous s'occuper d'un tel dossier. Je le qualifierais de désinvolte et agaçant si l'homme qui a déposé cette pétition confuse n'était pas à l'évidence dérangé. Un candidat au suicide, Dieu me pardonne ! Ce dossier va être rejeté et les coûts seront élevés. » Il se pencha en avant. « Qui va payer l'addition ? Sa mère en a-t-elle les moyens ? Il paraît qu'il s'agit d'une vieille servante. »

Il avait donc fait des recherches. Peut-être avait-il versé un pot-de-vin pour obtenir des renseignements à la Cour des tutelles. À Mylling ? Ce n'était pas impossible.

« Les coûts seront réglés, selon la loi », répondis-je. C'est ce que j'avais indiqué à Richard Rich. Je devais me souvenir d'écrire à Warner pour lui suggérer de calculer un arriéré de gages dû à mame Calfhill et de fabriquer des comptes plausibles.

« Vous voulez dire, si nous perdons.

— Vous perdrez ! » s'esclaffa Dyrick en jetant un coup d'œil à Feaveryear qui leva les yeux et prit un air de connivence. J'ouvris ma sacoche.

« Vous devriez lire ces dépositions, confrère. Ce sont celles de mame Calfhill et du pasteur de la famille Curteys. » Je les lui passai. Il les lut, retroussant les narines de temps en temps, puis les tendit à Feaveryear avec un haussement d'épaules.

« Est-ce tout ce que vous avez, monsieur ? » Il étendit les bras. « Ouï-dire sans fondement. Avant de se pendre, le Calfhill en question a lancé contre mon client des accusations de grave méconduite. Alors que ni lui ni ces dépositions, dit-il en se penchant au-dessus du bureau pour souligner son affirmation, n'indiquent de quelle sorte de méconduite il s'agit. »

Il avait tout à fait raison et c'était bien là le défaut de la cuirasse.

« Michael Calfhill a signé une dénonciation...

— En termes vagues, imprécis...

— Mais suffisamment graves pour que la cour ordonne un supplément d'enquête. Rappelez-vous la devise de la Cour des tutelles : "Assistance aux pupilles, aux orphelins et aux veuves." »

Il haussa les sourcils. « Et en quoi cette enquête consisterait-elle ? En une recherche de témoignages ?

— C'est possible.

— Et qui doit aller les recueillir ? Jusque dans le Hampshire. Et combien cela va-t-il coûter ? Assez pour ruiner une servante ! » s'écria-t-il, la colère faisant monter sa voix de plusieurs tons. Il fronça les sourcils, se forçant à se calmer, ou faisant semblant, car je me rendis soudain compte que Dyrick et son assistant jouaient la comédie, avec beaucoup de talent d'ailleurs.

« Cela ne prendra que quelques jours, dis-je. Votre client ne devra payer que s'il perd. Et vous dites qu'il gagnera. Et ma cliente est propriétaire de sa maison.

— Quelque masure près des abattoirs, peut-être ?

— Vous n'avez pas le droit d'insulter ma cliente, confrère », répliquai-je vertement. Dyrick inclina la tête.

« Vous n'en avez pas le droit, confrère », répétai-je. Ça m'était à présent douloureux de parler, car j'avais fatigué ma gorge. « Je ne vois aucun témoignage de votre client. M. Hobbey est-il à Londres ?

— Non, confrère Shardlake. M. Hobbey est un homme qui est très occupé dans le Hampshire. Et il n'y a rien ici qui requière son témoignage, aucune allégation assez précise pour mériter une réponse.

— Quand il s'agit d'un enfant, toute allégation mérite une enquête. » Ainsi donc, pensai-je, Hobbey n'est pas à Londres. Par conséquent, ce n'est pas lui qui a commandité mon agression.

« Un enfant ? s'exclama Dyrick. Hugh Curteys a

dix-huit ans. C'est un jeune gaillard en pleine forme. Je l'ai vu quand j'ai rendu visite à mon client pour affaires. Et il est bien soigné, ajouterai-je.

— Il est toujours mineur, cependant. Et il est sous la garde et la tutelle de... » Un élancement à la gorge me força à m'interrompre. Le souffle coupé, je portai mes mains à mon cou.

« Vous voyez, Sam, dit Dyrick à son assistant. Les paroles du confrère Shardlake se coincent dans sa gorge. »

Je lui lançai un regard noir, maudissant ma faiblesse. Je vis alors la colère luire dans ses yeux, aussi courroucés que les miens. Et il ne jouait pas la comédie.

« Je vois que vous n'avez guère de réponse à me fournir, sergent royal Shardlake, reprit-il. Je vous remercie pour ces dépositions, même si elles sont intempestives, et ce sera ma ligne de défense, lundi...

— Je constate que la propriété de M. Hobbey consiste en une grande étendue de terres boisées.

— Toutes correctement gérées. Vous avez vu les documents.

— Mais pas les comptes.

— Ils sont tenus par le curateur de fief du Hampshire. Vous ne connaissez pas le fonctionnement de la Cour des tutelles, confrère, mais c'est la procédure habituelle.

— Dites-moi, confrère Dyrick, envisage-t-on un mariage pour Hugh Curteys ?

— Non. » Il inclina la tête et sourit. « Il n'y a vraiment pas matière à enquête, confrère Shardlake.

— Il faut examiner ces accusations, et je pense que la cour sera d'accord là-dessus. » Je parlais d'une voix éraillée et haut perchée.

Il se leva. « J'espère que votre gorge sera guérie lundi.

— Elle le sera, confrère. »

Je me levai à mon tour et me dirigeai vers la porte. Le visage de Dyrick était de marbre. Je jetai un coup d'œil à Feaveryear et, pour la première fois, je le vis sourire. À son maître, pas à moi. C'était un sourire d'admiration inconditionnelle.

9

Le lendemain matin, je traversai la cour centrale de Hampton Court. On était dimanche, il faisait beau et frais. C'était la veille de l'audience. La cour était calme. On n'y voyait que quelques commis. Aucun courtisan aux aguets, ce jour-là.

Une lettre de Warner m'attendait au retour de mon entretien avec Dyrick. Coldiron se tenait dans le vestibule, tournant et retournant le papier blanc épais, fixant les magnifiques caractères de l'en-tête d'un côté et le sceau de la reine de l'autre. Il me tendit la missive, un regain de respect et une dévorante curiosité se lisant dans ses yeux. Je le congédiai sèchement et j'ouvris le pli. Warner me demandait de venir revoir la reine le lendemain.

On m'avait prié de me rendre dans le bureau de Warner et je gravis l'escalier à vis. J'avais mis mon bonnet pour cacher mes contusions. Les joncs du sol venaient d'être changés et leur agréable parfum couvrait l'odeur de la poussière et du papier. « Ah, confrère Shardlake, le temps s'est une fois de plus rafraîchi. Quel été !

— J'ai vu en venant ici que la grêle a abîmé une grande partie du blé.

— C'est pire dans le Nord. Et la Manche est balayée par de grands vents. Grâce à Dieu, le *Great Harry* et le *Mary Rose* sont bien arrivés à Portsmouth... J'ai montré votre message à la reine, poursuivit-il en me dévisageant. Elle a été bouleversée, comme moi-même, par la nouvelle de votre agression. Vous remettez-vous ?

— Oui. Je vous remercie.

— La reine souhaite vous voir tout de suite. » Il ouvrit une porte latérale et appela un jeune commis. « Le sergent royal Shardlake est arrivé. Allez en informer la reine. Elle doit être en train de quitter la chapelle. »

Le commis s'inclina et quitta la pièce en courant. On l'entendit dévaler l'escalier quatre à quatre puis je le vis traverser la cour à toute vitesse. J'enviais sa grâce et sa rapidité. Warner m'invita à m'asseoir. « L'anarchie règne en ce moment, dit-il en se caressant la barbe. Racontez-moi ce qui vous est arrivé. »

Je lui fis le récit de la scène et terminai en lui relatant ma visite à Dyrick. « Il défendra son client pied à pied. Et, à dire vrai, ses arguments sont convaincants. »

Il hocha la tête lentement. « Pensez-vous qu'il soit impliqué dans ce qui vous est arrivé ?

— Il n'y a aucune preuve tangible à ce sujet. Au début, j'ai cru qu'il jouait le rôle de l'avocat outragé. Mais ensuite, j'ai senti une véritable colère derrière les entrechats juridiques. Une sorte de... sentiment personnel. À ce propos, mame Calfhill m'a dit que la reine aimait beaucoup Michael.

— C'est aussi mon sentiment. » Il se rembrunit et

je devinai qu'il lui tardait que la reine et lui-même soient libérés de cette histoire.

« Au fait, messire Warner, le bruit court que M. Hobbey était endetté lors du départ de la famille dans le Hampshire. J'en ai touché un mot à l'échevin Carver, du Corps de la mercerie, mais il a rechigné à parler d'un autre membre de sa corporation. Vous serait-il possible d'effectuer une enquête discrète ?

— Je verrai ce que je peux faire. » Un pas léger se faisant entendre dans l'escalier, il se leva et m'invita d'un signe de tête à l'imiter. Nous fîmes tous les deux une profonde révérence au moment où la porte s'ouvrit. Une dame d'honneur entra et la tint pour laisser passer la reine.

✝

Parce que c'était dimanche, la reine Catherine portait une simple robe de soie grise et une toque dépourvue de tout joyau. Quoique cette sobriété ait mis en valeur ses cheveux auburn, cela lui allait moins bien, à mon avis, que les couleurs rutilantes qu'elle choisissait d'habitude. Elle nous fit signe de nous asseoir. La dame d'honneur s'installa sur un tabouret près de la fenêtre, les mains jointes sur les genoux.

« Matthew, commença la reine, Robert me dit que vous avez été agressé. Êtes-vous remis ?

— Tout à fait remis, Votre Majesté.

— Dieu merci ! Et qu'en est-il du dossier ? Je crois comprendre que vous n'avez pas pu recueillir de nouvelles preuves », déclara-t-elle, les yeux très tristes. Bess avait dit vrai. La reine avait profondément aimé Michael.

Je lui dis qu'à part le fait que Broughton avait confirmé que Michael et lui avaient exprimé un avis défavorable à propos de la cession de la tutelle à Hobbey, je n'avais pas découvert grand-chose. Elle réfléchit quelques instants puis s'exprima d'une voix douce : « En tout cas, je sais une chose sur Michael, et je le sais depuis son enfance… C'était un homme bon, généreux et charitable, comme Notre-Seigneur aimerait que nous le fussions tous, même si ce n'est pas très fréquent. Il n'aurait jamais inventé une histoire pour causer du tort à Hobbey. Jamais, même au cas où il aurait eu l'esprit dérangé.

— C'est l'impression que j'ai eue. »

La reine me regarda d'un air anxieux. « Vu l'agression dont vous avez été victime, messire Shardlake, je crains d'avoir involontairement mis votre vie en péril.

— Si on a causé du tort à ce jeune homme, intervint Warner, cette affaire pourrait susciter un grand émoi. Sans parler du fait qu'elle pourrait monter davantage l'opinion contre la Cour des tutelles. Le roi risque de ne pas apprécier ce genre de chose.

— Non, messire Warner ! s'écria la reine d'un ton soudain farouche. Sa Majesté n'accepterait pas que des méfaits fussent impunis. Michael voulait protéger le jeune Hugh, le seul survivant de cette malheureuse famille, et moi aussi. Pour lui-même, pour sa bonne mère, et au nom de la justice ! »

Je jetai un regard à Warner. Il y avait fort à parier que la réaction du roi ressemblerait plus probablement à celle qu'il avait décrite. La reine poursuivit : « Matthew, s'il est décidé demain que le recueil des témoignages est indispensable, ne vous croyez pas obligé d'endosser cette lourde responsabilité. On pourra nommer un autre avocat pour prendre le relais et se rendre dans le Sud.

— Afin de s'occuper de l'affaire correctement, il lui faudrait connaître les moindres aspects du dossier. »

Elle hocha la tête. « Rien de plus normal.

— Quelqu'un d'autre pourrait s'en charger moyennant une forte rémunération, dit Warner, mais s'engagerait-il aussi à fond que le sergent royal Shardlake ? »

Je compris qu'il voulait que je continue à m'en occuper. Il me faisait confiance et pensait qu'il était préférable que le nombre de gens sachant que la reine s'était fourrée dans un tel panier de crabes soit le plus restreint possible. Il plantait sur moi un regard si appuyé que je sentais presque physiquement son désir de m'empêcher de me retirer.

« Je mènerai cette affaire jusqu'à son terme, Votre Majesté. »

Elle me fit un grand sourire chaleureux. « Je savais que vous ne me laisseriez pas tomber. » Son visage redevint sérieux. « Je me rappelle tout ce qui est arrivé la dernière fois où vous avez plongé en eaux troubles, lorsque votre ami, messire Elliard, a été assassiné. Avant que je devienne reine.

— Je ne regrette rien.

— Mais Hugh Curteys n'est pas l'un de vos amis. Vous ne l'avez jamais rencontré.

— J'aimerais l'aider, dans la mesure du possible. Cependant je souhaiterais que quelqu'un m'accompagne. Mon assistant n'est pas disponible et mon intendant n'est pas… à la hauteur. »

Elle acquiesça de la tête. « Il vous faut un bon clerc et un homme robuste à vos côtés. Warner, pouvez-vous organiser ça ?

— Je ferai tout mon possible. »

Elle lui sourit. « Je sais que cela vous met mal à l'aise, mon dévoué serviteur, mais je souhaite que cette enquête soit correctement conduite. Parce qu'elle me tient à cœur et parce que ce n'est que justice qu'elle le soit... Merci, Matthew, ajouta-t-elle en se tournant vers moi. Maintenant il faut que je me retire. Je dois déjeuner avec le roi. » Elle me tendit sa main pour que j'y pose un baiser. « Matthew, tenez-moi informée du déroulement de l'audience. »

Mes lèvres frôlèrent une main douce. Une bouffée de parfum musqué, et la reine Catherine avait disparu. La dame d'honneur la suivit et referma la porte derrière elles. Warner se rassit et me regarda d'un air intrigué.

« Les dés sont jetés, Matthew.

— En effet.

— Dès la fin de l'audience, venez m'en rendre compte et, si vous devez partir en voyage, je choisirai des hommes de valeur pour vous accompagner.

— Merci. »

Il hésita puis reprit : « Il me semble que vous avez déjà défendu des enfants à qui on avait fait du tort. »

Je souris. « Notre-Seigneur n'a-t-il pas dit qu'il fallait laisser venir à nous les enfants ? »

Warner hocha la tête. Je devinai qu'il se demandait pourquoi j'avais accepté ce travail. Je n'en étais pas sûr moi-même, sauf que la mise en danger des enfants et les abus de la justice étaient deux choses qui me révulsaient. Ainsi que les désirs de la reine, pour laquelle je comprenais que j'éprouvais plus que de l'amitié. Même s'il était inutile de s'appesantir sur ce sujet. Comme je prenais congé, je ressentis un regain de détermination, que Barak qualifiait parfois d'obstination.

✝

Quelques heures plus tard, je traversai une fois de plus la cour de Bedlam. La brume atténuait la clameur de la ville et le temps s'était réchauffé.

Ce matin-là, j'avais décidé de rendre visite à Ellen. La découverte qu'elle ne jouissait même pas de la protection officielle d'un certificat de démence avait encore accru mon sens des responsabilités. Deux personnes devaient connaître la vérité : le directeur Metwys et le chef gardien Edwin Shawms. J'avais rencontré Metwys deux années auparavant, au cours de l'affaire de mon client enfermé à Bedlam. C'était le courtisan typique qui ne dissimulait pas que sa position à l'asile n'était pour lui qu'un moyen de se remplir les poches. Les sommes qu'un homme de ce genre exigerait pour révéler des secrets dépassaient de beaucoup mes moyens. Et le chef gardien Shawms était une créature de Metwys. Aussi avais-je décidé, peut-être un peu à la légère, de revoir Ellen et de tenter à nouveau de découvrir ce que je pouvais.

Je frappai à la porte. Ce fut l'un des jeunes gardiens, le dénommé Palin, un jeune impertinent bien charpenté, qui m'ouvrit. Il hocha la tête d'un air morne.
« Je suis venu voir Ellen Fettiplace, expliquai-je.

— Ah ! » fit-il, avant d'être poussé sur le côté sans ménagement, et Hob apparut sur le seuil. « Messire Shardlake, déclara celui-ci d'une voix faussement joyeuse. Quel bon vent vous amène ? Je ne m'attendais pas à vous revoir si tôt.

— Il se peut que je parte en voyage et je voulais prévenir Ellen. »

Il s'écarta pour me laisser entrer. La porte du bureau était ouverte et j'aperçus Shawms en train d'écrire, assis à sa table. Gros homme entre deux âges, il paraissait toujours porter le même pourpoint noir un peu taché. Il leva les yeux en m'entendant arriver, mais ne se dérida pas. Nous étions de vieux adversaires.

« Vous venez voir Ellen, messire Shardlake ? demanda-t-il de sa voix ronchonne.

— En effet, monsieur.

— On dirait qu'on s'en est pris à votre cou, dit-il. Un malheureux plaignant en aurait-il eu assez d'être traîné devant les tribunaux ?

— Non. Rien que d'ordinaires larrons cherchant à voler de l'argent, comme tous les voyous. Merci pour votre bon accueil, maître Shawms. On est toujours chaleureusement accueilli à Bedlam.

— Travailler ici n'est pas une sinécure. Pas vrai, Hob ? s'écria-t-il en lançant à Gebons un regard perçant.

— Ça, c'est bien vrai, monsieur.

— Elle se trouve au parloir. Et vous pouvez lui dire de faire signer au vieil Emanuel un reçu pour ses vêtements. Autrement, qu'elle le signe de sa part. Et dites-lui de me le rapporter, ainsi que mon encrier. Le type attend et je ne veux pas avoir dans les jambes plus de juristes que nécessaire.

— Bien. Je vous laisse travailler », fis-je.

✝

Au parloir, Ellen faisait ce pour quoi elle était le plus douée, c'est-à-dire rassurer un patient, en lui parlant d'un ton calme et encourageant. Il s'agissait de l'homme grand et svelte que j'avais aperçu dans la cour, lors de ma dernière visite. Ils étaient assis à la vieille et large table éraflée, une plume et un encrier entre eux deux. Ellen était en train d'étudier un document, tandis que le nouveau patient serrait un ballot contre sa poitrine, tout en fixant sur elle un regard angoissé. Ils levèrent tous les deux les yeux en m'entendant entrer. Un charmant sourire éclaira le visage d'Ellen mais le patient laissa tomber son ballot sur la table, se leva brusquement et agita frénétiquement la main dans ma direction. « Un avocat ! s'écria-t-il. Ils ont envoyé un avocat… On va m'enfermer dans la prison de Marshalsea !

— Non, Emanuel, lui dit Ellen en lui saisissant l'épaule. Ce monsieur est mon ami, messire Shardlake, et il est venu me rendre visite, déclara-t-elle avec fierté.

— J'ai payé tout ce que j'ai pu, monsieur », me dit Emanuel en se tordant les doigts. Il recula et son agitation redoubla. « J'ai perdu mon commerce et mes seuls vêtements sont ceux que je porte et ceux qui se trouvent dans ce ballot. Le tribunal m'a permis de les garder et me les a envoyés… »

Je fis un geste apaisant de la main. « Monsieur, je suis venu voir Ellen. Je ne sais rien sur vous…

— Vous me menez en bateau. Même le roi me trompe… Son argent n'est pas du pur métal. Je l'ai vu. On m'a pris tout mon argent en métal pur.

— Palin ! » lança Ellen, au moment où Emanuel se dégageait et se dirigeait vers la porte. Le jeune homme entra et l'agrippa fermement. « Allons, l'ami. Venez vous allonger. Personne ne vous veut du mal », lui dit-il en entraînant l'homme, qui s'était mis à pleurer.

Je me tournai vers Ellen, laquelle posait sur mon cou un regard horrifié.

« Que vous est-il arrivé, Matthew ?

— Tentative de vol. Je suis complètement remis, précisai-je d'un ton désinvolte.

— Merci d'être venu, Matthew. Cela fait à peine quatre jours…, dit-elle en souriant à nouveau.

— Je voulais vous entretenir d'un certain sujet. Mais Shawms a parlé de signer un papier pour lui.

— Oui, c'est ça… Un reçu pour les maigres effets d'Emanuel. Puisqu'il ne veut pas le signer, je dois le faire à sa place. » Et elle apposa son nom d'une élégante écriture ronde, preuve qu'elle avait reçu une certaine éducation.

Elle rapporta le reçu et l'encrier au bureau de Shawms, puis je la suivis dans le long corridor menant à sa chambre. Elle portait la même robe bleu clair que le mercredi et je remarquai que le tissu était élimé à plusieurs endroits. Nous passâmes devant la chambre du gros vieillard qui se prenait pour le roi. Sa porte était à demi ouverte et l'un des gardiens jetait des joncs frais sur le sol de pierre, le visage masqué par un chiffon, car les anciens, entassés dans un coin, dégageaient une odeur pestilentielle. Le vieil homme était assis sur une chaise percée, une couronne en papier sur la tête, un rideau déchiré lui servant de robe. Le regard perdu dans le vide, il ignorait le commun des mortels passant devant sa porte.

Nous entrâmes dans la chambre d'Ellen. Comme d'habitude, elle s'assit sur son lit et je restai debout. « Pauvre M. Emanuel, dit-elle tristement. Encore l'année dernière, c'était un marchand de blé prospère. Après la dernière dévaluation, il avait accepté qu'on lui

175

en paie une grande quantité dans la nouvelle monnaie, et il a perdu une grosse somme. Il a tenté de cacher ses pertes en contractant un emprunt et maintenant il a perdu son affaire. Et l'esprit...

— Vous vous intéressez aux patients, n'est-ce pas, Ellen ?

— Il faut bien que quelqu'un s'intéresse à ceux qui n'intéressent personne, répondit-elle, avec un sourire triste.

— En ce moment, j'essaie d'aider quelqu'un qui se trouve dans ce genre de situation... Et pour ce faire, il se peut que je sois forcé de faire un petit voyage », repris-je après une brève hésitation.

Elle se redressa, une expression d'angoisse sur le visage. « Où ? Pour combien de temps ?

— Dans le Hampshire. Afin de recueillir des témoignages. Une semaine, peut-être un peu plus.

— Vous ne vous êtes jamais absenté aussi longtemps. Je vais rester toute seule ! s'écria-t-elle d'une voix agitée.

— Je traite un dossier de la Cour des tutelles. Les avocats doivent souvent se rendre sur le lieu de résidence des pupilles.

— Il paraît que le mal règne aux Tutelles. »

Je me tus quelques instants, avant de répondre sereinement. « C'est là que sont également conservées les attestations de démence. » Je pris une profonde inspiration. « J'ai dû m'y rendre lundi. Au sujet de cette affaire. J'ai aussi... J'ai aussi demandé au greffier de consulter votre dossier. »

Pour la première fois depuis que je la connaissais, Ellen me regarda avec colère. Son visage parut changer, se figer et se durcir, en quelque sorte. « Comment avez-vous pu faire ça ? » demanda-t-elle. Elle se recula, serrant les poings sur ses genoux.

« Ellen, je voulais juste m'assurer qu'il existait bien un dossier à votre nom », mentis-je.

S'éraillant et vibrant de colère, sa voix monta de plusieurs tons. « Ça vous a fait rire ? Ce que vous avez lu vous a-t-il fait rire ?

— Ellen ! lançai-je en élevant la voix moi aussi, il n'y avait rien à lire. Les archives ne contiennent rien sur vous.

— Quoi ? fit-elle, sa voix retombant soudain.

— Il n'existe aucun certificat de démence à votre nom.

— Il doit bien y en avoir un.

— Non. On n'aurait jamais dû vous envoyer ici.

— Allez-vous en informer Shawms ? » s'enquit-elle d'une petite voix effrayée. Toute la confiance qu'elle me témoignait depuis longtemps semblait avoir disparu d'un seul coup. Je levai la main en un geste rassurant.

« Bien sûr que non. Mais, Ellen, Metwys et lui le savent probablement déjà. J'aimerais vous protéger, vous aider. Mais pour ce faire, je dois découvrir comment vous êtes arrivée ici, dans quelles circonstances. Expliquez-le-moi, je vous prie. »

Elle resta obstinément silencieuse, se contentant de me regarder avec effroi et une grande méfiance. Je dis alors quelque chose qui montrait que, même à l'époque, je ne la comprenais guère. « La route qui mène à Portsmouth longe le Sussex et passe près du village de Rolfswood dont je sais que vous êtes originaire. Y aurait-il là quelqu'un susceptible de vous aider et à qui je pourrais rendre visite ? »

En entendant le nom de Rolfswood, sa poitrine

se souleva comme si elle étouffait. Puis, le visage empourpré, elle s'écria, ou plutôt hurla, d'une voix rauque : « Non ! Non !... Ils étaient si forts, je ne pouvais pas bouger !... Là-haut, le ciel était si vaste... Si vaste qu'il aurait pu m'engloutir ! » Les dernières paroles étaient un véritable cri de terreur.

« Ellen... », commençai-je, en faisant un pas vers elle. Mais elle se recula, s'appuyant fortement contre le mur.

« Il brûlait ! Le malheureux était en feu...

— Quoi ? » Ses yeux étaient devenus vitreux et je compris qu'elle ne voyait plus ni moi ni la chambre, mais quelque chose de terrible dans son passé.

« J'ai vu sa peau noircir, se craqueler et fondre ! cria-t-elle. Il a essayé de se relever mais il est retombé ! »

Il y eut un violent bruit, et la porte s'ouvrit brusquement. Shawms entra, l'air furieux. Derrière lui se trouvaient Palin et Hob Gebons. Palin tenait un rouleau de corde dans une main.

« Sacredieu ! lança Shawms. Qu'est-ce qui se passe ici ? » Ellen les fixa du regard et se calma instantanément. Le dos contre le mur, elle tremblait comme une malheureuse souris acculée dans un coin par un chat. La main charnue de Shawms me saisit le bras et chercha à m'entraîner.

« Ce n'est rien, dis-je. Elle est seulement effrayée... » Alors que c'était bien trop tard, je lui tendis la main, mais elle ne me vit même pas car elle voulait surtout échapper à Hob et à Palin. Hob me regarda par-dessus son épaule d'un air farouche et secoua la tête. Shawms me tira à nouveau par le bras, s'efforçant de m'entraîner vers la porte. Comme je lui résistais, il se pencha et me murmura à l'oreille d'un ton menaçant : « Écoutez, messire le bossu. Ici, c'est moi qui commande. Sortez de cette chambre ou je vais demander à Hob et au jeune Palin de vous jeter dehors sans ménagement. Vous voulez que Fettiplace assiste à ça, hein ? »

Je ne pouvais rien faire. Il me tira dehors, laissant Hob et Palin surveiller Ellen, comme si c'était un dangereux animal et non une femme désemparée, désespérée. Shawms claqua la porte, tira le volet du petit guichet carré, puis me fit face. Il haletait.

« Que s'est-il passé là-dedans, monsieur l'avocat ? Nous l'avons entendue hurler depuis l'autre bout du bâtiment, alors qu'elle est normalement plus calme et plus docile que tous les autres. Qu'est-ce que vous lui avez dit... Ou fait, peut-être ? demanda-t-il, son regard devenant à la fois sardonique et concupiscent.

— Rien. Je lui ai simplement annoncé que je risquais de partir en voyage un certain temps. » Il fallait que j'en dise le moins possible. Pour son bien à elle.

« Eh bien, voilà la meilleure nouvelle que j'aie entendue depuis le jour où on a planté la tête de Cromwell sur une pique. » Ses yeux s'étrécirent. « C'est tout ? Je l'ai entendue parler d'un homme en feu et hurler que le ciel allait l'engloutir.

— Elle s'est mise à crier quand je lui ai annoncé mon départ. Je n'ai pas compris un traître mot de ce qu'elle racontait.

— Ils débitent toutes sortes d'inepties quand ils sont dans cet état... Elle n'aime pas l'idée que vous partiez en voyage, c'est ça ? » reprit-il en lançant à nouveau un regard concupiscent.

J'entendis des voix d'hommes marmonner de l'autre côté de la porte et le bruit de quelque chose qu'on déplace. « Qu'est-ce qu'ils lui font ? demandai-je.

179

— Ils l'attachent. C'est ce qui arrive à ceux qui font du grabuge. Estimez-vous heureux qu'on ne se serve pas des chaînes.

— Mais elle est malade…

— Ceux qui sont malades doivent être maîtrisés. Alors peut-être apprendront-ils à se maîtriser eux-mêmes. » Il se pencha en avant. « C'est votre faute, messire Shardlake. Vous êtes venu trop souvent. Je pense que vous devriez vous abstenir de venir pendant quelque temps. Si vous partez en voyage, elle comprendra peut-être enfin que vous n'êtes pas disposé à organiser votre vie autour d'elle, et ça pourra lui être bénéfique. Nous la garderons à l'œil pour nous assurer qu'elle ne fasse pas de bêtises.

— Peut-être sa mort faciliterait-elle votre vie à tous. »

Il secoua la tête et posa sur moi un regard grave. « Sûrement pas, messire Shardlake. Nous la protégeons depuis dix-neuf ans, et nous allons continuer à le faire.

— Vous la protégez de quoi ?

— D'elle-même. » Il se pencha en avant et déclara lentement, d'un ton solennel : « Le seul danger que court Ellen Fettiplace vient de ceux qui la mettent en émoi. Ça vaut mieux pour tout le monde qu'elle reste ici à paître comme une vache paisible. Allez vaquer à vos occupations. Et quand vous reviendrez nous verrons bien où nous en sommes.

— Permettez-moi de jeter un coup d'œil dans sa chambre. Avant de partir je veux voir si elle va bien. »

Il hésita puis frappa à la porte d'Ellen. Gebons vint ouvrir. Palin se tenait près du lit. Ellen avait les poignets et les chevilles attachés. Elle me fixa et ses yeux n'étaient plus vagues mais à nouveau pleins de rage.

« Ellen, dis-je. Je suis désolé… »

Elle ne répondit pas, se contentant de me regarder et de serrer ses poings liés. Shawms referma la porte. « Voilà, fit-il. Contemplez les dommages que vous avez causés. »

10

Je gravis à nouveau les marches du perron de la cour des tutelles, en compagnie de Barak qui portait sous le bras le dossier Curteys, attaché avec un ruban rouge. Nous passâmes sous le sceau gravé : *Pupillis Orphanis et Viduis Adiutor.*

C'était une belle et chaude matinée. J'étais venu à pied jusqu'à Westminster, où j'avais donné rendez-vous à Barak devant la cour, une demi-heure avant l'audience. Je l'avais trouvé, le dos appuyé contre le mur. Je ne l'avais jamais vu aussi anxieux.

« Goodryke est revenu hier soir, m'avait-il annoncé tout à trac.

— Sainte Vierge ! Il est véritablement obsédé.

— Tammy a ouvert la porte et lui a dit que j'étais sorti. Il m'a convoqué pour la prestation de serment dans deux jours.

— Il est temps que tu quittes Londres. Peu importe où tu iras.

— Même si je m'en vais, Goodryke ne renoncera pas. Et si je suis accusé de désertion ? Par les temps qui courent, c'est un crime passible de la pendaison. »

Avant que je puisse répondre, je sentis qu'on me

touchait le bras. C'était Bess Calfhill, vêtue de noir, cette fois encore, et portant la petite croix d'or de son fils finement ouvragée autour du cou. Elle semblait très nerveuse.

« Suis-je en retard ? demanda-t-elle. J'ai cru m'être perdue parmi tous ces bâtiments et toutes ces ruelles…

— Pas du tout, Bess. Venez, il est temps d'entrer. Jack, on discutera de ça plus tard. »

Nous montâmes l'escalier, passâmes sous l'écusson. Je fus soulagé de voir le révérend Broughton en soutane, assis sur un banc. Il avait l'air solide, déterminé. Un peu plus loin, sur le même banc, se trouvait Vincent Dyrick, qui me regardait en secouant légèrement la tête, comme s'il jugeait la situation totalement insensée. À côté de lui, le jeune Feaveryear mettait de l'ordre dans une énorme liasse de papiers.

« Bonjour ! » leur dis-je à tous les deux, d'un ton aussi joyeux que possible, car je m'étais fait du souci pour Barak et Ellen la plus grande partie de la nuit.

Bess regarda Dyrick d'un air inquiet. « Où l'audience aura-t-elle lieu, monsieur ? » demanda-t-elle à voix basse. Dyrick désigna du menton la porte du prétoire. « Dans cette salle, madame. Mais ne vous en faites pas, nous n'y resterons pas longtemps, ajouta-t-il d'un ton narquois.

— Allons, confrère Dyrick ! le repris-je. En tant qu'avocat de la défense vous n'êtes pas censé vous entretenir avec le plaignant.

— Vous voulez dire avec la représentante personnelle de feu le plaignant », grogna Dyrick.

Barak s'approcha de Feaveryear. « Vous avez là une belle pile de paperasse.

— Plus grosse que la vôtre, riposta fièrement Feaveryear, piqué au vif, en regardant le mince dossier de Barak.

— La mienne est bien assez grosse pour accomplir sa besogne. D'après ma femme, en tout cas », rétorqua Barak. Feaveryear prit un air choqué et pointa un maigre doigt vers la petite liasse de documents de Barak. « Votre dossier est attaché avec un ruban rouge… Pour la Cour des tutelles, c'est un noir qui convient », précisa-t-il en désignant le ruban qui liait ses propres documents.

Dyrick leva les yeux. « La couleur du ruban du dossier du plaignant n'est pas de la bonne couleur ? fit-il en fixant sur moi un regard étonné. J'ai entendu parler de plaignants déboutés pour avoir commis de moindres erreurs.

— Alors, vous devez le signaler au président », répliquai-je en me maudissant intérieurement d'avoir été aussi négligent. Dans ma hâte, j'avais oublié ce point du règlement.

« Je n'y manquerai pas », dit-il avec un sourire sardonique.

La porte de la salle d'audience s'ouvrit et l'huissier en robe noire, que j'avais déjà vu dans le bureau de Mylling, apparut. « Tous ceux concernés par la tutelle de Hugh Curteys », psalmodia-t-il. J'entendis Bess prendre une profonde inspiration. Dyrick se leva et, dans un bruissement d'étoffe, se dirigea vers la porte à grandes enjambées.

✝

Je n'avais jamais vu aussi petite salle de tribunal. Les murs étaient nus et elle était faiblement éclairée par d'étroites fenêtres cintrées s'ouvrant très haut dans un renfoncement. Sir William Paulet, président de la Cour des tutelles, trônait derrière une grande table recouverte d'une nappe verte et devant une cloison de bois où ne figuraient que les armoiries royales. À côté de lui se trouvait Mylling, qui gardait la tête baissée. L'huissier nous conduisit, Dyrick et moi, vers la table et nous fit asseoir en face du président. Barak et Feaveryear s'installèrent à nos côtés. Il indiqua à Bess Calfhill et au révérend Broughton des sièges séparés du prétoire proprement dit par une barre de bois placée très bas.

Paulet portait la robe rouge des juges et une chaîne en or, emblème de sa fonction, autour du cou. Âgé d'une soixantaine d'années, il avait un vieux visage ridé, des lèvres étroites au-dessus d'une courte barbe blanche et de grands yeux bleu foncé qui exprimaient l'intelligence et l'autorité, mais aucune émotion. Je savais qu'il avait présidé la cour depuis sa fondation, cinq ans plus tôt. Avant cela, il avait été juge au procès de sir Thomas More, ainsi que commandant des forces royales contre les rebelles du Nord, neuf ans auparavant.

Il commença par me faire un maigre sourire. « Sergent royal Shardlake… Je connais messire Dyrick, mais je crois que vous n'avez jamais plaidé devant mon tribunal.

— En effet, monsieur le président. »

Il me dévisagea un long moment, les sourcils froncés. Je devinai que l'intervention de la reine dans sa cour l'agaçait. Il désigna d'un brusque mouvement de menton les documents placés devant lui. « Voici d'étranges allégations. Expliquez-moi l'affaire, je vous prie. »

Dyrick se leva à demi. « Monsieur le président, puis-je signaler un point de procédure ? Le dossier de la représentante personnelle du plaignant ne suit pas les normes. Le ruban devrait être noir...

— Billevesées, confrère Dyrick, répondit Paulet sans hausser le ton. Rasseyez-vous. »

Dyrick s'empourpra mais ne se rassit pas. « Et les documents, quels qu'ils soient, ont été déposés fort tardivement...

— Je vous ai dit de vous rasseoir. »

Dyrick s'exécuta, l'air renfrogné. Il avait espéré que je recevrais au moins une réprimande de la part du président. « Je vous écoute, sergent royal Shardlake », reprit Paulet.

Je présentai mon faible dossier du mieux que je le pus. Un grincement de plumes se faisait entendre, comme Barak, Feaveryear et Mylling prenaient des notes. J'évoquai la longue relation de Michael et des enfants Curteys, ses excellents états de service en tant que précepteur et ses graves préoccupations concernant Hugh après sa visite dans le Hampshire. J'ajoutai que sa mère estimait qu'après sa plainte il fallait diligenter une enquête.

Quand j'eus terminé mon exposé, Paulet se tourna vers Bess et la fixa durant une bonne demi-minute. Elle rougit et s'agita sur son siège, mais ne baissa pas les yeux. Broughton posa une main sur la sienne, ce qui lui valut un coup d'œil désapprobateur de la part du président. Puis Paulet se tourna vers moi.

« Tout repose sur le témoignage de la mère, conclut-il.

— En effet, messire Paulet.

— Il y a quelque chose de bizarre dans la mort

du plaignant. S'il s'est suicidé, c'est qu'il devait être psychiquement malade. » Bess étouffa un sanglot, mais Paulet ne lui prêta aucune attention.

« Monsieur le président, dis-je. Quelque chose de très grave a dû se produire pour faire chavirer l'esprit de cet homme de bien.

— S'est peut-être produit, messire Shardlake... Peut-être... Je vais maintenant entendre l'avocat de M. Hobbey, dit-il en se tournant vers Dyrick. Je constate que M. Hobbey est absent. »

Dyrick se leva. « Mon client est très occupé. Il s'acquitte de ses contrats concernant l'approvisionnement en bois de la flotte et de l'armée. Il s'agit d'un travail revêtant une grande importance pour le royaume... Le bois est abattu sur ses propres terres, dois-je préciser », ajouta-t-il à mon adresse.

Le président hocha la tête, réfléchit quelques instants, puis répondit : « Je crois comprendre qu'aucun mariage n'est envisagé pour le pupille.

— Absolument. M. Hobbey souhaite que son pupille ne se marie que lorsqu'il aura trouvé une demoiselle à son goût... On sait que l'homme qui a déposé cette stupéfiante pétition est décédé. Sa mère ne fonde sa requête que sur des ouï-dire. Et, poursuivit Dyrick en haussant la voix, la déposition du révérend Broughton ne traite que d'allégations au sujet de l'acquisition de la tutelle, qui a eu lieu il y a plusieurs années... L'acquisition de la tutelle, continua-t-il d'un ton réprobateur, a suivi la procédure légale du bureau des Tutelles, l'organisme qui a cédé la place à cette honorable cour. »

Paulet opina du chef. « Tout à fait exact... Vous avez un certain toupet, monsieur, dit-il en regardant

Broughton, de remettre en cause la légalité de la procédure. »

Broughton se leva. « Je n'ai dit que la vérité, Dieu est mon témoin.

— Trêve d'insolence, ou je vous fais enfermer à la prison de Fleet pour outrage à magistrat », déclara Paulet d'un ton calme mais tranchant comme une lame. Broughton hésita, mais finit par se rasseoir. Paulet se tourna à nouveau vers Dyrick.

« À mon avis, soupira-t-il, quoique vagues, les allégations de Michael Calfhill appellent une enquête. Souhaitez-vous interroger les témoins ? »

Dyrick regarda Bess droit dans les yeux et elle soutint son regard, le menton dressé. Dyrick répondit après un instant d'hésitation : « Non, monsieur le président. » Je souris intérieurement. Il s'était rendu compte qu'interroger Bess sur sa déposition ne servirait qu'à mettre en lumière sa totale sincérité. Je compris que j'avais gagné au moins cette étape de la bataille et, vu l'expression de colère sur son visage, Dyrick le savait lui aussi. Mais je n'en tirais aucune fierté, car le peu que j'avais vu de Paulet me laissait deviner que, sans l'intervention de la reine, il nous aurait mis à la porte de son étrange domaine avec pertes et fracas.

« Je pense, dit Paulet, que la cour doit requérir des dépositions de toutes les personnes préoccupées en ce moment du bien-être de Hugh Curteys... Qui aviez-vous à l'esprit, sergent royal Shardlake ?

— Hugh Curteys lui-même, bien sûr. M. Hobbey, son épouse, peut-être son fils, l'intendant de la maison. Le précepteur actuel, s'il y en a un...

— Il n'y en a pas, intervint Dyrick, en se levant à

nouveau, rouge de colère contenue. Et David Hobbey est mineur.

— Quelqu'un d'autre, messire Shardlake ?

— Je propose qu'on recueille le témoignage du curateur de fief local et qu'on lui demande de présenter ses comptes concernant les biens de Hugh Curteys.

— Dans le Hampshire, le curateur de fief c'est sir Quintin Priddis », indiqua Paulet après un instant de réflexion.

J'osai quelques propos flatteurs. « J'admire vos vastes connaissances, monsieur le président. »

Il refit son maigre sourire. « Je n'ai guère de mérite à le savoir, étant moi-même du Hampshire. Dans quelques jours je descends, comme gouverneur, à Portsmouth, pour apporter un ordre à tous les soldats et à tous les marins… Une déposition de la part de sir Quintin, oui, d'accord. Quant à l'examen des comptes, je n'y suis pas favorable, car ce serait interprété comme une mise en question de son honnêteté. » Le visage tout à fait impassible, il me fixa de ses grands yeux vides, et je me rendis compte que je n'avais pas vraiment gagné la partie. Si on tirait des bénéfices des terres de Hugh en catimini – et le fait que Hobbey abattait du bois étayait cette hypothèse –, le curateur de fief local était sans doute impliqué dans l'affaire. S'il ne présentait pas les comptes, il pouvait dire n'importe quoi, et il serait alors impossible de découvrir la vérité.

« Et maintenant, continua le président d'un ton courtois, il faut décider du choix de la personne qui recueillera ces dépositions. » Il regarda Dyrick dont le teint était désormais presque aussi rouge que ses cheveux. « Et si nous en chargions le sergent royal Shardlake ?

— Sauf votre respect, monsieur le président, répondit Dyrick, il faut choisir quelqu'un d'impartial… »

Paulet se cala contre le haut dossier de son siège. « J'ai une meilleure idée. Vous-même et le sergent royal Shardlake pouvez y aller ensemble. »

Je compris le jeu de Paulet. Il diligenterait l'enquête mais en me plaçant sous la surveillance attentive et permanente de Dyrick et interdirait qu'on consulte les registres de comptes. Dyrick avait dû comprendre la manœuvre mais son visage ne s'éclaira pas pour autant. « Monsieur le président, affirma-t-il, cela me créerait des difficultés. Des engagements familiaux…

— C'est votre engagement auprès de la cour qui importe, confrère. Messire Shardlake, avez-vous des objections à formuler ? »

C'est alors qu'une idée me traversa l'esprit. Je jetai un coup d'œil à Barak qui posa sur moi un regard interrogateur. « Sir William, dis-je. Si le confrère Dyrick et moi-même y allons tous les deux, serait-il possible que nous emmenions nos assistants pour nous seconder ? »

Paulet accepta ma proposition. « Cela paraît raisonnable.

— Peut-être leurs noms pourraient-ils être inscrits dans l'ordre de mission pour que soit assurée la parfaite égalité des droits en matière de ressources juridiques afin de mener l'enquête. »

Paulet se tourna vers Dyrick. « Avez-vous une objection à formuler ? »

Dyrick hésita, tandis que Paulet tambourinait des doigts sur la table. « Aucune, finit-il par déclarer, si c'est ce que désire le sergent royal Shardlake. » Je tournai la tête vers Barak et j'osai un clin d'œil. Si la cour lui ordonnait de se rendre dans le Hampshire, l'armée ne pourrait pas lui mettre la main dessus.

« Comment s'appellent-ils ?

— Barak et Feaveryear, monsieur le président.

— Notez les noms, Mylling. »

Je remarquai, à ma grande surprise, que Feaveryear souriait.

Paulet s'appuya à nouveau contre le dossier de son fauteuil. « À présent, je vais fixer la date de la prochaine audience. Disons, dans quatre semaines, afin d'en terminer avec cette affaire. Il se peut que je sois moi-même de retour. On devrait avoir alors eu le temps de souhaiter bon voyage aux Français. » La plaisanterie amusa Mylling dont les gloussements secouaient la tête au-dessus de la plume. Paulet eut un sourire sans chaleur. « Sinon, mon adjoint présidera la séance. »

Dyrick se leva une nouvelle fois. « Monsieur le président, si le sergent royal Shardlake et moi-même faisons le voyage, le coût sera élevé. Je dois donc demander que les dépenses de M. Hobbey soient intégralement remboursées si ces accusations se révèlent infondées, ou plutôt *quand* elles se révéleront infondées.

— Si elles se révèlent infondées, messire Dyrick, je m'assurerai qu'il en soit ainsi… Avez-vous les moyens, madame, demanda-t-il à Bess, de payer une facture qui risque d'être très élevée ? »

Elle se leva. « Je peux payer la facture, monsieur. »

Paulet la dévisagea longuement. Sans doute devinait-il que l'argent viendrait de la reine. J'espérais que Warner pourrait arranger un paiement plausible, tiré de la cassette de la reine. Le président me regarda droit dans les yeux un long moment. « Vous avez intérêt à ce qu'il ne s'agisse pas d'un château de cartes, messire Shardlake, d'une promenade pour rien, dit-il très calmement. Car alors vous ne seriez pas en odeur de sainteté dans ce tribunal... Dressez l'ordre de mission », dit-il en se tournant vers Mylling.

Le greffier hocha la tête, prit une feuille de papier vierge et se mit à écrire. Il ne nous avait même pas jeté un coup d'œil. Avait-il fourni à Dyrick des renseignements sur mes démarches ? Et était-ce Dyrick qui m'avait fait attaquer par les apprentis qui traînaient au coin de la rue ? L'air agacé, mon adversaire rangeait ses papiers avec des gestes précipités. « Messire Dyrick, j'aimerais vous dire un mot », dit Paulet. Il se leva, et toutes les personnes présentes s'empressèrent de l'imiter. Paulet inclina le buste pour nous donner congé. Dyrick me lança un regard mauvais, puis emboîta le pas au juge.

✝

Nous regagnâmes le vestibule. Dès que la porte fut refermée, Broughton me saisit la main. « La lumière de la grâce de Notre-Seigneur brillait dans ce tribunal, dit-il. Vu la dureté de ce juge, j'ai cru que nous allions perdre, mais nous avons gagné.

— Nous n'avons gagné que le droit de faire une enquête, l'avertis-je.

— Vous allez découvrir la vérité, je le sais. Ces hommes qui acquièrent des tutelles, ce sont des gens sans conscience, qui, oubliant Dieu, se targuent d'accumuler de plus en plus de richesses, de plus en plus d'honneurs...

— En effet. » Je regardai la porte du prétoire... Pour

quelle raison Paulet avait-il souhaité faire un aparté avec Dyrick ? Bess s'approcha de moi. Elle était toute pâle. « Puis-je m'asseoir ? demanda-t-elle.

— Bien sûr. Venez. »

Je l'aidai à s'installer sur le banc. « Ainsi donc, le vœu de Michael a été exaucé, murmura-t-elle. Il y aura une enquête.

— Soyez certaine que, dans le Hampshire, j'interrogerai soigneusement tout le monde. » Je jetai un coup d'œil à Barak qui, appuyé contre le mur, avait l'air songeur. À côté de lui, Feaveryear dégageait une mèche de cheveux raides de son front. La perspective du voyage paraissait toujours le ravir.

Bess poussa un profond soupir. « Merci pour tout ce que vous avez fait, monsieur. » Elle passa la main derrière son cou et dégrafa quelque chose. Ouvrant la main, elle me montra la petite croix en or joliment ouvragée et la posa sur le banc entre nous. J'examinai la délicate figure gravée dont on voyait même la minuscule couronne d'épines.

« On l'a trouvée sur lui quand il est mort. Elle appartenait à Emma, qui l'avait reçue de sa grand-mère. L'enfant la portait en mémoire de la vieille femme. Après la mort de la jeune fille et son propre renvoi, Michael avait demandé à Mme Hobbey s'il pouvait garder un souvenir d'Emma. Et elle lui a donné cette croix avec un geste d'impatience, d'après Michael. Il la portait toujours sur lui. Pourriez-vous l'apporter au jeune Hugh ? Je suis sûr que Michael aimerait qu'il en soit le nouveau dépositaire.

— Bien sûr, dis-je en prenant l'objet.

— Je prie pour que vous arrachiez ce pauvre garçon des mains de cette mauvaise famille. Vous savez, soupira-t-elle, durant les semaines qui ont précédé sa mort, mon fils avait recommencé à pratiquer le tir à l'arc. Je pense que, s'il était toujours vivant, il se serait engagé dans la milice.

— Il ne craignait pas d'être recruté ?

— Non, monsieur, répliqua-t-elle, en se renfrognant. Il voulait aider à repousser les Français. C'était un homme bon et honorable. »

Le révérend Broughton lui toucha le bras. « Venez, ma bonne dame. Il me tarde de sortir d'ici. Puis-je vous raccompagner chez vous ? » Elle se laissa entraîner et, parvenue sur le seuil du bâtiment, elle se retourna brièvement, nous sourit, à Barak et à moi, et s'éloigna.

✝

La porte de la salle d'audience s'ouvrit et Dyrick se précipita vers moi. Il semblait bouillir de rage.

« Eh bien, messire Shardlake, il nous faut aller dans le Hampshire, semble-t-il.

— En effet.

— Êtes-vous capable d'entreprendre un tel périple ? s'enquit-il d'un ton un rien ironique.

— J'ai naguère voyagé à cheval jusqu'à York pour accomplir une mission.

— J'espérais passer les semaines qui viennent en compagnie de ma femme et de mes enfants. J'ai deux filles et un fils, et je n'ai guère le temps de les voir pendant la session des tribunaux. À présent, je dois leur annoncer que je suis obligé de filer dans le Hampshire.

— Nous n'allons pas rester absents longtemps. Si nous allons bon train, trois ou quatre jours pour y aller, autant pour revenir, et quelques jours sur place.

— Vous êtes célibataire, n'est-ce pas ? C'est plus facile pour vous. » Il se pencha tout près et, plantant sur moi un regard furieux, me dit en baissant la voix : « Je sais pourquoi Paulet a agi de la sorte. Normalement, il aurait rejeté sur-le-champ une telle flopée d'allégations sans fondement.

— Peut-être a-t-il voulu que justice soit rendue.

— Il vient de m'informer que mame Calfhill a été des années durant la servante de lady Latimer, comme on l'appelait alors.

— Même la servante d'une reine peut réclamer justice.

— Dans ce cas, il ne s'agit pas de justice mais de harcèlement, de persécution.

— Dans le Hampshire, tout le monde sera équitablement écouté.

— Sir William m'a indiqué que si la reine peut faire pression pour qu'on diligente une enquête, elle n'a pas le pouvoir de décider de son issue. L'aide qu'elle peut accorder a ses limites », expliqua-t-il d'une voix qui crissait comme une lime.

Je soutins son regard. « Nous devrions nous occuper de l'aspect pratique du voyage, dis-je.

— Je veux qu'on parte le plus tôt possible. Plus tôt on partira, plus tôt on reviendra. Et le trajet durera plus de trois ou quatre jours. Les routes seront boueuses après les orages et encombrées de soldats, de charrois de vivres et d'équipements militaires. »

J'interceptai le regard de Barak. « Je suis d'accord, fis-je. Que pensez-vous d'après-demain ? »

Dyrick eut l'air surpris que j'acquiesce si promptement. « Je suggère, poursuivis-je, que nous prenions un bateau jusqu'à Kingston. Ce sera le moyen le plus rapide, et ensuite nous louerons de robustes chevaux de selle afin de faire le voyage le plus vite possible.

— Très bien. Je vais envoyer Feaveryear louer des chevaux. » Il se tourna vers son assistant. « En êtes-vous capable ?

— Oui, monsieur.

— Cela me semble une bonne idée, dis-je. Mais il sera difficile de louer des chevaux en ce moment. Il doit y avoir une grosse demande.

— Alors nous devrons payer le prix fort. »

J'hésitai. Si l'enquête ne débouchait sur rien, toutes ces dépenses seraient réglées par Bess. Ou plutôt par la reine. Mais Genesis, mon cheval, avait l'habitude de faire seulement de courts trajets, et celui-ci serait très long. Je l'avais utilisé pour aller à York, quatre ans plus tôt, mais nous avions progressé par petites étapes et il était plus jeune alors. J'opinai du chef.

« Allez-vous emmener un valet en plus de votre assistant ? demanda-t-il.

— Sans doute. » Je pensais à l'homme que m'avait promis Warner.

« Moi pas. Feaveryear pourra me servir de factotum. Pour aller vite, nous devrons voyager avec le moins de bagages possible. Il faut que j'envoie une lettre à M. Hobbey par messager afin qu'il soit au moins prévenu de cette idiotie. Je suggère que nous nous donnions rendez-vous mercredi à Kingston. Le plus tôt possible. Je vous ferai parvenir un mot.

— Nous sommes donc d'accord sur les modalités pratiques », dis-je pour essayer de détendre l'atmosphère, sachant que j'allais devoir le fréquenter de près pendant plus d'une semaine.

Il se pencha à nouveau tout près de moi. « Soyez

certain que vous allez au-devant d'une sévère désillusion. Et quand nous nous retrouverons au tribunal, le mois prochain, je vous ferai regretter ces imbécillités. Sauf si les Français débarquent et si nous sommes coincés dans la zone des combats. » Il poussa un profond soupir puis reprit : « Il est encore temps de lâcher l'affaire. Rattrapez votre cliente et avertissez-la qu'elle finira sur la paille. Ou pire : si je peux prouver que le procès est financé par la reine, c'est la prison qui attend mame Calfhill. »

Je savais qu'il cherchait à m'intimider, qu'il n'oserait jamais impliquer la reine.

Après m'avoir jeté un dernier regard noir, il se détourna et s'éloigna. « Allez, venez, vous ! » lança-t-il à Feaveryear.

Barak et moi restâmes seuls dans le vestibule. « Bon, dis-je. Nous devons maintenant discuter de certaines choses. »

11

J'emmenai Barak dans une taverne. « Quelle bonne idée d'avoir fait inscrire mon nom sur l'ordre de mission ! Mais est-ce que cela rendra caduque la convocation de Goodryke ? » La main qui tenait sa chope tremblait légèrement.

« Absolument. Il s'agit d'un ordre du tribunal qui te charge de m'accompagner personnellement. Sir William Paulet possède plus de pouvoir que n'importe quel sergent instructeur. Retourne aux Tutelles cet après-midi pour prendre l'ordre signé et apporte-le à Carver à l'hôtel de ville. Il le montrera à Goodryke. Et après-demain nous prenons la route.

— Goodryke comprendra votre manœuvre.

— Mais il ne pourra rien faire. Paulet sera lui-même parti pour Portsmouth, et les clercs des Tutelles s'en ficheront. Ils ne pourraient en tirer aucun profit, précisai-je avec un sourire amer.

— L'idée vous est-elle venue au tribunal ?

— Oui. Dieu merci, Dyrick n'y a pas trouvé à redire. » Je me rembrunis. « Vraiment, j'aurais préféré que tu restes ici, mais ça m'a semblé le seul moyen de te protéger. Je vais dire à Warner que je n'ai plus besoin d'un assistant, même si un valet bien bâti me serait fort utile.

— Tamasin ne sait pas que vous avez été agressé et menacé par des apprentis.

— Eh bien, ne lui en parle pas. Je suis désormais moins préoccupé par ma sécurité. Dyrick sait maintenant que la reine me protège et je suis certain qu'il mettra Hobbey au courant quand il lui écrira. Si le danger vient d'eux, ils éviteront de se mettre l'entourage de la reine à dos. Mais je suis de moins en moins sûr de leur implication dans cette affaire. Dyrick est un fieffé coquin, mais je doute qu'il fasse quelque chose qui risquerait de lui causer des ennuis juridiques.

— Il ne m'a pas plu du tout. Quelle est son histoire ?

— J'ai interrogé divers confrères de Lincoln's Inn. C'est un Londonien... Son père était une sorte de commis aux écritures. Il a fait de bonnes études et a choisi de se spécialiser dans les contentieux fonciers à la Cour des tutelles. C'est un drôle de type. Il donne l'impression de ne connaître qu'un mode de fonctionnement : l'agressivité. Même si, d'après ce qu'il a dit, sa femme et ses enfants vont lui manquer.

— Si ce n'est pas lui, qui a bien pu chercher à vous intimider par l'intermédiaire de ces garnements ? Et je continue de penser qu'il y a quelque chose de louche dans le suicide de Michael.

— Il n'y a aucune preuve à ce sujet. Il ne reste qu'une chambre vide.

— Je suppose que si ces gamins avaient voulu vraiment se débarrasser de vous, ils vous auraient tué ou, au moins, vous auraient grièvement blessé.

— En effet... Il faudra que tu te tiennes à carreau

durant le voyage. L'homme que Warner m'a promis pourra m'accompagner quand je me rendrai où Ellen a grandi.

— Vous voulez toujours enquêter là-dessus ?

— Oh oui ! »

Il haussa les sourcils, puis déclara : « Je ne peux rien faire sans l'aval de Tamasin. Acceptez-vous de m'accompagner chez moi ? »

✝

Une demi-heure plus tard, nous étions de retour chez Barak. Dans la petite salle, Tamasin était assise en face de nous et, à travers la fenêtre, on voyait des abeilles voleter dans son joli jardin d'agrément.

« À toi de décider, Tammy », dit Barak.

Elle poussa un profond soupir. « Oh Jack, si seulement tu avais été poli avec lui…

— Tammy, les mots me manquent pour exprimer mes regrets.

— Avec un peu de chance, fis-je, nous pourrons être de retour dans moins de deux semaines. Largement à temps pour la naissance.

— En tout cas, je n'aurai plus à supporter ton agitation permanente ! » lui dit-elle d'un ton léger. À l'évidence, elle retenait ses larmes. Je savais, en outre, qu'ils craignaient tous les deux que le bébé ne naisse mort-né, comme leur premier, et à quel point ils avaient désormais besoin l'un de l'autre. Cependant, je ne voyais pas de meilleure stratégie. Barak saisit la main de Tamasin.

« Le voyage sera dangereux en cette période troublée, dit-elle.

200

— Nous avons fait des voyages plus longs et plus pénibles, dit Barak. Jusqu'à York. Où je t'ai rencontrée.

— Tu n'as pas intérêt à rencontrer quelqu'un d'autre dans le Hampshire, s'exclama-t-elle d'un ton faussement menaçant, et je compris qu'elle avait admis que ma proposition était la mieux adaptée à la situation.

— Il n'en est pas question.

— Et si les Français débarquent ? me demanda-t-elle.

— Hoyland est situé à plusieurs milles de la côte. Et de nombreux courriers royaux doivent circuler dans les deux sens, entre Londres et les troupes qui se trouvent sur la côte. Des messagers expérimentés qui ont la priorité sur les routes et qu'attendent des chevaux de relais. Je suis certain que messire Warner nous permettra d'échanger des lettres par ce moyen. Ainsi, vous pourrez au moins communiquer entre vous. Et moi, je tiens à rester en contact avec Warner. Et ça ne me fera pas de tort de recevoir une ou deux lettres frappées du sceau de la maison de la reine, ajoutai-je en souriant.

— Et votre maison ? s'enquit Tamasin. Avec ce cochon d'intendant.

— Je vais devoir prier Guy de diriger la maisonnée. Je ne voulais pas lui causer de tracas de cet ordre mais je ne vois pas d'autre solution. Et je veux qu'il garde un œil sur quelqu'un pour moi.

— Ellen ? demanda Barak.

— C'est ça.

— Cette femme, estima Tamasin, elle ne vous cause que des soucis. » Comme je ne répondais pas, elle se tourna vers Barak. « C'est bien la seule façon d'éviter que tu sois recruté comme soldat, pas vrai ? »

Il hocha la tête. « Je crois que oui, hélas ! Je suis absolument désolé.

— Revenez le plus tôt possible, me dit-elle. Protégez-le, ajouta-t-elle en serrant la main de son mari encore plus fort.

— Et toi, protège mon fils. Mon John. »

Elle eut un sourire triste. « Ma Johanna. »

✝

Le lendemain après-midi je retournai à Bedlam. Le chef gardien Shawms serait sans doute absent car il déjeunait longuement dans une taverne du coin. Hob Gebons vint ouvrir. Il eut l'air mécontent de me voir.

« Tudieu ! Il vous avait dit de ne pas revenir ! S'il vous trouve…

— Il ne sera pas de retour de la taverne avant une heure.

— Vous ne pouvez pas la voir ! Il a ordonné qu'elle reste attachée jusqu'à ce soir. Aucune visite !

— C'est vous que je souhaite voir, Hob. Allons, laissez-moi entrer. Les gens qui traversent la cour peuvent nous voir bavarder. Ne vous en faites pas. Je ne suis pas en quête de renseignements.

— Je regrette d'avoir jamais posé les yeux sur votre dos bossu », grogna-t-il, avant de me laisser le suivre jusque dans son petit cabinet. J'entendis un murmure de voix dans le parloir.

« Comment va-t-elle ?

— Elle prend ses repas. Mais elle n'a pas prononcé un mot depuis hier. » Il poussa son petit rire pointu.

Je me mordis la lèvre. L'idée qu'Ellen était attachée à cause de quelque chose que je lui avais dit me faisait horreur.

« Je pars en voyage demain. Pour une dizaine de jours.·

— Très bien.

— Je souhaite que vous vous assuriez du bien-être d'Ellen. Je veux qu'on lui permette de vaquer à ses occupations. Si elle a une nouvelle crise, empêchez qu'on la maltraite.

— Vous parlez comme si je dirigeais l'asile. Ce n'est pas le cas.

— Vous êtes l'adjoint de Shawms. Vous gérez la vie quotidienne des patients et pouvez améliorer la façon dont ils sont traités, ou l'empirer. » Je mis la main dans ma bourse et j'en tirai un souverain en or sur lequel Gebons fixa son regard.

« Je vous en donnerai un autre si je constate à mon retour qu'elle a été bien traitée.

— Mordieu, vous êtes disposé à dépenser pas mal d'argent pour elle !

— Et je vais prier mon ami médecin de venir lui rendre visite durant mon absence et de m'écrire pour me donner des nouvelles de son état de santé.

— Le type basané que vous aviez amené ici quand Adam Kite était chez nous ? Il faisait peur aux patients.

— Assurez-vous qu'on le laisse la voir », insistai-je en brandissant la pièce.

Il hocha la tête. « Où allez-vous ?

— Dans le Hampshire. Afin de recueillir des témoignages pour un procès.

— Prenez garde de ne pas vous laisser attraper par les Fransquillons ! Même si cela me faciliterait la vie. »

Je lui donnai la pièce. « Puis-je voir Ellen ? Pas pour lui parler. Seulement pour m'assurer qu'elle va bien. »

Il hésita puis hocha la tête, à contrecœur. « Vous avez de la veine que ceux qui ne sont pas enfermés déjeunent en ce moment dans le parloir sous la surveillance de Palin. » Il se leva. « Vite. Dépêchez-vous ! » Il me fit signe de le suivre et me conduisit le long du couloir jusqu'à la chambre fermée d'Ellen. Il tira le volet du guichet. Ellen était couchée sur le lit, dans la même position que la veille, ses mains liées reposant sur son giron. Elle ne paraissait pas avoir bougé d'un pouce. Elle fixa sur moi le même regard accusateur. Cela me bouleversa, car j'avais l'impression que la personne qui était couchée là n'était pas l'Ellen que je connaissais.

✝

Cet après-midi-là, je retournai à Hampton Court et grimpai l'escalier menant au bureau de Warner. Il resta silencieux quand je lui appris qu'une enquête avait été diligentée et eut l'air soulagé lorsque je lui annonçai que Paulet ne tolérerait aucune nouvelle pression de la reine.

« Vous regrettez cette décision.

— Oui, pour être franc. Bien que je me fasse aussi du souci pour vous. Je dois vous signaler que le roi et la reine se rendent à Portsmouth la semaine prochaine, afin de passer en revue la flotte royale qui s'y rassemble. La moitié du Conseil privé les accompagne. Comme vous pouvez l'imaginer, on s'agite tant et plus à Whitehall en prévision de ce périple.

— Si le roi et la reine vont à Portsmouth, cela

semble indiquer que les rapports des espions sont fondés et que les Français se dirigent bien vers Portsmouth.

— Apparemment. Une grande flotte était en train de s'assembler dans les ports français sur la Manche. C'est une bonne chose que vous partiez demain car, ainsi, vous serez sans doute sur le chemin du retour avant que le cortège royal n'arrive dans le Hampshire. Richard Rich, votre vieil ami, sera lui aussi du voyage. Il paraît qu'il est chargé d'organiser l'approvisionnement des soldats et des marins.

— Malgré les accusations de corruption qui pèsent sur lui depuis l'année dernière ?

— Le roi apprécie toujours la compétence. »

Je pris une profonde inspiration. « Bon. Les dés sont jetés... Accompagnerez-vous la reine ?

— Oui.

— Pourriez-vous charger les messagers royaux qui font l'aller-retour entre le Nord et le Sud de porter le courrier de Barak et le mien à Horndean, près de Hoyland ?

— C'est tout à fait possible. Et si vous désirez m'écrire, des messagers porteront des plis au cortège royal au cours de son déplacement vers le Sud.

— Je vous remercie. Au fait, je n'ai plus besoin des services d'un secrétaire, mais j'apprécierais grandement la présence d'un gaillard de toute confiance pour nous accompagner durant le voyage.

— J'ai l'homme qu'il vous faut. Je l'enverrai chez vous demain.

— Merci.

— Je vous souhaite un bon voyage...

— Que le vôtre soit agréable », répondis-je en inclinant le buste.

✝

L'après-midi, je parlai à Guy. Je lui avais déjà fait part des grandes lignes du dossier Curteys et il savait qu'il était possible que je me rende dans le Hampshire. J'avais hésité à lui demander de s'occuper et d'Ellen et de Tamasin mais, à mon grand soulagement, il parut ravi d'endosser à nouveau des responsabilités. Je commençai à penser qu'il sortait de sa mélancolie. Je dus lui relater la crise d'Ellen et l'avertis de ne pas lui parler de son passé, ce qui, comme il le reconnut, ne pourrait qu'aggraver son état actuel.

Je passai la journée du lendemain dans mon cabinet à ranger mes papiers et à donner des instructions à Skelly. Les deux dernières journées avaient été belles, les orages n'étant plus qu'un lointain souvenir. J'espérais de tout mon cœur que le beau temps allait perdurer.

Je quittai mon cabinet en fin d'après-midi. Comme je traversai Gatehouse Court, je pensai à nouveau à Dyrick. La perspective de passer un certain temps avec lui et son étrange petit assistant ne me réjouissait guère. J'aurais au moins la compagnie de Barak, mais je m'étais juré de ne pas l'impliquer dans mon enquête sur le passé d'Ellen.

En entrant dans la maison, j'eus le désagrément de trouver Coldiron, près de la porte fermée de la salle, penché en avant et écoutant, à l'évidence, une conversation qui se déroulait à l'intérieur. Il sursauta. « J'ai cru apercevoir des crottes de souris par terre, s'empressa-t-il d'expliquer.

— Moi, je ne vois rien », fis-je d'un ton glacial.

Il porta la main à son bandeau. « Je ne vois pas aussi bien qu'avant, avec un seul œil… » Il sourit obséquieusement. Depuis qu'il avait tenu dans ses mains la missive frappée du sceau de Hampton Court, son attitude envers moi avait été extrêmement déférente et respectueuse.

« Je pars mercredi, dis-je. Pour une dizaine de jours. Je vais sur la côte sud. »

Il hocha la tête avec empressement, joignant ses mains maigres et inclinant le buste. « S'agit-il d'une mission royale, monsieur ? À propos de la guerre, peut-être ? Pour régler leur compte aux Fransquillons ?

— C'est une affaire juridique.

— Ah que j'aimerais être encore assez jeune pour me battre contre ces freluquets de Français ! Comme je l'ai fait à Flodden. Lorsque j'ai trucidé le roi d'Écosse, le comte de Surrey m'a personnellement félicité…

— Je vais devoir prendre des dispositions pour diriger la maison pendant mon absence…

— Vous pouvez compter sur moi, monsieur. Je tiendrai tout le monde en laisse. Les marchands, les gamins, Jojo…

— Je vais confier la direction de la maisonnée au Dr Malton. »

Quel plaisir de le voir se rembrunir ! « Dans ma dernière place, quand le maître était absent, c'était l'intendant qui était chargé de cette tâche, geignit-il.

— Quand un gentleman comme le Dr Malton réside dans une maison, c'est lui qui doit en assurer la direction. » Il me décocha un de ses regards noirs. « Bon. Maintenant j'ai faim, repris-je d'un ton léger. Allez voir où en est la préparation du dîner. »

J'entrai dans la salle, curieux de savoir ce qu'il écoutait. Guy était assis à la table avec Josephine. Elle avait dénudé son bras droit qui montrait une boursouflure violacée sur le poignet, que Guy baignait d'essence de lavande dont le parfum emplissait la pièce.

« Josephine s'est brûlé la main », expliqua-t-il.

Elle me regarda d'un air inquiet. « Je suis désolée, monsieur. Le bon Dr Malton m'a proposé de me soigner…

— J'en suis ravi. Cette brûlure paraît grave.

— En effet, dit Guy. Je pense qu'elle ne devrait pas se servir de cette main pendant quelque temps. Il faudra qu'elle l'enduise d'essence de lavande quatre fois par jour.

— Très bien, acquiesçai-je en souriant. N'exécutez que des travaux légers jusqu'à ce que le Dr Malton vous permette de reprendre vos activités normales.

— Mais, mon père…, commença-t-elle, l'air effrayé.

— Ne vous en faites pas. Je parlerai à votre père. »

Elle nous regarda l'un après l'autre. Ses yeux s'emplirent de larmes. « Vous êtes si bons, tous les deux. » Elle se leva, faisant tomber de la table un flacon bouché d'onguent. Guy le rattrapa prestement et le lui donna. « Gardez-le précieusement, lui dit-il.

— Ah merci, monsieur ! Je suis si maladroite… Je suis absolument désolée. » Elle fit une révérence, puis quitta la pièce à petits pas pressés. Guy posa sur moi un regard grave.

« Cette brûlure date de trois ou quatre jours. Elle dit que son père l'a forcée à continuer à travailler. Ç'a dû lui faire atrocement mal tout ce temps.

— C'est une brute. Guy, êtes-vous sûr de vouloir le surveiller pendant mon absence ?

— Oui. Je pense que oui, répondit-il en souriant.

— Maniez-le à votre guise. Dès mon retour, je chercherai un nouvel intendant et je le congédierai… Bien que le sort de Josephine me préoccupe.

— Elle dépend entièrement de lui. Je ne suis pas certain qu'elle soit aussi stupide qu'elle le paraît. Elle a seulement l'habitude d'avoir peur.

— Croyez-vous qu'il serait possible de la libérer de Coldiron ? demandai-je, l'air songeur.

— Ellen représente déjà pour vous une assez lourde charge… Que dois-je répondre si elle m'annonce qu'elle est amoureuse de vous ? » fit-il, en me regardant droit dans les yeux.

Je me sentis violemment rougir. « Pourriez-vous lui dire que vous ne savez que lui répondre ?

— Mais je connais la réponse.

— Alors dites-lui qu'elle doit m'en parler. »

Il me regarda de ses yeux bruns perçants. « Et si elle se déclare, comment réagirez-vous ?

— Ce qui me préoccupe pour l'instant, c'est ce que je vais découvrir dans le Sussex.

— Je crains que ce ne soit rien de bon. »

Je fus soulagé que nous soyons interrompus par de violents coups frappés à la porte d'entrée. « Veuillez m'excuser », lui dis-je.

Un jeune messager, arborant l'insigne de la reine sur son pourpoint, se tenait dans le vestibule, devant la porte. Coldiron l'avait fait entrer et fixait l'insigne, les yeux écarquillés.

« Monsieur, j'ai un message de la part de messire Warner », annonça-t-il.

Je me tournai vers Coldiron. « Le dîner », dis-je. Il retourna à la cuisine en traînant les pieds. Le messager me tendit la missive. Je la lus. « Sacrebleu ! » soufflai-je.

Dans son message, Warner m'annonçait qu'il ne pouvait pas m'envoyer l'homme qu'il m'avait promis car, comme un grand nombre de serviteurs en bonne santé de Hampton Court, celui-ci avait été enrôlé dans l'armée ce jour même.

« Y a-t-il une réponse, monsieur ?

— Aucune réponse. » Je refermai la porte. Ce n'était pas le genre de Warner de me faire faux bond, mais les gens qui travaillaient à la Cour étaient soumis à de plus fortes pressions que le commun des mortels. Nous partons demain matin, pensai-je. Il est maintenant trop tard pour trouver un remplaçant. Je me félicitai de ne pas avoir répété à Barak ce qu'Ellen avait raconté à propos d'un homme qui avait brûlé. Maintenant je devais m'occuper de cette affaire tout seul.

DEUXIÈME PARTIE

LE VOYAGE

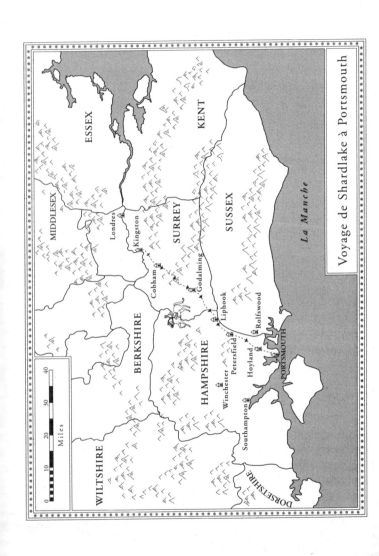

Voyage de Shardlake à Portsmouth

12

Je me levai peu après l'aube, le mercredi premier juillet. Je mis une chemise et un pourpoint léger, enfilai mes bottes de cavalier et descendis au rez-de-chaussée dans la pénombre. Il me revint à l'esprit que, jadis, lorsque je partais en voyage, quelle que soit l'heure, Joan était debout et s'affairait pour s'assurer que j'avais tout ce qu'il me fallait.

Coldiron et Josephine attendaient au bas de l'escalier, mes sacoches à leurs pieds. Ayant trop de bagages pour les porter seul, j'avais ordonné à l'intendant de m'accompagner jusqu'à l'embarcadère du fleuve où j'avais rendez-vous avec Barak.

Josephine fit la révérence. « Bonjour, monsieur, dit Coldiron. Le temps semble idéal pour voyager. » La curiosité faisait briller ses yeux, car il était persuadé que j'étais chargé d'une mission royale.

« Bonjour. Et bonjour aussi à vous, Josephine. Pourquoi êtes-vous debout de si bonne heure ?

— Elle peut porter l'une des sacoches », répondit Coldiron. La jeune fille me fit un sourire nerveux et me montra un petit sac de toile. « Il contient du pain et du fromage, monsieur, et quelques tranches de jambon. Ainsi qu'une pâtisserie que j'ai achetée au marché.

— Merci beaucoup, Josephine. » Elle rougit et fit une nouvelle révérence.

Dehors, il faisait déjà chaud et le ciel était sans nuages. J'avançais le long d'une Chancery Lane déserte, Coldiron et Josephine marchant derrière moi. Fleet Street était silencieuse, les volets de tous les bâtiments étaient fermés et quelques mendiants dormaient sous les porches des boutiques. Mon cœur battit la chamade à la vue de quatre apprentis en blouse bleue, appuyés contre Temple Bar. Ils se redressèrent et avancèrent d'un pas lent, sans se presser. Tous portaient une épée.

« Patrouille de surveillance particulière », annonça l'un deux en s'approchant de nous. C'était un jeune gars mince et boutonneux, âgé de dix-huit ans, tout au plus. « Vous êtes sorti très tôt, monsieur. Le couvre-feu ne sera levé que dans une heure.

— Je suis avocat et je dois prendre un bachot à l'embarcadère du Temple, répliquai-je sèchement. Voici mes serviteurs.

— Mon maître est chargé d'une mission importante ! lança Coldiron. Vous devriez être dans l'armée, au lieu d'importuner les honnêtes gens.

— Qu'est-ce qui est arrivé à ton œil, vieillard ? ricana l'apprenti.

— Je l'ai perdu à la bataille de Flodden, jeune chiot.

— Allons-y ! » fis-je. Nous traversâmes la rue.

« Bande d'estropiés ! » cria l'un des gamins dans notre dos.

Nous nous engageâmes dans Middle Temple Lane. Comme nous traversions Temple Gardens, une brume glaciale qui montait du fleuve nous enveloppa. Barak nous attendait à l'embarcadère, son propre bagage à ses pieds. Il avait trouvé un batelier matinal. La flamme de la lanterne du bachot, amarré au quai, formait un halo jaune dans la brume.

« Tout est prêt ? demanda Barak. Cet homme va nous emmener à Kingston.

— Très bien. Comment va Tamasin ?

— Elle a pleuré hier soir. Ce matin, je suis parti sur la pointe des pieds sans la réveiller, répondit-il en détournant le regard.

— Mettez ces sacoches dans le bateau, dis-je à Coldiron. Ainsi que celle de Barak. »

Comme Coldiron descendait les marches, je parlai à voix basse à Josephine : « Le Dr Malton dirigera la maisonnée pendant mon absence. Il est votre ami. » Je ne sais pas si elle comprit que Guy la défendrait contre son père si cela se révélait nécessaire, car elle se contenta de hocher la tête, le visage aussi impassible que d'habitude.

L'intendant réapparut, haletant de manière exagérée. Barak gagna le bachot. « Au revoir, Coldiron, dis-je. Exécutez scrupuleusement les ordres du Dr Malton. » Ses yeux étincelèrent. Comme je descendais les marches glissantes, je savais qu'il aurait aimé me balancer dans le fleuve, mission royale ou non.

La brume était dense sur le fleuve. Le silence régnait, brisé seulement par le bruissement des rames. Un troupeau de cygnes passa et disparut très vite. Le batelier était vieux et il avait le visage ridé et fatigué. Une grosse péniche nous dépassa, une douzaine d'hommes en maniaient les rames. Elle transportait une cinquantaine de jeunes gars, vêtus de la veste blanche marquée sur le devant de la croix rouge d'Angleterre, qui restaient étrangement silencieux, leurs visages tels des disques pâles dans le brouillard. Sans le bruit des rames fendant l'eau, c'eût pu être un vaisseau fantôme.

La brume se dispersa au lever du soleil, ce qui réchauffa agréablement l'atmosphère. Comme nous nous approchions de Kingston apparut la circulation fluviale. Nous accostâmes au vieux débarcadère de pierre. Le terrain boisé du parc de Hampton Court s'étendait de l'autre côté du fleuve. La reine devait déjà être en train de faire préparer sa maison pour le voyage.

Nous longeâmes une courte rue menant à la place du marché. Dyrick nous avait envoyé un message pour nous donner rendez-vous dans une auberge à l'enseigne de La Tête du Druide. Barak, qui portait deux des sacoches, demeurait silencieux. Je posai sur lui un regard interrogateur. « Merci de m'avoir tiré de ce pétrin, murmura-t-il. À cause de ma bêtise, j'aurais pu me trouver à bord d'une péniche semblable à celle que nous avons croisée.

— Dieu merci, tu es maintenant en sécurité. »

Nous pénétrâmes dans la cour de l'auberge où se trouvaient de vastes écuries dont les portes, grandes ouvertes, laissaient voir plusieurs chevaux dans leurs stalles. À côté, dans une forge, un maréchal-ferrant en sueur martelait des fers à cheval sur une enclume, près d'une fournaise rougeoyante. Nous entrâmes dans le bâtiment de l'auberge. La salle était presque vide, à part deux hommes occupés à prendre leur petit déjeuner, leurs bonnets et deux jeux d'éperons posés sur le banc à côté d'eux. C'étaient Dyrick et Feaveryear. Nous nous approchâmes et inclinâmes le buste. Feaveryear se leva à demi, mais Dyrick se contenta de hocher la tête.

« Vous voilà. Parfait, grogna-t-il. On devrait partir immédiatement.

— Nous avons quitté Londres à la pointe du jour, rétorquai-je.

— Moi, j'avais donné rendez-vous à Feaveryear, hier soir, pour jeter un coup d'œil aux chevaux. Un homme dans ma position doit avoir une assez bonne monture.

— Nous avons quatre chevaux qui feront l'affaire et un cinquième pour les sacoches », expliqua Feaveryear avec morgue. Comme à son habitude, des mèches de cheveux gras pendouillaient sur son front. Il avait l'air fatigué, tandis que Dyrick débordait comme toujours d'énergie. Il s'essuya la bouche avec un mouchoir et se leva d'un bond.

« Il est l'heure. Nous devons arriver ce soir à Cobham, qui se trouve à neuf milles d'ici, et il paraît que la route de Portsmouth est encombrée de soldats et de chariots chargés de vivres et d'équipements militaires. Sam, apportez les sacoches. » Dyrick prit son bonnet et nous le suivîmes jusqu'à l'écurie. Barak sourit et secoua la tête, ce qui lui valut un regard réprobateur de la part de Feaveryear.

Nous entrâmes dans le bâtiment. Dyrick fit un signe de tête au palefrenier. « Les autres sont enfin arrivés, dit-il. Les chevaux sont-ils prêts et sellés ?

— Oui, monsieur. On va les emmener dans la cour. »

Nous repassâmes dans la cour. Le palefrenier et un petit valet d'écurie firent sortir cinq chevaux, de grandes et robustes bêtes, à la robe brun et gris pommelé. « Vous les avez bien choisis, félicitai-je Feaveryear.

— Mon maître m'a dit de ne pas lésiner. Ça coûtera cinq livres, aller et retour.

— Tudieu ! souffla Barak, près de moi.

— Les chevaux sont très recherchés en ce moment, expliqua le palefrenier.

— Je suggère que vous le payiez, confrère Shardlake, dit Dyrick. Vous pourrez vous faire rembourser par votre cliente quand elle perdra. Ou par sa bailleresse de fonds.

— Je vais payer la moitié. C'est sûrement ce que préconise la cour. Chacun règle ses dépenses jusqu'à la conclusion de l'enquête. »

Dyrick soupira mais sortit sa bourse.

« Pouvons-nous atteindre les environs de Portsmouth en quatre jours ? » demandai-je au palefrenier.

Il secoua la tête. « Il vous faudrait beaucoup de chance, monsieur. À votre place, je compterais plutôt six ou sept jours, vu l'extrême encombrement des routes.

— Vous voyez, messire Shardlake ! s'écria Dyrick. Je l'avais prévu. »

Nous enfourchâmes nos montures, Dyrick et moi menant la marche, suivis de Barak et Feaveryear, tandis que le cheval transportant les bagages était attaché par une lanière à celui de Feaveryear. Au moment où nous sortions dans la rue, un cavalier entra dans la cour à vive allure, les flancs de son cheval couverts de sueur. Il portait l'insigne de la maison du roi. C'était sans doute un avant-courrier chargé de repérer à l'avance les étapes de l'itinéraire royal.

✝

Nous quittâmes Kingston et pénétrâmes dans la campagne du Surrey. Des jardins maraîchers et des champs de blé s'étendaient de chaque côté de la route pour satisfaire les demandes insatiables de Londres, les terres boisées clôturées de Hampton Court apparaissant en arrière-fond. À cette époque de l'année, les paysans auraient dû être en train de faner et les champs de blé auraient dû jaunir, mais, après les tempêtes, le blé à demi aplati était toujours vert. Les cultivateurs devaient prier pour que le temps s'améliore. Plus le soleil montait dans le ciel, plus il faisait chaud, et plus j'appréciais mon chapeau de cavalier à large bord. On progressait plus aisément que ne l'avait craint Dyrick. Si la large route était défoncée et sillonnée de profondes ornières creusées par les roues des chariots surchargés, les parties les plus abîmées avaient été réparées, la terre battue, les trous remplis de cailloux et plusieurs claies placées sur les tronçons boueux. Nos cinq chevaux paraissaient tous vigoureux et placides.

« Nous devrions atteindre Cobham aujourd'hui même, dis-je à Dyrick.

— Je l'espère.

— Quel est notre itinéraire ? Je ne suis jamais allé dans le Hampshire.

— Cobham, ce soir, Godalming demain, avec un peu de chance. Nous traverserons la limite du Hampshire après-demain et ensuite dépasserons Petersfield et Horndean.

— Hoyland se trouve à sept ou huit milles au nord de Portsmouth, ai-je lu quelque part.

— Oui. Aux confins de la très ancienne forêt de Bere.

— Je crois comprendre que vous y avez déjà rendu visite à M. Hobbey.

— En effet. Bien qu'en général il me consulte quand il vient à Londres pour affaires.

— Est-il toujours marchand drapier ?

— Non, me répondit-il en me transperçant du regard.

— Au tribunal, vous avez dit qu'il avait récemment vendu du bois abattu sur les terres du jeune Curteys... »

Dyrick se tourna sur sa selle. « Mettez-vous déjà en doute l'intégrité de mon client, confrère Shardlake ? s'exclama-t-il de son ton âpre caractéristique.

— La façon dont sont gérées les terres de Hugh Curteys m'intéresse pour mon enquête.

— Comme je l'ai signalé au tribunal, on est en train de couper une certaine quantité de bois. Il serait idiot de ne pas tirer parti du marché en ce moment. Mais tout est réglé avec le curateur de fief.

— Dont je n'ai pas le droit de voir les comptes.

— Parce que cela mettrait en doute l'honneur de sir Quintin Priddis, ainsi que celui de mon malheureux client, répliqua Dyrick d'une voix vibrante de colère. Vous aurez l'occasion de vous entretenir avec sir Quintin et cela devrait suffire à tout homme raisonnable. »

Nous chevauchâmes en silence un certain temps. Puis je repris d'un ton poli : « Confrère Dyrick, nous allons nous côtoyer une semaine durant, et peut-être davantage. Puis-je suggérer que la vie serait plus

agréable si nous pouvions avoir des rapports relativement courtois. C'est la pratique habituelle. »

Il inclina la tête et réfléchit quelques instants. « Eh
bien, confrère, il est vrai que ce voyage me contrarie.
J'espérais apprendre à mon fils à améliorer sa pratique
du tir à l'arc. La visite peut se révéler utile, cependant. En plus des terres qu'il a achetées à l'abbaye,
M. Hobbey a obtenu les droits seigneuriaux sur Hoyland, le village. Nous avons correspondu à propos de
son projet d'acheter les terres communales et un terrain
boisé. Les villageois seront dédommagés, ajouta-t-il.

— Sans leurs terrains communaux, la plupart des
villages ne peuvent survivre.

— C'est ce que vous avez affirmé, contre mon avis,
au tribunal. Mais je vous prie à présent de donner
votre parole d'honneur de ne pas vous occuper des
villageois de Hoyland... Qu'en dites-vous ? Au nom
de la confraternité ? » fit-il en souriant.

Je le fixai droit dans les yeux. « Vous n'avez pas
le droit de me demander cela. »

Il baissa les yeux et haussa les épaules. « Eh bien,
monsieur, si vous recherchez des clients parmi les
villageois, vous ne pourrez vous attendre à avoir de
bonnes relations avec M. Hobbey. .

— Je n'ai pas l'intention de rechercher quoi que ce
soit. Mais je ne vais pas vous faire des promesses en
échange de votre courtoisie. Si vous ne me l'accordez
pas en tant que confrère avocat, je m'en passerai. »

Il détourna la tête, un sourire narquois sur les lèvres.
Je regardai Barak derrière moi. Je compris qu'il tentait
de lier conversation avec Feaveryear et entendis ce
dernier parler d'une voix aigre de « cet Antéchrist de

221

pape ». Barak me rendit mon regard en roulant des yeux tout en secouant la tête.

Nous continuâmes à aller bon train, nous arrêtant une fois près d'un cours d'eau pour abreuver les chevaux. Mes cuisses s'ankylosaient déjà. Dyrick et Feaveryear s'éloignèrent de quelques pas, bavardant à voix basse.

« Ça ne va pas être un voyage agréable, dis-je à Barak.

— En effet. J'ai entendu votre conversation avec messire Dyrick.

— Je commence à penser que c'est le genre de personne qui houspillerait un arbre, s'il n'y avait personne dans les parages. Que disait Feaveryear à propos de l'Antéchrist ? »

Barak s'esclaffa. « Vous vous rappelez que, tout à l'heure, nous sommes passés devant des hommes qui déterraient une croix dressée au bord du chemin ?

— Oui. Il n'en reste plus beaucoup aujourd'hui.

— Pour faire la conversation, j'ai dit que, par cette chaude journée, ce devait être un travail pénible. Feaveryear m'a répondu que les croix étaient des idoles papistes, puis il s'est mis à traiter le pape d'Antéchrist.

— Bigre… Un protestant intransigeant. Il ne manquait plus que ça… »

Quelques milles avant Esher, notre avance rapide fut stoppée net. Nous nous retrouvâmes bloqués derrière une longue file de chariots pendant qu'on réparait la route. Des hommes et des femmes en blouse grise, sans doute des habitants du village voisin, aplanissaient un tronçon de route boueux défoncé, creusé de fondrières. Nous dûmes attendre plus d'une heure avant qu'on nous permette de continuer, tandis que d'autres chariots s'alignaient derrière nous. Juché sur sa monture, Dyrick pestait contre le retard. La route était très encombrée désormais et pendant le reste de l'après-midi nous progressâmes lentement entre les chariots et les cavaliers.

Nous finîmes par entrer dans la petite ville d'Esher, où nous nous arrêtâmes dans une auberge pour déjeuner. Dyrick était toujours de mauvaise humeur. Il injuria Feaveryear quand celui-ci renversa un peu de potée sur la table. Le clerc rougit et s'excusa. Je fus surpris de voir tout ce qu'il acceptait de son maître.

✝

Le long voyage se poursuivit lentement durant le reste de l'après-midi. Il y avait de plus en plus de chariots en route vers le sud, certains pleins de barriques de nourriture et de tonneaux de bière, d'autres chargés de fournitures de charpenterie, de linge, d'armes, et l'un d'entre eux de milliers de flèches dans des carquois en toile. Nous dûmes même nous ranger sur le bas-côté de la route pour laisser le passage à un lourd chariot aux grosses roues, plein de tonneaux attachés solidement avec des cordes et sur le flanc desquels, de façon bien visible, était peinte une croix blanche. De la poudre à canon, devinai-je. Plus tard, il nous fallut laisser passer une troupe de soldats étrangers, des hommes robustes portant des uniformes aux couleurs vives, la doublure rouge visible par les crevés des manches et des chausses. Ils avançaient d'un pas martial et parlaient en allemand.

Vers le milieu de l'après-midi, le ciel s'assombrit et une grosse averse nous trempa des pieds à la tête, transformant la route en bourbier. En outre, la route montait, car nous quittions la vallée de la Tamise et grimpions dans les collines herbeuses des Surrey Downs. Lorsque nous atteignîmes Cobham, un village dont la longue grand-rue s'étirait au bord d'une rivière, j'étais épuisé, j'avais les jambes et les fesses endolories, tandis que les flancs des chevaux luisaient de sueur. Barak et Dyrick avaient eux aussi l'air fatigué, et le mince Feaveryear était affalé sur le pommeau de sa selle.

Le village était très animé. Des chariots s'alignaient tout le long de la rue, un grand nombre d'entre eux surveillés par des gamins du coin. Au milieu d'une vaste prairie, dans un espace carré, des hommes s'affairaient en tous sens pour ériger des tentes blanches coniques. Jeunes, forts, plus grands que la moyenne, les épaules larges et les cheveux coupés court, ils portaient des gilets sans manches, la plupart en laine de couleur claire ou marron, caractéristiques des classes inférieures, quelques-uns en cuir. Six gros chariots avaient été tirés jusqu'à l'extrémité du champ, et certains hommes conduisaient une douzaine de grands chevaux à la rivière, pendant que d'autres préparaient des feux pour faire la cuisine ou creusaient des latrines. Un homme d'âge mûr, à la barbe blanche, portant un beau pourpoint et une épée au côté, tournait lentement autour du groupe sur un pimpant cheval de chasse à courre.

« C'est sans doute une compagnie de soldats », dis-je. Il devait y avoir une centaine d'hommes en tout.

« Où sont leurs vestes blanches ? » s'étonna Dyrick.

Les soldats recrutés pour la guerre recevaient en général une veste blanche marquée d'une croix rouge, tels ceux que nous avions vus sur le chaland.

J'aperçus dans le champ un homme âgé d'une quarantaine d'années, rougeaud, trapu, dont l'épée indiquait que c'était un gradé, se précipiter vers deux jeunes gens en train de décharger d'un chariot des tentes pliées. L'un des deux, un grand type svelte, avait laissé tomber dans une bouse de vache le bout qu'il tenait.

« Pygeon ! Foutu imbécile ! hurla le sous-officier d'une voix stridente. Quel connard !

— Ce sont bien des soldats, en effet, dit Barak derrière moi.

— Ils font route vers le sud, comme tous les autres.

— Mordieu, vous avez choisi le bon moment pour me faire entreprendre ce voyage ! tempêta Dyrick, d'un ton soudain furieux. Et si l'armée française me sépare de mes enfants ?

— Ce sentiment n'est guère patriotique », marmonna Barak dans mon dos.

Dyrick se retourna sur sa selle. « Surveillez votre langage, secrétaire ! » Sans se démonter, Barak soutint son regard.

« Allons-y ! dis-je. Il nous faut essayer de trouver un endroit où dormir. »

À mon grand soulagement, le valet d'écurie de la plus grande auberge nous apprit qu'il y avait trois petites chambres de disponibles. Nous mîmes pied à terre et entrâmes d'un pas raide dans l'auberge, Barak et Feaveryear chargés des sacoches. Feaveryear semblait sur le point de s'écrouler sous le poids de celles qu'il portait, et Barak lui proposa d'en prendre une.

« Merci, dit Feaveryear. Je suis éreinté. » C'était la première parole polie que nous entendions prononcer par le maître ou son clerc.

✝

J'escaladai l'escalier jusqu'à une chambre exiguë et sombre, située sous les combles. J'ôtai mes bottes avec soulagement puis me lavai le visage dans une bassine d'eau froide pour enlever l'épaisse couche de poussière. Ensuite, je redescendis au rez-de-chaussée car j'avais une faim de loup. La grande salle était bourrée de charretiers, qui, assis à de longues tables, lampaient de la bière et avalaient goulûment des cuillerées de potée. La plupart d'entre eux devaient avoir voyagé toute la journée et ils sentaient terriblement mauvais. La salle était faiblement éclairée, car le jour tombait, et des chandelles avaient été placées sur les tables. Apercevant Barak, assis tout seul à une petite table, dans un coin, une chope de bière entre les mains, j'allai le rejoindre.

« Comment est votre chambre ? demanda-t-il.

— Petite. Et le matelas est en paille.

— En tout cas, vous, vous n'aurez pas à la partager avec Feaveryear. On avait à peine refermé la porte qu'il a ôté ses bottes et montré une paire de mollets qui auraient fait honte à un coq, puis il s'est agenouillé près de son lit et a redressé son derrière. Ça m'a d'abord fichu un coup, mais il s'est mis à prier, demandant à Dieu de nous protéger durant le voyage. » Il poussa un profond soupir. « Si je ne m'étais pas montré insolent avec ce crétin de Goodryke, je passerais la nuit avec Tamasin, et non pas avec Feaveryear.

— Ce sera plus confortable quand on arrivera au prieuré de Hoyland. »

Il avala une longue gorgée de bière.

« Pas d'excès », chuchotai-je. Je comprenais que la vue des soldats lui avait rappelé le sort auquel il avait échappé de justesse. Il opina du chef. « Au plaisir de passer un bon bout de temps en charmante compagnie ! » lança-t-il d'un ton particulièrement sarcastique.

Dyrick et Feaveryear entrèrent dans la salle. « Pouvons-nous nous joindre à vous, confrère Shardlake ? demanda Dyrick. Les autres convives paraissent plutôt mal dégrossis. »

Nous commandâmes à dîner et on nous servit de la potée, car c'était tout ce que l'auberge avait à offrir. Des morceaux de graillon flottaient à la surface d'un liquide gras et fade. Nous mangeâmes en silence. Un groupe de jeunes filles entra. Elles portaient des robes très décolletées. Les charretiers les saluèrent à grands cris en tapant sur les tables, et bientôt les filles se retrouvèrent sur leurs genoux. Barak contemplait le spectacle avec intérêt, Dyrick d'un air amusé et cynique, tandis que Feaveryear jetait sur la scène un regard réprobateur.

« Le spectacle ne vous plaît pas, Sam ? lui demanda Dyrick en souriant.

— Non, monsieur. Je crois que je vais monter me coucher. Je suis épuisé. »

Il s'éloigna lentement et je le vis reluquer les filles du coin de l'œil. Dyrick s'esclaffa.

« Malgré toute sa piété, il ne peut s'empêcher d'espérer voir une paire de tétins, dit-il. Même s'il est assez fin et perspicace, s'empressa-t-il d'ajouter, pour m'aider à démontrer que votre dossier contre les Hobbey est un tissu d'âneries. »

Je parcourus la salle du regard, refusant de répondre à ses sarcasmes. L'un des charretiers avait enfoui son visage entre les seins d'une fille. Soudain, mon attention fut attirée par un officier portant une veste blanche militaire, l'épée à la ceinture. Assis au coin d'une table, il était courbé au-dessus d'une liasse de documents, apparemment indifférent au vacarme qui régnait autour de lui. Je le regardai plus attentivement, car je croyais reconnaître la masse de cheveux blonds bouclés surmontant des traits réguliers. Je donnai un petit coup de coude à Barak.

« Cet officier, là-bas. Tu le reconnais ? »

Il scruta la pénombre. « Serait-ce le sergent Leacon ? Je n'en suis pas certain. Mais il a été renvoyé de l'armée…

— Oui. C'est vrai. Viens. Allons voir. Veuillez nous excuser, confrère Dyrick. Il me semble reconnaître un ancien client.

— Un type à qui vous avez réussi à faire donner la terre de son propriétaire ?

— Exactement. »

Barak et moi nous frayâmes un chemin entre les tables. Lorsque le militaire leva les yeux au moment où nous approchions, je constatai qu'il s'agissait bien de George Leacon, le jeune sergent du Kent que nous avions rencontré à York, quatre ans plus tôt. Je lui avais causé un certain tort à l'époque, que j'avais réparé en arrachant la ferme de ses parents à un propriétaire cupide. Leacon avait alors une vingtaine d'années, or les rides qui entouraient à présent ses yeux et sa bouche lui donnaient l'air d'avoir dix ans de plus. Ses yeux bleus paraissaient plus globuleux et étrangement hagards.

« George ? »

Son visage se détendit et s'illumina du large sourire dont je me souvenais. « Messire Shardlake. Et vous, Jack Barak, dit-il en se levant. Mais que faites-vous ici ? Par la Vierge, ça doit bien faire trois ans qu'on ne s'est vus !

— Nous nous rendons dans le Hampshire pour nous occuper d'un dossier juridique. Vous êtes à nouveau dans l'armée ?

— Oui. On m'a recruté l'année dernière pour aller en France. On avait besoin d'hommes ayant une expérience militaire. Et c'est même davantage le cas aujourd'hui, puisque nous sommes menacés d'une invasion. Je conduis une centaine d'archers du Middlesex à Portsmouth. Vous les avez probablement aperçus dans la prairie.

— Oui. Ils étaient en train de dresser leurs tentes. Qui était le vieux cavalier élégamment vêtu ? »

Leacon fit la grimace. « Sir Franklin Giffard. C'est le capitaine de la compagnie. Un notable du Middlesex du Nord. Il s'est battu en France durant la première guerre livrée par le roi, il y a trente ans. Malheureusement, entre nous, il est... un peu vieux pour commander, poursuivit-il, après un instant d'hésitation. On avait besoin d'un gentleman prestigieux pour intimider les soldats. J'ai été recruté pour aller dans sa région, choisir cent archers de valeur et lui servir d'adjoint. Aujourd'hui, je suis sous-lieutenant. J'ai été promu l'année dernière, sur le champ de bataille devant Boulogne.

— Mes félicitations. »

Il hocha la tête, mais son regard sembla se perdre un court moment. « Et vous, comment allez-vous ?

— Le droit m'occupe pas mal.

— C'est agréable de vous revoir.

— Vous vous rappelez Tamasin Reedbourne ? demanda Barak.

— Bien sûr.

— Nous sommes mariés, annonça-t-il fièrement. Et on attend un bébé pour dans un mois. »

Leacon lui serra la main chaleureusement. « Alors c'est vous qui méritez les félicitations.

— Comment vont vos parents ? m'enquis-je.

— Ils vont bien, tous les deux, monsieur. Ils sont toujours dans la ferme dont, grâce à vous, ils sont propriétaires. Ils vieillissent, malgré tout, et trouvent le travail pénible désormais. Je devrais prendre le relais… Mais, poursuivit-il en grimaçant à nouveau, en ce moment, il est plus facile d'entrer dans l'armée du roi que d'en sortir.

— Ça, c'est bien vrai ! » s'exclama Barak du fond du cœur.

Leacon désigna les feuillets qui se trouvaient devant lui. « Ce sont les comptes des fournisseurs des vivres de mes hommes. On est censé les régler dans chaque ville et j'ai l'argent pour ça. Mais avec cette maudite nouvelle monnaie, les marchands demandent des prix plus élevés. » Il repoussa les papiers d'un geste impatient.

« Combien d'hommes vont à Portsmouth ? demanda Barak. Les routes sont très encombrées.

— Six mille sont déjà là ou sur le chemin, en plus d'un très grand nombre de miliciens locaux sur toute la côte sud, qu'on pourra rameuter rapidement si les Français nous envahissent.

— Seigneur Jésus !

— Et la plupart des navires royaux sont là, entre cinquante et soixante d'entre eux, ce qui fait qu'il y a également plusieurs milliers de marins. Je dois emmener mes hommes à Portsmouth en quatre jours. On devra même marcher durant le sabbat si c'est nécessaire.

— Et le roi doit venir faire une inspection générale. »

Leacon nous regarda d'un air grave. « Il paraît que la flotte française est trois fois plus importante que la nôtre et qu'elle transporte trente mille soldats. Peut-être une sacrée empoignade en perspective... Ma compagnie risque d'être embarquée pour se battre si les deux flottes s'affrontent. » Il secoua la tête. « J'ai navigué sur un bateau de guerre l'année dernière, mais un grand nombre de mes soldats n'ont jamais vu une étendue d'eau plus vaste que l'étang de leur village. Nous devons pourtant faire tout notre possible pour repousser l'invasion. On n'a pas le choix. » Un sentiment de lassitude, presque de désespoir s'était soudain glissé dans la voix de Leacon. Il parut vouloir ajouter quelque chose, mais changea de sujet. « Vous ne voyagez que tous les deux ?

— Non, hélas ! répondit Barak.

— Nous sommes accompagnés d'un autre avocat et de son assistant, expliquai-je. Ce ne sont pas de joyeux compères. » Je me retournai pour jeter un coup d'œil à Dyrick, mais il était parti. « Mon confrère souhaitait ardemment faire le trajet en quatre ou cinq jours, mais cela semble difficile. Aujourd'hui nous avons été bloqués des heures entières derrière des chariots.

— Peut-être puis-je vous aider, me dit Leacon.

— De quelle manière ?

— J'ai ordre d'emmener mes hommes à Portsmouth avant le cinq. À marche forcée. J'ai la priorité sur les routes et le droit de faire s'écarter les chariots. Si vous et vos compagnons souhaitez chevaucher devant nos chariots de bagages, cela vous permettrait d'aller plus vite.

— Nous vous en serions très reconnaissants, dis-je.

— Nous partons demain matin à cinq heures. »

J'échangeai un coup d'œil avec Barak. Il hocha la tête vivement. Plus vite nous arriverions à Hoyland, plus vite nous serions de retour chez nous. « Nous serons prêts, répondis-je. Merci beaucoup.

— Je suis ravi de pouvoir vous retourner le service que vous avez rendu à ma famille. » Il regarda ses documents à contrecœur. « Mais, veuillez m'excuser, il faut que je parvienne à comprendre ces comptes, avant de retourner au camp.

— Vous ne logez pas à l'auberge ?

— Non. Je dors avec mes hommes.

— Eh bien alors, nous allons prendre congé. »

Nous nous dirigeâmes vers la porte. L'un des charretiers avait allongé une fille sur le sol, tandis que les autres l'encourageaient de la voix.

« Je monte à la chambre de Dyrick pour lui faire part de la nouvelle, dis-je.

— Peut-être ce crétin montrera-t-il un brin de gratitude.

— J'en doute… Jack, qu'est-il arrivé à George Leacon ? »

Il secoua la tête. « Je n'en sais rien. Il a eu des ennuis. Ça c'est certain. »

Je me retournai. La tête blonde de l'officier était à nouveau penchée au-dessus de ses papiers tandis que son doigt courait le long d'une colonne de chiffres. L'autre main, posée sur la table, tremblait légèrement.

13

Quand j'entrai dans ma chambre, mon dos et mes jambes étaient atrocement ankylosés. Auparavant, j'étais allé voir Dyrick que j'avais trouvé assis sur son lit, des éléments du dossier éparpillés sur ses cuisses et autour de lui. Il m'avait jeté un regard hostile mais quand je lui eus parlé de la proposition de Leacon il s'était empressé de l'accepter. « Eh bien, votre ancien client se montre utile », avait-il déclaré, ce que j'avais interprété comme de quasi-remerciements.

J'eus du mal à m'endormir, les festivités qui continuaient à se dérouler au rez-de-chaussée et mes membres endoloris m'empêchant de fermer l'œil. Même après que le silence se fut installé, je me tournai et me retournai dans mon lit. Quand je finis par m'assoupir, je fis un affreux cauchemar. Je me noyais, car des mains enserraient ma gorge et me maintenaient la tête sous l'eau. Je les agrippais pour tenter de me dégager mais elles semblaient faites d'acier. Cherchant à voir qui voulait me noyer, je découvris le visage dur et les yeux froids de sir William Paulet, coiffé d'un casque de fer.

Je me réveillai en sursaut, le cœur cognant dans

ma poitrine. Je faisais souvent ce genre de rêve, car, deux ans plus tôt, j'avais failli me noyer dans un égout répugnant, avec un assassin pour toute compagnie, et j'avais moi-même auparavant noyé un homme qui tentait de me tuer. J'allai ouvrir les volets. Le soleil se déversa dans la pièce et, à la longueur des ombres, je devinai qu'il était près de cinq heures.

Dehors, on chargeait les tentes et autres équipements sur les chariots, sous la surveillance du sergent instructeur rougeaud, qui braillait ses ordres avec une telle force que je les entendais clairement de ma chambre. Les grands chevaux étaient déjà dans les brancards et mâchonnaient du foin. Un peu plus loin, une vingtaine de soldats s'entraînaient au tir à l'arc, la cible étant un pourpoint cloué à un chêne, à l'extrémité du champ. Des flèches fendaient l'air et les hommes poussaient des vivats quand l'archer faisait mouche, ce qui était, la plupart du temps, le cas, car c'étaient tous de bons tireurs. Leacon était là, observant l'entraînement très attentivement. Je m'habillai en toute hâte et descendis dans la salle désormais vide, à part Barak qui était en train de prendre son petit déjeuner tout seul. Je me précipitai vers lui. « Dieu soit loué, tu es toujours là !

— Les soldats sont toujours en train de charger. J'ai écrit une lettre à Tammy, l'aubergiste la remettra au premier courrier partant pour le Nord. »

J'avalai mon petit déjeuner, puis sortis. Quelques soldats portaient bien la veste blanche, y compris le type rougeaud qui surveillait l'opération de chargement et un soldat qui, une trompette attachée à un baudrier en bandoulière, accrochait un tambour à sa taille. Nous rejoignîmes Dyrick et Feaveryear qui parlaient à l'homme à la barbe blanche que j'avais aperçu la veille.

« Ah, confrère Shardlake, me lança Dyrick d'un ton de reproche. Vous êtes enfin levé… J'espère que nous partirons bientôt. Les charretiers doivent cuver leur vin en compagnie des catins. Le capitaine Giffard, ici présent, veut prendre la route avant eux. Godalming se trouve à quatorze milles d'ici. »

L'homme à barbe blanche se tourna vers moi. Il portait un bonnet orné d'une plume de paon et un pourpoint à haut col, dont les boutons étaient décorés à la feuille d'or. Il avait un visage rond, des pommettes couperosées, des yeux bleus chassieux. Je m'inclinai devant lui. Il répondit à mon salut par un hochement de tête hautain.

« Vous êtes l'autre avocat que mon sous-lieutenant a invité à voyager avec nous ? Je suis sir Franklin Giffard, capitaine de cette compagnie.

— Matthew Shardlake. J'espère, mon capitaine, que cela ne vous dérange pas.

— Absolument pas. Leacon n'agit jamais à la légère. » Il jeta un coup d'œil aux archers.

« Ces hommes sont très doués, fis-je.

— En effet. Même si l'honneur d'un gentilhomme exige qu'à la guerre il se batte au corps à corps. Mais la bataille d'Azincourt a été gagnée par les archers… L'auberge n'était pas de tout premier ordre, n'est-ce pas ? ajouta-t-il. Ce vacarme, ces charretiers… Il est temps de partir. Allez prévenir Leacon, je vous prie. »

J'hésitai, car il s'était adressé à moi comme si j'étais un soldat sous ses ordres. « Si vous voulez », répondis-je, cependant. Je passai devant les chariots pour gagner le champ. Dans le premier, je vis un tas de casques ronds et de grandes vestes épaisses qui sentaient l'humidité.

Comme je m'approchais de Leacon, je constatai à quel point il avait minci ; sa forte charpente avait fondu et frisait la maigreur. Je me tins à ses côtés et contemplais les archers. Un beau jeune homme brun, qui semblait avoir moins de vingt ans, avança, armé de son arc. De courte taille, mais trapu et musclé, il avait les épaules larges, comme la plupart de ses camarades. Il portait un arc de six pieds de long dont chaque extrémité était garnie d'un embout en corne décorée.

« Allons, Llewellyn ! cria l'un des hommes. Montrenous que ceux qui ont du sang gallois savent faire autre chose qu'enculer des chèvres ! »

Le jeune gars lui adressa un large sourire. « Va te faire foutre, Carswell ! » Il extirpa l'une des flèches fichées dans l'herbe. Leacon se pencha en avant. « Llewellyn, lui dit-il doucement, éloigne-toi un peu et essaie de viser la cible selon un angle de soixante degrés, comme on l'a fait il y a deux jours à l'entraînement.

— D'accord, mon lieutenant. » Le soldat s'éloigna de quelques pieds et se plaça de biais par rapport à l'arbre. En moins de temps qu'il n'en faut pour le dire, il avait tiré en arrière de près de trois pieds son arc bandé et planté la flèche en plein milieu du pourpoint. Les soldats applaudirent. « Continue, dit Leacon. Tires-en six en tout. » À une vitesse inouïe, le jeune gars lâcha cinq nouvelles flèches, qui se fichèrent toutes dans le pourpoint. Il se tourna et salua la foule admirative, ses dents blanches étincelant dans son visage bronzé.

« Ventrebleu ! Voilà comment on va empenner les foutues tripes des Français ! » hurla une voix. D'autres vivats fusèrent.

« Que pensez-vous de mes "ventrebleus" ? » me demanda Leacon. Il sourit en voyant mon air déconcerté. « C'est comme ça que s'appellent eux-mêmes les archers anglais.

— Je n'ai jamais vu une telle adresse. George, le capitaine Giffard veut qu'on prenne la route. Désolé, j'aurais dû vous l'annoncer tout de suite, mais j'étais fasciné par le spectacle. »

Leacon se retourna vers les hommes. « C'est terminé, les gars ! On y va ! »

Les hommes se mirent à décorder leurs arcs en maugréant et je regagnai la rue avec Leacon.

« Vos hommes sont-ils tous du même canton ? demandai-je.

— Non. Ils viennent des différentes parties du Middlesex du Nord-Ouest. C'est un véritable brassage : fils de francs-tenanciers côtoyant des fils d'artisans et de journaliers miséreux. On accuse souvent les recruteurs de ramasser la lie des villages, mais on m'a demandé de choisir une compagnie d'archers robustes et entraînés, des archers de première classe, comme on les appelle, et c'est ce que j'ai fait. Même si on n'a pas eu beaucoup de temps pour les habituer à s'entraîner ensemble, puisqu'on marche la plus grande partie de la journée.

— Ce petit gars qui a tiré en dernier était remarquable. Mais il paraît un peu jeune pour être soldat.

— Tom Llewellyn n'a pas encore dix-neuf ans, mais c'est le meilleur archer que j'aie vu à la revue d'armes. C'est un apprenti forgeron, fils d'un Gallois.

— Ce sont tous des volontaires ?

— Certains seulement. D'autres ne le sont guère. On a eu quelques déserteurs à Londres et il nous manque quatre hommes. L'aumônier de la compagnie est tombé malade et on n'a pas eu le temps de le remplacer.

— Vous avez été incapable de trouver un prédicateur à Londres ! m'esclaffai-je. Ça, je n'en reviens pas !

— Aucun désireux de servir dans l'armée, en tout cas. »

Je désignai du menton le sergent instructeur qui surveillait le chargement des chariots, quasiment terminé, à présent. Il continuait à aller et venir en vociférant ses ordres.

« C'est un homme coléreux.

— En effet. C'est maître Snodin, notre instructeur. C'est un vieux de la vieille qui sait tenir les hommes en laisse.

— Ah bien ! fis-je, en pensant à Goodryke.

— Il boit, cependant, et entre alors dans des colères noires. J'espère qu'il n'aura pas une attaque avant que nous n'atteignions Portsmouth. C'est le seul sous-officier à part les vingtains.

— Les quoi ?

— Les compagnies sont divisées en cinq sections de vingt hommes, chacune commandée par un caporal que j'ai nommé.

— J'étais surpris de ne pas voir plus d'hommes en uniforme.

— Hélas ! la réserve de vestes blanches dans les entrepôts du roi est épuisée et on n'a pas eu le temps d'en fabriquer davantage. Même notre armure est faite de bric et de broc. Je parie qu'une partie remonte à la guerre des Deux-Roses, sinon à Azincourt.

— Dans l'un des chariots j'ai aperçu quelques vestes rembourrées nauséabondes.

— Oui. Ce sont des hoquetons. Ça protège des

flèches. Mais un grand nombre d'entre eux sont restés enfermés dans les sacristies pendant des années. Les souris les ont rongés et je demande aux hommes de les raccommoder quand ils en ont le temps. »

Je regardai les soldats finir de charger les chariots. « George, dis-je, je crois comprendre que nous allons longer la limite du Sussex ?

— En effet. Entre Liphook et Petersfield. Avec un peu de chance on l'atteindra après-demain.

— Il y a là une petite ville, du côté du Sussex, Rolfswood. Je dois y traiter une affaire.

— Je ne connais que les étapes du voyage… Je suis du Kent, ajouta-t-il en souriant, et moins nous en savons sur les ploucs du Sussex, mieux nous nous portons. Vous aurez intérêt à vous renseigner sur place, quand nous arriverons dans la région. »

Nous avions rejoint les autres. « Il nous faut partir, Leacon, dit sir Franklin.

— Nous sommes presque prêts, mon capitaine.

— Très bien. Nous devrions aller quérir nos chevaux. Et je veux vous parler des boutons des hommes.

— Je croyais que nous avions réglé la question, mon capitaine », répliqua Leacon, d'un ton soudain légèrement agacé.

Le capitaine fronça les sourcils. « Nous en avons discuté, lieutenant, mais nous n'avons pas réglé le problème que cela pose. Croyez-vous que j'aie la mémoire qui flanche ?

— Non, mon capitaine. Mais…

— Suivez-moi. » Sir Franklin se dirigea vers l'auberge. Leacon le suivit. Son pas ferme, son dos bien droit contrastaient avec l'allure lente et raide de sir Franklin.

Dyrick secoua la tête. « Des boutons ? À quoi ça rime ? Quelle vieille baderne ! »

Nous nous retournâmes en entendant des cris. Les chariots chargés, les recrues étaient en train d'accrocher à leurs ceintures, à côté des longs couteaux qu'ils portaient tous, de grosses sacoches contenant leurs effets personnels. Ils étaient désormais prêts à se mettre en marche. Or deux soldats avaient commencé à se bagarrer près des chariots. Le grand gars svelte qui, la veille, avait fait tomber la tente dans une bouse de vache, et un type puissant à la tignasse blonde se battaient à coups de poing. Autour d'eux, d'autres recrues suivaient le combat avec grand intérêt.

« Vas-y, Pygeon ! Ne te laisse pas insulter !

— Qu'est-ce que tu lui as dit, Sulyard ! »

Haletant, les deux hommes se séparèrent et se défièrent en tournant l'un autour de l'autre. « Allez Pygeon, espèce de monstre galeux ! cria le blond. Retrouve tes jambes ! Évite d'attraper le vent avec tes grandes oreilles ou tu vas t'envoler comme un oiseau. »

De nouveaux rires fusèrent. Pygeon était l'un de ces infortunés dont les grandes oreilles se projetaient de chaque côté du crâne. Le visage étroit, le menton fuyant, il semblait n'avoir guère plus de vingt ans, tandis que son adversaire, un peu plus âgé, avait un visage osseux, des yeux méchants et perçants et la mine narquoise de la brute innée. Je fus ravi lorsque, le prenant au dépourvu, Pygeon lui décocha un coup de pied au genou, ce qui le fit chanceler et tomber en hurlant.

Le cercle des spectateurs s'écarta au moment où, l'air furibond, Snodin, l'instructeur rougeaud, se fraya un passage. Il se dirigea vers Pygeon et lui flanqua une violente claque. « Qu'est-ce qui se passe, nom de Dieu ? hurla-t-il. Pygeon, c'est toujours toi qui fais du grabuge. Sale petite merde !

— Sulyard me fiche pas la paix ! protesta Pygeon. Il arrête pas de m'insulter. J'étais forcé de le supporter au village, mais plus maintenant ! »

Certains des témoins de la scène murmurèrent leur approbation mais d'autres éclatèrent de rire. Cela rendit encore plus furieux le sergent instructeur, dont le visage devint presque violet. « La ferme ! beugla-t-il. Vous êtes désormais des soldats du roi. Oubliez vos foutues querelles de clocher ! » Il parcourut le groupe d'un œil mauvais. « Ce matin, vous porterez le hoqueton et le casque, et la section de Pygeon portera la brigandine. Prenez-vous-en à lui ! » Des grognements se firent entendre. « Taisez-vous ! cria Snodin. Va falloir vous y habituer, car vous la porterez quand on affrontera les Français ! Que les dix premiers hommes les déchargent ! »

Se détachant immédiatement de la foule, dix hommes se précipitèrent pour s'emparer des casques de métal très enveloppants et des hoquetons. Ainsi que d'autres gilets incrustés de plaquettes de métal qui cliquetaient comme des pièces de monnaie. C'étaient les brigandines, censées arrêter les flèches. Sulyard s'était remis sur pied et, même s'il boitillait, il lança à Pygeon un sourire de triomphe.

« Les hommes devront-ils marcher en portant ce truc ? demandai-je à Barak.

— Apparemment. Je préfère être à ma place qu'à la leur.

— Comme l'a dit le sergent instructeur, déclara Dyrick, il est possible qu'ils soient obligés de se battre tout en portant cette cotte de mailles… Ah, voici Leacon et le capitaine. Bien. Allons-y ! »

Leacon et sir Franklin, désormais à cheval, se dirigèrent vers Snodin. Les trois conversèrent à voix basse. Leacon ne semblait pas d'accord avec le sergent instructeur mais sir Franklin s'écria : « Balivernes ! Ça leur apprendra ! » Et il mit fin à la discussion en regagnant la rue.

Les soldats enfilèrent les hoquetons, à part un groupe d'une vingtaine d'hommes à l'arrière, y compris Sulyard et Pygeon, ainsi que Llewellyn, le jeune archer, qui passèrent les brigandines sur leurs épaules. Comme les hoquetons, un grand nombre des brigandines étaient très élimées, les plaquettes de métal visibles à travers la toile. La section les enfila en grommelant. Seul Sulyard, qui en portait une, apparemment toute neuve, teinte en rouge vif, des pointes de bronze fixant les plaquettes étincelantes, paraissait fier de la sienne, laquelle, devinai-je, lui appartenait en propre. Les autres grognaient, tandis que le caporal, un jeune gars trapu au regard vif, tentait de leur remonter le moral : « Allons, les gars, on n'y peut rien ! Vous ne les porterez que jusqu'au déjeuner. »

Sur un ordre de Snodin, les soldats s'alignèrent par rangs de cinq. Sir Franklin, Leacon et le tambour prirent place en tête. Au rythme régulier des battements du tambour, les hommes sortirent du champ. Je notai la jeunesse de la plupart d'entre eux. Ils avaient presque tous moins de trente ans et plusieurs n'avaient pas vingt ans. Tous portaient des chaussures de cuir, certaines vieilles et déformées. Snodin fermait la marche, afin de pouvoir surveiller toute la compagnie. Les quatre civils que nous étions montâmes en selle et nous rangeâmes derrière lui. Juché sur mon cheval, je voyais son crâne dégarni et, quand il tournait la tête, j'apercevais brièvement son nez veiné d'ivrogne. Derrière nous, les chariots se mirent en position en grinçant. Comme nous progressions lentement le long de la grand-rue vide de Cobham, un vieil homme se pencha par la fenêtre du premier étage d'une maison et cria : « Que Dieu soit avec vous, soldats ! Que Dieu protège le roi Harry ! »

✝

Je commençai à aimer mon cheval, appelé Oddleg – Drôle de jambe – à cause de son pied blanc. Il était placide, avançait d'un pas régulier, constant, et avait paru content de me voir ce matin-là. La compagnie entra dans la campagne au son du tambour, le martèlement des pas et celui des sabots de nos chevaux étant accompagnés par le bruit des chariots bringuebalants, tandis que, devant nous, les brigandines produisaient un étrange cliquetis de pièces de monnaie. L'un des soldats s'étant mis à chanter, les autres entonnèrent le refrain d'une version obscène de *Greensleeves*[1], chaque vers plus inventif que le précédent.

Au bout d'un moment, Leacon fit signe au tambour de cesser de jouer. Nous gravissions à présent les Surrey Downs et la route était en grande partie du cal-

---

1. *Greensleeves*, célèbre ballade du XVIe siècle, a pour protagoniste un homme dont l'amour pour une dame n'est pas payé de retour. Le nom « Greensleeves » (« Manches vertes ») ferait ironiquement allusion aux prostituées censées porter des manches vertes (détachables) pour ne pas être confondues avec les femmes honnêtes. (*N.d.T.*)

caire bien asséché. Les hommes soulevaient des nuages de poussière et nous, qui les suivions, ne tardâmes pas à devenir gris. Le paysage changea, on voyait de plus en plus de terres cultivées selon l'ancienne méthode, de vastes champs étant divisés en longues bandes où l'on pratiquait des cultures différentes. Le blé et la vesce paraissaient là plus mûrs, moins abîmés, les tempêtes n'ayant pas dû descendre aussi bas dans le sud. Les paysans s'arrêtaient de travailler pour nous regarder, mais sans grande curiosité. Nous ne devions pas être les premiers soldats à passer par là.

Après deux milles, les chants s'effilochèrent puis s'interrompirent. L'allure ralentissant, le tambour se remit à jouer pour relancer le rythme de la marche. Je décidai de tenter de lier à nouveau conversation avec Dyrick. Malgré son chapeau à large bord, son visage en lame de couteau commençait à s'enflammer, comme celui de tous les roux. « Ces pauvres malheureux ! dis-je en désignant les soldats qui portaient la brigandine. Voyez comme ils transpirent…

— Ils risquent d'avoir à subir bien pire que ça quand nous arriverons à Portsmouth, répondit mon confrère d'un ton sinistre.

— En effet. Quel dommage que le roi ait déclenché cette guerre !

— Peut-être le temps est-il venu d'en finir une fois pour toutes avec les Français. La seule chose que je regrette c'est que vous m'ayez fourré dans ce pétrin. »

Je ne pus m'empêcher d'éclater de rire. « Allons, confrère Dyrick ! Il doit bien y avoir un sujet sur lequel nous puissions tomber d'accord.

— Pas à ma connaissance », répliqua-t-il en me foudroyant du regard.

J'abandonnai la partie et, même si c'était discourtois, je me laissai devancer afin de pouvoir bavarder avec Barak. Feaveryear me regarda d'un air de reproche.

✝

Nous allâmes bon train. Sur un coup de trompette du tambour, plusieurs charrettes et, en une occasion, un groupe de cantonniers, se rangèrent sur le bas-côté de la route pour nous laisser passer. Deux heures après le départ, nous fîmes halte près d'un pont pour abreuver les chevaux dans la rivière qu'il enjambait. Comme nous conduisions les animaux au cours d'eau, les soldats s'égaillèrent et s'assirent sur la route ou sur les talus pour prendre le petit déjeuner, sortant du pain et du fromage des grandes sacoches suspendues à leur taille. Les hommes qui portaient les hoquetons et les brigandines avaient l'air complètement épuisés.

« Je ne crois pas que j'aurais pu supporter de marcher comme eux, dit Barak. Il y a cinq ans, peut-être. Ce crétin de Goodryke se fichait pas mal que je fasse ou non un bon soldat. Il voulait juste faire un exemple.

— Tu as tout à fait raison.

— Ce Snodin, c'est du pareil au même. On voit bien qu'il en veut au type aux oreilles en anses de cruche.

— En effet. » Je jetai un coup d'œil à la route derrière moi. « Qu'est-ce que c'est que ça ? »

Un nuage de poussière avait apparu au loin, soulevé par des cavaliers chevauchant ventre à terre. Snodin ordonna aux recrues affalées sur la route de dégager le passage. Une demi-douzaine de cavaliers, tous portant la livrée royale, nous dépassèrent, filant en direction du sud. À leur tête, un petit homme en robe grise montait un cheval drapé dans un caparaçon vert et blanc, les couleurs royales. Le groupe ralentit pour traverser le pont et je reconnus le visage pâle aux traits bien dessinés de sir Richard Rich.

14

Au fil de la matinée, le voyage me parut de plus en plus éreintant. Pour les hommes c'était encore plus pénible, et je remarquai que ceux qui portaient de vieilles chaussures se mettaient à boiter. On apercevait à présent sur toutes les brigandines des taches de sueur sombre qui soulignaient la forme des plaquettes de métal cousues dans la toile. Les soldats ralentissant le pas, le tambour résonna pour leur faire augmenter la cadence. Certains commençaient à rouspéter lorsque la trompette sonna une halte aux abords d'un village, à côté d'un large étang bordé de saules. Deux vieilles femmes en tablier blanc s'approchèrent de nous et, toujours juché sur son cheval, Leacon se pencha pour leur parler. Puis il consulta brièvement le capitaine avant de crier aux hommes : « Nous nous arrêtons ici pour le déjeuner ! Les villageois ont du jambon et du lard à vendre. Économe, apporte ta bourse ! Et les hoquetons et les brigandines peuvent être enlevés !

— Est-ce qu'on peut acheter des femmes en plus de la nourriture, lieutenant ? » lança le jeune caporal de la dernière section. Les soldats éclatèrent de rire et Leacon sourit.

« Ah, Stephen Carswell, tu as toujours le mot pour rire !

— Les gars de Hillingdon sont plus habitués aux ânes qu'aux femmes ! » cria Sulyard en riant à gorge déployée, révélant ainsi une bouche à moitié édentée.

Les hommes rompirent les rangs et s'installèrent à nouveau sur les talus, à part quelques-uns qui se dirigèrent vers les chariots pour décharger les biscuits, le fromage et un tonneau de bière. Force m'était d'admirer l'organisation bien huilée de la compagnie. Leacon et le capitaine menèrent leurs chevaux jusqu'à l'étang et nous, les juristes, suivîmes le mouvement.

Tandis que les animaux se désaltéraient, Dyrick alla s'asseoir à l'ombre d'un saule, Feaveryear sur les talons. Barak et moi rejoignîmes Leacon qui se tenait tout seul et regardait ses hommes. Certains prenaient le chemin du village en ordre dispersé.

« Dur labeur que celui de commander une centaine d'hommes, observai-je.

— En effet. Nous avons nos rouspéteurs, deux ou trois esprits rebelles. Quant à Carswell, c'est notre bouffon. Un brave gars, capable de plaisanter même au moment d'entrer dans la bataille.

— Le grand gaillard aux cheveux filasse a l'air d'un fieffé coquin. Vous savez, ce matin c'est lui qui a provoqué l'autre gars. »

Il soupira. « Oui, Sulyard est un fauteur de troubles. Mais, à cause de sa gaucherie, le malheureux Pygeon déplaît à Snodin. Les sous-officiers prennent parfois en grippe quelqu'un pour pas grand-chose.

— Ça, c'est bien vrai ! s'écria Barak avec conviction.

— Je trouve que c'est injuste », dis-je.

Leacon me lança un regard agacé. « Nous sommes dans l'armée, messire Shardlake, pas dans une cour de justice. Le boulot de Snodin est de maintenir la discipline, et il risque d'avoir à le faire durant les combats. Aussi j'évite de contester ses décisions. Malgré sa dureté, j'ai besoin de lui. Sir Franklin est… Mais vous l'avez rencontré…

— Cette histoire de boutons, tout à l'heure… De quoi s'agissait-il ?

— Vous avez peut-être remarqué que certains soldats ont des boutons à leurs chemises, tandis que d'autres les attachent avec des aiguillettes. Sir Franklin considère que seuls les gentlemen ont le droit d'utiliser des boutons. C'est chez lui, disons, une sorte d'obsession.

— Des boutons ? répéta Barak, l'air incrédule.

— Oui. Non pas qu'il ait entièrement tort, car les hommes cherchent à garder le plus grand nombre possible des privilèges de classe dont ils jouissaient auparavant. C'est en partie l'origine des disputes entre Sulyard et Pygeon… Ils viennent du même village où Pygeon est le fils d'un ouvrier journalier tandis que le père de Sulyard est un franc-tenancier. Même s'il n'est que le fils cadet.

— Qui, pour tout héritage, doit toujours se contenter des reliefs du repas.

— Il était très désireux de faire partie de la compagnie, et c'est un bon archer.

— Quel dommage qu'on ait jamais eu besoin de lever cette armée ! » m'exclamai-je.

Leacon regarda vers le village puis vers un long champ divisé en bandes de terre qui s'étendait au flanc de la colline. Les paysans s'échinaient à désherber leurs parcelles. « Messire Shardlake, nous devons protéger ces gens, s'écria-t-il soudain d'un ton passionné. Voilà pourquoi on a levé cette armée... Bon, maintenant il faut que je retrouve le capitaine », ajouta-t-il en s'éloignant à grands pas.

« Je crois l'avoir vexé, dis-je à Barak.

— Il doit bien savoir ce que les gens pensent de la guerre.

— Pourtant, en fin de compte, il a raison en ce qui concerne la nécessité de nous défendre. Et c'est lui et ses hommes qui sont chargés de cette mission.

— Venez donc, dit Barak. Allons au village ! Je mangerais volontiers un morceau de lard. »

✝

Le village n'avait pas vraiment de centre. Des maisons collectives de diverses tailles avaient été bâties côte à côte mais dans tous les sens, des allées zigzaguant entre elles. Du lard et d'épaisses tranches de jambon avaient été déposés sur une table devant le four communal, un bâtiment bas et carré. Plusieurs soldats se disputaient avec les deux femmes qui nous avaient abordés un peu plus tôt. Sulyard était au centre de la discussion et hurlait. Des villageois sortaient de leurs maisons.

L'une des vieilles femmes agitait une pièce sous le nez de Sulyard avec le même air furieux et révolté que j'avais noté à Cheapside, dix jours plus tôt. « Ce n'est pas une bonne pièce ! criait-elle. Elle n'est pas en argent ! Honte à vous ! Voilà que les soldats du roi essaient de nous rouler !

— C'est l'une des nouvelles pièces, stupide bouseuse ! rétorqua Sulyard sur le même ton. C'est un teston. Ça vaut un shilling ! »

251

Un grand vieillard s'avança vers lui, le visage fermé. « Ne t'avise pas d'insulter ma femme, espèce de singe ! » Il donna une petite bourrade à Sulyard. Un autre soldat s'approcha et repoussa le vieil homme violemment.

« Ne pousse pas Sulyard ! C'est un singe, d'accord, mais c'est le nôtre ! »

Carswell, le caporal, leva les mains. « Allons, les gars, ne faites pas de grabuge ou on va nous forcer à porter les hoquetons toute la journée.

— Ces péquenots ne comprennent rien à la monnaie ! » s'exclama Sulyard avec un rire moqueur. De la foule grossissante des villageois s'élevait un murmure menaçant. Des enfants aux pieds nus, tout excités, contemplaient la scène.

« Je vous en prie ! lança Carswell. Calmez-vous ! Notre singe dit la vérité, ce sont les nouvelles pièces du royaume ! » Sulyard lui jeta un regard noir.

« Eh bien, payez avec les anciennes ! » s'écria un jeune gars.

Le jeune archer Llewellyn s'approcha. « On les a toutes dépensées. Je vous en prie, ma bonne dame, voilà trois jours qu'on n'a eu pratiquement que du pain et du fromage à manger. »

La vieille femme croisa ses bras. « Ça, ça vous regarde, mon joli.

— On devrait envoyer la vieille se battre contre les maudits Français, hurla Sulyard. Ils s'enfuiraient rien qu'en la voyant. »

Deux villageois d'un certain âge s'avancèrent. Carswell lança des regards désespérés alentour. Quand il m'aperçut, il me désigna. « Tenez, nous avons avec

252

nous un gentleman, un avocat. Il vous confirmera ce qu'on vous a dit. »

Les villageois me fixèrent d'un air hostile. J'hésitai puis déclarai : « En effet, il y a eu une nouvelle frappe de monnaie.

— Par conséquent, les soldats emmènent à présent des avocats bossus pour rouler les braves gens ! » Rien ne put amadouer la vieille femme. Les villageois acquiescèrent en grognant. Je m'approchai du groupe. « Regardez, la tête du roi est gravée sur les pièces.

— Ce n'est pas de l'argent ! me hurla la vieille femme en plein visage. Je sais reconnaître l'argent à la vue et au toucher.

— C'est un alliage d'argent et de cuivre. À Londres, chaque pièce vaut huit pence de l'ancienne monnaie.

— Neuf pence ! cria l'un des soldats, plein d'espoir.

— Huit pence », insistai-je.

La vieille femme secoua la tête. « Je m'en fiche. Je veux pas de ces crottes de bique.

— Allons, Margaret, dit l'un des hommes âgés. Nous avons tué le cochon de Martin, maintenant nous avons besoin de vendre la viande. »

Je sortis ma bourse. « Je vais payer, avec les anciennes pièces. Et les soldats pourront me rembourser, huit pence pour chaque nouveau teston. »

Un murmure approbateur parcourut les villageois. Le regard toujours suspicieux, la vieille femme répondit : « Vous pouvez avoir le tout pour quatre shillings en argent pur. Je devrais en exiger cinq, vu toutes les insultes que j'ai reçues, mais j'en accepte quatre. »

C'était cher, mais j'acceptai le marché. La tension, palpable dans l'atmosphère brûlante de midi, s'apaisa tandis que je lui donnais une douzaine de pièces de quatre pence en argent, qu'elle examina ostensiblement avant de hocher la tête et de désigner la viande de la main. Les soldats se servirent, alors que les villageois rentraient chez eux, se retournant de temps en temps pour nous lancer des regards hostiles.

Carswell recueillit l'argent auprès des recrues puis me les apporta. « Je vous remercie, monsieur, de la part des hommes. Voici leur argent. Si on s'était bagarrés, on se serait fait engueuler par nos supérieurs… Je vous serais très reconnaissant, ajouta-t-il après une brève hésitation, si vous ne parliez pas de l'incident au lieutenant Leacon.

— Oui, renchérit Tom Llewellyn. Nous savons que vous êtes son ami. »

Je souris. « Les nouvelles vont vite. »

L'air bravache, Sulyard passa près de nous en nous foudroyant du regard. Notant que son pourpoint avait des boutons de nacre, je me rappelai ce que Leacon avait dit des différences entre les vêtements des soldats. « Tu as interrompu une bagarre très prometteuse, Carswell. Espèce de sale crétin !

— Avec des vieillards et des enfants ? » demanda Carswell. À présent, Sulyard s'attirait des regards hostiles de la part des autres soldats. Il s'éloigna en roulant les épaules.

« Je m'excuse pour lui, monsieur, me dit Carswell. Allez viens, le Gallois, on rentre !

— Vous n'avez pas l'accent gallois, dis-je à Llewellyn, l'air étonné.

— En effet, monsieur. Mais mon père l'est. C'est lui qui m'a appris à tirer à l'arc », ajouta-t-il avec fierté. Une ombre passa sur son visage. « Même si j'aime aussi mon travail de forgeron. »

Carswell lui donna un petit coup de coude. « Et ta petite copine, hein ?... Il doit se marier à Noël.

— Félicitations !

— Mais où serons-nous à Noël ? demanda Llewellyn tristement.

— On va flanquer une raclée à ces Français, affirma Carswell. La nuit des Rois, tu feras la fête au lit avec ta Tessy. S'ils ont des lits dans le village de Yiewsley. Il paraît que vous dormez toujours avec les vaches.

— Non. Ça ce sont les gens de Harefield, comme Sulyard... Ici, nous sommes quatre du même village, me dit-il en secouant la tête d'un air mélancolique. Quand nous l'avons quitté, expliqua-t-il, d'un ton amer, les filles nous ont couverts de guirlandes de fleurs, tout le monde lançait des vivats et un luthiste menait la marche. Rien à voir avec l'accueil qu'on a reçu ici.

— Allez ! fit Carswell. Rapportons ce lard au camp, avant que je ne me mette à geindre moi aussi. »

Ils s'éloignèrent. « Ça nous a fait bien voir de la troupe, dit Barak.

— Dieu sait que nous aurons besoin d'amis pendant ce voyage.

— C'était bien Richard Rich, là-bas sur la route, n'est-ce pas ?

— Oui. Il se rend à Portsmouth, sans doute. Vivement qu'on arrive au prieuré de Hoyland et qu'on rentre chez nous ! »

✝

Après le déjeuner, la compagnie se reposa pendant une heure, laissant passer ainsi la partie la plus chaude de la journée. Puis les soldats reçurent l'ordre de reformer les rangs.

Nous avançâmes d'un bon pas. Lorsque, en fin d'après-midi, nous atteignîmes Guildford, certaines des recrues avaient du mal à marcher droit. Nous traversâmes la ville sans nous arrêter. Si quelques petits gamins couraient de chaque côté en nous acclamant, la plupart des habitants nous regardaient à peine, de nombreuses troupes ayant dû passer par là durant les dernières semaines.

Peu après, nous gravîmes des collines de grès puis descendîmes dans la vallée d'une rivière. Il était environ six heures et le soleil commençait à décliner. Nous aperçûmes enfin Godalming, protégée par les collines et dominée par le haut clocher d'une grande église. Un homme se tenait devant la grille d'une prairie et paraissait nous attendre. Sur un signe de Leacon, les soldats rompirent les rangs et, épuisés, s'affalèrent sur les bas-côtés. Leacon nous rejoignit à l'arrière.

« Je laisse Snodin se charger des hommes, dit-il. C'est le champ où ils doivent camper cette nuit. Je vais en ville avec l'économe pour acheter des rations et voir si je peux trouver de nouvelles chaussures. Certains des hommes boitent terriblement.

— En effet.

— Je vais sans doute devoir payer le prix fort. Les marchands profitent de la guerre. Je vais revenir passer la nuit avec les soldats mais vous et vos amis avez intérêt à m'accompagner en ville pour trouver une auberge. Nous pourrons venir vous chercher quand nous reprendrons la route, demain matin. Dès six heures, car nous devons garder le rythme.

— Nous serons prêts », répondit Dyrick, bien qu'il ait été aussi fatigué et couvert de poussière que moi.

✝

Nous entrâmes dans Godalming. Leacon et son économe nous quittèrent pour aller voir le maire tandis que nous-mêmes partions à la recherche d'une auberge. La plupart affichaient complet mais nous finîmes par trouver des chambres. Barak et Feaveryear allaient devoir à nouveau en partager une. Je montai à la mienne, ôtai mes bottes et m'allongeai sur le matelas, un matelas de plumes cette fois-ci. J'étais presque endormi quand on frappa à ma porte. Barak entra.

« Accompagnez-moi en ville, supplia-t-il. Cherchons un autre endroit où dîner. Je n'ai pas le courage de passer une soirée entière avec Feaveryear. »

Je me levai péniblement, mon dos et mes cuisses endoloris me faisant grimacer. « Ni moi avec Dyrick. »

Nous trouvâmes une auberge où la nourriture était meilleure que celle de la veille. Sans Dyrick ni Feaveryear, le repas fut agréable, mais lorsque nous ressortîmes dans la rue, j'eus envie d'être seul un moment.

« Je crois que je vais aller jeter un coup d'œil à l'église, dis-je.

— Pour faire une petite prière ?

— Les églises aident à la méditation.

— Je retourne nicher avec Feaveryear, par conséquent », soupira-t-il.

Je longeai la grand-rue jusqu'à l'église. L'enceinte silencieuse me rappela mon enfance car c'était une église aussi traditionnelle que la loi le permettait. Les rayons du soleil couchant traversaient le vitrail aux couleurs vives et teintaient en rouge pâle le vaisseau. Dans une chapelle latérale, un prêtre de la fondation des messes pour le repos des âmes célébrait un office.

Je traversai la nef d'un pas lent. Puis j'aperçus, dans une autre chapelle latérale, courbé devant la grille de l'autel, un homme portant une veste blanche poussiéreuse. Je reconnus George Leacon. Il avait dû se rendre compte que j'avais cessé de marcher car il se retourna. Il avait l'air éreinté.

« Excusez-moi, murmurai-je. Je suis venu visiter l'église.

— J'essayais de communiquer avec le Créateur, dit-il avec un sourire triste.

— Je me rappelle qu'à York vous vous échiniez à lire la Bible.

— J'ai toujours cette bible... » Son visage prit un air angoissé. « Ce qui me frappe en ce moment c'est le nombre de guerres qu'elle raconte. Dans l'Ancien Testament, en tout cas. Et dans l'Apocalypse. »

Je m'assis sur les marches devant la grille de l'autel. Après cette longue journée passée en selle, je doutais de pouvoir m'agenouiller. « C'est vrai, acquiesçai-je.

— J'ai besoin d'oublier les images de la guerre, reprit-il d'un ton soudain farouche. Je lis le Nouveau Testament, je prie pour que les scènes de combat sortent de ma tête... En vain. »

Je fus à nouveau surpris de constater à quel point le visage ouvert et juvénile dont je me souvenais était devenu maigre, dur. « Vous m'avez dit que vous étiez en France, l'année dernière, soufflai-je doucement.

— En effet. » Il pivota afin de s'asseoir à côté de moi. « Ces recrues n'ont aucune idée de ce qu'est la guerre. Messire Shardlake, quand vous m'avez connu, il y a quatre ans, j'avais une vie militaire facile. Un séjour en garnison sur la frontière nord ou à Calais, ou encore la charge de garder les palais du roi. Pas de guerre, à part des escarmouches avec des Écossais. Bien sûr, j'ai vu ramener des cadavres de brigands pour qu'on en accroche les têtes aux murs du château de Berwick. Mais je n'avais jamais tué un homme. Et ensuite, comme vous vous en souvenez, j'ai été révoqué.

— Injustement.

— Je suis alors retourné à la ferme de mes parents, que nous avons pu garder grâce à vous, après ce procès.

— J'avais une dette envers vous.

— C'était la bonne vie, même si ce n'était pas de tout repos. Mes parents se faisant vieux, ils pouvaient abattre moins de besogne et nous avons dû engager des journaliers. Puis, au printemps dernier, mon ancien capitaine est venu me voir. Il a annoncé que le roi allait envahir la France et qu'on avait besoin de tous les hommes ayant une expérience militaire. Comme la solde était bonne, j'ai accepté... Je n'avais aucune idée de ce qui m'attendait, reprit-il en plongeant son regard dans le mien. Est-ce que ça n'a pas l'air stupide, infantile, de la part d'un soldat de métier ?

— Que s'est-il passé ?

— J'ai d'abord gagné l'Écosse avec la flotte de lord Hertford, expliqua-t-il d'une voix où vibrait une sorte de désespoir contenu. Savez-vous que le roi lui avait ordonné de livrer une guerre qui ne devait épargner ni les femmes ni les enfants ? Lord Hertford n'en avait aucune envie, mais le roi avait insisté. Nous avons débarqué dans un endroit appelé Leith, que nous avons mis à sac et où nous avons brûlé entièrement toutes les maisons et chassé dans la campagne les femmes et les enfants. Ma compagnie étant restée sur place, je n'ai pas assisté à d'autres combats, mais le reste de l'armée est allé à Édimbourg et s'est comporté de la même façon, c'est-à-dire qu'on a tout rasé. Les hommes sont revenus avec un riche butin, tous les objets de valeur qu'ils avaient pu prendre dans les maisons. Les bateaux étaient si chargés qu'on craignait que certains ne coulent.

— Et maintenant, les Écossais menacent de nous envahir avec les soldats envoyés par les Français.

— Oui. François Ier veut humilier l'Angleterre une fois pour toutes. » Il passa une main dans ses mèches bouclées. « Nous sommes allés sans escale d'Écosse en France. En juillet, il y a tout juste un an. Je commandais une demi-compagnie d'archers, qui sont tous morts aujourd'hui.

— Tous ?

— Jusqu'au dernier. Nous avons débarqué à Calais et gagné directement Boulogne. Entre les deux villes, la campagne avait déjà été mise à sac par les soldats en maraude. Comme en Écosse, les champs avaient été piétinés, les villages brûlés. Je me rappelle les habitants debout près de la route, des vieux, des femmes et des enfants en haillons, affamés sous la pluie, tout ce qu'ils possédaient volé ou détruit. Cette année-là, en France, il n'y avait que pluie et vent glacial. Je revois la pâleur des visages… Il y avait une femme, poursuivit-il, à voix basse, chuchotant presque, portant un bébé dans un bras décharné, l'autre tendu pour demander l'aumône. Comme je passais devant elle, j'ai vu que son bébé était mort, ses yeux ouverts et vitreux, mais sa mère ne s'en était pas encore rendu compte… Nous n'avions pas le droit de nous arrêter, reprit-il en me fixant du regard. Je voyais bien que les hommes étaient affectés mais j'ai dû les encourager à continuer la marche. C'était nécessaire. Obligatoire. » Il s'arrêta, poussa un grand soupir. « Et les Français feront la même chose s'ils débarquent, pour se venger. Leurs capitaines crieront : "À la maraude !" et ce sera au tour de leurs soldats d'enlever du butin chez nous. »

Leacon fit une grimace de dégoût. « Nous sommes passés juste devant le roi lorsqu'on est arrivés aux abords de Boulogne. Il était dans son camp, tous les splendides pavillons dressés sur une colline. Je l'ai aperçu, énorme corps enserré des pieds à la tête dans une armure, juché sur le plus grand cheval que j'aie jamais vu, surveillant la bataille. Bien sûr, largement hors de portée des canons français qui, depuis la ville, canardaient nos hommes. » Il avala bruyamment sa salive et poursuivit son récit. « Notre compagnie a monté la pente, sous le feu des Français, Boulogne étant bâtie sur une colline, voyez-vous. Nos soldats ne pouvaient que s'accroupir derrière des monticules de boue et tirer des boulets sur la ville en retour, avançant pouce par pouce. J'ai vu Boulogne se transformer en champ de ruines. Vous ne pouvez pas savoir l'effet que ça fait de tuer un homme. »

Après un instant d'hésitation, je répondis : « J'en ai tué un jadis. Un cas de légitime défense. Je l'ai noyé, lui ai maintenu la tête sous l'eau dans un étang boueux. Je me souviens encore du bruit qu'il faisait. Plus tard, j'ai failli me noyer moi-même dans un canal d'égout inondé. Depuis ce jour, j'ai une peur bleue de me noyer, tout en pensant que ce ne serait que justice.

— La justice n'existe pas, déclara tranquillement

Leacon. Rien n'a de sens. Voilà ce que je crains. Je supplie Dieu de me débarrasser de mes souvenirs mais Il refuse. » Il regarda la statue richement dorée de la Vierge Marie placée sur l'autel et dont l'expression était calme, contemplative, extrêmement distante. Il reprit son tragique récit.

« Quand le quartier de Boulogne situé le plus près de nous a été presque réduit en poussière, on nous a ordonné d'avancer. Le roi était déjà rentré chez lui. On était en septembre, il pleuvait des cordes et le sol était un vrai bourbier. Nous avons été des centaines à gravir péniblement la colline boueuse, sous le feu constant des canons français. Puis, quand nous sommes arrivés aux abords de la ville, leurs archers et arquebusiers se sont mis à tirer sur nous d'entre les éboulis de moellons. Plus nous approchions, plus les hommes tombaient. Ma compagnie d'archers a tué beaucoup de canonniers et d'archers français. Mais nous constituions nous-même une cible et un grand nombre de mes hommes ont été mis en pièces par les canons. » Il poussa soudain un rire strident, terrifiant, qui se répercuta dans toute l'église sombre. « En pièces, répéta-t-il. "Pièce" est un bien anodin mot pour être chargé d'un sens si lourd. Toute cette vaste côte boueuse jonchée de mains et de morceaux de jambes, gros bouts de viande couverts de fragments d'uniforme, mares de sang visqueux, au milieu de la boue et des pierres éboulées. La tête d'un ami dans une flaque, portant toujours son casque… » Il baissa la tête, poussa un soupir sonore, puis leva les yeux.

« Un assez grand nombre ont survécu et ont escaladé les pierres tombées pour entrer dans la ville. Là ç'a été des combats au corps à corps, les épées et les hallebardes tailladant, transperçant les chairs et répandant du sang partout. Les Français – et ils sont aussi braves et vaillants que nos soldats – se sont retirés dans la ville haute, où ils ont tenu une semaine de plus. Quand j'ai reçu une légère blessure au côté je me suis évanoui et me suis réveillé endolori et frissonnant dans une tente qui prenait l'eau. Je devais tenter de repousser les rats de ma blessure. » Il eut un rire rauque. « On m'a dit que j'avais fait preuve de bravoure et on m'a promu sous-lieutenant.

— Vous avez fait preuve de bravoure, en effet, dans une situation si atroce que j'ai du mal à l'imaginer.

— Ce ne sont pas les combats dans la ville que je me rappelle le mieux, même si j'ai tué plusieurs Français, tout en risquant moi-même la mort à tout moment. C'est la côte au-dessous de la ville qui ressemblait à l'intérieur d'un abattoir. Tant de morts… Je rêve souvent que je m'y trouve à nouveau. J'avance avec difficulté, à la recherche de morceaux de corps de mes hommes, essayant de les identifier afin de les rassembler. » Il prit une profonde inspiration. « Si nous affrontons les bateaux français, si nous montons à l'abordage, il y aura des combats au corps à corps. J'ai demandé à Snodin de s'adresser aux hommes pour leur décrire ce qui peut se passer. Je sais qu'il était lui aussi à Boulogne. Je n'ai pas eu le courage de le leur annoncer moi-même. »

Ne trouvant rien à dire, je posai la main sur son bras.

« Quel drôle de meneur d'hommes je fais, hein ? Étant donné ma vraie nature, conclut-il avec un rire amer.

— Vous êtes un bon chef. Je vois bien qu'ils vous respectent.

— Ils ne me respecteraient pas s'ils savaient comment je suis intérieurement. Je peux me maîtriser la plupart du temps. Puis je songe à ce vers quoi je mène peut-être ces hommes et ces gamins. Certains, comme Sulyard, rêvent d'en découdre. Mais même ceux-là ne devinent pas ce qu'ils vont ressentir quand ils monteront à l'assaut.

— George, si ce n'était pas vous leur chef, ce pourrait être quelqu'un de moins soucieux de leur bien-être, quelqu'un qui ne prendrait pas la peine de leur acheter de bonnes chaussures.

— Je hais le son du tambour, poursuivit-il d'une voix vibrante de désespoir. Quand nous escaladions la colline de Boulogne, les tambours marchaient toujours en tête des compagnies et jouaient le plus fort possible pour tenter de couvrir le bruit des canons. Je déteste ce son. Je l'entends toujours dans mes rêves… Si seulement je pouvais regagner ma ferme, dit-il en se tournant vers moi. Mais c'est impossible, nous avons tous prêté serment. Remerciez Dieu, messire Shardlake, d'être civil. »

15

Je dormis profondément cette nuit-là. Quand l'aubergiste me réveilla, à cinq heures du matin, j'avais un vague souvenir d'un rêve impliquant Ellen et qui me laissa une pénible impression de malaise.

Nous attendions tous les quatre sur nos chevaux devant l'auberge quand la compagnie traversa le village. Dyrick était, une fois de plus, maussade et boudeur, sans doute parce que je l'avais abandonné la veille. Sir Franklin chevauchait à la tête de ses hommes d'un air hautain, tandis que Leacon gardait un visage fermé, les traits figés.

Nous nous rangeâmes derrière les soldats qui reprenaient la route du Sud d'un bon pas. Un grand nombre de recrues avaient le regard vide à cause des longues et ennuyeuses heures de marche à venir. Mais ceux qui, parmi eux, boitaient la veille, portaient maintenant des chaussures neuves. Snodin, le sergent instructeur, marchait à nouveau juste devant moi, dégageant l'odeur d'un tonneau à bière.

Peu après avoir quitté Godalming, nous entrâmes dans le Hampshire. Nous nous trouvions à la lisière occidentale du Weald, étendue boisée et plate dans l'ensemble, où d'énormes vieux chênes poussaient entre les ormes et les hêtres. De hautes et robustes clôtures en bois entouraient des terrains de chasse. Nous avancions le long de chemins semblables à des tunnels, dans une pénombre verdoyante, les arbres se rejoignaient parfois au-dessus de nos têtes, tandis que de lumineuses taches de soleil constellaient le sol. Un parfum capiteux de terre grasse s'exhalait de la forêt. À un moment, j'aperçus une dizaine de papillons aux vives couleurs virevolter dans un faisceau de lumière. Durant tout le trajet, on avait constamment entendu des oiseaux s'envoler à tire-d'aile en nous entendant approcher, mais les papillons ne nous prêtèrent aucune attention, même si maintes recrues se retournèrent pour les regarder.

Cette fois encore, nous fîmes halte un peu avant midi, près d'une rivière, sur un large chemin ombragé. Les chevaux furent conduits jusqu'au cours d'eau et les hommes s'assemblèrent près des chariots pour recevoir les rations achetées à Godalming. Certains se plaignirent qu'il n'y avait à nouveau que des fruits, du pain et du fromage, mais un gros homme, l'économe de la compagnie, argua de la faible valeur des nouvelles pièces. L'un des soldats s'écria : « Nous avons nos arcs, servons-nous-en et mangeons le produit de la chasse. Allons-y, les ventrebleus, attrapons des lapins ou des perdrix ! Et pourquoi pas un cerf ? »

Il y eut des cris d'approbation. Sir Franklin, encore à cheval comme Leacon, se tourna sur sa selle et fixa le groupe d'un air choqué. Leacon sauta à bas de sa monture et se dirigea vers les hommes.

« Non ! cria-t-il. Ce terrain est clôturé, c'est le terrain de chasse d'un gentilhomme, voire du roi ! Je vous interdis d'enfreindre la loi.

— Allons, mon lieutenant ! lança l'un des soldats. Nous sommes des gars de la campagne, on peut attraper quelque chose en deux temps trois mouvements !

— Oui-da ! Le maître économe nous met au régime. On peut pas se battre le ventre vide !

— Et si vous rencontrez un garde-chasse ? » demanda Leacon.

À mon grand étonnement, Pygeon prit la parole, la nervosité précipitant les mots dans sa bouche. « Mon lieutenant, bredouilla-t-il, Dieu a créé les forêts et le gibier pour le bien des hommes, pas pour être clôturés pour l'amusement de ceux qui ont le ventre plein ! » Il y eut de nouveaux cris d'approbation, et pour la première fois je sentis qu'on défaiait l'autorité de Leacon. Rouge de colère, Snodin, le sergent instructeur, s'avança à grandes enjambées vers Pygeon. « Sale rebelle ! » lui lança-t-il à la face, face qu'il orna d'un crachat.

« Vieux con d'ivrogne ! » marmonna Sulyard. Plusieurs hommes éclatèrent de rire. Leacon les regarda fixement. Beaucoup baissèrent les yeux mais pas tous. Certains se croisèrent les bras et prirent un air de défi.

« Vous avez peut-être raison ! lança Leacon d'une voix forte. Étant moi-même fils de fermier pauvre, je suis contre les clôtures des terres ! Mais si l'on vous prend à attraper du gibier, vous serez pendus, même si vous êtes soldats. Et ça ne servirait pas la réputation d'une compagnie d'archers ! Je vous promets que lorsque nous arriverons à Liphook je m'assurerai qu'on vous serve un bon repas, même si je dois saisir par les pieds le maître économe et le secouer, la tête en bas, pour faire tomber de son pourpoint jusqu'au dernier liard !

— Pourrai-je vous aider à le secouer, mon lieutenant ? » demanda Carswell. Comme dans le village, la veille, sa plaisanterie détendit l'atmosphère et les hommes éclatèrent de rire.

Après le déjeuner, un grand nombre de soldats se dirigèrent vers le clayonnage entourant le terrain de chasse et se firent un devoir d'uriner dessus. Après mon repas de pain et de lard, je gagnai l'endroit où était assis Leacon. Il avait manié avec adresse les soldats en colère et j'avais du mal à reconnaître en lui l'être angoissé auquel j'avais parlé la veille. « Comment supportez-vous le trajet à cheval, vous et vos amis ? » s'enquit-il. Je sentis désormais une réticence dans sa voix.

« Nous sommes engourdis et ankylosés. Mais rien de plus normal.

— J'ai l'impression que le jeune assistant de votre collègue trouve ça pénible.

— Feaveryear tient le coup. Tout juste. » Je scrutai le visage de Leacon. Regrettait-il ses confidences ? « Deux hommes étaient en train de discuter pour savoir si les écuelles étaient à eux ou au roi, dis-je pour faire la conversation.

— Oui. Certains ont apporté la leur, mais plusieurs ont dû recevoir l'écuelle et la cuiller des magasins. Une écuelle en bois peut être considérée comme un bien de valeur dans une famille pauvre. C'est la même chose en ce qui concerne les arcs. Seuls ceux qui en possédaient un bon, comme Llewellyn, ont été autorisés à l'apporter. La plupart ont les arcs réglementaires distribués par les armureries. Ce sont les hommes les plus pauvres qui n'ont pas pu se munir de leur propre équipement et, malgré tout, le coût sera déduit de leur solde. C'est bizarre, non ? » dit-il avec un sourire sans joie.

Dyrick nous rejoignit. Il fit un signe de tête à Leacon avant de s'adresser à moi. « Messire Shardlake, j'aimerais vous parler en privé, si je le puis. »

Nous nous assîmes côte à côte au bord du chemin. Nous étions tous désormais bronzés, à part Dyrick dont le mince visage était encore tout rouge et dont une joue pelait au-dessus des poils de barbe cuivrés. « M. Hobbey, me dit-il, a transformé une partie des terres du prieuré en terrain de chasse. C'est un petit terrain, mais bien pourvu en gibier... Il doit organiser sa première chasse dans dix jours, reprit-il en fixant sur moi l'un de ses regards durs. Un grand nombre de hobereaux de la région y assisteront. Ce sera un événement important pour mon client.

— J'espère que nous serons déjà partis.

— Mais si ce n'est pas le cas, j'espère que vous n'informerez aucun des membres de la société locale du motif de votre visite.

— Comme je l'ai dit au sujet des villageois, confrère Dyrick, je ne cherche pas à créer d'ennuis à M. Hobbey. Mais je n'ai aucun désir de faire la moindre promesse concernant mes paroles ou mes actes.

— J'ai l'intention de vous surveiller de près, confrère Shardlake, répliqua-t-il en plantant sur moi un regard intense, ses yeux gris marron plongés dans les miens. Mon client vient de loin. De marchand drapier, il est devenu gentilhomme campagnard. Peut-être un jour sera-t-il fait chevalier et l'appellera-t-on "sir Nicholas". J'empêcherai qu'on frustre ses espoirs.

— Je veux uniquement m'assurer qu'on prend correctement soin des terres et du bien-être de Hugh Curteys. Est-ce si difficile à comprendre ?

— Vous allez bientôt constater que c'est le cas.

— Alors tout ira bien, confrère. »

Après un bref silence, Dyrick reprit la parole. « Avez-vous déjà participé à une chasse ? demanda-t-il.

— Une fois, dans ma jeunesse. Mais je n'ai pas apprécié de voir les animaux harcelés jusqu'à la mort. Ils n'ont aucune chance. »

Il éclata d'un rire moqueur. « J'entends là l'avocat de la Cour des requêtes. Même les cerfs ont votre sympathie. Eh bien, moi, ce sera ma première chasse, si nous sommes toujours là. Toutefois, comme vous, j'espère que nous serons déjà repartis… Ah, je ne viens pas du milieu où l'on chasse ! Étant le fils d'un commis, j'ai dû grimper l'échelle sociale, degré par degré. École paroissiale, bourse pour l'école de droit du Temple, puis humble poste à la cour du roi…

— Vous avez travaillé à la Cour ? Peut-être avez-vous alors rencontré certaines de mes connaissances ? Robert Warner, par exemple ?

— L'avocat de la reine ? Non, j'avais un assommant boulot de gratte-papier, que j'ai quitté pour voir si j'étais assez doué pour être avocat. » À nouveau il me regarda durement. « M. Hobbey est, lui aussi, d'origine humble… Mais on dit que votre père était un riche fermier, confrère Shardlake, persifla-t-il.

— Pas très riche. C'était juste un franc-tenancier. Et il paraît que mon arrière-arrière-grand-père était un serf. C'est finalement l'origine de la plupart d'entre nous.

— J'admire ceux qui sont de basse origine mais visent haut. »

Je souris. « Vous êtes l'un de nos "nouveaux hommes", qui se sont faits tout seuls, confrère Dyrick.

— Et j'en suis fier. En Angleterre, nous ne sommes pas des esclaves comme les Français. »

Nous regardâmes les soldats. Un petit groupe d'entre eux, au milieu duquel se trouvait Sulyard, parlaient à voix basse et ricanaient, se moquant sans doute de quelqu'un, tandis que Barak bavardait avec Carswell et le jeune Gallois. Dyrick se leva et fit tomber des brins d'herbe de son arrière-train. « Autre chose, ajouta-t-il. Tout comme Feaveryear, Barak, votre assistant, devra habiter en dehors de la maison. M. Hobbey n'approuve pas les serviteurs trop familiers. »

Sur ce, il me faussa compagnie. Je le regardai s'éloigner, tout en me disant que les pires snobs sont souvent les hommes qui se sont faits tout seuls.

✝

Durant l'après-midi, des nuages commencèrent à arriver de l'ouest et le temps se rafraîchit. Je vis Leacon regarder le ciel. Une violente averse, comme celles qui étaient souvent tombées en juin, transformerait vite la route poudreuse en bourbier. Sur un signe de tête de Leacon, afin d'entraîner les hommes, le tambour commença à jouer à un rythme soutenu.

Vers quatre heures, nous fîmes une courte halte sur une autre route ombragée pour abreuver les chevaux dans un étang et leur permettre de se reposer un peu.

On passa des chopes de bière et j'en profitai pour parler à Barak de ma conversation avec Dyrick.

« Hobbey logera sans doute Feaveryear et moi dans le bûcher. » Il désigna du menton le clerc qui, assis sur un talus un peu plus loin, était en train de lire un psautier.

« Je crois qu'il nous faudra trois jours pour recueillir les témoignages et déterminer la situation de Hugh Curteys. Puis on prendra le chemin du retour.

— Et si on constate qu'il est maltraité ?

— Alors, on le ramènera avec nous, et Dyrick pourra...

— ... se foutre dans le cul un tisonnier chauffé à blanc. J'ai entendu l'un des jeunes gars raconter avec moult détails la façon dont il infligerait ce supplice à Snodin.

— Regarde ! » Un cri nous fit nous retourner. L'un des soldats désignait un endroit à l'est, au-dessus des arbres. « Un feu de forêt. » Une colonne de fumée s'élevait dans les airs, à environ un mille de là. Elle s'épaississait et je perçus alors une odeur de fumée.

« Ce n'est pas un incendie, expliqua le jeune Llewellyn. Ce sont des fournaises à charbon de bois. Nous sommes à la lisière occidentale de la zone des forges. »

Je posai sur lui un regard interrogateur. « Comment savez-vous cela ?

— J'y suis déjà allé, monsieur. Quand j'aurai fini mon apprentissage j'ai l'intention d'aller travailler dans le Sussex. Si on est formé pour les forges on peut bien gagner sa vie. Je suis allé dans le Sussex l'année dernière pour chercher du travail, et il y a des fonderies partout où on fabrique toutes sortes d'objets, depuis des fers de flèche jusqu'à des contrecœurs de cheminée décorés... Je suis allé à Buxted où on fond des canons. Quel endroit ! » Il secoua la tête, incrédule. « Des dizaines d'ouvriers qui travaillent dans d'énormes bâtiments. On entend le vacarme des lieues à la ronde, mais la paie est bonne. » Il se pencha, ramassa un brin d'herbe et le déchira lentement. « Tess et mes parents ne veulent pas que j'y aille. Mais, ajouta-t-il en posant sur moi un regard grave, c'est une façon pour un homme comme moi qui ne sais pas écrire d'améliorer sa condition. N'est-ce pas une bonne chose ?

— Sans doute. Peut-être pas pour vos proches, cependant. Mais c'est trop facile pour moi de dire ça.

— Ma décision est prise. » Il fronça les sourcils et ramassa un autre brin d'herbe.

« Nous sommes donc près du Sussex ? demandai-je.

— Oui. Ici, à l'ouest, les forges sont moins nombreuses et plus vieilles, mais elles ont toujours beaucoup de travail. » Il tourna vers moi son visage hâlé et je vis de l'inquiétude dans ses yeux bleu clair. « Monsieur, vous ne trouvez pas que mon idée est bonne ?

— Il paraît qu'il est dangereux de travailler dans les fonderies.

— C'est moins dangereux que le métier de soldat ! »

✠

Vers six heures, la compagnie s'arrêta aux abords de la petite ville de Liphook, où un habitant attendait devant la prairie qui nous était réservée. Les soldats y pénétrèrent et se mirent en devoir de décharger les tentes sous la surveillance de Snodin. Il faisait frais, de gros nuages sombres flottaient toujours dans le ciel, mais il ne pleuvait pas encore. Leacon nous annonça qu'il allait dormir au milieu de ses hommes, mais nous conseilla à nouveau de chercher une auberge où passer la nuit, le propriétaire du champ lui ayant assuré qu'il allait pleuvoir des trombes avant la fin de la soirée. Leacon continuait à se montrer très réservé envers moi, ce qui m'attristait beaucoup.

« Vous ne permettez pas aux soldats d'aller en ville ? lui demandai-je.

— Non. Les ordres sont stricts. Ils vont se saouler et il y en a toujours un qui provoque du grabuge.

— Et sir Franklin ?

— Il va rester avec les hommes. Il pense que c'est là que doit se trouver un capitaine, bien que dormir sous la tente lui donne la goutte. Bon. Maintenant il faut que j'aille surveiller les opérations. Tout à l'heure, j'irai en ville avec l'économe pour essayer d'acheter des aliments corrects pour les soldats. Rendez-vous demain matin à sept heures sur la place de la ville. Laissez vos chevaux dans le camp si vous le souhaitez, ajouta-t-il. Nous vous les amènerons.

— À sept heures. On part tard...

— J'ai promis aux hommes une séance de rasage avant le départ, demain matin. L'une des recrues est barbier.

— J'aurais bien besoin de me faire raser moi-même.

— Pour les archers, c'est une question de fierté. Des cheveux longs et une barbe peuvent constituer une gêne quand on décoche des flèches au rythme d'une demi-douzaine par minute.

— Peut-être pourrions-nous nous donner rendez-vous à Liphook plus tard, pour un verre ?

« — Non, merci. Il vaudra mieux que je revienne au camp avec les provisions. Bonsoir. » Sur ce, il s'éloigna.

✝

Liphook était une petite agglomération, un village plutôt qu'une ville, et il n'existait que deux auberges. Comme à Cobham, on voyait des charrettes partout. Il n'y avait qu'une chambre de disponible dans la meilleure des deux auberges, que je laissai à Dyrick et à Feaveryear. Grâce à un petit pot-de-vin, Barak et moi obtînmes une chambrette dans l'autre. Lorsque Barak s'affala sur le lit, un nuage de poussière s'éleva de ses vêtements.

« J'aimerais savoir si Dyrick va permettre à Feaveryear de s'accroupir pour prier dans leur chambre. Seigneur Dieu, pourvu que M. Hobbey ne me force pas à partager une chambre avec lui !

— Peut-être va-t-il te convaincre de devenir aussi pieux que lui.

— Espérons que nous trouverons Hugh Curteys heureux comme un coq en pâte.

— Amen. » J'étendis les jambes. « Mordieu, je suis sûr d'avoir entendu craquer mes os... Je crois que je vais aller faire une balade pour me dégourdir les jambes, repris-je après un instant d'hésitation. Et chercher un barbier.

— Vous n'allez pas vous reposer ?

— Je reviendrai tout à l'heure. » Je sortis prestement, gêné de ne pas lui avoir dit la vérité. À mon avis, Liphook était un bon endroit pour commencer mon enquête sur Ellen. Ayant juré de ne pas

275

impliquer Barak dans cette affaire, je n'avais pas cité son nom depuis que nous avions quitté Londres. Ni lui d'ailleurs. Même s'il n'avait pas dû oublier que j'avais l'intention de fouiller dans son passé.

✝

J'avais décidé de commencer par la plus importante des deux auberges. Toutefois, je m'arrêtai d'abord chez un barbier dans une rue latérale pour me faire raser. J'espérais que je n'y rencontrerais pas Dyrick… Qu'il arrive au prieuré de Hoyland, l'air négligé ! Je secouai la tête. Son perpétuel esprit de compétition se révélait contagieux.

La salle de l'auberge était bourrée de monde et je dus jouer des coudes pour gagner le guichet où un homme grassouillet à l'air fatigué servait des chopes de bière. Je fis la queue, commandai une bière, puis, posant une pièce de quatre pence sur le comptoir, je me penchai en avant. « Je cherche des renseignements sur un lieu situé près d'ici, mais dans le Sussex, murmurai-je. Rolfswood. »

Il me dévisagea. « Je suis originaire de ce coin-là.

— Est-ce loin d'ici ?

— Faut quitter la route de Portsmouth au sud de Horndean, puis prendre celle qui va vers l'est et parcourir environ cinq milles.

— Est-ce une agglomération importante ?

— Non. Juste un petit bourg… Mais qu'est-ce qui peut bien vous intéresser à Rolfswood ? demanda-t-il d'un air intrigué. Il y reste plus grand-chose depuis qu'y a plus de fonderies.

— Il y a des fonderies de fer là-bas ?

— Y en avait, dans le temps. Il existe un maigre gisement de fer vers le nord. Y avait un four à loupes à Rolfswood, mais depuis qu'il a brûlé, le minerai est transporté à l'est.

— Il a brûlé ? » Je me rappelai les paroles d'Ellen : « Il brûlait ! Le malheureux était en feu ! »

« Quand j'étais jeune homme, le propriétaire et son assistant ont été tués. Ç'a dû se passer y a vingt ans.

— Ç'a été un accident pendant qu'on… Comment dit-on ?… fondait ? »

Le serveur prit la pièce de quatre pence, puis se pencha par-dessus le comptoir. « Non. Ça s'est passé pendant l'été, les vieux fours à loupes ne fonctionnent qu'en hiver. Pourquoi est-ce que ça vous intéresse, monsieur ?

— Vous rappelez-vous le nom des personnes qui sont mortes ?

— Je crains que non. Voilà un bon bout de temps que j'ai quitté la ville. »

Mon esprit s'emballa. Vingt ans plus tôt, c'était à cette époque qu'Ellen avait été attaquée et enfermée à Bedlam. Quelque chose s'était passé à Rolfswood en plus du viol. Deux personnes étaient mortes. « Il brûlait ! »

Mon cœur cognait dans ma poitrine. Je me détournai brusquement du guichet et me retrouvai nez à nez avec Feaveryear qui se tenait derrière moi, ses mèches grasses pendouillant sur son front hâlé.

Après avoir supporté pendant trois jours les sarcasmes de Dyrick et le visage maussade de Feaveryear, la présence de ce dernier fut la goutte d'eau qui fit déborder le vase. « Mordieu, secrétaire, m'écriai-je, avez-vous voulu écouter la conversation ? »

Il resta bouche bée. « Non, monsieur, je faisais la queue derrière vous. Je suis venu chercher une bière. »

Je jetai un coup d'œil à l'entour. « Où est Dyrick ? Vous m'espionnez !

— Pas du tout, messire Shardlake ! lança-t-il avec véhémence, sa grosse pomme d'Adam tressautant. Comme messire Dyrick voulait dormir, il m'a mis dehors. Parole d'honneur de chrétien, je vous ai entendu parler au serveur d'une fonderie qui avait brûlé, rien d'autre. »

Il paraissait sincèrement vexé. Il semblait épuisé et avait les yeux cernés. « Je suis désolé, dis-je d'une voix calme, je n'aurais pas dû m'emporter. Venez vous asseoir. »

Il me suivit à contrecœur jusqu'à un banc. « Veuillez m'excuser si je me suis trompé... J'ai une autre affaire à traiter dans le Sussex, pour un autre client.

— Vous me présentez des excuses, monsieur ? fit-il, tout surpris. Alors, permettez-moi de vous remercier. »

Après un court silence, je repris la parole. « Le voyage a été plus éprouvant que je ne l'avais imaginé. Les soldats marchent d'un bon pas. »

Son visage se ferma à nouveau et il prit un air bougon et réprobateur. « Mon maître affirme que c'est une perte de temps. »

Dyrick avait-il utilisé Feaveryear pour nous espionner avant l'audience ? Peut-être même s'était-il rendu à la Cour des tutelles pour soudoyer Mylling ? Je me rappelai les garnements traînant au coin de la rue, le sac passé sur ma tête. « Eh bien, répondis-je d'un ton neutre, on verra bien ce qu'on trouvera... Il y a longtemps que vous êtes le clerc de messire Dyrick ?

— Trois ans. Mon père travaillait dans les cuisines

de l'école de droit du Temple. Il m'a envoyé à l'école primaire et a ensuite sollicité pour moi une place de clerc. Messire Dyrick m'a engagé. Il m'a beaucoup appris. C'est un bon maître, précisa-t-il d'un air suffisant.

— Il vous arrive donc de travailler à la Cour des tutelles.

— Oui, monsieur… Comme beaucoup, poursuivit-il après une brève hésitation, vous la considérez comme un mauvais endroit. »

J'acquiesçai de la tête.

« C'est peut-être vrai, mais mon maître n'y cherche que la justice. Comme dans les autres tribunaux où il plaide.

— Allons, allons, Feaveryear ! Les avocats acceptent de défendre les causes qu'on leur propose, qu'elles soient bonnes ou pas. » Je me rappelai ma conversation avec lady Élisabeth.

Il secoua vigoureusement la tête. « Mon maître ne défend que les causes qui lui semblent justes. Comme celle-ci. Je suis chrétien, monsieur, et je ne pourrais pas travailler pour un avocat qui représente de mauvaises gens… Je ne dis pas que c'est ce que vous faites, monsieur, ajouta-t-il en rougissant. Seulement que, dans le cas présent, vous faites erreur. »

Je le fixai, stupéfait. Comment pouvait-il croire que Vincent Dyrick – lui, surtout ! – ne représentait que les honnêtes gens ? Et pourtant, il paraissait absolument sincère. Je pris une profonde inspiration. « Eh bien, Feaveryear, il faut que je rentre à mon auberge pour manger un morceau.

— Mon maître m'a demandé de chercher un barbier. »

Nous sortîmes dans la rue. Le soir tombait, on voyait des bougies allumées à travers les fenêtres. Certains des charretiers se couchaient dans leurs chariots.

« Sans doute vont-ils tous à Portsmouth. Comme notre compagnie d'archers.

— Les malheureux, dit Feaveryear d'une voix triste. J'ai vu des soldats me regarder durant le trajet. Je sais qu'ils me considèrent comme une mauviette. Mais je pense à ce qui risque de leur arriver et je prie pour eux. Quel malheur qu'ils n'aient pas de pasteur ! La plupart de ces hommes ne se sont pas tournés vers Dieu. Ils ne se rendent pas compte qu'après la mort sur le champ de bataille on peut être précipité en enfer.

— Peut-être n'y aura-t-il pas de bataille. Il se peut que les Français ne débarquent pas.

— Je prie pour ça. »

Je sentis une goutte de pluie sur ma main. « Ça commence à tomber.

— Ils vont être trempés dans le camp.

— En effet. Et il faut que je regagne mon auberge. Bonne nuit, Feaveryear.

— Bonne nuit, messire Shardlake.

— Au fait, Feaveryear ! Il y a un barbier dans la rue suivante. Informez-en votre maître. »

✝

Lorsque je regagnai l'auberge, il pleuvait à verse. C'était un nouvel orage d'été et, vêtu seulement d'une chemise et d'un justaucorps, j'étais trempé jusqu'aux os. L'homme que j'avais soudoyé pour avoir une chambre m'invita à entrer dans la cuisine pour m'asseoir près du feu, sans doute dans l'espoir de recevoir une autre pièce. Je m'empressai d'accepter son offre, car j'avais besoin d'un endroit où me concentrer sur les propos du serveur de l'autre auberge.

Je plongeai mon regard dans le feu qui flambait dans l'âtre. Une fonderie avait complètement brûlé à Rolfswood, il y avait deux décennies, et deux hommes étaient morts. D'après ce qu'elle m'avait dit à Bedlam, Ellen avait assisté à un incendie et vu au moins un homme brûler. Avait-elle perdu l'esprit après avoir été témoin d'un accident ? Mais comment cela se combinait-il avec l'agression dont elle avait été victime ? Malgré le feu, j'étais transi. Et si la mort du maître de forges et de son assistant n'avait pas été accidentelle ? Et si Ellen avait assisté à un meurtre et si c'était la raison pour laquelle on l'avait reléguée à l'asile de Bedlam ? Il me sembla soudain que Barak avait eu raison de m'avertir du danger.

La pensée me traversa l'esprit que j'aurais peut-être finalement intérêt à m'abstenir de me rendre à Rolfswood. Je pourrais rentrer à Londres et laisser les choses en l'état. En fin de compte, Ellen avait été en sécurité pendant dix-neuf ans. Si je me mêlais d'une affaire de meurtre, je risquais de la mettre à nouveau en péril.

Dans l'âtre, les flammes montaient de plus en plus haut. Elles éclairèrent soudain d'en bas une inscription gravée sur le contrecœur qui me fit sursauter et presque tomber de mon tabouret.

N'aie aucun chagrin, car ton cœur m'appartient.

Une femme entre deux âges qui versait des ingrédients dans un plat creux posé sur la table pour faire une potée me fixa d'un air surpris.

« Vous allez bien, monsieur ? s'enquit-elle en se précipitant vers moi. Vous êtes tout pâle.

— Qu'est-ce que c'est que ça ? lui demandai-je en pointant mon index vers l'âtre. Cette inscription, là. Vous la voyez ? »

Elle me regarda d'un drôle d'air. « Dans la région il y a souvent des formules ou des adages gravés sur les contrecœurs.

— Qu'est-ce que ça veut dire ? De quel cœur s'agit-il ? »

Elle parut encore plus inquiète pour moi. « Je n'en sais rien. La femme de l'artisan était peut-être morte, ou quelque chose comme ça... Monsieur, vous avez l'air tout retourné. »

Je transpirais à grosses gouttes désormais. Je sentis mon visage s'empourprer. « Je viens d'avoir une étrange sensation. Je vais monter dans ma chambre. »

Elle prit un air compatissant. « C'est la pensée des bateaux de tous ces Fransquillons en train de voguer vers nous. À moi aussi ça me fait des sensations bizarres. Ah, quelle époque ! Quelle époque ! »

16

La journée suivante, notre quatrième sur la route,
se passa sans encombre. À nouveau, le soleil brillait,
il faisait chaud, et l'air était moite. Heureusement, la
pluie n'avait pas duré assez longtemps pour endom-
mager les routes. Nous traversâmes encore des terres
boisées et des pâturages et atteignîmes Petersfield vers
midi, où nous fîmes halte pour prendre un peu de
repos.

Nous poursuivîmes notre chemin. Le paysage commençait à changer. Le sol était crayeux, les champs
plus vastes, et la pente qui menait vers le sommet des
Hampshire Downs montait régulièrement. La grand-
route était de plus en plus encombrée de chariots qui
s'arrêtaient pour nous laisser passer lorsque résonnait
la trompette de notre tambour. Nous aperçûmes, une
fois, une compagnie de miliciens locaux qui s'entraînaient dans un champ et qui poussèrent des hourras en
faisant de grands gestes pour nous saluer. Au sommet
des collines se dressaient de gros poteaux soutenant
des tas de bois goudronné, hautes tours toujours gardées par une sentinelle. Il s'agissait des « tours du
feu d'alarme » qui seraient allumées si l'on repérait

la flotte ennemie et qui formaient une chaîne à travers tous les comtés du littoral.

Un messager vêtu d'un uniforme aux couleurs royales nous dépassa et, cette fois, ce fut au tour des soldats de s'écarter. Barak suivit du regard le cavalier qui disparut dans un nuage de poussière. Je devinai qu'il se demandait quand arriverait une lettre de Tamasin. Il posa sur moi un regard interrogateur. La veille, il avait remarqué mon agitation à mon retour dans la chambre, mais il avait paru me croire quand je lui avais expliqué que j'étais simplement transi après la saucée que j'avais reçue. Me rappelant le contrecœur de la cheminée, je réprimai un tressaillement. Quelle vision stupéfiante juste au moment où j'avais pensé abandonner mon enquête sur le passé d'Ellen ! Je ne croyais pas aux signes prémonitoires, mais cela m'avait beaucoup troublé.

Vers six heures, nous fîmes à nouveau halte près d'un champ. Comme les soirées précédentes, un habitant du coin nous attendait, un tas de broussailles près de lui pour le couchage des soldats. Durant la dernière heure, le tambour avait joué une marche lente et régulière, car les soldats étaient fatigués. En regardant vers l'avant de la colonne, je vis que, du haut de sa monture, tout en gardant le dos bien droit, Leacon baissait la tête pour parler à l'homme. Il ordonna à Snodin de faire entrer les soldats dans le champ, puis revint vers nous.

« Je crains, messieurs, que vous ne deviez passer la nuit dans le campement. Nous sommes aux abords de Buriton. Le paysan me dit qu'il n'y a plus un lit de libre dans les auberges de la ville, à cause des voyageurs et des charretiers.

— Vous voulez dire que nous serons contraints de dormir dans le champ ? s'écria Dyrick, choqué.

— Vous pouvez dormir sur la route, si vous le désirez, monsieur, rétorqua sèchement Leacon, mais, si vous le souhaitez, je vous offre une place dans notre campement.

— Nous vous en sommes reconnaissants, dis-je.

— Je vais voir si je peux vous trouver une tente. » Leacon me fit un signe de tête et s'éloigna à cheval. Dyrick poussa un grognement. « Avec un peu de chance, nous devrions arriver à Hoyland demain matin. Je serai ravi de quitter cette bande de soldats malodorants.

— Quand je pense que vous m'avez expliqué, confrère Dyrick, que vous veniez d'un milieu humble. Après ce voyage, nous dégageons tous la même odeur. »

✝

Une heure plus tard, assis sur des touffes d'herbe devant notre tente, je m'occupais à masser mes jambes ankylosées. On avait apporté pour nous des couvertures et nous nous apprêtions à passer une dure nuit, allongés à même le sol. J'étais content que le voyage tirât à sa fin. J'avais trouvé de plus en plus pénible la marche rapide et continue.

Je jetai un regard sur le camp hérissé de tentes. Le soleil se couchait, les hommes étaient assis en petits groupes autour de leurs tentes, certains d'entre eux réparaient leurs hoquetons. Je fus, une fois de plus, impressionné par l'excellente organisation de la compagnie. J'aperçus Dyrick en train de marcher lentement à la lisière du champ, en compagnie de sir Franklin, qui boitait. J'avais remarqué que Dyrick saisissait toutes les occasions de s'entretenir avec lui, alors qu'il ne faisait aucun cas de Leacon. Il n'y a pas pire arriviste qu'un homme qui s'est fait tout seul, me dis-je. Peut-être était-ce ce trait de caractère qui l'avait rapproché de Nicholas Hobbey. Qui se ressemble s'assemble.

Leacon passait de groupe en groupe, s'arrêtant pour échanger quelques mots avec les hommes. Contrairement à sir Franklin, il se faisait un devoir de se mêler à ses soldats, d'écouter leurs doléances. Assis tout seul devant une tente, Snodin buvait lentement et continûment de la bière au goulot d'une grosse bouteille, fixant, les sourcils froncés, quiconque le regardait. Barak et une dizaine de soldats de la dernière section s'étaient installés au bord du champ, autour d'un feu de camp. J'enviais son aisance avec les jeunes gens. Depuis notre rencontre dans le village, la plupart avaient été assez agréables envers moi, tout en me montrant le respect circonspect dû à un gentleman. Carswell, le caporal, était là avec Llewellyn, le jeune Gallois. Quoiqu'ils fussent très différents l'un de l'autre, ils semblaient être amis. Si Llewellyn était un brave garçon, il n'avait guère le sens de l'humour, alors que Carswell en avait à revendre. Mais tout bouffon a besoin de son faire-valoir. Arborant sa brigandine rouge vif, Sulyard, le fauteur de troubles, était également assis avec le groupe. Il frappa son voisin sur la tête et, d'une voix à la fois forte et pâteuse qui porta jusqu'à moi, lança : « Appelle-moi "monsieur" !

— Va te faire foutre, espèce de gros péquenot ! »

Je décidai d'aller les rejoindre. Même s'il me traitait de mère poule, je tenais toujours à garder Barak à l'œil quand l'alcool coulait à flots. J'avais, en outre, deux ou trois questions à poser à Llewellyn.

Comme je traversais le champ, je vis Feaveryear assis avec Pygeon devant une tente. Il avait vraiment les oreilles décollées, le pauvre gamin ! Feaveryear parlait avec animation, bien que, plissant les yeux pour mieux voir dans la lumière déclinante, Pygeon ait été en train de graver quelque chose sur le manche de son couteau. Feaveryear se leva et s'éloigna. Pygeon me lança un regard hostile.

« Venez-vous pour me convertir vous aussi, monsieur ?

— Je ne sais pas de quoi vous parlez, mon gars.

— Ce clerc voulait me faire nier que le sang du Christ se trouve dans l'Eucharistie. Il devrait faire attention, des hommes ont été brûlés vifs pour moins que ça. À Harefield nous suivons de près la tradition. »

Je soupirai. Si Feaveryear se mettait à prêcher ses doctrines radicales aux soldats, il était heureux que nous dussions les quitter le lendemain. « Non, Pygeon, dis-je. Je ne prêche aucune doctrine. » Il grogna et se remit à graver à l'aide d'un des longs couteaux qu'utilisaient tous les soldats et qui servaient aussi bien d'outil que d'arme. Je vis qu'il gravait « Marie, sauve nos âmes », les lettres étant d'une finesse et d'une habileté remarquables.

« Quel beau travail ! fis-je.

— Je compte sur la Vierge pour nous sauver si nous devons nous battre.

— Je vais me joindre aux hommes près du feu. Vous venez ? »

Il secoua la tête et se remit au travail. Craignait-il que Sulyard ne se moque à nouveau de lui ? Je me dirigeai vers le feu, m'asseyant avec précaution près de Llewellyn et Carswell. Les hommes faisaient lentement rôtir deux lapins et un poulet.

« Une chope de bière, monsieur ? » me demanda Carswell. J'acceptai et jetai un coup d'œil à Barak, mais il était en pleine conversation avec des soldats.

« Merci. Que préparez-vous ? Si vous avez braconné, vous avez intérêt à vous assurer que le capitaine Giffard ne vous voie pas. »

Il éclata de rire. « Le gars du coin nous a dit qu'on pouvait chasser des lapins. Parce qu'ils pullulent dans la région et qu'ils dévorent les récoltes. Certains d'entre nous se sont un peu entraînés au tir à l'arc dans les bois.

— Çà, on dirait un poulet. Vous ne l'avez pas pris dans une ferme, j'espère.

— Non, monsieur, répondit solennellement Carswell. C'est un type de lapin particulier à la région.

— Et qui a des ailes.

— Étrange endroit que le Hampshire... »

J'éclatai de rire, puis me tournai vers Llewellyn. « J'aimerais vous poser une question, fis-je à voix basse afin de ne pas être entendu de Barak.

— Oui, monsieur ?

— Hier, vous avez parlé des fonderies du Weald. Quelle différence y a-t-il entre les nouvelles et les anciennes, les "fours à loupes", comme on les appelle, d'après vous ?

— Les nouveaux hauts-fourneaux sont beaucoup plus grands, monsieur, et le fer en sort complètement fondu et non pas sous forme d'une masse molle. Dans les hauts-fourneaux, on le coule dans des moules spéciaux. On a commencé à fondre des canons.

— Est-il vrai que les fours à loupes ne fonctionnent pas en été ?

— Oui. On emploie surtout des gens du coin qui travaillent dans les champs en été et dans les fonderies, l'hiver. Alors que les nouvelles fournaises emploient souvent des ouvriers à l'année.

— Par conséquent, un four à loupes est vide durant tout l'été ?

— À part, sans doute, un gars qui reste pour surveiller l'endroit et apporter le charbon de bois et autres provisions en prévision de l'hiver. »

Je m'aperçus que Barak me regardait. « Merci, Llewellyn.

— Vous pensez quitter le droit pour l'acier, monsieur ? » me lança Carswell comme je me levai pour aller m'asseoir à côté de Barak. Le jour déclinait rapidement et une extraordinaire quantité de papillons de nuit avaient apparu, formes gris-blanc tournoyant et tourbillonnant dans le crépuscule.

✝

Barak posa sur moi un regard pénétrant. « Que chuchotiez-vous à Llewellyn ? Est-ce que ça aurait quelque chose à voir avec Ellen, par hasard ?

— Pour le moment, concentrons-nous sur Hugh Curteys, ripostai-je.

— Vous avez découvert où se trouve Rolfswood, n'est-ce pas ? Vous allez vous y rendre et, si vous en avez l'occasion, vous furèterez partout.

— Je vais voir comment ça se présente.

— Le mieux est l'ennemi du bien.

— Je sais ce que tu penses ! rétorquai-je, soudain furieux. Mais je ferai ce que bon me semble ! »

Sulyard poussa un rire rauque en nous regardant. « Querelle d'amoureux ! » lança-t-il. Très éméché, il avait la voix pâteuse, bafouillait, bredouillait, et son visage respirait la méchanceté.

« Ferme ta gueule ou je vais le faire moi-même ! » lui cria Barak, l'air menaçant en se levant à demi.

Sulyard me montra du doigt. « Les bossus, ça porte malheur, tout le monde sait ça ! Même si on est probablement déjà foutus, avec pour nous mener à la bataille un vieux gaga comme capitaine et un poivrot comme sergent instructeur. »

Je parcourus du regard le groupe de visages à l'entour. La fumée qui s'échappait en volutes me piquait les yeux. Gênés, les hommes détournaient le regard. Sulyard se mit debout en chancelant et pointa à nouveau son index sur moi.

« Ne me lancez pas ce regard maléfique ! Espèce de…

— Ça suffit ! » Tout le monde se retourna. Pygeon m'avait suivi et s'était arrêté à quelques pas du groupe. « Ça suffit, espèce d'imbécile ! On est tous logés à la même enseigne ! On n'est plus au village. Tu peux plus voler à ta guise du gibier et des canards aux pauvres et passer ton temps à demander aux gens de t'appeler "monsieur" !

— J'aurai ta peau ! » hurla Sulyard. Pygeon restait les bras ballants, tandis que Sulyard, rejetant la main d'un autre soldat qui cherchait à le retenir, s'apprêtait à saisir son couteau.

Un homme de haute taille, en veste blanche, apparut soudain et flanqua à Sulyard un soufflet sonore.

Sulyard tituba, se redressa et voulut à nouveau saisir son couteau.

Leacon se posta devant lui. « Frappe-moi, espèce de vaurien mal embouché, et ce sera un acte de mutinerie ! cria-t-il avant d'ajouter plus doucement : Mais je peux t'affronter d'homme à homme si tu préfères. »

Tandis que du sang dégouttait d'une coupure, Sulyard laissa retomber ses bras. Il se balança d'un côté à l'autre comme un pantin dont on a coupé les ficelles avant de s'exclamer : « Je voulais pas me mutiner. Tout ce que je veux, c'est vivre ! Vivre !

— Alors, évite de boire et respecte tes camarades. Pour un soldat, c'est la meilleure façon de survivre.

— Espèce de lâche ! » lança une voix dans le noir. Sulyard se tourna vers l'endroit d'où venait la voix, hésita, puis pénétra dans l'obscurité en titubant. Leacon s'adressa alors à ses hommes. « Il ne va sans doute pas tarder à s'affaler par terre. Que quelqu'un aille le chercher dans un moment pour le jeter dans sa tente. Demain matin, il pourra s'excuser auprès de messire Shardlake devant vous tous. » Sur ce, il s'éloigna et je le suivis.

« Merci pour votre intervention, George, lui dis-je en le rattrapant. Mais pas d'excuses publiques, s'il vous plaît. Il ne penserait pas ce qu'il dirait et je ne souhaite pas quitter la compagnie sur une fausse note. »

Il opina du chef. « Très bien. Mais il faudra qu'il fasse amende honorable.

— Ce n'est pas la première fois que ça m'arrive. Et ce n'est pas la dernière. » J'hésitai avant d'ajouter : « Il a peur de ce qui l'attend à Portsmouth.

— Je le sais. Comme nous nous en approchons, beaucoup d'entre eux ressentent de l'appréhension.

Mais je maintiens ce que j'ai dit. Si combat il y a, notre meilleure chance de survie réside dans la discipline et la bonne entente de tous. Même si, en fin de compte, tout n'est que hasard et chaos. » Il resta silencieux quelques instants puis ajouta : « Cet après-midi, ce tambour m'a rendu fou. » Il se tut à nouveau. « Messire Shardlake, reprit-il, après ce que je vous ai dit à Godalming... me croyez-vous vraiment apte au commandement ? Je vais devoir mener les hommes, car sir Franklin en sera incapable. Il est parfait pour faire respecter la discipline... Par exemple, hier soir, une bande de soldats éméchés ont commencé à faire du grabuge. Eh bien, une petite réprimande de sa part a suffi pour les calmer. Mais vous l'avez vu... Il est trop vieux pour diriger les hommes au combat.

— Je vous l'ai dit, hier soir. Ils ne pourraient pas avoir de meilleur chef que vous.

— Merci, répondit-il à voix basse. Je craignais que vous ne pensiez le contraire.

— Non ! Sur mon âme.

— Priez pour nous, une fois qu'on se sera quittés.

— Avec grand plaisir. Mais il y a longtemps que j'ai l'impression que Dieu n'écoute plus mes prières. »

Ce fut étrange de passer la nuit sous la même tente que Dyrick, et ses sonores ronflements troublèrent mon sommeil. Le lendemain matin, nous quittâmes le camp pour la dernière étape du voyage, meurtris à force d'être en selle. Après sa soirée de beuverie, Sulyard avait le visage gonflé comme une outre. Quand il prit sa place dans les rangs, plusieurs soldats lui lancèrent des regards hostiles, sans doute parce qu'il avait montré sa peur. Snodin, lui, n'avait pas plus mauvaise mine que d'habitude, privilège du véritable alcoolique.

Nous reprîmes la route. Le martèlement des pas, le cahotement des chariots derrière nous, les nuages de poussière qui nous enveloppaient complètement, tout cela était devenu notre lot quotidien. Mais c'était la dernière journée... Les soldats poursuivraient leur marche jusqu'à Portsmouth, et il ne nous resterait, selon Dyrick, que quelques milles à parcourir avant de traverser un village appelé Horndean et de prendre le chemin qui nous mènerait à Hoyland.

Il faisait à nouveau une chaleur étouffante. Les soldats chantèrent durant presque toute la matinée de nouvelles versions paillardes de chansons d'amour courtois, si inventives dans leur obscénité que je souris malgré moi. Nous pénétrâmes une fois de plus dans une zone boisée, entrecoupée de plaines crayeuses et de prairies. Lorsqu'on arrivait dans un village où les gens se rendaient à l'église pour assister à l'office du dimanche, par respect, les soldats interrompaient leurs chansons grivoises.

Deux milles après le départ, à un endroit où le chemin se rétrécissait au milieu d'une forêt très dense, nous tombâmes sur un énorme chariot qui s'était renversé après avoir perdu une roue et barrait complètement le passage. Il transportait un gigantesque canon d'acier de quinze pieds de long qui, ayant échappé aux grosses cordes qui l'attachaient, gisait sur le sol. Les quatre grands chevaux qui le traînaient paissaient l'herbe des talus. Le charretier persuada les soldats de s'arrêter et de l'aider à réparer son véhicule. Le canon, expliqua-t-il, venait du Sussex et aurait dû être transporté jusqu'à Portsmouth par la mer.

Tandis que certains des hommes soulevaient le chariot vide, que d'autres plaçaient la roue de rechange autour de l'essieu et s'efforçaient de la fixer solidement, les autres soldats rompirent les rangs et s'installèrent sur les talus de l'étroit chemin. Barak et moi restâmes assis pendant que Dyrick et Feaveryear regardaient les arbres en faisant les cent pas. Puis ils vinrent vers nous.

« Pouvons-nous nous joindre à vous ? » demanda Dyrick. Ils s'assirent. Dyrick désigna les arbres d'une main gantée. « Cette terre, comme celle de M. Hobbey, fait partie de l'ancienne forêt de Bere. Vous connaissez son histoire ?

— Seulement que c'est une très vieille forêt royale qui date de l'époque normande.

— Bravo, confrère ! Mais elle est peu utilisée. La plupart des rois successifs ont préféré la "nouvelle forêt". La forêt de Bere rétrécit peu à peu depuis des siècles, car des paysans invoquent le droit de l'occupant, qui vous tient tant à cœur... Des hameaux grossissent et deviennent des villages, de la terre a été vendue par les rois successifs ou accordée à l'Église, comme le domaine du prieuré de Hoyland. Il y a des milles et des milles carrés d'arbres comme ceux-ci. »

Je contemplai la forêt. Les arbres paraissaient extrêmement vieux. Chênes majestueux, ormeaux, sous-bois verts touffus et broussailleux. Malgré les journées de chaleur, une odeur de terreau humide s'en exhalait.

On entendit un craquement sonore. La roue du chariot avait été fixée, mais dès que les hommes la lâchèrent elle se détacha. Le chariot fit une embardée et se coucha à nouveau sur le côté. « On va y passer la journée », grommela Dyrick. Il se leva. « Venez, Feaveryear. Aidez-moi à régler le harnais de mon cheval. » Il s'éloigna et Feaveryear s'empressa de le suivre.

« Il ne veut pas que son petit clerc nous dévoile ses secrets, se moqua Barak. Il n'a rien à craindre. Feaveryear est fidèle comme un chien.

— Tu as réussi à mieux le connaître ?

— Il ne semble vouloir parler que de son salut, du mal qui règne dans le monde et de la perte de temps que constitue ce voyage pour son honoré maître. »

Nous levâmes les yeux comme Carswell s'approchait de nous, l'air grave. Il inclina le buste. « Je suis désolé, monsieur, de l'incident d'hier soir. Je voulais que vous sachiez que rares sont ceux qui pensent comme Sulyard.

— Je vous remercie.

— Puis-je vous demander quelque chose ? poursuivit-il après un instant d'hésitation.

— Si vous le souhaitez. » Je désignai la place sur le talus à mes côtés. Je lui souris pour l'encourager, m'attendant qu'il me pose une question de droit.

« Il paraît que les juristes londoniens ont leur propre troupe de comédiens, reprit-il, à ma grande surprise.

— On joue souvent des pièces de théâtre dans les écoles de droit… Mais, non, les troupes de comédiens sont indépendantes.

— Quelle sorte de gens est-ce ?

— Une bande de fêtards, me semble-t-il. Mais ils doivent quand même travailler dur car autrement ils ne pourraient pas jouer comme ils le font.

— Ils sont bien payés ?

— Non. Très mal. Et la vie est dure à Londres en ce moment. Aimeriez-vous devenir acteur, Carswell ? »

Il rougit. « Je veux écrire des pièces, monsieur. Jadis j'allais voir des pièces religieuses, à l'époque elles étaient autorisées, et quand j'étais gamin j'écrivais moi-même de petites saynètes. J'ai appris à écrire à l'école paroissiale. On m'aurait gardé pour continuer mes études, mais ma famille est pauvre.

— Aujourd'hui, la plupart des pièces abondent en controverses religieuses, comme celles de John Bale. Ce peut être une profession dangereuse.

— Je veux écrire des comédies, des histoires qui fassent rire les gens.

— Avez-vous écrit certaines des chansons grivoises que vous chantez ? demanda Barak.

— Je suis l'auteur d'un grand nombre d'entre elles, répondit-il avec fierté.

— La plupart des comédies jouées à Londres sont étrangères, dis-je. Surtout italiennes.

— Mais pourquoi n'y aurait-il pas aussi des pièces anglaises ? Comme celles du bon vieux Chaucer.

— Grand Dieu, Carswell ! Vous êtes très instruit.

— Le tir à l'arc et la lecture, monsieur, ont toujours été mes seuls passe-temps. Au grand dam de mes parents, qui voulaient que je travaille à la ferme. » Il fit la grimace. « J'avais besoin de m'échapper. Je me suis enrôlé avec joie dans l'armée. J'ai pensé qu'une fois cette guerre terminée, je pourrais monter à Londres. Peut-être gagner ma croûte dans une troupe de comédiens et bien apprendre comment on écrit une pièce. »

Je souris. « Je vois que vous avez beaucoup réfléchi à la question. C'est vrai, aujourd'hui on a plus besoin de pièces comiques que jamais... »

Nous fûmes interrompus par Snodin qui se dirigeait vers nous à grandes enjambées. « Viens, Carswell, ordonna-t-il sèchement. On va s'entraîner au tir à l'arc dans un champ, un peu plus loin. Fiche la paix à tes supérieurs, petit con de bafouilleur.

— Il ne fait aucun mal », dit Barak.

Snodin plissa les yeux. « C'est un soldat et il doit m'obéir.

— À vos ordres, maître Snodin ! » Le caporal bondit sur ses pieds et suivit le sergent instructeur. Comme il s'éloignait, je lui criai : « Demandez-moi à Lincoln's Inn à votre retour ! »

« Étrange petit gars, dis-je à Barak. Et évite de te mettre à dos un autre sous-officier. Un, ça suffit.

— Quel crétin ! Quant à Carswell, vous feriez mieux de ne pas l'encourager. La moitié de ces comédiens se saoulent tous les soirs et finissent dans le ruisseau.

— Tu es de piètre humeur aujourd'hui. Tamasin te manque ?

— Je me demande tout le temps comment elle va… Et je me demande aussi, poursuivit-il en se tournant vers moi, quels sont vos projets en ce qui concerne Ellen. » Je restai coi.

✝

Quand le chariot fut enfin réparé, c'était déjà l'après-midi et nous avions déjeuné au bord de la route. Il fallut vingt hommes pour y réinstaller le canon à l'aide de cordes. Le chariot se rangea sur le bas-côté pour laisser passer la compagnie. Nous continuâmes vers le sud, nous enfonçant de plus en plus dans la forêt de Bere.

Je gagnai la tête du groupe où Leacon chevauchait en compagnie de sir Franklin. « George, lui dis-je. Nous allons bientôt nous séparer.

— En effet. Et je le regrette.

— Moi aussi. Et avant qu'on se quitte, puis-je vous demander un autre service ?

— Je vous aiderai avec plaisir, si je le peux. De quoi s'agit-il ?

— Si Portsmouth grouille de soldats, j'imagine que beaucoup d'entre eux sont des soldats de métier qui ont servi par le passé.

— Certes. La ville devient le centre de toute l'activité militaire.

— Si vous en avez l'occasion, pourriez-vous demander si l'un d'eux a jamais entendu parler d'un certain William Coldiron ? C'est mon intendant. Pour le moment, en tout cas. » Je lui racontai en quelques mots l'histoire de Coldiron et de Josephine et comment, d'après ce que j'avais entendu à la taverne, il semblait ne s'être jamais marié. « Cela m'intéresserait de connaître la vérité. Si je ne crois pas qu'il ait tué le roi d'Écosse à Flodden, comme il le prétend, il est évident qu'il a été militaire.

— Je poserai la question si j'en ai l'occasion.

— Dans ce cas, peut-être pourriez-vous m'écrire chez moi.

— D'accord. Et si vous venez à Portsmouth pendant que vous êtes dans la région, demandez où je me trouve. Même si je risque d'être très occupé à tenir les gars en laisse. Il paraît que la ville est sens dessus dessous, qu'elle regorge de soldats et de marins étrangers. La compagnie sera, elle aussi, ravie de vous revoir.

« — Les soldats ne pensent pas qu'en tant que bossu je porte malheur ?

— Seuls les crétins comme Sulyard pensent cela.

— Merci. Ça me fait énormément plaisir. »

Je regagnai l'arrière. La route monta peu à peu et le rythme de la marche se ralentit. Je somnolais sur ma selle lorsque Dyrick me secoua violemment le bras.

« Nous tournons ici. »

Je me redressai. À notre droite, un étroit sentier s'enfonçait dans un bois dense et ombreux. Nous nous écartâmes du groupe. « George, criai-je. Nous vous laissons ici ! »

Leacon et sir Franklin se retournèrent. D'un geste, Leacon intima au tambour l'ordre de cesser de jouer. La compagnie s'arrêta et il chevaucha vers nous. « Eh bien, au revoir, me dit-il en me serrant fermement la main.

— Merci de nous avoir permis de vous suivre.

— Oui, renchérit Dyrick avec une politesse inaccoutumée, grâce à vous, nous avons avancé beaucoup plus vite. Sans votre aide, notre voyage aurait, sans doute, duré deux jours de plus. »

Je fixai les yeux las, hagards, du sous-lieutenant. « Je suis content que nous nous soyons retrouvés, dis-je sincèrement.

— Moi aussi. Nous devons continuer notre route à présent. Il sera fort tard quand nous arriverons à Portsmouth. » Dyrick cria adieu à sir Franklin, lequel leva à demi une main gantée.

Plusieurs soldats nous saluèrent de la voix eux aussi. Carswell nous fit de grands signes de la main, tandis que Leacon regagnait la tête de la compagnie.

« Que Dieu vous protège tous ! » lançai-je à la troupe.

La trompette se fit entendre, les chariots transportant le ravitaillement et les équipements militaires nous dépassèrent en bringuebalant, et la compagnie s'éloigna, le martèlement des pas s'estompa au moment où la route s'incurva. Nous nous engageâmes dans le sentier.

✝

Nous chevauchâmes tous les quatre sous les arbres. Tout à coup, le silence régna, et l'on n'entendit plus que le gazouillis des oiseaux. Je me rendis alors compte de mon état de fatigue et à quel point nous étions couverts de poussière et sentions mauvais. Le sentier aboutissait à un vieux mur élevé. Nous franchîmes un portail et pénétrâmes dans une large étendue gazonnée, plantée d'arbres. D'un côté se trouvait un magnifique jardin d'agrément, tiré au cordeau et plein de fleurs d'été odorantes. Juste en face, se dressait ce qui avait jadis été une église romane carrée, dotée d'un vaste porche et d'un toit voûté. De grandes fenêtres rectangulaires y avaient été percées de chaque côté du portail, ainsi que dans les murs de l'ancien cloître contigu à l'église, sur le toit duquel s'élevaient de toutes récentes hautes cheminées de brique. Alertés par le bruit des sabots de nos montures, des chiens hurlaient dans un chenil, quelque part derrière la maison. Trois hommes portant des blouses de domestiques apparurent dans l'encadrement du portail. Ils s'avancèrent vers nous et s'inclinèrent. Ils étaient suivis d'un homme d'un certain âge, aux cheveux blonds coupés court, portant un pourpoint rouge et coiffé d'un bonnet, qu'il retira d'un large geste en approchant de Dyrick.

« Messire Dyrick. Soyez le bienvenu au prieuré de Hoyland.

— Merci. Votre maître a-t-il reçu ma lettre ?

— Oui. Mais nous n'imaginions pas que vous arriveriez si tôt. »

Dyrick hocha la tête, puis se tourna vers moi. « Je vous présente Fulstowe, l'intendant de M. Hobbey. Fulstowe, voici messire Shardlake, dont j'ai parlé dans ma lettre », ajouta-t-il d'un ton un rien acerbe.

L'intendant me fixa. Il avait une quarantaine d'années, le visage carré et ridé, et sa courte barbe blonde commençait à grisonner. Malgré son air respectueux, ses yeux perçants fouillaient les miens.

« Soyez le bienvenu, monsieur, dit-il d'une voix douce. Ces hommes vont s'occuper de vos chevaux... Voyez, ajouta-t-il en se tournant vers le portail de la maison, M. Hobbey et sa famille sont venus vous accueillir. »

Sur le perron, quatre personnes se tenaient côte à côte : un homme et une femme d'âge moyen, ainsi que deux grands adolescents. L'un des deux garçons était brun et trapu, l'autre châtain, svelte et de haute taille.

TROISIÈME PARTIE

LE PRIEURÉ DE HOYLAND

17

Nous mîmes pied à terre. Fulstowe adressa à Feaveryear un sourire de circonstance. « Vous portez-vous bien, maître clerc ?

— Oui. Je vous remercie, maître Fulstowe », répondit Feaveryear en inclinant le buste.

L'intendant se tourna vers Barak. « Vous devez être l'assistant de messire Shardlake ?

— En effet. Jack Barak.

— Le valet va vous conduire à vos chambres. Je vais faire porter les sacoches de vos maîtres à leurs appartements. »

Je fis un signe de tête à Barak. Feaveryear et lui suivirent le valet, tandis que d'autres domestiques conduisaient les chevaux à l'écurie. « Votre secrétaire particulier va vous manquer, messire Shardlake, déclara Dyrick en souriant. Bon. Il est temps que vous rencontriez nos hôtes et leur pupille. »

Je le suivis jusqu'au seuil de la maison où attendait le quatuor. Près du mur de derrière du jardin clos, un terrain de tir à l'arc avait été aménagé, avec un talus au centre duquel était fixée une cible ronde recouverte de tissu. De l'autre côté du monticule s'égaillaient quelques pierres tombales. Je gravis les marches du perron derrière Dyrick.

Les cheveux gris et fournis, le visage étroit et sévère, Nicholas Hobbey était un homme svelte, âgé d'une quarantaine d'années. Il portait une courte robe sur un pourpoint d'été en fin coton bleu. Il serra avec chaleur la main de Dyrick. « Vincent, fit-il d'une voix mélodieuse, bien timbrée, je suis ravi de vous revoir ici.

— Tout le plaisir est pour moi, Nicholas. »

Hobbey se tourna vers moi. « Messire Shardlake, déclara-t-il, d'un ton solennel. J'espère que vous allez accepter mon hospitalité. J'ai hâte de soulager l'inquiétude de ceux qui vous envoient. » Ses petits yeux marron me jaugeaient avec soin. « Et voici mon épouse. Mme Abigail. »

Je m'inclinai devant la femme que Michael Calfhill avait traitée de folle. Elle était grande et mince de visage, comme son mari, mais la céruse appliquée sur ses joues ne parvenait pas à dissimuler ses rides. Elle était vêtue d'une robe de soie grise à jupe ample, aux manches jaunes bouffantes, et coiffée d'une petite toque emperlée qui laissait voir sur le front des cheveux blond filasse grisonnants. Lorsque je relevai la tête, je vis qu'elle scrutait mon visage. Elle fit une brève révérence puis, se tournant vers les deux adolescents, elle prit une profonde inspiration et lança à voix haute : « David, mon fils. Et Hugh Curteys, le pupille de mon mari. »

David était plus petit que la normale, robuste et trapu. Il portait un pourpoint marron foncé sur une chemise blanche au long col de dentelle. Ses cheveux noirs étaient coupés très court et des vrilles noires s'échappaient également du col de sa chemise. Le révérend Broughton l'avait décrit comme un enfant laid et le gamin était sur le point de devenir un homme affreux. Il avait un visage rond, des traits lourds, une bouche lippue et, bien que rasé de près, une ombre noircissait déjà ses joues. À part ses yeux bleus globuleux, qu'il tenait de sa mère, il ne ressemblait en rien à ses parents. Il me toisait avec un certain mépris.

« Messire Shardlake », fit-il d'un ton sec en me tendant la main, laquelle était chaude et moite et, à ma grande surprise, calleuse.

Je me tournai vers le garçon pour qui nous venions de parcourir plus de soixante milles. Hugh Curteys portait également un pourpoint sombre et une chemise blanche, et lui aussi avait les cheveux coupés très court. Je me rappelai l'histoire que m'avait racontée mame Calfhill lorsqu'il avait eu des lentes et qu'il avait pourchassé sa sœur en riant. Je sentais la croix d'Emma autour de mon cou, où je l'avais mise afin de la garder en sécurité pendant le voyage.

Hugh était tout à fait l'opposé de David. Grand, bâti en athlète, il avait les épaules larges et la taille étroite. Le menton était long, le nez fort et la bouche pulpeuse. Sans les marques de la petite vérole sur la partie inférieure et deux ou trois minuscules grains de beauté, le visage eût été d'une grande beauté. Mais les cicatrices sur le cou étaient pires. La partie supérieure du visage étant très hâlée, les cicatrices blanches en dessous ressortaient encore plus. Les yeux, d'un rare bleu-vert, étaient limpides et étrangement dénués d'expression. Malgré son évidente bonne santé, je perçus en lui une vague tristesse.

Il me serra fermement la main. Si la sienne n'était pas moite, elle était aussi calleuse que celle de David.

« Messire Shardlake, me dit-il, vous connaissez donc mame Calfhill. » La voix était douce et voilée.

« En effet.

— Je me souviens très bien d'elle. C'était une bonne vieille dame, très gentille », poursuivit-il sans que ses yeux ne reflètent le moindre sentiment, à part une certaine vigilance.

Fulstowe, l'intendant, avait gravi les marches et s'était placé près de son maître, tout en nous observant attentivement. J'eus la bizarre impression que, tel un metteur en scène, il surveillait les membres de la famille pour voir comment ils s'acquittaient de leurs rôles.

« Messire Shardlake, annonça-t-il, deux lettres sont arrivées ce matin pour vous. Elles sont dans votre chambre. Il y en a une également pour Barak, votre assistant. C'est un messager royal qui les a apportées alors qu'il se rendait à Portsmouth. Il me semble que l'homme avait chevauché toute la nuit… L'une des missives porte le sceau de la reine, précisa-t-il en me fixant avec insistance.

— J'ai le privilège d'avoir pour ami l'avocat de la reine. Il a accepté de faire suivre mon courrier par des messagers. Et de venir chercher ma correspondance à Cosham.

— Je peux la faire porter jusque-là par un domestique.

— Je vous remercie. » Je m'assurerais que mes missives soient bien scellées.

« Messire Shardlake est modeste, intervint Dyrick. La reine lui confie parfois des dossiers… Comme je vous l'ai dit dans ma lettre, ajouta-t-il en regardant Hobbey d'un air entendu.

« — Et si nous rentrions ? fit Hobbey d'un ton amène. Ma femme déteste le soleil. »

✝

Nous franchîmes le portail qui avait jadis été celui de l'église. À l'intérieur de la maison, une curieuse odeur de poussière et de bois vert se mêlait à un reste de parfum d'encens. Dans ce qui avait été autrefois le transept sud, on avait construit un grand escalier menant aux anciens bâtiments conventuels, tandis que la nef était devenue une imposante grande salle, où on avait mis au jour les saillies des poutres formant console du plafond. Les murs étaient tendus de tapisseries aux vives couleurs représentant des scènes de chasse. Les anciennes fenêtres avaient été remplacées par des fenêtres à meneaux modernes, et on en avait percé de nouvelles, ce qui rendait la grande salle très claire. Dans une vitrine, on voyait de la verrerie vénitienne et des vases contenant de beaux bouquets de fleurs. Tout au bout de la pièce, cependant, demeurait l'immense vitrail ouest où figuraient des saints et des apôtres. Au-dessous, une grande table était recouverte d'une nappe d'Andrinople sur laquelle une femme âgée disposait des couverts. Une cheminée avait été installée contre un mur. L'aménagement avait dû coûter beaucoup de temps et d'argent, les tapisseries représentant à elles seules une somme considérable.

« Vous avez fait faire de nouveaux travaux, Nicholas, depuis ma dernière visite, déclara Dyrick d'un ton admiratif.

— En effet, répondit Hobbey de sa voix calme. Il faut encore installer des carreaux de verre blanc dans le vitrail ouest. À part ça, tout est terminé. Sauf ce fichu cimetière de bonnes sœurs.

— J'ai aperçu des sortes de pierres tombales près du mur du fond, dis-je. À côté du terrain de tir à l'arc.

— Les gens du coin refusent de les abattre pour nous. Quelle que soit la somme que nous leur proposions... Quelle bande de paysans superstitieux ! s'exclama-t-il en secouant la tête.

— Manipulés par ce vaurien d'Ettis », dit amèrement Abigail. Elle était tendue comme un ressort et ses mains nouées tremblaient légèrement.

« Je ferai venir quelqu'un de Portsmouth, mon amie, dès que les choses se seront calmées là-bas, répondit Hobbey d'un ton rassurant. Je vois que vous admirez mes tapisseries, messire Shardlake. » Il se dirigea vers le mur, et Dyrick et moi le suivîmes. Représentant une scène de chasse, la série de quatre était d'une exceptionnelle beauté. La proie était une licorne, débusquée de son refuge sylvestre sur la première tapisserie, pourchassée par les cavaliers sur la deuxième et la troisième, tandis que, sur la dernière, en accord avec l'ancienne légende, elle s'était arrêtée dans une clairière et avait posé sa tête cornue dans le giron d'une jeune vierge assise, qui ébauchait un sourire vertueux mais dont les attraits étaient un piège, car, dans les arbres entourant la clairière, des archers bandaient leurs arcs. J'admirai le complexe tissage et les couleurs éclatantes.

« Elles sont allemandes, expliqua Hobbey avec fierté. J'ai beaucoup commercé avec les villes le long du Rhin. Et je les ai achetées à un bon prix, car elles appartenaient à un marchand qui a fait faillite durant la révolte des Paysans. J'en suis particulièrement fier, comme le jardin fait les délices de mon épouse. » Avec un respect quasiment révérenciel, il passa le plat de la main sur la tête de la licorne. « Vous devriez voir comment les paysans regardent mes tapisseries quand ils viennent ici pour assister à la cour de justice seigneuriale. Ils les fixent comme si les personnages risquaient de quitter la toile et de leur sauter dessus », ricana-t-il.

Les deux garçons s'étaient approchés. David contemplait les archers visant la licorne. « Difficile de la rater à cette distance, affirma-t-il avec mépris. Un cerf ne vous laisserait jamais l'approcher si près. »

Je me rappelai que les mains de David et de Hugh m'avaient paru très calleuses. « Vous pratiquez tous les deux le tir à l'arc sur le terrain qui se trouve à l'extérieur ? demandai-je.

— Tous les jours, répondit fièrement David. C'est notre sport favori. On le préfère même à la chasse au faucon. C'est le meilleur des sports d'hommes. Pas vrai, Hugh ? » fit-il en lui donnant une claque sur l'épaule, particulièrement violente, me sembla-t-il. Je perçus une inquiétude contenue dans le comportement de David. Sa mère plantait sur lui un regard perçant.

« Tout à fait d'accord, répondit Hugh. J'ai un exemplaire du *Toxophilus* de maître Ascham, qui vient d'être publié, poursuivit-il, en fixant sur moi son regard impénétrable, et qu'il a offert au roi cette année. M. Hobbey me l'a donné pour mon anniversaire.

— Vraiment ? » C'était le livre que lisait lady Élisabeth, selon la reine. « J'aimerais beaucoup le voir.

— Le tir à l'arc vous intéresse, monsieur ? »

Je souris. « Je m'intéresse surtout aux livres... Je ne suis pas bâti pour tirer à l'arc.

— Je serais ravi de vous montrer mon exemplaire. »
Pour la première fois, son visage s'anima un peu.

« Plus tard, peut-être, intervint Hobbey. Voilà cinq
jours que nos invités voyagent sur les routes. Messieurs, de l'eau chaude vous attend dans vos chambres,
à l'étage. Il ne faudrait pas qu'elle refroidisse. Ensuite,
venez nous rejoindre. J'ai dit aux domestiques de préparer un bon repas. » Il claqua des doigts en direction de la vieille femme. « Ursula, conduisez messires
Dyrick et Shardlake à leurs chambres. »

Elle nous mena au premier étage et nous longeâmes
un couloir dont les fenêtres en ogive donnaient sur
l'ancien cloître, paisible dans la lumière du soleil
couchant, et où étaient plantés d'autres parterres de
fleurs. Ursula ouvrit la porte d'une grande chambre où
trônait un lit à baldaquin. Une bassine d'eau fumante
se trouvait sur une table à côté de trois lettres.

« Merci », dis-je.

Elle fit un bref signe de tête. Se tenant derrière elle
dans l'encadrement de la porte, Dyrick se rengorgea.
« Vous avez pu constater que le jeune Curteys est en
parfaite santé ?

— Apparemment. »

Il soupira, secoua la tête et emboîta le pas à Ursula.
Je refermai la porte, me précipitai vers la table et
pris les lettres. L'une d'entre elles était adressée à
Jack Barak d'une écriture malhabile. J'ouvris les deux
autres. La première, très courte et datée de trois jours
plus tôt, venait de Warner. Il me priait à nouveau de
l'excuser de n'avoir pu envoyer l'un de ses hommes
pour nous accompagner, puis indiquait que le roi et la
reine allaient partir pour Portsmouth le quatre juillet,
soit le jour précédent, ce qui signifiait qu'ils étaient

déjà en route. Il précisait qu'ils espéraient arriver le quinze et qu'ils résideraient au château de Portchester. Il avait lancé une enquête sur le passé financier de Hobbey mais n'avait pas encore de renseignements à me fournir à ce sujet.

Je pris fébrilement la lettre de Guy, écrite le même jour, de sa petite écriture soignée :

Cher Matthew,

Tout est calme dans la maison. Coldiron fait tout ce que je lui demande, même s'il s'exécute d'un air maussade. L'attitude envers les étrangers est de plus en plus hostile. Aujourd'hui, comme je me rendais chez Tamasin, qui, Dieu soit loué ! se porte comme un charme, j'ai essuyé beaucoup d'injures dans la rue. Simon dit qu'il a encore vu des soldats traverser la ville, beaucoup se dirigeant vers la côte sud. Depuis plus de vingt ans que j'habite Londres, je n'ai jamais rien vu de tel. Malgré leurs fanfaronnades, je crois que les gens ont peur.

Voici un étrange incident. Hier, en entrant dans la salle, j'ai fait sursauter Josephine qui était en train d'épousseter les meubles. Elle a fait un bond et laissé tomber un petit vase, qui s'est cassé. Je suis sûr de l'avoir entendu s'écrier « Merde[1] ! », qui est un juron français. Comme elle s'est platement excusée de son air effrayé habituel, je n'ai guère réagi, mais cela m'a beaucoup étonné.

Je vais aujourd'hui à Bedlam pour rendre visite à Ellen. Je vous écrirai pour vous dire comment elle va. Ayant beaucoup prié à ce sujet, je pense de plus

---

1. En français dans le texte. (*N.d.T.*)

en plus que ce que vous pouvez faire de mieux pour l'aider c'est de la laisser vivre sa vie. Mais c'est à vous de décider.

Votre sincère et affectueux ami,
Guy Malton

Je repliai la lettre. Malgré ses conseils, j'avais déjà décidé d'aller à Rolfswood sur le chemin du retour. J'avais l'impression que c'était mon devoir. Je poussai un soupir et retournai à la fenêtre. Je regardai le petit cimetière, réduit à un amas de pierres éparpillées parmi de mauvaises herbes. Dyrick a raison, pensai-je. Hugh semble jouir d'une santé florissante. Et Nicholas Hobbey ne s'était à aucun moment départi d'une élégante courtoisie. Je ne l'imaginais pas en train de commanditer mon agression londonienne. Je sentais toutefois que quelque chose clochait en ce lieu.

☨

Le dîner fut servi dans la grande salle. Le soir tombait, et les bougies étaient allumées dans les candélabres fixés aux murs, tout autour de la pièce. Hobbey était assis au haut bout de la table, Hugh et Dyrick d'un côté, David et Abigail de l'autre. Je m'installai sur la chaise qui restait, près de la femme de Hobbey. L'intendant se tenait derrière son maître, dirigeant le service, comme les domestiques apportaient les plats, leurs souliers claquant sur les carreaux décorés et usés de l'ancienne église. À part Ursula, la plupart étaient de jeunes hommes. Combien les Hobbey avaient-ils de serviteurs ? me demandai-je. Une douzaine, sans doute.

J'entendis soudain une sorte de reniflement ou de

halètement près de moi. Baissant le regard, j'aperçus une sorte de boule de fourrure sur les genoux d'Abigail. Puis je vis deux yeux en bouton de bottine qui me regardaient avec une amicale curiosité. C'était un petit épagneul, comme celui de la reine, mais très gras. Sa maîtresse lui souriait d'un air étonnamment tendre.

« Père, s'écria David, d'un ton dégoûté, une fois de plus, mère a Lamkin sur ses genoux !

— Abigail, dit Hobbey de sa voix douce et tranquille, laisse Ambrose l'emmener. Nous n'avons pas envie qu'il grimpe à nouveau sur la table, n'est-ce pas ? »

Elle permit à Fulstowe de prendre le chien, qu'elle suivit du regard, comme l'intendant le transportait hors de la salle. Elle me lança un vif coup d'œil où l'on pouvait lire une sorte de haine. Fulstowe revint et reprit sa place derrière son maître. Ursula posa sur la table une saucière pleine d'une odorante sauce au gingembre. Dyrick examina les plats appétissants en souriant, tandis que, le visage totalement impassible, Hugh regardait droit devant lui.

« Récitons le bénédicité », dit Hobbey.

✝

Ce fut un délicieux repas. Il y eut de l'oie rôtie froide accompagnée de sauces succulentes et arrosée d'un excellent vin rouge, servi dans des pichets d'argent. Ayant tous les deux très faim, Dyrick et moi mangeâmes de bon cœur.

« Comment vont les choses à Londres ? demanda Hobbey. Il paraît que la monnaie a été, une fois de plus, dévaluée.

— En effet, et cela a causé beaucoup de confusion et de troubles.

— Je suis content de m'être installé à la campagne. Comment s'est passé votre voyage ? Ici nous avons subi des orages, mais je sais qu'ils ont été plus violents à Londres. Je craignais que les routes ne soient boueuses et encombrées de véhicules royaux se rendant à Portsmouth.

— Ce fut bien le cas, dit Dyrick. Mais nous avons eu de la chance, grâce au confrère Shardlake. Nous avons rencontré l'un de ses anciens clients, un sous-lieutenant d'une compagnie d'archers, qui nous a permis de le suivre. Un coup de trompette, et tout le monde se rangeait sur le bas-côté. »

Hugh posa sur moi un regard intense.

« Un client reconnaissant ? s'enquit Hobbey en souriant. Qu'avez-vous gagné pour lui ?

— La propriété d'une terre. »

Il hocha la tête comme s'il s'y était attendu. « Et ils se dirigeaient vers Portsmouth ?

— Oui. C'étaient de jeunes paysans du Middlesex. L'un d'eux veut monter à Londres pour devenir dramaturge.

— Un soldat paysan qui écrit des pièces ? » Hobbey poussa un petit rire moqueur. « Voilà qui est inhabituel.

— Je crois qu'il a composé les chants paillards que les soldats chantaient chemin faisant… Sauf votre respect, madame Abigail. » Celle-ci m'adressa un sourire contraint.

« Les petits paysans doivent rester derrière la charrue, affirma Hobbey.

— Sauf quand on les appelle pour nous défendre tous ? intervint tranquillement Hugh.

— Oui. Quand ce ne sont plus des enfants, répondit Hobbey en regardant son pupille d'un œil soudain sévère.

— De plus en plus de soldats se dirigent vers le sud, commenta Dyrick. Et le roi et la reine viennent à Portsmouth pour passer les bateaux en revue, paraît-il.

— Les soldats étaient des archers, monsieur ? me demanda Hugh.

— Oui, maître Curteys. Leur adresse à l'arc dépasse l'imagination.

— Vous devriez nous voir, Hugh et moi, nous entraîner sur le terrain de tir, dit David en se penchant par-dessus sa mère. Je suis le plus fort des deux, ajouta-t-il avec fierté.

— Mais j'atteins la cible à chaque fois, répliqua calmement Hugh.

— J'étais un bon archer dans ma jeunesse, se vanta Dyrick avec suffisance. Maintenant, j'enseigne le tir à l'arc à mon fils. Bien que je remercie Dieu qu'il n'ait que dix ans et qu'il soit donc trop jeune pour être enrôlé.

— Messire Shardlake n'a aucune envie de vous voir pratiquer ce sport dangereux, dit Abigail. Un de ces jours un des domestiques recevra une flèche à travers le corps. »

Hugh la regarda avec froideur. « Nous-mêmes ne risquons cette mésaventure, ma chère dame, que si les Français débarquent. Il paraît qu'ils ont plus de deux cents bateaux. »

Hobbey secoua la tête. « Toutes ces rumeurs... Cent, deux cents... Quel tumulte ! Trois mille hommes ont été enrôlés dans le nord du Hampshire et envoyés à Portsmouth. Le village de Hoyland, comme tous les villages du littoral, est exempté, les hommes devant rejoindre leur milice et s'apprêter à partir pour la côte lorsque les tours du feu d'alarme seront allumées.

— On recrute énormément à Londres, dit Dyrick.

— J'ai accompagné notre magistrat local lorsqu'il a passé en revue les villageois. Quoique certains soient des vauriens, ce sont des gars robustes qui feront de bons soldats… En tant que seigneur du village, poursuivit-il en se rengorgeant, j'ai dû leur fournir leur équipement. Heureusement que les bonnes sœurs avaient une réserve de vieilles piques et de hoquetons, et même quelques vieux casques rouillés, ce qui m'a permis de remplir mes obligations. »

Le silence régna autour de la table pendant quelque temps. Je pensai aux hommes de Leacon en train de raccommoder les vieux hoquetons moisis qu'ils devraient porter pour combattre. Hobbey me fixa du regard, ses yeux lançaient des éclairs dans la lumière des bougies. « Je crois savoir que vous connaissez la reine personnellement, messire Shardlake.

— J'ai ce privilège, répondis-je prudemment. J'ai connu Sa Majesté à l'époque où elle n'était que lady Latimer. »

Il étendit les mains en m'adressant un sourire sans joie. « Hélas ! n'étant protégé par aucun grand personnage, je ne suis parvenu qu'à la condition de gentilhomme campagnard.

— C'est tout à votre honneur, monsieur, déclara Dyrick. Et félicitations pour votre belle demeure.

— Ces petites maisons religieuses peuvent être transformées en jolies résidences. Le seul inconvénient est que celle-ci servait d'église paroissiale de Hoyland, alors le dimanche nous sommes obligés d'aller jusqu'au village voisin.

— Avec tous les rustres du village, précisa Abigail d'un ton acerbe.

— Et, vu notre position, nous sommes contraints d'y aller tous les dimanches », ajouta Hobbey d'un ton las. Il était évident que la famille n'était pas pieuse.

« Combien y avait-il de sœurs ici, Nicholas ? s'enquit Dyrick.

— Cinq seulement. Il s'agissait d'une annexe de l'abbaye de Wherwell, dans l'ouest du comté. J'ai un portrait de l'avant-dernière abbesse dans mon cabinet de travail. Je vous le montrerai demain.

— Son visage est complètement enveloppé dans sa guimpe ! s'écria Abigail en frissonnant.

— On envoyait ici les nonnes récalcitrantes, précisa David. Celles dont la guimpe – ou autre chose – avait été touchée par des mains de moine…

— Fi donc, David ! Tu n'as pas honte ? fit Hobbey sans élever la voix et tout en regardant son fils d'un air indulgent.

— Certains soirs, dit Hugh d'un ton rêveur, quand je suis assis ici, il me semble que j'entends un faible écho de leurs prières et de leurs psaumes. Tout comme on sent encore un léger parfum d'encens.

— Elles ne méritent aucune pitié, répliqua sèchement Hobbey. Elles vivaient en parasites des loyers de leurs bois. » Comme toi, maintenant, pensai-je.

« Aujourd'hui, elles pourraient tirer de jolis bénéfices de vos terres et de celles de maître Hugh, fit observer Dyrick… Le prix du bois monte.

— En effet. C'est le moment de vendre. Tant que dure la guerre.

— Votre terre va rapporter gros. Et celle de Hugh également. » Dyrick haussa les sourcils à mon adresse. « M. Hobbey amasse une belle somme d'argent pour Hugh.

— C'est avec plaisir que je vous laisserai étudier mes comptes, dit Hobbey.

— Merci, répondis-je d'une voix neutre, sachant très bien qu'ils pouvaient être trafiqués.

— En prévision du jour où je serai adulte. À vingt et un ans », dit tranquillement Hugh, avant d'émettre un petit rire amer. Abigail poussa un profond soupir. Cette femme est tellement tendue qu'elle risque d'exploser, pensai-je.

Hobbey fit circuler le pichet de vin. Dyrick plaça sa main sur sa coupe. « Non, merci. J'ai assez bu comme ça. Je tiens à garder l'esprit vif, conclut-il en me regardant d'un air entendu.

— Qu'est-il arrivé aux nonnes après leur départ ? demandai-je.

— Elles ont reçu de bonnes pensions.

— La vieille Ursula était l'une de leurs servantes, expliqua Abigail. Elle les regrette, c'est certain.

— Nous avions besoin de quelqu'un qui connaissait l'endroit, répliqua Hobbey d'un ton agacé.

— Elle me regarde avec insolence. Et les autres domestiques viennent du village. Ils nous détestent et nous assassineront dans notre sommeil, un de ces jours.

— Oh, Abigail ! s'écria Hobbey. Toi et tes peurs imaginaires… »

Les domestiques revinrent, chargés de plateaux de crèmes et de fruits confits. Durant le repas, j'avais remarqué quelque chose de bizarre dans la lumière. La flamme des bougies paraissait vaciller et pâlir.

Je me rendis alors compte qu'une énorme quantité de papillons de nuit voletaient autour d'elles comme autour du feu de camp, la veille. Lorsqu'ils se brûlaient les ailes, tombaient et mouraient, d'autres venaient prendre leurs places. « Un imbécile de larbin a laissé une fenêtre ouverte », dit Abigail.

Hobbey regarda les bougies d'un air étonné. « Je n'ai jamais vu autant de phalènes que cet été. Cela doit être dû au temps bizarre qu'il a fait en juin. »

Le regard de Dyrick passa de Hobbey à moi. « Eh bien, monsieur Hobbey, nous avons fait un délicieux repas. Mais peut-être devrions-nous maintenant discuter de l'affaire qui nous amène.

— Certainement. Abigail et les garçons, accepteriez-vous de nous laisser seuls ?

— Est-ce que Hugh ne devrait pas rester ? demandai-je.

— Non, répondit Dyrick d'un ton ferme. C'est un adolescent et nous avons à discuter d'une affaire d'hommes. Vous aurez tout loisir de vous entretenir avec lui demain. »

Je regardai Hugh. Le visage impassible, il se leva et quitta la salle avec Abigail et David. Comme la porte se refermait, j'entendis Abigail appeler Lamkin à grands cris. Fulstowe demeura à sa place, derrière son maître, tel un soldat en faction. « Je souhaiterais qu'Ambrose reste avec nous. C'est lui qui s'occupe de mes affaires ici.

— Qu'à cela ne tienne ! » fis-je.

Hobbey s'appuya au dossier de son siège. « Eh bien, messire Shardlake, voici une étrange affaire. Très désagréable pour ma famille. Ma femme a une santé délicate depuis le décès de la pauvre Emma.

— Vous m'en voyez désolé.

— Elle a toujours voulu une fille. » Mais Hugh, pensai-je, ne ressent aucune affection pour elle. Il se comporte de manière froide et guindée avec elle et lui donne du « madame ». Et David traite sa mère avec mépris.

« En ce moment, elle se fait du souci à propos de la chasse, reprit Hobbey d'un ton plus léger, que nous allons organiser sur mes terres, messire Shardlake. Ce sera un événement, le premier à se dérouler dans mon nouveau parc aux cerfs. » Comme lorsqu'il m'avait montré ses tapisseries, un sentiment d'orgueil était perceptible dans sa voix la plupart du temps sereine. « Elle devait avoir lieu cette semaine, mais nous l'avons repoussée à lundi prochain afin de pouvoir régler cette affaire. » Il secoua la tête. « Et tout ça, parce que Michael Calfhill a décidé de débarquer chez nous à l'improviste au printemps dernier.

— Puis-je savoir ce qui s'est passé à ce moment-là ? Officieusement, pour le moment. »

Hobbey regarda Dyrick, qui lui fit un signe de tête approbatif. « C'est très simple, expliqua Hobbey. Un après-midi du mois d'avril, les garçons se trouvaient sur le terrain de tir... Ils ne pensent qu'à s'entraîner depuis le début de cette guerre. J'étais dans mon cabinet de travail quand un serviteur est entré en courant pour me dire qu'il y avait dehors un homme étrange qui criait sur Hugh. J'ai appelé Ambrose et nous sommes sortis. Je ne l'ai pas tout de suite reconnu, car cela faisait cinq ans qu'il ne travaillait plus pour moi. Il délirait, hurlant à Hugh qu'il devait partir avec lui, lui disant que c'est lui qui l'aimait le plus au monde. » Il inclina la tête, tout en me regardant d'un air entendu, avant de se tourner vers Fulstowe. « Quelle scène invraisemblable, n'est-ce pas, Ambrose ? »

Fulstowe hocha la tête d'un air grave. « Monsieur David était également présent et il avait l'air terrifié.

— Quelle a été la réaction de Hugh, monsieur Hobbey ?

— Il avait peur. Plus tard, les deux garçons ont raconté que Calfhill avait surgi de l'ancien cimetière des sœurs.

— Il avait dû s'y cacher, précisa Fulstowe. La végétation y est très touffue.

— Ainsi, vous voyez, conclut Dyrick. Michael Calfhill était un dévoyé. Depuis des années il devait penser à ce qu'il aurait aimé faire avec Hugh et cela avait dû lui chavirer l'esprit. » Il plaqua violemment sa main sur une phalène tombée sur la table et qui frétillait en agitant désespérément ses ailes brûlées. Il essuya les dégâts avec une serviette. « Veuillez m'excuser, Nicholas, mais cela m'agaçait… Et maintenant, confrère Shardlake, comment souhaitez-vous procéder pour le recueil des témoignages ? »

Je me tournai vers Hobbey. « J'aimerais parler à Hugh, bien sûr. Ainsi qu'à vous-même et à votre épouse. »

Hobbey hocha la tête. « Du moment que messire Dyrick assiste à tous les entretiens.

— Je voudrais aussi m'entretenir avec le jeune David, dis-je.

— Pas question ! déclara Dyrick d'un ton ferme. David est mineur. Hugh l'est également mais, malgré son jeune âge, la cour souhaitera lire son témoignage. Le cas de David est différent.

— Avec Fulstowe et avec les divers domestiques qui ont affaire aux deux garçons.

— Mordieu ! s'exclama Dyrick. Nous allons rester bloqués ici jusqu'à la chute des feuilles.

— D'accord pour Fulstowe, répondit Hobbey, en se penchant en avant, du même ton serein quoique désormais empreint d'un rien d'acerbité. Mais mes gens ne connaissent les deux garçons qu'en tant que maîtres.

— La Cour des tutelles ne permettrait pas qu'on interroge des domestiques au hasard, sauf s'ils savent quelque chose de précis, renchérit Dyrick avec fermeté. Cela mine le rapport entre maître et serviteur. »

Dyrick avait raison. J'avais simplement tâté le terrain. Je ne pouvais forcer ni David, ni les serviteurs à témoigner, sauf si je croyais qu'ils avaient connaissance d'éléments particuliers. J'aurais bien aimé, cependant, m'entretenir avec David, car je sentais un malaise sous sa stupidité d'enfant gâté. Abigail avait évoqué leur assassinat dans leur sommeil par les domestiques. Dyrick m'avait, d'autre part, informé que Hobbey avait l'intention de clôturer les terres communales du village. Si les domestiques étaient des villageois, cela pouvait expliquer les craintes d'Abigail. Cela pouvait aussi signifier que certains me parleraient volontiers.

« Nous allons laisser de côté David et les serviteurs, dis-je. Pour le moment.

— Une fois pour toutes ! insista fortement Dyrick.

— Il y a aussi sir Quintin Priddis, le curateur de fief.

— Je lui ai écrit et j'ai reçu sa réponse aujourd'hui. Il est en ce moment à Christchurch, mais il vient à Portsmouth vendredi. Je suggère que nous l'y rejoignions ce jour-là.

— Je préférerais le rencontrer ici, répondis-je. Pendant les deux jours qui viennent, j'aimerais voir les bois appartenant à Hugh et ensuite je souhaiterais que sir Quintin et moi parcourions ensemble à cheval les terres de ce jeune homme. Afin que je puisse l'interroger sur les arbres qui ont été coupés et sur les sommes qu'ont rapportées les différents terrains boisés.

— Je doute qu'il en soit capable, répliqua Hobbey. Sir Quintin Priddis est un vieillard, faible de corps sinon d'esprit. Et il est très malaisé de traverser ces bois à cheval. Ce genre d'expédition est désormais dévolu à son fils Edward. Et je ne sais pas s'il est avec son père en ce moment.

— Confrère Shardlake, je pense que la cour s'attend que vous facilitiez le plus possible la tâche à M. Hobbey, déclara Dyrick. Ne pouvez-vous rencontrer sir Quintin à Portsmouth ? Si son fils est avec lui, peut-être pourra-t-il revenir à cheval avec nous, si vous tenez à inspecter les terres appartenant à Hugh. »

Je réfléchis quelques instants. Le roi et sa suite n'arriveraient que dans dix jours. Portsmouth était encore un endroit sûr pour moi. « D'accord. Du moment, monsieur Hobbey, que vous lui écriviez pour lui signaler qu'il se peut que je demande à lui ou à son fils de revenir ici avec moi. »

Il posa sur moi un regard grave. « Je souhaite coopérer, messire Shardlake et accéder à toute demande raisonnable, répondit-il en insistant sur le mot "raisonnable". Je vais faire porter mes livres de comptes dans votre chambre, ajouta-t-il.

— Je vous remercie, dis-je en me levant. Eh bien, à demain, monsieur ! Fulstowe, j'aimerais apporter cette lettre à Barak. Sa femme est sur le point d'accoucher. Voudriez-vous m'indiquer où se trouve sa chambre ?

— Certainement. Il loge dans une ancienne dépendance. Je vais vous y conduire.

— Ne prenez pas cette peine. Je peux la trouver tout seul.

— Il fait sombre dehors, dit Hobbey.

— Aucune importance. J'ai été élevé à la campagne. »

✝

Nous sortîmes de la grande salle. M. Hobbey nous souhaita une bonne nuit et monta l'escalier. Dyrick me fit un bref signe de tête et me lança : « À demain ! » Je suivis Fulstowe. Il s'arrêta sur le perron et regarda les étoiles.

« Quelle belle soirée, monsieur ! » fit-il avec un sourire déférent. Voici l'intendant idéal, me dis-je, loyal à son maître et pas un rustre comme Coldiron. Je ne lui faisais aucune confiance, néanmoins.

« En effet. Espérons que cet épisode de beau temps se poursuivra. »

Il désigna une rangée de maisonnettes massives adossées au mur latéral de la clôture. « Votre serviteur est logé dans le quatrième bâtiment. Vous êtes sûr que vous ne voulez pas que je vous accompagne ?

— Non, merci. On se verra demain. »

Il inclina le buste. « Alors, bonsoir, monsieur. Je vais laisser la porte entrouverte pour que vous puissiez rentrer. »

Je descendis les marches. Soulagé d'être débarrassé de tous ces gens, je pris une profonde inspiration, humant les odeurs de la campagne, celles de l'herbe et des fleurs au parfum capiteux du jardin d'Abigail.

Après toutes ces journées sur la route, je n'étais toujours pas habitué au silence.

J'entendis un bruit de pas derrière moi, j'en étais sûr. Je tournai la tête. La seule lumière venait de la lune et de quelques bougies qui luisaient derrière les fenêtres du prieuré. Je ne voyais personne mais la pelouse était plantée d'arbres derrière lesquels quelqu'un pouvait aisément se cacher. La peur s'empara à nouveau de moi, peur qui ne m'avait pas quitté depuis mon agression par les jeunes voyous de Londres. Je me rendis alors compte à quel point je regrettais la protection que m'avait fournie la compagnie de Leacon pendant le voyage. Je pressai le pas, me retournant constamment pour signifier à la personne qui me suivait que je l'avais entendue. Je cognai violemment contre la porte de la quatrième dépendance, une maisonnette trapue. Elle s'ouvrit et Barak apparut en chemise.

« Ah ! c'est vous. Sacrebleu, j'ai cru que quelqu'un essayait de défoncer la porte. Entrez donc. »

Je le suivis à l'intérieur d'une minable chambrette garnie d'un lit de camp dans un coin et éclairée par une chandelle fumante de mauvaise qualité. Je lui remis la lettre.

« Des nouvelles de Tamasin ? fit-il, le visage soudain rayonnant.

— J'ai reçu une lettre de Guy qui dit qu'elle se porte bien. »

Il décacheta rapidement la lettre et la lut. « Oui, tout va bien ! s'écria-t-il avec un large sourire. Tammy dit qu'elle fait tout ce que lui conseille Jane Marris. J'en doute, malgré tout.

— N'est-ce pas l'écriture de Guy ? »

Il s'empourpra. « Tamasin sait à peine écrire. Vous ne le saviez pas ?

— Non, fis-je, très gêné. Désolé. Je croyais…

— Tamasin est de basse extraction. On lui a appris à peine plus qu'à signer, répliqua-t-il d'un ton âpre, vexé. Guy vous a-t-il dit comment allait Ellen ?

— Guy ne l'avait pas encore vue quand il m'a écrit. » Il émit un petit grognement. « Tu ne jouis pas de la compagnie de Feaveryear ? demandai-je pour alléger l'atmosphère.

— Non. Dieu merci. Il se trouve dans la chambre d'à côté. Je l'ai entendu à travers le mur réciter ses prières, il y a un petit moment.

— De toute façon, on ne peut pas lui reprocher ses croyances.

— Je lui reproche sa déférence envers ce fichu Dyrick. Il croit que le soleil jaillit de sa lune.

— C'est vrai. On dit justement qu'un fidèle serviteur devient un éternel trou-du-cul. »

Il scruta mon visage. « Vous allez bien ? Vous aviez l'air effrayé quand vous êtes arrivé.

— J'ai eu l'impression que quelqu'un me suivait. À tort, sans aucun doute… Ici, il n'y a pas de voyous guettant au coin des rues.

— On ne sait toujours pas qui a ordonné votre agression. Pensez-vous que ça puisse être Hobbey ?

— Je n'en sais rien. En dépit de sa courtoisie, c'est un homme dur. » Je secouai la tête. « Mais il n'a pas eu le temps de donner des instructions dans ce sens.

— Et Hugh Curteys ? Quelle impression vous a-t-il faite ?

— Bonne. Je viens de dîner avec la famille. Je crois qu'il voudrait s'enrôler dans l'armée. »

Il haussa les sourcils. « Grand bien lui fasse ! Quand allons-nous rentrer chez nous, à votre avis ?

— On doit aller à Portsmouth vendredi pour voir Priddis, le curateur de fief. On verra après ça.

— Vendredi ? Merde ! Je pensais que vendredi on aurait déjà pris le chemin du retour.

— Je sais. Écoute. Je voudrais que tu m'aides à recueillir les témoignages et que tu me donnes ton opinion sur ces gens. Tâche de te lier d'amitié avec les domestiques pour voir s'ils ont quelque chose à dire. Discrètement… Tu sais comment t'y prendre…

— Cela risque de ne pas être facile. Fulstowe m'a interdit de mettre les pieds dans la maison sauf si on m'y appelait. Il ne se prend pas pour de la petite bière, celui-là ! Je me suis promené dans le jardin, j'ai salué deux jardiniers mais je n'ai reçu pour toute réponse qu'un maussade hochement de tête. Sales porcs du Hampshire ! »

Je me tus quelques instants, puis déclarai : « Cette famille…

— Quoi donc ?

— Ils essaient tous de le cacher, mais ça transparaît, il me semble. Ils sont furieux et effrayés.

— De quoi auraient-ils peur ? »

Je pris une profonde inspiration. « De moi. Mais aussi les uns des autres, à mon avis. »

18

De retour dans ma chambre, je passai deux heures à examiner les comptes de Hobbey. Il m'avait remis les registres à partir de 1539, c'est-à-dire l'année où ils étaient venus s'installer à Hoyland. Tout était inscrit d'une écriture précise, celle de Fulstowe, devinai-je. On avait coupé beaucoup de bois en six ans, et les diverses ventes avaient produit une somme considérable. Les revenus des terres de Hugh étaient calculés à part et les prix de vente des différentes sortes d'arbres – chêne, hêtre, orme –, soigneusement inscrits. Mais je savais fort bien que même des comptes aussi méticuleux pouvaient être falsifiés. Je me rappelai le vieux dicton selon lequel la pêche est bonne en eaux troubles. Je restai assis un moment, repensant au dîner et à la terrible tension qui avait régné autour de la table. Quelque chose n'était vraiment pas clair, et il ne s'agissait pas seulement de l'exploitation illégitime de la propriété d'un pupille.

Je finis par me coucher et dormis comme une souche. Mais, juste avant le réveil, je rêvai à Joan, qui m'accueillait à la maison par une nuit sombre et glaciale en me reprochant d'être resté trop longtemps absent. Je m'arrachai du lit puis me mis à réfléchir. Je me dis que si je ne devais pas aller à Portsmouth avant vendredi, au lieu de me rendre à Rolfswood sur le chemin du retour et de trouver une excuse pour que Barak continue son chemin sans moi, il me serait loisible d'aller dans le Sussex pendant notre séjour à Hoyland. Estimant le trajet à environ quinze milles, je décidai de passer la nuit là-bas pour laisser reposer les chevaux.

J'entendis des cris de jeunes gens à l'extérieur. J'ouvris la fenêtre et regardai dehors. Hugh et David lançaient des flèches en direction du talus, situé un peu plus loin, où se trouvait la cible – je devinai que la distance réglementaire était de cent vingt toises. Hugh décocha une flèche qui fendit les airs et atterrit en plein milieu. Il semblait tirer aussi vite et avec autant de précision que les archers de Leacon.

Cela m'aurait soulagé de pratiquer la séance d'exercices du matin que Guy m'avait prescrite, mais j'avais beaucoup à faire. Aussi enfilai-je ma robe de sergent royal et descendis-je au rez-de-chaussée. Je me sentais mal à l'aise car il faisait à nouveau chaud et humide.

La grande salle était vide mais, entendant la voix de Barak quelque part dans la maison, je me dirigeai vers l'endroit d'où elle provenait et le trouvai dans une vaste cuisine. Assis à une table, lui et Feaveryear étaient en train de manger du pain et du fromage, tout en parlant plus amicalement que jamais auparavant. Le visage ruisselant de sueur, la vieille Ursula se tenait devant le gros fourneau. Lamkin, le petit chien d'Abigail Hobbey, dévorait un bout de fromage, aux pieds de Feaveryear. Il leva la tête vers moi en remuant sa queue touffue, comme pour dire : « Regarde comme j'ai de la chance ! »

« Une brave femme s'occupe de Tamasin, disait Barak à Feaveryear, mais je me fais quand même du souci. Je l'imagine dans le jardin en train d'arracher les mauvaises herbes, au lieu de rester assise à l'intérieur.

— Je ne savais pas que vous étiez marié. Je vous avais pris pour un fêtard.

— Ça, c'est du passé… Ah, bonjour ! » fit-il en me voyant entrer. Feaveryear se leva et esquissa un salut.

« Tu m'as laissé faire la grasse matinée, dis-je en les rejoignant à la table.

— On m'a réveillé il y a une demi-heure seulement, répondit Barak d'un ton joyeux. Et les vieux ont besoin de dormir.

— Fiche la paix aux vieux, espèce de malotru ! » Notre familiarité parut choquer Feaveryear.

Par une fenêtre ouverte de la cuisine on voyait mieux l'entraînement des deux garçons. David était en train de tirer, se courbant en arrière avant de pencher en avant son corps robuste et trapu et de décocher sa flèche. Lui aussi atteignit la cible, mais pas en plein milieu.

« C'est un bel endroit, dit Feaveryear. C'est la première fois que je viens à la campagne.

— Vous n'aviez jamais quitté Londres ? demandai-je.

— Non. C'est mon premier voyage. J'avais envie de voir la campagne. Les odeurs sont si différentes, si fraîches…

— C'est vrai, dit Barak. Ni viande avariée, ni odeur d'égout.

— Et si calme. On a du mal à croire qu'à seulement quelques milles d'ici l'armée se rassemble à Portsmouth.

— Oui, en effet, dis-je.

— M. Hobbey a construit une merveilleuse demeure. Et c'est une bonne chose que la propriété ne soit plus utilisée pour entretenir ces nonnes qui marmonnent des prières devant des idoles de pierre », déclara sentencieusement Feaveryear. La vieille femme se retourna et lui lança un regard noir.

« Ces gamins sont très doués », dit Barak en regardant Hugh et David par la fenêtre. David tira une nouvelle flèche, et je suivis la trajectoire incurvée du projectile jusqu'à la cible. « Voilà ! s'écria-t-il. J'ai gagné ! Tu me dois six pence !

— Non ! rétorqua Hugh. Moi, j'ai mis en plein dans le cœur de la cible. »

L'air triste, Feaveryear contemplait les deux adolescents. « Vous savez tirer à l'arc ? lui demandai-je.

— Non, monsieur. Dieu ne m'a pas donné beaucoup de force. J'envie la vigueur de ces gamins.

— Jolie scène domestique ! » lança une voix narquoise. Nous nous retournâmes et découvrîmes Dyrick dans l'encadrement de la porte, Hobbey à ses côtés. Dyrick avait lui aussi revêtu sa robe d'avocat.

« Qui a donné à manger au chien ? demanda Hobbey d'un ton sec.

— Moi, monsieur, répondit Feaveryear nerveusement. C'est une si joyeuse petite créature.

— Vous ne serez pas joyeux si ma femme s'en aperçoit. Elle se réserve le droit de le nourrir, car elle pense qu'il a l'estomac délicat. Lamkin, va chercher ta maîtresse ! » Le chien obéit et sortit de la cuisine en se dandinant. Hobbey se tourna vers Ursula. « Vous

333

n'auriez pas dû lui permettre de donner à manger à Lamkin.

— Je suis désolée, monsieur, mais la vapeur m'empêchait de voir.

— Je pense, au contraire, que vous pouviez très bien voir. Prenez garde, la mère ! » Puis Hobbey s'adressa à moi de son ton patelin. « Eh bien, messire Shardlake, vous agréerait-il de nous dire comment vous souhaitez procéder ? Hugh est disponible en ce moment, comme vous pouvez le constater. »

J'avais décidé d'interroger les autres avant Hugh, afin de chercher à comprendre cette étrange famille. « Je pensais commencer par recueillir d'abord votre témoignage, monsieur. Ensuite celui de Fulstowe et de votre épouse. »

Hobbey regarda Dyrick. « Cela vous convient-il ?

— Fort bien, répondit celui-ci.

— Je vais donc dire aux garçons qu'ils peuvent aller chasser au faucon ce matin. Ils m'en avaient demandé la permission. » Il prit une profonde inspiration. « Eh bien, allons-y ! Nous pouvons utiliser mon cabinet de travail.

— J'aimerais que Barak soit présent, dis-je. Pour prendre des notes.

— J'ai apporté du papier et une plume, monsieur Hobbey ! s'écria Barak d'un ton enjoué. Si vous pouviez me fournir de l'encre…

— Nous n'avons pas besoin de secrétaire, rétorqua Dyrick.

— D'habitude les clercs sont présents lorsqu'on recueille des témoignages, non ? fis-je en le regardant tranquillement. Pour assurer l'exactitude du rapport.

— Si vous y tenez, soupira-t-il. Venez, Feaveryear,

poursuivit-il. Si Barak assiste à l'entretien, vous devez être présent, vous aussi. Cela fera davantage de frais pour la cliente de messire Shardlake. »

Le cabinet de travail de Hobbey était une grande pièce située au rez-de-chaussée et luxueusement aménagée. Le mobilier se composait d'un large bureau muni de nombreux tiroirs, de casiers contre le mur, de plusieurs coffres de bois merveilleusement décorés et de chaises placées en demi-cercle devant la fenêtre. Accroché au mur, se trouvait le portrait d'une bénédictine, le cou et la tête drapés dans un voile noir et une toile blanche amidonnée.

« Il s'agit de l'avant-dernière abbesse de Wherwell, dit Hobbey.

— Elle a un visage intéressant, commentai-je. À la fois vigilant et contemplatif.

— Vous vous y connaissez en peinture, messire Shardlake. » Ses traits se détendirent et il me fit un sourire étrangement timide.

« Nous devrions commencer, monsieur ! » lança Dyrick un rien sèchement. Il prit deux encriers sur le bureau et les posa à côté de Barak et de Feaveryear.

Hobbey nous invita à nous asseoir et s'installa sur une chaise près de son bureau, sur lequel se trouvait un grand sablier en jade et verre limpide, plein de sable blanc. Il le retourna et le sable commença à couler.

« D'abord, monsieur, dis-je. Pourriez-vous me parler un peu de votre passé ? Vous avez dit, hier soir, que vous aviez vécu en Allemagne ? »

Hobbey jeta un coup d'œil au sablier, puis croisa

dans son giron ses doigts fins et soignés. « Gamin, j'ai travaillé comme messager, faisant la navette entre les drapiers et les marchands allemands de la Hanse du Steelyard à Londres. Puis je suis allé en Allemagne pour apprendre le métier, suis revenu et suis finalement devenu membre du Corps de la mercerie.

— Quand avez-vous rencontré pour la première fois les Curteys ?

— Il y a sept ans environ, poursuivit Hobbey du même ton calme et égal. Les monastères tombaient comme des quilles et tout le monde était en quête de bonnes occasions à la Cour des augmentations. Et je souhaitais prendre ma retraite.

— Retraite précoce, non ? » Je n'allais pas lui demander s'il était déjà endetté à l'époque. Pas encore.

« J'avais travaillé dans ce domaine depuis l'âge de dix ans et j'en avais assez. Ayant appris que les terres de ce prieuré étaient à vendre, je suis venu ici. J'ai rencontré John Curteys dans une auberge du coin, que Dieu ait son âme en Sa sainte garde ! Il s'intéressait à l'achat d'une partie des bois du prieuré. Comme je n'avais pas les moyens d'acheter toute la propriété en plus du couvent, il a accepté d'en acquérir la plus grande partie. Étant tous les deux drapiers, nous sommes devenus amis. Puis John et sa femme sont morts soudain, comme vous le savez sans doute.

— Et vous avez sollicité la tutelle de Hugh et Emma. »

Il étendit les mains. « Il n'y a rien de mystérieux à cela. Je connaissais les enfants. Et comme les terres dont ils ont hérité jouxtaient les miennes, c'était, à l'évidence, commercialement logique pour tout le monde que Hoyland soit géré comme une seule propriété. Je les ai payées un bon prix, et toute la somme, jusqu'au dernier penny, a été versée sur le compte de Hugh et d'Emma à la Cour des tutelles. »

Je regardai Dyrick qui hochait lentement la tête. Je devinai qu'ils avaient répété toute la scène la veille. J'étais dans le métier depuis assez longtemps pour m'en rendre compte.

« Autrement dit, acquérir la tutelle des enfants était une opération financière ?

— Certainement pas. » Il parut un instant furieux. « Je les ai pris en pitié car, désormais orphelins, ils n'avaient personne pour s'occuper d'eux. Qui pourrait mieux le faire qu'Abigail et moi ? Nous avions toujours voulu davantage d'enfants, mais, après la naissance de David, deux de nos bébés sont morts. » Une ombre passa sur son visage. « Et Hugh et Emma n'avaient aucun autre parent. À part une vieille tante dans le Nord que le pasteur de John et de Ruth souhaitait solliciter. Mais cela se révéla plutôt difficile, ajouta-t-il avec dédain, vu qu'elle était décédée. » Voilà le ton sur lequel il a répondu au révérend Broughton quand celui-ci a protesté, me dis-je. Tandis qu'Abigail hurlait, ce que j'imaginais aisément.

Je me tus quelques instants pour permettre à Barak de prendre ses notes. Le grattement de sa plume et de celle de Feaveryear n'avait pas cessé un seul instant.

« Parlons maintenant de Michael Calfhill, continuai-je, vous l'avez gardé comme précepteur. Il s'occupait des enfants depuis quelque temps. Pourtant, vous l'avez renvoyé quand vous êtes venu vous installer dans le Hampshire. Pour quelle raison ? »

Hobbey se pencha en avant et joignit les doigts. « Tout d'abord, monsieur, les enfants n'étaient pas vraiment attachés à Calfhill. Après la mort de leurs parents, ils se sont réfugiés dans les bras l'un de l'autre. Et, moins d'une année plus tard, Emma mourait elle aussi. » Il poussa un soupir qui paraissait réellement sincère. « Et quand nous avons quitté Londres, j'ai, en effet, renvoyé Michael car Hugh était seul désormais et j'avais l'impression que l'influence qu'exerçait Michael sur lui devenait malsaine. Franchement, je craignais de le voir entraîner Hugh sur une mauvaise pente... Inconvenante, ajouta-t-il lentement.

— Quelle preuve aviez-vous pour croire cela ?

— Rappelez-vous, confrère Shardlake, intervint Dyrick, que la réponse de M. Hobbey pourrait être lue au tribunal devant la mère de Michael Calfhill.

— Je le sais. » Je regardai Hobbey droit dans les yeux. Je refusais que Dyrick exerce sur moi cette sorte de chantage.

« Il s'agissait de regards et de gestes. Je l'ai vu une fois toucher le postérieur de Hugh.

— Je vois. En parlant d'inconvenance, Michael a raconté à sa mère que David avait dit quelque chose d'indécent à Emma et que Hugh s'était battu avec lui à ce sujet.

— Je crois qu'à une occasion Hugh n'a pas apprécié certains propos de David. Mon fils... Disons qu'il lui arrive d'avoir du mal à contrôler son langage. Ils ont eu une bagarre de gamins. Mais aujourd'hui David et Hugh sont des amis très proches.

— Espériez-vous que David épouserait un jour Emma ? Dans ce cas, Emma aurait apporté en dot sa part de terres.

— Bien sûr, nous y avions pensé, mais la décision aurait appartenu aux enfants.

— Avez-vous trouvé un autre précepteur pour Hugh et David ?

— Nous en avons eu un certain nombre, jusqu'à l'année dernière… Il fallait qu'ils soient tous de bons archers, précisa-t-il avec un sourire contraint. Le tir à l'arc était entre-temps devenu la marotte de Hugh, et David lui a emboîté le pas.

— "Un certain nombre" ? Combien donc ?

— Quatre, me semble-t-il.

— En cinq ans. Cela semble beaucoup.

— Ils ne donnaient pas toujours satisfaction. Et beaucoup de précepteurs considèrent l'enseignement comme une occupation provisoire, plutôt que comme une carrière.

— Ce n'était pas le cas de Michael Calfhill.

— Il avait peut-être de bonnes raisons pour cela, déclara Dyrick, d'un ton véritablement venimeux.

— Et David n'est pas un enfant facile. » Une ombre de tristesse traversa à nouveau le visage de Hobbey. « Le dernier précepteur était compétent, mais il nous a quittés pour voyager et visiter le continent. Cela s'est passé avant le début de la guerre.

— Puis-je avoir leurs noms ?

— Si vous le souhaitez. Bien que je ne sache pas où ils sont en ce moment.

— Pour en revenir au présent, il est sûrement grand temps que les deux garçons songent à aller à l'université ou à choisir une profession.

— Je veux que David reste ici pour apprendre à gérer le domaine. Quant à Hugh, il est doué pour les études et il adore les livres. Mais, toquade de gamin, il brûle d'envie de partir à la guerre. Voilà pourquoi

339

je le garde ici jusqu'à ce qu'elle se termine. N'est-ce pas une attitude raisonnable, messire Shardlake ?

— Je pense que vous serez d'accord que c'est dans l'intérêt de Hugh, ajouta Dyrick.

— C'est possible… Monsieur Hobbey, repris-je après un bref instant, hier soir pendant le dîner, vous avez raconté la réapparition de Michael Calfhill à Pâques. Pourriez-vous me relater à nouveau l'incident, cette fois-ci pour que ce soit consigné dans le compte rendu ? »

Il raconta une nouvelle fois l'histoire de l'apparition de Michael dans l'ancien cimetière, sa déclaration à Hugh qu'il l'aimait plus que quiconque. J'avais espéré que Hobbey allait faire un faux pas, contredire son récit de la veille. Mais, soit il disait la vérité, soit Dyrick lui avait bien fait répéter son rôle.

« Jusqu'où devons-nous aller à propos de ce peu ragoûtant épisode ? demanda Dyrick une fois que Hobbey se fut tu.

— Une dernière chose, monsieur Hobbey. Vous avez dit que vous avez vendu du bois qui faisait partie du patrimoine de Hugh.

— Je serais un piètre gérant de ses biens si j'agissais autrement, affirma-t-il en étendant les mains. Entre le besoin en bois des bateaux et la demande de charbon de bois pour les fonderies du Sussex, le prix n'a jamais été aussi élevé. » Voilà qu'on parle une fois de plus des fonderies du Sussex, pensai-je. « Je fais abattre une partie de mes propres arbres. Il n'y a pas grand-chose d'autre qui rapporte ici. Les loyers que me paient les villageois de Hoyland et quelques paysans vivant dans la forêt me rapportent moins de soixante-dix livres par an, ce qui vaut de moins en moins, étant donné la forte hausse de tous les prix. Vous avez vu mes comptes.

— En effet. Et, avant notre rencontre avec sir Quintin Priddis, vendredi, j'aimerais parcourir à cheval les étendues boisées qui appartiennent à Hugh.

— Faites donc, je vous en prie. Toutefois, c'est un vaste domaine, large de plusieurs milles à certains endroits. À la lisière des bois, des ouvriers sont en train d'abattre des arbres, mais, plus au fond, la végétation est très ancienne, très dense et quasiment impénétrable.

— Ne vous perdez pas dans les bois, cher confrère. Autrement, mame Calfhill devra se trouver un autre avocat.

— Ne vous tracassez pas… Et merci, monsieur, fis-je en adoptant le ton doucereux de Hobbey. Je pense que cela sera tout. Pour le moment. »

Dyrick releva brusquement la tête. « Pour le moment ? Vous n'êtes pas autorisé à procéder à plusieurs interrogatoires de messire Hobbey.

— Je ne demanderais un complément d'information qu'au cas où apparaîtrait un nouvel élément… Et maintenant, ajoutai-je en souriant, je vais interroger l'intendant Fulstowe.

— Bien sûr. Il est occupé à surveiller le repas de mes chiens de chasse. » Il regarda le sablier où le sable coulait toujours.

« Je vais aller le chercher, dis-je. J'ai envie de respirer un peu. Viens avec moi, Barak. Et je pense que demain je sillonnerai à cheval les terres boisées de Hugh. »

✝

Nous sortîmes dans l'air pur et frais de la matinée. Un paon paradait sur la pelouse et ses plumes aux couleurs éclatantes luisaient dans la lumière du soleil. Comme nous approchions, il poussa son cri lugubre et s'éloigna. Nous repérant aux aboiements, nous nous dirigeâmes vers les dépendances et je remarquai à nouveau les nombreuses cachettes possibles derrière les divers arbres du jardin.

« Qu'as-tu pensé de Hobbey ? demandai-je.

— Ce n'est pas un imbécile. Mais je ne lui fais pas confiance. Son récit est trop bien huilé.

— Je suis d'accord. Mais il est clair que Hugh n'est pas maltraité.

— Ils avaient l'intention de marier Emma à David.

— Cela se passe souvent ainsi dans les affaires de tutelle. Mais il y a anguille sous roche, j'en suis sûr et certain… Je pensais aux voyous du coin de la rue, poursuivis-je en fronçant les sourcils. S'il y a quelque chose de louche dans la vente des bois et que sir Quintin Priddis ou son fils aient été présents à Londres, ils ont sans doute dû se rendre maintes fois à la Cour des tutelles. Ils ont pu entendre parler de mon implication dans le dossier.

— Et, craignant que des actes de corruption ne soient mis au jour, ils ont essayé de vous effrayer ?

— Ils ne pouvaient pas savoir que la reine me protège. Bien que Hobbey ait dû le leur dire depuis dans sa lettre… J'attends avec impatience l'entretien de vendredi », ajoutai-je en souriant. Je pris une profonde inspiration. « Avant, si j'en ai le temps, il est possible que je me rende à Rolfswood, pour voir ce que je peux trouver. Tout seul.

— Vous ne devriez pas y aller. Et sûrement pas tout seul.

— Ça me fera du bien de passer une nuit loin d'ici. » Je n'allais pas mettre Barak au courant des deux morts survenues à la fonderie dont on m'avait parlé. « Et je souhaite que tu restes ici pour découvrir le plus d'éléments possible. Ursula, la servante, ne porte pas les Hobbey dans son cœur. Tu pourrais tenter de la faire parler. »

Il inclina la tête de biais. « Me cachez-vous quelque chose au sujet d'Ellen ? me demanda-t-il avec perspicacité.

— Mordieu, Jack ! répliquai-je sèchement en rougissant. Laisse ça. C'est à moi de décider ce que je dois faire. Bon. Ce matin je vais répondre à Warner. Veux-tu écrire une lettre à Tamasin pour la donner au courrier ?

— Bien sûr.

— Alors faisons ce que nous avons à faire. » Je me dirigeai vers les aboiements continus qui venaient d'un bâtiment situé près de l'écurie. Par la porte ouverte du chenil, je vis une douzaine de chiens de chasse noir et blanc qui, attachés aux murs par de longues chaînes, se tenaient sur une épaisse couche de paille. Il y avait également deux des plus grands lévriers que j'aie jamais vus, tout en muscles et sans une once de graisse. Sous l'œil vigilant de Fulstowe, un homme prenait dans un seau de gros morceaux de viande qu'il distribuait aux chiens courants. L'intendant se retourna et fut surpris de me voir. Il inclina le buste.

Je désignai les lévriers du menton. « Ils sont énormes, ces chiens.

— Ce sont les lévriers de Hugh et David. Ajax et

Apollon... Au fait, maître Avery, ne leur donnez pas à manger, car les garçons vont bientôt venir les chercher pour aller chasser. » Il se retourna vers moi. « Au cours de la grande chasse, ils seront chargés de poursuivre les biches. Mais ceux-là, précisa-t-il en indiquant les chiens courants, seront lancés à la poursuite du cerf.

— Cette chasse, je crois comprendre que c'est la première organisée par votre maître. »

Il hocha la tête. « En effet. On a affamé les chiens, pour que l'odeur de viande les excite. Voici maître Avery que nous avons engagé comme maître d'équipage. »

Le jeune homme se releva et s'inclina. Svelte et musclé comme les lévriers, il avait un visage intelligent. Son tablier de cuir était maculé du sang de la viande.

« Messire Shardlake est ici pour une affaire juridique, expliqua Fulstowe.

— J'en ai entendu parler, répondit Avery en posant sur moi un regard pénétrant.

— Avery travaille avec notre garde forestier, dit Fulstowe, qui semblait avoir décidé de jouer le rôle de l'intendant viril. Ils ont trouvé un grand cerf dans notre parc.

— C'est vrai, monsieur, renchérit Avery. Un bel animal. Vivement lundi !

— Les garçons doivent attendre la chasse avec impatience, eux aussi, dis-je.

— Oh oui ! fit Avery. Ils sont venus avec moi pour traquer les cerfs. Mais, comme je l'ai déjà dit, maître Fulstowe, je préférerais que monsieur David ne revienne pas. Il fait trop de bruit, alors que monsieur Hugh est un traqueur-né, silencieux comme un renard. Il est fait pour être un excellent chasseur. » Il sourit. « Vous devriez lui demander de vous montrer sa "perle-du-cœur".

— Sa quoi ? fis-je, étonné.

— L'os qu'un cerf a tout près du cœur, expliqua Fulstowe. Monsieur Hugh a participé à la chasse d'un voisin l'année dernière et a abattu un cerf d'une seule flèche.

— Connaissez-vous la vieille coutume, monsieur ? La perle-du-cœur est donnée au seigneur qui abat le cerf.

— Je crains de n'être qu'un homme des villes.

— On dit que ça a des pouvoirs thérapeutiques.

— Hugh la porte dans un sachet accroché à son cou », dit Fulstowe, en retroussant un peu les narines. Je pensai à la croix d'Emma suspendue au mien. Je pris une profonde inspiration.

« Maître Fulstowe ? fis-je. Nous aimerions recueillir votre témoignage maintenant.

— Fort bien », répondit-il. Puis il serra les lèvres.

Il resta silencieux pendant le trajet du retour à la maison. Comme nous approchions des écuries, nous croisâmes David et Hugh qui se dirigeaient à cheval vers la grille. Ils portaient tous les deux un gant de cuir sur lequel était posé un autour. Je détournai les yeux des cicatrices du visage de Hugh que le soleil faisait ressortir. Ils regardèrent ma robe de sergent royal avec curiosité. David émit un petit ricanement, tandis que Hugh soulevait son bonnet.

Nous entrâmes dans le cabinet de travail de Hobbey.

Fulstowe eut l'air soulagé en voyant Dyrick. Hobbey était parti. « Bonjour, maître intendant ! lança Dyrick d'un ton enjoué. Ne vous en faites pas, je vais m'assurer que le confrère Shardlake s'en tienne strictement au sujet qui nous amène. » Je notai qu'on avait à nouveau retourné le sablier et que le sable commençait tout juste à couler. Fulstowe s'assit et me regarda aussi tranquillement que l'avait fait son maître.

« Eh bien, Fulstowe, commençai-je d'un ton léger. Racontez-moi comment vous êtes devenu l'intendant de M. Hobbey.

— J'étais déjà son intendant à Londres. Avant que M. Hobbey vienne s'installer ici.

— Pour devenir gentilhomme campagnard.

— Il n'y a pas de position plus honorable en Angleterre, déclara-t-il, un zeste d'agressivité dans la voix.

— Sans doute vous rappelez-vous le moment, il y a six ans, où Hugh et sa sœur sont arrivés dans la maison londonienne de votre maître. Ainsi que Michael Calfhill.

— En effet. Mon maître et ma maîtresse ont traité ces malheureux enfants comme si c'étaient les leurs. »

Il était clairement impossible d'ébranler la loyauté de Fulstowe envers ses maîtres. Je ne pus pas le prendre en défaut non plus. Je l'interrogeai durant vingt minutes et ses souvenirs étaient les mêmes que ceux de Hobbey. Il répéta que Hugh et Emma s'adoraient et s'étaient repliés sur eux-mêmes. Il se rappelait mal Michael Calfhill, indiquant seulement qu'il se tenait à l'écart du reste de la maisonnée. Il ne perdit son sang-froid qu'une seule fois, quand je lui parlai de la petite vérole. « Elle frappa les trois enfants en même temps, dit-il. Ils avaient dû sortir ensemble et l'attraper auprès de la même personne. La maladie sévissait à Londres cette année-là. » Sa voix trembla un court moment. « Je me rappelle que madame Abigail avait annoncé que les trois enfants avaient mal à la tête et qu'ils se sentaient si fatigués qu'ils pouvaient à peine bouger. Je savais ce que ça voulait dire.

— Avez-vous aidé à les soigner ?

— Je portais de l'eau et des draps propres à l'étage. Les autres domestiques avaient trop peur pour faire quoi que ce soit de ce genre. Le médecin a dit qu'il fallait les envelopper dans un drap rouge pour faire sortir les mauvaises humeurs. Je me rappelle avoir eu beaucoup de mal à trouver de la toile rouge à Londres, car tout le monde en voulait.

— Je crois comprendre que Mme Hobbey insistait pour s'occuper elle-même de David…

— Oui. Même si elle allait constamment voir Hugh et Emma. Ma maîtresse n'est plus du tout la même depuis la mort d'Emma.

— Et ensuite, Michael a été mis à la porte.

— Mon maître ne voulait plus qu'il approche Hugh… C'est à lui qu'il faut demander pourquoi, ajouta-t-il en inclinant la tête d'un air entendu.

— Avez-vous souvent affaire avec Hugh désormais ?

— Je m'occupe surtout de monsieur David. J'essaie de lui apprendre à gérer les comptes du domaine, dit-il d'un ton qui indiquait qu'il s'agissait là d'une tâche ingrate. Mais je suis aussi responsable de leurs garde-robes à tous les deux.

— Je vois. Qu'en est-il des terres de Hugh ?

— Il ne s'y intéresse guère et dit qu'il les vendra

347

toutes dès qu'il aura atteint sa majorité. Pour le moment, il veut s'enrôler dans l'armée.

— Par conséquent, vos rapports avec Hugh sont relativement limités.

— Nous vivons tous dans la même maison. Il y a une chose que je fais régulièrement pour les deux garçons depuis l'âge de quatorze ans, c'est les raser. Et je leur coupe les cheveux puisque c'est la mode parmi les archers. Mon père était barbier. Vu l'état de son visage et de son cou, monsieur Hugh refuse d'aller chez celui du village de peur qu'il ne le blesse.

— Ce doit être une toute nouvelle vie pour vous ici, Fulstowe. Vous êtes londonien, je présume, à en juger par votre accent.

— Nous avons mis un certain temps à nous faire accepter. La plupart des gens du coin n'ont pas approuvé la Dissolution. Et les villageois supportent mal d'avoir un maître.

— C'est également un travail différent. Vous êtes responsable de la gestion de tout le domaine ?

— Oui. Après mon maître. Mais tous les métiers se ressemblent : vive le penny qui double ! C'est la devise de mon maître, et la mienne.

— Je vous crois sur parole, dis-je en souriant. Eh bien, ce sera tout. Pour le moment », ajoutai-je comme je l'avais dit à Hobbey.

✝

Dyrick m'informa qu'Abigail avait une forte migraine. Cela lui arrivait souvent et durait parfois toute la journée. Je montai dans ma chambre, mis des vêtements plus légers, puis écrivis une réponse à

Warner dans laquelle je lui demandais de m'informer
dès qu'il recevrait des nouvelles au sujet des affaires
de Hobbey. Je lui signalai également que j'avais vu
Richard Rich sur la route. Ensuite, je déjeunai avec
Dyrick qui passa le repas à me vanter l'honnêteté de
Hobbey et de Fulstowe. Les garçons, annonça-t-il, ne
reviendraient pas avant la fin de l'après-midi. Je quittai
la maison, après avoir pris mon exemplaire du plan du
domaine que j'avais apporté de Londres et gagnai la
chambre de Barak. Il me donna une lettre qu'il venait
d'écrire à Tamasin.

« Et si nous allions jeter un coup d'œil au village
de Hoyland ? suggérai-je.

— Ça ne plaira pas à Dyrick. Il va penser que
vous voulez monter les villageois contre leur maître,
me répondit-il d'un ton sec, car il m'en voulait toujours d'avoir refusé de le laisser m'accompagner à
Rolfswood.

— Au diable Dyrick ! Allons-y !

— D'accord. Feaveryear vient de me quitter. Il
relisait les notes que nous avons prises pendant les
dépositions, essayant de changer certaines choses ici
et là. Je ne serais pas surpris que son maître lui ait
demandé de chercher la petite bête, pour le simple
plaisir de nous ennuyer.

— Alors tu as besoin de respirer un peu. »

Comme nous gagnions la grille, je parcourais du
regard le jardin d'Abigail où un serviteur était en train
d'arracher les mauvaises herbes à genoux. Je remarquai
avec quel soin elle avait effectué les jolies combinai-
sons de fleurs. Je notai aussi que l'assemblage des
parterres formait un grand H, l'initiale de Hobbey.

Nous franchîmes les grilles et suivîmes un sentier

poudreux. D'un côté, se trouvait une prairie où paissaient des moutons et quelques autres bestiaux. Apercevant la forme familière du talus d'un terrain de tir à l'arc, je me demandai comment allaient Leacon et ses hommes à Portsmouth. De l'autre côté du chemin, se trouvait la lisière d'un bois très dense.

« À qui appartiennent ces bois ? » demanda Barak.

Je consultai le plan. « À Hobbey. Et ce pré est celui des villageois. Au fait, qu'as-tu pensé du témoignage de Fulstowe ?

— Répété à l'avance. Comme celui de son maître.

— Je suis d'accord. Est-ce pour ça qu'ils nous ont permis de faire la grasse matinée ? Pour que Dyrick ait davantage de temps pour leur donner ses conseils ? De toute façon, je me suis laissé la possibilité de leur poser de nouvelles questions, auxquelles ils n'auront pas le temps de se préparer. »

Nous étions entrés dans une zone cultivée, où les champs étaient divisés en larges bandes labourées, sur lesquelles travaillaient des hommes, des femmes et des enfants. Je pensai à mes propres ancêtres, des générations d'hommes et de femmes qui avaient passé leur vie à travailler dur dans les champs. Certains des villageois levèrent la tête sur notre passage. « Quel ouvrage pénible, par cette chaude journée ! » lança Barak d'un ton enjoué. Ils baissèrent la tête sans répondre.

Nous arrivâmes au village de Hoyland. Une bonne vingtaine de maisons aux toits de chaume s'égaillaient le long de l'unique rue. La plupart étaient petites et n'étaient guère plus que des chaumières aux murs de torchis servant de gîte aux hommes et aux animaux. Quelques-unes possédaient un étage, et deux étaient dotées d'une bonne charpente en bois. Des vieillards et des enfants travaillaient dans de petits jardins potagers cultivés devant les maisons. Là aussi on nous lança des regards froids, et, à notre approche, trois enfants rentrèrent à l'intérieur de leur masure en courant.

Nous avions atteint le centre du village. La porte ouverte d'un grand bâtiment laissait voir un forgeron en train de marteler quelque chose sur son enclume. Des charbons dans la fournaise flamboyaient et rougeoyaient dans une brume de chaleur. Je pensai au jeune Tom Llewellyn.

« Voici le comité d'accueil », dit Barak à mi-voix.

Trois hommes avançaient dans la rue vers nous, tous jeunes et très robustes, l'air hostile. Deux d'entre eux portaient des blouses grossières, tandis que le troisième avait un pourpoint de cuir et des chausses de laine de bonne qualité. Âgé d'une trentaine d'années, il avait un visage carré aux traits durs, des cheveux châtains et des yeux bleu vif. Il s'arrêta à quelques pas de nous.

« Que voulez-vous, étrangers ? s'enquit-il avec le fort accent râpeux du Hampshire.

— Nous sommes des invités du prieuré de Hoyland, répondis-je d'un ton courtois. Nous faisons une petite promenade.

— Écoutez-le, maître Ettis, intervint l'un des deux autres. Je vous l'avais bien dit. »

Le dénommé Ettis fit un pas en avant. « Pas trop près, l'ami ! l'avertit Barak, en plaçant sa main sur son poignard.

— Êtes-vous les avocats ? s'enquit Ettis d'un ton sec.

— Je suis avocat, répondis-je. Messire Shardlake.

— Tu vois, dit l'autre. Il est venu pour nous chiper

les terrains communaux. Un foutu bossu, en plus. Pour être sûr de nous porter la poisse. »

Ettis me regarda droit dans les yeux. « Eh bien ? Est-ce la raison de votre présence ici ? Vous devriez savoir que les hommes de Hoyland n'ont pas peur des avocats. Si vous essayez de nous voler notre terre, nous irons à la Cour des requêtes. Nous avons des amis dans d'autres villages qui ont su protéger leurs droits. Et si les bûcherons de M. Hobbey viennent à nouveau abattre des arbres sur nos terres communales nous leur barrerons le passage.

— Je ne traite pas cette affaire. Je suis envoyé par la Cour des tutelles pour m'enquérir du bien-être du jeune Curteys.

— Il veut parler du jeune gars qui a des marques sur le visage », dit l'un des deux acolytes d'Ettis.

Ettis continua à nous étudier. « J'ai entendu dire qu'il y avait deux avocats au prieuré.

— L'avocat personnel de M. Hobbey est là, lui aussi. Pour la même raison que moi. » Je me tus et le fixai d'un air entendu. « Cela ne signifie pas qu'il ne soit pas là pour autre chose, mais cette affaire ne me concerne pas. »

Ettis hocha lentement la tête. « Vous ne vous intéressez qu'au jeune Curteys ?

— Oui. Le connaissez-vous ? »

Il secoua la tête. « Il ne vient jamais au village. Maître David nous rend parfois visite, avec ses grands airs et ses mimiques puériles qui feraient rire ma vieille vache.

— Je crois comprendre que des villageois travaillent comme domestiques au prieuré.

— Quelques-uns. Mais la plupart n'y tiennent pas.

— Les serviteurs ne semblent pas vouloir nous parler, dis-je. C'est dommage. L'échange de renseignements peut être utile. Au fait, l'avocat de M. Hobbey s'appelle Vincent Dyrick.

— Leonard Ettis. Chef du village.

— Soyez certains que nous ne vous voulons aucun mal. Nous allons rentrer à présent. Mais peut-être pourrions-nous revenir par ici et parler avec vous un peu plus longuement ?

— Peut-être », répondit Ettis d'un ton neutre.

Nous fîmes demi-tour. Barak jeta un coup d'œil par-dessus son épaule. « Ils nous regardent encore.

— Ils sont effrayés et furieux. Ils ont besoin de leurs terres communales pour y faire paître leurs bestiaux et couper du bois… Mais ils ont un chef, ajoutai-je en souriant, et ils connaissent l'existence de la Cour des requêtes. Ils vont se bagarrer et affronter Hobbey et Dyrick.

— Vous auriez pu leur dire que vous travaillez pour cette cour. Ça les aurait mis de votre côté.

— Je ne souhaite pas agacer inutilement Hobbey et Dyrick. Pas pour le moment. Bien. Allons-y ! Hugh devrait être bientôt de retour. »

19

Quand nous retournâmes à la maison, les deux garçons venaient juste de rentrer. Deux valets emmenaient leurs chevaux à l'écurie. Hugh et David se trouvaient devant l'entrée et montraient leurs faucons à Feaveryear. Chacun gardait l'un des grands lévriers en laisse et lorsque Barak et moi approchâmes les chiens humèrent l'air. Celui de David grogna et tira sur sa laisse. « Du calme, Ajax ! »

Feaveryear regardait d'un œil fasciné le plumage moucheté de l'oiseau que Hugh tenait au bout de son bras tendu. Le faucon nous fixa d'un œil farouche, tandis que tintaient les clochettes du fil de la cordelette qui l'attachait à la main gantée de Hugh. Le jeune homme posa légèrement son autre main sur le dos de l'oiseau. « Tout doux, Jenny ! Tout doux ! » David portait un sac en bandoulière, d'où s'échappaient quelques gouttes de sang.

« Bonne chasse ? lui demandai-je.

— Une paire de pigeons ramiers et trois faisans. Nous avons tiré les pigeons au vol, se rengorgea-t-il, ses lourds traits s'animant soudain. Un véritable festin pour le dîner, pas vrai, Hugh ? » Il avait presque dix-huit ans mais paraissait beaucoup plus jeune. Je me rappelai que les villageois avaient parlé de ses grands airs et de ses mimiques puériles.

« On en aurait attrapé quatre si ton Ajax n'avait pas à moitié dévoré celui qu'il est allé chercher », dit Hugh.

Feaveryear tendit la main vers le faucon de Hugh, un sourire d'admiration sur son mince visage. « Pas trop près, maître Feaveryear, l'avertit Hugh. Il ne tolère personne d'autre que moi. » Le faucon battit des ailes et poussa un cri. Feaveryear fit un bond en arrière si brusque qu'il trébucha et faillit tomber, faisant tournoyer ses bras maigres pour garder l'équilibre.

David poussa un rire tonitruant. « Vous avez l'air d'un épouvantail bousculé par le vent, secrétaire ! »

Hugh replia doucement les ailes étendues du faucon. De sa main libre, il tira de son pourpoint un capuchon de cuir qu'il enfonça sur la tête de l'oiseau.

L'intérêt de Feaveryear ne faiblit pas. « C'est vous qui avez élevé cet oiseau, monsieur Hugh ?

— Non. » Il fixa sur Feaveryear son regard froid, impénétrable. « L'oiseau est élevé par un fauconnier. Quand c'est encore un bébé fauconneau, on l'aveugle en lui cousant ensemble les paupières, afin qu'il compte sur les humains pour se nourrir. À un an, on découd les paupières et on l'entraîne pour la chasse.

— Quelle cruauté ! »

David lui donna une grande claque sur l'épaule, manquant de le faire tomber une seconde fois. « Vous ne connaissez pas les mœurs de la campagne. »

Hugh se tourna vers moi, l'œil à nouveau vigilant. « Je crois que vous vouliez recueillir mon témoignage, messire Shardlake ?

— Oui. S'il vous plaît. Feaveryear, voudriez-vous

aller quérir votre maître ? Nous pourrons alors commencer.

— Nous allons ramener les oiseaux à leur perchoir, dit Hugh, et les lévriers à leur chenil. Madame Abigail n'aime pas qu'ils restent près de la maison. » À nouveau, cette façon froide et solennelle de parler d'Abigail. Les deux garçons prirent le chemin des dépendances et Feaveryear rentra dans la maison.

« Ce David est un insolent petit garnement, dit Barak. Il mérite une bonne paire de claques.

— Il est puéril et a une cervelle de moineau. Tous les espoirs de son père reposent sur lui, malgré tout. Quant à Hugh, je pense qu'il a quitté l'enfance il y a belle lurette. Essayons de découvrir pourquoi. »

✝

Quand nous arrivâmes dans le bureau de Hobbey, Dyrick et Feaveryear étaient déjà là. Quelques minutes plus tard, Hugh entra, d'un air confiant, presque de défi. Le soleil de l'après-midi accentuait les marques laissées sur le visage et le cou. Je détournai le regard, me rappelant que Bess avait dit qu'elles avaient détruit sa beauté. C'était exagéré, mais pas tant que ça.

« Asseyez-vous, je vous prie, maître Hugh, commença Dyrick, avant de saisir le sablier et de le retourner. Pour compter le temps passé et rédiger ma facture », expliqua-t-il avec un sourire glacial. Hugh s'assit et me fixa du regard, ses longs doigts posés sur ses genoux. Feaveryear avait l'air gêné.

« Je pense qu'il vaut mieux que nous allions droit au but, dis-je. Inutile de tourner autour du pot, comme on dit, et d'employer le jargon juridique.

— Je vous en remercie.

— Nous sommes ici suite à des accusations portées par Michael Calfhill, que Dieu le garde ! Il a déclaré que lorsqu'il est venu vous voir, au début de l'année, il a découvert qu'on vous avait monstrueusement traité. Savez-vous ce qu'il a bien pu vouloir dire ? »

Il me regarda droit dans les yeux. « Je n'en ai pas la moindre idée, monsieur. »

Un sourire de triomphe éclaira le visage de Dyrick. « Eh bien, dis-je, voyons un peu. Que vous rappelez-vous de l'époque où vous et votre sœur êtes devenus des pupilles ?

— Pas grand-chose. Nous avions tellement de chagrin que nous ne faisions guère attention à ce qui se passait autour de nous. » Malgré cette évocation, le ton de Hugh n'était empreint d'aucune émotion.

« À ce moment-là, Michael Calfhill était votre précepteur depuis plus d'un an. Étiez-vous proche de lui ?

— Je l'appréciais et je le respectais. Je ne dirais pas que nous étions proches.

— Saviez-vous que Michael avait tenté d'empêcher M. Hobbey d'obtenir votre tutelle, à vous et à votre sœur ?

— Nous savions qu'il y avait des discussions. Mais peu importait où nous irions.

— Vous connaissiez à peine les Hobbey. »

Il haussa les épaules. « Nous savions que c'étaient des amis de nos parents. Comme je l'ai déjà dit, peu nous importait.

— Est-ce que cela vous importait que Michael Calfhill vienne avec vous ? »

Il réfléchit à la question quelques instants. « Il était bon pour nous. Mais Emma et moi ne pensions alors

qu'à nous-mêmes. » Sa voix trembla et il serra fortement ses doigts croisés. Je regrettai de lui faire de la
peine en lui posant ces questions, même s'il essayait
de se maîtriser. « Emma et moi, reprit-il, pouvions
communiquer d'un bout à l'autre d'une pièce par un
simple regard, sans prononcer un seul mot, comme si
nous avions été transportés dans notre sphère personnelle, dans un autre coin de l'univers.

— Nous troublons le jeune Curteys, intervint
Dyrick. Peut-être devrions-nous repousser… ?

— Non, rétorqua Hugh d'un ton soudain farouche.
Je préfère en terminer une fois pour toutes. »

J'opinai du chef. « Je peux donc vous demander,
Hugh, si vous et votre sœur avez été bien traités par
M. et Mme Hobbey ?

— Ils nous ont bien nourris, bien vêtus, ils nous
ont fourni un toit et fait donner de l'instruction. Mais
personne ne pouvait remplacer nos parents. Personne
ne pouvait éprouver le même chagrin que nous. J'aimerais que les gens puissent comprendre cela.

— Tout le monde le peut, en effet », le rassura
Dyrick. Le témoignage allait dans son sens.

« Un dernier mot à propos de votre malheureuse
sœur, dis-je. Michael Calfhill a raconté que vous et
David vous étiez bagarrés au sujet de propos déplacés
qu'il lui aurait adressés. »

Il fit un sourire contraint, sans joie. « David prononce sans cesse des propos déplacés. Vous l'avez
rencontré. Un jour, il a fait une proposition vulgaire
à Emma. Je l'ai frappé pour le punir et il n'a plus
jamais recommencé.

— Avait-on jamais évoqué un mariage entre Emma
et David ? »

Un éclair de rage brilla dans son œil un bref instant. « Cela ne serait jamais arrivé. Il n'a jamais plu à Emma.

— David et vous êtes amis désormais ? »

Il haussa les épaules. « Nous pratiquons ensemble la chasse au vol et le tir à l'arc.

— Selon la mère de Michael Calfhill, c'est son fils qui a commencé à vous apprendre à tirer à l'arc, à vous et à votre sœur.

— C'est exact. Et je lui en suis reconnaissant.

— Pourtant, M. Hobbey l'a mis à la porte. Il prétend qu'il craignait que vous n'ayez des rapports inconvenants. »

Il me regarda droit dans les yeux et secoua lentement la tête. « Il ne s'est jamais rien passé de tel entre nous.

— Mais M. Hobbey a dû considérer qu'il avait de bonnes raisons de le renvoyer, insista Dyrick d'un ton vif.

— M. Hobbey a peut-être cru voir quelque chose, mais moi je n'ai aucune accusation à porter contre Michael Calfhill, affirma Hugh en défiant Dyrick du regard.

— Peut-être préférez-vous ne pas vous en souvenir, suggéra Dyrick.

— Je n'ai rien à me rappeler.

— Je pense que c'est très clair, confrère, intervins-je. Bien. Hugh, après le départ de Michael, vous avez eu d'autres précepteurs. Il semble qu'ils ne soient jamais restés longtemps. »

Il haussa les épaules. « L'un s'est marié, un autre est parti voyager. Et David leur rendait la vie dure.

— Et puis, à Pâques, Michael a soudain réapparu et s'est précipité vers vous dans le jardin ? »

Il resta silencieux un long moment. « Je ne comprends pas ce qui s'est passé, finit-il par répondre en baissant les yeux. Il a surgi comme un éclair. Il avait dû rester caché parmi les pierres tombales du vieux cimetière et nous regarder David et moi tirer à l'arc. Il m'a attrapé par le bras et m'a demandé de partir avec lui en prétendant que je n'avais rien à faire là.

— M. Hobbey affirme qu'il vous a dit qu'il vous aimait plus que quiconque. »

Il me lança à nouveau un regard de défi. « Je ne me souviens pas qu'il ait dit ça. » Il cherche à protéger Michael, me dis-je. Ment-il ou dit-il la vérité ?

« Vous étiez troublé, souffla Dyrick avec un sourire encourageant. Peut-être ne l'avez-vous pas entendu. » Hugh fixa sur lui un regard glacial et hostile qui parvint à ébranler mon confrère quelques instants. « D'après M. Hobbey, reprit Dyrick d'un ton léger, vous aimeriez vous enrôler dans l'armée ?

— Oui. Vraiment, répondit Hugh, l'émotion faisant vibrer sa voix. À moins de dix milles d'ici nos vaisseaux et nos hommes se préparent à la bataille. Quel Anglais ne souhaiterait pas s'enrôler à cette heure ? Je suis un excellent archer malgré ma jeunesse. Si je n'étais pas sous tutelle je partirais m'engager.

— Vous oubliez, maître Hugh, que vous êtes à la tête d'un vaste domaine. Vous êtes un gentleman en charge de lourdes responsabilités.

— Des responsabilités ! s'esclaffa Hugh amèrement. Envers des bois, des blaireaux et des renards ? Ça ne m'intéresse pas, monsieur. David doit tenir compte de sa famille, mais moi je n'en ai aucune.

— Allons ! lança Dyrick d'un ton de reproche. Vous faites partie de la famille Hobbey. »

Hugh se tourna vers moi. « Toute la famille que j'aimais est morte. Les Hobbey… ne pourront jamais remplacer ceux que j'ai perdus, poursuivit-il après une brève hésitation.

— Mais vous êtes jeune, répliqua Dyrick, et très riche. Vous vous marierez tôt ou tard et fonderez votre propre famille. »

Hugh continuait à me regarder. « Je préférerais défendre mon pays. »

Dyrick inclina la tête. « Alors je dis, jeune homme, remerciez Dieu qu'existe la Cour des tutelles et que M. Hobbey soit votre tuteur. Vous n'êtes pas d'accord, confrère Shardlake ?

— J'admire votre sens de l'honneur, maître Hugh, dis-je. Mais la guerre, c'est le sang et la mort.

— Pensez-vous que je ne le sache pas ? » fit-il avec hauteur.

Il y eut un moment de silence. Puis Dyrick demanda : « D'autres questions ? »

Je répétai ma formule : « Pas pour le moment. » Hugh se leva, inclina le buste et quitta la pièce. Dyrick me regarda d'un air de triomphe. Si Hugh n'avait pas accusé Michael, il n'avait pas non plus reproché quoi que ce soit aux Hobbey.

✠

J'invitai ensuite Barak dans ma chambre pour discuter. « Eh bien, commença-t-il, adieu notre principal témoin ! »

J'arpentai la pièce en fronçant les sourcils. « Je n'y comprends goutte. Hobbey et Fulstowe avaient répété leur rôle, mais Hugh…

— On a presque l'impression qu'il s'en fiche.

— Il n'a pas confirmé, malgré tout, ce que Hobbey a raconté sur Michael. Ni que Michael s'est mal conduit avec lui quand il était petit, ni qu'il a dit, au printemps, qu'il l'aimait.

— Il n'a rien dit contre les Hobbey. On voit bien qu'il considère David comme un imbécile. Mais qui pourrait être d'un avis contraire ?

— Pourquoi se soucie-t-il si peu de son domaine ? »

Il posa sur moi un regard grave. « Peut-être n'a-t-il jamais surmonté la perte de ses parents et de sa sœur.

— Après toutes ces années ? Et s'il méprise tant David, pourquoi passe-t-il tant de temps avec lui ?

— C'est la seule personne de son âge ici. On ne choisit pas sa famille, même lorsqu'on est adopté.

— Il y a autre chose. Il a étouffé avec force ses sentiments quand j'ai parlé de Michael.

— Peut-être essaie-t-il de protéger sa mémoire. Pour épargner mame Calfhill.

— Il la connaissait à peine... Je suis sûr qu'il cache quelque chose, insistai-je. Ils cachent tous quelque chose. Ce n'est qu'une impression, mais très forte. »

Il hocha la tête lentement. « C'est la mienne également. Mais si Hugh ne se plaint pas, on ne pourra rien faire.

— Il faut que je réfléchisse. Allons nous promener après dîner. Je passerai te chercher dans ta chambre.

— Entre-temps, Feaveryear va discuter à nouveau du moindre point et de la moindre virgule de la déposition. »

Barak me quitta pour regagner sa chambre et je m'allongeai pour me reposer. Mais mon esprit était trop agité pour que je puisse me détendre. Au bout d'un moment, je décidai d'aller voir si le dîner était prêt. Dans le corridor, à quelques pas de ma chambre, une porte était ouverte. Les volets devaient être fermés car il faisait sombre dans la pièce. J'entendis qu'on parlait à voix basse. C'était Nicholas et Abigail.

« Il va bientôt partir, dit Nicholas d'un ton agacé.

— Je ne supporte pas son dos bossu, répondit Abigail d'une voix extrêmement lasse. Et ce mufle hargneux de Dyrick est repoussant. Et je continue à m'opposer à la partie de chasse.

— Femme, je ne supporte plus cet isolement, rétorqua Hobbey avec colère. Je t'assure qu'on ne risque rien. On est en sûreté.

— On n'est jamais en sûreté. »

Je sursautai en apercevant une petite gueule au bas de l'embrasure de la porte… Lamkin sortit et se dirigea vers moi en se dandinant et en remuant la queue. Je m'empressai de regagner ma chambre et refermai sans bruit la porte au nez du chien.

✝

Bien que les oiseaux attrapés par les deux garçons aient été accompagnés à nouveau d'excellentes sauces préparées dans la cuisine des Hobbey, le dîner fut lugubre. Abigail arriva en dernier, pâle et souffrant toujours clairement de sa migraine. Quand elle entra, Fulstowe, comme d'habitude posté derrière la chaise de son maître, inclina le buste. Dyrick et moi nous levâmes, Hobbey se souleva à demi, mais ni Hugh ni David ne prirent la peine d'esquisser un mouvement pour l'accueillir. Si c'était une insulte à la maîtresse de maison, Abigail ne sembla guère y prêter attention. Elle n'avait pas pris soin de son apparence, ses longs cheveux blond grisonnant pendant hors de sa toque dans son dos. Elle ne desserra pas les lèvres de tout le repas, chipotant et mangeant du bout des dents, tressaillant au moindre bruit de vaisselle. Hobbey parla à Dyrick de l'aménagement du couvent. Il tenta de faire participer David à la conversation, mais le jeune homme ne paraissait pas du tout s'intéresser à la maison. Hobbey le regardait à la fois avec amour et tristesse. Hugh était assis en face de moi. Je saisis l'occasion pour me pencher en avant et lui dire à voix basse : « Maître Hugh, je suis désolé si mes questions ont réveillé de tristes souvenirs. Malheureusement, poser des questions pénibles est le lot des avocats.

— Je comprends, messire Shardlake, répondit-il avec tristesse... Je vous ai promis, reprit-il après une courte hésitation, de vous montrer mon exemplaire du *Toxophilus*. Je vais envoyer un serviteur le porter dans votre chambre. Je serais ravi d'avoir votre avis à son sujet.

— Merci. Très aimable à vous. »

David nous avait écoutés et j'aperçus une étrange expression sur ses traits lourds. Me regardant droit dans les yeux, il me demanda à voix haute : « Tout à l'heure, d'où reveniez-vous, vous et votre serviteur ? Était-ce du village ?

— En effet. »

Hobbey me lança un regard pénétrant.

« Avez-vous vu l'un de ces serfs parvenus ? s'esclaffa David.

— Nous sommes juste allés y faire une promenade. »

À ce moment-là, la vieille Ursula tendait le bras

pour ramasser un plat vide. Comme il se penchait en arrière, David heurta son bras de son épaule. La servante lâcha le plat qui tomba sur la table avec un claquement sonore. Abigail plaqua ses mains sur ses oreilles en gémissant. « Faites donc attention, espèce d'idiote ! siffla-t-elle.

— Abigail ! » s'écria Nicholas d'un ton réprobateur. Un sourire sardonique, immédiatement réprimé, apparut sur le visage de Fulstowe. Abigail lança un regard noir à son mari, avant de se lever de table et de quitter la pièce.

« Je suis désolé, dit Nicholas à voix basse. Ma femme n'est pas bien en ce moment. »

Je regardai les deux adolescents. Le visage de Hugh était une fois de plus impassible, tandis que David paraissait effondré.

✝

Après le dîner, je me rendis chez Barak. C'était le début d'une soirée d'été et de longues ombres s'étendaient sur les pelouses. Les vieilles pierres du prieuré avaient la couleur chaude de fruits mûrs. Barak relisait la lettre de Tamasin. Nous nous dirigeâmes vers la façade de la maison où, allongé sur le dos, Lamkin somnolait sous un arbre. Nous passâmes devant le terrain de tir à l'arc et entrâmes dans le cimetière. Des fleurs avaient été déposées près d'une pierre tumulaire. « Sœur Jane Samuel, 1462-1536 ».

« Sans doute l'une des dernières nonnes à mourir ici, dis-je. Qui a bien pu déposer ces fleurs ?

— Ursula, peut-être, suggéra Barak. Hobbey n'approuverait pas ce geste.

365

— Certes. Écoute… Tout à l'heure, j'ai entendu par hasard une conversation. » Je lui racontai les propos des Hobbey. « Abigail a peur. Elle a affirmé qu'elle et son mari ne seraient jamais en sécurité. Et pourquoi craint-elle la partie de chasse ?

— Vous êtes certain d'avoir bien entendu ce qu'ils disaient ?

— Oui. J'ai le devoir de découvrir ce qui se passe, déclarai-je avec fermeté. Ce serait le souhait de la reine. »

Il secoua la tête. « Vous et la reine. Moi je veux juste rentrer chez moi. »

✝

Je regagnai ma chambre. Un livre avait été posé sur mon lit : le *Toxophilus* de Roger Ascham. Je m'allongeai sur le lit et l'ouvris. Il commençait par une dédicace au roi rédigée en termes fleuris, évoquant son « très honorable et victorieux voyage en France ». « Victorieux » ? m'interrogeai-je. Alors pourquoi nous attendons-nous à une invasion française ? Et « honorable » ? Je me rappelai les propos de Leacon sur la guerre livrée aux femmes et aux enfants en Écosse. Je feuilletai le texte. La première partie consistait en un dialogue où Toxophilus – Ascham, à l'évidence – décrivait les vertus du tir à l'arc devant un disciple admiratif. En tant qu'exercice fortifiant toutes les parties du corps, le tir à l'arc était opposé aux risques et aux dangers des jeux d'argent. Ascham louait la guerre : « Les puissantes armes sont les instruments avec lesquels Dieu défait la partie qu'Il souhaite voir renversée. »

Je revis mon enfance. À l'âge de dix ans, j'avais essayé de tirer à l'arc sur le terrain de tir du village où mon père m'avait conduit, armé d'un petit arc qu'il m'avait acheté. À cause de ma difformité, je n'avais pas pu prendre la bonne posture et la flèche était tombée sur le sol. Les gamins du village s'étaient esclaffés tandis que j'éclatais en sanglots et rentrais à la maison en courant. Plus tard, mon père avait déclaré, du ton déçu que je connaissais bien, que, n'étant pas fait pour pratiquer ce sport, il était inutile que je retourne sur le terrain.

Je repris le manuel et poursuivis ma lecture. Je passai à la seconde partie où le sujet du dialogue était une description détaillée et complète des méthodes et des techniques : tenue vestimentaire, position à adopter, types d'arc et de flèches, etc.

Je reposai le livre, me dirigeai vers la fenêtre ouverte et regardai la pelouse. Que se passait-il donc en ce lieu ? Il était, certes, possible que Hobbey tire des profits illégitimes de la coupe des arbres sur les terres de Hugh, mais il y avait autre chose. Cependant, Hugh semblait être totalement libre de ses mouvements. Ma longue expérience m'avait appris qu'une famille en difficulté transforme parfois en bouc émissaire l'un de ses membres. Or, d'après ce que j'avais vu à Hoyland, ce n'était pas Hugh mais Abigail qu'on avait investie de ce rôle. Mais de quoi avait-elle peur ?

À ma grande surprise, je dormis profondément. Comme je l'avais demandé, un serviteur me réveilla à sept heures. La période de beau temps paraissait terminée. Le ciel était nuageux et l'atmosphère moite. Je revêtis à nouveau ma robe de sergent royal. La croix d'Emma était toujours suspendue à mon cou.

Il faudrait que je la remette à Hugh. Je me rappelai qu'Avery avait indiqué que Hugh portait sa macabre perle-du-cœur au sien.

On frappa à ma porte. C'était Dyrick. Lui aussi avait revêtu sa robe d'avocat et aplati ses cheveux cuivrés avec de l'eau.

« Fulstowe affirme qu'un orage risque d'éclater avant la fin de la journée. Peut-être devriez-vous reporter votre chevauchée dans les bois.

— Non, répondis-je sèchement. Je vais y aller aujourd'hui. »

Il haussa les épaules. « À votre guise. Je suis venu vous dire que madame Abigail va mieux et qu'elle est disposée à témoigner. Sauf si, après avoir vu Hugh, vous désirez arrêter ces imbécillités dès maintenant.

— Pas question. Pouvez-vous prier Fulstowe de faire quérir Barak ? » Il poussa un grognement agacé et repartit.

✝

Une fois de plus, nous nous réunîmes dans le cabinet de travail de Nicholas. Abigail était déjà là, assise sous le portrait de l'abbesse de Wherwell. Ce jour-là elle avait soigné son apparence, attaché ses cheveux et poudré son visage. Lamkin était installé sur une petite couverture posée sur le giron de sa maîtresse.

« J'espère que vous allez mieux, madame Hobbey, fis-je.

— Je me sens mieux. » Elle jeta un coup d'œil nerveux à Barak et à Feaveryear, la plume à la main. « Alors je vais commencer, dis-je. J'aimerais savoir ce que vous avez pensé de la proposition de votre mari d'acheter la tutelle d'Emma et de Hugh. »

Elle me regarda droit dans les yeux. « J'en ai été enchantée, car je ne pouvais plus avoir d'enfants. J'ai accueilli Hugh et Emma avec joie. Surtout que j'avais toujours voulu une fille. » Elle poussa un profond soupir. « Or les enfants ne voulaient pas me sentir près d'eux. Certes, ils avaient perdu leurs parents. Mais beaucoup d'enfants ne perdent-ils pas leurs parents jeunes ? demanda-t-elle, le regard presque suppliant.

— Oui, hélas !... Je crois comprendre que le pasteur des Curteys, le révérend Broughton, s'opposait à cette tutelle. Vous vous êtes même disputés à ce sujet... »

Elle releva le menton d'un air de défi. « En effet. Il nous avait diffamés, mon mari et moi. Tout ce qui concerne la tutelle a été fait en bonne et due forme.

— Messire Shardlake ne peut pas dire le contraire », intervint Dyrick. Il surveillait Abigail de près, craignant qu'elle ne perde son sang-froid.

« Cela a dû être terrible quand tous les enfants ont attrapé la petite vérole. Je crois savoir que, malgré le danger, vous vous êtes vous-même occupée de David. »

Une expression de colère apparut brusquement sur son visage. « Et négligé Hugh et Emma... Est-ce ce que vous sous-entendez ? Eh bien, monsieur, quoi qu'ait raconté Michael Calfhill, ce n'est pas la vérité. J'allais constamment les voir, mais ils voulaient rester entre eux. À l'exclusion de toute autre personne. » Elle baissa la tête et je vis qu'elle pleurait. Lamkin gémit, leva les yeux vers sa maîtresse, et elle lui caressa la tête, tout en cherchant son mouchoir. « J'ai perdu Emma, reprit-elle d'un ton calme. J'ai perdu celle que

369

je voulais traiter comme ma fille. Ç'a été ma faute, uniquement ma faute. Que Dieu me pardonne !

— En quoi cela a-t-il été votre faute, madame ? »

Son visage ruisselant de larmes se referma soudain, ses yeux papillotèrent et elle détourna le regard. « J'ai… J'ai envoyé chercher de la toile rouge, pour faire sortir les mauvaises humeurs, mais j'avais trop tardé et il n'en restait plus…

— Hier, Fulstowe m'a dit qu'il avait réussi à en trouver un peu. »

Dyrick plongea son regard dans celui d'Abigail. « Peut-être avez-vous voulu dire qu'il en a trouvé trop tard pour sauver Emma.

— Oui, c'est ça, s'empressa-t-elle de confirmer. Je me suis trompée. C'était trop tard.

— Vous soufflez les réponses au témoin, confrère Dyrick, répliquai-je, irrité. Barak, assure-toi que cette intervention soit consignée dans le rapport.

— Veuillez m'excuser », fit Dyrick d'un ton patelin. Abigail respirait profondément, se forçant à l'évidence à se rasséréner. Pourquoi se considère-t-elle, en fait, responsable de la mort d'Emma ? pensai-je.

Je lui demandai comment elle s'entendait avec Hugh désormais. « Assez bien », répondit-elle sèchement. Finalement, je l'interrogeai sur Michael Calfhill. « Il ne m'a jamais plu ! lança-t-elle d'un ton de défi. Il a essayé de dresser une barrière entre moi et les enfants.

— Dans quel but ?

— Il voulait qu'ils s'attachent à lui et non pas à mon mari ou à moi.

— Hugh et Emma ? Les deux ?

— Oui », répondit-elle calmement. Puis elle ajouta vivement, la voix tressaillant d'émotion : « Mais

Michael Calfhill a eu une mort affreuse, atroce. Que Dieu lui pardonne ! Qu'Il lui pardonne !

— Savez-vous pourquoi il avait été remercié ? »

Elle prit une profonde inspiration pour maîtriser son émoi. « Seulement que c'était pour comportement inconvenant. Mon mari m'a dit que le motif était tel qu'il ne pouvait être communiqué à une femme. Rien d'autre.

— Avez-vous d'autres questions à poser, confrère Shardlake ? demanda Dyrick.

— Non, répondis-je, ayant déjà pas mal de choses à digérer. Il se peut que j'en aie d'autres à poser plus tard.

— C'est ce que dit toujours messire Shardlake, annonça-t-il à Abigail d'un ton las. Merci, madame. »

Elle enveloppa Lamkin dans la petite couverture, se leva de son siège et, serrant le chien contre sa poitrine, quitta la pièce. Je pensai à sa peur des domestiques, à ses prises de bec avec son fils, à l'agacement qu'elle causait à son mari et à la glaciale indifférence de Hugh à son égard. Pauvre femme ! me dis-je. Il ne lui reste que ce chien à aimer.

20

Après le déjeuner, Barak et moi allâmes chercher deux des chevaux que nous avions loués à Kingston et partîmes voir les bois. Je choisis Oddleg, le cheval robuste et placide qui m'avait porté depuis Londres. La couche de nuages gris s'était épaissie et il faisait excessivement lourd. Nous prîmes la route de Portsmouth vers le sud, Hobbey nous ayant dit que dans cette direction on coupait des arbres sur le domaine de Hugh et sur le sien.

À droite, l'un des champs communaux du village descendait en pente douce, les diverses cultures des bandes contiguës produisant une explosion de couleurs. Les villageois qui y travaillaient levèrent la tête et certains nous dévisagèrent, l'air intrigué. Comme nous poursuivions notre chemin, les arbres à notre gauche cédèrent la place à une zone déboisée qui s'étendait sur plus d'un demi-mille, jusqu'à l'endroit où la forêt intacte formait un mur vert d'un seul tenant. De minces jeunes arbres surgissaient des broussailles, la plupart d'entre eux étêtés afin que les troncs se divisent en deux arbres.

Nous fîmes halte. « Il y a déjà quelque temps que cette zone a été coupée, constata Barak.

— Il faudra plusieurs décennies avant que la forêt repousse ici. Cette terre appartient à Hugh. Le prix du bois dépend de la variété des arbres. Est-ce du chêne – ce qui vaut le plus cher –, de l'orme ou du frêne ? » Je secouai la tête. « Il est si facile de frauder. »

Le son d'une trompette retentit soudain derrière nous. Nous nous rangeâmes sur le côté pour laisser passer une compagnie de soldats qui soulevaient des nuages de poussière. Les hommes avaient l'air las, épuisé et beaucoup avaient mal aux pieds. Un sergent allait et venait le long de la colonne incitant les traînards à accélérer le pas. Les chariots qui transportaient les équipements militaires passèrent en cahotant, et la compagnie disparut au tournant du chemin. Qu'advenait-il de Leacon à Portsmouth ? me demandai-je.

Nous parcourûmes un mille ou deux de plus. Sur la gauche, la clairière céda à son tour la place à une épaisse forêt. Il y avait également des bois à droite, qui, d'après le plan, appartenaient au village et étaient ceux sur lesquels Hobbey avait jeté son dévolu. La route montait en pente douce et on apercevait à l'horizon une chaîne de hautes collines. C'était Portsdown Hill et la mer se trouvait de l'autre côté. Nous parvînmes à un endroit où des bûcherons abattaient des arbres, qui avaient presque été tous coupés sur une longueur de cinquante toises. Des hommes étaient en train de débiter un chêne à la scie, tandis que d'autres arrachaient les feuilles de branches entassées sur le sol. De longs tronçons d'arbres avaient été hissés sur un char à bœufs.

« Allons leur parler », dis-je. Nous passâmes avec précaution entre les souches, la plupart encore à vif, jaunes et humides, et nous nous arrêtâmes à une courte distance des ouvriers au travail. L'un d'eux, un grand gars filiforme, s'avança vers nous. Il ôta son bonnet et s'inclina.

« Bonjour, messieurs.

— Je suis messire Shardlake, avocat de Hugh Curteys, propriétaire de cette terre. Je séjourne au prieuré de Hoyland, chez M. Hobbey.

— Maître Fulstowe nous a dit qu'il était possible que vous veniez, répondit l'homme. Comme vous le voyez, nous travaillons dur. Je m'appelle Peter Drury et suis le contremaître de l'équipe. » Il avait des yeux vigilants, en bouton de bottine.

« Vous semblez abattre ici un grand pan de forêt. Quels arbres coupez-vous ?

— Tout, monsieur. Des chênes, mais sur la partie déjà déboisée il y avait surtout des frênes et des ormes. Les troncs des chênes vont à Portsmouth et les branches aux fourneaux à charbon.

— Il faudra attendre des années avant qu'on puisse à nouveau couper des arbres sur ce terrain.

— Il faudra attendre longtemps avant que les prix montent à nouveau aussi haut, monsieur. C'est ce que dit M. Hobbey, en tout cas.

— C'est lui qui vous a engagés, par conséquent ?

— Oui. Est-ce qu'il n'est pas le tuteur du gamin ? rétorqua-t-il avec un rien d'agressivité.

— En effet. Vos ouvriers sont-ils du coin ? De Hoyland, peut-être ?

— Ces porcs refuseraient de travailler ici ! s'esclaffa-t-il. Quand certains de mes hommes sont allés dans les bois de leur village, ils ont poussé les hauts cris. Non, mes gars viennent de là-bas, d'au-delà de Horndean. » D'au-delà des allégeances locales, pensai-je. Je le remerciai et nous regagnâmes la route.

Nous poursuivîmes notre chemin en direction du sud, vers une zone où l'abattage n'avait pas encore commencé. J'aperçus un étroit sentier qui s'enfonçait dans la forêt. « Voyons quelle sorte d'arbres poussent ici, dis-je. Il me semble qu'il y a davantage de chênes que ne l'a suggéré ce type. »

Barak regarda d'un air dubitatif le ciel qui s'assombrissait. « On dirait qu'il va pleuvoir.

— Eh bien ! alors on va se faire mouiller. »

Nous commençâmes à chevaucher dans la forêt, avançant avec précaution, l'un derrière l'autre, le long de l'étroit sentier. L'air paraissait encore plus lourd parmi les arbres.

« Portes-tu toujours au cou cette ancienne amulette juive ? demandai-je par-dessus mon épaule.

— L'ancienne mezuzah que m'a léguée mon père ? Oui, pourquoi cette question ?

— Moi, je porte la petite croix d'Emma Curteys au mien. Je vais la remettre à Hugh, mais pas devant les Hobbey. Tu te rappelles que Hugh porte au cou un morceau d'os situé près du cœur d'un cerf ?

— La perle-du-cœur ? Oui. Au fait, j'ai bavardé hier soir avec Avery, le maître d'équipage. Il semble être un type bien.

— A-t-il dit quelque chose sur la famille ? demandai-je en jetant un coup d'œil par-dessus mon épaule.

— Il s'est tu quand j'ai abordé le sujet. Il obéit aux ordres de Fulstowe, je suppose. » Il s'immobilisa soudain et leva la main.

« Qu'est-ce qu'il y a ? fis-je.

— J'ai cru entendre un bruit de sabots de cheval, là-bas sur la route.

— Je n'ai rien entendu. » À part le bourdonnement des insectes et les légers bruissements dans les broussailles de petites créatures qui s'enfuyaient à notre approche. « Ton imagination te joue des tours.

— Mon imagination ne me joue jamais de tours... Finissons-en, avant qu'on se fasse tremper », ajouta-t-il en se renfrognant.

Le sentier se rétrécissait, se transformant peu à peu en une piste qui serpentait entre les arbres. Il s'agissait d'une forêt vraiment ancienne, très dense, certains des arbres étant gigantesques et séculaires. Il y en avait de toutes les espèces, mais les chênes aux larges branches dominaient. Les fourrés – orties, ronces, taillis – étaient très touffus. La terre, là où elle était visible, était sombre, meuble d'aspect, et formait un joli contraste avec le vert éclatant de l'été.

« Jusqu'où s'étendent les terres Curteys ? demanda Barak.

— Ici, sur trois milles, selon le plan. On va suivre le sentier pendant encore un demi-mille environ, puis on reviendra sur nos pas. Les arbres sont surtout des chênes et ils se vendent deux fois plus cher que les autres espèces. Le contremaître a menti et je pense que les comptes de Hobbey ont été falsifiés.

— Des arbres d'espèces différentes peuvent pousser au même endroit.

— C'est ce qui rend la chose difficile à prouver. » Nous poursuivîmes notre chemin. J'étais fasciné par le silence qui régnait parmi ces arbres magnifiques. Selon les Romains, toute l'Angleterre était ainsi jadis. Je me rappelai une visite faite quand j'étais garçonnet dans la forêt d'Arden, chevauchant en compagnie de mon père, le long d'un sentier semblable, l'unique fois où il m'avait emmené chasser.

J'aperçus soudain une forme brune se déplacer devant moi. Je levai la main. Nous étions près d'une petite clairière où un cerf et une biche, deux petits faons à ses côtés, paissaient l'herbe. La biche leva la tête à notre approche, se détourna, et aussitôt tous les trois s'enfuirent dans la forêt d'un mouvement rapide et souple. Un craquement de broussailles, puis à nouveau le silence.

« Voilà donc un cerf sauvage.

— C'est la première fois que tu en vois un ?

— Je suis un petit Londonien... Mais je peux quand même voir que cette piste se brouille. » Il avait raison, le sentier devenait moussu et difficile à suivre.

« On avance encore un peu. »

Il soupira. Nous passâmes devant l'énorme tronc d'un vieux chêne. Soudain une rafale de vent agita les feuilles et une grosse goutte atterrit sur ma main. D'un seul coup le ciel s'ouvrit, déversant sur nous des trombes d'eau qui nous trempèrent en un instant des pieds à la tête.

« Merde ! s'écria Barak. J'en étais sûr ! »

Nous nous retournâmes vers l'énorme chêne séculaire, forçant les chevaux à se frayer un passage parmi les broussailles pour trouver abri contre le tronc. Nous demeurâmes là, tandis que la pluie tombait à verse et que le vent faisait frissonner la forêt.

« Au retour, dit Barak, le sentier sera transformé en bourbier.

— Plus la pluie tombe dru, moins elle dure. Et nous avons de bons chevaux.

— Si je contracte une congestion pulmonaire, pourrai-je être dédommagé en frais de mission... ? »

Il fut coupé dans son élan par un bruit sourd qui se répercuta dans la forêt. Nous nous retournâmes tous les deux en même temps. Une flèche était fichée dans le tronc au-dessus de nos têtes, les plumes blanches de l'empenne tremblant encore.

« Piquez des deux ! » s'écria Barak.

Il donna un léger coup d'éperon à son cheval. Nous nous précipitâmes sur le sentier, désormais glissant. Je m'attendais à tout moment à recevoir une flèche dans le dos ou à voir Barak s'écrouler car nous n'étions guère moins vulnérables sur le sentier que sous l'arbre. Mais il ne se passa rien. Après dix minutes de progression ardue et désespérée, nous fîmes halte dans une clairière.

« Nous l'avons semé », dit Barak. Nous scrutâmes néanmoins les arbres à travers la pluie battante, conscients que nous étions absolument impuissants contre un archer en embuscade.

« Allons-y ! » lança Barak.

C'est avec soulagement que nous atteignîmes à nouveau la grand-route. La pluie se calmait à présent. Nous nous arrêtâmes et observâmes le chemin que nous avions emprunté.

« Mais qui était-ce donc ? s'écria Barak, hurlant presque.

— Quelqu'un qui cherche à nous effrayer ? C'était un simple avertissement, car, sous cet arbre, un archer un peu adroit aurait pu facilement nous tuer tous les deux.

— Un autre avertissement ? Comme celui lancé par les garnements à Londres. Rappelez-vous que j'ai entendu ce bruit de sabots sur la route. Quelqu'un nous a suivis à cheval, quelqu'un qui connaît ces bois.

— Il faudra que nous en parlions à Hobbey et au magistrat.

— Et que feront-ils ? Je vous le répète, plus vite on s'en ira d'ici, mieux ça vaudra... Nom de Dieu ! »

Nous rentrâmes au prieuré de Hoyland. Jadis Barak se serait jeté, tête baissée, à la poursuite de l'archer, me dis-je. Mais aujourd'hui il a charge d'âmes avec Tamasin et l'enfant à venir.

✝

Nous arrivâmes à la maison. La pluie avait cessé, mais une brise continuait à rafraîchir l'atmosphère. La vieille Ursula était occupée à cirer la table dans la grande salle. Je lui demandai d'aller chercher Hobbey.

« Il est allé au village avec messire Dyrick, monsieur. Mme Hobbey est à nouveau souffrante. Elle est alitée... avec le chien, ajouta-t-elle en faisant une grimace de dégoût.

— Alors, allez quérir l'intendant, je vous prie. »

Quelques instants plus tard, Fulstowe entra à grands pas dans la salle. Comme je lui racontais ce qui était arrivé dans la forêt, il nous regarda d'un air intrigué. « Un braconnier, sans aucun doute, dit-il, quand j'eus terminé. Peut-être un déserteur. Il paraît que certains d'entre eux mènent une vie sauvage dans les forêts. Nous avons un garde forestier, censé surveiller les bois de maître Hugh, mais c'est un paresseux... Il ne perd rien pour attendre.

— Pourquoi un braconnier chercherait-il à attirer l'attention sur lui ? demanda sèchement Barak.

— Vous avez dit que vous aviez effarouché des cerfs. Peut-être était-il à l'affût. Quelle belle prise pour un déserteur ou pour l'un de ces porcs de villageois ! Peut-être a-t-il tiré une flèche pour vous faire peur... Mais c'est une affaire grave, poursuivit-il en fronçant les sourcils, et il faut en aviser le magistrat. Quel dommage que vous n'ayez pas vu votre agresseur ! Si nous pouvions faire pendre l'un de ces marauds de Hoyland, ce serait un bel exemple pour tous les autres.

— Barak a cru entendre un bruit de sabots de cheval sur la route.

— Qui s'est interrompu à l'endroit précis où nous étions entrés dans la forêt », précisa-t-il en plongeant son regard dans celui de Fulstowe. Je voyais bien que, comme moi, il se demandait si l'archer était un membre de la maisonnée.

Fulstowe secoua la tête. « Un braconnier ne se déplacerait pas à cheval.

— Non, en effet, dis-je.

— Je vous ferai chercher dès le retour de M. Hobbey. Je regrette que cela soit arrivé pendant votre séjour ici. » Il nous fit un salut et tourna les talons.

« Je suis désolé d'avoir mis ta vie en danger, finalement, dis-je à Barak. Malgré la promesse que j'avais faite à Tamasin. »

Il poussa un profond soupir. « Si je n'étais pas là, je serais dans l'armée. Et vous avez raison, nous ne courions aucun danger. Il a raté volontairement sa cible... Êtes-vous toujours décidé à aller à Rolfswood demain ?

— Je ne crois pas que j'aurai une autre opportunité de m'y rendre.

— Je vous accompagne si vous voulez.

— Non ! fis-je d'un ton ferme. Je veux que tu

restes ici pour sonder les domestiques. Vois si tu peux tirer quelque chose d'Ursula. Ou peut-être pourrais-tu retourner au village.

— D'accord », acquiesça-t-il à contrecœur. Je le quittai et montai l'escalier. Je sentais son regard inquiet sur mon dos.

✝

Je parcourus mon exemplaire des dépositions, puis, attiré par un bruit de voix, gagnai la fenêtre. Hugh et David se trouvaient sur le terrain de tir. Fulstowe était avec eux, Barak et Feaveryear également. Je descendis les rejoindre. Le soleil ayant refait son apparition, l'herbe humide scintillait joliment quand j'approchais du groupe. Une petite brise soufflait toujours et des nuages blancs voguaient très haut dans le ciel. Sous le regard de David et de Barak, Hugh expliquait à Feaveryear comment bander un arc. Fulstowe contemplait la scène, un sourire indulgent sur les lèvres. Des flèches avaient été fichées dans l'herbe, leurs empennes munies de plumes blanches me rappelant l'incident de la forêt.

Feaveryear avait enfilé un long gant épais et tenait un bel arc poli et d'un lustre éclatant, mais un peu plus court et plus mince que ceux dont les soldats se servaient. L'extérieur de la verge était doré et l'intérieur couleur crème. À chaque extrémité, les embouts en corne étaient décorés et sculptés en forme de larme. Feaveryear avait appliqué une flèche à pointe d'acier sur la corde et tirait de toutes ses forces. Ses bras maigres tremblaient mais il n'arrivait à tirer la corde

381

de chanvre que de quelques pouces en arrière. Son visage empourpré ruisselait de sueur.

À côté de lui, Hugh le regardait, une flèche dans la main, le vent faisant légèrement onduler les plumes d'oie. « Balancez un peu le corps vers la gauche, maître Samuel, expliqua-t-il calmement. Il faut prendre le vent en compte. Maintenant, reculez votre jambe gauche et poussez en avant, comme si vous jetiez quelque chose. » Feaveryear hésitait. « Tenez, je vais vous montrer », dit Hugh en saisissant l'arc. Il rejeta son corps en arrière en tirant sur la corde. À travers la chemise, je discernai la forme des muscles durs et noués. « Concentrez-vous sur la cible, dit-il à Feaveryear. Pas sur la flèche. Pensez seulement au but et décochez la flèche. Bon. À votre tour à présent. »

Feaveryear reprit l'arc, jeta un coup d'œil vers nous, tira sur la tige un peu plus fort, puis lâcha la flèche en poussant un grognement. Elle monta un peu dans les airs avant de se ficher dans l'herbe, à une courte distance. David éclata de rire en se tapant sur la cuisse. Fulstowe étira son sourire sardonique. « Bravo, Feaveryear ! se gaussa David. La dernière fois la flèche avait à peine dépassé l'arc !

— Je suis un incapable, déclara le clerc avec un rire amer. Tout ce que j'arrive à faire, c'est me déboîter les bras.

— Ne faites aucune attention à David, le consola Hugh. Il faut des années d'entraînement pour renforcer ses muscles et bander l'arc correctement. Mais tout le monde peut apprendre. Et, vous voyez, vous avez déjà accompli quelques progrès.

— "Pour améliorer le tir il faut du travail, ce compagnon de la vertu" », dis-je, citant Ascham.

Hugh me regarda, l'air intéressé. « Vous avez lu le livre, messire Shardlake.

— L'auteur écrit de jolies phrases.

— C'est un livre magnifique ! renchérit Hugh avec ardeur.

— Je n'irai pas jusque-là. » Hugh et David avaient été rasés. La barbe de David était réduite à une très légère ombre sur les joues, tandis que Hugh avait une petite coupure près de l'une des cicatrices marquant son cou. « Peut-être pourrons-nous en discuter un de ces jours.

— Avec grand plaisir, messire Shardlake. Je n'ai pas souvent l'occasion de discuter de littérature… David sait à peine lire », ajouta-t-il avec une ironie un rien mordante. David se rembrunit.

« Je tire mieux que toi, rétorqua-t-il. Tenez, Feaveryear, je vais vous montrer comment tire un archer qui a vraiment de la force. » Il ramassa son arc dans l'herbe. Comme celui de Hugh il était très beau, mais moins bien astiqué.

« Quel exploit pour un jeunot ! » dit Barak, pince-sans-rire. David fronça les sourcils, ne sachant pas s'il plaisantait. Puis il banda l'arc, se pencha en arrière, se redressa et décocha la flèche, qui fendit l'air et se planta dans la cible, mais à quelques pouces du centre.

« Pas aussi précis que le tir de Hugh », commenta simplement Fulstowe avec un petit sourire.

David se tourna brusquement vers lui. « J'ai plus de force. Éloignez la cible et je le battrai facilement.

— Je pense que votre discussion est vaine, me permis-je de dire aux deux jeunes gens. Le *Toxophilus* affirme que la puissance et la précision sont deux qualités nécessaires. Vous êtes tous les deux excellents, et si chacun de vous deux surpasse un peu l'autre dans l'une des aptitudes, quelle importance ?

— David et moi plaisantons et nous chamaillons depuis cinq ans, monsieur, répondit Hugh d'une voix lasse. C'est une habitude chez nous, peu importe le sujet... Dites-moi, ajouta-t-il avec vivacité, que trouvez-vous à critiquer dans le *Toxophilus* ?

— L'amour de son auteur pour la guerre, et les louanges qu'il décerne au roi frisent la flagornerie.

— Ne doit-on pas encourager l'art de la guerre pour nous protéger ? demanda Hugh d'un ton calme mais ferme. Allons-nous laisser les Français nous envahir et nous imposer leur volonté ?

— Non, certes. Mais nous devrions nous demander comment nous en sommes arrivés là. Si le roi n'avait pas envahi la France l'année dernière...

— La Gascogne et la Normandie nous ont appartenu pendant des centaines d'années. » C'était la première fois que j'entendais parler Hugh avec une réelle passion. « Nous les avions héritées des Normands, avant que des aristocrates français parvenus se mettent à se donner le titre de roi...

— C'est ce que dirait le roi Henri.

— Et avec raison.

— Évite de dire ça devant père, dit David. Tu sais qu'il refuse que tu t'enrôles dans l'armée. » Puis, à ma grande surprise, le ton se fit implorant. « Et sans toi avec qui pourrais-je chasser ?... Ce matin, précisa-t-il en se tournant vers moi, nos lévriers ont attrapé une demi-douzaine de lièvres. Même si le mien est plus rapide et en a rapporté davantage...

— Ça suffit ! s'écria Hugh, soudain agacé. Ton

sempiternel besoin de savoir qui est le meilleur finira par me rendre fou. »

David eut l'air vexé. « Mais la concurrence est le sel de la vie. Dans le travail de père…

— Ne sommes-nous pas censés être des gentlemen à présent ? Messire Shardlake, savez-vous ce qu'est un "hobereau" en fauconnerie ?

— Un faucon de chasse, répondis-je.

— C'est ça. C'est le plus petit et le plus méchant des faucons. »

Très blessé, David ouvrit les yeux tout grands. Je crus qu'il allait éclater en sanglots.

« Assez, vous deux ! » lança Fulstowe. À mon grand étonnement, il parlait comme s'il détenait l'autorité d'un père. Les deux garçons se turent immédiatement.

« Ne vous disputez pas, je vous en prie ! s'écria Feaveryear, avec une émotion soudaine, sa pomme d'Adam proéminente montant et descendant fébrilement. Vous êtes des frères, des chrétiens… »

Il fut interrompu par quelqu'un qui hurlait son nom. Dyrick traversait la pelouse à grands pas. Il avait l'air furieux et son teint était presque aussi rouge que ses cheveux. « Comment osez-vous tirer à l'arc avec les garçons ? Et vous Barak ! On vous avait enjoint de rester dans le quartier des domestiques. Maître intendant, ignorez-vous les instructions de votre maître ? »

Fulstowe resta silencieux, tout en plantant sur Dyrick un regard glacial. « Ce sont les garçons qui nous ont invités, répliqua Barak, le ton de sa voix soudain menaçant.

— C'est tout à fait vrai, monsieur, dit Hugh. Afin d'avoir de nouveaux compagnons. »

Dyrick ne prit pas la peine de répondre. « Sam,

suivez-moi ! Vite ! Ettis et une bande de péquenots du village apostrophent violemment M. Hobbey dans son propre bureau. Je veux que leurs propos soient consignés !

— Bien, monsieur », répondit Feaveryear d'un ton humble. Dyrick fit demi-tour et s'éloigna à grandes enjambées, Feaveryear sur les talons.

« Allons, les garçons ! fit Fulstowe. Je pense que nous devrions rentrer. Et il n'est pas raisonnable de se quereller devant nos invités. »

Il fixa Hugh et David du regard et une certaine complicité semblait exister entre eux trois. Ils empruntèrent le même chemin que Dyrick et Feaveryear. Barak regarda le bâtiment en plissant les paupières. « Nous devrions aller faire une petite promenade et passer sous la fenêtre du cabinet du travail de Hobbey. Ça donne de l'autre côté de la maison. On pourra peut-être apprendre quelque chose… Regardez, ils ont ouvert toutes les fenêtres pour laisser entrer la brise. »

Je hochai la tête, après une brève hésitation. « Ce dossier me fait contracter de mauvaises habitudes », marmonnai-je, tout en contournant la maison pour gagner l'arrière, où une pelouse s'étendait devant le mur de l'ancien couvent. On entendait des éclats de voix en provenance du cabinet de travail de Hobbey. Je reconnus l'accent râpeux du Hampshire d'Ettis, l'homme que nous avions rencontré dans le village. Il hurlait : « Si vous nous volez nos terrains communaux, où nous autres, pauvres villageois, trouverons-nous le bois et la nourriture pour nos porcs ?

— Prenez garde, maître Ettis ! s'exclama Dyrick d'un ton rauque et tranchant. Vos façons de malotru ne vous serviront à rien ici. N'oubliez pas que certains des villageois ont déjà vendu leurs terres à M. Hobbey. Aussi aurez-vous besoin de moins de terrain communal.

— Ils sont quatre seulement à l'avoir fait. Et seulement après que vous les avez menacés de les leur prendre au premier retard dans le paiement du loyer. Et l'accord est parfaitement clair ! Le prieuré avait accordé les bois au village de Hoyland, il y a près de quatre cents ans.

— Vous n'en avez que votre médiocre traduction anglaise…

— Nous ne pouvons pas déchiffrer ce gribouillage anglo-normand ! » cria une autre voix à l'accent du Hampshire.

Nous étions juste sous la fenêtre. Heureusement que le rebord se trouvait au-dessus de nos têtes. Je jetai des coups d'œil circonspects à l'entour, craignant qu'un domestique ne débouche au coin de la maison.

« Cet accord stipule seulement que le village doit pouvoir utiliser toute la terre boisée dont il a besoin, affirma Dyrick avec force.

— Le plan a été établi de façon on ne peut plus claire.

— Ç'a été fait avant la Peste noire. Depuis, comme tous les villages d'Angleterre, Hoyland a beaucoup moins d'habitants, et la surface boisée doit donc être réduite en conséquence.

— Je sais ce que vous projetez ! hurla Ettis. Vous voulez abattre tous nos arbres, en tirer de gros bénéfices, puis vous emparer des terres communales pour y planter encore des arbres. Aucun avocat à la langue acérée ne nous convaincra de renoncer à nos droits ! Nous irons à la Cour des requêtes !

— Alors, vous avez intérêt à vous hâter, entendis-je Hobbey répondre d'un ton patelin. J'ai ordonné à mes bûcherons de recommencer à abattre des arbres, dès la semaine prochaine, sur le terrain que vous revendiquez à tort. Et vous et les vôtres n'avez pas intérêt à les en empêcher.

— Feaveryear, notez qu'on les a avertis, ajouta Dyrick. Au cas où nous aurions besoin de montrer le compte rendu au magistrat.

— Que vous avez dans la poche », dit Ettis avec amertume.

Il y eut un grand claquement, sans doute le bruit de la porte ouverte à la volée, suivi de la voix suraiguë d'Abigail. « Espèces de voyous et de va-nu-pieds ! Nicholas, Fulstowe me dit qu'ils ont lancé une flèche contre l'avocat bossu dans la forêt ! Sales types ! hurla-t-elle.

— Lancé une flèche ? répéta Hobbey, qui semblait choqué. Que veux-tu dire, Abigail ?

— Je viens de voir messire Shardlake, commenta Dyrick. Il n'a pas l'air plus mal en point que d'habitude.

— Il n'a pas été touché, mais ils ont bien lancé une flèche contre lui ! » C'était la voix de Fulstowe. Sans doute attiré par le raffut, il était entré dans la pièce. « On a tiré une flèche sur Shardlake et son assistant tandis qu'ils chevauchaient dans les bois appartenant à maître Hugh. Ils ont surpris un cerf. C'est sans doute un braconnier qui les a mis en garde… Personne n'a été blessé et personne n'était censé l'être, ajouta-t-il, exaspéré.

— Espèce d'idiote ! » C'était la première fois que j'entendais Hobbey sortir de ses gonds. Abigail se mit à pleurer. Le silence s'était abattu sur la pièce. Je baissai la tête et, nous éloignant à pas de loup, nous tournâmes le coin de la maison.

« Cela devenait intéressant, dit Barak.

— Je craignais que quelqu'un ne sorte et ne nous aperçoive. Et je pense que nous en avons assez entendu… Cette femme est absolument terrorisée, poursuivis-je en fronçant les sourcils.

— Elle est folle.

— Difficile à dire… Au fait, as-tu remarqué la façon dont les gamins ont obéi à Fulstowe tout à l'heure ? Et d'après ce que nous venons d'entendre l'intendant ne cherche pas à montrer beaucoup de considération à l'égard d'Abigail.

— Qui a raison à propos des bois ?

— Il faudrait que je voie le document dont ils ont parlé. Mais s'il délimite une zone, c'est un bon point pour les villageois.

— Si je vais au village pendant votre absence, il sera peut-être temps de leur apprendre que vous êtes avocat à la Cour des requêtes. Ça nous permettra peut-être de recueillir quelques renseignements. »

Je réfléchis un instant. « Oui. D'accord. Va voir Ettis. Dis-lui que, s'ils écrivent à mon cabinet, je solliciterai une injonction dès que je serai de retour. À condition qu'ils n'en disent rien à Hobbey… Je pourrai en aviser Hobbey le jour du départ.

— Vous devenez un véritable Machiavel depuis que vous travaillez pour la Cour des tutelles. »

Je posai sur lui un regard grave. « Demande à Ettis de nous révéler en échange tout ce qu'il sait sur Hugh. Il y a quelque chose dans cette maison qui nous échappe. J'en suis sûr et certain. »

21

Le lendemain, à sept heures du matin, j'avais déjà parcouru un mille depuis le prieuré de Hoyland sur la route de Portsmouth, en direction du nord. J'avais une fois de plus choisi Oddleg comme monture. Il avançait d'un bon pas, apparemment ravi de faire à nouveau un long voyage. Le soleil brillait et l'air, encore frais à cette heure, fleurait bon l'herbe mouillée de rosée. Sachant qu'il ferait très chaud plus tard, j'avais mis un pourpoint de fine laine et j'étais ravi de ne pas porter ma robe d'avocat. Je réfléchissais à la conversation que j'avais eue avec Hugh, juste avant mon départ.

Ayant demandé qu'on me réveille à six heures, j'avais été tiré du sommeil par un coup frappé à ma porte. Fulstowe avait passé la tête par l'entrebâillement. « Un petit déjeuner est prêt au rez-de-chaussée… Je crois comprendre, avait-il ajouté, que vous vous rendez dans le Sussex et que vous ne serez pas de retour avant demain après-midi.

— En effet. Je dois m'occuper du dossier d'un autre client… Je vous remercie. » C'est ce que j'avais déjà dit à Hobbey, et rien de plus, n'ayant pas l'intention de leur parler d'Ellen. Je m'étais levé, habillé, puis j'avais pris sur ma table de nuit la petite croix ouvragée d'Emma et l'exemplaire du *Toxophilus* de Hugh. J'avais longé sur la pointe des pieds le couloir jusqu'à la chambre du jeune homme. Après une brève hésitation, j'avais frappé. Je m'y étais rendu la veille mais ou bien il n'était pas là ou il n'avait pas voulu répondre. C'était l'occasion ou jamais de lui parler sans être dérangé.

Cette fois-ci, il ouvrit la porte. Il portait déjà sa chemise et son pourpoint.

« Désolé de vous déranger si tôt, lui dis-je, mais, partant sur l'heure pour le Sussex, je souhaite vous rendre votre livre. »

Il hésita quelques instants avant de m'inviter, comme l'exigeaient les bonnes manières.

Le mobilier de la chambre comprenait un lit, un coffre et une table, et le mur était tendu d'une tapisserie aux raies vertes et blanches, les couleurs des Tudors. Sur une étagère accrochée au-dessus de la table se trouvait, à ma grande surprise, une collection d'une bonne vingtaine de livres. Une forte odeur de cire régnait dans la pièce et l'arc de Hugh, libéré de sa corde, était appuyé contre un coin du lit, à côté d'une boîte de cire et d'un chiffon.

« Je suis en train d'astiquer mon arc, dit-il avec un petit sourire. Madame Abigail préfère que je fasse ça dehors, mais à cette heure matinale qui l'apprendra ?

— Il est très tôt en effet.

— J'aime me lever avant tout le monde, pour rester un moment tout seul avant qu'ils soient tous debout. » Ayant perçu une note de mépris dans sa voix, je le regardai attentivement. Il rougit et porta une main à son cou. Il est très conscient de ses cicatrices, pensai-je.

« Vous avez beaucoup de livres. Puis-je y jeter un coup d'œil ?

— Je vous en prie. »

Il s'agissait de classiques grecs et latins, d'un manuel de bonnes manières destiné aux gentlemen, d'exemplaires de *Sire Gauvain et le Chevalier vert*, *Le Livre de la chasse*, *Le Régime de santé* d'Andrew Boorde, ainsi que l'*Utopie* de sir Thomas More. À part le Nouveau Testament, il n'y avait, étrangement, aucun livre pieux.

« Voilà une belle collection. Rares sont les jeunes gens de votre âge qui possèdent tant de livres.

— Certains me viennent de mon père, et M. Hobbey m'en a acheté à Londres. Mais je n'ai personne avec qui en discuter depuis le départ de notre dernier précepteur. »

Je pris *Le Livre de la chasse*. « Il s'agit du manuel classique sur la chasse, je crois.

— En effet. Il a été écrit par un Français mais traduit par le duc d'York, qui est mort à Azincourt, quand neuf mille archers anglais ont défait une formidable armée française, précisa-t-il avec fierté, avant de s'asseoir sur le lit.

— Vous attendez la chasse de la semaine prochaine avec impatience ? demandai-je.

— Oh oui ! Ce ne sera que la troisième fois que je participerai à une chasse à courre. Nous ne fréquentons pas beaucoup de monde ici.

— Je crois comprendre qu'il a fallu pas mal de temps pour que les hobereaux du coin acceptent la famille.

— C'est seulement la perspective de la chasse qui les fait venir. C'est, en tout cas, ce que dit madame

Abigail. » Je m'étais alors rendu compte à quel point Hugh était isolé. Ainsi que David.

« Au cours de la dernière chasse, c'est moi qui ai abattu le cerf, rappela-t-il fièrement.

— On m'a dit qu'on vous avait remis la perle-du-cœur et que vous la portiez toujours accrochée autour du cou.

— Qui vous a dit ça ? s'étonna-t-il en touchant son cou à nouveau et en plissant les yeux.

— Maître Avery.

— Vous l'avez interrogé à mon sujet ?

— Hugh, le seul motif de ma présence en ces lieux est d'enquêter sur votre bien-être. »

Ses yeux bleu-vert indéchiffrables fixèrent les miens. « Comme je vous l'ai dit hier, je ne me plains pas.

— Avant mon départ de Londres, Bess Calfhill m'a remis quelque chose pour vous. Quelque chose que Mme Hobbey avait donné à Michael. Cela appartenait à votre sœur. » Ouvrant la main, je lui montrai la croix ouvragée. Ses yeux se mouillèrent instantanément et il détourna la tête.

« Michael l'a gardé jusqu'à sa mort ? demanda-t-il, d'une voix rauque.

— Oui. En effet. » Je posai la croix à côté de lui, sur le lit. Il la saisit, puis prit un mouchoir pour s'essuyer les yeux.

« Mame Calfhill se souvient de ma sœur ?

— Avec beaucoup de tendresse. »

Il demeura silencieux quelques instants, serrant fortement la croix, avant de demander : « Comment est Londres aujourd'hui ? Il y a si longtemps que je suis ici. Je ne me rappelle guère que le bruit, des gens hurlant constamment dans la rue et puis le calme de notre jardin. » Je sentis à nouveau une lassitude en lui, insolite chez un garçon de son âge.

« Hugh, si vous alliez à l'université vous pourriez rencontrer des personnes de votre âge, discuter de livres du matin au soir. M. Hobbey doit faire le nécessaire si vous désirez y aller. »

Il leva les yeux, eut un sourire contraint, avant de faire une citation : « "Dans l'étude toutes les parties du corps sont au repos, ce qui favorise les humeurs froides et grossières."

— *Toxophilus* ?

— Exact. Vous savez, je ne souhaite pas étudier mais partir à la guerre. Utiliser mes dons d'archer.

— Je considère que M. Hobbey a raison de vous en empêcher.

— Quand vous irez à Portsmouth, vendredi, allez-vous voir votre ami, le sous-lieutenant des archers ?

— Je l'espère.

— David et moi viendrons avec vous. Pour voir les bateaux et les soldats. Dites-moi, y avait-il de jeunes gars de mon âge parmi les archers ? J'ai vu des compagnies sur la route de Portsmouth où certains soldats n'avaient pas l'air plus vieux que moi. »

Je pensai à Tom Llewellyn. « En vérité, maître Hugh, la plus jeune recrue que j'ai rencontrée avait, à peu près, un an de plus que vous. C'était un gars bien découplé.

— Je pense être, moi aussi, assez robuste et habile pour planter une flèche acérée dans le cœur d'un Français. Que la peste les emporte ! » s'écria-t-il avec passion. Je dus avoir l'air étonné car il s'empourpra et baissa la tête, frottant l'un des petits grains de beauté qui marquaient son visage. Soudain il me parut terriblement vulnérable. Il releva la tête. « Dites-moi, monsieur... Messire Dyrick est-il votre ami ? On dit que les avocats s'opposent durant un procès, mais qu'ils sont amis hors du tribunal.

— C'est parfois vrai. Mais en ce qui concerne messire Dyrick et moi... Eh bien, non. Nous ne sommes pas amis. »

Il hocha la tête. « Parfait. Il me déplaît. Mais dans cette vie nous devons souvent fréquenter des gens qui ne sont pas des amis, n'est-ce pas ? » Il émit un petit rire amer, puis déclara : « Le temps passe, monsieur. Il ne faut pas que je vous retarde.

— Peut-être à mon retour pourrons-nous discuter du *Toxophilus* et de vos autres livres.

— Oui, peut-être, dit-il d'un ton rasséréné.

— Je m'en réjouis à l'avance. »

Quand je l'avais quitté, il serrait la croix d'Emma.

✝

Chemin faisant, je pensai à nouveau à Abigail, qui avait déclaré qu'elle ne se sentirait pas en sécurité durant la partie de chasse et à la réponse de son mari affirmant qu'il ne supportait plus l'isolement. De quoi avaient-ils peur ? Y avait-il une relation entre leurs propos et la flèche tirée contre nous la veille ? Quoi qu'on ait caché à Hoyland, je devinais que Hugh en était au moins en partie informé. Et puis il y avait les conflits avec les villageois. Le déroulement des incidents de Hoyland était typique de ces cas où les seigneurs cherchent à détruire des villages et à s'emparer des terrains communaux. J'avais été maintes fois témoin du processus à la Cour des requêtes. Le rapport des forces à l'intérieur du village était également caractéristique... De petits propriétaires terriens comme Ettis prenant la direction du groupe, tandis que le seigneur intimidait certains villageois pauvres et les obligeait à lui céder leurs baux.

Lorsque j'atteignis le tournant de la route de Rolfswood, le soleil était haut dans le ciel et il commençait à faire chaud. Je m'étais attendu à un étique chemin de campagne, mais la route conduisant au Sussex était bien entretenue. J'avais parcouru un mille environ quand je sentis une odeur de brûlé qui me rappela les fourneaux à charbon de bois de notre arrivée. Sur ma droite, un large chemin traversait un haut talus et pénétrait dans la forêt. Curieux, je fis prendre cette direction au cheval.

Après avoir parcouru quelques centaines de toises, je débouchai dans une clairière où se dressait un édifice en argile, plus haut qu'un homme, ayant la forme d'une ruche et du sommet duquel s'échappait de la fumée. Des tas de petites branches parsemaient la clairière. Deux jeunes hommes assis sur des monticules de terre se levèrent à mon approche.

« Vous faites du charbon de bois ? demandai-je.

— Oui-da ! monsieur », répondit l'un des deux. Leurs visages étaient tout noirs à cause de leur métier. « D'habitude on travaille pas en été, mais en ce moment ils en veulent le plus possible pour les fonderies.

— Il paraît qu'aujourd'hui elles fondent des canons.

— Ça, monsieur, c'est là-bas, dans l'est du comté. Mais y a aussi pas mal de travail pour les petites fonderies du Sussex de l'Ouest.

— La guerre rapporte beaucoup d'argent, ajouta son ami. Même si, nous, on n'en voit guère la couleur.

— Je vais à Rolfswood. Je crois savoir qu'une fonderie de métaux y a brûlé.

— Ç'a dû se passer y a un bon bout de temps, car y a plus de fonderie de métaux dans le coin. » Il se tut, puis reprit : « Vous voulez boire une bière avec nous ?

— Je vous remercie, mais je dois poursuivre mon chemin. » Ils eurent l'air déçus et je me dis qu'ils devaient se sentir bien seuls avec le tas de charbon de bois pour toute compagnie.

Il était trois heures passées quand j'arrivai à Rolfswood. C'était un endroit plus petit que je ne l'avais imaginé. Il y avait une rue principale bordée de plusieurs belles maisons en brique mais pas grand-chose d'autre, sauf quelques chaumières. Un chemin serpentait jusqu'à un pont enjambant une petite rivière puis traversait un champ et menait à une église d'aspect ancien. Je fus ravi d'apercevoir une auberge d'assez bonne taille dans la rue principale. Deux charrettes me dépassèrent, remplies de petites branches dégageant une âcre odeur de sève.

Je mis pied à terre devant l'auberge où j'obtins une chambre relativement confortable pour la nuit. J'allais dans la salle avec l'espoir de glaner quelques renseignements. J'avais réfléchi à l'histoire que je raconterais pour justifier ma curiosité.

La salle était vide, à part un vieil homme assis tout seul sur un banc. À ses pieds était couché un grand limier, qui leva sa lourde tête lugubre pour me regarder. Je me dirigeai vers le guichet du comptoir et commandai une bière à la serveuse, une femme d'un certain âge. Sous la coiffe blanche, le visage joufflu et ridé était avenant. J'avalai la bière d'un trait, car j'avais horriblement soif.

« Vous venez de loin, monsieur ? s'enquit-elle.

— Des environs de Portsmouth.

— C'est un trajet d'une bonne journée à cheval. » Elle appuya les coudes sur le comptoir pour être plus à l'aise. « Quelles sont les nouvelles de là-bas ? On dit que le roi doit y aller.

— C'est ce qu'on dit. Mais je ne suis pas allé à Portsmouth. Je suis un avocat londonien et j'ai une affaire à traiter chez quelqu'un qui habite une maison au nord de Portsdown Hill.

— Et qu'est-ce qui vous amène à Rolfswood ?

— Un ami de Londres pense qu'il a peut-être des parents ici. Je lui ai offert de venir me renseigner sur place. »

Elle me regarda avec intérêt. « Ce doit être un bon ami pour faire un si long trajet.

— Il s'agit des Fettiplace. Une vieille tante lui a dit qu'ils avaient jadis une fonderie ici.

— Ça, c'est fini, répondit-elle gentiment. La fonderie a brûlé, il y a près de vingt ans. Maître Fettiplace et l'un de ses ouvriers sont morts dans l'incendie. »

Je restai coi, comme si c'était la première fois que j'entendais cette histoire, puis demandai : « Avait-il de la famille ?

— Il était veuf. Il avait une fille dont l'histoire est encore plus triste. Elle a assisté à l'incendie et ça lui a fait perdre la raison. Ils l'ont emmenée loin d'ici. À Londres, paraît-il.

— Quelle terrible histoire !

— Leur maison et la terre sur laquelle se trouvait la fonderie ont été vendues à maître Buttress, notre meunier. Vous êtes passé devant la maison dans la grand-rue. C'est celle qui a les belles sculptures représentant des animaux sur les montants de porte. »

Vendues, pensai-je. Par qui ? Légalement, Ellen aurait dû, sans aucun doute, en hériter. « Il n'y a pas d'autres Fettiplace dans les environs ?

— Non, monsieur. Maître Fettiplace était originaire d'une localité du nord du comté. Il était venu ici pour construire sa fonderie. » Elle se pencha par l'ouverture du guichet et appela le vieil homme. « Dis donc, Wilf. Ce monsieur cherche des renseignements sur la fonderie Fettiplace. » Il leva les yeux. « Wilf Harrydance y travaillait, me dit-elle à voix basse. C'est un vieux type désargenté. Payez-lui un verre et il vous racontera tout ce qu'il sait.

— Merci… Deux bières, je vous prie », lui dis-je en souriant.

Je les portai vers la table du vieil homme. Comme je posai une chope devant lui, il me remercia d'un signe de tête et me regarda avec circonspection. Vêtu d'une vieille blouse, très âgé, chauve, à part quelques cheveux gris épars, il avait un visage basané et ridé mais des yeux bleus intelligents et très vifs. Le chien remua la queue, attendant des miettes sans doute.

« Vous voulez connaître l'histoire des Fettiplace, monsieur ? » Il agita la main. « J'ai entendu tout ce que vous avez dit à mame Bell. J'ai beau être vieux, j'ai l'ouïe fine.

— Je m'appelle Matthew Shardlake. Vous travailliez à la fonderie ?

— J'étais l'employé de maître Fettiplace depuis dix ans quand le feu s'est déclaré. Ce n'était pas un mauvais patron. » Il se tut quelques instants, perdu dans ses souvenirs. « Le travail était pénible. Il fallait charger le minerai et le charbon de bois dans la fournaise, suivre la progression de la fusion dans le carneau… Sainte mère de Dieu, quand on regardait à l'intérieur la chaleur vous faisait presque fondre les yeux ! Ensuite il fallait racler la masse informe de fer fondu pour la faire passer dans le foyer… »

J'entendis à nouveau la voix d'Ellen. « Le malheureux était en feu… » Remarquant mon inattention, Wilf s'était tu et fronçait les sourcils. « Je suis désolé, dis-je. Continuez, je vous prie. De quelle sorte de fonderie s'agissait-il ? Y utilisait-on ce qu'on appelle un four à loupes ? »

Il hocha la tête. « Un petit four à loupes, même si les soufflets étaient alimentés par un moulin à eau. Maître Fettiplace était encore jeune quand il est venu à Rolfswood, mais le commerce du fer lui avait déjà rapporté un peu d'argent dans le Sussex de l'Est. Il y a un affleurement de minerai de fer ici, un petit, nous sommes sur la bordure occidentale du Weald. Maître Fettiplace avait acheté une terre boisée avec l'intention de l'exploiter pour fabriquer du charbon. Comme la rivière la traverse, il a fait construire un barrage à ses frais pour créer une retenue d'eau et il a bâti le fourneau. Le flot d'eau fait tourner la roue qui actionne les soufflets, vous voyez ?

— Très bien.

— Dans le cas présent, le minerai de fer est apporté d'un endroit situé un peu plus haut en amont, là où se trouvait l'affleurement, et on le met dans la fournaise avec le charbon de bois. Le fer se détache du minerai en fondant et tombe au fond. Vous voyez ? répéta-t-il comme un maître d'école.

— Il me semble. Une autre bière ? »

Il hocha la tête, le regard grave. « Oui. Merci. »

J'allai chercher deux autres bières et les posai sur la table. « Quel genre d'homme était maître Fettiplace ? »

Il secoua la tête d'un air triste. « William Fettiplace n'a pas eu de chance dans la vie. La fonderie de Rolfswood n'a jamais bien marché, le minerai de fer était de médiocre qualité et, à cause de la concurrence des nouveaux hauts-fourneaux, le prix du charbon de bois n'arrêtait pas de monter. Puis sa femme qu'il adorait est morte jeune et l'a laissé avec une fillette. Et il est mort dans l'incendie avec mon ami Peter Gratwyck. Ce mystérieux incendie, ajouta-t-il en posant sur moi un regard intense.

— Mystérieux ? J'aurais pensé qu'il existait toujours un risque d'incendie dans ce genre d'endroit. »

Il secoua la tête. « C'était l'été et le four ne marchait même pas. » Il se pencha en avant. « Voilà comment c'était disposé. La fonderie était un endroit clos, une cour entourée d'une palissade en bois. Le tout était presque entièrement recouvert d'un toit, sauf au centre, et il faisait très chaud quand le four fonctionnait. À l'intérieur de l'enclos se trouvait le bâtiment principal, le four à une extrémité, et les grands soufflets connectés à la roue du moulin à eau. Le reste de l'enclos servait à entreposer le minerai, le coke et les matériaux de construction. C'était une petite fonderie à l'ancienne mode. Maître Fettiplace n'avait pas les moyens de construire un haut-fourneau et il n'employait qu'un petit nombre d'ouvriers. Nous travaillions sur nos terres en été et à la fonderie, l'hiver. Vous comprenez ?

— Très bien.

— L'été, quelqu'un devait être présent pour recevoir les livraisons de coke et de minerai, en prévision de l'hiver, et pour surveiller la retenue d'eau et le moulin. En général, c'est Peter qui s'en chargeait car il habitait tout près. Mais cet été-là – on était en 1526, l'année avant la grande disette, quand les pluies ont détruit les récoltes – août a été aussi froid et venteux qu'un mois d'octobre…

— Et l'incendie ? » soufflai-je.

Il se pencha en avant, si près de moi que je sentis la chaleur de son haleine exhalant un relent de bière. « Cet été-là, Peter vivait dans la fonderie. Sa femme, une horrible vieille mégère, l'avait mis à la porte, sous prétexte qu'il buvait trop. C'était, sans doute, la vérité, mais peu importe. Peter a demandé à maître Fettiplace s'il pouvait loger quelque temps à la fonderie et le patron a été d'accord. Il y avait une petite paillasse car, durant les sessions d'hiver, des ouvriers y passaient souvent la nuit, mais, ce soir-là, il était seul dans la fonderie. » Il avala une nouvelle gorgée de bière puis s'appuya au dossier du banc. « Ah, monsieur, ça fait encore mal d'y repenser », soupira-t-il. Le chien leva les yeux vers son maître et poussa un petit gémissement.

« Ce soir-là, vers neuf heures, j'étais chez moi, en ville, quand un voisin est venu cogner contre ma porte en criant que la fonderie était en feu. Je suis sorti en courant. Des tas de gens se précipitaient vers les bois. En approchant de la fonderie, on voyait les flammes entre les arbres et la retenue rougeoyait car le feu se réfléchissait dans l'eau. C'était affreux. Quand je suis arrivé sur place, l'enclos brûlait d'un bout à l'autre. Il était en bois, vous voyez. Ellen Fettiplace a ensuite rejeté la faute sur Peter, car, d'après elle, il avait allumé un feu pour se chauffer et provoqué l'incendie.

— Ellen ? C'est la fille de maître Fettiplace ? demandai-je, puisque je n'étais pas censé connaître son nom.

— Exactement. C'était le seul témoin. Elle et son père étaient allés faire une promenade jusqu'à la fonderie – le patron voulait vérifier qu'une commande de minerai était bien arrivée –, et ils ont découvert Peter complètement saoul près du feu. Quand maître Fettiplace l'a violemment apostrophé, il s'est mis sur pied d'un bond et ses vêtements ont pris feu, on ne sait trop comment. Il est retombé sur la paillasse, qui s'est enflammée à son tour. Il y avait beaucoup de poussière de coke partout et toute la fonderie s'est embrasée. Peter et maître Fettiplace ont brûlé vif. Seule la jeune Ellen s'en est tirée mais ça l'a rendue folle. Trop folle pour témoigner à l'enquête. On a seulement lu sa déposition. » Je me rappelai le cri d'Ellen : « J'ai vu sa peau noircir, se craqueler et fondre ! Il a essayé de se relever mais il est tombé ! »

« Ç'a été la fin du travail ici, poursuivit Wilf. Pour moi et pour une demi-douzaine d'autres. La fonderie n'a jamais été reconstruite, car elle ne rapportait pas assez. Les ruines sont toujours là-bas, dans les bois. L'année suivante, la moisson a été calamiteuse et on n'a pas toujours mangé à notre faim. » Il parcourut du regard la salle vide. « Peter Gratwyck était mon meilleur ami. Que de soirées on a passées ici à boire quand on était jeunes !

— Savez-vous où est allée la fille ?

— La nuit de l'incendie, elle a couru chez le prêtre, le vieux John Seckford qui officie toujours ici. Elle avait perdu la raison. Elle refusait de quitter le presbytère. Après l'enquête, on l'a emmenée, à Londres, chez des parents, paraît-il. Mais votre ami ne l'a jamais rencontrée ? demanda-t-il, intrigué.

— Non. »

Ce n'est pas ce à quoi je m'attendais, pensai-je. Il n'est pas question de viol dans cette histoire. « Cette Ellen, comment était-elle ?

— Une assez jolie fille. Elle devait avoir dix-neuf ans environ. Mais gâtée par son père et très sûre d'elle. Ce qui est triste, c'est qu'à l'époque de l'incendie on disait qu'elle allait se marier.

— À qui ?

— À M. Philip West. Sa famille possède des terres par ici. Il s'est engagé dans la marine royale après les événements.

— Je suppose que l'enquête a conclu à une mort accidentelle.

— En effet... Pourtant, il y a des choses qui n'étaient pas claires dans cet incendie, poursuivit-il en s'animant soudain. Par exemple, je n'ai jamais compris comment maître Fettiplace n'avait pas réussi à sortir de la fournaise. Mais on ne m'a pas demandé de témoigner. Messire Priddis a bouclé l'enquête en deux temps trois mouvements. »

Je me redressai sur mon siège. « Priddis ? »

Il plissa les yeux. « Vous le connaissez ?

— De nom, seulement. C'est le représentant de la Cour des tutelles dans le Hampshire.

— C'était l'un des coroners du Sussex à l'époque.

— Ellen Fettiplace a-t-elle expliqué pourquoi ni son père ni votre ami n'ont pu s'échapper ?

— Les vêtements de Peter étaient en feu et, apparemment, ceux de maître Fettiplace se sont embrasés eux aussi, on ne sait comment. C'est ce qu'elle a déclaré, et elle était le seul témoin. La fonderie était détruite et, à part quelques ossements, il ne restait rien du malheureux Peter ni de maître Fettiplace. C'est sûr que vous ne connaissez pas Quintin Priddis ? demanda-t-il d'un air inquiet.

— Je ne l'ai jamais rencontré.

— Il faut que je m'en aille ! s'exclama-t-il soudain. Ma femme m'attend. Combien de temps comptez-vous séjourner à Rolfswood ?

— Je repars demain matin. »

Il parut soulagé. « Eh bien, je vous souhaite bon voyage. Merci pour les bières. On y va, César ! »

Il se leva et commença à s'éloigner, le chien sur les talons. Puis il s'arrêta et me lança : « Allez voir le révérend Seckford. Ici beaucoup pensent que quelque chose a été étouffé à l'époque. Mais j'en dirai pas plus. »

Sur ce, il s'en alla à vive allure.

22

Je gravis lentement la pente jusqu'à l'église. J'étais couvert de poussière, j'avais les jambes douloureuses et ankylosées et je n'avais qu'une envie : me reposer. Mais je n'avais pas beaucoup de temps à passer à Rolfswood. Je réfléchis à ce que le vieux Wilf m'avait dit. S'il avait paru mettre en doute la version officielle des événements qui s'étaient déroulés à la fonderie, il était clair qu'il n'avait pas entendu parler de viol. Je me rappelai les paroles d'Ellen, ce jour terrible où elle avait perdu toute maîtrise de soi : « Ils étaient si forts, je ne pouvais pas bouger ! »

L'église était un petit bâtiment roman trapu. À l'intérieur, peu de chose avait changé depuis l'époque papiste. Les statues de saints se trouvaient toujours à leur place, les cierges brûlaient devant le maître-autel. Le révérend Broughton n'approuverait pas, pensai-je. Une femme d'âge mûr remplaçait les bougies consumées. Je me dirigeai vers elle.

« Je cherche le révérend Seckford.

— Il doit être dans le presbytère, monsieur. La porte d'à côté. »

Je gagnai la maison contiguë, une masure aux murs

en torchis dont la vieille peinture s'écaillait. Il est vrai que Seckford n'était qu'un vicaire titulaire, placé sous l'autorité d'un prêtre qui devait sans doute être en charge de plusieurs paroisses. J'eus honte d'être sur le point de lui mentir, comme j'avais menti à Wilf. Mais je ne voulais pas que quelqu'un de Rolfswood sache où se trouvait Ellen.

Je frappai à la porte. J'entendis des pas traînants et un petit homme, âgé d'une cinquantaine d'années et portant une soutane qui aurait mérité un bon lavage, vint ouvrir. Très gros, aussi large que haut, il avait des yeux chassieux et des joues rebondies, couvertes de poils gris mal rasés.

« Révérend Seckford ?

— Oui, répondit-il d'une voix douce.

— Puis-je m'entretenir avec vous ? À propos d'une bonne action que vous avez faite, il y a de nombreuses années, envers une femme du nom d'Ellen Fettiplace. C'est Wilf Harrydance qui m'a suggéré de vous rendre visite. »

Il m'étudia avec soin, puis hocha la tête. « Entrez donc, monsieur. »

Je le suivis dans une salle miteuse. Il m'invita à m'asseoir sur un banc en bois à dossier drapé dans une toile crasseuse. Il prit une chaise lui faisant face, qui grinça sous son poids, et posa sur moi un regard interrogateur. « Vous semblez arriver de voyage, monsieur.

— Oui. Veuillez m'excuser si je suis couvert de poussière. » Je pris une profonde inspiration avant de raconter la même histoire qu'à Wilf, au sujet d'un ami à la recherche de parents du nom de Fettiplace. Seckford écouta attentivement, même si son regard dérivait parfois vers la fenêtre ouverte derrière moi et vers un gros pot placé sur une desserte, où était exposée de la vaisselle en argent terni. Quand j'eus terminé mon récit, il me fixa du regard, le visage empreint de tristesse.

« Pardonnez-moi, dit-il de sa voix douce. Mais j'espère que l'intérêt de vos clients ne relève pas de la simple curiosité. L'histoire d'Ellen est triste, tragique.

— Mon... ami... Je suis sûr qu'il l'aiderait s'il le pouvait.

— Si elle est toujours en vie. » Il se tut, rassemblant ses souvenirs. « William Fettiplace, le père d'Ellen, reprit-il, était un brave homme. Cette fonderie ne lui rapportait pas grand-chose, mais il était charitable, donnait de l'argent aux pauvres et à l'église. Sa femme, Elizabeth, est morte jeune. Il adorait Ellen. Peut-être la gâtait-il trop, car elle est devenue une jeune fille au caractère très affirmé, mais bonne et charitable, elle aussi. Elle aimait beaucoup l'église. Elle apportait des fleurs pour l'autel, et parfois pour moi également, afin d'égayer cet endroit sinistre. » Il regarda dans le vague quelques instants, avant de poursuivre son récit. « L'incendie a eu lieu il y a dix-neuf ans.

— Wilf m'a dit que c'était en 1526, au mois d'août.

— C'est ça. L'année suivante, la récolte a été désastreuse, ce qui a entraîné une grande disette. J'ai alors enterré beaucoup de mes paroissiens. » Ses yeux dérivèrent à nouveau vers la fenêtre. Je suivis son regard, mais il n'y avait qu'un petit jardin où poussait un cerisier.

« La journée avait été froide et nuageuse, comme ç'avait souvent été le cas cet été-là. J'étais ici même. Le soir tombait, et je me rappelle que je venais d'allumer une bougie quand on a cogné violemment contre ma porte. J'ai cru qu'on venait me chercher pour administrer l'extrême-onction, mais c'était la malheureuse Ellen qui est entrée en titubant. Elle avait perdu sa toque, sa chevelure était en bataille, sa robe déchirée et toute tachée d'herbe. Elle avait dû tomber dans l'obscurité en venant de la fonderie. »

Quelque chose d'autre aurait pu se passer pour expliquer son état, pensai-je.

« Je n'ai pu obtenir d'elle aucune parole sensée. Elle avait le regard fixe et n'arrêtait pas de prendre de profondes inspirations et d'ahaner, sans pouvoir prononcer le moindre mot. Puis elle s'est écriée : "Le feu, le feu, à la fonderie !" Je suis sorti en courant et en appelant à l'aide, et bientôt la moitié de Rolfswood s'est précipitée vers la fonderie. Je suis resté avec Ellen. On m'a raconté plus tard que lorsque les gens sont arrivés sur place tout l'enclos était en feu. De maître Fettiplace et de Peter Gratwyck, son ouvrier, ils n'ont trouvé que des ossements calcinés. Que Dieu garde leurs malheureuses âmes et qu'ils reposent en paix !

— Maître Harrydance m'a dit qu'ensuite Ellen est venue habiter ici.

— C'est vrai... Mais il n'y avait là rien d'inconvenant, rétorqua-t-il en redressant la tête, car j'ai demandé à mame Wright, l'une des servantes des Fettiplace, de venir s'occuper d'elle.

— Combien de temps est-elle restée ?

— Près de deux mois. Elle ne s'est jamais remise. Au début, elle parlait à peine et refusait de raconter ce qui était arrivé. Si on l'interrogeait à ce sujet, elle se mettait à pleurer, voire à pousser des cris, ce qui nous inquiétait beaucoup. Si quelqu'un frappait à la porte, elle sursautait, hurlait même et courait s'enfermer dans sa chambre. Au bout de quelque temps, on est parvenus à lui tirer quelques banalités sur le temps, ou ce genre de chose, mais elle ne parlait qu'à moi ou à mame Wright. Elle refusait de sortir du presbytère, se contentant de secouer la tête violemment quand je le suggérais. Elle ne voulait voir personne. Pas même M. Philip West, le jeune homme qu'elle devait épouser, selon la rumeur. Bien qu'il soit venu plusieurs fois. À son expression, on voyait bien qu'il était bouleversé. Je pense qu'il l'aimait vraiment.

— D'après maître Harrydance, il s'est engagé dans la marine royale.

— Oui. Peu après les événements. Je crois qu'il éprouvait un grand chagrin d'amour. On disait, vous voyez, qu'il était sur le point de la demander en mariage. Sa famille lui avait obtenu un poste subalterne à la Cour. Il allait souvent à Londres, mais, cette année-là, le roi était en visite officielle dans le Sussex et M. West était venu à cheval passer la journée à Rolfswood. » Il secoua la tête d'un air mélancolique. « Maître Fettiplace aurait été ravi qu'ils se marient, car les West sont de riches propriétaires fonciers. Et M. West était un beau garçon.

— La famille West habite-t-elle toujours ici ?

— Le père de Philip West est mort il y a quelques années. Sa mère, lady Beatrice West, continue à gérer ses terres. Il a beaucoup de biens dans la région, mais laisse sa mère s'occuper de son patrimoine et ne vient en visite que lorsqu'il n'est pas en mer. C'est une femme... redoutable. Elle habite une vaste demeure aux abords de la ville. Philip est venu le mois dernier, quand son bateau est arrivé à Portsmouth... Il paraît, poursuivit le vicaire en m'interrogeant du regard, que toute la flotte royale va s'y rassembler et que le roi lui-même est déjà sur la route pour venir la passer en revue. » L'homme de Dieu secoua à nouveau la tête d'un air chagrin. « Nous vivons une époque terrible.

— En effet, révérend.

— Le mois dernier, j'ai vu Philip West longer la grand-rue à cheval. S'il est toujours beau, c'est désormais un homme mûr au visage sévère. » Il se leva d'un bond. « Veuillez m'excuser, monsieur. J'ai pris la résolution de ne pas boire de bière forte avant que l'ombre de ce cerisier ne frappe la grille. Mais tous ces souvenirs… » Il se dirigea vers la desserte et saisit deux chopes d'étain. « Accepterez-vous de boire avec moi, monsieur ?

— Avec plaisir. »

Il prit la cruche et remplit les chopes. Il vida la sienne en quelques gorgées, puis, poussant un profond soupir, la remplit à nouveau, avant de me passer la seconde et de se rasseoir.

« C'est après qu'ils ont emmené Ellen que j'ai commencé à commettre des excès de boisson. C'était si atroce que la fonderie ait brûlé entièrement et que la pauvre fille ait perdu l'esprit. Et je dois prêcher la miséricorde divine… » Son visage rebondi s'affaissa et il eut l'air extrêmement malheureux.

« Ellen a-t-elle été le seul témoin de la scène ? » demandai-je tranquillement.

Il fronça les sourcils. « Oui. Et le coroner s'est acharné à lui faire raconter ce qu'elle avait vu… Lady West voulait que l'affaire soit bouclée, poursuivit-il d'une voix âpre, pour que son fils n'en entende plus parler et cesse d'être le sujet de toutes les conversations du coin. Les West pouvaient aider la carrière du coroner Priddis. Et c'est un homme ambitieux, notre ancien coroner, conclut-il d'un ton amer.

— Je sais qui est Priddis, dis-je. Il s'appelle sir Quintin, à présent, et est curateur de fief du Hampshire. C'est un poste assez important.

— C'est ce que j'ai entendu dire. Les Priddis n'étaient que des francs-tenanciers, mais ils avaient de l'ambition pour leur fils et ont envoyé le jeune Quintin faire son droit. » Il avala une grande gorgée de bière. « À mon avis, l'ambition est une malédiction, monsieur. Elle rend les hommes froids et insensibles. On ne doit pas quitter la condition que Dieu nous a assignée. » Il soupira. « Peut-être ne serez-vous pas d'accord.

— Je suis d'accord que l'ambition peut rendre les hommes insensibles.

— Priddis cherchait à se mettre bien avec tous les hobereaux du coin. C'était un petit gars affairé, agité. Il a commencé à venir ici dès le lendemain de l'incendie, exigeant de voir Ellen pour prendre sa déposition. Mais, comme je vous l'ai dit, elle refusait de voir quiconque. Messire Priddis a dû ajourner l'audience concernant maître Fettiplace et Peter plusieurs fois. Je pense que ça le mettait hors de lui de voir son pouvoir contrecarré par une petite donzelle. Il se fichait pas mal de son état mental.

— Malgré tout, il était de son devoir de savoir ce qui s'était passé.

— Le filou a fini par avoir sa déposition. Je vais vous raconter comment. » Il finit sa bière d'un trait. Contrairement à Wilf, il ne se méfiait pas du tout de moi et j'eus l'impression qu'il était quelque peu détaché de ce monde.

« Donc, après quelques semaines, l'état d'Ellen s'est amélioré, mais elle refusait toujours d'expliquer ce qui était arrivé et de sortir, même pour aller à l'église, le bâtiment d'à côté. Elle inventait des tas d'excuses, devenait, disons, rusée, elle qui, auparavant, avait été si franche et si spontanée. Cela m'attristait. Je pense qu'elle a fini par accepter de recevoir Priddis pour qu'il lui fiche la paix. Tout ce qu'elle voulait désormais, c'était rester dans la maison avec moi et Jane Wright et ne jamais en sortir.

— Avez-vous assisté à l'entretien ? »

Il secoua la tête. « Non. Priddis a insisté pour qu'il n'y ait que lui et mame Wright. Ils sont entrés là, dans ma cuisine, et en sont ressortis une heure plus tard, Priddis paraissait très content de lui. Le lendemain, il lui a envoyé une déposition toute rédigée, et elle l'a signée. Selon son témoignage, son père et elle étaient allés faire une promenade jusqu'à la fonderie ce soir-là, car il voulait vérifier que du coke avait bien été livré, et ils avaient trouvé Peter en état d'ébriété. Il était tombé dans le feu, qu'il avait allumé pour se réchauffer et ses vêtements s'étaient embrasés. Ensuite, on ne sait trop comment, ceux de William Fettiplace avaient pris feu, eux aussi. Priddis a permis qu'on lise la déposition durant l'audience, hors de la présence d'Ellen, à cause de son état mental. On a conclu à une mort accidentelle. » Il donna un coup de poing rageur sur le côté de sa chaise. « Dossier refermé, attaché avec un ruban rouge, et archivé.

— Vous croyez qu'il s'agissait d'un faux témoignage de la part d'Ellen ? »

413

Il me regarda droit dans les yeux. « À mon avis, messire Priddis a mis bout à bout les quelques éléments fournis par Ellen, a bâti une intrigue vraisemblable, et Ellen a signé le compte rendu pour se débarrasser de lui. Je répète qu'elle était devenue calculatrice. Il paraît que ça peut arriver à des gens qui ont des problèmes mentaux. Tout ce qu'elle voulait c'était qu'on lui fiche la paix.

— Selon vous, que s'est-il réellement passé ?

— Je n'en ai aucune idée, affirma-t-il en plongeant son regard dans le mien. Mais si l'incendie venait juste de prendre, je ne vois pas pourquoi maître Fettiplace, au moins, n'a pas pu en réchapper.

— Avait-il des ennemis ?

— Aucun. Personne ne lui en voulait.

— Comment Ellen en est-elle venue à vous quitter ? »

Il s'appuya au dossier de sa chaise. « Oh, monsieur, vous me demandez de revivre le pire épisode de l'affaire.

— Je suis désolé. Je ne veux pas vous forcer la main.

— De toute façon, au point où nous en sommes, il faut que vous connaissiez la fin de l'histoire. » Il se leva, prit ma chope, se dirigea d'un pas chancelant jusqu'au buffet et nous resservit à boire.

« Mame Wright et moi ne savions que faire d'Ellen. Elle n'avait pas de parents. Elle héritait de la maison de son père à Rolfswood, d'un lopin de terre et des ruines de la fonderie. Je pensai la garder avec nous, dans l'espoir qu'elle finisse par guérir et puisse s'occuper de ses affaires. Mais Quintin Priddis est intervenu une nouvelle fois. Peu de temps après le verdict, il est revenu nous voir. Assis à la place que vous occupez en ce moment, il a déclaré qu'il était inconvenant qu'Ellen demeure chez moi. Il m'a menacé d'avertir le chef de la paroisse, qui, à n'en pas douter, ordonnerait qu'on la mette dehors. » À nouveau, il vida sa chope d'un trait.

Je me penchai en avant. « Maître Harrydance m'a dit qu'elle a été emmenée à Londres, chez des parents. »

La main qui tenait la chope tremblait. « J'ai demandé à messire Priddis ce qu'il allait advenir d'elle. Il m'a répondu qu'ayant fait des recherches, il lui avait trouvé des parents à Londres et était disposé à la faire transporter chez eux. » Fronçant les sourcils, cette fois le vicaire fixa sur moi un regard perçant. « Vous affirmez que votre ami vit à Londres mais qu'il ne la connaît pas.

— Il ne sait rien de cette histoire. » Je m'en voulais de mentir au vieil homme et me rendais compte qu'une fois qu'on commence à aligner les mensonges il devient de plus en plus difficile d'arrêter. Il parut, cependant, accepter ma réponse.

« Je suppose, dit-il, que lady West a payé des honoraires à Priddis pour qu'il recherche des parents. Pour agir, il fallait qu'il en tire quelque avantage financier. » Mais la personne qui l'a fait interner à Bedlam n'en a tiré aucun profit, pensai-je. Au contraire, c'est une constante source de dépenses. Si elle la garde à l'écart, ce ne peut être que pour assurer sa propre sécurité. Serait-ce lady West ? Pour protéger son fils ?

« Priddis s'est très mal comporté, reprit Seckford d'un ton calme. Vous voyez, Jane Wright n'avait pas reçu de gages depuis l'incendie. Ni les autres serviteurs de maître Fettiplace. Qui allait les payer ? Priddis lui a dit que placer Ellen chez ces parents signifiait que tout pourrait redevenir normal. Qu'on vendrait la maison et qu'on pourrait ainsi lui régler ses arriérés de gages. Il a ajouté qu'il pourrait la recommander à la personne qui achèterait la maison pour qu'il la garde. Du coup, elle s'est mise de son côté. Je ne le lui reproche pas. Elle n'avait aucun revenu. On vivait tous grâce à mon maigre salaire.

— Lui avez-vous demandé qui étaient ces parents ?

— Priddis n'a pas voulu le dire. Il a seulement déclaré qu'ils vivaient à Londres et qu'ils s'occuperaient bien d'elle. Il a ajouté que je n'avais pas besoin d'en savoir davantage... Monsieur, fit-il en se penchant en avant, je ne suis qu'un pauvre vicaire. Comment pouvais-je tenir tête à Priddis, un homme doté d'un cœur de pierre et possédant autorité et pouvoir ?

— Vous vous trouviez dans une position intenable.

— J'aurais pu en faire davantage, malgré tout. J'ai toujours été faible, dit-il en baissant la tête. Une semaine plus tard, une voiture est arrivée, l'une de ces caisses sur roues utilisées par les riches. Priddis m'avait averti qu'on viendrait chercher Ellen pour l'emmener à Londres. Il m'a conseillé de ne pas la prévenir car elle risquait de se déchaîner. Jane m'a persuadé que c'était l'attitude la plus charitable à adopter. Ah, je suis trop influençable...

« Priddis est arrivé un matin, flanqué de deux hommes, deux grandes brutes affreuses. Ils ont pénétré dans la chambre d'Ellen et l'ont entraînée de force. Elle hurlait comme une malheureuse bête prise au piège. Je lui ai dit que tout irait bien, qu'elle allait habiter chez de gentils parents, mais elle n'écoutait plus rien. Son regard indiquait qu'elle pensait que je l'avais trahie.

Ce qui était vrai. Elle hurlait toujours quand la voiture l'a emportée. Je l'entends encore. »

Moi aussi, pensai-je, sans oser le dire. Seckford se leva en chancelant. « Une autre bière, monsieur. Moi, je sais qu'il m'en faut une de plus.

— Non, merci. » Je me levai moi aussi. Il me fixa, un certain désespoir dans le regard. « Buvez avec moi, monsieur, dit-il. Cela soulage l'esprit. Allons !

— J'ai fait un long voyage, monsieur, répondis-je avec douceur. Je suis épuisé, il faut que je me repose. Mais je vous remercie de m'avoir relaté cette histoire. Je devine que cela n'a pas été facile pour vous et je n'aurais pas aimé être à votre place.

— Votre client va-t-il essayer de retrouver Ellen ?

— Je vous promets qu'on va faire quelque chose dans ce sens. »

Il hocha la tête, le visage tordu par l'émotion, et alla se servir une nouvelle bière.

« Une dernière question, si je puis me permettre. Qu'est-il arrivé à la maison des Fettiplace ?

— Elle a été vendue, comme l'avait annoncé Priddis. À maître Humphrey Buttress, le meunier. Il y vit toujours… C'est un vieux compère de messire Priddis, ajouta-t-il avec un sourire sans joie. Je parie qu'il l'a eue pour une bouchée de pain. Maître Buttress ayant emmené ses propres gens, Jane Wright et les autres serviteurs des Fettiplace se sont retrouvés à la rue. Elle est décédée l'année suivante, pendant la grande disette. Elle est morte d'inanition, et elle n'a pas été la seule. Elle était vieille, voyez-vous, et elle n'avait pas de travail. » Il s'appuya une main sur le buffet pour reprendre l'équilibre. « Je prie Dieu que votre ami retrouve Ellen à Londres et puisse l'aider, si elle est toujours en vie. Mais je vous en supplie, ne répétez pas ce que j'ai dit sur Priddis, les West ou maître Buttress, à quiconque possède quelque pouvoir. Cela pourrait toujours m'attirer des ennuis. Le chef de la paroisse veut me faire partir, voyez-vous. C'est un réformateur intransigeant, alors que moi je trouve les nouvelles façons... difficiles.

— Je vous le promets. » Je serrai sa main tremblante et m'en allai.

J'éprouvais des remords tandis que je reprenais le sentier en direction de la ville. J'aurais aimé pouvoir lui dire qu'Ellen était toujours vivante, qu'elle avait eu au moins un semblant de vie normale avant que je la perturbe à nouveau. J'étais persuadé qu'en plus de l'incendie il y avait eu un viol au cours de cette lointaine soirée. Je me rappelai les paroles d'Ellen. « Ils étaient si forts, je ne pouvais pas bouger ! Là-haut, le ciel était si vaste... Si vaste qu'il aurait pu m'engloutir ! » Et la robe d'Ellen était déchirée et portait des traces d'herbe. Mais qui étaient les hommes qui avaient commis cet acte odieux ?

Plongé dans mes réflexions, je ne faisais guère attention à ce qui m'entourait. Comme le sentier passait entre deux haies d'aubépine, deux hommes émergèrent soudain d'une brèche et se postèrent devant moi. Âgés d'une trentaine d'années, ils avaient l'air d'ouvriers agricoles et leur aspect avait quelque chose de familier. L'un d'eux me fit un petit salut. « B'soir, m'sieur, dit-il.

— Bonsoir, les gars.

— Il paraît que vous avez fait raconter de vieilles histoires à notre père. » Je me rendis alors compte que leurs minces visages en lame de couteau ressemblaient à celui de Wilf.

« En effet. Je l'ai interrogé à propos de l'incendie de la fonderie Fettiplace. » Je jetai un coup d'œil à l'entour. Nous étions absolument seuls sur le sentier ombreux. Je regrettais beaucoup que Barak ne soit pas avec moi.

« Vous avez aussi interrogé le vieux Seckford, pas vrai ?

— Oui. C'est votre père qui me l'a suggéré.

— Père est un vieux bavard. Ça fait des années qu'il échafaude des hypothèses sur cet incendie. D'après lui, le verdict ne tient pas debout et on a étouffé quelque chose. On lui répète que ça s'est passé y a belle lurette et qu'il devrait se tenir à carreau. Les West sont des gens puissants et ils possèdent la terre que nous cultivons. Père ne sait rien puisqu'il n'était pas là. On a pensé qu'on devait vous prévenir, m'sieur. » Il parlait d'un ton calme, respectueux mais menaçant, malgré tout.

« Père nous a dit que vous quittiez Rolfswood demain, ajouta le frère. On vous conseille de ne pas revenir et de ne pas reparler à notre père… Ou on risque de vous retrouver le crâne fendu, ajouta-t-il en se penchant en avant. On vous a jamais dit ça, bien sûr. On vous a même pas parlé. » Il me fit un signe de tête significatif, puis les deux hommes se détournèrent, s'engouffrèrent dans la brèche de la haie et disparurent. Je pris une longue et profonde inspiration, avant de poursuivre mon chemin.

Incapable de trouver le sommeil, je passai une nuit agitée à l'auberge. Que s'était-il passé en ce lieu, dix-neuf ans plus tôt ? Une théorie chassait l'autre dans mon esprit fatigué. Peter Gratwyck avait-il été l'un des violeurs ? Lui et Philip West avaient-ils agressé Ellen et son père avant de mettre le feu à la fonderie pour se débarrasser du corps ? West s'était-il alors enfui ? Je secouai la tête. Aucune preuve n'étayait cette hypothèse, ni une autre. Mais je ne cessais de me demander si un meurtre n'avait pas été commis ce soir-là.

J'avais été stupéfié d'apprendre que Priddis était mêlé à l'affaire. Je devais le rencontrer deux jours plus tard à Portsmouth où se trouverait sans doute également Philip West. Rien de surprenant à cela puisque tous les personnages officiels de la région, l'armée et les vaisseaux royaux se rassemblaient à Portsmouth. Le roi en personne y arriverait dans une semaine.

Le lendemain, je retrouverais le prieuré de Hoyland et son étrange famille. Je me rendis compte que je n'y avais guère songé depuis mon arrivée à Rolfswood. Je me tournai et me retournai dans mon lit, en pensant à la façon dont Seckford avait décrit Ellen... Une malheureuse bête prise au piège.

Je me levai de bonne heure, le lendemain matin, car je pouvais encore faire une chose avant de repartir.

Je quittai l'auberge et longeai la grand-rue. Je trouvai bientôt la maison signalée par Wilf. C'était la plus grande et elle avait été récemment peinte en bleu. Elle avait des fenêtres aux carreaux losangés et un portail flanqué de montants sur lesquels divers animaux étaient joliment sculptés. Je frappai à la porte. Un domestique vint ouvrir et je lui demandai si je pouvais parler à maître Buttress, à propos de la famille Fettiplace. Ça devrait le faire rappliquer, me dis-je.

On me pria d'attendre dans la salle. C'était une pièce bien meublée, dominée par une peinture murale représentant des dignitaires romains en toge en train de discuter devant le Sénat. Un bouquet de fleurs d'été dépassait d'un grand vase posé sur une table. C'était dans cette maison qu'Ellen avait grandi, qu'elle avait passé toute sa vie avant la tragédie. Je parcourus la pièce du regard, tous mes sens en éveil, mais je ne ressentis rien, aucun rapport avec elle.

La porte s'ouvrit pour laisser passer un homme grand et corpulent, aux cheveux bouclés grisonnants et qui, par-dessus une chemise brodée de fine dentelle, portait un pourpoint de laine orné de boutons d'argent. Il inclina le buste.

« Maître Buttress ? fis-je.

— Lui-même. On me dit que vous avez des questions à poser sur la famille Fettiplace, qui habitait jadis ici. » Malgré le ton courtois, on percevait en lui à la fois de l'agressivité et de la vigilance.

« Je suis désolé de vous déranger de si bonne heure, mais je me demandais si vous pouviez m'aider. » Je lui racontai mon histoire concernant les recherches que je menais de la part d'un ami.

« Qui vous a dit que je suis propriétaire de la maison ?

— Je l'ai entendu dire à l'auberge.

— La ville grouille de rumeurs. En fait, je connaissais très peu la famille.

— Soit. Mais je me suis dit que Mlle Fettiplace avait dû indiquer son adresse londonienne sur le contrat lorsqu'elle a vendu la maison. Cela m'aiderait à la retrouver. Sauf, ajoutai-je, si sa santé mentale était en question, et dans ce cas la transaction serait passée par le bureau des Tutelles, comme on l'appelait alors.

— Autant qu'il m'en souvienne, répondit-il en me fixant attentivement, elle l'a vendue elle-même. Tout a été fait selon les règles. Ayant plus de seize ans à l'époque, elle avait le droit de la vendre.

— Je suis persuadé que tout a été fait régulièrement. Mais auriez-vous la bonté d'aller chercher le contrat de vente, cela m'aiderait énormément si j'avais une adresse. » Je parlais avec déférence, jugeant qu'avec cet homme c'était la meilleure façon de procéder. Il fronça les sourcils, puis se redressa de toute sa hauteur. « Attendez quelques instants, dit-il. Je vais voir si je peux le retrouver. »

Il quitta la pièce et revint bientôt avec un document frappé d'un cachet rouge au bas. Il l'épousseta d'un grand geste puis le posa sur la table. « Voilà, monsieur, fit-il avec raideur, vous pourrez constater que tout est en règle. » J'étudiais le contrat qui stipulait que la maison était vendue, ainsi que la jouissance d'une terre, à Humphrey Buttress, le 15 décembre 1526. Deux mois après qu'Ellen avait été emmenée. Je ne connaissais pas le prix de la terre dans la région à l'époque, mais il me parut inférieur à ce que j'aurais imaginé. L'adresse était celle d'un avocat, Henry Fowberry de Warwick Lane, rue adjacente à Newgate. La signature figurant au-dessus de l'adresse, celle d'Ellen Fettiplace, d'une écriture ronde d'enfant, ne ressemblait pas du tout à celle que j'avais vue à Bedlam. C'était un faux.

Je levai les yeux vers Buttress. « Peut-être cet avocat exerce-t-il toujours, dit-il avec un sourire benoît. Il se peut que vous le retrouviez. »

J'en doutais. « Merci, fis-je.

— Sinon, peut-être votre ami aura-t-il intérêt à cesser ses recherches ?

— Peut-être.

— Avez-vous entendu la nouvelle ? Le roi vient d'ordonner qu'on règle la seconde tranche du don bénévole tout de suite, sans attendre la Saint-Michel. Chaque homme fortuné doit payer quatre pence par livre, d'après la valeur de ses biens.

— Je l'ignorais.

— Afin de payer les hommes et les vivres de cette levée en masse. Si vous venez de Londres, vous avez dû voir beaucoup d'activité sur les routes.

— Oui. En effet.

— Si vous avez l'intention de rester absent un certain temps, je vous conseille de faire en sorte que soit payé à Londres ce que vous devez, car autrement vous risquez d'avoir des ennuis.

— Mes affaires dans les environs de Portsmouth ne devraient me prendre que quelques jours.

— Et ensuite vous rentrez chez vous ? fit-il, en plantant sur moi un regard acéré.

— C'est mon intention. »

Il sembla se détendre. « En tant qu'échevin, dit-il avec fierté, je suis chargé d'aider à collecter localement ces sommes. Ne devons-nous pas empêcher les Français, ces calotins papistes, de débarquer ? Moi, je n'ai pas le droit de me plaindre car le prix du grain est élevé.

— Vous aurez de la chance si cette année vous gagnez plus que vous ne dépenserez. »

Il fit un sourire pincé. « Les guerres ont besoin de provisions. Eh bien, j'aurais aimé vous offrir le petit déjeuner. Il serait meilleur qu'à l'auberge…

— Avec plaisir, répondis-je, car je voulais en savoir davantage sur cet homme.

— … Mais, malheureusement, il faut que je parte. Il y a beaucoup de travail au moulin. Il me manque un ouvrier. L'un d'eux est mort, la semaine dernière, encorné par un taureau.

— Quelle tristesse !

— L'imbécile avait oublié de refermer une grille et la bête s'est jetée sur lui… » Il fit un maigre sourire. « Taureaux, incendies… Ces campagnes peuvent se révéler dangereuses. »

☩

Je pris le petit déjeuner à l'auberge. Étant donné les regards hostiles que me lança la vieille femme qui m'avait présenté à Wilf, je me demandai si l'interrogatoire que j'avais fait subir au vieil homme ne m'avait pas rendu suspect à ses yeux et si elle n'en avait pas parlé à ses fils. J'allai chercher Oddleg à l'écurie et quittai Rolfswood qui commençait à s'animer par cette nouvelle belle matinée d'été. Je tapotai le flanc du cheval. « Bonne bête ! Maintenant, retour dans le Hampshire ! » lançai-je en m'installant sur la selle. Et bientôt, pensai-je, cap sur Portsmouth !

23

Il était environ quatre heures, et les ombres commençaient à s'allonger lorsque je repassai la grille du prieuré de Hoyland. Tout était calme. Un jardinier travaillait sur les parterres de fleurs d'Abigail. Des insectes bourdonnaient et un pivert donnait des coups de bec répétés, quelque part dans les bois. Deux paons faisaient la roue sur la pelouse, surveillés par Lamkin, vautré sous un arbre. Je contournai la maison, Oddleg accélérant le pas à l'approche de l'écurie.

Je priai le palefrenier – homme maussade et taciturne, comme tous les domestiques des Hobbey – de s'assurer que le cheval soit soigneusement lavé et étrillé. Au moment où je quittai les écuries, une porte dans le mur de derrière s'ouvrit et Avery, le maître d'équipage, entra dans l'enclos. Il portait un pourpoint vert, des guêtres vertes et même un bonnet vert surmontant son mince visage fortement hâlé. Il inclina le buste et je me dirigeai vers lui.

« Il ne reste plus que... voyons... quatre jours avant la chasse ? fis-je.

— C'est ça. » Ayant entendu le bruit de ses pas, les chiens aboyaient dans le chenil. Il sourit d'un air las. « C'est l'heure du repas. Ils m'entendent toujours arriver.

— Vous devez être très occupé en ce moment.

— Oui. Les chiens donnent beaucoup de travail. Il faut les nourrir, les nettoyer, les promener deux fois par jour. Et il y a encore plus de travail dans le parc pour préparer la chasse. M. Hobbey veut que tout soit impeccable.

— Par conséquent, certains villageois acceptent de travailler pour lui. » Avery grimaça un sourire et haussa les épaules.

« Quelle est la taille du parc ? demandai-je.

— Environ un mille de long sur un mille de large. C'était un parc aux cerfs du temps des nonnes, il me semble. Elles le louaient aux hobereaux du coin. Mais, ces dernières années, on l'a laissé péricliter.

— Mais pourquoi M. Hobbey ne l'a-t-il pas utilisé auparavant ?

— Ça, monsieur, ça le regarde », répondit Avery avec une certaine réserve. La famille l'a sans aucun doute mis en garde contre moi, pensai-je.

« Vous avez raison. Veuillez m'excuser. Mais, dites-moi, que va-t-il se passer le jour de la chasse ?

— Les invités et les membres de la famille vont se poster le long d'un parcours préétabli et le cerf sera poussé vers eux. Je l'ai à nouveau vu hier, c'est un animal magnifique.

— Et celui qui l'abattra recevra la perle-du-cœur ?

— C'est bien ça.

— Ce pourrait être à nouveau maître Hugh, vous ne pensez pas ?

— Lui ou l'un des invités. Je ne sais pas si ce sont de bons archers. Ou maître David. Il tire bien, même

426

s'il ne semble pas pouvoir se mettre dans la tête que lorsqu'on traque une bête il faut rester caché et ne faire aucun bruit.

— C'est pour ça que vous êtes en vert ? Pour vous fondre dans le paysage ?

— En effet. Tous les chasseurs porteront du vert ou du marron.

— Est-ce que vous parcourez tout le pays pour organiser des chasses, maître Avery ?

— C'est ce que je fais désormais. Il y a encore huit ans, j'étais chargé du domaine de chasse d'un monastère, avant que les bâtiments soient démolis et la terre vendue en parcelles.

— De quel monastère s'agissait-il ?

— Du prieuré de Lewes, dans le Sussex.

— Lewes ? Vraiment ? Les ingénieurs qui ont démoli Lewes pour lord Cromwell ont aussi, juste après, rasé un monastère avec lequel j'étais... en contact. »

Il secoua la tête d'un air triste. « J'ai vu s'effondrer Lewes dans un nuage de poussière et dans un fracas assourdissant. Quel spectacle atroce ! Avez-vous assisté à la destruction du monastère dont vous me parlez ?

— Non. Je suis parti avant », soupirai-je au souvenir de cette époque. Avery hésita, puis déclara : « Je serai ravi de m'en aller après la chasse. Toute cette animosité entre les villageois et la famille, et cette famille de serpents échangeant des propos venimeux. Vous êtes venu pour vous assurer du bien-être de maître Hugh ?

— Oui. En effet.

— C'est le meilleur de tous. C'est un garçon bien. » Jugeant peut-être qu'il en avait trop dit, il me fit un bref salut et se dirigea vers ses chiens.

✝

Plongé dans mes pensées, je longeai les dépendances jusqu'à la chambre de Barak.

« Messire Shardlake ! » Je me retournai brusquement en entendant cet appel lancé derrière moi. Fulstowe était sorti de la buanderie.

« Vous m'avez fait peur, maître intendant.

— Je suis désolé, fit-il en me gratifiant de son sourire déférent. Je vous ai aperçu par la porte ouverte. Vous venez de rentrer ?

— Oui.

— Avez-vous besoin de quelque chose ?

— Seulement de faire un brin de toilette et d'un peu de repos.

— Je vais faire porter de l'eau chaude dans votre chambre. De nouvelles lettres sont arrivées pour vous. C'est Barak qui les a.

— Merci. Tout le monde va bien dans la maison ?

— Oui. Tout a été très calme. » Il scruta mon visage. « Vos affaires dans le Sussex se sont-elles bien déroulées, monsieur ?

— Ç'a été… compliqué.

— Nous partons pour Portsmouth demain matin, de bonne heure, si cela vous agrée.

— Vous nous accompagnez ?

— Oui. Ainsi que monsieur Hugh et monsieur David. Ils sont décidés à voir la flotte… Comme tous les gamins.

— Ce sont presque des adultes désormais. »

Il passa sa main dans ses cheveux blonds bien soignés. « Oui, en effet.

— Bon. Maintenant je vais dire un mot à mon assistant et lire mon courrier, avant de monter dans ma chambre. »

Il parcourut du regard la rangée de dépendances. « Il me semble que Barak se trouve dans sa chambre. »

Je souris. « Vous paraissez au courant des allées et venues de tout le monde, maître intendant.

— Cela fait partie de mon travail, monsieur. »

Sur ce, il inclina le buste et s'éloigna.

Je frappai à la porte de Barak. Il répondit immédiatement. « Ah bien ! vous voilà de retour. »

Je le regardai avec étonnement. « Pourquoi te terres-tu à l'intérieur par ce bel après-midi ?

— J'en ai assez que ce crétin d'intendant et ses acolytes surveillent tous mes mouvements. Vous êtes couvert de poussière, Seigneur Jésus !

— Permets-moi de m'asseoir », dis-je en m'installant sur la paillasse où se trouvaient les deux lettres qui m'étaient adressées. L'une venait de Warner et l'autre de Guy. « Des nouvelles de Tamasin ?

— Elle a écrit une seconde fois, le jour de notre arrivée. » S'appuyant contre la porte, il tira une lettre de sa chemise. « Guy dit qu'elle continue à être en bonne forme. Et elle est toujours sûre et certaine que l'enfant sera une fille. Elle me manque.

— Je le sais. On sera rentrés la semaine prochaine.

— Dieu vous entende !

— Qu'en est-il des Hobbey ?

— Je n'ai vu ni Hobbey ni Abigail. Ils m'autorisent à prendre mes repas dans la cuisine, mais à part ça ils ne me laissent pas circuler ailleurs dans la maison. Les garçons ont à nouveau tiré à l'arc ce matin. Feaveryear et moi nous sommes joints à eux. Puis Dyrick est arrivé et nous a chassés, alléguant qu'il avait besoin de Feaveryear et qu'on ne devrait pas fréquenter les jeunes messieurs. » Il se renfrogna. « J'avais envie de lui botter le derrière et de le propulser jusqu'à la maison.

— J'en ai moi-même envie. Mais il serait ravi que je sorte de mes gonds.

— Le petit Feaveryear m'a fait de la peine. Il ne serait pas plus capable de devenir archer que Lamkin, le chien. David se fiche de sa tête, mais Hugh s'est montré patient. Je crois qu'il est content de pouvoir parler à quelqu'un d'autre que David.

— À mon avis, peu de gens ont dû jamais se montrer patients envers Feaveryear.

— J'ai des nouvelles du village de Hoyland.

— Raconte-moi.

— J'y suis allé hier soir, en passant en catimini par la porte de derrière. Il y a une taverne où j'ai demandé maître Ettis. Quelqu'un est allé le chercher. On a bu un verre et il m'a invité chez lui. C'est la plus belle maison du village. Il est le chef de la faction qui veut lutter pour garder les terrains communaux. Je lui ai dit que vous travailliez pour la Cour des requêtes.

— Va-t-il garder ça pour lui ?

— Oui. Je l'ai aidé à écrire une lettre aux Requêtes. Je lui ai dit qu'il était possible que vous vous chargiez du dossier lorsqu'on rentrera à Londres... s'il nous fournissait des renseignements.

— Comment a-t-il réagi ?

— Il m'a menacé de me trancher la gorge si je

430

jouais double jeu. C'était de l'esbroufe. Il m'a avoué ensuite qu'ils avaient une taupe dans la maison, qui a confirmé qu'on était là pour Hugh. »

J'étais sur le point d'ouvrir la lettre de Warner, mais je me redressai. « Qui donc ?

— La vieille Ursula, qui travaillait pour les sœurs. Ils sont fous de rage, les camarades d'Ettis. Apparemment, non seulement Hobbey a menacé d'accaparer la moitié de leurs bois, grâce à son interprétation de la vieille charte, mais il tente aussi d'acheter certains des villageois. Fulstowe a offert une belle somme aux métayers les plus pauvres pour prix de leur départ. Et il a engagé certains d'entre eux pour qu'ils aident à organiser la chasse.

— Diviser pour régner. Et quelle est l'ambiance parmi le reste des habitants de Hoyland ? Sont-ils prêts à intenter un procès ?

— Je pense que oui. La plupart d'entre eux soutiennent Ettis. Ils savent que la perte des terrains communaux signifie la mort du village. Hobbey a commis une erreur en menaçant de lancer ses bûcherons dans les bois du village, m'a affirmé Ettis. C'est ce qui a déclenché la crise. Ettis pense qu'il s'agit d'une décision de Hobbey, entre parenthèses. Fulstowe agit de façon plus sournoise. Ettis prétend que c'est lui qui tire les ficelles.

— Intéressant. Et qu'a dit Ettis de la famille Hobbey ?

— Rien de neuf. David est un idiot d'enfant gâté. Hobbey lui fait traverser le village à cheval et David se met en rogne si un vieux villageois arthritique ne soulève pas son bonnet à temps. Ils ne voient jamais ni Hugh ni Abigail. Ettis dit que Hugh va parfois se promener tout seul dans les sentiers, mais qu'il détourne la tête et presse le pas en marmonnant un bonjour s'il rencontre un villageois.

— Il est trop conscient de l'aspect de son visage, je pense.

— Certaines des villageoises pensent qu'Abigail est une sorcière et que Lamkin est son acolyte. Même les serviteurs de la maison ont peur d'elle et ils ne savent pas quand elle va se mettre à hurler et à leur crier dessus. Et il est apparemment faux que les hobereaux du coin évitent de fréquenter Hobbey parce qu'il a acheté le prieuré. En fait, c'est la famille qui se tient volontairement à l'écart. Les Hobbey ne vont jamais nulle part. Sauf Hobbey qui se rend, de temps en temps, à Portsmouth ou à Londres. »

Je fronçai les sourcils. « De quoi Abigail a-t-elle peur ?

— J'ai posé la question à Ettis. Il n'en a aucune idée. Je lui ai parlé de la flèche qu'on avait failli recevoir dans la forêt. Il est à peu près certain qu'on a dérangé un braconnier qui a voulu nous lancer un avertissement.

— Tant mieux.

— Et j'ai aussi bavardé avec Ursula. Je lui ai expliqué que j'étais du côté d'Ettis et l'ai convaincue de me parler. Elle déteste les Hobbey. Elle dit que M. Hobbey lui a vertement reproché d'avoir mis des fleurs dans le cimetière. Une terre consacrée qu'on a laissée pourrir, selon ses termes. Elle prétend qu'Abigail a toujours été extrêmement nerveuse, qu'elle a très mauvais caractère et que, depuis peu, elle paraît s'être repliée sur elle-même... Depuis qu'elle a appris que vous deviez venir, ajouta-t-il en haussant les sourcils.

— Qu'a-t-elle dit des garçons ?

— Simplement que David est un petit monstre. J'ai eu l'impression qu'elle devait en savoir davantage, mais je n'ai pas réussi à lui tirer les vers du nez. Elle affirme que Hugh est très poli, mais trop sage pour un garçon de son âge. Elle n'aime aucun membre de la famille. Je lui ai demandé si elle avait vu quelque chose le jour de la venue de Michael Calfhill.

— Et alors ?

— Hélas, non. Ce jour-là, elle était occupée à l'autre bout de la maison.

— Quel dommage !

— Cet endroit est aussi rempli d'espions et de factions que la cour du roi.

— C'est vrai. J'ai parlé à Avery en arrivant. Ses propos vont dans le même sens. Il travaillait au prieuré de Lewes. Cromwell avait fait démolir les bâtiments par les gens qui ont détruit Scarnsea, où il m'avait envoyé après la mort de son commissaire. Et te rappelles-tu, durant l'affaire du feu grégeois, la maison Wentworth ? Une autre famille pleine de factions et de secrets… C'est étrange, soupirai-je, la nuit dernière, j'ai à nouveau rêvé que je me noyais. Ces rêves me rappellent toujours ce qui s'est passé à York et le cauchemar des meurtres de l'Apocalypse. C'est bizarre, la façon dont le passé revient nous hanter.

— Je me suis toujours efforcé de l'en empêcher. » Barak posa sur moi un regard pénétrant. « Qu'est-il arrivé à Rolfswood ? Il s'est passé quelque chose, je le sens. »

Je soutins son regard. Il avait l'air fatigué, à cause de l'atmosphère tendue de l'endroit et du souci qu'il se faisait à propos de Tamasin. J'étais fatigué moi

433

aussi, fatigué de mentir. J'avais besoin, égoïstement, peut-être, de parler à quelqu'un de Rolfswood. Aussi lui racontai-je l'incendie, tout ce que j'avais appris de Wilf, de Seckford, de Buttress, ainsi que de la menace proférée par les fils de Wilf.

« Dix-neuf ans plus tard, les gens ont toujours peur des bavardages, commenta Barak, l'air songeur. Que s'est-il passé à votre avis ?

— Il y a eu un viol. Un meurtre peut-être. Et demain nous allons à Portsmouth pour rencontrer Priddis, qui avait mené l'enquête. Je ne pense pas que je devrais évoquer Rolfswood.

— Vous pensez qu'il risque d'être lié à des gens qui pourraient mettre Ellen en danger ?

— Exactement. Et Philip West se trouve, lui aussi, à Portsmouth. J'ai demandé à Guy d'aller rendre visite à Ellen et j'ai payé Rob Gebons pour qu'il s'occupe d'elle, mais je crains toujours pour elle. C'est un imbroglio cauchemardesque. S'il y a eu meurtre, depuis dix-neuf ans la sécurité d'Ellen est précaire. Qu'arrivera-t-il si elle perd à nouveau le contrôle d'elle-même et révèle de nouveaux éléments à propos des événements de cette époque ? La personne qui paie sa pension peut décider qu'il est plus prudent de la faire disparaître. Et si cette personne peut payer la pension de Bedlam et des voitures pour la transporter, elle peut sans doute également s'offrir les services d'un tueur.

— À mon avis, vous n'auriez pas dû vous lancer dans cette affaire.

— Eh bien, c'est trop tard ! rétorquai-je. J'ai entendu parler de l'incendie et des morts en venant

434

ici… Je m'étais juré, ajoutai-je en faisant la grimace, de ne pas te mêler à cette histoire. Je suis désolé.

— Pourquoi ? Vous n'allez pas y retourner, tout de même ?

— Je n'en sais rien.

— De toute façon, le mal est fait, dit-il, sans ménagement. Si ce Buttress est impliqué dans cette affaire, je suppose qu'il va s'empresser d'apprendre aux West que quelqu'un est venu poser des questions.

— Oui. J'y ai pensé pendant tout le trajet de retour. J'avais tellement envie d'obtenir des renseignements que j'ai foncé tête baissée. Je ne m'étais pas attendu à découvrir que le contrat de vente était un faux… Je me suis demandé, poursuivis-je après un instant d'hésitation, si je ne ferais pas mieux de rechercher ce Philip West à Portsmouth.

— Au point où vous en êtes, c'est peut-être une bonne idée. Leacon saura sans doute où on peut le trouver. Mais faites attention à ce que vous lui dites.

— Soit. » Je me rendais compte que nous avions interverti les rôles. C'est Barak qui m'indiquait la marche à suivre et me conseillait de ne pas agir à la légère. Mais, contrairement à moi, il n'éprouvait pas le besoin irrésistible de découvrir le plus de choses possibles sur Ellen, de la délivrer, en quelque sorte. J'agissais ainsi à cause d'un sentiment de culpabilité, vu ce que je lui avais fait, et parce que je n'étais pas capable de lui rendre l'amour qu'elle me portait.

Je poussai un soupir et ouvris mes lettres. La première venait de Guy. Elle était datée du six juillet, c'est-à-dire trois jours plus tôt, et avait dû se croiser avec celle que je lui avais envoyée.

Cher Matthew,

*Je vous écris par une nouvelle chaude et poussié-
reuse journée. Les sergents du guet ont, une fois de
plus, enrôlé des mendiants valides afin de les envoyer
à Portsmouth comme rameurs, à bord des navires
royaux. On fait d'eux des esclaves, et voilà ce à quoi
je pense lorsque Coldiron oppose la liberté anglaise
à l'esclavage français.*

*Je suis allé voir Ellen. Il me semble qu'elle est,
plus ou moins, redevenue elle-même. Elle s'occupe
à nouveau des patients mais elle est profondément
mélancolique. Elle n'a pas eu l'air heureuse de me
voir entrer dans le parloir de Bedlam. J'avais d'abord
parlé au dénommé Gebons, qui s'est montré assez
courtois, grâce à l'argent que vous lui avez donné.
Il m'a dit que le chef gardien Shawms a ordonné à
son personnel de la maîtriser et de l'enfermer sur-le-
champ si elle avait une nouvelle crise.*

*Lorsque je lui ai appris que vous m'aviez demandé
de venir vérifier son état de santé, elle s'est, hélas,
mise en colère. Elle a répondu d'un ton amer qu'elle
avait été enfermée à cause de vous et qu'elle refusait
de me parler. Elle se comportait de manière étrange,
presque comme une enfant. Je pense que je vais
attendre quelques jours avant de retourner la voir.*

*À la maison, j'ai eu des mots avec Coldiron. En ce
moment, je me lève tôt et je l'ai entendu injurier grossièrement Josephine dans la cuisine, la traitant, devant
les gamins, de jument idiote et de chienne bigleuse,
tout ça parce qu'elle avait dormi trop longtemps et
ne l'avait pas réveillé à l'heure habituelle. Il menaçait de lui flanquer des claques. Je suis entré dans
la pièce et lui ai ordonné de lui fiche la paix. Il a*

obéi à contrecœur. Comme je lui enjoignais de ne pas parler grossièrement devant sa fille, j'ai été heureux de voir celle-ci sourire. Je pense toujours à la fois où je l'ai entendue jurer en français.

Tamasin, grâce à Dieu, se porte toujours comme un charme et je donne au courrier une lettre d'elle pour Jack.

Je reposai la lettre en soupirant. J'étais grandement soulagé d'apprendre que l'état d'Ellen s'était amélioré, mais son amertume à mon égard me blessait beaucoup. Elle avait raison, ma maladresse était la cause de tout. Je brisai le cachet scellant la lettre de Warner. À mon grand étonnement, il avait déjà reçu la mienne.

Esher, 7 juillet 1545
Cher Matthew,
Le courrier m'a apporté votre lettre, aussi je réponds de bonne heure, ce matin, avant que nous reprenions la route. Par rapport aux déplacements habituels, le roi n'est accompagné que d'une suite restreinte, car nous devons aller bon train. Nous passons par Godalming et Fareham, et atteindrons Portsmouth le 14 ou le 15. La flotte, placée sous le commandement de lord Lisle, se trouve en ce moment aux îles Anglo-Normandes, pour guetter l'appareillage de ces chiens de Français et pourchasser leurs bateaux. Puis, à l'occasion de l'arrivée de Sa Majesté, tous nos magnifiques navires se rassembleront à Portsmouth. Il est désormais certain que c'est là que les Français vont attaquer. Ils ont leurs espions, mais nous avons les nôtres.
J'ai reçu des nouvelles de l'homme que j'avais envoyé faire une enquête sur Nicholas Hobbey. Je

me suis assuré qu'il se comporte avec discrétion. Apparemment, il y a sept ans, juste au moment où il achetait la maison et les bois dans le Hampshire, les finances de Hobbey ont, en effet, beaucoup pâti de ses malheureux investissements dans le commerce avec le continent. Il s'est retrouvé endetté auprès de prêteurs londoniens. Sans doute a-t-il alors décidé d'acheter la tutelle des deux enfants, dans l'espoir de rattacher leurs terres aux siennes par mariage et, entre-temps, afin de payer ses créanciers, tirer des bénéfices illicites de leurs bois. Plus que tout autre curateur de fief, sir Quintin Priddis est connu, me semble-t-il, pour sa corruption, et il pourrait l'aider à falsifier les comptes.

Une étrange nouvelle concerne la Cour des tutelles. Gervase Mylling, le premier clerc, a été découvert mort dans la salle des archives, qui, paraît-il, est une pièce humide, située en sous-sol et dont l'atmosphère est chargée de mauvaises humeurs. Il s'y est enfermé accidentellement, mardi soir, et on l'y a retrouvé sans vie, mercredi matin, le jour de votre départ. Ayant apparemment une faiblesse de poitrine, il a étouffé dans l'air souillé. J'ai dû me rendre ce jour-là à la Cour des tutelles pour le compte de Sa Majesté la reine et tous les juristes ne parlaient que de ça. Or il paraît qu'il était prudent de nature. Mais seul Dieu sait quand notre heure est arrivée.

Sa Majesté me prie de vous transmettre ses bons vœux. Elle espère que votre enquête progresse. Elle souhaite que vous puissiez reprendre la route de Londres le plus tôt possible.

Amicalement,
Robert Warner

438

Je posai la missive sur mes genoux et regardai Barak. « Mylling est décédé. On a retrouvé son corps dans la "fosse puante". Il est mort étouffé. » Je lui tendis la lettre.

« Par conséquent, Hobbey était endetté, dit-il après avoir lu la lettre.

— Oui. Mais Mylling... Il ne serait jamais allé dans la fosse puante sans placer la pierre pour empêcher que la porte ne se referme. Il craignait cet endroit, où il avait du mal à respirer.

— Vous pensez que quelqu'un l'y a enfermé ? Quelqu'un qui devait savoir qu'il souffrait de la poitrine.

— Je ne l'imagine pas prenant des risques avec cette porte.

— Vous ne suggérez quand même pas qu'un agent de Priddis ou de Hobbey l'a fait tuer ? Et pour quel motif ? Vous avez déjà vu tous les documents.

— À moins que Mylling n'ait été au courant d'autre chose. Et rappelle-toi Michael Calfhill. Mylling est la seconde personne liée à ce dossier à mourir inopinément.

— Vous étiez certain que Michael s'était suicidé... Mordieu ! s'écria-t-il d'un ton agacé, si Hobbey estampe Hugh sur la vente du bois, les sommes ne peuvent pas se monter à plus de cent livres par an environ. Ça ne vaut sûrement pas la peine de tuer pour si peu et risquer ainsi la corde... »

Nous fûmes interrompus par un coup frappé à la porte. Barak s'empressa d'ouvrir. Un jeune homme, l'un des serviteurs de Hobbey, se tenait sur le seuil. « Monsieur, me dit-il, monsieur Hobbey et madame Abigail sont en train de boire dehors un verre de vin avant le dîner avec messire Dyrick. Il demande si vous accepteriez de vous joindre à eux. »

✝

Je gagnai ma chambre et me débarbouillai dans la bassine d'eau que Fulstowe avait fait monter, puis mis des vêtements propres et sortis de la maison. Des chaises avaient été placées dehors à côté du porche. Hobbey, Abigail et Dyrick étaient installés autour d'une table, sur laquelle se trouvait un gros cruchon de vin. Fulstowe venait d'apporter un plat de douceurs. Hobbey se leva, un sourire aux lèvres.

« Eh bien, messire Shardlake, dit-il de son ton le plus onctueux, vous avez fait un long voyage à cheval. Venez donc déguster une coupe de vin et jouir de la paix de ce bel après-midi. Vous aussi, Fulstowe, reposez-vous un peu de vos peines et joignez-vous à nous. »

Fulstowe s'inclina. « Merci, monsieur. Un peu de vin, messire Shardlake ? » Il me donna une coupe et nous nous assîmes tous les deux. Abigail me lança l'un de ses regards noirs, puis détourna les yeux. Dyrick hocha la tête d'un air froid.

Hobbey contemplait son domaine, l'air songeur. Les ombres s'allongeaient dans le jardin. Lamkin somnolait sous son arbre. Dans un chêne tout près, un pigeon ramier se mit à roucouler. Hobbey sourit. « Regardez ! fit-il en les désignant du doigt. Il y en a deux, tout là-haut, vous voyez ? »

Je levai les yeux vers deux gros oiseaux gris perchés sur une branche. « Quel contraste avec la puanteur de Londres ! fit Dyrick.

— Certes, répondit Hobbey. Combien de fois dans mon cabinet de travail londonien, en regardant les ordures qui jonchent les berges de la Tamise à marée basse, ai-je rêvé de vivre en un lieu semblable. Paisible, calme. » Il secoua la tête. « N'est-il pas étrange de penser qu'on se prépare à la guerre si près d'ici ? » Il soupira. « Et demain nous verrons ces préparatifs à Portsmouth. Le seul but de ma vie a toujours été que ma famille et moi menions une vie paisible. » Il me regarda, le visage empreint d'une réelle tristesse. « J'aimerais tant que Hugh et mon fils ne soient pas de tels va-t-en-guerre...

— Sur ce point, je suis d'accord avec vous, monsieur », dis-je.

Je découvrais un autre aspect de Hobbey. Il était cupide, prétentieux, sans doute corrompu, mais il aimait sa famille et avait rêvé d'une vie bucolique. À l'évidence, il n'était pas homme à commanditer deux meurtres.

« Aujourd'hui, Vincent a, lui aussi, reçu une lettre, reprit-il en se tournant vers Dyrick. Comment se portent votre femme et vos enfants ?

— Ma femme m'informe que mes filles sont grincheuses et que je leur manque. Malgré la beauté de votre demeure, monsieur, lui répondit-il, après m'avoir jeté un regard hostile, j'aimerais beaucoup être déjà de retour chez moi.

— Eh bien, j'espère que ce sera bientôt le cas.

— Quand messire Shardlake le permettra, dit Abigail d'un ton à la fois calme et amer.

— Allons, ma chère ! » fit Hobbey d'une voix douce. Elle ne répondit pas, se contentant de baisser les yeux et d'avaler une petite gorgée de vin.

« Comment s'est déroulée votre affaire du Sussex, confrère Shardlake ? me demanda Dyrick. Fulstowe dit qu'il y a eu des complications, poursuivit-il en souriant, prouvant par là qu'il profitait du réseau de renseignements de la maisonnée.

— C'est un dossier plus complexe que je ne l'avais imaginé. Mais c'est le cas de tant d'affaires, ajoutai-je en le regardant droit dans les yeux. Elles comportent souvent plusieurs niveaux.

— S'agit-il d'un malheureux propriétaire se défendant devant la Cour des requêtes contre les exigences de son métayer ?

— Allons, confrère ! le repris-je. Je suis tenu par le secret professionnel...

— Bien sûr. Eh bien, ce malheureux propriétaire viendra peut-être me consulter.

— Messire Shardlake, demanda Hobbey. Pensez-vous que vous aurez terminé votre enquête ici avant la partie de chasse ?

— Je n'en suis pas sûr. Cela dépendra du témoignage de Priddis. »

Dyrick se rembrunit. « Pour sûr, l'ami, nous avons terminé. Vous faites traîner les choses en longueur... »

Hobbey leva la main. « Ne vous disputez pas, messieurs, s'il vous plaît. Regardez, les garçons sont de retour. »

Hugh et David avaient apparu à la grille, tenant en laisse leurs grands lévriers. David portait en bandoulière une gibecière pleine.

« Ces chiens ! s'exclama Abigail d'un ton acerbe. Je leur ai déjà dit de les faire entrer par la porte de derrière... »

Les choses se passèrent alors si rapidement que nous

ne pûmes que regarder la scène, horrifiés. Les deux lévriers tournèrent leurs longues têtes vers Lamkin, qui se mit sur ses pattes. La laisse s'échappa de la main de David et voleta derrière le gros lévrier qui se précipitait à grandes foulées, droit sur le petit chien. Le chien de Hugh tira sur sa laisse, l'arracha de la main de son maître. Lamkin fuyait devant les deux chiens, courant vers le jardin d'agrément à une vitesse inattendue. Mais peu d'animaux auraient pu courir plus vite que ces lévriers. Celui de David le rejoignit juste à l'intérieur du jardin de fleurs. Il baissa la tête, puis la souleva, Lamkin dans la gueule. Les petites pattes blanches s'agitèrent, le lévrier serra les mâchoires, le corps de l'épagneul eut des soubresauts et du sang jaillit. Le lévrier fit demi-tour, courut à nouveau à longues foulées vers David et lâcha Lamkin, masse de fourrure amorphe et sanguinolente, aux pieds de son maître. Abigail s'était levée et se griffait les joues en émettant un effroyable son qui s'apparentait davantage à une sauvage mélopée funèbre qu'à un cri de terreur.

David et Hugh fixaient la dépouille informe et sanglante gisant sur le sol et que les chiens avaient commencé à déchiqueter. Si David paraissait à présent abasourdi, j'avais aperçu l'ébauche d'un minuscule sourire au moment où il avait lâché la laisse. Le visage de Hugh était figé, impassible. Avaient-ils conçu ce projet de concert ? Ou était-ce le seul fait de David ?

La plainte déchirante d'Abigail s'interrompit brusquement. Serrant les poings, elle traversa la pelouse à grandes enjambées, le bas de sa robe faisant bruisser l'herbe. David se recula d'un pas tandis qu'Abigail levait les poings et commençait à lui assener des coups sur la tête. « Sale brute ! Espèce de monstre ! Pourquoi me tourmentes-tu ainsi ? Tu n'es pas un être normal ! »

Il levait les bras pour protéger son visage. Hugh fit un pas en avant et tenta d'écarter Abigail, mais elle lui repoussa brutalement le bras. « Fiche le camp ! hurla-t-elle. Tu es un être aussi anormal que lui !

— Abigail ! cria Hobbey en tremblant. Pour l'amour de Dieu, arrête ! C'était un accident ! » J'échangeai un regard avec Dyrick. Pour une fois, nous étions dans la même position, ne sachant pas si nous devions intervenir.

Abigail se tourna vers nous. J'ai rarement vu une telle fureur et un tel désespoir sur un visage humain. « Nicholas, espèce d'idiot ! hurla-t-elle. Il a lâché la laisse exprès, ce pervers ! J'en ai assez ! Assez de vous tous ! Je refuse désormais d'être votre bouc émissaire ! »

Fulstowe se déplaça vivement vers Abigail et lui saisit le bras. Se retournant, elle le gifla violemment. « Ne me touchez pas, espèce de larbin ! Voyou ! »

Hobbey avait suivi l'intendant. Il saisit l'autre bras d'Abigail. « Du calme, femme ! Pour l'amour de Dieu, calme-toi !

— Lâche-moi ! » hurla-t-elle en se débattant de toutes ses forces. Sa toque tomba et son abondante chevelure d'un blond grisonnant déferla sur ses épaules. Appuyé contre un arbre, David enfouit son visage dans ses mains et se mit à pleurer comme un enfant.

Soudain, Abigail s'affaissa entre son mari et Fulstowe. Ils la lâchèrent et elle leva vers moi son visage mouillé de larmes. Me regardant droit dans les yeux, elle me lança d'une voix fêlée : « Espèce d'imbécile ! Vous ne voyez pas ce qui vous crève les yeux ! » Elle regarda Fulstowe, son mari, puis Hugh et David, qui pleurait. « Que Dieu vous apporte à tous honte et chagrin ! » cria-t-elle, avant de leur tourner le dos et de se précipiter vers la maison. Des visages de domestiques apparaissaient à toutes les fenêtres. Hobbey se dirigea vers David. Le garçon s'effondra dans ses bras. « Papa ! » s'écria-t-il, bouleversé.

Impavide, Hugh regardait les lévriers aux longs museaux maculés de sang se disputer en grognant un morceau de fourrure ensanglantée.

QUATRIÈME PARTIE

PORTSMOUTH

24

Une heure plus tard, j'étais assis dans la chambre de Barak.

« Ce n'était qu'un petit toutou, dit-il. Vous êtes sûr que ce n'était pas un accident ?

— Tu n'as pas vu le sourire de David, quand il a lâché la laisse. Abigail a beau être sa mère, il semble la détester, tandis que Hugh la traite avec indifférence.

— Le lévrier de Hugh a aussi attaqué l'épagneul ?

— Je crois que la laisse lui a échappé. Abigail adorait ce chien. David ne pouvait pas lui faire plus de mal. Mais je me demande ce qu'elle a bien pu vouloir dire lorsqu'elle m'a traité d'imbécile et m'a dit : "Vous ne voyez pas ce qui vous crève les yeux !" Qu'est-ce que je ne vois pas ? »

Barak réfléchit quelques instants. « Quelque chose qui aurait un rapport avec Fulstowe ? Il est si hautain. On a l'impression que c'est lui le propriétaire du lieu.

— Quoi que ce soit, je ne crois pas que Dyrick soit au courant. Quand Abigail a crié cette phrase, il a eu l'air absolument stupéfait. Oh, grand Dieu, qu'est-ce qui se passe ici ? » Je fis courir mes doigts dans mes cheveux, appuyant fortement sur mon crâne, comme si je pouvais extraire la réponse de mon cerveau fatigué. Je poussai un grognement et me levai. « C'est l'heure du dîner. Dieu seul sait dans quelle ambiance il va se dérouler.

— Il me tarde de partir d'ici demain. Même si c'est pour aller à Portsmouth. »

Je le quittai et retournai à la maison. Le soleil commençait à décliner derrière les hautes cheminées toutes neuves du prieuré. Sous l'œil de Fulstowe, un serviteur nettoyait avec une serpillière un morceau de gazon avant que sa maîtresse n'aperçoive le sang de Lamkin. L'intendant s'avança vers moi.

« Messire Shardlake, je m'apprêtais à aller vous chercher. M. Hobbey vous invite à le rejoindre dans son cabinet de travail. »

✝

Le teint pâle, la mine sombre, Hobbey était assis sur une chaise près de son bureau. Il avait retourné son sablier et regardait s'écouler le sable. L'air renfrogné, Dyrick était assis en face de lui. Les deux hommes avaient dû discuter et, quelle que soit la décision prise, elle ne satisfaisait pas mon confrère. Pour la première fois, je voyais l'angoisse se peindre sur son visage.

« Je vous en prie, messire Shardlake, commença Hobbey. Je souhaite vous informer de l'état de santé de mon épouse. »

Je pris un siège et m'assis. « Voilà des années qu'elle ne va pas vraiment bien, dit-il posément. Depuis la mort de la malheureuse Emma. Elle est la proie de peurs inexplicables, de chimères. Je vous en prie, oubliez sa sortie de tout à l'heure. J'avoue avoir

dissimulé les crises dont elle est parfois victime...
Messire Dyrick lui-même ne connaissait rien de son...
état de santé », ajouta-t-il, son teint pâle rougissant.

Je regardai Dyrick. Il fixait le sol d'un air renfrogné.
« Abigail adore les deux garçons, poursuivit Hobbey.
Mais elle a parfois un comportement très bizarre...
Ce qui explique la froideur de Hugh à son endroit.
Et celle de David. Cet après-midi, je pense qu'elle a
sincèrement cru que David avait lâché volontairement
Ajax sur Lamkin. »

Je le regardai, intrigué. N'avait-il pas vu le sourire
de David ? Dyrick détourna les yeux et j'en conclus
que lui l'avait vu. « À votre avis, qu'a voulu dire votre
femme, demandai-je à Hobbey, quand elle a déclaré
que j'étais un imbécile de ne pas voir ce qui me crevait les yeux ?

— Je n'en sais rien. Elle se forge de telles...
chimères. » Il se redressa sur son siège et tendit ses
minces mains blanches, les doigts écartés. « Je vous
prie seulement de croire qu'avant cet après-midi elle
n'avait jamais porté la main sur Hugh, ni sur mon
fils. »

C'est probablement vrai, pensai-je, à en juger par
l'air stupéfait de David lorsque sa mère s'en était prise
à lui. Quoique, vu ce qu'il avait fait, l'attitude d'Abigail ne fût guère surprenante. « Elle a aussi déclaré que
Hugh et David étaient des êtres anormaux. Qu'a-t-elle
pu vouloir dire ?

— Je n'en sais rien », répondit Hobbey en détournant la tête. Tu mens, pensai-je. Puis il me regarda
à nouveau, l'expression de tristesse avait réapparu
sur son visage. « C'est à cause d'Abigail que nous

fréquentons si peu nos voisins. Elle refuse de les voir…
Mais la chasse aura lieu, malgré tout, précisa-t-il.

— Je suis désolé, monsieur, que votre épouse soit
si malheureuse. La perte de son chien va lui causer
un grand chagrin.

— Certes oui, fit-il avec une certaine amertume.
Lamkin était devenu le centre de sa vie. » Il se leva,
comme à contrecœur, les membres apparemment
lourds. « Bon. Le dîner est prêt. Il faut bien manger
et sauver les apparences devant les domestiques. Abigail est montée dans sa chambre et ne se joindra pas
à nous. »

✝

Ce fut un lugubre repas. Fulstowe s'assit à table
avec nous. Que l'intendant d'une maison d'une certaine
importance partage le dîner de la famille n'avait rien
d'inhabituel, mais je trouvai étrange la façon dont son
regard passait rapidement de Hobbey, à Hugh, puis à
David, comme s'il surveillait leur comportement. Je
me rappelai que Barak avait dit que Fulstowe agissait
comme s'il était le propriétaire du prieuré de Hoyland.

On parla peu. Je les dévisageai l'un après l'autre, à
la recherche d'un détail que je n'aurais pas remarqué
jusque-là mais qui me crèverait les yeux. En vain.
David avait les yeux rouges et semblait accablé, tassé
sur lui-même, comme s'il avait rapetissé. À côté de
lui, Hugh se concentrait sur son assiette, regard baissé
et visage inexpressif, même si je sentais une tension
en lui.

Vers la fin du repas, David reposa sa cuiller et
enfouit sa tête dans ses mains et, ses lourdes épaules

secouées de tressaillements, se mit à pleurer en silence. Son père tendit la main et la posa sur son bras. « C'était un accident, dit-il doucement, comme s'il s'adressait à un petit enfant. Avec le temps, ta mère le comprendra. Tout ira bien, tu verras. » Assis de l'autre côté, Hugh détourna le regard. Était-il jaloux parce que Hobbey préférait David ? Mais non, pensai-je, aucun membre de la famille ne lui inspire le moindre sentiment.

Après le dîner, j'allai voir Dyrick dans sa chambre. Je frappai et il me dit d'entrer de sa voix perçante. Assis à un petit bureau, il lisait une lettre à la lumière de la bougie. Levant son mince visage, il me regarda d'un air revêche.

« Est-ce la lettre de votre épouse, confrère ? demandai-je par politesse.

— Oui. Elle veut que je revienne à la maison.

— Quelle horrible scène, tout à l'heure ! La mort du chien et la réaction de Mme Hobbey.

— Elle n'a pas frappé Hugh, répondit sèchement Dyrick.

— Elle a dit d'étranges choses. Elle a traité Hugh et David d'êtres anormaux et a affirmé que je ne voyais pas ce qui me crevait les yeux. »

Il eut un geste de déni. « Elle a le cerveau dérangé.

— Hobbey vous a-t-il révélé quelque chose, confrère, avant qu'il ne m'appelle dans son cabinet de travail ? Vous semblez soucieux.

— Je me fais du souci pour mes enfants ! Mais que savez-vous de l'affection d'un père ?... Au lieu d'être ici, je devrais être chez moi avec eux et ma femme ! » s'exclama-t-il en donnant un violent coup sur la lettre. Il me foudroya du regard, puis reprit : « Je vous ai observé au cours de ce voyage. Vous avez le cœur tendre, toujours prêt à secourir quelque infortunée créature. Ici, vous vous acharnez à fouiller, vaille que vaille, bien que vos recherches restent vaines. Vous feriez mieux de cesser de vous entêter et de rentrer chez vous. Et de chercher une autre veuve à poursuivre de vos assiduités. »

Je me raidis de colère. « Que voulez-vous dire ?

— Dans les milieux juridiques, tout le monde raconte que vous étiez amoureux de la veuve d'Elliard après la mort de celui-ci et que, pendant des mois, après son départ de Londres, vous vous montriez hargneux et agressif envers tout le monde, comme un roquet.

— Espèce de malotru ! Vous n'en savez rien... »

Il éclata de rire, d'un rire à la fois amer et furieux. « Ah, j'ai enfin suscité en vous une réaction virile ! Écoutez-moi, confrère. Mariez-vous, fondez une famille et préoccupez-vous des vôtres comme une mère poule. »

Je fis un pas en avant et faillis le frapper, mais je me rendis compte que c'était ce qu'il souhaitait. Il m'avait fait oublier les questions que je voulais lui poser, et si je l'agressais il en aviserait la Cour des tutelles, qui me causerait des ennuis. Je reculai et lui dis calmement : « Je ne vais pas vous frapper, confrère, vous n'en valez pas la peine. Je vais vous laisser en paix, mais je crois que vous savez ce à quoi faisait allusion Abigail. Votre client vous l'a révélé.

— Laissez tomber cette affaire », répondit-il, la voix étonnamment sereine. À ma grande surprise, ses traits semblaient soudain émaciés. « Rentrons chez nous.

— Pas question ! » rétorquai-je. Puis je sortis et refermai la porte.

✝

Le lendemain, je me levai de bonne heure. C'était une nouvelle belle matinée d'été. On était le dix juillet, et cela faisait déjà dix jours que nous avions quitté Londres. Comme je revêtais ma robe d'avocat en prévision de ma visite à Priddis, je pensai aux paroles qu'avait prononcées Dyrick, la veille. Si leur méchanceté était typique de sa personnalité, elles m'avaient malgré tout troublé. Mais, à son air inquiet, j'étais sûr que Hobbey lui avait révélé un secret.

Je pris le petit déjeuner avec Barak dans la cuisine. Ursula était présente, mais, à part un petit hochement de tête, elle ne nous prêta guère attention. Nous traversâmes la grande salle pour gagner le porche, passâmes devant les tapisseries représentant la chasse à la licorne, dont les couleurs resplendissaient au soleil. Je jetai un coup d'œil aux chasseurs armés de leurs arcs qui se glissaient entre les arbres. Serions-nous déjà repartis, me demandai-je, lorsque aurait lieu la chasse, le lundi ?

« Vous êtes bien silencieux, ce matin, me dit Barak.

— Ce n'est rien. Allez, viens ! »

Les chevaux avaient été sortis de l'écurie et je fus ravi de voir qu'on m'avait amené Oddleg. Chargés, à l'évidence, de nous accompagner, deux jeunes valets étaient déjà en selle. Penchés sur quelque document, Hobbey et Dyrick se tenaient côte à côte, la robe noire de Dyrick brillant au soleil comme des ailes de corbeau. Non loin de là, Hugh et David parlaient avec Feaveryear. Comme Dyrick, Hugh portait un chapeau à large bord. Je me dirigeai vers eux. David s'empourpra et détourna les yeux. Avait-il honte de ce qu'il avait fait ?

« Êtes-vous prêts à partir ? demandai-je à Hugh.

— Oui. M. Hobbey avait suggéré que David et moi restions ici, mais je refuse qu'on m'empêche de voir la flotte. M. Hobbey a accepté qu'on longe le flanc de la colline de Portsdown afin qu'on puisse apercevoir la rade de Portsmouth. »

Je regardai les deux jeunes valets. « Ils viennent, eux aussi ?

— Des gentlemen en voyage doivent être accompagnés… Et Fulstowe reste ici pour s'occuper de la mère de David », ajouta-t-il, une nuance de mépris dans la voix. Tu n'as absolument aucun égard pour la pauvre Abigail, pensai-je, étonnamment furieux. Je me tournai vers Feaveryear. « Êtes-vous content de voir Portsmouth ? m'enquis-je.

— Oui. Je me demande à quoi cela va ressembler, répondit-il simplement.

— Nous sommes prêts, messire Shardlake ! lança Hobbey.

— En effet, confirma Dyrick d'un ton âpre. Il ne faut pas faire attendre sir Quintin Priddis. »

L'un des valets apporta le montoir et aida Hobbey à se mettre en selle. Puis il le déposa devant chacun de nous et Barak et moi enfourchâmes nos chevaux. Une fois installé, je tapotai le flanc d'Oddleg.

Soudain survint un étrange incident. Au moment où Hugh s'apprêtait à monter en selle, Feaveryear lui demanda : « Dites donc, qu'allons-nous voir à Portsmouth, maître Hugh ? » Et il lui effleura le bras. Il n'y avait rien d'insolite dans ce geste, bien que, étant donné leur différence de position sociale, ce fût un geste présomptueux de la part de Feaveryear. Or Hugh repoussa violemment le bras du frêle clerc, qui faillit tomber à la renverse. « Ne me touchez pas ! s'écriat-il avec une colère inattendue. Pas de ça ! » Sur ce, il enfourcha son cheval.

« Ne refaites jamais ça ! lança avec fureur Dyrick à son clerc. Pour qui vous prenez-vous, bélître ? Bon, maintenant, en selle ! » Le clerc obéit, l'air blessé.

Comme nous franchissions la grille, je me rappelai le témoignage de Hobbey, selon lequel Michael avait touché Hugh d'une façon inconvenante, comme un homme ne doit pas toucher un garçon. Et si c'était vrai, en fin de compte ? me dis-je. Était-ce la raison pour laquelle Hugh venait de réagir avec une telle brutalité ?

☩

La route était poussiéreuse et le soleil déjà brûlant. Nous longeâmes la zone où les bûcherons travaillaient toujours, puis mîmes le cap au sud et gravîmes une longue pente, de plus en plus abrupte, en direction du faîte de la colline de Portsdown. Nous passâmes devant l'une des tours du feu d'alarme – haut et robuste poteau auquel était accrochée par une chaîne une cage en bois pleine de petit bois sec – qui seraient allumées en cas de débarquement français. Une sentinelle était en faction devant elle. Je rejoignis Hugh qui chevauchait à la tête du groupe, à côté de Hobbey et de David. Je passai devant Dyrick, qui, l'air toujours préoccupé, fronçait ses sourcils cuivrés.

« Je vous remercie à nouveau, Hugh, dis-je, de m'avoir prêté votre *Toxophilus*. »

Il se tourna vers moi, le visage ombré par son chapeau à large bord. « En avez-vous une opinion plus favorable, à la réflexion ?

— L'auteur est fort savant, j'en conviens. Je ne m'y connais guère en tir à l'arc, mais je sais que beaucoup d'honorables personnes vantent les mérites du livre. » Je me rappelai soudain lady Élisabeth, assise à côté de Catherine Parr, et ses questions sur la vertu et la conscience des avocats. « Je pense, cependant, que, dans la première partie du dialogue, maître Ascham se rengorge un peu trop et flatte excessivement le roi. J'ai lu de meilleurs dialogues. Christopher St Germain, voilà un écrivain, même s'il parle de droit et de politique.

— Je ne le connais pas.

— Disons, alors, Thomas More et son *Utopie*. Malgré tous ses défauts, More ne s'est jamais pris trop au sérieux.

— L'*Utopie* est une chimère, s'esclaffa-t-il. Un monde où tous vivent en paix et en harmonie, où la guerre n'existe pas… Ce n'est pas le monde réel, messire Shardlake, affirma-t-il en plongeant son regard dans le mien, et un tel monde ne pourra jamais exister.

— Voilà de fortes paroles dans la bouche de quelqu'un de votre âge. Vous êtes trop jeune pour vous en souvenir, mais l'Angleterre a connu vingt années de paix avant que le roi n'envahisse la France.

— Écoute messire Shardlake, lui lança Hobbey, qui chevauchait de l'autre côté de Hugh. Ses paroles sont sensées. »

David, resté silencieux jusque-là, se tourna à présent vers son père. « J'ai une idée, dit-il. Peut-être pourrions-nous trouver un chiot à Portsmouth pour maman.

— C'est une mauvaise idée, dit Hugh en tendant le cou pour parler à David. Elle va avoir besoin de temps pour se remettre. On ne peut pas simplement remplacer un animal domestique par un autre, pas plus qu'on ne peut remplacer une personne par une autre. »

David lui lança un regard hostile. « Qu'en sais-tu ?

— Tu oublies, espèce d'idiot, que j'ai une grande expérience du deuil, riposta Hugh de sa voix voilée, empreinte d'une glaciale colère.

— Dans quelque temps, peut-être pourras-tu amener un nouveau chien à ta mère », dit Hobbey d'une voix douce. Il parlait à nouveau à David comme si c'était un enfant. Était-ce pour cela que David manquait tant de maturité ?

Soudain, l'un des valets lança un avertissement et nous nous rangeâmes sur le bas-côté pour laisser passer deux gros chariots bringuebalants, chargés de caisses pleines de boulets de canon en acier. En provenance du Sussex, pensai-je, et ils sont destinés aux canons de Portsmouth.

« Nous devrions tenter de les dépasser en file indienne, suggéra Dyrick. Autrement, on va rester coincés derrière eux toute la journée. » Nous nous mîmes l'un derrière l'autre et longeâmes les chariots avec précaution. Me trouvant derrière Hugh, je regardai les cicatrices sur sa nuque. Je donnerais un coffre plein d'or pour savoir ce qui se passe dans sa tête, pensai-je. Une fois que nous eûmes dépassé les chariots, je le rattrapai et me portai à sa hauteur.

« Votre ami, le sous-lieutenant des archers, sera-t-il à Portsmouth ? demanda-t-il.

— Je le pense. » Je me penchai en avant et tournai la tête pour parler à Hobbey. « Monsieur Hobbey, une fois que nous aurons vu sir Quintin Priddis, Barak et moi resterons à Portsmouth pour essayer de retrouver notre ami. »

Il hocha la tête. « À votre guise. Mais je vous préviens : Portsmouth n'est pas un endroit de tout repos en ce moment. La ville grouille de soldats et de marins.

— J'aimerais rencontrer votre ami, dit Hugh.

— Pas question ! s'écria fermement Hobbey.

— Peut-être craignez-vous que je n'en profite pour courir m'engager dans l'armée, ricana Hugh.

— Si tu osais faire ça, répliqua Hobbey d'un ton vif et tranchant, je demanderais à la force publique de te ramener sur-le-champ. Et tu aurais l'air de quoi aux yeux de nos braves soldats ? »

Hugh me fit un demi-sourire ironique. « Messire Shardlake vous aiderait.

— Sans l'ombre d'un doute », renchéris-je avec fermeté.

Nous poursuivîmes notre chemin en silence. Plus nous approchions du sommet de la colline, plus la pente devenait abrupte. Nous l'avions presque atteint quand nous tournâmes à gauche. Nous trottâmes une heure encore environ, traversâmes une bourgade et nous arrêtâmes près d'un moulin à vent. Nous continuâmes jusqu'à la crête et j'eus le souffle coupé en découvrant la vue.

Sous nos yeux s'étendait un vaste échiquier de mer et de terre. La colline descendait en pente raide jusqu'à un terrain plat entourant une énorme baie qui s'ouvrait dans le Solent par un minuscule estuaire, le vert et le marron de l'île de Wight en arrière-plan. Dans la chaleur de midi, la baie brillait, tel un miroir d'argent. Comme on était à marée basse, de larges bancs de vase marron étaient visibles. Juste au-dessous de nous, à l'entrée de la baie, se dressait une masse carrée de pierre blanche, le château de Portchester, sans aucun doute. Vers l'ouest, j'aperçus une autre vaste baie et d'autres bancs de sable.

Hobbey suivit mon regard. « C'est Langstone Harbour. Dans ce port, l'eau n'est pas assez profonde pour accueillir de gros bateaux. La terre entre Langstone Harbour et la rade de Portsmouth est l'île de Portsea. »

Je regardai la bande de terre coincée entre les deux baies. À la pointe sud-ouest de l'île, tout près de l'entrée du port, je distinguai une tache sombre, qui devait être Portsmouth. Il y avait de nombreux bateaux dans la rade. Si, de l'endroit où nous nous trouvions, certains avaient à peine l'air de paillettes, plusieurs, ceux qui avaient hissé les voiles, paraissaient très grands. C'étaient les navires de guerre. Beaucoup d'autres bateaux, quarante ou cinquante, du minuscule au gigantesque, mouillaient dans le Solent.

« C'est la flotte, dit David, l'air songeur. Elle se rassemble, dans l'attente de l'arrivée du roi.

— Et des Français », précisa Barak.

Hugh me regarda en souriant. « Avez-vous déjà contemplé pareil spectacle ?

— Non, murmurai-je. Jamais.

— Ceux qui sont au milieu du Solent sont en eau profonde, mais il y a beaucoup de bancs de sable. Avec un peu de chance, les Français ne sauront pas où ils se trouvent et s'échoueront.

— Ils ont leurs pilotes, comme nous-mêmes ! s'écria Hobbey d'un ton agacé.

— Je ne m'étais pas attendu que la rade de Portsmouth soit aussi vaste, dis-je à Hobbey, ni qu'il y ait tant de bancs de vase.

— Mais l'entrée du port est très aisée pour les navires.

— Je suis sûr que toute la flotte peut y tenir si c'est nécessaire, affirma David avec fierté. Et les canons disposés le long de la côte empêcheront les Français d'y pénétrer. »

Je regardai la longue crête au-dessus de Portsdown, qui, constatai-je, faisait partie de la chaîne des South Downs. À perte de vue, sur tous les sommets, s'alignaient une série de tours du feu d'alarme, chacune gardée par une vigie. Les tours continuaient à s'échelonner sur ma droite, au-delà d'un grand campement hérissé de tentes militaires.

« Continuons notre route, dit Hobbey. Il reste encore quatre milles jusqu'à Portsmouth. Prenez garde, la route suit un escarpement très raide. »

Nous commençâmes notre descente vers l'île.

25

Nous descendîmes lentement la pente sud de la colline de Portsdown. Devant nous, deux charrettes à bœufs chargées de longs troncs d'arbres avançaient difficilement sur la route. Comme il eût été dangereux de les dépasser, nous ralentîmes le pas pour rester derrière elles. Je me retournai brusquement en entendant un fracas dans mon dos. Le cheval de Feaveryear ayant trébuché, le clerc faillit être éjecté de la selle. « Foutue godiche ! lança Dyrick. Si j'avais su que vous étiez un si piètre cavalier, je ne vous aurais jamais emmené.

— Veuillez m'excuser », marmonna le clerc. S'il avait pu répondre à son maître, ne serait-ce qu'une fois !

Hobbey regardait les champs de l'île de Portsea qui s'étendait en contrebas. « David, il y a là de bonnes terres arables », dit-il à son fils. Mais celui-ci ne semblait guère intéressé, car, comme Hugh, il s'abîmait dans la contemplation des navires, les petites taches lointaines dans le port grossissant peu à peu.

« Le château de Portchester paraît très grand, dis-je à Hobbey, mais il y a peu de bâtiments à l'intérieur de l'enceinte.

— C'est une bâtisse normande, et c'est la façon dont on construisait les châteaux forts à l'époque. C'était la pièce maîtresse de la défense du port de Portsmouth jusqu'à ce qu'il soit isolé par l'envasement de la rade. »

Je contemplai l'île, damier de champs, dont les parties non cultivées grouillaient de moutons et de bétail. On discernait des mouvements sur les routes et les sentiers : des gens, des chariots et des charrettes se dirigeaient vers la ville. Je tournai mon regard vers le port. Des arbres et des bâtiments gênaient parfois la vue, mais, peu à peu, je commençai à distinguer plus nettement les bateaux. Plusieurs longues et basses embarcations sillonnaient les eaux, tandis que quatre énormes vaisseaux de guerre mouillaient dans le port. À cette distance, ils avaient tous l'air de minuscules maquettes. Leacon et ses hommes se trouvaient-ils déjà à bord de l'un des navires ? J'apercevais tout juste une vague agitation le long des flancs de petits bateaux, tel le mouvement des pattes de quelque insecte.

« Qu'est-ce que c'est ? demandai-je à Hugh.

— Des galéasses. Des bateaux à voiles et à rames. Les rameurs doivent être en train de s'entraîner. »

Nous poursuivîmes notre chemin. La route, Dieu merci, commençait à devenir plate. Ce jour-là encore, le temps était chaud et moite, et je transpirais dans ma robe d'avocat. Un massif d'arbres obstruait notre vue de la mer, mais je voyais bien mieux l'île, à présent. Plusieurs groupes de taches blanches, des tentes militaires, devinai-je, parsemaient la côte. Près de l'étroite entrée de la rade, la ville était entourée de murs, et d'autres tentes blanches avaient été dressées à l'extérieur. De grands lacs d'aspect marécageux s'étendaient

464

sur deux côtés de l'enceinte de la ville. Portsmouth, constatai-je, était une forteresse naturelle.

Hugh désigna la construction carrée au milieu de la rive. « C'est le château de Southsea, expliqua-t-il avec fierté. Le nouveau château fort du roi. Le canon peut tirer très loin sur la mer. »

Je regardai le Solent, me rappelant mon voyage de retour du Yorkshire en 1541 et tout ce qui s'était passé ensuite. Je frissonnai.

« Ça va, messire Shardlake ?

— J'ai eu soudain la chair de poule. »

Au pied de la colline, la route, bâtie sur des remblais, passait au-dessus d'un marécage boueux, traversé en son milieu par un mince cours d'eau qu'enjambait un pont de pierre. De l'autre côté, à l'endroit où le terrain recommençait à monter, se trouvait un camp militaire. Assis devant les tentes, des hommes étaient en train de coudre ou de graver, quelques-uns jouaient aux cartes ou aux dés. Sur le pont, des soldats inspectaient le contenu de la charrette qui roulait devant nous.

« C'est le seul lien entre l'île de Portsea et la terre ferme, expliqua Hobbey. Si les Français le prenaient, l'île serait coupée du monde.

— Nos canons couleront leur flotte avant qu'ils ne débarquent », affirma David avec assurance. Subjugué par le panorama, il paraissait avoir oublié Lamkin et la réaction de sa mère.

Un soldat s'approcha de nous et s'enquit du but de notre venue. « Des affaires juridiques à Portsmouth », répondit brièvement Hobbey. Le soldat jeta un coup d'œil à ma robe d'avocat et à celle de Dyrick et nous fit signe de continuer notre chemin. Nous franchîmes le pont dans un bruit de sabots.

Nous traversâmes l'île le long d'un sentier poussiéreux, entre deux rangées d'arbres. Hugh se tourna vers Hobbey et, d'un ton inhabituellement respectueux, lui demanda : « Pourrions-nous, monsieur, aller regarder de plus près les bateaux dans la rade ?

— Oui, s'il te plaît, papa ! renchérit David avec force.

— Très bien », lui répondit Hobbey avec un regard indulgent.

Nous nous engageâmes dans un sentier transversal et nous dirigeâmes vers la mer. Nous passâmes tout près d'un grand chantier naval où des dizaines d'ouvriers étaient au travail. Il y avait plusieurs mâts de charge en bois et un certain nombre de petites constructions, y compris une étroite structure tout en longueur que je reconnus comme étant une corderie, atelier où l'on torsadait des cordes ensemble pour en former de plus épaisses, longues de dizaines de pieds si nécessaire. Des troncs d'arbres s'empilaient partout et des charpentiers sciaient du bois en morceaux de toutes formes et de toutes tailles. Un petit bateau était placé sur des étais plantés dans un lit de boue, découpé dans le rivage. Des coups de marteau retentissaient sans cesse. Des ouvriers travaillaient avec ardeur pour le réparer.

Un peu au sud du bassin de radoub, nous quittâmes le sentier et arrêtâmes les chevaux près d'une laisse de vase au bord de la mer, d'où soufflait une brise agréable. Une odeur de sel et de pourriture flottait dans l'air, et la boue était parsemée d'algues vertes. De là, nous avions une vue dégagée sur les bateaux mouillant dans le port. Huit galéasses, longues de soixante pieds et chacune dotée à la proue d'un bélier à la pointe d'acier et de plusieurs canons émergeant des sabords, avançaient sur l'eau calme, bleu-vert, en un mouvement rapide et fluide, malgré leur allure de caisses flottantes. Elles filaient à vive allure, utilisant leurs voiles et leurs nombreuses rames, tandis que le battement régulier des tambours rythmait l'action des rameurs. Nous sursautâmes lorsque l'une d'entre elles fit tirer ses canons, des volutes de fumée noire s'échappant de leurs bouches, des craquements sonores se répercutant dans les airs. Puis elle fit demi-tour à une vitesse impressionnante.

Dyrick y jeta un coup d'œil inquiet. Hugh émit un petit rire moqueur. « Ne vous en faites pas, monsieur. C'est un simple entraînement. Il n'y a pas de boulets dans les canons. Inutile d'avoir peur. » Dyrick le foudroya du regard.

« C'est leur maniabilité qui les rend si dangereuses pour les ennemis », expliqua David avec fierté.

Je contemplais les quatre grands navires de guerre, qui mouillaient dans le port, à une certaine distance les uns des autres. Ils étaient au bas ris et se balançaient doucement sur les eaux calmes. Énormes, tels des châteaux forts flottant sur la mer, ils dominaient les galéasses de toute leur hauteur. Attaché à la poupe de chacun d'entre eux, un grand canot à rames servait, sans doute, au transport des hommes et des marchandises entre la terre ferme et le navire. C'était un extraordinaire spectacle auquel peu de gens auraient jamais la chance d'assister. Avec leurs élégantes lignes et leur parfait équilibre sur l'eau, ces bateaux de guerre étaient magnifiques. Les flancs des gaillards d'avant et d'arrière s'élevant dans les airs, ainsi que la partie centrale, étaient peints de couleurs éclatantes, avec une prédominance du vert et blanc des Tudors. Chacun possédait quatre gigantesques mâts, le plus grand mesurant cent cinquante pieds de haut, les drapeaux de l'Angleterre et de la dynastie des Tudors déployés au sommet. La contemplation du plus grand des navires de guerre me faisait tourner la tête. Il s'agissait sans doute du *Great Harry*, le vaisseau amiral du roi. Un large drapeau portant les armoiries royales flottait au-dessus du gaillard d'arrière. De minuscules silhouettes allaient et venaient sur les ponts, tandis que d'autres, pareilles à des fourmis, grimpaient dans l'entrelacs du gréement. Tout en haut de la mâture, d'autres hommes se tenaient dans de petits nids circulaires.

« Ce sont les hunes militaires, dit David. C'est sans doute là que seront postés vos archers. »

Même à cette distance et à cheval, je devais lever les yeux pour voir les mâts de hune. Poussant de grands cris lugubres, des centaines de mouettes tourbillonnaient et faisaient des piqués au milieu des bateaux.

« Que les hommes soient capables de faire de tels prodiges ! » s'exclama Hugh, subjugué.

Deux galéasses s'approchèrent du *Great Harry*. Avec une vélocité remarquable, elles se mirent en travers, les rames s'arrêtant presque de pivoter, tandis que les tambours cessaient de jouer. Elles demeurèrent immobiles comme si elles s'apprêtaient à tirer une bordée contre le grand navire de guerre. Le tambour retentit à nouveau. Elles firent demi-tour puis filèrent vers l'entrée du port. D'autres galéasses effectuaient les mêmes manœuvres rapides avec les autres bateaux. Ils s'entraînent, pensai-je, en prévision de l'arrivée des navires de guerre français.

David désigna avec enthousiasme le plus petit des deux plus grands bateaux. C'était le plus près de nous, mouillant à un quart de mille environ. Il avait un long et haut gaillard d'arrière et un gaillard d'avant encore plus haut, sur lequel un beaupré de cinquante pieds de longueur soutenait l'enchevêtrement du gréement. Au pied du beaupré était fixé un gros objet circulaire, présentant des cercles concentriques d'un rouge et d'un blanc éclatants. « C'est une rose, dit David. C'est le *Mary Rose*.

— Le bateau préféré du roi, expliqua Hugh. Si seulement on pouvait les voir se déplacer. Ce doit être stupéfiant. »

Au sommet du gaillard d'arrière du *Mary Rose*, j'aperçus une cage contenant des filets, semblait-il, fixée par des étais en bois, et qui m'intriguait.

Dyrick désigna ce qui paraissait être les côtes de quelque bête gigantesque émergeant des laisses de vase près de nous. « Qu'est-ce que c'est ? demanda-t-il à Hobbey.

— La charpente d'un bateau qui s'est échoué là. Ces laisses de vase sont traîtresses, les gros bateaux doivent faire attention dans la rade. Voilà pourquoi la plupart restent à l'extérieur, à Spitbank. » Il secoua la tête. « Si les Français arrivent, il sera difficile, peut-être impossible, de faire entrer tous nos bateaux dans la rade. À l'ancre, il leur faut cent toises pour tourner, paraît-il.

— Juste à portée d'arc les uns des autres, commenta Hugh.

— Dans quelques semaines, il risque d'y avoir d'autres carcasses de navire émergeant de la mer, déclara Feaveryear d'un ton sombre.

— Vous êtes d'humeur joyeuse, lui dit Barak.

— Plaisantez donc ! lança le clerc avec colère. Mais la guerre est impie et Dieu punit les impies.

— Ce n'est pas vrai, rétorqua Hugh. Nos bateaux vont régler leur compte aux Français comme l'avait fait Henri V. Regardez-les ! Ce sont des merveilles, des prodiges. Si les Français s'approchent, nous les aborderons et les détruirons. J'aimerais tellement participer à la bataille !

— Savez-vous nager ? demandai-je.

— Moi, je sais ! » s'écria David en se rengorgeant.

Hugh secoua la tête. « Je n'ai jamais appris. Mais il paraît que rares sont les marins qui en sont capables. La plupart couleraient à cause du poids de leurs vêtements.

— Cette pensée ne vous effraie pas ? »

Il posa sur moi son regard vide habituel. « Pas du tout.

— La perle-du-cœur qu'il porte le protège, dit David d'un ton un rien narquois.

— Comment ça ?

— Elle est censée empêcher le cerf de mourir de peur, expliqua Hobbey d'une voix lasse.

— C'est peut-être vrai », renchérit Hugh.

Je regardai Hobbey par-dessus les têtes aux cheveux coupés très court des garçons. Il haussa les sourcils. Nous avions le même avis sur ce sujet.

✠

Nous atteignîmes les murs de la ville, rejoignant la file des chariots et des charrettes qui attendaient pour entrer. J'aperçus un corps accroché à une potence, dressée un peu en dehors de l'enceinte. Sur un petit plateau, entre la route et l'un des grands étangs flanquant la ville, on avait installé un autre camp militaire contenant près d'une centaine de tentes coniques, devant lesquelles étaient assis des soldats. L'un d'eux était en train de réparer une brigandine. Agenouillé, il cousait le gilet à la forte armature posé sur le sol. Loin du rivage, l'air était à nouveau lourd. La plupart des soldats avaient ôté leurs pourpoints et restaient en chemise, quoique quelques-uns d'entre eux aient porté de courtes vestes blanches, ornées de deux croix rouges cousues dans le dos. Un village avait à l'évidence fabriqué une version maison du costume officiel.

L'attention de Hugh et de David avait été attirée par un spectacle qui m'était désormais assez familier. À une centaine de toises de là, on avait amoncelé de la terre pour créer un talus, et des soldats s'entraînaient au tir à l'arc, lançant leurs flèches contre des coquilles d'huître.

« Continuons ! » s'écria Hobbey d'un ton comminatoire, et les garçons détournèrent le regard à contrecœur.

Hauts de trente pieds, les murs de la ville étaient entourés d'un fossé et, à mon grand étonnement, construits non pas en pierre mais en terre glaise. Seuls les petits créneaux au sommet et les imposants bastions placés à intervalles réguliers étaient en pierre. Des ouvriers travaillaient toujours sur les murs, certains accrochés à des cordes attachées au sommet. Ils ajoutaient de nouvelles couches de glaise et les stabilisaient à l'aide de claies et de planches en bois. Le bastion de pierre où s'ouvrait le portail principal était massif et son toit circulaire, hérissé de canons. Des soldats arpentaient la plate-forme de combat courant tout en haut. De près, Portsmouth avait davantage l'air d'un château fort construit à la hâte que d'une ville.

Nous nous joignîmes à une longue file de chariots et de charrettes attendant de franchir la porte, qui se trouvait sur une petite hauteur et qu'on atteignait par un pont enjambant le fossé. Cette ville était une véritable forteresse.

« Ce mur de terre n'a rien à voir avec les murailles entourant York, dis-je à Barak.

— Il fait partie des fortifications que lord Cromwell a édifiées tout le long des côtes en trente-neuf, quand on a eu le sentiment que les Français et les Espagnols risquaient de nous attaquer ensemble pour nous ramener sous le joug du pape. On les a construites en toute hâte. Je sais que cela lui a fait passer des nuits blanches, ajouta-t-il tristement.

— Quelle puanteur, grand Dieu ! » s'écria Hobbey. Il avait raison, une forte odeur de fosse d'aisances flottait dans l'air. Il tourna son regard vers les tentes. « Ce sont les soldats. Ils utilisent le bief du moulin comme égout. Les porcs !

— Et, foutrebleu, où sont-ils censés faire leurs besoins ? » marmonna Barak, à mi-voix. Il a raison, me dis-je. Il n'y avait aucun endroit où se débarrasser des ordures dans cette terre plate et marécageuse autour de la ville. Les odeurs fétides empireraient au fil des jours, risquant d'engendrer des maladies.

Nous nous retournâmes tous en même temps en

entendant un furieux mugissement. Derrière nous s'était arrêté un lourd chariot tiré par quatre grands chevaux. Le beuglement avait été poussé par un énorme taureau, chargé de muscles et enfermé dans une lourde cage métallique.

« Il va y avoir un combat, dis-je à Barak.

— Avec des chiens, sans doute. Pour distraire les soldats. »

Devant nous, à l'intérieur du bastion, se trouvait une barbacane fermée à l'architecture complexe, dans laquelle s'était coincé un chariot transportant des barriques. De nouveaux chariots s'immobilisèrent derrière nous.

« On n'est pas sortis de l'auberge ! s'emporta Dyrick.

— Messire Shardlake ! » Je me retournai en entendant mon nom. Venant des tentes, accourait un jeune gars trapu. Je souris en reconnaissant Carswell, le caporal de la compagnie de Leacon qui espérait devenir dramaturge. Son visage animé et joyeux était désormais tanné comme du cuir. Il inclina le buste pour saluer notre groupe. « Vous êtes donc venu à Portsmouth, monsieur ?

— Oui. Pour affaires. On vient de voir les bateaux dans le port. On se disait que vous étiez peut-être à bord de l'un d'entre eux. »

Il secoua la tête. « On n'est encore montés à bord d'aucun bateau. On est restés cantonnés dans le camp. Le lieutenant Leacon est dans les parages. Je peux vous conduire jusqu'à lui, si vous le souhaitez. Je suis certain qu'il serait ravi de vous voir. Vous allez rester coincés ici un bon bout de temps », ajouta-t-il en jetant un œil expérimenté sur les hommes en train

473

de se démener pour dégager le chariot bloqué sous le porche.

Le taureau poussa un nouveau beuglement furieux en se balançant dans sa cage. Le cheval de l'un de nos valets se cabra et rua, son cavalier tentant désespérément de le maîtriser. Dans la foule, des gens éclatèrent de rire. « Il vaut mieux que vos chevaux attendent sur le bas-côté jusqu'après le passage du taureau », conseilla Carswell.

Hobbey acquiesça en silence, mit pied à terre et poussa son cheval hors de la route. Nous l'imitâmes en laissant un valet pour nous garder la place. « Je pense que Carswell, ici présent, a raison, dis-je à Hobbey. Je vais aller voir mon ami quelques instants. En ce qui concerne notre rendez-vous avec sir Quintin, nous sommes tout à fait dans les temps.

— Quelques instants seulement, monsieur, je vous en prie. »

Barak et moi accompagnâmes Carswell jusqu'aux tentes. C'était l'occasion de voir Leacon et de l'interroger sur Philip West. J'avais décidé de tenter de m'entretenir avec lui.

« Ça sent drôlement mauvais ici, vous ne trouvez pas ? fit Carswell.

— C'est pire que sur les berges de la Tamise, renchérit Barak.

— Vous vous rappelez que vous m'avez promis de m'aider, monsieur ? Quand vous serez de retour à Londres ? » fit le jeune soldat.

Je souris. « Je n'avais pas oublié.

— Il me tarde de rentrer chez moi. Je déteste attendre, vautré dans cette puanteur comme un cochon dans une porcherie. On n'a pas le droit d'aller en ville sans être munis d'un laissez-passer, et il paraît que les marins doivent rester à bord des bateaux. Les autorités ont peur qu'on se bagarre ou qu'on dérange tous ces marchands qui négocient entre eux pour vendre le plus cher possible nos maigres vivres. Mais on dit que la majeure partie de la vie d'un soldat se passe à attendre.

— Vous monterez bientôt à bord d'un bateau ? demanda Barak.

— Pas tout de suite... Quand il a vu les bateaux de si près l'un des gars a failli s'évanouir, me répondit Carswell d'un air exceptionnellement sérieux. Pour beaucoup d'entre nous, c'était la première fois qu'on voyait la mer. » Il eut un rire gêné. « Comment mettre en scène ce spectacle dans une pièce ? Les navires de guerre et les galéasses. Les matelots sont des criminels et des mendiants qui ne sont pas assez robustes pour faire leur travail. Certains s'effondrent et meurent. Les cadavres sont transportés sur la terre ferme, le soir... Pensez-vous, monsieur, continua-t-il sur le ton de la plaisanterie, que si je vous conduisais, vêtu de votre robe d'avocat, jusqu'à notre commandant, le comte de Suffolk, vous pourriez le convaincre que je dois quitter l'armée ? Arguer que la perspective du danger n'est pas bonne pour moi ?

— Hélas, Carswell, m'esclaffai-je, les pouvoirs des avocats ne vont pas jusque-là. »

Nous nous trouvions à présent dans le camp, enjambant des cordons de tentes. Certains des soldats de la compagnie nous faisaient de grands signes ou nous criaient des paroles de bienvenue. Assis devant sa tente, Sulyard gravait quelque chose sur le manche de son couteau. Il me foudroya du regard. Carswell s'arrêta devant une grande tente, la croix de Saint-Georges fixée au sommet d'un petit bâton. Leacon venait d'en sortir. « Mon lieutenant ! lança Carswell. Une visite ! »

Leacon portait un casque rond, une demi-armure par-dessus son surtout et l'épée au côté. Le rabat de la tente s'ouvrit et Tom Llewellyn, le jeune Gallois, apparut, chargé d'un porte-documents. Quand il nous vit, l'air anxieux de Leacon s'estompa pour céder la place à un sourire.

« Messire Shardlake ! Jack Barak !

— Nous sommes venus à Portsmouth pour traiter une affaire. Il y a un encombrement aux portes de la ville. Le jeune Carswell nous a vus et conduits jusqu'ici.

— Parfait ! Et comment va votre femme, Jack ?

— Très bien. À en juger par sa dernière lettre.

— George, dis-je, je voudrais vous entretenir d'un sujet particulier.

— Cela concerne votre intendant qui a prétendu avoir été à Flodden ? J'ai des renseignements à vous communiquer à son sujet.

— Vraiment ? Je serais ravi de les connaître. Mais je cherche quelqu'un d'autre, George, qui peut également se trouver à Portsmouth. C'est important. Un certain Philip West, qui, semble-t-il, est officier à bord d'un navire royal.

— Dans ce cas, il doit être ici. Savez-vous que les vaisseaux de lord Lisle viennent d'arriver ? Il y a eu une escarmouche près des îles Anglo-Normandes. Mais il faut que je vous quitte. Il y a une réunion des capitaines de compagnie en ville et je dois y rejoindre sir Franklin Giffard… J'emmène le jeune Tom, ici présent, poursuivit-il en se tournant vers lui. Un grand nombre de capitaines de compagnie sont gallois et son père lui a appris des rudiments de leur langue maternelle… Question de diplomatie », expliqua-t-il en haussant les sourcils. Le jeune homme sourit nerveusement. « Pourrait-on se rencontrer en ville, plus tard ? demanda Leacon. Cet après-midi, peut-être ?

— Absolument. Nous avons un rendez-vous à dix heures, mais nous serons libres ensuite.

— À la taverne du Lion rouge pour déjeuner, alors. À midi ?

— Avec plaisir.

— Je vais prier l'un des gradés que je dois rencontrer de rester pour vous parler. Il a un récit intéressant à faire sur le bon maître Coldiron.

— Quelles sont les nouvelles de votre compagnie ? Et vous, Llewellyn, comment allez-vous ?

— Bien, monsieur. Même si ces bateaux nous ont vraiment effrayés la première fois qu'on les a vus.

— Oui, dit Leacon. Si les hommes doivent monter à bord, il leur faudra un peu de temps pour s'habituer. Mais les responsables ne cessent de se quereller sur la façon de nous utiliser le mieux possible. Ils ont beau m'assurer qu'ils nous apprécient beaucoup comme archers principaux, rien n'est fait. » Il poussa un profond soupir. « Venez. Vous m'accompagnez jusqu'à la route ? »

Nous longeâmes les rangées de tentes. « Quelles nouvelles avez-vous des Français ? » demandai-je à voix basse.

Il s'éloigna un peu de Llewellyn. « Mauvaises. Plus de deux cents bateaux se rassemblent dans leurs ports, avec trente mille soldats à bord. La semaine dernière, lord Lisle a rencontré une flotte de leurs galères au large des îles Anglo-Normandes. Le mauvais temps a empêché, cependant, un véritable combat. S'ils débarquent on aura besoin de chaque homme… Leurs galères, poursuivit-il en posant sur moi un regard grave, sont grandes et rapides, bien supérieures à nos galéasses, et les rameurs sont des esclaves habitués à la guerre méditerranéenne. Ils ont une vingtaine de ces navires… Vous savez combien de galères nous avons, nous ? » demanda-t-il d'un air sombre. Je secouai la tête. « Une, répondit-il.

— Quand risquent-ils d'arriver ?

— Dans une semaine. Deux, peut-être. Tout va dépendre du temps. Comme toujours avec la mer. »

J'avais très envie de parler de Coldiron, mais Leacon était pressé. Nous avions quitté le campement. Barak désigna alors le terrain où les hommes s'entraînaient au tir à l'arc et éclata de rire. « Regardez-moi ça ! »

Passant outre aux ordres de Hobbey, Hugh et David avaient mis pied à terre et rejoint les archers. Hugh était en train de bander un arc qu'il avait dû emprunter. Il décocha une flèche qui frappa la coquille d'huître et la brisa en une dizaine de fragments, sous les applaudissements des soldats. J'aperçus Sulyard au milieu du groupe, Pygeon, son ennemi, se tenant à une courte distance. À l'autre bout du terrain, un soldat se précipita pour fixer une nouvelle coquille d'huître au centre du talus.

« Regardez-moi ce gars, monsieur ! » dit Llewellyn à Leacon d'un ton admiratif.

Hugh tendit l'arc à David, qui se renfrogna quand sa flèche rata de peu la cible.

« Qui sont ces jeunes gens ? s'enquit Leacon, l'air très intrigué.

— Le fils et le pupille de mon hôte. » Je vis Hobbey et Dyrick parler avec animation à Snodin, le sergent instructeur, qui se tenait les mains sur les hanches, une expression agressive sur son visage rougeaud. Hugh banda à nouveau l'arc au moment où nous nous dirigions vers Hobbey et Dyrick.

« Sortez-les de là ! hurlait Hobbey à Snodin, plus furieux et plus agité que je ne l'avais jamais vu. Ordonnez à vos hommes de cesser leur entraînement sur-le-champ !

— Mais l'ordre de s'entraîner leur a été donné par sir Franklin Giffard en personne », rétorqua Snodin de sa voix grave. Il désigna Leacon d'une main charnue au moment où nous arrivâmes. « Tenez, parlez au lieutenant si vous voulez. »

Leacon fit un bref signe de tête à Hobbey et Dyrick, puis regarda Hugh décocher une deuxième flèche qui, cette fois encore, brisa la coquille. Hobbey attrapa le bras de Leacon. « Vous commandez cette racaille ? Faites sortir mes garçons de ce terrain de tir ! Ils m'ont désobéi… »

Leacon repoussa le bras de Hobbey. « Je n'apprécie pas vos manières, monsieur, répliqua-t-il avec force. Ce ne sont peut-être que de jeunes garçons, mais peu d'adultes sont capables de se servir d'un arc d'homme d'armes et surtout de tirer aussi bien. Ils doivent s'être beaucoup entraînés.

— Ils feraient d'excellentes recrues, commenta sardoniquement Snodin. Surtout le plus grand des deux.

— Sale insolent ! lança Hobbey.

— Lieutenant Leacon, intervint Dyrick, nous avons

rendez-vous en ville avec le curateur de fief du Hamp-shire, et nous allons être en retard. » Il dirigea son regard vers la porte de la ville. Elle avait été déga-gée, et les charrettes et les chariots la franchissaient lentement. À ce moment-là, c'était le tour de la cage du taureau.

« Je crois que vous devriez appeler Hugh et David, murmurai-je à Leacon.

— Pour vous, avec plaisir, messire Shardlake. Vous parlez poliment... Halte au tir ! lança-t-il aux archers. Vous deux, venez par ici ! »

À contrecœur, Hugh rendit l'arc à son propriétaire et lui et David se dirigèrent vers nous. Leacon leur sourit. « Bravo, les gars ! Excellent tir !... Vous avez fait mouche deux fois de suite, jeune homme, dit-il à Hugh.

— Nous nous entraînons tous les jours. » Fasciné, Hugh fixait Leacon. « Allons-nous repousser les Fran-çais, mon lieutenant ?

— Pas toi, en tout cas ! » Toujours furieux, Hobbey lui empoigna l'épaule. David tressaillit et recula d'un pas, l'air bizarre, hagard. Il n'avait donc pas oublié ce qui s'était passé la veille.

Soudain rouge de colère, Hugh tourna brusquement la tête vers Hobbey. « Lâchez-moi ! » L'espace d'un instant, je craignis qu'il ne le frappe.

« Hugh », fis-je calmement.

À mon grand soulagement, il se contenta de se déga-ger de la poigne de Hobbey, puis se dirigea vers les chevaux. « À plus tard, dis-je à Leacon. Désolé... »

Il hocha la tête. « Reprenez l'entraînement, les ven-trebleus ! » lança-t-il aux soldats. Nous enfourchâmes nos montures et nous dirigeâmes vers la porte de la ville. Leacon et Llewellyn l'avaient déjà franchie. Une fois de plus, avant de nous laisser passer, les soldats de faction nous demandèrent le but de notre venue. Comme nous traversions la barbacane et débouchions dans le soleil, j'entendis le battement régulier du tambour résonner dans la ville.

26

Une fois dans Portsmouth, j'eus encore plus l'impression d'être dans un château fort. De ce côté-ci, la ville était complètement entourée de murs descendant en pente douce ; on avait planté du gazon pour retenir la terre. Des jardins maraîchers occupaient une grande partie de l'espace clos, la ville elle-même étant étonnamment petite. La rue qui nous faisait face était la seule entièrement bâtie, avec boutiques et maisonnettes, les constructions les plus importantes ayant un premier étage en surplomb. Je vis une seule église, vers le bord de mer. Son clocher carré était surmonté d'une tour du feu d'alarme.

« Voici la grand-rue, expliqua Hobbey. Nous avons rendez-vous avec messire Priddis au nouvel hôtel de ville, situé à mi-rue. »

La voie n'étant pas pavée, la circulation intense l'avait rendue poudreuse et l'atmosphère était saturée d'écœurants relents de brassage de bière. Nous dépassâmes des ouvriers agricoles à l'air fatigué, des marins hâlés, pieds nus et en blouse de laine, des soldats coiffés de leurs casques ronds, qui avaient dû obtenir des laissez-passer pour entrer dans la ville.

Un marchand bien habillé, portant une chemise au col de fine dentelle, avançait à cheval, un sachet d'herbes aromatiques contre le nez, tandis qu'un clerc, à cheval lui aussi, trottinait à ses côtés en débitant une liste de chiffres. Comme beaucoup d'autres, le marchand gardait une main sur sa bourse attachée à sa ceinture.

Les clients marchandaient à voix forte devant les étals des boutiques. On entendait un remarquable mélange de langues parmi les passants : gallois, espagnol, flamand. À chaque coin de rue, un petit groupe de soldats, en demi-armure et portant des hallebardes, surveillait tous les passants. Cela me rappela les garnements en sarrau bleu qui circulaient dans les rues de Londres. Habillé de son splendide uniforme rouge, le crieur public arpentait la rue en agitant une cloche. « Toute femme ne pouvant prouver avant demain qu'elle réside dans la ville sera considérée comme une prostituée et expulsée ! » hurlait-il. Un ivrogne entra dans la rue, chancelant et buvant au goulot d'une gourde en peau de porc. « Rejoignez la marine du roi Harry ! Six shillings et six pence par mois et la bière à volonté ! » Il se dirigea en titubant vers Feaveryear, qui tira sur la bride pour faire s'écarter son cheval. « Créature impie ! » marmonna-t-il avec colère.

« Vous n'aimez pas boire un verre de temps en temps, Feaveryear, railla Barak.

— Mon pasteur dit qu'il faut éviter les tavernes.

— On dirait ma femme.

— Hugh et David ont fait une belle démonstration tout à l'heure, dis-je à Feaveryear.

— J'envie l'adresse de maître Hugh, soupira le petit clerc.

— À votre place, je ne l'envierais pas trop. Je ne crois pas que tout soit rose dans sa vie.

— Vous avez tort, monsieur, rétorqua-t-il. Hugh a été bien élevé. Il est fort, adroit et cultivé. C'est un vrai gentleman. Comme mon maître l'affirme, vous n'avez rien à reprocher à cette famille. » Sur ce, il éperonna son cheval et passa devant moi.

✝

L'hôtel de ville était un grand édifice en bois de trois étages et peint de couleurs éclatantes. Un palefrenier conduisit nos montures vers une écurie située derrière le bâtiment. Hobbey ordonna à David d'attendre dehors avec les deux valets jusqu'à notre retour, leur enjoignant avec fermeté d'éviter les tavernes.

« Je suppose que vous voulez que Barak vous accompagne ? me demanda Dyrick.

— Oui, confrère. En effet. »

Il haussa les épaules. « Par conséquent, venez, Sam », fit-il.

Nous entrâmes dans le grand vestibule central. Un escalier de bois montait vers le premier étage. L'air affairé, des gens passaient dans tous les sens, fonctionnaires royaux et bourgeois de la ville dans la tenue de leur corporation. Hobbey aborda un commis visiblement épuisé et lui demanda où se trouvait sir Quintin Priddis.

« Il est en haut, monsieur. Dans la pièce en face de l'escalier. Êtes-vous les messieurs qui ont rendez-vous avec lui ? Je crains que vous ne soyez un peu en retard. »

Hobbey se tourna brusquement vers Hugh. « Cette

histoire sur le terrain de tir ! Les gentlemen ne se font pas attendre. » Hugh haussa les épaules.

Nous gravîmes l'escalier. Barak regardait à l'entour avec mépris. « Un hôtel de ville en bois ?

— En temps normal, il n'y a que quelques centaines d'habitants dans la ville. Les résidents doivent se sentir submergés. »

Nous frappâmes à la porte indiquée par le commis. Une voix distinguée nous invita à entrer. Il s'agissait d'une salle de réunion, peu meublée, où dominait une grande table de chêne, à laquelle étaient assis deux hommes, une pile de documents soigneusement rangés devant eux. Le plus jeune portait une robe d'avocat. Âgé d'un peu plus de quarante ans, il avait de longs cheveux châtain foncé et un visage carré d'une beauté froide. Vêtu d'une robe marron, le plus vieux avait une soixantaine d'années et des cheveux gris. Il était assis de guingois, une épaule plus haute que l'autre, et, l'espace d'un instant, je crus que sir Quintin Priddis était, lui aussi, bossu. Puis je constatai qu'un côté de son visage était figé et que sa main gauche, posée sur la table, blanche comme un os, n'était plus qu'une griffe desséchée. Il avait dû être victime d'une hémiplégie. Voilà donc l'homme qui, en tant que coroner du Sussex, avait ordonné que, malgré ses hurlements, on pousse Ellen à l'intérieur d'une voiture. Le révérend Seckford l'avait décrit comme un « petit gars, affairé, agité ». Ce n'était plus le cas.

Nous nous inclinâmes et, quand nous relevâmes la tête, nous découvrîmes deux identiques paires d'yeux bleus perçants en train de nous examiner depuis l'autre côté de la table.

« Eh bien, voici une délégation en bonne et due

forme », dit l'aîné des deux hommes. Il articulait mal et zézayait. « Je ne m'attendais pas à voir tant de monde. Et même un sergent royal ! Vous devez être messire Shardlake ?

— En effet, monsieur.

— Sir Quintin Priddis, curateur de fief du Hampshire. Voici mon assistant, mon fils Edward. » Il lui jeta un coup d'œil, sans affection, pensai-je. « Je connais déjà M. Hobbey, et ce jeune homme bien découplé doit être Hugh. » Il étudia soigneusement l'adolescent, qui leva la main pour dissimuler ses cicatrices. « Vous avez beaucoup grandi, mon garçon, depuis la dernière fois où je vous ai vu. Mais pourquoi vous coupez-vous les cheveux si court ? Une belle chevelure sied à un jeune gentleman.

— Je suis archer, monsieur, répondit Hugh, d'un ton neutre. C'est notre style. »

Un sourire sardonique tordit brièvement le côté droit du visage de sir Quintin. « Voici messire Vincent Dyrick, mon conseiller juridique, dit Hobbey. Les deux autres sont les clercs des avocats.

— Je crains que les chaises ne manquent dans ce misérable endroit, dit Priddis. Je ne peux donc pas vous inviter à vous asseoir. Mais nous n'allons pas rester là longtemps. J'ai une réunion à onze heures que je ne peux pas repousser. Eh bien, messire Shardlake, quelles questions souhaitez-vous me poser ? me demanda-t-il avec un sourire glacial.

— Vous devez connaître parfaitement ce dossier, monsieur…

— Pas comme sujet de litige, interrompit Edward Priddis d'une voix sereine et nette. En tant que curateur de fief, mon père le connaît comme une affaire de tutelle banale. Il a évalué la valeur initiale des terres et a répondu aux questions de pure routine que lui a depuis lors posées M. Hobbey. »

Sir Quintin fit son demi-sourire de travers et sans joie. « Vous voyez, mon fils est également avocat. Comme moi, au début de ma carrière. Il a raison, mais vous, messire Shardlake, considérez qu'il y a quelque chose d'anormal. » Je plongeai mon regard dans ces yeux bleus brillants, mais on n'y lisait rien, à part que l'homme possédait toujours de la force et de l'énergie.

« Sir Quintin, demandai-je, quand vous évoquez des questions de pure routine, parlez-vous de l'abattage des bois de maître Hugh ?

— En effet. M. Hobbey a pensé que c'était le bon moment pour exploiter la demande de bois. Je lui ai assuré que c'était légal, dans la mesure où Hugh en recevait les bénéfices. Exploiter une ressource de cette manière ne relève pas du gaspillage mais d'une sage mise à profit des conditions du marché. »

Edward posa ses mains sur les documents. « Voici des notes prises durant les discussions entre mon père et M. Hobbey. Elles sont à votre disposition.

— Ce que je crains c'est que les sommes inscrites dans les registres de comptes de M. Hobbey ne reflètent pas la quantité de bois de chêne de premier ordre que j'ai vue dans les terres restantes. »

Hobbey me lança un regard perçant.

« Il y avait beaucoup moins de chênes à cet endroit que dans le reste du domaine, assura Dyrick à Priddis.

— Vous avez dû, monsieur, voir les terres avant que les arbres soient coupés, dis-je à Priddis.

— Je me rappelle y avoir reconnu diverses espèces d'arbres. Mais c'était il y a cinq ans, la première fois qu'on les a coupés. Et, aujourd'hui, chevaucher sur des terres boisées me pose certaines difficultés, précisa-t-il en désignant du menton sa main blanche desséchée.

— Selon M. Hobbey, votre fils visite les terres à cheval à votre place.

— C'est vrai, intervint Edward. Et je suis certain que l'évaluation de mon père est exacte. Cependant, ajouta-t-il d'un ton onctueux, puisque nous devons demeurer quelques jours de plus à Portsmouth, nous pourrons ensuite nous rendre à Hoyland. Cela ne m'ennuierait nullement de parcourir les terres en votre compagnie. Vous pourrez me montrer ce qui vous inquiète. »

Et tu pourras l'interpréter à ta guise, pensai-je, car il n'existe aucun moyen de se faire une idée précise de la situation. Il est trop tard pour faire quoi que ce soit. Mais, de toute façon, je voulais mieux connaître ces deux hommes, pour Ellen. À l'époque de l'incendie, Edward Priddis devait avoir une vingtaine d'années et son père, une quarantaine.

Sir Quintin sourit. « Fort bien. Je vais vous accompagner à Hoyland. Je passerai volontiers une journée loin de cette ville puante. Je peux toujours tant bien que mal monter à cheval, mais je devrais me reposer dans la belle maison de M. Hobbey. Vous pouvez constater, messire Shardlake, que nous nous efforçons de coopérer avec la cour. Nous pourrions venir lundi prochain, le treize. L'après-midi. »

Hobbey eut l'air soucieux. « Lundi, nous organisons une chasse, monsieur, prévue depuis plusieurs semaines. Ce serait gênant…

— Ah, la chasse ! fit Priddis, l'air songeur. J'adorais ce passe-temps, jadis. Mais lundi est le seul jour où je peux venir. Je dois me rendre mardi à Winchester. Nous ne vous gênerons pas. Je suppose que la chasse sera terminée avant trois heures.

— Je ne vois guère l'intérêt, intervint Dyrick, d'examiner les souches d'arbres depuis longtemps abattus dans les bois pour chercher à déterminer les essences qui y poussaient. Et la pétition d'information qui a déclenché cette affaire parlait de "monstrueuses atrocités". Or le jeune Curteys ne se plaint pas, je crois. »

Sir Quintin se tourna vers Hugh. « Qu'en dites-vous, jeune homme ? M. Hobbey ou sa famille vous ont-ils fait le moindre tort ? » Je regardai le curateur de fief. Il était détendu, connaissant d'avance la réponse.

« Non, monsieur, répondit Hugh d'un ton calme. On m'interdit seulement de m'enrôler dans l'armée, comme je le souhaiterais. »

Priddis émit un rire grinçant. « Ils sont si nombreux à se défiler, et voilà un brave garçon qui demande à servir son pays. Mais, jeune homme, votre place est sur votre domaine. Dans trois ans vous serez majeur et pourrez jouer votre rôle de propriétaire et de gentilhomme campagnard. » Il agita son bras valide. « Ôtez votre main de votre visage. Si quelqu'un n'a aucune raison d'être repoussé par les imperfections des autres, c'est bien moi. Redressez-vous hardiment ! C'est ainsi qu'on doit réagir si on attire les regards. N'est-ce pas, messire Shardlake ? »

Je restai silencieux. Hugh baissa sa main et Priddis l'étudia quelques instants, avant de se tourner vers Hobbey. « Ce jeune homme est beau garçon, malgré ses cicatrices. Y a-t-il un mariage en perspective ? »

Hobbey secoua la tête. « Je laisserai Hugh libre de

choisir qui il souhaitera épouser. Et il n'y a personne pour le moment.

— Je crains, messire Shardlake, me dit Priddis en plantant sur moi un regard sévère, que vous ne vous retrouviez le bec dans l'eau. Quand le dossier retournera aux Tutelles, votre client risque de devoir payer une note salée.

— Il est de mon devoir d'étudier tous les aspects de la question.

— C'est certainement votre droit le plus strict.

— J'ai peur, déclara Dyrick d'un ton blessant, que le confrère Shardlake n'aille jusqu'à arracher les lames du parquet du prieuré pour voir si des souris ne risquent pas de mordre Hugh. »

Sir Quintin agita un doigt réprobateur. « Allons, messire Dyrick ! Je suis persuadé qu'il n'ira pas aussi loin.

— Nous devons étudier ce matin les documents du dossier de sir Martin Osborne, murmura Edward Priddis à son père.

— Tu as tout à fait raison, renchérit sir Quintin. Merci, messieurs. Je vous verrai lundi. » Il sourit à Hobbey. « Si vos invités de la partie de chasse m'aperçoivent, dites-leur que je suis un vieil ami qui est venu vous rendre visite. » Il poussa son petit gloussement.

Nous saluâmes les deux hommes, puis quittâmes la salle. Une fois dehors, Dyrick m'apostropha : « Mordieu, Shardlake ! Pourquoi n'abandonnez-vous pas la partie ? Vous avez vu ce que sir Quintin pense de tout cela ? Avez-vous décidé d'embarrasser M. Hobbey le jour de la chasse ?

— Calmez-vous, confrère. Vous avez entendu sir

Quintin. Il n'a pas l'intention de révéler le but de sa visite. »

Nous descendîmes l'escalier en silence. Le commis qui nous avait renseignés tout à l'heure parlait avec grand respect à deux hommes qui se tenaient sur le seuil. Malgré la chaleur de ce mois de juillet, ils étaient tous les deux vêtus de robes doublées de fourrure et coiffés de bonnets. Quand ils se retournèrent, je reconnus sir William Paulet et sir Richard Rich. Sous le choc, je m'arrêtai si brusquement au pied de l'escalier que Hobbey me heurta par-derrière. Paulet me lança un regard sévère mais Rich émit une sorte de petit ricanement.

« Messire Shardlake, dit-il. Nous n'allons pas vous dévorer. Par ma foi, vous êtes devenu bien nerveux depuis votre séjour à la Tour. »

L'évocation de la Tour fit cesser le brouhaha des conversations dans le vestibule. Tout le monde se retourna.

« Votre enquête se poursuit, confrère Shardlake ? demanda froidement Paulet. Vous êtes ici depuis combien de temps déjà ?

— Cinq jours, sir William. »

Rich fit son pâle sourire. « Ah, messire Shardlake a toujours été opiniâtre. Quelles que soient les conséquences de son obstination.

— Je n'agis que dans le cadre de la loi, répliquai-je sans me démonter.

— Comme doit le faire tout un chacun, rétorqua Rich.

— Je suppose que vous venez de voir sir Quintin Priddis ? fit Paulet.

— En effet, monsieur.

491

— Quintin Priddis, hein ? » La curiosité écarquillait les yeux gris de Rich.

« C'est le curateur de fief du Hampshire, expliqua Paulet.

— J'ai connu sir Quintin quand je faisais mes études d'avocat, il y a trente ans. Il m'avait fourni des aperçus intéressants sur l'usage du droit. Ah, le monde est petit au sommet ! Et tous les gens importants mettent le cap sur Portsmouth en ce moment. Vous ne devriez pas être si étonné de me voir ici, messire Shardlake.

— Je savais que vous veniez à Portsmouth, sir Richard. Vous nous avez dépassés sur la route, la semaine dernière.

— Je ne vous ai pas vus.

— Je voyageais avec une compagnie d'archers.

— Des archers, voyez-vous ça ? Eh bien, je m'occupe des finances concernant l'approvisionnement de l'armée, comme en France, l'année dernière. Je m'assure que les marchands ne roulent pas le roi. » Il enfouit son petit menton pointu dans son col de fourrure, se rengorgeant comme un courtisan ravi de faire étalage de son pouvoir. « Le gouverneur Paulet m'a demandé mon avis sur des questions de sécurité, reprit-il. Des bagarres éclatent entre des soldats et des marins qui parviennent à entrer dans la ville chaque soir. Si nous pouvions en pendre quelques-uns de plus…

— Il nous manque déjà assez d'hommes comme ça, rétorqua Paulet sèchement. Pas question de pendre ceux que nous avons. Je parlerai aux officiers. Puis-je vous rappeler, sir Richard, que le maire nous attend…

— Un moment, sir William, dit Rich d'une voix

douce. J'aimerais dire un mot à mon ami Shardlake...
Qu'on nous laisse seuls ! » lança-t-il à notre groupe en
faisant un geste de la main. Barak hésita. « Et vous
aussi, Jack Barak. Toujours en train de fouiner partout
depuis l'époque où vous serviez lord Cromwell, qui
a eu la tête tranchée. » À contrecœur, Barak rejoignit
les autres devant l'entrée du bâtiment.

« Eh bien, messire Shardlake ! » Il se tenait si près
de moi que je voyais les lourds anneaux d'or de sa
chaîne, le velouté de ses joues étroites et sentais son
haleine empestant l'ail. « Ouvrez bien vos oreilles !
Il est temps pour vous de boucler votre dossier et de
vous dépêcher de rentrer à Londres. Le roi et la reine
sont à Godalming et ils arriveront ici au milieu de la
semaine prochaine. Je crois savoir que le roi n'est pas
au courant de votre amitié avec la reine Catherine.
Et s'il vous voyait ici, votre présence risquerait de
le mécontenter. » Il se pencha en avant et pointa un
doigt maigre contre ma poitrine. « Il est donc grand
temps que vous tourniez les talons.

— Sir Richard, en quoi le lieu où je me trouve et
ce que j'y fais vous importe-t-il ? »

Il inclina la tête et sourit. « Je ne vous aime pas. Je
n'aime pas votre dos voûté, votre long nez, vos petits
yeux fureteurs et accusateurs. Et, en tant que membre
du Conseil privé de Sa Majesté, quand je vous dis de
partir, il vous faut obtempérer sur l'heure. » Après
quoi, il s'éloigna, sa longue robe voletant derrière
lui, comme il rejoignait Paulet qui l'attendait sous le
porche. Je me dirigeai vers mes compagnons, l'estomac
retourné. Dyrick posa sur moi un regard interrogateur.
« Était-ce sir Richard Rich ?

— En effet.

— J'ai l'impression qu'il ne vous aime pas, confrère, s'esclaffa-t-il.

— Vous avez raison, dis-je simplement. C'est tout à fait vrai. »

✝

Le garçon d'écurie ramena nos chevaux. La rue étant bondée, il restait peu d'espace pour monter en selle, et, en reculant, l'un des chevaux faillit heurter un porteur d'eau, presque courbé en deux sous son énorme panier conique.

« Que voulait ce petit merdeux maléfique ? me chuchota Barak.

— Je te le dirai quand on sera à l'abri des oreilles indiscrètes. »

Hobbey s'adressa à David et Hugh : « On va aller jusqu'au bas d'Oyster Street. De là on devrait apercevoir les grands bateaux ancrés à Spithead. Ensuite, messire Shardlake ira voir son ami et on prendra le chemin du retour.

— On ne pourrait pas aller à Southsea pour jeter un coup d'œil au nouveau château fort ? » demanda David. À en juger par son air triste, je me dis qu'il cherchait à se distraire.

« Je dois effectuer des préparatifs pour la partie de chasse. Et je veux que vous rentriez à la maison. En outre, ces foules galeuses doivent grouiller de puces. »

Les garçons allaient-ils insister ? Hugh se contenta de hausser les épaules et David prit un air boudeur.

Nous descendîmes la grand-rue, passâmes devant l'église, bâtiment roman compact, soutenu par de lourds arcs-boutants. Pas très loin de là, on voyait les murs de ce qui ressemblait à un ancien monastère. Des bâtiments hauts et étroits dépassaient des murs et on apercevait le clocher rond d'une grande église.

« C'est l'ancien hôtel-Dieu, dit Hobbey, un hôpital monastique qui logeait également des voyageurs. On s'en sert aujourd'hui comme entrepôt pour les fournitures militaires. »

Nous fîmes halte sur une vaste place, où convergeaient plusieurs rues. En face de nous, les murs aboutissaient à une grande tour carrée. Des canons de bronze et d'acier étaient pointés vers la mer, les tubes étincelant dans le soleil. Des soldats faisaient l'exercice sur une vaste plate-forme. Hugh et David les regardèrent avec beaucoup d'admiration. Nous tournâmes à droite dans une rue pavée qui débouchait sur une petite baie soumise à la marée et presque entièrement fermée par une langue de sable basse, semi-circulaire. « Nous voici au petit port de Camber, dit Hobbey. Tubleu, ça sent mauvais aujourd'hui !

— Cette langue de sable marécageuse s'appelle la Pointe, précisa Hugh.

— Si on gagne l'autre bout on peut voir les bateaux qui mouillent de l'autre côté de la Pointe, reprit Hobbey. Allez, venez ! »

Nous ne mîmes que quelques minutes pour descendre Oyster Street. Le mur de la ville continuait à longer la partie est de la Pointe, en face de nous, et se terminait par une haute tour ronde surmontée d'autres gros canons. La rue était pleine de boutiques et de tavernes, devant lesquelles des ouvriers buvaient de la bière. En faisant bien attention, nous passâmes devant des soldats et des marins, des charretiers et des manœuvres, ainsi que devant de nombreux marchands en pleine discussion. Au bout de la rue, la langue de sable circulaire se terminait par une étroite ouverture sur la mer. En face, à l'extrémité d'Oyster Street, s'étendait une large jetée en pierre entourée d'entrepôts, dans lesquels on déposait sans relâche des marchandises prises dans des chariots qui s'arrêtaient devant eux, tandis que d'autres hommes en sortaient des provisions et en chargeaient de petits bateaux ravitailleurs.

Nous avançâmes jusqu'à la jetée, passâmes devant un groupe de marchands bien habillés qui discutaient le prix des biscuits de mer avec un délégué officiel. Le regard de Hugh fut attiré par deux manœuvres qui portaient avec précaution vers la jetée une longue boîte légèrement incurvée.

« Un étui à arcs d'hommes d'armes », dit-il l'air songeur.

✝

Nous fîmes halte un peu au-delà de la jetée, à un endroit où un chemin passait sous les murs de la ville. De là nous pouvions voir, de l'autre côté de l'étroite entrée du port, le rivage de Gosport, où se dressaient d'autres forts puissammentö armés de canons.

Hugh désigna d'un grand geste le vaste panorama. « Vous voyez, messire Shardlake, le port est protégé de tous côtés par des canons, depuis la tour Ronde jusqu'aux forts de Gosport. »

Mais mon attention avait été attirée par un spectacle encore plus impressionnant que celui que nous avions vu dans la rade de Portsmouth : une forêt de hauts mâts dans le Solent. Une quarantaine de bateaux mouillaient dans le détroit. Sur les parties supérieures des plus gros, des écussons et autres emblèmes étaient peints de couleurs rutilantes et leurs ponts étaient hérissés de canons. Un gros navire était en train de ferler ses immenses voiles. Des battements de tambour résonnaient par-dessus l'eau pendant que les hommes s'activaient dans le gréement.

Comme nous contemplions ce tableau, un extraordinaire vaisseau se dirigea à toute vitesse vers les autres bateaux. Long de deux cents pieds, il n'avait qu'un mât. Sa voile était ferlée et il était propulsé par une vingtaine de gigantesques rames actionnées sur ses deux flancs. Un gros canon était fixé à la proue, et à la poupe se trouvait un dais en drap d'or qui scintillait dans le soleil. C'est là qu'un surveillant scandait la manœuvre en battant du tambour. Les têtes des rameurs allaient et venaient en cadence.

« Seigneur Jésus, qu'est-ce que c'est que ça ? demanda Dyrick, à voix basse pour une fois.

— J'ai entendu dire que le roi avait fait construire une grande galère, expliqua Hobbey. La *Galley Subtle*. »

D'après Leacon, pensai-je, les Français en ont deux douzaines.

« Quelle merveille ! » murmura Hugh. L'extraordinaire galère vira de bord, dépassa les bateaux à l'ancre et se dirigea vers l'entrée du port, laissant dans son sillage un long ruban d'écume blanche.

« Shardlake, me lança Dyrick, voici quelque chose à raconter à vos amis quand vous rentrerez à Londres. Peut-être le souvenir de cette splendeur vous consolera-t-il de la vue de ma note de frais !

— Si on rentre jamais à Londres », marmonna Barak à mi-voix.

Hobbey fit faire demi-tour à son cheval. « Bon, les garçons, il nous faut retourner à Hoyland à l'instant.

— Déjà ? fit David.

— Oui. On peut repartir par Warblington Street. Ce sera plus calme. Au revoir, messire Shardlake... Comme Vincent l'a dit tout à l'heure, vous savez ce que sir Quintin Priddis pense de cette affaire, ajouta-t-il en plongeant son regard dans le mien. Je compte bien que tout sera terminé dès lundi... Bon. On y va, les garçons ! »

✝

Hobbey et son groupe s'éloignèrent, nous laissant, Barak et moi, sur le chemin qui passait sous les murs de la ville. « Il doit être près de midi, dis-je à Barak.

— Alors, allons-y ! » La vue de tous ces navires semblait l'avoir troublé. Nous regagnâmes la jetée.

« Hobbey tient tellement à cette partie de chasse ! fis-je. Bien qu'Abigail affirme que ça leur fait courir des risques. Et on ne sait toujours pas pourquoi. »

Il passa devant moi et me demanda d'un ton vif, anxieux : « Que s'est-il passé avec Rich ? »

Je le lui dis et ajoutai : « C'est étonnant qu'il m'ait attendu là, comme à Hampton Court. Et, bizarrement, en compagnie de Paulet... Richard Rich est le genre de personne capable de louer les services de garnements pour vous agresser au coin d'une rue. »

À ma grande surprise, dans le but de me bloquer le passage, Barak fit pivoter sa monture, qui poussa un petit hennissement nerveux. Oddleg rejeta la tête en arrière.

« Qu'est-ce que tu fais ? demandai-je.

— J'essaie de vous forcer à m'écouter ! rétorqua-t-il, les yeux brillants de colère. Comment avez-vous pu dire ça ? Vous voyez Richard Rich et d'un seul coup vous lui inventez un rôle dans cette affaire. L'armée est ici, tous les navires royaux également, et tous les gens importants ou presque. Rich siège au Conseil privé et Paulet est gouverneur de Portsmouth. Où voudriez-vous qu'ils soient, sacrebleu ? Le dossier est vide. Hugh est en bonne santé et en sécurité, et si Mme Hobbey voit des fantômes sous son lit, on s'en contrefiche ! »

Je fus surpris par la violence de cette sortie. « Je suis persuadé, ripostai-je d'un ton calme, que Hobbey et Priddis tirent des bénéfices illicites des bois de Hugh depuis des lustres. »

Il arracha son bonnet et, d'énervement, le jeta sur la route poudreuse. « Mais il vous est impossible de le prouver et, de toute façon, Hugh s'en fiche comme de sa première culotte ! Et pourquoi, Seigneur Jésus, Richard Rich s'intéresserait-il aux affaires d'un petit domaine du Hampshire ? Mordieu, Mme Hobbey n'est pas la seule à voir des revenants partout ! »

Barak s'était déjà mis en colère contre moi, mais jamais avec cette virulence. « Je veux juste m'assurer que Hugh est en sécurité, répondis-je d'une voix calme. Inutile de me parler sur ce ton.

— Vous pouvez constater qu'il est en sécurité. Ce sale petit morveux.

— Qu'est-ce que tu lui reproches ?

— Vous avez vu comment il a décrit là-bas cette

satanée galère ? Une "merveille" ! Qui étaient les rameurs, hein ? Des hommes ramassés dans les rues de Londres, pareils à ceux dont les cadavres, selon le caporal Carswell, sont transportés à terre. J'étais un enfant des rues et si j'ai appris quelque chose c'est qu'il est sacrément difficile pour un être humain de s'accrocher à cette Terre. Des tas n'y arrivent pas… Ils succombent à la maladie, comme Joan ou comme mon premier bébé, qui n'a jamais vu la lumière du jour. Mais des types comme Hugh veulent qu'il y ait encore davantage de morts et de sang. Lui, il est plutôt en sécurité dans ce fichu prieuré, servi comme un prince.

— Il s'enrôlerait dans l'armée, si on le laissait faire.

— Au diable l'armée ! Et lui aussi ! Il faut qu'on fiche le camp d'ici et qu'on rentre chez nous avant que les foutus Français viennent faire exploser tous ces bateaux en mille morceaux ! »

Je le fixai du regard. J'avais été tellement préoccupé par le sort de Hugh et d'Ellen que j'avais oublié ce qui se passait autour de moi. « Très bien, répondis-je tranquillement. Sauf si je découvre qu'on a réellement mal agi envers Hugh, on s'en ira mardi, après la visite de Priddis et de son fils. Peut-être as-tu raison. Mais je veux entendre ce que Leacon a à me dire à propos de Coldiron et du dénommé West.

— Si vous aviez un grain de bon sens, vous abandonneriez également l'affaire Ellen. Qui sait quel nid de guêpes vous risquez de déranger. Mais du moment qu'on repart mardi… »

Je levai la main. « D'accord. À moins que je ne découvre la chose monstrueuse qu'on a fait subir à Hugh, d'après Michael.

— Vous ne découvrirez rien. Parce qu'il n'y a rien à découvrir. »

Il fit pivoter son cheval et nous parcourûmes la jetée puis regagnâmes Oyster Street. Deux soldats éméchés titubants poussèrent brusquement un ouvrier, qui se retourna et leur lança une bordée d'injures. Barak désigna l'enseigne d'une auberge, le lion royal d'Angleterre peint en rouge vif.

« C'est ici, dit-il. Finissons-en ! »

27

Barak trouva un valet d'écurie pour emmener les chevaux et nous entrâmes dans l'auberge. La salle était bruyante, il y faisait très chaud et le sol était recouvert de paille crasseuse. Des charretiers discutaient âprement. Qu'est-ce qui était le plus pénible à transporter : le blé ou le houblon ? Assis à une table, vêtus de pourpoints de laine rayés, des Italiens jouaient aux dés. Installé dans un petit renfoncement près de la fenêtre, en compagnie de Tom Llewellyn et d'un homme d'un certain âge, Leacon nous fit de grands signes. Après avoir demandé à Barak d'aller chercher une demi-douzaine de bières au guichet, je les rejoignis. Leacon avait ôté sa demi-armure et son casque et les avait posés sur la paille à côté de lui.

« La réunion a été fructueuse ? m'enquis-je.

— Pas réellement. On n'a toujours pas décidé si, pour repousser les Français, on sera embarqués à bord des bateaux ou postés à terre.

— Les piquiers sont plus utiles à terre », déclara l'homme âgé.

Leacon donna une tape sur l'épaule de Llewellyn.

« Tom a pratiqué son gallois avec deux capitaines de Swansea.

— Heureusement que mon père n'était pas là pour me voir le baragouiner, dit le jeune gars, l'air penaud.

— Bien, messire Shardlake. J'ai trouvé votre Philip West. Il est commissaire adjoint sur le *Mary Rose*. Et les officiers de marine ont également une réunion ce matin. À l'hôtel-Dieu.

— On a vu l'hôtel-Dieu en venant.

— Je vous y conduirai tout à l'heure. Mais d'abord, permettez-moi de vous présenter maître John Saddler. Il est sergent instructeur dans une compagnie de piquiers. »

Je fis un signe de tête à Saddler. Trapu, il avait de petits yeux bleus perçants et une mâchoire allongée bordée par une courte barbe grise. Je m'assis, ôtant avec soulagement mon bonnet et ma calotte. Barak nous rejoignit et distribua les chopes.

« Maintenant, sergent, dit Leacon à Saddler, racontez à mon ami ce que vous savez de ce brave William Coldiron. »

Saddler m'étudia d'un œil froid. « Ce n'est pas son vrai nom, si c'est l'homme que j'ai connu. Mais il avait de bonnes raisons d'en changer. Il a été baptisé sous le nom de William Pile. Le lieutenant Leacon a demandé à tous les vétérans s'ils avaient entendu parler de lui et j'ai reconnu le portrait. Grand, mince, borgne, balafré et âgé d'une soixantaine d'années aujourd'hui.

— C'est bien Coldiron.

— Comment le connaissez-vous, monsieur ? demanda Saddler, étonné.

— J'ai le malheur de l'avoir comme intendant. »

Il sourit, révélant des chicots noircis. « Dans ce cas,

monsieur, surveillez votre argenterie. Et quand vous rentrerez chez vous, demandez-lui ce qu'il a fait de l'argent de notre compagnie quand il a déserté.

— Déserté ? Il m'a dit qu'il était à Flodden et que c'est lui qui a trucidé le roi écossais. »

Il éclata de rire. « Et vous l'avez cru ?

— Pas le moins du monde. Et je ne l'aurais pas gardé, car c'est un paresseux, un menteur et un ivrogne, si je n'avais pas pitié de sa fille. »

Le sergent instructeur plissa les yeux. « Sa fille ? Quel âge a-t-elle ?

— Autour de vingt-cinq ans, dirais-je. Très grande, blonde. Elle s'appelle Josephine.

— C'est bien elle, s'esclaffa Saddler. Notre ancienne mascotte.

— Votre quoi ? »

Il se cala sur son siège et croisa les bras sur son ventre plat. « Laissez-moi vous parler de William Pile. Comme moi, il est originaire du Norfolk. En 1513, on nous a enrôlés de force tous les deux pour faire la guerre contre les Écossais. On avait une bonne vingtaine d'années à l'époque. William était effectivement à Flodden, mais, contrairement à moi, il ne se trouvait pas sur la lande quand les piquiers écossais ont dévalé la pente de la colline pour nous attaquer. Le père de William Pile était régisseur de domaine et il lui avait trouvé un travail dans les magasins. Ce jour-là, il se trouvait très à l'arrière, comme d'habitude. C'est lui qui a tué le roi d'Écosse ? Mon cul ! fit-il avec un pâle sourire. Et c'est que le début. Après la guerre, qui nous a fichus dans la merde, comme toutes les guerres entreprises par le roi, nous sommes restés tous les deux dans l'armée. On était parfois en garnison à

Berwick, parfois à Calais. La plupart du temps, on s'ennuyait ferme et y avait guère de combats. Mais ça, c'était parfait pour William. Il adorait passer ses journées à boire et à jouer aux dés.

— Par conséquent, vous avez bien connu Coldiron… Pile ?

— Oui-da ! Et je n'ai jamais aimé ce vieux salaud. Mais j'étais plein d'admiration pour sa façon de toujours réussir à s'en tirer. On a servi ensemble pendant des années. J'ai été promu sergent instructeur, mais William est resté commis d'intendance. Il avait aucune ambition à part piquer ce qu'il pouvait sur les rations des soldats et tricher aux cartes. Avec ce visage, il avait aucun espoir de mariage. Laissez-moi deviner… Il vous a dit que c'est à Flodden qu'il a été blessé…

— Exactement. »

Il poussa un rire sardonique. « Voici ce qui s'est réellement passé. Un soir, William jouait aux cartes au château de Caernarfon, au pays de Galles. Il y avait avec nous un grand type du Devon, six pieds de haut et un sale caractère quand il était saoul. Tous l'étaient ce soir-là, d'ailleurs, car, autrement, William aurait triché avec davantage de prudence. Quand le type du Devon s'est aperçu qu'on l'avait roulé d'un souverain, il s'est dressé, a saisi son épée et lui a balafré le visage. » Il éclata à nouveau de rire. « Morbleu, vous auriez dû voir le sang couler ! On a cru qu'il allait trépasser, mais les gars tout en nerfs comme William sont pas faciles à trucider. Il s'est remis de sa blessure et, deux ans plus tard, il nous a accompagnés durant la campagne de France.

— Je me rappelle cette guerre. J'étais alors étudiant.

— La guerre de vingt-trois a été pitoyable, les

soldats ne faisant guère plus que mettre à sac la campagne autour de Calais. Ils ont incendié pas mal de villages. » Il gloussa. « Les villageoises couraient dans les champs boueux en hurlant, soulevant leurs jupes autour de leurs gros derrières français. » Saddler leva les yeux, ravi de voir mon air dégoûté.

« Je pense à un village en particulier, reprit-il, dont tous les habitants détalaient comme des lapins quand on approchait sur la route. On est entrés pour voir ce qu'on pourrait chiper dans les maisons avant d'y mettre le feu… Ne prenez pas cet air-là, messire ! Les dépouilles qu'ils obtiennent en mettant à sac la campagne sont le seul salaire que les soldats gagnent à la guerre. S'ils débarquent ici, les Français se rempliront les poches. Quoi qu'il en soit, y avait pas grand-chose à prendre dans ces masures, à part quelques cochons et poulets. On commençait à incendier les baraques quand une fillette est sortie de l'une d'elles en criant à tue-tête. Elle devait avoir environ trois ans. On l'avait abandonnée là… Certains soldats ont parfois le cœur tendre, voyez-vous, poursuivit-il en haussant les épaules. On l'a donc ramenée à Calais avec nous. La compagnie s'est occupée d'elle, a partagé ses rations avec elle. Elle était tout à fait heureuse. On lui a confectionné une petite robe dans un drapeau du régiment et un petit chapeau orné de la croix de Saint-Georges. » Il avala une gorgée de bière et émit un petit rire. « Il fallait la voir marcher en chancelant dans la caserne en agitant la petite épée de bois qu'on lui avait fabriquée. Comme je l'ai dit, c'était notre mascotte. »

Leacon le regardait d'un air sombre, tandis que je m'efforçais d'étouffer le dégoût que m'inspirait cet homme. « Elle s'appelait Josephine, continua-t-il, Jojo pour les intimes. C'est nous qui lui avons appris l'anglais. Après un certain temps, on a ordonné à l'armée de rentrer au pays, la queue entre les jambes, une fois de plus. On voulait chercher à Calais quelqu'un qui puisse la recueillir. Mais William Pile, votre Coldiron, a dit qu'il la garderait avec lui. Il songeait à prendre sa retraite de l'armée et il l'élèverait pour qu'elle s'occupe plus tard de sa maison... Et peut-être pour autre chose, si elle devenait une jolie fille », ajouta-t-il en nous faisant un clin d'œil concupiscent. Tom Llewellyn eut l'air choqué, tandis que Leacon regardait Saddler comme s'il était le diable.

« Eh bien, William a bien pris sa retraite, mais pas de la manière réglementaire. Dès qu'on est rentrés en Angleterre, il a volé l'argent de la compagnie, avant de disparaître en emmenant Josephine avec lui. Puis on nous a envoyés à Berwick où on nous a réduit les rations, car les officiers n'avaient pas l'intention de mettre la main à la poche. Je n'avais plus entendu parler de William, jusqu'aujourd'hui. Si on l'avait attrapé, il aurait été pendu. » Il croisa les bras en souriant. « Voilà toute l'histoire... Au fait, Josephine est-elle devenue une jolie fille ?

— Assez jolie », répondis-je sèchement.

Il fronça les sourcils. « Je me rappelle ces trois mois passés au régime, à la frontière écossaise. Si vous pouvez faire pendre William Pile, je vous en serais reconnaissant. »

Leacon se leva, remit son casque et son gorgerin. Llewellyn le suivit. « Je vous remercie, maître Saddler, dit Leacon d'un ton guindé. Messire Shardlake et moi devons rencontrer quelqu'un et ensuite regagner le camp. Nous vous sommes reconnaissants de votre aide. »

Le sergent instructeur leva son verre et me sourit. « Au revoir, monsieur. Rappelez-moi au bon souvenir de mam'zelle Josephine. »

✝

La rue était plus bruyante et plus encombrée qu'une heure auparavant.

« Je vais vous accompagner jusqu'à l'hôtel-Dieu, dit Leacon. Vous aurez peut-être besoin de mon autorité pour entrer. Je ne suis pas obligé de retourner au camp tout de suite. Il fallait juste que je m'éloigne de Saddler.

— Je comprends.

— Que pensez-vous de son récit ?

— Il concorde avec ce que je sais de Coldiron… Je le tiens, maintenant, repris-je avec un sourire sardonique. J'ai l'intention de le mettre à la porte, tout en gardant Josephine, si elle le souhaite.

— Comment la traite-t-il ?

— Mal. Mais elle lui obéit au doigt et à l'œil. Elle croit qu'elle est sa fille. »

Il eut l'air sceptique. « Alors elle risque de ne pas vouloir se séparer de lui.

— Le remède risque d'être pire que le mal, n'est-ce pas ? fis-je avec un sourire amer.

— Je ne vous le fais pas dire, renchérit Barak, avant de se gratter furieusement la tête. Je crois que j'ai des poux. »

Je frissonnai. « Et moi, des puces, il me semble. Cette taverne devait en être pleine. »

508

Leacon sourit. « Vous devriez vous faire couper les cheveux, Jack.

— Au camp, tout le monde a des poux, dit Llewellyn d'un air sombre. Et j'ai perdu mon peigne.

— Tu n'es pas le seul… J'aimerais bien que toi et les autres cessiez d'égarer vos affaires. »

Barak tourna ses regards vers le malodorant Camber. Au-delà, les mâts des bateaux qui mouillaient dans le Solent étaient à peine visibles. « Les miasmes fétides de cet endroit vont bientôt engendrer des maladies.

— De toute façon, déclara Leacon d'un ton ferme, on doit rester ici jusqu'à l'arrivée des Français. » Il se tourna vers Llewellyn. « Retourne au camp et dis à sir Franklin que je vais bientôt rentrer.

— À vos ordres, mon lieutenant.

— Rentre avec lui, Jack, dis-je. Prends les chevaux et attends-moi dans le camp. Je crois qu'il vaut mieux que je voie le commissaire West en tête à tête.

— D'accord », fit-il à contrecœur. Llewellyn et lui reprirent le chemin de la taverne, tandis que Leacon et moi continuâmes à avancer dans Oyster Street. « L'année dernière, dit Leacon, Saddler a participé à la campagne écossaise. Il m'a parlé de toute l'argenterie et de toutes les étoffes qu'il a prises à Édimbourg. Il a raison, les soldats ont toujours considéré les dépouilles comme des prises de guerre légitimes et attendent avec impatience qu'on leur crie : "À sac !" Mais rien n'émeut des hommes comme Saddler. Ils ont des cœurs de pierre. Heureusement que je n'en ai qu'un ou deux comme lui sous mes ordres. Sulyard, par exemple, celui qui vous a insulté. Quand Saddler a parlé de ces villageoises qui couraient à travers champs…

— Cela vous a rappelé la femme française au bord de la route avec son bébé mort ? »

Ses yeux bleus avaient l'expression hagarde de l'autre jour. « L'étonnant c'est que je n'y ai pas prêté beaucoup d'attention à l'époque. Je voyais tant de choses... Mais plus tard cette femme et son bébé mort surgissaient soudain dans mon esprit... Changeons de sujet, poursuivit-il d'un ton las. Ça ne me vaut rien d'y repenser.

— Que savez-vous du commissaire West ? Au fait, merci de l'avoir trouvé si rapidement...

— Nous autres, soldats de l'armée de terre, nous efforçons de nous renseigner sur les officiers de marine, car nous risquons de servir sous leurs ordres... Mais, Matthew, de quoi retourne-t-il au juste ? » demanda-t-il en posant sur moi un regard grave.

J'hésitai. « Une affaire personnelle. Juridique.

— Eh bien, il paraît que c'est un officier expérimenté, sévère mais juste envers ses subordonnés. Quand les Français arriveront, il affrontera la plus dure épreuve de sa vie... S'agit-il d'une affaire qui influe sur ses capacités en tant qu'officier ? Si c'est le cas, je dois le savoir.

— Non, George. Ce n'est pas le cas. »

Il hocha la tête, soulagé.

Nous avions gagné l'espace dégagé devant la tour Carrée. Nous nous dirigeâmes vers un corps de garde à l'entrée de l'hôtel-Dieu, ceint de murs. Surveillée par des hallebardiers en faction, une charrette pleine de cageots d'oies cacardeuses était en train de franchir le seuil. Leacon s'approcha des gardes.

« La réunion des officiers de marine dure-t-elle toujours ? demanda-t-il à l'un d'eux.

— Oui, mon lieutenant. Ça fait un bout de temps qu'ils y sont.

— Ce monsieur a un message pour l'un des officiers. »

Le garde regarda ma robe d'avocat. « Est-ce urgent, monsieur ?

— Nous pouvons attendre qu'ils aient terminé. »

Il hocha la tête. « Ils tiennent leur réunion dans la grande salle. »

Nous passâmes à l'intérieur de l'enceinte où se trouvait une vaste cour, dominée par une grande église romane, située au milieu de divers hauts bâtiments. Derrière le groupe d'édifices, l'ancien jardin était à présent plein d'animaux – cochons, vaches, moutons – enfermés dans des parcs.

« Je vais aller jusqu'à la grande salle, dit Leacon et laisser un message pour prévenir le commissaire West que quelqu'un souhaiterait lui parler après la réunion. Vous voyez ces bancs près du jardin : je vais dire à l'huissier que vous l'attendrez là. »

Il se dirigea vers le bâtiment principal, tandis que j'allais m'asseoir à l'ombre des murs. Je devinai que les bancs avaient été placés ici pour que les patients et les visiteurs se détendent en regardant le jardin, mais, à cet instant précis, ce n'était pas un endroit reposant. On déchargeait la charretée d'oies, qui sifflaient et criaillaient comme on les transportait vers un enclos. Non loin de là, on avait empilé de grands paniers d'osier où des coqs de combat dont les têtes arboraient des couleurs rutilantes, sans doute apportés là pour distraire les soldats, lançaient des regards furieux.

Quelques minutes plus tard, Leacon retraversa la cour d'un pas martial. Il s'assit à côté de moi, ôta son casque avec soulagement et passa la main dans ses boucles blondes. « J'ai vraiment attrapé de foutus poux, dit-il. Aujourd'hui je me fais raser la tête... Bon. J'ai laissé votre message. Tâchez de repérer le commissaire West quand il sortira. Il paraît que c'est un homme grand, à barbe grise.

— À barbe grise déjà ! Il ne peut avoir beaucoup plus de quarante ans.

— Sa barbe risque d'être encore plus grise avant la fin de ce qui nous attend.

— Qu'est-ce qui peut arriver ? demandai-je tranquillement.

— Cela risque d'être très dur, Matthew. Vous avez vu la flotte ?

— Oui. Je n'ai jamais assisté à un tel spectacle, même à York. Tous ces navires, c'était impressionnant ! Tout à l'heure, nous avons vu une énorme galère avancer à la rame. La *Galley Subtle*, d'après Hugh Curteys.

— Le garçon qui tire si bien à l'arc. Il était extraordinaire... Oui, j'ai entendu parler de l'arrivée de la *Galley Subtle*. Cette unique galère ne servira pas à grand-chose en face des vingt-deux annoncées par lord Lisle, équipées comme elles le sont de puissants canons. Si elles s'approchent suffisamment, elles pourront couler nos bateaux avant qu'ils puissent leur tirer dessus. Nos galéasses sont peu maniables en comparaison. Et les Français possèdent plus de deux cents navires de guerre. Même si les nôtres ont la possibilité de faire tirer les canons, ils seront très inférieurs en nombre. Aujourd'hui, la rumeur court que notre compagnie va être embarquée sur le *Great Harry*, mais rien n'est certain. En un sens, ce serait une bonne chose car c'est l'un des rares navires anglais qui dépassent en hauteur ceux des Français. Si nos archers sont postés sur les gaillards, on pourra tirer sur leurs ponts.

— À notre arrivée, j'ai vu quelque chose qui ressemblait à un filet sur le gaillard d'arrière du *Mary Rose*.

— Tous les grands navires de guerre ont des filets fixés au-dessus de leurs ponts pour empêcher les abordages. Si les bateaux s'abordent et que les soldats français tentent de monter sur nos ponts, ils se prendront les pieds dedans. Et il y aura des piquiers postés dessous pour les embrocher avant qu'ils aient le temps de couper les mailles avec leurs couteaux. Les combats seront durs et brutaux.

— Hugh affirme que les canons dans les forts empêcheront les Français d'entrer dans la rade de Portsmouth.

— Si les Français réussissent à saborder notre flotte, les galères françaises pourront débarquer des hommes sur la côte de Portsea. Voilà pourquoi il y a tant de soldats postés tout le long de la côte. Et si les Français ont trente mille hommes, nous, nous disposons seulement d'environ six mille soldats, beaucoup d'entre eux étant des mercenaires étrangers. Personne ne sait comment va se comporter la milice. Ces hommes ont beau avoir le cœur solide, ils manquent d'entraînement. On craint que les Français ne débarquent quelque part sur l'île de Portsea et ne l'isolent de la terre ferme. Le roi lui-même pourrait se retrouver assiégé à Portsmouth. Vous avez constaté qu'on se prépare pour cette éventualité.

— Est-ce vraiment si grave ?

— Le hasard va jouer un rôle déterminant. Dans une bataille navale, tout dépend des vents, qui, selon les marins, sont imprévisibles ici. Ils pourraient nous servir ou causer notre perte. » Il se tut quelques instants. « Je vous conseille, reprit-il, de déguerpir dès que vous en aurez la possibilité.

— Quelqu'un d'autre m'a donné ce conseil tout à l'heure, dis-je en pensant à Rich. Vous postera-t-on à terre ou à bord des bateaux, en fin de compte ?

— Je n'en sais rien. Quoi qu'il en soit, mes hommes et moi nous battrons pour sauver notre peuple. N'ayez aucun doute là-dessus.

— Je n'en doute pas le moins du monde. »

Leacon plaça ses mains sur ses genoux et je vis qu'une des deux s'était mise à trembler. Il serra le poing.

« Prions Dieu qu'on n'en arrive pas là, murmurai-je.

— Amen… Vous avez beaucoup changé depuis York, Matthew, dit-il en me fixant du regard. Vous paraissez la proie d'une grande angoisse et d'une grande tristesse.

— Vraiment ? » Je poussai un profond soupir. « J'ai peut-être de bonnes raisons. Il y a quatre ans j'ai noyé un homme. Deux années plus tard j'ai failli me noyer dans un égout en compagnie d'un fou. Depuis cette époque… Je suis habitué à la Tamise, George, poursuivis-je après un instant d'hésitation, mais la mer… Je ne l'avais pas vue depuis le retour du Yorkshire. Elle semble si vaste. J'avoue qu'elle m'effraie.

— Vous n'êtes plus tout jeune, Matthew, dit-il

d'une voix douce. Vous avez aujourd'hui la quarantaine bien tassée…

— En effet. J'ai une bonne quantité de cheveux gris mêlés aux noirs.

— Vous devriez vous marier, vous ranger, mener une vie tranquille.

— Voilà quelque temps, j'aurais volontiers épousé la veuve d'un ami. Elle vit à Bristol désormais. Elle m'écrit de temps en temps. Elle a mon âge et dans sa dernière lettre elle m'a appris qu'elle serait bientôt grand-mère. Oui, en effet, je commence à vieillir. »

Un bruit de voix provenant de l'hôpital nous fit lever les yeux. Sous le porche, des hommes en pourpoint aux couleurs vives attachaient leurs épées. Des valets ramenaient des chevaux des écuries. Leacon se leva. « Je vous quitte. On se revoit au camp. Prenez bien soin de vous. » Il posa une main sur mon épaule puis se dirigea vers le portail. Je le regardai s'éloigner de son allure martiale, le dos bien droit et marchant à grandes enjambées.

✝

Devant l'hôpital, deux hommes discutaient ferme, entourés d'un groupe de spectateurs intéressés. L'un des deux, grand et doté d'une barbe grise, était bien habillé et avait une épée au côté. L'autre portait une robe de commis. Le premier criait d'une voix sonore : « Je vous affirme qu'avec trois cents soldats, deux cents marins, et tous ces canons, elle sera surchargée ! Sans compter le poids de tous ces vivres, si on doit nourrir cinq cents bouches ! » Le commis répondit quelque chose. « Billevesées ! » s'écria l'homme à la barbe grise. Le commis haussa les épaules et s'éloigna. Philip West se détacha du groupe et se dirigea vers moi. De près, je vis qu'il était non seulement grisonnant mais à moitié chauve. Il portait une veste courte et un pourpoint à haut col orné de boutons de satin, le col montant de la chemise formant une sorte de petite fraise, selon la nouvelle mode. Il s'arrêta devant moi. Son visage hâlé, basané, était tendu et sillonné de rides profondes. Fronçant les sourcils, il me fixa d'un air intrigué. « C'est vous qui m'avez laissé un message ? » demanda-t-il d'une voix grave.

Je me levai, les membres ankylosés. « Oui. Si vous êtes bien messire West.

— Je suis Philip West, commissaire adjoint du *Mary Rose*. Pourquoi un avocat s'intéresse-t-il à moi ? »

J'inclinai le buste. « Je suis le sergent royal Matthew Shardlake. Je regrette de vous déranger en un moment pareil, mais je recherche quelqu'un. Pour un client. » J'étudiai son visage. S'il avait une quarantaine d'années, il avait l'air beaucoup plus âgé. Ses petits yeux enfoncés me dévisageaient et tout son être indiquait un homme en charge de grandes responsabilités.

« Qui recherchez-vous ? Dépêchez-vous, l'ami ! Je suis pressé. »

Je pris une profonde inspiration. « Une femme, originaire de Rolfswood. Ellen Fettiplace. »

Ses épaules s'affaissèrent, comme si j'avais ajouté un dernier et insupportable fardeau sur ses épaules. « Ellen ? fit-il à voix basse. De quoi s'agit-il ? Voilà dix-neuf ans que je n'ai pas entendu parler d'elle. Il y a deux jours j'ai vu Priddis, ou ce qu'il en reste, passer à cheval dans la ville. Et maintenant vous venez me voir à ce sujet.

— Un de mes clients cherche certains de ses parents. Il a appris qu'il y avait une famille Fettiplace à Rolfswood. Me trouvant opportunément dans le Hampshire pour affaires, je m'y suis rendu. »

Il me regarda attentivement. « Par conséquent, vous ne savez pas si elle est toujours en vie ? »

J'hésitai. « Non. » J'avais l'impression que chaque mensonge m'enfonçait davantage dans un bourbier. « Je sais seulement qu'après l'accident elle a perdu la raison et qu'on l'a emmenée de force à Londres.

— Vous êtes donc venu m'interroger rien que pour satisfaire la curiosité ridicule de quelque quidam ? » La colère faisait monter sa voix de plusieurs tons.

« Je suis persuadé que mon client aiderait Ellen s'il savait où elle se trouve.

— Et il s'appelle Fettiplace ? Il ne connaît pas d'autres personnes à Londres portant ce nom ? Et il ne sait rien d'elle ? »

Fronçant à nouveau les sourcils, il planta sur moi un regard perçant.

« Non, commissaire. C'est la raison pour laquelle il espère retrouver des membres de sa famille. »

Il s'assit sur le banc que j'avais quitté, détourna le regard et secoua la tête deux ou trois fois comme pour la vider. « Ellen Fettiplace a été l'amour de ma vie, déclara-t-il d'un ton à la fois vibrant et serein. J'étais sur le point de la demander en mariage, en dépit de... » Il ne finit pas sa phrase. « Le jour de l'incendie, reprit-il, j'étais venu à cheval depuis Petworth pour parler à son père de mes intentions. Je me trouvai dans la région avec la Cour royale en voyage officiel d'été. Maître Fettiplace m'avait promis qu'il me soutiendrait si Ellen acceptait de m'épouser. Je lui avais demandé de me rencontrer en privé et Ellen n'assistait pas à l'entretien. Il m'a signifié son accord. Mes devoirs me rappelant à Petworth, je devais repartir le soir même, mais j'avais projeté de revenir deux jours plus tard à Rolfswood pour la voir et lui faire ma proposition. Ce n'est pas le genre de décision qu'il faut brusquer.

— En effet.

— Mais, le lendemain, un message est arrivé à Petworth de la part du vicaire, m'apprenant l'incendie et la mort de maître Fettiplace.

— Un message du révérend Seckford ? Je lui ai parlé lorsque je me suis rendu à Rolfswood.

— Il a donc dû vous dire qu'après l'incendie Ellen a refusé de me voir ?

— Et quiconque. Je suis désolé. »

Il avait l'air de vouloir s'épancher. « Je plaisais à Ellen, je le sais. Mais je n'étais pas sûr qu'elle accepterait de m'épouser. Elle ne voulait pas perdre sa précieuse indépendance. Son père lui laissait trop la bride sur le cou. » Il hésita un long moment, puis, avec le même regard obsédé que Leacon et une sorte de sincérité désespérée, me déclara : « Elle était... têtue. Il lui fallait quelqu'un qui sache la mater.

— Vous pensez que les femmes doivent être matées ? »

La colère envahit à nouveau son visage. « Vous prenez des libertés, monsieur !

— Veuillez m'excuser.

— Après ce qui lui est arrivé j'étais effondré, poursuivit-il d'un ton rasséréné. Je ne l'ai jamais revue et je me suis engagé dans la marine. N'est-ce pas ce que font les hommes qui souffrent d'un chagrin d'amour ? » Il eut un sourire sans joie, rictus qui révéla de larges dents blanches et qui sembla diviser son visage bronzé en deux. Il se ressaisit. « Ellen a été emmenée à Londres et est peut-être morte à l'heure actuelle.

— Je sais que sir Quintin Priddis a mené l'enquête et a ensuite organisé son transport à Londres. En fait, je suis en affaire avec lui en sa capacité de curateur de fief du Hampshire.

— Lui avez-vous parlé de cette histoire ? fit-il vivement.

— Non.

— Alors je vous conseille de vous en abstenir et de dire à votre ami de cesser ses recherches. Il vaut mieux ne pas explorer certains aspects de cette histoire, surtout après tout ce temps. Priddis a agi à bon escient. Il valait mieux qu'Ellen quitte Rolfswood.

— Que voulez-vous dire ? »

Il ne répondit pas directement. « Que vous a dit Seckford sur Ellen, exactement ?

— Que son père faisait ses quatre volontés, soit, mais qu'avant l'incendie elle était bonne et affectueuse.

— Souvent les étrangers ne savent pas ce qui se passe à l'intérieur des familles. »

Je pensai aux Hobbey. « C'est bien vrai. »

Il joignit les mains et se mit à se tordre les doigts lentement. « Ellen était une femme irascible et passionnée. Lorsqu'elle était furieuse, elle lançait des casseroles et des vases à la tête de son père… Elle faisait également d'autres choses que j'ai apprises plus tard. »

J'eus des frissons dans le dos. « Quelles choses ?

— Quand elle était jeune, si elle était en colère, elle mettait parfois le feu dans les bois. L'un des domestiques de ma famille me l'a raconté, après l'incendie de la fonderie. Il connaissait l'un des gardes forestiers. » Il ferma les yeux. « Alors, vous voyez, monsieur, malgré mon amour pour elle, je savais qu'il était important qu'on évite de trop la laisser agir à sa guise. Je ne peux rien prouver, mais je pense que, ce soir-là, lorsque maître Fettiplace a parlé à Ellen de ma demande en mariage elle s'est mise en colère et quelque chose s'est passé. Mais je ne sais pas quoi.

— Vous voulez dire qu'Ellen aurait allumé le feu et tué deux personnes ? Comment une femme seule aurait-elle pu faire ça ?

— Mordieu, monsieur, comment le saurais-je ? Je n'ai jamais réussi à démêler l'écheveau. Mais deux hommes sont morts. Aussi, dites à votre ami d'en rester là. Il n'y a plus de Fettiplace à Rolfswood. Bon. Maintenant laissez-moi essayer d'empêcher l'invasion de ce pays. »

Il se leva d'un bond, me lança un dernier regard hostile, puis repartit en direction de l'hôpital. Il n'y avait plus personne à présent, sauf un valet qui attendait en silence, tenant un cheval par la bride. Je restai assis sur le banc, le cerveau en ébullition.

28

Je retraversai Portsmouth, la tête pleine de lugubres pensées. Il ne m'était jamais venu à l'idée qu'Ellen avait pu allumer le feu elle-même. L'hypothèse de West pouvait-elle être fondée ? L'homme ne m'avait pas plu, car il était dur et amer. Toutefois, à l'évidence, ce qui s'était passé à Rolfswood, quoi que ce fût, pesait depuis lors fortement sur son esprit. J'eus le cœur encore plus lourd en me rappelant les paroles d'Ellen : « Il brûlait ! Le malheureux était en feu… J'ai vu sa peau noircir, se craqueler et fondre ! » Si ces paroles pouvaient appuyer l'hypothèse qu'elle avait provoqué l'incendie, elles ne constituaient pas une preuve. Et il y avait son autre déclaration : « Ils étaient si forts, je ne pouvais pas bouger ! Là-haut, le ciel était si vaste… Si vaste qu'il aurait pu m'engloutir ! » Je me rappelai que le révérend Seckford m'avait dit que sa robe était déchirée et qu'elle portait des taches d'herbe.

Je fus ramené au temps présent par des cris furieux poussés devant moi. Une dizaine d'hommes, pieds nus dans la rue poudreuse, des marins peut-être, agonisaient d'injures quatre étrangers qui passaient de l'autre côté de la voie. Pieds nus, eux aussi, ils portaient des chemises et des pourpoints déchirés et rapiécés. Un charretier s'arrêta brusquement derrière moi pour éviter de heurter les Anglais.

« Sales chiens d'Espagnols, cria l'un d'entre eux. Est-ce que ce singe d'empereur Charles ne peut pas vous donner des vêtements corrects ?

— Pourquoi est-ce qu'on devrait servir avec de sales papistes ? lança un autre. Vous faites partie de cette bande qui a fait naufrage dans le Devon, l'hiver dernier, pas vrai, et que le roi a enrôlée ? Vous savez même pas manœuvrer un foutu bateau ! »

Les quatre Espagnols s'étaient arrêtés et lançaient des regards noirs à leurs assaillants. L'un d'eux avança au milieu de la chaussée et fit face aux Anglais. « ¡ Cabrón ! cria-t-il avec fureur. Tu crois qu'on veut servir sur vos bateaux ! C'est notre *capitán* qui nous y a forcés !

— Capitanne ! Qu'est-ce que c'est qu'un foutu capitanne ?

— Je mé souis battou avec Cortés dans le Nouveau Monde ! hurla l'Espagnol. Contré les Indiens ! Des chiens païens commé vous ! »

Ils avaient tous mis la main sur leurs couteaux. C'est alors que la patrouille – six soldats, en demi-armure – était apparue et s'était interposée entre les deux groupes, l'épée au clair.

« Ça suffit ! Vous bloquez la route du roi ! »

Échangeant des regards noirs, les deux groupes poursuivirent leur chemin. Les soldats firent signe aux conducteurs des charrettes et aux cavaliers de repartir.

J'étais désormais parvenu presque à la hauteur de l'hôtel de ville, devant lequel deux hommes étaient en pleine discussion. Ils portaient tous les deux une robe d'avocat, le plus âgé s'appuyant sur une canne. Je reconnus sir Quintin et Edward Priddis. Je n'étais pas assez près pour entendre ce qu'ils disaient, mais Edward semblait anxieux. Il n'avait plus l'air hautain affiché durant notre entretien. Son père paraissait chercher à le rassurer. Quand il m'aperçut, Edward se tut immédiatement. J'inclinai le buste. Ils me firent un salut froid et compassé.

✝

Je franchis la porte de la ville et me dirigeai vers le camp. L'odeur d'urine et d'excréments paraissait plus forte que jamais. Il y avait une longue file devant la tente du barbier et les hommes qui en sortaient étaient rasés de près et tondus. À proximité, un groupe d'hommes s'était formé autour de deux soldats qui luttaient, torse nu. Barak se trouvait parmi les spectateurs, à côté de Carswell. Ils avaient été tous les deux rasés et les cheveux de Carswell étaient réduits à un duvet comme ceux de Hugh et David. Je mis pied à terre et, tenant mon cheval par la bride, me dirigeai vers eux.

« Alors, qu'a dit le sieur West ? » s'enquit sèchement Barak. Je sentis qu'il était toujours en colère contre moi.

« Quelque chose qui m'a bouleversé. Je t'en parlerai plus tard. » Je me tournai vers Carswell. « Nous devons maintenant rentrer à Hoyland. J'aimerais dire au revoir au lieutenant Leacon. Savez-vous où il se trouve ?

— Il est dans sa tente, en train de parler avec sir Franklin. Ils ne devraient pas en avoir pour longtemps. »

Je regardai les lutteurs. L'un d'eux était un grand

gars massif, âgé d'une vingtaine d'années, l'autre, découvris-je, était Tom Llewellyn. Il avait des épaules et un torse puissants pour un si jeune homme. Llewellyn réussit à jeter à terre son adversaire, qui resta allongé, haletant. Certains poussèrent des hourras, d'autres eurent l'air déçus. Un grand nombre d'entre eux portaient, attachés à la taille, les grands sacs de cuir dans lesquels ils gardaient leurs effets personnels, et plusieurs petits articles en furent tirés et donnés. Le voisin de Carswell lui remit un peigne à poux à deux bords, le côté aux fines dents noir de poux morts, ainsi qu'une minuscule cuiller en os.

« Qu'est-ce que c'est ? demandai-je en désignant la cuiller.

— Un cure-oreille, répondit Carswell d'un ton enjoué. Le cérumen est excellent pour graisser les arcs. » Il lança un chiffon à Llewellyn, qui essuya son torse couvert de sueur. « Bravo, mon gars !

— Regardez qui sont les suivants, murmura Barak. Ça devrait être intéressant. » Sulyard et Pygeon venaient d'entrer dans l'arène. Ils se foudroyèrent du regard, tout en ôtant leurs pourpoints et leurs chemises. Sulyard était plus grand et son corps paraissait plus fortement charpenté, mais, svelte et nerveux, Pygeon n'avait pas une once de graisse. Les mains sur les hanches, Sulyard se tourna vers la foule. « Ça va pas durer longtemps. Que ceux qui ont parié sur Oreilles-de-marmite s'apprêtent à en être pour leurs frais ! »

Pygeon ne répliqua pas, se contentant de regarder fixement Sulyard. Il secoua les bras pour les dégourdir, puis se dandina d'un pied sur l'autre pour se mettre en jambes. Il prenait la chose au sérieux. Sulyard lui fit un large sourire. « Nous devrions parier l'un contre l'autre, Oreilles-de-marmite, lança-t-il d'une voix forte. Écoute, si je gagne, tu me donnes le chapelet dont tu te sers pour réciter ton Avé... Lui et sa famille sont les catholiques du village, les gars !

— Et si je gagne, rétorqua Pygeon, tu me donnes ta brigandine. »

Sulyard parut pris de court. Plusieurs spectateurs éclatèrent de rire. L'un d'eux cria : « Tope là, Sulyard ! Puisque t'es si sûr de l'emporter. »

Barak dit à Carswell : « Je vous parie deux pence que c'est Sulyard qui gagne.

— Topez là ! »

Le combat dura dix minutes, les coups de boutoir de Sulyard rencontrant la résistance inattendue de Pygeon. Je compris que Pygeon avait décidé de fatiguer Sulyard. Peu à peu, la brute du camp faiblit, et, finalement, Pygeon abattit son adversaire, pas d'un seul coup, mais d'un mouvement puissant et régulier qui faisait saillir ses muscles noueux. Les jambes de Sulyard ployèrent et il s'affala sur le sol, haletant bruyamment. Pygeon souriait, savourant son triomphe.

« Serrez-vous la main et buvez le verre de l'amitié ! » lança Carswell.

Pygeon toisa Sulyard. « Dès que tu auras repris tes esprits, va me chercher la brigandine, *maître* ! » dit-il, avant de ramasser ses vêtements et de s'éloigner. Ceux qui avaient perdu leur pari – la plupart des spectateurs – plongèrent à contrecœur la main dans leurs sacs. Barak paya les deux pence. Leacon était sorti de sa tente et bavardait avec sir Franklin et Snodin.

« Viens donc, Jack, dis-je. L'heure tourne. On doit dire au revoir à Leacon et retourner à Hoyland. »

Il salua les soldats de la main. « Adieu, les gars.

Il faut que je ramène mon maître chez nos charmants hôtes !

— Tu adoptes le style humoristique de Carswell, lui dis-je, comme nous repartions.

— Non. C'est mon propre style. »

Comme nous approchions de Leacon, je m'aperçus que lui aussi était allé chez le barbier. Snodin, le sergent instructeur, parlait très fort, d'un ton rageur. « Des mauviettes qui ne peuvent dormir que dans un lit. Des lavettes geignardes et pleurnichardes...

— Ça va, Snodin ! » fit sir Franklin, agacé. Puis il me vit et me fixa du regard.

« Je suis désolé de vous interrompre, sir Franklin, déclarai-je, mais je souhaiterais dire au revoir au lieutenant Leacon... »

Il eut un geste d'agacement de la main. « Un instant... Snodin, envoyez un message à sir William Paulet à propos des déserteurs. Il faut qu'il enjoigne aux comtés voisins de les rechercher.

— À vos ordres, sir Franklin... Les imbéciles ! s'écria Snodin d'une voix soudain très émue. Pourquoi ont-ils fait ça ? C'est moi qui les ai formés. Je les connais bien... Est-ce qu'ils seront pendus si on les attrape ? demanda-t-il à sir Franklin.

— Le roi a ordonné qu'on pende tous les déserteurs. »

Le sergent instructeur inclina le buste et s'éloigna. « Deux déserteurs se sont enfuis la nuit dernière, me dit Leacon.

— Ils seront arrêtés s'ils rentrent dans leurs foyers. »

Barak et moi échangeâmes un regard. Si nous avions suivi l'avis de l'échevin Carver, Barak serait à présent considéré comme déserteur. Leacon secoua la tête d'un air triste. « Les pauvres idiots. Si on les rattrape, ils seront pendus en public. Toutes les compagnies manquent d'hommes. Les bateaux également... Il paraît qu'il ne reste pas un seul pêcheur sur la côte ouest et que les femmes sont obligées de sortir en mer à leur place.

— J'ai aperçu des marins espagnols en ville.

— Ils recrutent tous les étrangers qui savent naviguer. À part les Français et les Écossais. »

La tête rasée, Leacon, comme West, faisait bien plus vieux que son âge. Toutefois, malgré son regard tourmenté, les yeux de West avaient été clairs et perçants alors que ceux de Leacon étaient une fois de plus vagues et vides. « George, dis-je, je crains que nous ne devions partir maintenant. »

Il opina du chef. « Reviendrez-vous à Portsmouth ?

— Je ne le pense pas. Nous repartons pour Londres mardi... Mais, ajoutai-je en lui tendant la main, mes prières, pour ce qu'elles valent, vous accompagnent, vous et vos hommes. Et j'espère que nous nous reverrons à Londres, en des temps plus heureux. Amenez Carswell. Je lui trouverai une troupe de comédiens.

— Des temps plus heureux... Oui, vivement qu'ils arrivent ! »

☩

Barak semblait avoir surmonté notre querelle, peut-être grâce à l'allusion aux déserteurs. Comme nous retraversions l'île de Portsea, je lui racontai ce qui s'était passé avec West.

« Par conséquent, il se pourrait qu'Ellen ait tout provoqué elle-même.

— Si on en croit West.

— Le peut-on ?

— Je n'en sais rien. S'il est responsable de l'agression contre Ellen, il a de bonnes raisons de dire quelque chose susceptible de me faire renoncer, ou plutôt de faire renoncer mon client imaginaire... Mais ne t'en fais pas, nous partons mardi comme je te l'ai promis. Ici, je n'ai aucun pouvoir et je ne peux forcer personne à répondre à mes questions. Surtout pas Priddis, le seul capable de me renseigner. À Londres, cependant, ajoutai-je d'un ton acerbe, il pourrait y avoir des moyens d'exercer une certaine pression.

— La reine ?

— Peut-être. À son retour de Portsmouth.

— Et qu'en sera-t-il de Hugh ? »

Je poussai un profond soupir. « Sauf si la visite de Priddis produit un élément nouveau, je n'ai aucune preuve qu'il y ait eu la moindre malhonnêteté exercée contre lui.

— Je suis content que vous reveniez à la raison. »

Nous fûmes contraints de nous ranger sur le bas-côté pour laisser passer une longue file de chariots cahotants, escortés par des soldats. Quoiqu'elles fussent recouvertes de bâches, je vis des piles de lourdes étoffes, rehaussées de dessins aux couleurs vives et brochées au fil d'or, dépasser à l'arrière des chariots. « Ce sont... ? fit Barak.

— Cela ressemble aux pavillons royaux qu'on avait vus à York. »

La file de chariots bringuebalants passa près de nous, se dirigeant non pas vers la ville mais vers la mer.

« Le roi va-t-il installer son camp sur la côte ? fit Barak, incrédule.

— C'en a tout l'air. Par conséquent, il va venir en première ligne. Il n'a jamais manqué de courage, il est vrai.

— Même s'ils débarquent, les Français ne pourront jamais occuper l'Angleterre.

— Les Normands l'ont bien fait. Mais tu as raison, la population résisterait de toutes ses forces. Pourtant, si les Français mettent le pied sur notre sol et s'il y a une chance de nous ramener dans le giron de Rome, le pape arrivera, séance tenante, en renfort. Et peut-être même l'empereur Charles. Mordieu, m'écriai-je avec colère, y a-t-il jamais eu un tel embrouillamini ?

— Lord Cromwell aurait cherché un biais pour sortir du pétrin. Mais ce n'est pas le style du roi.

— Pas avant que l'Angleterre ne baigne dans son sang.

— En tout cas, dit-il d'un ton plus enjoué, à Londres vous pourrez vous occuper de Coldiron... Merci, poursuivit-il, d'avoir accepté de rentrer. »

J'opinai du chef. « Tu te fais du souci au sujet de Tamasin, n'est-ce pas ?

— Tout le temps », répondit-il, très ému.

Nous continuâmes notre chemin, en direction de la colline de Portsdown.

29

Nous arrivâmes à Hoyland vers sept heures du soir, éreintés. Je me lavai et me peignai avec soin pour me débarrasser des puces et des poux que j'avais attrapés à Portsmouth, puis, allongé sur mon lit, pensai à Ellen et à Hugh. Comment sortir de cette double impasse ?

J'étais si épuisé que je dormis profondément cette nuit-là. La journée du lendemain se passa plutôt bien. L'air résigné, apathique, durant les repas, Abigail parlait à peine. Fidèle à lui-même, Dyrick se montra mordant, agressif. Hobbey était réservé, Hugh assez courtois et comme indifférent désormais à ma présence. David, lui, était d'humeur étrange, à la fois calme et rétif. Deux ou trois fois, je vis que Fulstowe lui lançait des regards incisifs. Pendant la journée, à part Abigail, tout le monde sortit pour préparer la chasse.

L'après-midi, je fis une promenade dans le parc pour essayer de mettre de l'ordre dans mes pensées, car j'avais le tournis à force de songer à Ellen et de chercher à deviner qui avait bien pu allumer l'incendie. Dans le jardin d'Abigail, les fleurs courbaient la tête dans la chaleur lourde et sans répit.

✝

Ce soir-là, survint le premier de la chaîne des événements qui allaient changer à jamais la vie de la famille Hobbey.

Assis à ma table dans ma chambre, je tentais d'évaluer le montant des frais qu'on pourrait nous imputer à la prochaine audience. Il était considérable. Le jour commençait à pâlir et j'étais vaguement conscient du fait que les deux garçons s'entraînaient, une fois de plus, sur le terrain de tir à l'arc. Je les entendais par les volets ouverts. Soudain, un cri d'angoisse retentit : « Non ! »

Je me levai et gagnai la fenêtre. À ma grande surprise, Feaveryear traversait la pelouse en courant. Hugh et David le regardaient, mais ils étaient trop loin de moi pour que je puisse discerner l'expression de leurs visages. Le clerc détalait comme s'il était poursuivi par le diable. Il quitta mon champ de vision puis j'entendis quelqu'un grimper l'escalier quatre à quatre et des coups frénétiques furent frappés à la porte de la chambre de Dyrick.

✝

Le lendemain, par une autre journée étouffante de juillet, nous nous rendîmes tous ensemble à l'église. Hobbey menait la marche, Abigail à son bras. Vêtue de ses plus beaux atours, elle baissait la tête, cependant. Ensuite venaient Dyrick, Barak et moi, suivis de Fulstowe qui conduisait le groupe des domestiques. Barak n'avait pas souhaité venir mais je l'avais secoué, soulignant que nous ne devions pas prêter le flanc à la critique. À mon grand étonnement, cependant, Feaveryear était absent.

« Le jeune Feaveryear est-il souffrant ? » demandai-je à Dyrick, qui était renfrogné, soucieux.

Il me lança un dur regard de biais. « Je l'ai renvoyé à Londres. À notre retour de Portsmouth, j'ai trouvé une lettre concernant un dossier. Ce matin, de bonne heure, je l'ai envoyé s'en occuper. Il est inutile que nous perdions notre temps tous les deux ici, dit-il, s'en prenant à moi, comme toujours.

— Nous, nous n'avons reçu aucune lettre, bien que Barak ait espéré qu'il y en aurait une de sa femme.

— Un messager spécial l'a apportée de Londres. Il s'agit d'un important dossier.

— Hier soir, j'ai cru voir Feaveryear traverser la pelouse en courant. »

Il me décocha un autre regard acéré. « Je l'avais fait appeler. »

C'était un long parcours jusqu'à l'église d'Okedean, le village voisin. C'était long également pour les villageois de Hoyland que nous rencontrions et qui avaient jadis, du temps des bonnes sœurs, suivi l'office dans l'église du prieuré. Ettis, sa jolie épouse et ses trois enfants à ses côtés, croisèrent notre route à l'extrémité d'un sentier. Il inclina le buste et resta à l'écart pour nous laisser passer. Abigail lui lança un regard haineux.

✝

L'église d'Okedean était petite, bondée, remplie par les habitants des deux villages. Comme dans l'église du révérend Seckford, on s'accrochait ici, autant que possible, aux anciennes coutumes. Il y régnait une forte odeur d'encens et les saints se trouvaient toujours dans leurs niches. Qu'auraient pensé les parents de Hugh, ces réformateurs ? En accord avec notre position, les Hobbey, Dyrick et moi prîmes place au premier rang de l'assemblée, à côté d'un homme d'âge moyen et de son épouse à l'air hautain, que Hobbey nous présenta comme sir Luke et lady Corembeck, les châtelains du voisinage. Sir Luke, nous annonça fièrement Hobbey, était juge de paix, et il assisterait à la chasse du lendemain. Ce fut la première fois que je l'entendis parler à quelqu'un d'un ton respectueux.

Dans son sermon, le pasteur demanda à tous de prier et d'œuvrer pour la défense du pays et aux hommes de s'exercer avec la milice locale. Je regardai la peinture derrière lui qui représentait le Christ en majesté au Jugement dernier, le visage serein, des anges conduisant les vertueux au ciel, tandis qu'en bas, les pécheurs pâles et nus dégringolaient dans un lac de feu. Je me rappelai Feaveryear déclarant que les soldats et les marins qui meurent au combat se retrouvent en enfer. Qu'avait-il fui la veille ? Où était-il maintenant ?

Après l'office, Hobbey resta bavarder avec sir Luke sur le parvis, tandis que les domestiques et les villageois passaient près de nous. Lady Corembeck s'adressa à Abigail deux ou trois fois mais celle-ci, complètement apathique, ne répondit que par monosyllabes. Après maintes courbettes, Hobbey quitta finalement les Corembeck et nous avançâmes dans l'allée jusqu'au porche d'entrée, devant lequel, à l'extérieur, nous attendaient une trentaine d'habitants de Hoyland, des familles entières, Ettis à leur tête. J'entendis Hobbey prendre une profonde inspiration.

Ettis avança hardiment et se planta devant lui, une expression hostile figée sur son visage carré. Fulstowe se posta à côté de Hobbey et porta la main à son poignard.

« Ce ne sera pas nécessaire, maître Fulstowe, déclara Ettis d'une voix calme. Je veux seulement dire un mot à votre maître... Vous voyez ces gens, monsieur Hobbey, poursuivit-il en désignant les villageois. Regardez-les bien et vous verrez certains de ceux sur lesquels votre intendant, ici présent, a fait pression pour qu'ils abandonnent leurs terres. J'ai de plus en plus d'appuis et nous avons l'intention de déposer plainte auprès de la Cour des requêtes. » Dyrick me jeta un regard suspicieux. « Aussi, prenez garde, monsieur ! continuait Ettis. Empêchez vos hommes d'entrer dans nos bois sinon ils auront affaire à la justice. Je vous avertis devant tous ces gens ici assemblés, y compris sir Luke Corembeck, notre juge de paix. »

Abigail s'approcha vivement de lui. « Espèce de malotru ! Comment osez-vous nous tourmenter de la sorte ? » lui cria-t-elle en plein visage.

Ettis fixa sur elle un regard méprisant. Passant alors devant sa mère en courant, David se planta devant les villageois, le visage rouge de colère. « Porcs-épics ! Bestiaux ! Péquenots ! Quand je serai le seigneur du village, je vous chasserai tous et vous me supplierez à deux genoux ! »

Certains des villageois s'esclaffèrent. « Retourne dans ta nursery ! » cria l'un d'eux.

David regarda autour de lui, désemparé, impuissant. Puis il se renfrogna et prit un air bizarre, perplexe. Ses membres furent agités de mouvements saccadés, accompagnés de petits tressaillements, ses yeux se

révulsèrent et il s'écroula sur le sol. Les villageois
reculèrent d'un pas et certaines femmes émirent des
murmures effrayés. Abigail porta ses mains à ses
joues et poussa une lamentation entrecoupée, comme
lorsque Lamkin avait été tué. Sur le sol, David, telle
une marionnette, était à présent agité de soubresauts
désordonnés.

« Qu'est-ce qu'il fait ? cria quelqu'un.

— Il est possédé ! Allez chercher le prêtre !

— C'est le mal caduc », lança une voix. Abigail
geignit à nouveau.

Il s'agissait bien de cela, en effet. J'avais été témoin
de ce genre de crise à Londres. C'était une maladie
redoutée, car si, la plupart du temps, le malade semble
normal, il peut tout à coup s'affaler et se retrouver
par terre, pris de convulsions. Certains croient qu'il
s'agit d'un type de démence et d'autres d'une forme
de possession diabolique.

Abigail tomba à genoux et s'efforça de calmer l'agitation de son fils. « Aidez-moi, Ambrose ! Pour l'amour
du ciel ! cria-t-elle. Il va se mordre la langue ! » Par
conséquent, pensai-je, ce n'est pas la première fois
que ça arrive.

Fulstowe détacha son poignard de sa ceinture et
passa l'étui en cuir entre les dents de David, dont les
lèvres étaient désormais maculées d'écume blanche.
Stupéfait, Dyrick contemplait la scène. Hobbey regarda
son fils puis la foule qui l'entourait. « Bon. Maintenant que le spectacle est terminé, cria-t-il d'une voix
vibrant de douleur et de rage, au nom du Seigneur,
partez, laissez-nous ! » À côté de lui, Hugh fixait sur
David un regard vide, dénué de toute pitié, sans le
moindre sentiment.

Les villageois ne bougèrent pas. Une femme déclara : « Rappelez-vous ce charpentier qui est venu vivre au village… Il avait le mal caduc !

— Oui-da ! Et on l'a chassé du village à coups de pierre ! »

Sir Luke Corembeck sortit de son mutisme : « Dispersez-vous ! C'est un ordre ! » lança-t-il.

Les villageois commencèrent à s'éloigner, tout en regardant David par-dessus leurs épaules, à la fois effrayés et haineux. David se calma peu à peu, puis se redressa en geignant et leva les yeux vers sa mère. « J'ai mal à la tête », fit-il, avant de se mettre à pleurer.

Hobbey s'approcha de lui. « Tu as eu une crise, lui dit-il d'une voix douce. Tout va bien, maintenant. C'est terminé.

— Tout le monde m'a vu ? » demanda-t-il, l'air horrifié. Le visage mouillé de larmes, il jeta des regards de tous côtés. Hobbey et Fulstowe l'aidèrent à se remettre sur ses pieds. Hobbey serra le bras de son fils.

« Je suis désolé, David, répondit-il avec douceur. Je craignais que cela n'arrive tôt ou tard. C'est la faute d'Ettis et de ses acolytes… Merci de les avoir dispersés, monsieur », dit-il à sir Luke. Force m'était d'admirer la dignité de Hobbey. Il avala sa salive et reprit : « Comme vous avez pu le constater, mon fils, j'en ai peur, souffre du mal caduc. Les crises sont rares. Un peu de repos et son état redeviendra normal.

— Les coupables, ce sont Ettis et ses vauriens, affirma sir Luke. Où va-t-on, Seigneur Dieu, si les francs-tenanciers défient les gentlemen ? »

Nous suivîmes la famille le long des sentiers, Fulstowe et Hugh soutenant David de chaque côté, un bras passé sous ses épaules. Je savais que c'était un coup dur pour la famille, car, désormais, les hobereaux et les villageois considéreraient David comme un homme accablé d'une tare. D'un signe, j'indiquai à Barak qu'il reste en arrière.

« Qu'est-ce qu'il faut en penser ? me demanda-t-il.

— Je suppose qu'ils cachent ça depuis des années. Dyrick l'ignorait. Il a eu l'air stupéfait. Grand Dieu, cela n'aurait pu arriver de façon plus publique ! Même si David Hobbey est un sale gosse, il ne méritait pas ça. Entre parenthèses, je pense que le départ de Feaveryear n'est pas simplement dû au motif invoqué par Dyrick. » Je décrivis à Barak ce que j'avais vu de ma fenêtre, la veille. « Il détalait comme s'il avait vu le diable. Et Dyrick a l'air fort soucieux.

— Peut-être David a-t-il eu une attaque hier ?

— Non. Il se trouvait sur le terrain de tir avec Hugh. Quoi que Feaveryear ait vu, il courait le raconter à Dyrick. Et maintenant il est reparti.

— Quand, après la mort de Lamkin, Abigail vous a dit que vous ne voyiez pas ce qui vous crevait les yeux, elle devait faire allusion à David. »

Je secouai la tête. « Non. Elle faisait allusion à autre chose. Elle n'aurait jamais attiré mon attention sur David. Surtout pas elle. » Je regardai le groupe qui marchait devant moi. Abigail restait derrière son fils. « La chambre de Feaveryear est contiguë à la tienne. Tu l'as entendu partir ?

— J'ai entendu une porte claquer juste après l'aube, puis ses petits pas pressés. J'ai cru qu'il allait faire une prière matinale.

— Qu'est-ce qui a bien pu le faire détaler de la sorte ? » Je devinais que sa disparition était lourde de sens, mais sans savoir pourquoi.

30

Le bois était agréablement paisible à cette heure matinale. Les oiseaux chantaient à tue-tête dans les arbres. Un écureuil m'observait depuis la branche d'un hêtre, sa queue touffue d'un rouge brillant se détachant sur le vert des feuilles. Assis dans une petite clairière sur un rondin tombé par terre, à côté d'un chêne, je me sentais à l'aise dans ma chemise et dans mon pourpoint amples que j'avais revêtus pour la partie de chasse. Derrière moi, cependant, j'entendais le murmure des convives autour de la table du petit déjeuner, de l'autre côté des arbres, tandis que de furtifs bruissements à l'intérieur de la forêt indiquaient que maître Avery et ses hommes inspectaient les traces laissées par les cerfs. Mais il avait fallu que je m'isole, ne serait-ce que quelques instants, car bientôt nous chevaucherions tous ensemble dans l'aire de chasse. Je réfléchissais à tout ce qui s'était passé la veille.

À notre retour de l'église, David avait été transporté à l'étage et allongé sur son lit, bien qu'il ait répété qu'il était parfaitement remis. Hobbey avait prié Dyrick de l'accompagner jusqu'à son cabinet de travail. Je montais l'escalier lorsque Dyrick avait reparu et m'avait informé que M. Hobbey désirait s'entretenir avec moi.

Le maître du prieuré de Hoyland était assis à son bureau, la mine sombre. D'un ton calme, il m'invita à m'asseoir. Saisissant le sablier, il le retourna et, d'un air triste, regarda les grains de sable s'écouler. « Eh bien, messire Shardlake, fit-il, d'une voix tranquille, vous avez pu constater que mon fils… souffre d'un mal que nous avons tenté jusqu'aujourd'hui de garder secret. Cela a créé une grande angoisse chez ma femme. Ses crises la bouleversent. À part la famille, Fulstowe était la seule personne dans la confidence. Heureusement que David n'a jamais eu de crise devant les domestiques. Nous avions caché son état même à messire Dyrick, dit-il en faisant un triste sourire à celui-ci. Je vous prie de m'excuser, Vincent. Or, à présent, tout le monde sait, et ce soir Ettis et sa bande se moqueront de David dans la taverne. » Il reposa le sablier et serra le poing.

« Je crois comprendre que Hugh, dis-je du même ton calme, connaît le mal de David depuis un certain temps.

— David a eu sa première crise peu après que Hugh et Emma sont venus habiter chez nous, alors que nous vivions encore à Londres.

— Et, malgré cela, vous vouliez qu'Emma l'épouse. Il est interdit de marier un ou une pupille à une personne atteinte d'une maladie aussi grave que le mal caduc.

— La jeune fille est morte », répliqua sèchement Dyrick, avant de regarder Hobbey d'un air anxieux, comme s'il risquait d'en dire trop. Mais que pouvait-il y avoir de plus grave ?

« Hugh a gardé le secret tout ce temps ? » demandai-je à Hobbey.

Il hocha la tête, le regard vigilant désormais. « Il a promis de n'en parler à personne, et il a tenu sa promesse.

— C'était charger ce jeune garçon, me semble-t-il, d'un secret bien lourd à porter.

— Sa discrétion indique clairement sa loyauté envers la famille, intervint Dyrick.

— Sans votre visite, sans cette affaire… » Si la voix de Hobbey tressaillit de colère quelques instants, elle redevint rapidement normale. « Cette histoire a suscité une forte angoisse chez ma femme et chez mon fils, et c'est sans doute pour cette raison que la crise est survenue maintenant… Je vous demanderai, poursuivit-il en se reprenant, d'avoir la charité de ne pas en informer la Cour des tutelles et de vous abstenir de divulguer notre secret dans tout Londres. »

Je le regardai attentivement. Sa bouche eut un bref tremblement et son visage reflétait un désespoir contenu. « Il faudra que je réfléchisse à la question », dis-je.

Lui et Dyrick échangèrent un regard. « J'ai encore quelques détails à régler à propos de la chasse, déclara Hobbey.

— Vous ne pensez pas qu'il serait sage de l'annuler ? demanda Dyrick.

— Non… Je tiens à garder la tête haute, répondit-il, un regain de fermeté dans la voix. Je vais faire face. Et je compte sur vous, Vincent. On s'attendra à vous y voir, puisque vous êtes mon avocat. Et vous, messire Shardlake, nous accompagnerez-vous ? »

J'hésitai, comprenant qu'il s'agissait d'un changement de tactique de sa part, d'une tentative pour entrer dans mes bonnes grâces. Je finis par acquiescer. « Je vous remercie. Cela pourra, en effet, calmer les douleurs que je ressens après toutes ces journées passées à cheval. »

Il se leva. « Amenez votre clerc, si ça lui chante. » Il avait l'air complètement épuisé. « Il faut que je donne des instructions pour accueillir sir Quintin et son fils. »

✠

J'avais regagné ma chambre et je m'étais assis lourdement sur mon lit. Devais-je porter l'état de santé de David à la connaissance de la Cour des tutelles ? Je n'en avais aucune envie. Mais dans quelle mesure l'ambiance tendue et le secret de cette maisonnée avaient-ils affecté le garçon ? Après avoir réfléchi à la question, j'avais longé le couloir et frappé à la porte de Hugh. Il ouvrit après un bref moment. « Messire Shardlake, dit-il d'une voix douce. Entrez donc. »

Je le suivis dans la chambre bien rangée. Il y faisait sombre, les volets étant à demi clos pour tamiser la vive lumière de l'après-midi. Un livre était ouvert sur le bureau. C'était l'*Utopie* de Thomas More.

« Vous avez donné une seconde chance à More ?

— Oui, hier soir. Je crains, messire Shardlake, de continuer à le considérer comme un rêveur. Et Sam Feaveryear affirme que lorsqu'il était lord Chancelier il a fait brûler vifs comme hérétiques de nombreux hommes de bien.

— C'est exact.

— Alors, de quel droit condamnait-il la violence de la guerre ? »

Ce garçon pourrait devenir un savant, pensai-je. « Feaveryear est parti », dis-je.

Il se dirigea vers la fenêtre et jeta un œil à travers les volets. « Oui. Je m'étais habitué à voir dans les parages son étrange petit visage. Il paraît que messire Dyrick l'a renvoyé à Londres.

— Pour une affaire urgente, semble-t-il. Il est parti ce matin... Hier soir, repris-je après une courte hésitation, je l'ai vu traverser la pelouse en courant. »

Il se retourna, le visage impassible. « Messire Dyrick l'avait appelé à grands cris.

— Je ne l'ai pas entendu l'appeler, mais il me semble que quelqu'un a crié : "Non !"

— Vous avez dû faire une erreur, monsieur. Messire Dyrick est sorti de la maison pour l'appeler. Un appel de son maître ne peut que faire accourir le pauvre Sam. » Il me regarda intensément de ses yeux bleu-vert. « Est-ce pour cela que vous êtes venu me voir ?

— Non.

— C'est bien ce qui me semblait.

— Le secret de David est éventé.

— Je le regrette.

— M. Hobbey m'a dit que vous et votre sœur aviez appris son état peu de temps après votre arrivée dans la famille. »

Il s'assit sur le lit et leva les yeux vers moi. « Un jour, peu après notre arrivée chez les Hobbey, David, Emma et moi étions en train d'étudier avec maître Calfhill. Il était en colère contre David qui n'avait pas fait ses devoirs. Quand maître Calfhill l'a menacé d'en parler à son père, David lui a dit d'aller commettre une abomination avec un mouton, puis il est tout d'un coup tombé de sa chaise et s'est mis à trembler et à écumer, comme aujourd'hui. Emma et moi étions terrifiés, car on a cru que la justice divine avait sanctionné ses propos indécents. À l'époque, on croyait encore à ces choses, ajouta-t-il, avec un petit sourire amer. Mais maître Calfhill a reconnu les symptômes. Il a maintenu David et lui a plaqué la langue avec une règle, comme Fulstowe l'a fait aujourd'hui avec son étui.

— Et les parents de David vous ont contraints, vous et votre sœur, à garder le secret ?

— Ils nous ont priés de le faire, précisa-t-il d'un ton neutre.

— Vous ne les aimez pas comme si c'étaient des membres de votre famille, n'est-ce pas ? Aucun d'entre eux ? »

Son long visage, marqué de cicatrices, tressaillit et, l'espace d'un instant, il eut l'air à nouveau d'un enfant. Puis, se maîtrisant, il plongea son regard dans le mien. « Malgré ça, reprit-il d'une voix sereine, ils ont passé les mois suivants à faire pression sur ma sœur pour qu'elle épouse David. En dépit de son mal caduc, de sa vantardise et de sa brutalité.

— David déplaisait à Emma ?

— Elle le détestait. Il lui troussait les jupes alors qu'elle n'avait que treize ans… Je lui ai flanqué un coup de poing pour ses peines. Maître Calfhill nous a soutenus. Il nous a dit qu'Emma pouvait refuser d'épouser David, qu'elle pouvait s'adresser à la Cour des tutelles pour signaler que David avait une tare physique.

— C'est tout à fait vrai. Il s'agirait de ce qu'on

appelle un "forcement de pupille", expliquai-je. Mais M. Hobbey voulait quand même joindre la part des terres de votre père à la sienne.

— Emma et moi avions fait des projets, fit-il d'un ton soudain rageur. Si M. et Mme Hobbey continuaient à exercer leurs pressions, nous les menacerions de les traîner devant leur précieuse Cour des tutelles. Maître Calfhill avait étudié la loi et découvert que bien que les garçons ne puissent s'émanciper avant d'avoir vingt et un ans, les filles peuvent hériter de leurs terres dès l'âge de quatorze ans.

— Exact. Sauf si elle refuse un parti honorable.

— "Honorable", en effet. Nous avions projeté d'attendre quelques mois de plus jusqu'à ce qu'Emma atteigne sa quatorzième année. Alors nous récupérerions ses terres, les vendrions, puis nous nous enfuirions ensemble.

— Aviez-vous mis maître Calfhill dans la confidence ?

— Non. Peut-être aurions-nous dû lui faire confiance, ajouta-t-il d'une voix triste.

— Ç'aurait été compliqué, et il vous aurait fallu engager un avocat. »

Il eut un rire haut perché et amer qui me fit sursauter. « On n'a guère eu l'occasion de mettre ce projet en pratique, n'est-ce pas ? Ma sœur est morte, et rien n'a plus eu d'importance. » Son visage tressaillit à nouveau. Un instant, je crus qu'il allait pleurer mais il reprit son air vague. Si seulement, pensai-je, Michael Calfhill et le révérend Broughton avaient connu l'état de David avant que la tutelle ne soit accordée… Hugh soupira et se gratta la poitrine d'un air soudain agacé.

« J'espère que vous n'avez pas de puces, dis-je. J'en

ai rapporté de Portsmouth, mais je croyais m'en être débarrassé.

— Non. J'ai là d'autres cicatrices et ce sont elles qui me démangent. » Il se gratta à nouveau mais avec précaution.

« Portez-vous la croix d'Emma ? demandai-je avec douceur.

— Non, messire Shardlake. Je la garde dans mon tiroir. J'ai du mal à la regarder.

— C'est triste.

— Peut-être auriez-vous dû la garder. Non, je continue à porter ma perle-du-cœur... Vous avez raison, je n'aime pas les Hobbey. Vous savez faire parler les gens, monsieur. Pourtant, si je ne peux pas aller faire la guerre, je resterai là. C'est mon souhait et vous pouvez en informer la Cour des tutelles.

— Pour quelle raison, Hugh ? »

Il ouvrit ses mains, écartant ses longs doigts, et émit un autre rire amer. « Où irais-je ? Je suis habitué à la vie que je mène ici et je ne veux pas faire un procès à M. Hobbey. Dans trois ans je sortirai de la tutelle et je pourrai m'en aller.

— Et que ferez-vous alors ? Vous engagerez-vous dans l'armée ?

— C'est possible.

— Si je peux vous aider à ce moment-là, Hugh, vous me trouverez à Lincoln's Inn. »

Il me sourit tristement. « Merci, messire Shardlake... Dans trois ans, ajouta-t-il, oui, il se peut que j'aie besoin d'un ami loin d'ici, dans le vaste monde. »

☦

545

Le claquement d'ailes d'oiseaux perchés dans l'un des arbres autour de la clairière me ramena au présent. Je me levai et, m'enfonçant dans le bois, regagnai la grande clairière où se trouvaient une trentaine de personnes. Hobbey, le maître d'équipage Avery, Fulstowe, sir Luke Corembeck, ainsi que deux hommes entre deux âges, bien habillés, étaient penchés au-dessus d'un plan du domaine, posé sur une souche d'arbre. Lady Corembeck et deux dames d'âge moyen, elles aussi, étaient installées sur des coussins placés sur de grandes toiles blanches qu'on avait étalées sur l'herbe. Toutes les dames, visages et cous poudrés de céruse, avaient revêtu leurs plus beaux atours : robes de satin et de soie, toques à la dernière mode. Des serviteurs apportaient des verres de vin et des plateaux chargés de pain et de fromage. Un peu à l'écart, une vingtaine d'hommes, recrutés au village de Hoyland pour aider au bon déroulement de la chasse, se tenaient à côté de six chevaux et gardaient en laisse les chiens courants. Barak bavardait avec eux. Je fus ravi de voir Oddleg parmi les chevaux.

Hugh et David, ainsi que deux autres adolescents, sans doute des fils d'invités, étaient en train de bavarder avec Dyrick. Les habits des garçons étaient de diverses nuances de vert, comme ceux des villageois. Les hommes qui se trouvaient avec Hobbey portaient des pourpoints à crevés ou aux bords découpés, mais de teinte pâle, contrairement aux habituelles couleurs vives des beaux habits. Les quatre garçons tenaient leurs arcs décordés, un carquois accroché à la ceinture. Les flèches étaient empennées de plumes de cygne et de paon, symboles de rang social, et tous les quatre avaient des gants et des protège-poignets en corne ou en cuir repoussé. Si David ne montrait aucune trace de la crise de la veille, il jetait des regards inquiets vers les deux jeunes invités, se demandant sans doute si on leur avait raconté sa mésaventure.

Le petit déjeuner constituait le prélude à la chasse. Les dames allaient demeurer sur place, tandis que les hommes traqueraient le cerf, dans l'espoir de le ramener dans le grand chariot qui se trouvait tout près, à côté de la nappe sur laquelle on avait posé des couteaux et des crampons et où on allait disséquer l'animal devant l'assistance. Il arrivait que des femmes prennent part à la chasse – ce qui était le cas de lady Élisabeth, comme je me rappelai me l'être entendu dire par la reine –, mais pas ce jour-là.

Les dames conversaient avec Abigail, d'un ton à la fois léger et gêné. Elles devaient sans doute avoir été informées de l'incident qui avait eu lieu la veille, devant l'église. Abigail essayait de leur faire la conversation mais sa voix était extrêmement tendue et elle tortillait constamment sa serviette. « C'est la première fois que mon fils participe à ce genre d'événement. Il est temps qu'un garçon aussi robuste jouisse de ce plaisir », affirma-t-elle en lançant un regard de défi aux autres femmes. Elle poussa un gloussement, sorte de petit hennissement effrayé. L'un des chiens émit un aboiement strident, qui la fit tressaillir. Je me rappelai la conversation chuchotée au cours de laquelle Abigail avait exprimé sa crainte concernant cette journée.

Barak quitta le groupe des villageois et s'approcha de moi. « Vous êtes sûr de vouloir nous accompagner ? fit-il.

— Ce ne sera pas la première fois que je participe à une chasse, répliquai-je.

— Je ne peux pas en dire autant. Mais il paraît qu'il faut tout essayer au moins une fois, sauf la peste et l'inceste.

— Messire Shardlake ! » Hugh se dirigeait vers nous, l'air détendu à présent. « Vous êtes prêt ?

— Oui. Comment les choses vont-elles se dérouler ?

— Les trois autres archers et moi, expliqua-t-il en désignant du menton David et les deux jeunes invités, allons rester à l'affût à divers points du parcours. Ainsi que Fulstowe.

— C'est un grand honneur pour un intendant.

— M. Hobbey considère qu'il le mérite, répondit l'adolescent d'un ton un rien moqueur.

— Je croyais que, d'habitude, les jeunes hommes chassaient à cheval, au lieu de se tenir en embuscade dans la forêt.

— Certes, mais nous voulons évaluer notre habileté de tireur. Le jeune Stannard commande en second sa milice locale, à dix milles d'ici... Par ici, les gars ! » lança-t-il en faisant un grand geste. David s'avança, suivi des deux autres adolescents et de Dyrick, lequel paraissait mal à l'aise. On me présenta les jeunes Stannard et Belton, les fils des deux hommes qui étudiaient le plan à côté de Hobbey. Ils avaient tous les deux environ dix-huit ans, mais dans l'armée c'était le rang social qui comptait. Je pensai à sir Franklin Giffard, qui n'avait plus l'âge de commander une compagnie mais qui, malgré tout, dirigeait celle de Leacon.

« La semaine dernière, en venant ici, nous avons vu s'entraîner des miliciens, dis-je.

— Dans mon district je les forme à la perfection », déclara avec fierté le jeune Stannard, grand garçon bien bâti, au visage rond et à l'air bravache. Le jeune

Belton était plus petit et son visage encore parsemé de boutons. « Le problème c'est l'équipement, poursuivit Stannard. Selon la loi, ils devraient tous posséder leurs propres armes, or certains n'ont même pas d'arc. Mais, dès que les tours du feu d'alarme seront allumées, ils seront tous prêts à se mettre en marche.

— L'Angleterre n'a jamais eu d'armée plus magnifique », dit David. Je le dévisageai. Il parlait d'un ton fiévreux, surexcité. Il croisa mon regard, puis détourna les yeux.

Le jeune Stannard hocha la tête. « Le cas échéant, notre supériorité en nombre suffira à écraser l'ennemi. Et je mènerai ma milice au combat. Cette chasse sera un bon entraînement. Peut-être vais-je abattre le cerf et gagner la perle-du-cœur. » Il se tourna vers Hugh. « À la chasse de mon père, il y a deux ans, c'est toi qui l'as gagnée, pas vrai ? À seulement seize ans…

— C'est vrai, répondit fièrement Hugh.

— Elle guérit de nombreux maux, paraît-il. »

Hugh ôta ses gants et plongea la main dans la pochette accrochée à sa taille. Il en sortit un minuscule étui en cuir fermé par un cordon, l'ouvrit et recueillit au creux de sa main un petit objet rond blanchâtre. Barak fronça les narines de dégoût, mais les adolescents l'examinèrent avec intérêt.

« Même si j'en gagne une autre, déclara Hugh avec une sereine fierté, je garderai toujours celle-ci. » Les autres garçons eurent l'air impressionnés.

Dyrick s'approcha de moi. « Je vois qu'on vous a amené votre cheval. C'est apparemment un animal très régulier.

— En effet. » Je regardai mon confrère avec étonnement. Pour une fois il me parlait d'un ton courtois.

« Tous ceux qui participent à la chasse, par ici, s'il vous plaît ! » lança Hobbey en faisant un grand geste. Les messieurs invités et les hommes du village de Hoyland s'approchèrent de lui. Dyrick posa la main sur mon bras pour me retenir.

« Confrère Shardlake, reprit-il d'une voix calme. Priddis et son fils arriveront cet après-midi. Vous aurez l'occasion d'emmener le fils inspecter les bois. Mais ensuite je vous demanderais d'accepter que nous repartions demain. J'ai envoyé Feaveryear s'occuper d'un dossier difficile, et il vaudrait mieux que je sois sur place pour le mener à bien.

— C'est une affaire relevant de la Cour des tutelles ?

— Il s'agit d'une injonction. » Il prit une profonde inspiration. « Et si nous repartons demain, M. Hobbey acceptera que chaque partie paie ses propres frais, sans passer par le tribunal. C'est une très bonne affaire pour votre cliente, vous devez en convenir... Dans le cas contraire, poursuivit-il de son ton agressif habituel, je vous assure que nous exigerons par la voie légale un complet dédommagement.

— C'est Hobbey qui a proposé ce marché ? » demandai-je, stupéfait. C'était une proposition très avantageuse qu'un avocat ne ferait pas normalement lorsque le dossier de son adversaire s'était, de fait, révélé vide.

« Oui. Il veut que vous déguerpissiez au plus vite. Mordieu, mon vieux, vous ne trouvez pas qu'il a assez d'ennuis ? » s'écria-t-il d'un ton inhabituellement passionné.

Je réfléchis. La proposition de Hobbey ne pouvait

avoir qu'un seul motif : éviter à tout prix que l'état de santé de David ne soit connu à Londres.

« Ma cliente n'est pas là, dis-je.

— Allez, mon ami, vous pouvez accepter officieusement cette proposition. Elle suivra vos conseils. Ainsi que la reine, ajouta-t-il d'un ton amer.

— Je réfléchirai à la question, après avoir inspecté les terres de Hugh avec Priddis. » Lorsque je levai les yeux, je vis que Hobbey me fixait attentivement. « Venez ! Nous devons rejoindre les autres. »

✝

Nous nous regroupâmes autour du tronc d'arbre et Hobbey nous présenta brièvement, Dyrick et moi, à ses invités comme ses avocats. Je jetai un coup d'œil à Avery. Le jeune homme était habillé en vert feuille et portait un cor de chasse en argent, suspendu à un baudrier passé autour du cou. Il pointait son doigt sur le plan avec un nouvel air d'autorité.

« Voici comment nous avons l'intention de conduire la partie. » Le plan représentait le domaine rectangulaire réservé à la chasse et on avait marqué les chemins passant entre les arbres. Il prit un morceau de fusain et dessina une croix près du bord. « Nous sommes ici, expliqua-t-il. Nous allons tous chevaucher le long de ce sentier, jusqu'à ce qu'on atteigne cette piste-ci, qui tourne à cet endroit. Il importe de chevaucher le plus silencieusement possible afin de ne pas effrayer les cerfs, qui se trouvent là. » Il traça un cercle à un endroit de la piste. « Mes hommes n'ont pas cessé de les suivre et c'est dans cette clairière qu'ils se sont arrêtés, hier soir, pour se reposer.

— Et maintenant ils sont à nous », conclut Hobbey, d'un air tranquillement satisfait.

Avery posa sur lui un regard grave.

« Pas tout à fait, monsieur. C'est à ce moment-là que commence la vraie partie de chasse. Alors, et seulement à ce moment-là, vous pourrez rompre le silence. Les chiens seront lâchés, et tous les cavaliers devront s'efforcer de séparer le cerf des biches et des faons, lesquels ne sont que des proies secondaires.

— La "racaille", comme on dit, c'est-à-dire les biques et les biquets, intervint Corembeck avec un sourire entendu. Ça ira comme ça, mon ami. J'ai participé à maintes chasses.

— Veuillez m'excuser, monsieur, mais ce n'est pas le cas de toutes les personnes présentes. » Il promena un regard grave sur le groupe. « Il s'agit d'un grand cerf, âgé de sept ans peut-être, sa ramure porte dix andouillers. Il faut le guider vers le sentier qu'on souhaite lui voir prendre, sans trop s'approcher de lui pour ne pas le mettre aux abois. Quant à la racaille, lancez les chiens contre elle, et que six des villageois de Hoyland chevauchent derrière elle. Et que les autres villageois attendent près des barrières placées sur le sentier principal pour boucher les espaces entre les arbres et crient pour effrayer le cerf, au cas où il tenterait de les franchir. Vu qu'il n'y a que huit biches et quelques faons, les chiens devraient les attraper et vous, les gars, pouvez les achever à l'épée ou en leur décochant une flèche. » Il scruta le groupe de villageois. « Maître Clements, vous êtes chargé des chiens. »

Le jeune homme à qui il s'était adressé fit un large sourire. « À vos ordres, monsieur.

— Et vous autres, y a-t-il quelque chose que vous ne comprenez pas ?

— Si nous tuons une biche ou un faon, pouvons-nous choisir la meilleure viande ? demanda l'un des villageois.

— On vous l'a déjà dit, répondit sèchement Hobbey.

— Alors on rapportera un cuissot à maître Ettis », annonça un autre, ce qui fit rire tout le groupe. Même parmi les hommes recrutés par Hobbey, il semblait que l'humeur ait été à la révolte. Assise sur ses coussins, Abigail se tourna vers le villageois qui avait parlé et le foudroya du regard. « Nicholas, cria-t-elle, assure-toi que cet homme ne reçoive aucune viande pour le punir de son insolence.

— Messieurs, s'exclama Avery en donnant un coup sec au plan de sa main gantée, prêtez-moi attention, je vous prie ! Nous allons avoir affaire à un robuste et sauvage animal !

— Acceptez mes excuses, je vous prie », dit Hobbey. Il lança un regard noir à Abigail. « Ma femme gâchera tout avec sa langue. »

Les dames eurent un haut-le-corps en entendant Hobbey insulter publiquement son épouse. Abigail s'empourpra et détourna la tête. Un muscle tressaillit dans la joue de Hobbey. « Continuez ! » lança-t-il à Avery d'un ton sec.

Le maître d'équipage prit une profonde inspiration. « Une fois le cerf levé, la chasse proprement dite commencera. On le rabattra sur le sentier principal, puis vers les endroits où les archers se tiennent à l'affût. Ceux d'entre vous qui se trouveront près des barrières devront faire correctement leur travail et ne pas avoir peur si le cerf se précipite sur eux. En dehors du sentier, dans la forêt, un cerf est beaucoup plus rapide qu'un cheval.

— C'est exact », renchérit Corembeck d'un air important.

Avery dessina cinq croix tout en haut du sentier. « Les archers – maître Hugh, maître David, Fulstowe et nos deux jeunes invités – attendront là… Vous partirez avant tous les autres. L'honneur de porter le coup fatal reviendra à l'un d'entre vous. » Il regarda les archers. « Rappelez-vous que vous devez trouver un bon couvert et une ligne de tir dégagée. Et vous tenir tranquilles. » Il parcourut tout le groupe du regard. « Au moment où le cerf sera poussé vers les archers, je sonnerai du cor – comme ceci – pour les avertir de se tenir prêts. Si j'ai besoin d'appeler les archers pour une raison ou une autre, je ferai retentir cette sonnerie. » Il fit entendre un son différent. « Bien. Tout est-il clair ? »

Il y eut un chœur d'assentiments. Avery hocha la tête. « Très bien, messieurs. En selle ! Maîtres-chiens, retenez fermement vos bêtes ! »

Nous regardâmes David, Hugh, les deux autres adolescents et Fulstowe entrer dans le bois à cheval, l'un derrière l'autre. Quelques instants plus tard, Avery fit un signe et nous le suivîmes. On n'entendait que le tintement intermittent des harnais, rapidement étouffé. Même s'ils tiraient sur leurs laisses, les chiens savaient rester silencieux. Je me trouvais entre Barak et Dyrick, juste derrière Hobbey, qui chevauchait à côté de Corembeck. Menant la marche, Avery avançait d'un

pas lent et régulier. Devinant que cette allure inhabituellement nonchalante et retenue troublait Oddleg, je
lui tapotais doucement l'encolure.

Une demi-heure après le départ, levant la main,
Avery désigna une étroite piste transversale. Il était
difficile de ne faire aucun bruit car, sur cette piste, les
branches des arbres qui dépassaient balayaient le corps
des chevaux. Soudain, comme la fois où Barak et moi
étions tombés sur la biche, nous débouchâmes dans
une clairière pleine de cerfs. Comme l'avait annoncé
Avery, il s'agissait de plusieurs biches avec leurs faons,
ainsi que d'un grand cerf, en train de se nourrir pai-
siblement. Tous se tournèrent vers nous et se mirent
immédiatement sur la défensive. Le cerf leva la tête.

D'un seul coup, il y eut l'afflux de sang et la poursuite désordonnée attendue. Les biches et les faons
prirent la fuite. Les chiens courants furent lâchés et
passèrent près de nous, ventre à terre. Six cavaliers
les suivirent à bride abattue, s'enfonçant bruyamment
dans la forêt.

Ceux d'entre nous restés sur place faisaient face au
grand cerf. Lors de ma précédente chasse – il y avait
bien longtemps de ça –, je n'avais pas vu le cerf avant
sa mort. Celui-ci était plus gros et ses grands bois
garnis de pointes acérées s'agitaient de façon mena-
çante. Il baissa la tête en direction de Corembeck, qui
était la personne la plus proche de lui. « Écartez-vous,
monsieur », lui dit Avery d'un ton calme mais ferme.
Vibrant de plaisir, tout souriant, Corembeck fit lentement tourner son cheval vers la gauche. En l'espace
d'une seconde, le cerf s'était jeté dans la brèche ainsi
ménagée, filant le long du sentier, les muscles massifs
de ses pattes arrière se tendant et se détendant. Avery

sonna du cor et nous le suivîmes tous, éperonnant nos chevaux. Un large sourire sur les lèvres, Barak rayonnait de bonheur. « Seigneur Dieu, quelle aventure ! » haleta-t-il.

Nous traquâmes le cerf le long de la piste. Un groupe de rabatteurs se tenaient sur le chemin, criant « Hé ! Hé ! » et agitant les bras pour le forcer à tourner à droite, vers les archers. L'animal poursuivit sa course et nous galopâmes derrière lui. À un endroit où les arbres étaient plus espacés, le cerf sortit du sentier, mais une haute barrière en bois avait été érigée pour boucher la brèche. Il revint vers la piste et continua à filer, ayant perdu de précieuses secondes. Comme il tournait la tête, j'aperçus le blanc de ses yeux, emplis de terreur.

Il accrut sa vitesse, courant plus vite que les chevaux. Je devais me concentrer entièrement sur ma façon de me tenir sur ma monture et faire bien attention aux branches surplombantes. Si Barak était aux anges, ce n'était pas mon cas. Cette course effrénée en pleine forêt me terrifiait. Je craignais le choc d'une longue branche contre la tête ou le genou.

Puis l'énorme animal se tourna vers une autre brèche dans le bois et se jeta sur le côté. Si une autre barrière l'entravait, elle était de faible hauteur. Il se ramassa sur lui-même, s'apprêtant à tenter de sauter par-dessus. Mais des villageois étaient apparus près de la barrière, vociférant et agitant les bras. Or, au lieu de poursuivre sa course, le cerf pivota sur lui-même et nous fit face. Les cavaliers freinèrent des quatre fers. Je me trouvai toujours dans le peloton de tête, près de Hobbey à présent. Le cerf émit un son, plus beuglement que grognement, baissa la tête et remua sa grande ramure d'un côté puis de l'autre. Avery emboucha son cor et fit entendre la sonnerie destinée à appeler les archers. Le cerf se ramassa sur lui-même et chargea.

Se précipitant directement sur Hobbey, il encorna le cou de son cheval. Le cheval hurla et se cabra. Hobbey poussa un grand cri, tomba à la renverse et s'affala sur moi. Oddleg plongea en avant et je sentis que je m'écroulais, sous le poids de Hobbey. Nous atterrîmes dans un épais fourré d'orties brûlantes, tapis moelleux qui nous évita de graves blessures. Sur le point d'être étouffé par le corps de Hobbey, je le repoussai, les aiguillons des orties me piquant les mains et le cou. J'entendis alors un « clac » sonore et un léger grognement poussé par le cerf, suivis d'un bruit de chute.

Je haletai tant et plus, la respiration sifflante. Barak se précipita vers moi et m'aida à me relever, tandis qu'Avery s'employait à remettre Hobbey sur ses pieds. Tout en tentant de reprendre mon souffle, je regardai à l'entour. Un villageois tenait Oddleg par la bride, qui ne semblait même pas blessé, alors que le cheval de Hobbey était allongé dans les broussailles, agitant les pattes, les quatre fers en l'air. Les villageois accouraient vers nous. Au milieu du sentier, entouré par les chasseurs, gisait le cerf, une flèche fichée dans le poitrail. Il poussa un long gémissement tremblé, tressaillit, avant de s'immobiliser. Hugh s'avança et se tint au-dessus de l'animal, l'arc à la main, un vernis de sueur sur le visage. Le jeune Stannard s'approcha de lui en courant et lui donna une claque sur l'épaule. « Bravo, maître Curteys ! En plein dans le mille ! »

Un sourire de contentement s'étala lentement sur le visage de Hugh. « Oui, dit-il. J'ai à nouveau réussi. »

Hobbey haletait, à l'évidence très secoué. Hugh lui

jeta un coup d'œil, puis se tourna vers moi. « Vous êtes blessé, monsieur, dit-il. Vous avez du sang sur le poignet. »

Je touchai mon bras. J'eus l'impression d'avoir une profonde entaille sous le coude. Je fis la grimace. « J'ai dû tomber sur un morceau de bois.

— Permettez-moi de regarder », dit Barak.

J'ôtai mon pourpoint et retroussai ma manche. J'avais une affreuse entaille sur l'avant-bras d'où s'échappait un flot de sang. « Il faut bander ça, dit Barak. Tenez, laissez-moi couper cette manche, la chemise est déchirée de toute façon. »

Tandis que Barak s'occupait de ma blessure, Hobbey se dirigea vers son pupille. « Merci, Hugh, dit-il d'une voix tremblante. Tu as sauvé la chasse. Tu m'as peut-être même sauvé la vie. »

Hugh lui fit un sourire glacial. « Comme je vous l'ai dit, monsieur, je ferais un bon tireur sur le champ de bataille. »

Le son du cor résonna au cœur de la forêt. « Ils ont tué les biches, expliqua sir Luke. Allez, les gars, tirez le cerf jusqu'au bord du sentier pour laisser passer le chariot. Et aidez le cheval de M. Hobbey à se remettre debout. » L'animal fut redressé. Par chance, il n'était pas blessé mais était secoué de violents tremblements. Quatre villageois traînèrent par ses bois le cerf, qui laissait un sillage de sang, vers le bas-côté.

✝

Tout le monde se dispersa, Hobbey ayant ordonné à chacun de regagner la clairière, à pied ou à cheval, tandis qu'un serviteur emmenait son cheval qui boitait.

Hugh s'éloigna avec les deux jeunes messieurs, ravi de leurs félicitations. Avery remonta le sentier pour aller chercher Fulstowe et David, qui avaient dû se trouver trop loin pour entendre le son du cor. Couvert de poussière, les vêtements déchirés, Hobbey frottait ses mains pâles l'une contre l'autre. « Désolé d'être tombé sur vous, monsieur, dit-il. Votre blessure au bras n'est pas trop grave ?

— Je ne le crois pas… Viens, Barak, rentrons. » Je me levai mais les arbres tourbillonnèrent immédiatement autour de moi. Barak m'aida à me rasseoir.

« Vous avez eu un choc. Reposez-vous un moment.

— Prenez garde, Nicholas, s'esclaffa Dyrick. Il risque de vous faire un procès pour dommage corporel.

— Taisez-vous ! » rétorqua Hobbey. Dyrick se rembrunit, parut sur le point de répliquer, mais se contenta de s'éloigner à grandes enjambées sur le sentier, juste au moment où Avery réapparaissait en compagnie de Fulstowe et de David. David regarda le cerf, la flèche profondément fichée dans la poitrine. Fulstowe s'approcha tout près. « Beau tir ! fit-il, admiratif. Ce soir, il nous faudra trinquer à la santé de maître Hugh. Une fois de plus, il mérite la perle-du-cœur.

— Si le cerf avait couru vers nous, dit David d'un ton boudeur, c'est moi qui l'aurais abattu. C'est moi qui aurais dû le tuer.

— Mordieu, mon garçon ! s'écria Hobbey. Il nous a renversés, messire Shardlake et moi. Nous aurions pu être grièvement blessés ! Fulstowe a raison. Il faut que tu félicites Hugh. »

David écarquilla les yeux. Je n'avais jamais entendu Hobbey crier sur son fils. « D'accord, hurla David, Hugh est toujours meilleur que moi ! En tout… Hugh,

Hugh, Hugh !... » Il me foudroya du regard. « Hugh que ce bossu considère comme horriblement maltraité.

— Rentre à la maison ! » lança Hobbey en pointant un doigt tremblant sur lui.

David marmonna une grossièreté, avant de s'enfoncer bruyamment dans le bois, serrant son arc dans sa main, des larmes de rage sur le visage. Hobbey se tourna vers Fulstowe, juste à temps pour le voir sourire devant ce spectacle. Ses yeux s'étrécirent. « Allez-y, monsieur l'intendant, dit-il. Portez-vous à la rencontre du chariot et demandez qu'on y charge le cerf.

— Oui, monsieur, fit Fulstowe, une touche d'ironie dans la voix, avant de s'éloigner, lui aussi.

— Aïe, mes mains ! s'exclama Hobbey. Il faut que je trouve des feuilles de patience. Avery, venez avec moi. Vous connaissez ces bois. »

Avery se renfrogna en s'entendant traiter comme un domestique, mais il accompagna malgré tout Hobbey le long du sentier. Barak et moi restâmes seuls avec le cadavre du cerf. Chassés de la scène par tout le vacarme, les oiseaux revinrent lentement à leurs perchoirs et leurs chants résonnèrent à nouveau.

« Voilà une sacrée histoire à raconter à Tammy quand je rentrerai chez nous, dit Barak.

— Avant la chasse, Dyrick m'a proposé un marché à propos des frais, dis-je. Si nous partons juste après la visite de Priddis, chaque partie paiera les siens propres. C'est sûrement à cause de David et je pense que j'ai intérêt à accepter... Les mystères de cette maison devront être laissés en paix, soupirai-je.

— Dieu soit loué ! » fit Barak, avec un sourire triste.

Un grincement de roues se fit entendre sur le sentier.

Une demi-douzaine d'hommes tiraient le grand chariot que nous avions aperçu dans la clairière. Du sang s'en échappait, celui des biches et des faons, qui avaient dû être déjà transportés dans la clairière.

« Viens, dis-je. Je me sens bien maintenant. Allons-y ! »

Nous enfourchâmes nos montures et longeâmes lentement le chemin. Les serviteurs qui entouraient le chariot se découvrirent au moment où nous passâmes devant eux. Nous étions plus loin que je l'avais cru. Mon bras m'élançait douloureusement.

Alors que je pensais qu'on était presque arrivés à la clairière, Barak me toucha l'épaule. « Regardez à travers les arbres, murmura-t-il. Qu'est-ce que c'est ? Là...

— Où donc ? fis-je en scrutant le bois. Je ne vois rien.

— Quelque chose de brillant, comme un vêtement. » Il mit pied à terre et s'enfonça dans le bois. Je descendis de cheval moi aussi, lui emboîtai le pas et faillis buter contre son dos au moment où il se figea sur place.

« Qu'y a-t-il... ? »

Je me tus devant l'extraordinaire scène qui s'étalait sous nos yeux. En face de nous se trouvait la petite clairière que j'avais découverte le matin, là où le rondin avait été posé contre un arbre. L'espace d'un instant, la tête me tourna car j'eus l'impression de voir s'animer la scène de la chasse à la licorne représentée sur la tapisserie de la grande salle des Hobbey. Adossée contre le tronc, les bras croisés dans son giron, une femme aux longs cheveux blonds était assise sur le rondin. Notre arrivée ne la fit pas du tout bouger et elle demeura parfaitement silencieuse. Les images se mêlaient, et je crus un moment qu'une corne ornait son front. Puis je compris de quoi il s'agissait vraiment. Abigail Hobbey était clouée à l'arbre par une flèche qui lui avait transpercé le crâne.

CINQUIÈME PARTIE

LES ÂMES EN PEINE

31

Barak et moi étions assis au bout de la grande table sur laquelle nous dînions dans l'immense salle du prieuré de Hoyland. Debout sous le vieux vitrail, Fulstowe, Dyrick et sir Luke Corembeck parlaient à voix basse, d'un ton fébrile. Installé dans un fauteuil à côté de la cheminée sans feu, la main valide sur le pommeau de sa canne, tandis que la main exsangue et inerte reposait dans son giron, sir Quintin Priddis les regardait, un sourire cynique sur les lèvres. Vêtu de sa robe noire, l'air grave, Edward Priddis se tenait derrière lui. Quand nous étions rentrés, après la découverte du corps d'Abigail, nous les avions trouvés tous les cinq assis dans la grande salle.

« Ettis avait toutes les raisons de la détester, disait Fulstowe. Il avait subi ses assauts verbaux et il savait que ma pauvre maîtresse lui en voulait beaucoup de son insolence.

— L'autre jour, elle lui a tenu tête quand il criait sur mon client dans son propre cabinet de travail, ajouta Dyrick. J'étais présent.

— Je sais parfaitement que c'est un fauteur de troubles, confirma Fulstowe, l'air sinistre. C'est le seul qui possède la fougue et la témérité suffisantes pour risquer sa vie. Je vous en prie, sir Luke, utilisez votre pouvoir de magistrat pour le ramener ici. Interrogez-le. Essayez de savoir où il se trouvait aujourd'hui. »

Sir Luke gratta son cou grassouillet, puis hocha la tête. « Ce serait une bonne idée. En attendant l'arrivée du coroner. Je peux demander à mes gens d'aller le chercher. Nous pouvons l'enfermer dans une cave de ma demeure.

— Vous avez donc trouvé votre assassin ? s'esclaffa soudain le vieux Priddis. Un chef de village, hostile à vos projets de clôture des terres. C'est très commode. »

Sir Luke se rebiffa. « Ettis est un voyou, une tête brûlée, monsieur le curateur de fief. Un ennemi de cette famille. Il doit être interrogé. »

Priddis haussa les épaules. « Pour moi, cela n'a aucune importance. Mais lorsque le coroner arrivera de Winchester, il risque de penser qu'on aurait dû plutôt s'employer à vérifier les mouvements de tous les participants à la chasse.

— On est en train de le faire, monsieur, répliqua Dyrick.

— Ettis ne risque pas de s'enfuir, dis-je. Il a une femme et trois enfants.

— Le coroner enquêtera de façon approfondie, rétorqua Corembeck avec hauteur. Entre-temps, cela ne fera aucun mal d'arrêter Ettis.

— Quand le coroner doit-il arriver ? demanda Dyrick à Fulstowe.

— Pas avant après-demain, au plus tôt, même si notre messager trouve des routes dégagées entre ici et Winchester, ce dont je doute. »

Barak avait l'air désolé. Ayant découvert le corps,

566

nous étions obligés de rester sur place jusqu'à l'audience. Moi, je ne pouvais m'empêcher de me réjouir. À présent, la carapace de mystère entourant cette famille allait sans doute se fendre et s'ouvrir. Puis, pris de remords, je plaignis la malheureuse Abigail.

« Eh bien, Edward, dit sir Quintin à son fils, tu ferais mieux d'aller jeter un coup d'œil aux terres de Hugh Curteys, puisque, après tout, c'est pour cela que nous sommes venus ici. À moins que messire Shardlake et toi ne craigniez de recevoir vous aussi une flèche dans ces bois... Fulstowe me dit, poursuivit-il en s'adressant à moi, qu'il y a quelques jours on en a tiré une contre vous.

— En effet. Même s'il ne s'agissait que d'un tir d'avertissement, qui n'était pas censé atteindre sa cible.

— Je n'ai pas peur, père, répondit sèchement Edward.

— Nous chevaucherons dans une zone dégagée, fis-je. Tous les grands arbres ont été abattus. Un archer n'aurait aucun endroit où se tenir à l'affût... Allez-vous vous joindre à nous, demandai-je à Dyrick ?

— Je dois rester avec M. Hobbey. Et, Fulstowe, je voudrais que vous remettiez au messager que vous enverrez chercher le coroner une lettre pour Feaveryear, mon clerc. Elle doit être envoyée à Londres le plus vite possible. Peu importe le prix.

— Je vais donc aller me changer, monsieur, me dit Edward Priddis. Ensuite nous pourrons y aller. »

✝

Barak avait été le premier à reprendre ses esprits après l'atroce découverte de la petite clairière. Il avait marché en silence sur l'herbe et touché doucement la main d'Abigail. « Elle est toujours chaude », avait-il dit.

Je m'étais approché du corps. Les yeux étaient grands ouverts. Sa dernière émotion avait dû être un violent choc. Une fleur des bois jaune gisait à côté du corps, certains des pétales arrachés. Elle a dû la cueillir en venant ici, avais-je pensé. J'avais examiné la flèche, empennée de plumes d'oie, qui saillait impudiquement de son front blanc. Si les flèches des garçons étaient garnies de plumes de paon et de cygne, je ne me rappelais pas s'ils transportaient dans leurs carquois des flèches empennées de simples plumes d'oie. Il n'y avait guère de sang, juste un petit cercle rouge autour du fût de la flèche.

« Il faut qu'on aille les prévenir », déclara Barak d'un ton calme. J'entendais le léger murmure des voix, de l'autre côté des arbres. Je posai la main sur son bras.

« Accordons-nous quelques instants pour regarder partout avant que la clairière ne se remplisse de gens… Il a tiré de là, dis-je en désignant les arbres. Viens. Allons voir si on peut trouver l'endroit exact. »

Nous essayâmes de suivre la ligne de tir. Peu après avoir pénétré dans le bois, un chêne entrava mon passage. Je me retournai. Le corps de la malheureuse Abigail était exactement dans ma ligne de mire. Baissant les yeux, j'aperçus dans la terre meuble l'empreinte peu profonde d'une semelle.

« C'est là qu'il se tenait, dis-je. Comme nous, il se peut qu'il ait longé le sentier et aperçu cette robe d'un jaune scintillant à travers les arbres. Il est ensuite venu jusqu'ici à pas de loup, a appliqué une flèche à la corde de son arc et a tiré sur elle.

« — Ce n'était donc pas prémédité ?

— Pas si ça s'est passé de la sorte.

— Et si elle avait rendez-vous avec quelqu'un et que cette personne l'ait tuée ?

— C'est possible. Mais elle a pu se réfugier ici pour fuir la foule. Comme je l'avais fait moi-même. Ça ne devait pas être facile de rester assise au milieu de toutes ces femmes, maintenant qu'elles connaissaient la maladie de David. »

Il regarda le corps. « La malheureuse... Quel mal a-t-elle vraiment jamais fait à quelqu'un ? Elle était brusque et avait mauvais caractère, comme beaucoup d'autres gens. Ce n'était pas une raison pour la tuer ?

— À moins que, hors de la maladie de David, elle n'ait eu d'autres secrets, et quelqu'un a saisi l'opportunité de lui fermer définitivement la bouche. » Je m'étais rappelé la conversation que j'avais surprise entre Abigail et Hobbey. « Elle craignait que quelque chose n'arrive au cours de la partie de chasse. Et voilà, c'est arrivé. »

✝

Quand nous avions regagné la clairière, tout le monde était revenu. Au milieu des autres participants à la chasse, Hugh et David, en compagnie de Hobbey, Fulstowe et Dyrick regardaient les serviteurs, leurs blouses maculées de sang, éventrer, sous l'œil d'Avery, une grande biche. Cinq autres avaient été jetées en tas un peu plus loin. C'est ce qu'on appelle la « curée », me rappelai-je.

Les chiens, qui, haletant et remuant la queue, tiraient sur leurs laisses, étaient retenus par les villageois. Avery plongea la main profondément dans les entrailles de la biche et, d'un puissant mouvement, en retira une bonne longueur de boyaux. À l'aide d'un grand couteau, il les découpa en morceaux, qu'il jeta aux chiens. C'était leur récompense. L'emmenant à l'écart du groupe, j'en parlai d'abord à Fulstowe. Le choc lui fit perdre son calme habituel. Il écarquilla les yeux, recula d'un pas et cria : « Quoi ? » Le cri fit se retourner tout le monde. Il se reprit et ses traits se durcirent.

« Il vaut mieux ne pas l'annoncer aux autres pour le moment, murmurai-je.

— Je dois prévenir M. Hobbey et les garçons. »

Il se dirigea vers Hobbey, Hugh, puis David, parlant à voix basse, à chacun, tour à tour. Ils eurent tous les trois une réaction complètement différente. S'étant remis de sa chute, Hobbey avait assisté à la curée avec un sourire indulgent. Quand Fulstowe lui annonça la nouvelle, il ne réagit pas tout de suite, puis tituba en arrière et serait tombé à la renverse si un domestique ne l'avait pas rattrapé. À demi soutenu par le serviteur, il fixa Fulstowe, qui s'approchait de Hugh et de David. Hugh fronça les sourcils, eut l'air incrédule, et David hurla : « Ma mère ! Maman ! » tendant la main en un geste étrange, comme s'il cherchait à se raccrocher à l'air. Mais lorsque Fulstowe voulut le retenir, il le repoussa en lui donnant des coups sur les mains, et il se mit à pleurer à chaudes larmes.

L'air à la fois intrigué et effrayé, tous, à présent, regardaient la famille. Les femmes assises sur les coussins se levèrent et Fulstowe s'adressa à la compagnie.

« Il y a eu… un accident, déclara-t-il après une brève hésitation. Dont madame Abigail a été la victime. Je crains qu'elle ne soit morte. Sir Luke, voudriez-vous m'accompagner ? »

Il y eut des haut-le-corps et des exclamations. « Je vous en prie, reprit Fulstowe, messire Dyrick et messire Shardlake, venez également. »

Je m'avançais. « Dites-moi, Fulstowe, certains domestiques ont-ils servi les dames toute la matinée ? »

Il réfléchit, puis désigna un adolescent de l'âge de Hugh et David. « Moorcock, dit-il, vous êtes resté constamment auprès des dames, n'est-ce pas ? »

L'adolescent hocha la tête, l'air effrayé.

« Jeune homme, demandai-je. Quand madame Abigail a-t-elle quitté la clairière ?

— Il y a une vingtaine de minutes. Je l'ai entendue dire à Mme Stannard qu'elle devait aller au pissoir.

— En effet, renchérit l'une des dames, mais elle n'est pas allée dans la bonne direction. L'endroit réservé se trouve par là, précisa-t-elle en désignant un petit sentier un peu plus loin.

— Parmi les participants à la chasse, qui, demandai-je au jeune homme, était déjà revenu dans la clairière ?

— Presque personne, monsieur. Sir Luke était de retour, puis est arrivé maître Avery, qui a annoncé que le cerf était aux abois. Il me semble que tout le monde est revenu après le départ de Mme Hobbey.

— Que lui est-il advenu ? » demanda Mme Stannard à Fulstowe.

Celui-ci resta silencieux. « Maître Avery, voulez-vous également venir ? » fis-je. Il se leva, essuya ses mains couvertes de sang sur sa blouse et nous suivit dans la forêt.

✝

Dans la petite clairière, des mouches à viande tournaient en bourdonnant autour de la blessure sur le front d'Abigail. Corembeck resta bouche bée. « Un assassinat », souffla-t-il. Pour une fois, Dyrick se tut, fixant sur le cadavre un regard horrifié.

« J'ai pensé qu'il valait mieux ne pas en parler pour le moment, déclara Fulstowe. Sir Luke, vous êtes magistrat. Que devons-nous faire ?

— Qui a découvert le corps ? »

Je m'avançai. « Mon assistant et moi-même.

— Nous devons aller chercher le coroner Trevelyan, à Winchester. Sur-le-champ. » Il porta une main à son front, où perlaient des gouttes de sueur.

« Qu'est-ce qui justifie la présence d'Avery parmi nous ? me demanda Fulstowe, en désignant du menton le maître d'équipage à la blouse maculée de sang. Ce n'est guère sa place...

— Parce qu'il connaît ces bois, répliquai-je sèchement. Maître Avery, j'aimerais vous montrer quelque chose si vous voulez bien me suivre. »

Je le conduisis à l'endroit où se trouvait la légère empreinte de pied. « En effet, confirma Avery. Il a tiré d'ici. » Il se pencha vers une branche juste devant moi d'où pendait une brindille brisée. « Vous voyez, elle le gênait. Alors il l'a cassée, tout doucement pour ne pas attirer l'attention de sa victime... Cet homme était à mon avis un excellent archer. Il ne s'agit ni d'un domestique du prieuré ni de l'un des villageois que je forme. Il a... Eh bien, il a mis en plein milieu de la cible.

— Je vous remercie. » Je ressortis du bois, suivi d'Avery. Abigail, toujours très agitée de son vivant, restait affreusement immobile. Au moment où je débouchai dans la clairière, je vis que quelqu'un d'autre y était entré. Hugh Curteys était en train de ramasser la fleur qu'Abigail avait laissée tomber. Il la posa délicatement dans son giron et murmura quelque chose. « Tu l'as bien mérité », crus-je comprendre.

✝

Lorsque nous revînmes dans la grande clairière, le cerf avait été emporté dans le chariot. On le laissa avec les biches et un long cortège d'invités et de serviteurs bouleversés regagnèrent la maison. Toujours en pleurs, David était soutenu par son père, qui semblait abasourdi, les traits figés, en état de choc. Derrière lui, à côté de Hugh, Fulstowe marchait en silence.

« Le coupable pourrait être Hugh ou David, murmura Barak.

— Ou Fulstowe. Quasiment aucun des participants à la chasse n'était de retour au moment où Abigail a quitté la clairière. »

Dyrick nous rejoignit. « Avery se trompe, affirma-t-il. Le coupable peut très bien être un villageois. De nos jours, tant de jeunes gens savent tirer à l'arc. Ainsi que des hommes plus âgés. Hélas, nous ne pourrons pas repartir demain, ajouta-t-il d'un ton amer. Nous allons être obligés d'attendre le coroner. Moi, en tant qu'avocat de M. Hobbey et, vous deux, pour avoir découvert le corps en premier. Morbleu, nous sommes bloqués ici jusqu'à l'audience ! »

N'était-il en rien affecté par le sort d'Abigail ?

Je le fixai du regard. « Je veux voir mes enfants ! » s'écria-t-il.

Tu pourrais être le coupable, pensai-je. Après que Hobbey t'a remis à ta place, tu es parti tout seul, dans un mouvement d'humeur. Et tu es archer. Tu as dit que tu enseignais le tir à l'arc à ton fils.

Les épaules de Barak s'affaissèrent. « Je commence à me demander si je vais assister à la naissance de mon enfant, se plaignit-il. Il faut que j'écrive à Tamasin.

— Et moi à Warner. »

Nous arrivâmes à la maison. Comme nous approchions du perron, la porte d'entrée s'ouvrit bruyamment et Leonard Ettis sortit à grandes enjambées, l'air renfrogné. Il s'arrêta net et fixa la petite troupe, David en pleurs soutenu par un Hobbey livide et hagard.

Fulstowe se dirigea à grands pas vers Ettis. « Que faites-vous ici ? aboya-t-il.

— Je suis venu vous voir, rétorqua-t-il. Pour savoir si vos hommes ont toujours l'intention d'entrer dans nos bois cette semaine. Ou de tenter de le faire. Mais il n'y avait personne, à part le vieux paralytique mal embouché assis dans la grande salle.

— Surveillez votre langue ! lança Fulstowe.

— Ah oui, je dois mesurer mes propos ! s'esclaffa Ettis. Ce sera différent quand je marcherai en tête de la milice du village pour affronter les Français. »

Barak et moi échangeâmes un regard. « Priddis, fis-je. Je l'avais complètement oublié.

— Aujourd'hui, c'était le jour de la chasse, dit Fulstowe en scrutant le visage d'Ettis. Vous ne l'aviez pas oublié, n'est-ce pas ?

— Je pensais que vous pouviez être déjà de retour, et cette affaire ne peut attendre. Nous exigeons une réponse. » Il parcourut le petit groupe du regard et, l'air intrigué, fixa à nouveau Hobbey et David. « Il s'est passé quelque chose ?

— Mme Hobbey est morte, répondit Fulstowe tout à trac.

— Quoi ? fit Ettis, incrédule.

— Tuée par une flèche lancée par un tireur inconnu. Quel chemin avez-vous pris pour venir à la maison, Ettis ? »

Le chef du village écarquilla les yeux. « Vous… Est-ce que vous m'accusez ? »

Corembeck s'approcha. « Par où êtes-vous venu, Ettis ?

— Directement du village.

— Sans passer par les bois ?

— Non !

— Seul ? » demanda Fulstowe.

Ettis fit un pas en avant, et je crus un instant qu'il allait frapper l'intendant. Puis il s'éloigna, fièrement, le long de l'allée. Dyrick lança un regard significatif à Corembeck.

Nous étions entrés dans la salle où Priddis et son fils étaient assis en train de nous attendre. Fulstowe leur avait raconté ce qui était arrivé. Une intense curiosité avait illuminé le visage du vieillard. J'avais alors compris que c'était pour lui une distraction inattendue.

✝

Je montai me changer pour ma sortie à cheval en compagnie d'Edward Priddis. J'avais honte d'être content de rester, étant donné que Barak était si pressé de retrouver Tamasin. Regardant par la fenêtre, je me rappelai avec tristesse Feaveryear et les deux garçons en train de s'exercer au tir à l'arc. Dès notre retour, David et Hugh avaient disparu dans leurs chambres. Je ne savais pas si quelqu'un se trouvait avec eux.

Quand je redescendis, toujours calé dans son fauteuil près de la cheminée, à côté de son fils, sir Quintin contemplait le spectacle d'un air horriblement réjoui. Je demandai à Barak de rester dans la grande salle pour écouter tout ce qui se disait. Edward se leva et nous allâmes chercher les chevaux. Au départ, il se montra froid et distant, mais relativement poli.

« Quelle désolation pour vous de vous trouver ici en de telles circonstances », dis-je.

Il hocha la tête d'un air grave. « Nous vivons une époque étrange, atroce.

— Qu'en est-il des Français à Portsmouth ?

— Il paraît qu'on a aperçu leur flotte au large de la côte du Sussex. Les gens commencent à avoir peur.

— Oui. Malgré la confiance apparente, la peur règne.

— Nous devons cependant affronter les événements, déclara-t-il avec conviction. Quels qu'ils soient. »

J'étudiai son visage. Il avait des sourcils broussailleux, comme son père, et la forme de sa bouche dénotait la fermeté et l'obstination. « Je crois que votre père connaît sir Richard Rich », dis-je.

Il fit un sourire glacial. « Oui, c'est une vieille connaissance. Nous l'avons rencontré et avons bavardé avec lui à l'hôtel de ville de Portsmouth. Le jour où vous y avez emmené Hugh Curteys. Il paraît que les marchands qui ont fait payer l'armée trop cher ou qui ont fourni des vivres de mauvaise qualité se présentent devant sir Richard en tremblant de peur. J'imagine qu'il va vite rejeter l'idée que la mauvaise qualité de la nouvelle monnaie est la cause de l'augmentation abusive des prix. Sir Richard a appris l'art de l'interrogatoire sous la coupe de Cromwell, un maître en la matière. Mais vous êtes au courant, bien sûr. » Il m'adressa à nouveau son sourire glacial et ses yeux bleus me lancèrent un regard perçant.

« Rich a parlé de moi ? »

Il ébaucha un pâle sourire. « Un peu. Il a demandé à mon père de quelle affaire vous vous occupiez à Hoyland. Il a dit qu'il vous arrive de devenir extrêmement proche de vos clients.

— Ce n'est pas un défaut chez un avocat, n'est-ce pas, confrère ? » Je baissai la tête pour cacher l'angoisse qui m'étreignait à l'idée que Rich continuait à s'intéresser à moi.

« Je suis d'accord.

— Avez-vous étudié à Gray's Inn, comme votre père ?

— Oui. J'ai travaillé à Londres pour le gouvernement pendant un certain temps. Mais, quelques années plus tard, je suis revenu à Winchester pour aider père dans son travail.

— Aujourd'hui, nul doute que vous deviez en accomplir la plus grande partie.

— Oh, père continue à tenir les rênes. Je ne suis que son loyal destrier. » Je perçus une note d'amertume. Brûles-tu de lui succéder ? me demandai-je.

« Regardez à votre droite, confrère, dis-je. Voici les terres de Hugh Curteys où on a coupé les arbres, il y a quelques années. »

Nous nous arrêtâmes près de la zone déboisée que Barak et moi avions découverte durant notre visite.

De nouveaux arbres, tout jeunes, se dressaient parmi les épaisses broussailles et les souches moussues. Le silence et le calme régnaient, et il faisait très chaud. « À mon avis, déclarai-je, il y avait davantage de chênes que ne l'indiquent les comptes.

— Et quelles preuves avez-vous de cela ? demanda sèchement Edward.

— Le fait que, au sud, les bois non encore abattus contiennent beaucoup de chênes.

— Le sol est peut-être différent.

— Il semblait tout à fait semblable quand j'y ai chevauché il y a quelques jours.

— Le jour où on vous a décoché cette flèche ? s'enquit-il avec curiosité.

— Oui. Tout le monde a pensé qu'il s'agissait d'un braconnier. Mais, après ce qui s'est passé aujourd'hui, je n'en suis plus si sûr.

— Un fou rôdant dans ces bois ? s'interrogea-t-il, tout en jetant un regard anxieux sur les arbres éloignés.

— Sir Luke croit avoir découvert le suspect.

— Il peut se tromper. Peut-être un déserteur de l'armée se cache-t-il dans la forêt. Il a essayé de vous tuer, puis est tombé sur la malheureuse Mme Hobbey. Il se peut qu'il ait voulu la voler.

— Je ne crois pas qu'elle ait eu une bourse sur elle. Si la bourse avait disparu la famille l'aurait remarqué.

— Vous me pardonnerez, cependant, si je souhaite que l'inspection soit brève.

— La zone est très dégagée et nous sommes hors de portée d'une flèche tirée depuis les arbres. Je suggère que nous traversions la partie déboisée et déterminions la quantité de souches de chênes visibles.

— Si vous insistez. » D'un air inquiet, Edward

regarda les arbres qui se trouvaient à environ deux cent cinquante toises de là. Nous continuâmes à avancer, guidant les chevaux avec soin.

« Je crois comprendre que votre famille vient des environs de Rolfswood », dis-je, comme en passant. J'avais décidé de tâter le terrain. Si Edward Priddis était intelligent et avait la parole facile, je sentais qu'il ne possédait pas la force de caractère de son père.

« En effet. Mais mon père s'est installé à Winchester quand il est devenu curateur de fief du Hampshire.

— Y retournez-vous parfois ?

— Pas depuis la mort de ma mère, il y a dix ans. Dieu ait son âme ! C'est sa famille qui était originaire de cette région. Avez-vous des attaches dans les environs, sergent royal Shardlake ? Je ne me rappelle pas y avoir jamais entendu votre nom.

— J'ai un client qui pense avoir des parents à Rolfswood. Il m'a prié de m'y rendre pour tenter d'en retrouver. J'y suis allé, il y a quelques jours.

— Vos recherches ont-elles été fructueuses ? demanda Edward avec un sourire courtois mais le regard toujours aussi perçant.

— Non. Toutefois, j'y ai passé la nuit et ai entendu parler d'une tragédie, survenue il y a dix-neuf ans. Une fonderie a entièrement brûlé et le maître de forges a été tué, ainsi qu'un de ses assistants. La fille du maître de forges est devenue folle. Ils s'appelaient Fettiplace et c'est le nom de la famille dont mon client recherchait d'éventuels membres. À cette époque, votre père était coroner, me semble-t-il. »

Il réfléchit quelques instants. « Je garde un vague souvenir de cette histoire. Je n'étais pas à la maison, alors, étant déjà étudiant à Cambridge. Où j'ai obtenu un diplôme avant de poursuivre mes études à Gray's Inn, ajouta-t-il avec fierté. Il me semble me rappeler que mon père a aidé la jeune fille qui est devenue folle.

— C'était gentil de sa part », commentai-je d'un ton neutre. D'après ce que j'ai constaté, pensai-je, ton père ne possède pas une once de charité. Et le révérend Seckford m'a dit que Priddis avait organisé le départ forcé d'Ellen de l'endroit où elle s'était réfugiée.

« Il n'est pas aussi impitoyable qu'on le croit, déclara Edward avec raideur. Il fait un travail difficile.

— J'ai entendu parler d'une autre famille que vous connaissez peut-être. Les West.

— Ah oui ! Ce sont de grands propriétaires terriens. À Rolfswood, lady West a toujours mené la barque. Vous l'avez rencontrée elle aussi ?

— Non. J'ai seulement entendu parler d'elle et de son fils, Philip West. Il est à présent officier dans la marine royale. Il doit avoir à peu près votre âge.

— Je l'ai vu une ou deux fois quand j'étais gamin. Mais, après mon séjour à Cambridge, je suis rarement retourné à Rolfswood. Vous avez apparemment mené une enquête approfondie, confrère Shardlake.

— L'histoire était intéressante. »

Il arrêta son cheval et contempla le paysage. « En vérité, monsieur, je pense qu'il est impossible de déterminer l'espèce des arbres qui poussaient ici. Les vieux troncs sont entièrement recouverts par la végétation. Et nous approchons de trop près la limite des bois pour que je me sente à l'aise.

— Regardez les nouvelles pousses. À l'évidence, la moitié au moins sont des jets de chênes. Et voyez tous les hauts et vieux chênes dans la forêt devant nous. »

Il fit semblant d'examiner soigneusement la forêt,

mais j'étais sûr qu'il avait déjà remarqué tout ce que je lui avais signalé. Il se tourna ensuite vers moi et me demanda tranquillement : « Que pensez-vous tirer de ce dossier, messire Shardlake ?

— Je veux que justice soit rendue à Hugh Curteys. Il est clair à mes yeux que des chênes poussaient en majorité sur cette terre, même si les comptes de M. Hobbey indiquent qu'ils constituaient à peine un quart des arbres abattus.

— Cependant, à l'hôtel de ville, Hugh Curteys a affirmé qu'il était tout à fait satisfait.

— C'est un jeune homme qui n'a aucun sens des affaires. Et il n'était qu'un enfant quand ces arbres ont été coupés.

— Par conséquent, vous avez l'intention de vous rendre à la Cour des tutelles et d'exiger un… dédommagement ? Cela prendra beaucoup de temps, confrère, coûtera très cher, créera des ennuis à toute une famille, y compris à Hugh qui vient de connaître une grande tragédie. Il faudra payer un arpenteur qui n'aboutira sans doute à aucune conclusion définitive. Réfléchissez, messire Shardlake, cela en vaut-il la peine ? Surtout maintenant que M. Hobbey a fait une proposition plus que raisonnable à propos des frais encourus.

— Vous êtes au courant de sa proposition ?

— Le confrère Dyrick m'en a parlé, juste avant notre départ. » Il arqua ses épais sourcils. « Cette histoire paraît le mettre absolument hors de lui. »

Je soutins son regard. Ton père et toi avez reçu votre part du gâteau, pensai-je. Mais j'avais déjà décidé d'accepter l'offre de Dyrick. Sans le soutien de Hugh, je ne pouvais rien faire. Cependant, il était inutile que je prenne tout de suite un engagement, puisque nous étions, de toute façon, contraints de rester là. « Je vais y réfléchir », répondis-je.

Il haussa les épaules. « Fort bien. Quoi qu'il en soit, vous savez certainement que vous serez obligé d'accepter un compromis. Bon. Pouvons-nous rentrer à présent ? Je ne veux pas que mon père se fatigue trop.

— Très bien. »

Comme il faisait tourner son cheval, il sourit furtivement, certain que l'affaire était désormais réglée.

✝

À notre retour, la maison était toujours calme et silencieuse. Le vieux Priddis était assis tout seul près de la cheminée vide. Il leva les yeux. « Eh bien, Edward, demanda-t-il, tout va-t-il pour le mieux dans les bois ?

— Messire Shardlake et moi avons eu une discussion raisonnable. »

Sir Quintin me fixa longuement, puis poussa un grognement. « Aide-moi à me lever, Edward. »

Edward s'exécuta. Une fois debout, sir Quintin haleta bruyamment, son bras infirme pendant sur le côté. La blancheur de sa main ratatinée me rappela le visage sans vie de la malheureuse Abigail et je dus réprimer un frémissement.

« J'en ai par-dessus la tête de cette maison, geignit sir Quintin. Tout le monde est dans un tel état... Je veux m'en aller.

— Très bien, répondit Edward avec douceur. Je vais préparer les chevaux. Au fait, père, ajouta-t-il d'un ton léger, messire Shardlake est allé à Rolfswood. Il m'a parlé de la tragédie de la fonderie... Tu te rappelles, quand tu étais coroner ? »

Les yeux de sir Quintin s'étrécirent et il fixa sur moi quelques instants un regard d'une dureté glaçante. Puis il fit un grand geste de la main. « Je m'en souviens à peine. Cela s'est passé il y a une éternité. Je me suis occupé de tant de dossiers dans ma vie... Viens, Edward, aide-moi à sortir d'ici. » Se penchant en avant, il me regarda droit dans les yeux. « Au revoir, messire Shardlake. J'espère que vous comprendrez que le plus raisonnable est de laisser tomber cette affaire. Ces gens ont assez d'ennuis, me semble-t-il. »

Je montai à ma chambre, m'approchai de la fenêtre et jetai un coup d'œil au terrain de tir. Je n'avais rien appris des Priddis. Frustré, furieux, je me sentais impuissant. On frappa à la porte et Barak entra, l'air angoissé.

« Comment va la famille ? m'enquis-je. Aucun d'entre eux ne se trouvait dans la grande salle.

— Peu après votre départ, Fulstowe m'a enjoint de quitter la maison, mais, au moment où je sortais, un cavalier est arrivé, porteur d'une missive pour vous. J'espérais qu'il s'agissait de nouvelles de Londres, mais je ne reconnais pas l'écriture. »

Il plongea la main dans son pourpoint et en retira un bout de mauvais papier, grossièrement scellé avec de la cire et sur lequel était griffonné mon nom, suivi de « Prieuré de Hoyland ». J'ouvris le pli.

« Ça vient de Londres ? » demanda vivement Barak.

Je secouai la tête. « Non. »

Le griffonnage était daté de la veille, le douze juillet, et signé de John Seckford, vicaire de Rolfswood.

Messire Shardlake,

Je suis désolé de vous déranger, mais le vieux maître Harrydance est venu me voir. Il a découvert quelque chose d'affreux à propos de l'affaire dont nous avons discuté. Nous vous prions instamment de venir nous aider. Nous avons très peur et ne savons que faire.

32

Je passai le mot à Barak. Il le lut, puis me le rendit en plongeant son regard dans le mien. « Qu'est-ce que ça signifie, nom de Dieu ?

— Aucune idée, répondis-je en arpentant la pièce. Quelque chose de grave. Je peux y aller à cheval demain et revenir après-demain, avant que le coroner arrive.

— Vous êtes ravi qu'on ne puisse pas repartir demain, pas vrai ?

— C'est injuste de dire ça ! répondis-je, d'un ton d'autant plus indigné qu'il avait raison. Sans la mort d'Abigail, nous serions repartis. Tu ne peux pas croire que je me réjouisse du meurtre de cette malheureuse femme. Même si une enquête peut révéler ce qui se passe ici.

— D'accord. Mais, en un certain sens, vous n'êtes pas mécontent, n'est-ce pas ?

— C'est peut-être l'occasion de résoudre les deux affaires.

— Vous oubliez que des combats risquent de se dérouler d'un jour à l'autre à huit milles d'ici. Si nous perdons la bataille, les troupes françaises viendront jusqu'ici piller cette belle propriété.

— C'est une éventualité que nous ne pouvons pas écarter... Quoi qu'il en soit, j'irai demain à Rolfswood. Seul.

— Non ! Je vous accompagnerai, affirma-t-il avec force. Je refuse de rester seul dans cette maison de fous. »

Je frappai à la porte du cabinet de travail de Hobbey. « Entrez », fit-il d'un ton calme. Assis à son bureau, il regardait le sable s'écouler dans le sablier. Je me rendis compte que c'était la première fois que j'étais seul avec lui. Je ressentis un élan de commisération. En l'espace de deux jours, le secret de la maladie de son fils avait été dévoilé et sa femme assassinée. Il avait l'air défait.

« Eh bien, messire Shardlake, soupira-t-il, comment s'est passée votre inspection des bois avec messire Priddis ?

— Parfaitement bien.

— Peut-être pourrez-vous en discuter avec Vincent, dit-il en faisant un grand geste de la main. En ce moment, je ne parviens pas à me concentrer.

— Je comprends. Veuillez accepter mes sincères condoléances pour la mort de votre malheureuse femme. Dieu ait son âme ! »

Baissant les yeux, il dit d'une voix soudain très émue : « Tout le monde détestait la pauvre Abigail. J'en suis parfaitement conscient. Si vous l'aviez vue quand je l'ai épousée. Elle était tellement jolie, tellement gaie. Si elle ne m'avait pas épousé... » Sa voix chevrota et il se tut.

« Comment vont les garçons ? » demandai-je. Dans

une famille normale, pensai-je, Hugh et David se seraient trouvés aux côtés de Hobbey et ils se seraient consolés mutuellement.

« David est accablé de chagrin. Fulstowe est avec lui. Quant à Hugh... » Il soupira. « Il est quelque part dans la maison. Entre parenthèses, sir Luke organise une battue dans la forêt. Les villageois y participent, car l'idée qu'un fou rôde dans les bois les inquiète énormément. Sir Luke suggère qu'aucun d'entre nous ne quitte la maison et le jardin pour le moment.

— Ettis a-t-il été arrêté pour être interrogé ?

— Oui. Il détestait ma famille... Vincent affirme, poursuivit-il en fronçant les sourcils, que si on ne trouve aucune trace d'un intrus dans les bois, Ettis doit être considéré comme suspect. Cela semble évident. »

À présent, pensai-je, Dyrick va prendre la situation en main. Lui et Fulstowe.

« À mon avis, répondis-je, c'est le coroner qui, à son arrivée, décidera de la marche à suivre. Si je viens vous voir, monsieur Hobbey, c'est pour vous annoncer qu'un messager m'a apporté une missive provenant d'un village du Sussex où je m'occupe d'un autre dossier. J'ai l'intention de m'y rendre dès demain et de revenir après-demain pour voir le coroner. Je sais qu'il souhaitera me parler, ainsi qu'à Barak, puisque nous avons été les premiers à découvrir le corps.

— Fort bien », répondit-il, l'air ailleurs.

J'hésitai, conscient que ce que je voulais lui révéler ensuite aurait dû être dit en présence de Dyrick. Mais cela me démangeait beaucoup trop. « La semaine dernière, monsieur, je vous ai entendus, par hasard, vous et votre femme parler dans sa chambre. Elle disait qu'elle ne souhaitait pas qu'ait lieu la chasse, car elle redoutait quelque danger. »

Il se tut quelques instants, puis, sans lever la tête, posément et d'une voix claire, déclara : « Messire Shardlake, ma femme avait désormais peur de tout et de tous. Comme je vous l'ai déjà dit, elle n'était pas bien. Elle avait fini par voir une menace en chaque chose et en chaque personne. » Il saisit le sablier, regarda fixement le sable s'écouler, puis leva les yeux vers moi, une étrange expression sur son mince visage. « Ma vie entière, reprit-il lentement, ce que j'ai bâti, au prix de grands efforts, ceux que j'ai aimés... Tout se défait, tout coule comme le sable de ce sablier. Croyez-vous au destin, messire Shardlake, à Némésis, la déesse qui châtie les présomptueux, à la juste colère divine ?

— Non, monsieur. Je ne comprends pas comment Dieu dirige le monde, mais je ne pense pas que ce soit de cette manière.

— Tout a commencé avec votre arrivée. » Il parlait toujours d'un ton à la fois calme et étrange, empreint d'une certaine perplexité. « Cette malheureuse affaire judiciaire. Je doute que, sans cela, David ait eu cet accès de mal caduc. Vous encouragez mes locataires à se révolter. Ne le niez pas, j'ai mes informateurs dans le village. Et maintenant ma femme est morte. Seriez-vous ma Némésis, l'instrument de mon châtiment ?

— Je ne souhaite jouer ce rôle dans la vie de personne.

— Vraiment ? J'en doute. » Le ton était toujours serein, mais tout à coup, son regard se fit plus pénétrant, plus perçant que d'habitude. « Après tout, je peux me tromper. Tout a peut-être commencé avec Michael Calfhill, avec... » Il eut une grimace de douleur, puis parut se reprendre. « Nous ne devrions pas discuter de ce genre de sujet hors de la présence de Vincent, poursuivit-il, d'un ton guindé. À dans deux jours, messire Shardlake ! » lança-t-il en me donnant congé d'un hochement de tête.

✝

Le lendemain matin, Barak et moi partîmes pour Rolfswood. Je me serais volontiers passé d'un nouveau périple à cheval. Mon bras bandé était douloureux et, après la chasse, mon dos me faisait mal. Le ciel était gris et le temps à nouveau lourd.

Troublé par ce que m'avait dit Hobbey la veille, je n'étais guère loquace. Je pensais avoir seulement encouragé Ettis à tenir tête à un propriétaire abusif et j'estimais que David aurait pu avoir une attaque à n'importe quel moment. En outre, personne ne connaissait le meurtrier d'Abigail ni le mobile du crime. Mais je comprenais pourquoi Hobbey voyait en moi un éventuel justicier.

La veille, j'avais écrit à Warner pour lui raconter ce qui s'était passé. Je lui avais également parlé de l'offre de Dyrick à propos des frais. Puis j'avais écrit à Guy pour lui annoncer que nous ne rentrerions pas tout de suite. Je m'étais ensuite rendu dans le quartier des dépendances pour aller chercher la lettre que Barak avait écrite à Tamasin. Nous allions laisser les lettres à Cosham à l'intention du courrier. Au moment où j'étais sorti de ma chambre, comme je passai devant celle de David, j'entendis de gros sanglots déchirants, tandis que Fulstowe murmurait des paroles rassurantes.

Sur le chemin du retour à la maison, je vis Hugh

au loin, assis sur le mur à demi écroulé de l'ancien cimetière des nonnes. Je me dirigeai vers lui. Son long visage était triste et les coins de sa bouche affaissés. Il leva les yeux vers moi, une terrible lassitude dans le regard.

« Mes condoléances », fis-je.

Il eut un petit hochement de tête. La lumière déclinante estompait ses cicatrices. Sa juvénile beauté le faisait paraître d'autant plus vulnérable. « Merci, dit-il, mais autant vous dire que je n'éprouvais aucun sentiment pour Mme Hobbey. Je pensais que ce serait différent à présent, mais il n'en est rien.

— Ce matin, vous avez déposé une fleur dans son giron.

— Oui. À ce moment-là, je la plaignais.

— Vous avez dit quelque chose d'assez particulier quand vous étiez à côté du corps… J'ai cru vous entendre prononcer : "Tu l'as bien mérité" », poursuivis-je en le regardant droit dans les yeux.

Il resta silencieux quelques instants, puis répondit : « Que Dieu me garde, c'est fort possible. » Il regarda dans le vague.

« Pour quelle raison ?

— Au début, je pense que, à sa façon, elle souhaitait vraiment agir en mère avec moi et encore plus auprès de ma sœur. Mais pour elle et M. Hobbey, la principale raison était – sa voix s'érailla un instant – l'argent. Ils voulaient utiliser nos terres et ils ont tenté de marier Emma à David, comme je vous l'ai déjà dit. Quand j'ai vu son cadavre, j'ai ressenti de la pitié mais également de la colère. Oui, j'ai bien prononcé ces mots.

— Aviez-vous déjà vu un mort ?

— Oui. Mon père et ma mère. Ils ne m'ont pas

laissé me recueillir auprès de ma sœur car elle était défigurée par la petite vérole. Je regrette qu'ils ne m'aient pas permis de la voir... Allez-vous rapporter mes paroles au coroner ?

— Je pense que vous devriez le faire vous-même, Hugh. Lui parler de vos sentiments envers elle. »

Il me regarda d'un air dur. Pensait-il, comme Hobbey, à tous les ennuis qui avaient surgi depuis mon arrivée ?

« Qui a tué Mme Hobbey, à votre avis ? demandai-je.

— Aucune idée... Pensez-vous que c'est moi ? » fit-il en fronçant les sourcils.

Je secouai la tête. « Tout comme vous, Hugh, je n'en ai aucune idée. » Je regardai le cimetière. Ursula avait à nouveau déposé des fleurs sur la tombe de la sœur.

« Mais lorsque vous avez entendu mes paroles vous avez pensé que ce pouvait être moi. » Il devint rouge de colère, ce qui fit ressortir ses cicatrices.

« Je me suis seulement demandé ce que vous vouliez dire.

— Vous m'aviez promis d'être mon ami. » Il se leva, les poings serrés. Il avait ma taille mais était plus robuste.

« Je n'accuse personne, Hugh. Cependant, dès le début, j'ai senti que tous les membres de cette famille dissimulaient quelque chose. Je ne vous parle pas là de l'état de santé de David.

— Vous vous trompez.

— Aujourd'hui, j'ai parcouru vos terres à cheval, en compagnie d'Edward Priddis. Je crois que M. Hobbey a falsifié ses comptes. Probablement de connivence avec sir Quintin. Il se peut qu'il vous ait volé des centaines de livres. »

Une expression de mépris était apparue sur son visage. « Quand allez-vous comprendre, monsieur, que cela ne me fait ni chaud ni froid ? Et maintenant, messire Shardlake, laissez-moi seul, s'il vous plaît. »

✝

Nous vîmes de nouveaux chariots se diriger vers le sud, transportant un chargement allant de l'outillage de charpentier aux piques et aux casques. Nous nous rangeâmes sur le bas-côté pour laisser passer une nouvelle compagnie d'archers. Qu'advenait-il de celle de Leacon ? Était-elle déjà montée à bord des navires ?

Vers midi, nous nous engageâmes sur la route du Sussex. Nous fîmes halte pour prendre une collation à l'auberge où je m'étais arrêté lors de mon précédent voyage. « Vous n'avez guère été bavard, me dit Barak devant un verre de bière. Vous avez le visage fermé des jours où quelque chose vous ronge.

— Je pensais que je n'ai réussi qu'à me faire des ennemis depuis mon arrivée à Hoyland. » Je lui relatai mon entretien avec Hugh et lui rapportai que Hobbey me considérait comme l'instrument de son châtiment. « Après les propos de Hobbey, je me suis demandé si Abigail serait toujours en vie si je n'étais pas venu ici.

— Tôt ou tard quelque chose devait arriver à cette famille. Ils sont tous fous à lier.

— Qui a assassiné Abigail, Jack ? Hobbey a raison, tout le monde la détestait… Mais au point de la tuer ?

— Ils feront porter le chapeau à Ettis, s'ils le peuvent.

— Je crois que c'est justement l'idée de Dyrick. Mais il n'y a aucune preuve.

— Les jurys sont manipulés dans ces trous de province. Si vous voulez faire quelque chose d'utile, assurez-vous que l'enquête soit menée impartialement.

— Soit. Et tu as raison à propos des membres de cette famille. Leurs rapports sont tellement… tordus… que je ne peux m'empêcher de penser qu'elle a été assassinée par quelqu'un de la maisonnée.

— Mais par qui ?

— Fulstowe a beaucoup de pouvoir pour un simple intendant. Quand des domestiques possèdent un tel ascendant sur leurs maîtres, c'est généralement qu'ils connaissent un secret particulièrement grave à leur propos. Un secret qu'ils ne voudraient pas voir divulguer par une femme instable.

— Mais quel secret ?

— Aucune idée… Et, encore une fois, merci de m'accompagner.

— À dire vrai, si j'étais resté là-bas, j'aurais passé mon temps à faire les cent pas en guettant un messager. Il me tarde d'avoir des nouvelles de Tamasin.

— Il est possible que même les messagers royaux aient du mal à passer.

— Si seulement je pouvais rentrer à la maison ! » s'écria-t-il d'un ton soudain passionné.

« N'est-ce pas étrange, dis-je en souriant tristement, que, même dans la mort, la malheureuse Abigail paraisse ennuyer tout le monde ? Elle a été tuée par un archer plutôt adroit. Ce qui nous donne un bon nombre de coupables potentiels. Les garçons, Fulstowe, Ettis. Voire Dyrick qui s'est une fois targué d'être un habile archer et d'apprendre le tir à l'arc à ses enfants.

— Mais pas Hobbey ? »

Je secouai la tête. « Il n'a ni l'habileté ni la… passion nécessaires. Voilà le terme idoine. Le meurtrier a agi sous l'emprise de la passion, de la colère. Il s'agit de quelqu'un qui savait qu'il risquait la corde, mais qui, au moment où il l'a aperçue, en tout cas, ne s'est pas préoccupé des conséquences de son acte.

— Ce n'est pas la vieille Ursula, par conséquent. Si elle ne portait pas Abigail dans son cœur, je ne la vois pas lui décocher une flèche.

— Tu dis des bêtises… » Je finis ma chope. « Viens, il nous faut reprendre la route.

— J'essayais simplement de vous détendre. Dieu sait qu'on a besoin tous les deux de se remonter le moral. »

33

Nous atteignîmes Rolfswood au milieu de l'après-midi. Les nuages s'étaient amoncelés et un nouvel orage d'été menaçait. La petite ville avait le même air endormi que la dernière fois. Je désignai la maison de Buttress. « C'était naguère la maison d'Ellen. Il l'a eue pour une bouchée de pain. C'est un ami de Priddis, ou il l'était jadis.

— Serait-ce lui qui paie la pension d'Ellen à Bedlam pour honorer quelque accord ? »

Je secouai la tête. « La maison ne vaut pas autant d'argent. » Je désignai l'église, de l'autre côté des champs. « C'est là qu'habite Seckford, au presbytère. »

Il plissa les yeux pour examiner le bâtiment. « Ça a l'air délabré.

— Ça l'est. Et le vicaire aussi, hélas.

— Une femme nous regarde depuis le seuil de l'auberge », chuchota-t-il.

Nous fixant d'un air froid, les bras croisés, une vieille femme se tenait dans l'encadrement de la porte.

« C'est la femme qui m'a fait connaître Wilf Harrydance. Ici non plus je ne crois pas être très aimé. Je doute que nous puissions loger là ce soir.

— Où va-t-on dormir alors ? La journée a été longue.

— Il se peut que Seckford puisse nous aider. Viens, on va suivre ce chemin jusqu'à l'église. »

Nous gagnâmes le presbytère et attachâmes les chevaux – fatigués et couverts de poussière, comme nous-mêmes – devant le bâtiment. Apercevant le cerisier, comme nous avancions sur l'allée, je me demandai si Seckford observait toujours sa résolution de ne pas boire avant que l'ombre ait atteint un certain niveau de l'arbre. Je frappai à la porte et entendis le pas traînant du vieil homme. Il ouvrit et son visage grassouillet eut l'air d'un seul coup soulagé. « Vous êtes venu, monsieur, dit-il. Dieu, merci... Qui est-ce ? fit-il sèchement en voyant Barak.

— Mon assistant. »

Il hocha la tête. « Veuillez m'excuser, mais nous nous sommes fait du souci. Entrez donc. Wilf vous attend ici depuis le début de la matinée... » À l'odeur de son haleine, je devinai que les deux hommes avaient déjà bu ensemble. Il nous conduisit dans la salle vétuste. Wilf Harrydance se leva de son tabouret. Son gros chien, qui était allongé à côté de lui, se redressa et remua la queue. Dans son visage mince et hâlé, les yeux brillants étaient inquiets. « J'avais fini par croire que vous ne viendriez pas, monsieur. Après que mes fils... Je m'excuse, mais ils voulaient seulement me protéger...

— Je comprends, Wilf.

— Quelles nouvelles des Français ? demanda Seckford.

— Il paraît qu'ils remontent la Manche et se dirigent vers Portsmouth.

— Que Dieu nous aide ! Asseyez-vous, je vous prie. »

Soulevant de petits nuages de poussière, nous nous laissâmes tomber avec délice sur le banc à dossier. « Un verre, messieurs ? fit le vicaire en tendant le bras vers la cruche posée sur le buffet.

— Oui, s'il vous plaît, répondit Barak. Nous avons le gosier sec. »

Seckford versa deux bières, ses mains tremblant encore plus que dans mon souvenir. Il nous les apporta puis s'installa sur sa chaise. Wilf jeta un coup d'œil au vicaire, qui se pencha en avant. Bien qu'il fût légèrement éméché, sa voix était empreinte d'une nouvelle force, d'une nouvelle fermeté.

« Après votre visite, messire Shardlake, maître Buttress a arpenté la ville pour découvrir qui vous avait mis au courant de l'incendie. Il savait que vous m'aviez parlé et a débarqué ici, fou de rage, affirmant que vous sembliez douter qu'il soit le légitime propriétaire de sa maison.

— C'est absolument faux. Je lui ai seulement rapporté que vous m'aviez raconté cette ancienne histoire. Désolé. J'aurais dû vous le signaler avant mon départ... Et je ne lui ai pas dit que je vous avais parlé, ajoutai-je à l'intention de Wilf.

— Cela ne l'a pas empêché de venir à l'auberge pour m'interroger. Il sait que je pense depuis toujours que Priddis a caché quelque chose lors de l'enquête. Je lui ai affirmé que je ne vous avais rien dit. Ça me gênait, monsieur.

— Maître Buttress est un homme dur, reprit Seckford, qui détient beaucoup de pouvoir dans la ville. Veuillez m'excuser, monsieur, mais je dois vous poser une question. Est-ce que vous preniez réellement des renseignements sur la famille Fettiplace pour le compte d'un client qui recherche des parents ? »

Je pris une profonde inspiration. « Non. Pardonnez-moi de vous avoir trompé, mais je cherche à savoir ce qui est arrivé à Ellen Fettiplace pour... des raisons personnelles.

— Vous avez menti, monsieur.

— C'est vrai. Désolé.

— Vous n'agissez pas pour le compte de quelqu'un d'autre ? De Priddis, par exemple ?

— Non. Je vous le promets. Pour absolument personne d'autre. Je ne peux pas en dire plus, mais je jurerais volontiers sur la Bible que j'agis pour mon propre compte et pour des raisons personnelles. Sur la foi de renseignements recueillis à Londres indiquant qu'un élément d'importance a bien été caché lors de l'enquête. Mais je ne sais pas de quoi il s'agit et il pourrait être risqué d'en révéler davantage. Je vous en prie, révérend, allez chercher votre bible, que je puisse jurer solennellement.

— Je t'avais dit qu'il y avait autre chose, dit Wilf.

— Et moi je t'avais bien dit que messire Shardlake était un homme de bien. Je vous crois, monsieur, et il est inutile de jurer sur la Bible. » Seckford regarda Wilf, puis croisa les doigts. « Vous êtes avocat, monsieur. Ai-je raison de penser, par conséquent, que vous pourriez avoir Wilf comme client et le conseiller sur un certain problème, et qu'alors vous seriez tenu par le secret professionnel, comme moi par celui de la confession ?

— C'est exact, en effet... Mais, poursuivis-je en m'adressant à Wilf, si cette affaire a quelque chose à voir avec l'auteur de l'incendie de la fonderie, je ne pourrai pas la garder secrète.

— Non, il ne s'agit pas de ça, répondit Wilf en secouant vigoureusement la tête. Mais de quelque chose que j'ai trouvé.

— Ça concerne les circonstances dans lesquelles Wilf l'a trouvé, précisa Seckford.

— Alors je ferai mon possible pour vous prêter assistance.

— J'ai entendu dire, reprit Seckford, que, pour qu'un avocat soit lié à son client, il faut que de l'argent change de mains.

— Ce n'est pas tout à fait vrai. Je peux agir *pro bono*, pour le bien public.

— Je préférerais donner de l'argent, déclara Wilf d'un ton ferme. Devant le révérend Seckford. » Il plongea la main dans la bourse accrochée à sa ceinture et en tira une vieille pièce de six pence en argent pur. « Est-ce que ça suffit ? » demanda-t-il.

J'hésitai, puis tendis la main et saisis la pièce. « Oui. Vous voilà mon client, Wilf. Selon la loi, je n'ai le droit de révéler à personne ce que vous direz. Quoi que ce soit. »

Il prit une profonde inspiration, se pencha pour tapoter le flanc du gros chien. « À cette époque de l'année, César et moi on va déterrer des truffes dans les bois. Maître Buttress est à présent propriétaire de la forêt et de tout ce qu'elle contient. Même s'il affirme avoir l'intention d'abattre les arbres pour vendre le bois, il défend toujours jalousement son bien.

— Ce que fait Wilf pourrait s'appeler du braconnage, intervint Seckford. Dans ce cas, l'amende est lourde et maître Buttress n'est pas du genre à hésiter à faire un procès. Il est échevin.

— Il faudrait des preuves, dis-je. Y en a-t-il ? demandai-je à Wilf.

— Oui », répondit-il, en plongeant son regard dans le mien. Il se tut avant de poursuivre : « Il y a deux jours, j'ai mené César dans les bois. Il a un merveilleux flair pour les truffes. Je connais les mouvements des gardes forestiers, vous voyez, et je sais quand ils se trouvent dans telle ou telle partie de la forêt.

— Je comprends.

— Ce n'est pas tout à fait la saison des truffes et, d'habitude, je ne m'approche pas de la fonderie. Cet endroit est trop triste pour moi. Je repense à l'animation de jadis lorsque tournait la roue du moulin à eau. J'ai horreur de voir ces ruines… » Il s'interrompit brusquement, avala une gorgée de bière, puis continua d'un ton amer : « Mais cette fois-ci je m'en suis approché. Si j'avais entendu dire que le barrage de la retenue du moulin avait cédé, suite aux pluies diluviennes et aux tempêtes de grêle du mois de juin, je n'avais pas voulu aller voir sur place. Mais après vos questions sur ce qui s'était passé à la fonderie, tout m'est revenu en mémoire et j'ai décidé d'amener César dans ce coin et d'y jeter un coup d'œil.

— Je vois. »

Il s'essuya la bouche et poursuivit son récit. « Depuis l'incendie, personne ne s'est occupé de la retenue du moulin. Tôt ou tard, les écluses ne pouvaient que céder. Eh bien, en arrivant sur place, j'ai constaté que la retenue s'était complètement vidée et il ne restait que de la vase, qui, à cause de la chaleur de ce mois-ci, s'est desséchée et a durci. C'était étrange et triste de voir la fosse vide et les ruines près du barrage brisé. César s'est alors lancé sur la vase séchée, s'est mis à renifler et à creuser autour de quelque chose qui dépassait. » Il ferma les yeux un bref instant, avant de reprendre son histoire.

« Je l'ai appelé, mais, comme il continuait à s'acharner sur ce qui ressemblait à une racine d'arbre, j'ai fini par ôter mes chaussures pour aller le chercher. La croûte recouvrait une matière plus molle. À un moment je me suis enfoncé presque jusqu'aux genoux, mais j'ai réussi à rejoindre César. C'est alors que j'ai découvert ce qu'il tentait de déterrer… » Il s'interrompit et avala une nouvelle gorgée de bière. « C'était un bras, un bras humain, tout ratatiné mais conservé par la vase. Il y a là-bas un corps entier. Alors je suis venu voir le révérend Seckford.

— Qui est-ce à votre avis ? demandai-je d'un ton pressant.

— Je n'en sais rien. » Il se tut à nouveau.

« Quelqu'un a pu tomber dans la retenue après l'incendie de la fonderie », intervint Barak.

Wilf secoua la tête. « C'était au milieu de la retenue. Quelqu'un a transporté le corps jusque-là dans un bateau – il y avait là jadis une petite barque à rames – et l'a jeté dans l'eau.

— Un nageur n'aurait-il pas pu s'y noyer à un moment ou à un autre ? fis-je.

— Le corps est vêtu, monsieur. On dirait qu'il a sur le bras des restes d'une manche de pourpoint.

— Que la Vierge Marie nous vienne en aide ! » s'écria Seckford. Il se leva et se dirigea vers le buffet.

« Non, révérend ! lui lançai-je sèchement. Je vous en prie, nous devons garder les idées claires. »

Il hésita, regarda la cruche avec envie, mais se força à revenir s'asseoir. « Vous voyez, monsieur, Wilf avait peur d'en parler, me dit-il. Parce qu'il avait braconné. Son chien avait déterré quelques truffes en route et il aurait eu du mal à expliquer ce qu'il faisait dans les bois. Voilà notre problème. Et il y a maintenant des empreintes de pas dans la boue qui vont jusqu'à l'endroit où se trouve le corps.

— Je vois.

— Nous avons pensé, monsieur, dit lentement Seckford, que vous pourriez dire que vous êtes revenu aujourd'hui à Rolfswood pour poursuivre vos recherches et que vous avez convaincu Wilf de vous conduire jusqu'à la fonderie pour y jeter un coup d'œil. Alors le chien pourrait avoir trouvé... ce qu'il a trouvé, ajouta-t-il avec un sourire gêné.

— Vous demandez à mon maître de faire un faux témoignage », dit Barak.

Le vicaire soutint son regard. « C'est peut-être le seul espoir de Wilf... Il ne serait pas allé là-bas si vous n'étiez pas venu ici, reprit-il en s'adressant à moi. Et vous vouliez savoir ce qui s'y était passé. Eh bien, la découverte du corps provoquera l'ouverture d'une nouvelle enquête. Vous pourriez raconter ce que vous nous avez déclaré, que vous recherchez des membres de la famille Fettiplace pour le compte d'un ami. »

Je m'appuyai contre le dossier du banc en soupirant. Une fois de plus, je m'étais lancé dans une enquête dans le but d'aider quelqu'un et j'avais causé des ennuis supplémentaires à toutes les personnes concernées. Cependant, il semblait que Seckford continuât à me faire confiance.

« Je vais tout de suite vous conduire sur les lieux

pour vous montrer, dit Wilf avec empressement. Comme ça, le moment venu, vous pourrez affirmer que vous m'avez prié en ce jour de vous accompagner jusque-là. Vous êtes mon seul espoir, ajouta-t-il d'un ton désespéré. Mes fils sont d'accord. »

Je regardai Barak. Il secoua la tête et étendit les mains.

« Bon. D'accord, répondis-je à Wilf. Accompagnez-moi maintenant jusqu'à la fonderie pour me montrer l'endroit. Et on fera semblant de tomber sur le corps. »

Il poussa un long soupir de soulagement et adressa un sourire au pasteur. « Vous avez eu raison à son sujet, révérend. Il va me sauver la vie. »

Seckford ne nous accompagna pas. Tant mieux, car il nous aurait ralenti, et j'avais terriblement peur que quelqu'un ne découvre le corps entre-temps. Comme nous nous dirigions vers la porte, je le vis tendre la main vers la cruche. Dehors, Wilf désigna un sentier qui menait dans les bois. J'avais faim, j'étais couvert de poussière, mes jambes étaient atrocement fatiguées. Mais il fallait agir au plus vite.

Nous suivîmes Wilf dans la forêt, son chien trottinant sur ses talons. Le ciel était très sombre et il risquait de pleuvoir d'un moment à l'autre.

« Dans quel merdier on est en train de se fourrer, cette fois-ci ? marmonna Barak.

— Il s'agit d'une affaire qui aurait dû être réglée il y a longtemps. Mais aucun secret ne dure éternellement.

— Ç'aurait pu être le cas de celui-ci, si le chien ne s'était pas mis à creuser. Vous vous rendez compte qu'une autre enquête va être diligentée et que c'est vous qui serez censé avoir trouvé le corps en premier. Sauf que cette fois-ci vous aurez raconté une fable.

— Je ne pouvais pas laisser le vieil homme dans cette situation embarrassante. Mais tu n'es pas forcé de venir. Tu n'as pas besoin de t'en mêler.

— La femme nous a vus arriver dans la ville ensemble. On va vous demander qui vous accompagnait.

— Tu as raison. Désolé.

— Tout semble indiquer qu'il s'agit à nouveau d'un meurtre, n'est-ce pas ?

— Oui, Jack. En effet. »

Nous suivîmes Wilf le long d'un chemin forestier recouvert de végétation et longeant le grand cours d'eau qui traversait la ville de part en part. Dans d'autres circonstances, j'aurais apprécié le joli paysage. « Cette rivière apportait l'eau au moulin, lança Wilf par-dessus son épaule. Ici, César », cria-t-il au chien, lequel nous devançait, apparemment impatient d'arriver. Le vieil homme s'arrêta, passa la main sur son crâne chauve et tanné. « Durant de longues années, j'ai emprunté ce chemin pour aller au travail, dit-il. C'était très animé à l'époque. Des charrettes roulaient ici, chargées de grandes quantités de fer... On arrive d'abord à la fonderie, la retenue se trouve derrière. »

Nous atteignîmes la clairière où s'était trouvée la fonderie juste au moment où de grosses gouttes de pluie commençaient à tomber. Il n'y avait plus qu'un tas de ruines de faible hauteur, des restes de parois en bois déchiquetées, noircies, calcinées et garnies de lierre. À une extrémité, une roue à aubes fracassée était appuyée contre une haute colonne – sans nul doute, la cheminée de la fournaise – au sommet de laquelle se trouvaient des nids de corneille. Derrière le bâtiment en ruine, j'aperçus une longue étendue rectangulaire de boue marron au centre de laquelle coulait à présent le cours d'eau. De gros monticules recouverts de végétation s'élevaient sur les berges. « Qu'est-ce que c'est ? demandai-je à Wilf, en les désignant du doigt.

— Des terrils. »

Apercevant le bassin asséché, le chien voulut s'y précipiter, mais Wilf tendit la main et le saisit par le collier. « Il faut chercher quelque chose pour creuser », expliqua-t-il. Il nous conduisit au milieu des ruines en nous faisant passer par une brèche dans les murs effondrés. À l'intérieur, les mauvaises herbes avaient envahi le sol de pierre. À une extrémité se trouvait le local contenant l'ancienne fournaise. Les murs avaient presque entièrement disparu mais, quoique noirci, le vieux fourneau en pierre était intact. Un trou sombre s'ouvrait au fond ; c'était sans doute par là qu'était recueilli le fer à demi fondu. Wilf se mit à fouiller parmi les débris jonchant le sol, tandis que Barak et moi regardions à l'entour. La pluie avait commencé à tomber régulièrement, crépitant sur nos têtes et sur le sol de pierre.

« Le bâtiment est plus grand que je ne le croyais », observai-je. On percevait encore l'âcre odeur du fer.

Wilf leva la tête. Il avait déniché une bêche dont le plateau était à moitié mangé par la rouille. « Si un incendie se déclarait ici cela prendrait beaucoup de temps pour que tout l'enclos se consume. Et les murs n'étaient pas hauts. Toute personne valide pouvait facilement les enjamber. »

Les paroles d'Ellen me revinrent en mémoire : « Il

brûlait ! Le malheureux était en feu… » Elle avait parlé d'un seul homme, pensai-je. L'autre était-il déjà dans la retenue ?

« Je vois à quel point cet endroit a dû être dévasté après l'incendie, dit Barak.

— Il a été presque entièrement brûlé, répondit Wilf. On a trouvé des ossements, bien sûr. Complètement brûlés, calcinés… Juste là, précisa-t-il en montrant le fourneau.

— Des ossements de combien de personnes ? » m'enquis-je.

Il secoua la tête. « C'était difficile de dire de quels os il s'agissait. Ils étaient si brûlés. Mais il n'y avait les restes que d'un seul pelvis. Priddis a déclaré que les autres os devaient être si calcinés qu'il était impossible de les reconnaître… Bien, messieurs, allons-y ! Allons voir ce que César a trouvé. »

Nous quittâmes la fonderie en ruine. La pluie tombait toujours et je dus cligner des yeux pour en chasser des gouttes. Nous gagnâmes le bassin boueux d'où s'exhalait une atroce puanteur. Il était entouré de roseaux, en train de mourir à cause du manque d'eau. Wilf sortit une corde et attacha César à un arbre. Le chien se mit à gémir en regardant la boue d'un air d'envie. Le vieil homme indiqua un endroit près du centre de la retenue, à environ dix toises du bord. Des empreintes de pieds menaient à une sorte de gros bâton noirci qui surgissait de la boue. Barak sifflota doucement.

Wilf désigna un poteau en bois parmi les roseaux. « C'est là, vous voyez, qu'était attachée la barque. Quand la fille de maître Fettiplace était petite, elle allait ramer sur la retenue. Le soir de l'incendie, quelqu'un a sans doute dû utiliser ce bateau pour jeter le corps au milieu. » Ellen aurait pu faire ça, pensai-je soudain. Mais pourquoi ne pas l'avoir laissé dans la fonderie ?

Wilf serra les mâchoires. « On a intérêt à s'y mettre, messieurs ! »

Il chargea la bêche rouillée sur son épaule. Barak et moi ôtâmes nos chaussures et, marchant avec précaution, nous le suivîmes sur la boue sèche et craquelée. À un moment, la croûte céda et Barak s'enfonça jusqu'à mi-mollet. Il poussa de grands jurons en extirpant sa jambe.

Wilf fut le premier à atteindre le milieu du bassin. « Vous voyez, monsieur ? »

Je regardai un semblant de bras humain ratatiné, la peau desséchée et des restes de tendons sur l'os. Cela me rappela les reliques des saints désormais interdites. Wilf planta la bêche dans une fente de la croûte de boue. « Restez à l'écart, messieurs, fit-il.

— Laissez-moi faire ! s'écria Barak d'un ton bourru. Je suis plus jeune que vous.

— Non, monsieur. Même avec cet outil cassé, il est assez aisé d'atteindre la vase sous la croûte. Mais il faudra que vous m'aidiez à sortir le corps. » Il donna un grand coup de bêche dans la boue. Barak et moi le regardâmes agir, tandis que la pluie se déversait impitoyablement sur nos têtes. Une couche de gadoue malodorante et visqueuse apparut peu à peu. Au bout de quelques minutes, Wilf s'arrêta, fit la grimace et se redressa en gardant la tête baissée.

« Que se passe-t-il ? demanda Barak.

— Il me semble que j'ai heurté le corps, répondit-il, tout pâle.

— Vous voulez que je vous relaie ?

— Oui. S'il vous plaît. »

Vingt minutes plus tard, Barak avait dégagé une étendue de vase épaisse de sept pieds sur trois environ. Il se pencha, tendit la main, tâta le sol, puis tira doucement et sortit un deuxième bras. L'odeur de la boue lui fit détourner la tête. « Essayez de trouver les pieds, dit-il. Si on tente de le sortir uniquement par les bras, on risque de le démembrer. »

Wilf et moi nous agenouillâmes avec précaution sur la croûte détrempée et plongeâmes les mains dans la vase. La pluie continuait à nous fouetter tous les trois, ainsi que les bras décharnés, désormais à l'air libre. « Je tiens une jambe, annonça Wilf d'une voix tremblante.

— Et moi l'autre », dis-je. Cela faisait une horrible impression, car je ne sentais que du tissu et de l'os.

« Un, deux, trois ! » lança Barak, et nous tirâmes tous en même temps. Le corps d'un homme sortit lentement du fond du bassin, la boue faisant un bruit de succion. La jambe que j'avais attrapée semblait particulièrement difficile à extirper. Comme elle se dégageait lentement de la vase, je compris pourquoi. Le bout d'une corde entourait la cuisse et un bloc de fer était attaché à l'autre extrémité. Cela ne faisait plus aucun doute : le corps avait été caché dans la retenue.

Nous traînâmes la chose noirâtre et dégoulinante jusqu'à la berge, tandis que César aboyait en tirant sur sa corde. Nous nous assîmes sur le sol, aspirant de grandes bouffées d'air pur, la pluie pénétrant dans nos bouches. Puis Wilf se leva et retourna délicatement le corps. Il sortit un chiffon de sa blouse et essuya la tête recouverte de boue. Ce n'était guère plus qu'un crâne avec de la peau plaquée dessus, mais il y avait encore des cheveux.

Il essuya le cou ainsi que le col de ce qui m'apparut comme les restes d'un pourpoint. Il se pencha et se releva, un gros bouton dans la main. Il me le montra et je vis que sa main tremblait.

« Voyez, monsieur, le bouton n'est pas pourri. Regardez le dessin, une grosse croix à branches égales. Je le reconnais. C'étaient les boutons du pourpoint que maître Fettiplace portait souvent pour aller travailler. Et les cheveux sont blonds comme les siens. C'est lui. » Il eut l'air bouleversé et commença à pleurer. « Pardonnez-moi, c'est trop d'émotion pour moi. » Barak lui posa une main sur l'épaule.

« Comment cela s'est-il passé ? demandai-je à Barak. Ellen a dit qu'un homme avait brûlé. Il s'agissait sans doute de Peter Gratwyck, l'ami de Wilf. Son père a été assassiné et jeté là. » Je regardai le cadavre, mais il était désormais trop momifié pour montrer la moindre trace de blessure.

« Mais s'il a été assassiné, pourquoi n'a-t-on pas abandonné le corps dans la fonderie pour qu'il brûle lui aussi ? » Il se pencha tout près du corps. « Et qui était présent ? On sait qu'Ellen était là, mais qui d'autre ? »

Je me tournai vers Wilf. « À part maître Fettiplace et Gratwyck, votre ami, quelqu'un d'ici a-t-il disparu à l'époque de l'incendie ? Quelqu'un qui aurait pu commettre ces meurtres avant de s'enfuir ? »

Le visage de Wilf était maculé d'un mélange de boue, de pluie et de larmes. « Non, monsieur, répondit-il. Personne. »

34

Wilf ayant insisté pour mettre le corps de Fettiplace à l'abri, nous plaçâmes le cadavre desséché
contre une paroi intérieure de la fonderie en ruine,
le protégeant avec des planches. Cela me retourna le
cœur et j'avais peur que les os ne se brisent durant
le transport. Jetant un regard à la boue craquelée
et à la tranchée boueuse d'où nous l'avions tiré, je
vis que l'espace dégagé et l'empreinte de nos pas
se remplissaient d'eau de pluie. Nous quittâmes les
lieux trempés et tout dégoulinants.

« À présent, je suppose qu'on doit se rendre chez
Buttress, dit Barak, puisqu'il est échevin.

— En effet. Il devra diligenter une enquête et avertir
le coroner du Sussex. » Je secouai la tête. « Décidé-
ment, les meurtres jalonnent ce voyage.

— Leur point commun, c'est l'implication de Priddis, chuchota Barak, bien que Wilf marchât un peu
plus loin devant nous, avec César. Vous avez dit que la
signature d'Ellen sur le contrat de vente de la maison
est un faux. Pensez-vous que Buttress le sache ?

— C'est possible. L'homme ne m'a pas plu. »
Le presbytère apparut. Je pris le bras de Wilf.

« Vous devriez envoyer chercher vos fils, dis-je gentiment. Vous avez reçu un choc. »

Il reprit ses esprits. « Vous ne parlerez pas de mon braconnage, n'est-ce pas ?

— Non. Je vous l'ai promis. Nous raconterons l'histoire comme nous sommes convenus, c'est-à-dire que je vous ai prié de me montrer les bâtiments de l'ancienne fonderie. »

Nous ayant vus approcher, Seckford sortit dans son jardin. « Qu'avez-vous trouvé ? demanda-t-il avec angoisse.

— Le corps de maître Fettiplace. » Je saisis le bras mou et potelé du vicaire et le regardais droit dans les yeux. « Révérend, Wilf aura dorénavant besoin que vous ayez les idées claires. Nous tous, en fait. »

Il prit une profonde inspiration. « Son corps, dit-il à Wilf, sera enterré chrétiennement. J'y veillerai. »

Nous entrâmes dans la salle. « Cette cruche, messire Shardlake, reprit Seckford avec une soudaine fermeté, voudriez-vous la porter à la cuisine ? »

Je portai sa bière dans une petite pièce crasseuse derrière la salle, où voletaient des mouches au-dessus d'assiettes sales. S'il semblait à peine capable de s'occuper de lui-même aujourd'hui, jadis il avait pris soin d'Ellen. Je rentrai dans la salle où Wilf était tassé sur le banc à dossier. Seckford était assis dans son fauteuil.

« Révérend Seckford, dis-je. Je crois qu'il faut que nous allions tout de suite chez maître Buttress. Tous les quatre.

— Va-t-on découvrir la vérité, cette fois-ci ?

— Je l'espère. Bon, écoutez-moi, tous les deux, s'il vous plaît. Je vous demande de ne pas divulguer mon intérêt personnel. Que Buttress continue à penser que j'essaie de retrouver des membres de la famille d'un de mes clients. »

Seckford me lança soudain un regard perçant. « Mais si vous avez découvert quelque chose à Londres, il est temps de nous dire de quoi il s'agit.

— J'ai de bonnes raisons de ne rien dire pour le moment. Faites-moi confiance, je vous en prie. » Plus que jamais je voulais éviter que Buttress – ou ses complices – ne découvre l'endroit où se trouvait Ellen… Si tant est qu'ils ne le sachent pas déjà. J'espérais de toutes mes forces que j'avais pris assez de précautions pour la protéger. Je souhaitais soudain que Wilf ne soit pas tombé sur le cadavre. Le vieil homme me regardait à nouveau d'un air sceptique.

Seckford vint à ma rescousse. « Nous devons faire confiance à messire Shardlake, Wilf. Il faut en dire le moins possible quand on a affaire à des gens comme Buttress. Pas vrai, messire Shardlake ?

— Absolument. » Je sentis une bouffée de gratitude devant la confiance que m'accordait le vicaire. Il se leva, se dirigea vers Wilf et lui tapota le bras. « Nous pouvons passer par l'église en allant chez Buttress et je vais écrire un mot que le bedeau portera à vos fils. »

Une heure plus tard, j'étais à nouveau assis dans la salle bien meublée de maître Buttress. Il y avait un vase de fleurs fraîches au parfum entêtant sur la table. Seckford était assis à côté de moi, quelques gouttes de sueur perlant sur ses joues rebondies, tandis que Barak et Wilf se tenaient derrière nous, car, bien que Wilf ait eu l'air mal en point et bouleversé, Buttress n'avait offert des sièges qu'à Seckford et à moi. Comme je lui décrivais la découverte de la retenue, Buttress arpentait la pièce, les mains nouées derrière son large dos. Quand j'eus terminé mon récit, il passa une grosse pogne dans ses cheveux gris bouclés, puis vint se planter devant moi et me regarda de haut en bas.

« Ce que je ne comprends pas, messire Shardlake, fulmina-t-il, c'est pourquoi vous êtes allé farfouiller dans la fonderie, alors que, lors de votre précédente visite, votre but semblait de mettre en doute mon droit de posséder cette maison.

— Je n'ai jamais rien suggéré de tel, monsieur. Je souhaitais seulement voir si le contrat de cession contenait l'adresse de Mlle Fettiplace, et vous avez accepté de me montrer le document. » Je n'avais pas contesté l'authenticité du titre de propriété mais les coupables, pensai-je, sont toujours prompts à s'inquiéter. Je compris alors que Buttress était un fieffé idiot.

Il émit un grognement et ses petits yeux marron s'étrécirent. « Selon mon expérience, quand un avocat souhaite voir un contrat de vente c'est qu'il a l'intention de contester le titre de propriété.

— Je m'excuse si je vous ai inutilement alarmé. C'est, à l'évidence, ce qui a dû se passer puisque le révérend Seckford et maître Harrydance m'informent qu'après mon départ vous avez posé des questions à propos de ma visite.

— Mais pourquoi effectuer à nouveau ce long trajet pour fureter dans les ruines de la fonderie ?

— Je jouissais d'une journée de libre dans le Hampshire et j'avais envie de faire une randonnée à cheval. Le révérend Seckford m'avait dit que maître Harrydance connaissait l'endroit.

— Et tout cela parce que vous avez un client qui cherche à retrouver des membres de sa famille. Au fait, qui est donc ce client ?

— Vous savez bien que je ne peux pas répondre à cette question, monsieur. Je suis tenu par le secret professionnel.

— Malgré tout, vous devrez le donner au coroner du Sussex quand il arrivera. » Ses yeux continuèrent à fouiller les miens un moment, puis il se détourna en faisant un geste d'agacement. « Je suppose que je dois à présent prendre des dispositions pour qu'on ramène les restes à Rolfswood. Demain est jour de marché, les commères vont s'en donner à cœur joie. Et il faut que j'écrive au coroner du Sussex à Chichester. Même si Dieu seul sait quand il pourra venir jusqu'ici... De toute façon, reprit-il en nous regardant tous les quatre, l'un après l'autre, il n'y a pas d'urgence. Maître Fettiplace est resté dix-neuf ans dans cette retenue. Il peut sans dommage patienter encore un peu.

— Avec tout le respect que je vous dois, monsieur, permettez-moi de vous faire remarquer qu'il s'agit quand même de la victime d'un meurtre. Le verdict de sir Quintin Priddis, indiquant une mort accidentelle, était à l'évidence erroné.

— Oui-da ! renchérit courageusement Wilf. J'ai toujours dit que l'enquête n'avait pas été correctement menée. »

Fusillant le vieil homme du regard, Buttress pencha son lourd corps en avant. « Accusez-vous d'incompétence l'une des personnalités de la région ? Prenez garde, espèce de vieux gâteux.

— Maître Harrydance est bouleversé », dit Seckford pour l'excuser.

Buttress tourna vers lui son funeste regard. « Monsieur le vicaire, je sais que vous et cet autre vieil imbécile aimez boire un coup ensemble. Et pas seulement un, d'ailleurs. Et il paraît que vos offices ont un relent papiste. Ne m'irritez pas au point de m'obliger à vous rendre la vie difficile à tous les deux.

— Je proteste, monsieur, intervins-je. En tant que magistrat municipal, il n'est pas convenable que vous menaciez les témoins. »

Il se rembrunit mais garda son calme. « Je n'ai fait que rappeler maître Harrydance à l'ordre parce qu'il avait insulté l'ancien coroner. Et le révérend Seckford n'est pas un témoin puisqu'il ne vous a pas accompagné à la fonderie.

— Je suis témoin, cependant, répliqua Seckford d'un ton calme, de l'état d'esprit dans lequel se trouvait Mlle Fettiplace après l'incendie de la fonderie et du fait que messire Priddis en personne l'a forcée à quitter ma maison. »

Je fis la grimace, regrettant qu'il ait mentionné la disparition d'Ellen. « Si elle a été témoin d'un meurtre, dis-je d'un ton suave, cela pourrait expliquer son état d'esprit.

— Et s'il s'agissait d'un suicide ? rétorqua Buttress en me faisant brusquement face. Et si maître Fettiplace, pour une raison inconnue de nous, avait mis le feu à la fonderie, tué son assistant, ramé jusqu'au milieu de la retenue et attaché, à l'aide d'une corde, un bloc de fer à sa cuisse avant de se jeter à l'eau ? De telles choses arrivent. Il y a deux ans, une petite idiote de villageoise s'est fait engrosser et s'est jetée à l'eau dans l'étang du village. »

Je pensai soudain à Michael Calfhill, pendu à une

corde dans son logement. « Dans ce cas, le lendemain matin, la barque vide aurait sans nul doute été découverte en train de flotter sur la retenue.

— Peut-être ne l'a-t-on pas remarquée, car tout le monde était préoccupé par l'incendie.

— Pourquoi maître Fettiplace se serait-il donné la mort ? »

Il haussa les épaules. « Qui peut le savoir ? Eh bien, on va devoir interroger les témoins. Certains des ouvriers de la fonderie sont toujours vivants.

— Je crois comprendre qu'Ellen Fettiplace avait passé la journée avec un jeune homme qui s'intéressait à elle, Philip West. »

Buttress me lança un regard noir. « Les West sont une famille importante de la région. Qui se donne de l'importance, à tout le moins. M. West est maintenant officier dans la marine royale.

— Quoi qu'il en soit, il devra lui aussi être interrogé. » Je me rendais compte que lorsqu'on aurait rassemblé les témoignages de tous ces gens on s'apercevrait que j'avais fait des recherches approfondies au sujet d'Ellen et de son passé. Mais l'important était de les interroger avec soin. Et je serai présent.

« Il faudra du temps pour mettre la procédure en branle », ajouta Buttress. Je compris qu'il ferait tout pour ralentir le mouvement. Pourquoi ? Pour éviter que ne soit divulgué le secret de la falsification du contrat de vente de la maison ?

« Je suppose, reprit-il, que vous serez rentré à Londres avant que le coroner du Sussex n'ait eu le temps de regrouper tous ces gens. Il vous écrira. Sauf si les Français ont débarqué entre-temps et que, submergé par la guerre, nous soyons empêchés de faire quoi que ce soit.

— Je me maintiendrai informé de l'affaire par l'intermédiaire du révérend Seckford. » Je lançai au vieil homme un regard significatif. Il hocha la tête.

« Oui, messire Shardlake, soupira Buttress. J'en suis persuadé… »

✝

Le soir, nous nous retrouvâmes à l'auberge de Rolfswood. Sans surprise, Buttress s'était gardé de nous offrir l'hospitalité. Quand nous avions quitté sa maison, les fils de Wilf nous attendaient un peu plus loin dans la rue. Cette fois-ci, ils se montrèrent courtois envers moi. Après tout, je venais de mentir pour éviter à leur père d'être accusé de braconnage.

« Père, tu aurais dû laisser ce cadavre en paix, dit l'un des fils d'un ton de reproche. Laisser quelqu'un d'autre le découvrir. Regarde-toi, tu es à moitié mort.

— Je ne pouvais pas laisser là maître Fettiplace, répondit Wilf. Messire Shardlake va me protéger.

— Je veillerai à ce que justice soit faite », confirmai-je. J'espérais pouvoir tenir ma promesse. Buttress n'était peut-être pas intelligent mais il était rusé et impitoyable.

Seckford et Wilf nous accompagnèrent à l'auberge. Il s'avéra que la veuve Bell, la femme qui m'avait présenté à Wilf, en était la propriétaire. Elle accepta de nous loger ce soir-là. Quand nous nous quittâmes, je saisis la main molle de Seckford. « Révérend, disje, protégez Wilf du mieux que vous pourrez. Si vous avez besoin d'aide, écrivez-moi. » Je lui avais donné

617

l'adresse du prieuré de Hoyland et de mon cabinet à Londres.

Il me regarda de ses yeux chassieux, un sourire triste sur les lèvres. « Vous craignez que je ne sois trop éméché pour être de la moindre utilité. Soyez sans crainte, monsieur, je saurai me maîtriser. Dieu m'a chargé d'une mission, comme jadis auprès d'Ellen. Mais cette fois-ci je n'y faillirai pas.

— Merci », fis-je, tout en espérant qu'il aurait la force de demeurer fidèle à cette belle résolution.

Barak et moi fûmes conduits à une chambre. Épuisés, nous nous effondrâmes tous les deux sur le lit, où nous restâmes jusqu'à ce que, une heure plus tard, la faim nous pousse à descendre dîner. L'auberge était pleine. Je me rappelai que Buttress avait indiqué que le lendemain était jour de marché. Comme nous étions à table, quelqu'un annonça que le corps du vieux Fettiplace avait été trouvé dans la retenue, ce qui déclencha un brouhaha de conversations animées. Nous remontâmes dans notre chambre avant que les commérages ne nous lient à la nouvelle.

« Bon. Où en sommes-nous ? s'enquit Barak.

— Nous avons l'occasion de rassembler tous les gens impliqués dans l'affaire pour les interroger. Buttress traînera les pieds. Je vais devoir le houspiller.

— Depuis Londres ? Et Ellen ? Est-ce qu'elle sera en sécurité, si tout est mis au jour ?

— J'ai pris des dispositions pour m'assurer qu'elle le soit. Dès mon retour, j'en prendrai de nouvelles.

— Dorénavant vous allez devoir revenir souvent ici. »

Je me dressai sur mon séant. « Jack, je dois mettre un peu d'ordre dans ce chaos. Il le faut. » Mon ton devenait de plus en plus passionné. Barak posa sur moi un long regard grave, mais resta coi.

« Buttress cache quelque chose, dis-je enfin.

— Sans doute. Mais quelles conséquences va entraîner la découverte du corps de Fettiplace ? Une enquête peut très bien donner raison à Buttress, aboutir à la conclusion que Fettiplace a peut-être tué Gratwyck avant d'aller se jeter dans la retenue.

— Et si un troisième homme était venu à la fonderie, avait violé Ellen, avant de tuer et son père et Gratwyck ? Elle a dit qu'elle avait été attaquée par deux hommes au moins, qu'ils étaient trop forts pour elle et qu'elle ne pouvait pas bouger. »

Il se tut à nouveau quelques instants, puis déclara : « Vous donnez trop d'importance aux divagations d'une folle.

— Ce jour-là, elle disait la vérité.

— Comment pouvez-vous en être si sûr ? » Il croisa les bras et me regarda droit dans les yeux, d'une façon qui me rappela bizarrement certains juges de ma connaissance.

« Tu ne l'as pas vue. Tu n'as pas vu la terreur que ces souvenirs ont réveillée.

— Et si les insinuations de West étaient vraies ? Si Ellen avait tué son père et Gratwyck, avant d'allumer l'incendie ? Priddis a pu malgré tout lui faire quitter la région pour complaire aux West et conclure quelque accord avec Buttress, pour lui permettre d'acheter la maison à un bon prix, les deux hommes se partageant les bénéfices. Vous connaissez la mentalité de ces magistrats de comté, ils sont coutumiers du fait.

— J'ai eu l'impression que Buttress n'aime pas les

West. Il est possible qu'ils se disputent le pouvoir dans la région.

— Vous refusez l'éventualité qu'elle puisse être coupable, n'est-ce pas ? »

Fronçant les sourcils, je m'assis sur le bord du lit. « Je pense que Philip West est impliqué dans ce qui est arrivé, de quelque manière que ce soit. Il est toujours hanté par le souvenir de ce jour-là.

— Ce n'est pas parce que c'est votre avis que c'est la réalité.

— Je veux que West et Priddis soient interrogés au cours de l'enquête ! m'écriai-je, agacé. Cela fera ressortir la vérité. »

Il avait toujours l'air préoccupé et dubitatif. « Quel genre d'homme est le coroner du Sussex ?

— Je ne sais rien de lui. Je me renseignerai dès notre retour à Londres.

— Si on y retourne jamais.

— On rentrera dès que le coroner du Hampshire nous laissera partir. Je t'ai fait une promesse et je la tiendrai. »

Attiré par des éclats de voix, des cris et des appels, Barak se dirigea vers la fenêtre. J'avais bien entendu un brouhaha de plus en plus sonore mais avais pensé qu'il s'agissait des marchands qui préparaient leurs étals pour le marché du lendemain. Il ouvrit les volets et sifflota. « Venez voir ça. »

Je le rejoignis à la fenêtre. Au milieu de la rue, un grand nombre de personnes, certaines portant des torches, s'étaient attroupées autour d'un tas de broussailles. Criant et poussant des vivats, le groupe s'ouvrit pour laisser passer quatre hommes. Ils portaient un pantin en paille, vêtu d'une blouse déchirée et sur le devant de laquelle était peinte, en bonne place, la fleur de lis de la France.

« Brûler le Français ! Tuer le chien ! » hurlait la petite foule.

Le pantin fut déposé sur le tas de broussailles, qui fut embrasé. Les flammes l'illuminèrent quelques instants avant qu'il ne soit rapidement consumé. « Voilà ce qui arrive aux envahisseurs ! cria une voix, saluée par des hourras.

— On va castrer ces bravaches de gentilshommes du roi français ! »

Je me détournai en grognant. « Ils pourraient réfléchir un peu et se demander qui est à l'origine de tout ça. Ils s'apercevraient que c'est notre roi le principal coupable.

— C'est ça le problème. On met quelque chose en marche et d'un seul coup on est complètement dépassé par les événements », déclara Barak en me jetant un regard entendu. Je restai silencieux et m'allongeai à nouveau sur le lit, contemplant le reflet rouge des flammes qui dansait sur le plafond.

Le lendemain, nous nous levâmes de bonne heure en prévision du long trajet à cheval jusqu'à Hoyland. Le ciel était à nouveau dégagé et le soleil brillait. Dehors, les cendres du bûcher avaient été nettoyées et on installait dans la rue les étals dont les auvents avaient des couleurs éclatantes. Après avoir pris le petit déjeuner nous étions en train de ranger nos affaires quand la vieille mame Bell frappa à la porte, avant d'entrer, l'air très troublée. « Quelqu'un demande à vous voir, monsieur, dit-elle.

— Qui est-ce ?

— Lady Beatrice West, la veuve de sir John West et propriétaire de Carlen Hall. »

Barak et moi échangeâmes un regard. « Où est-elle ? demandai-je.

— Je l'ai fait entrer dans ma pauvre salle, répondit mame Bell, les mots se bousculant dans sa bouche. Elle a appris l'histoire du corps découvert dans la retenue. Je vous en prie, monsieur, ne dites rien qui puisse l'offenser. Beaucoup de mes clients sont ses locataires. Elle est fière et prend facilement la mouche.

— Je n'ai pas la moindre envie de me faire une ennemie de cette femme.

— Encore des ennuis, déclara-t-elle d'un ton soudain amer. Chaque fois que vous venez, il y a des ennuis. » Elle sortit en claquant la porte. Barak haussa les sourcils.

« Attends-moi ici », dis-je.

La salle de mame Bell était une petite pièce contenant une table éraflée, deux tabourets et une vieille peinture murale, craquelée et aux couleurs passées, qui représentait une scène de chasse. Âgée d'une soixantaine d'années, une grande femme robuste se tenait près de la table. Elle portait une robe bleue à haut col et une coiffe carrée à l'ancienne mode entourant un visage intelligent et hautain, dont les petits yeux enfoncés et perçants me rappelaient ceux de son fils.

« Lady Beatrice West ? »

Elle opina sèchement du chef, puis demanda tout à trac : « Êtes-vous l'avocat qui a trouvé le corps dans la retenue ? À la fonderie Fettiplace ?

— En effet, madame... Matthew Shardlake, sergent royal, de Londres. »

Elle hocha la tête et elle s'amadoua un peu. « J'ai donc, à tout le moins, affaire à un homme d'un certain rang. » Elle désigna les tabourets d'une main aux ongles parfaitement entretenus. « Asseyez-vous, je vous prie. Peut-être trouvez-vous pénible une longue station debout. Je refuse d'utiliser un tabouret. Je suis habituée aux chaises mais je constate que cette auberge misérable n'en dispose pas. »

L'allusion indirecte à ma condition physique me fit un tant soit peu regimber. Je compris que la meilleure façon de traiter avec cette femme était d'user d'un langage courtois et d'adopter une attitude humble. « Merci. Je suis très bien debout. »

Elle continua à fixer sur moi ses pénétrants petits yeux marron. Malgré ses manières condescendantes, j'y lus de l'inquiétude. « Je suis venue à Rolfswood, hier soir, commença-t-elle d'un ton brusque, pour me rendre au marché. Je séjourne chez des amis. À peine étais-je arrivée que j'ai reçu une lettre de Humphrey Buttress, ce rustre, dans laquelle il m'apprenait que le corps de maître Fettiplace qui, croyions-nous tous, avait brûlé dans sa fonderie, il y a dix-neuf ans, avait été découvert dans la retenue. Par vous.

— C'est exact, madame.

— Il a affirmé qu'en tant qu'échevin, il exigeait – ah, il adore ce mot, "exiger" ! – de connaître l'adresse de mon fils, étant donné son ancienne... relation... avec mam'zelle Ellen Fettiplace. Eh bien, il est assez facile de répondre à cette question. Philip est à Portsmouth où il s'apprête à défendre l'Angleterre. Buttress dit que vous souhaitez qu'il soit interrogé. » Elle reprit son souffle. « Eh bien, monsieur, qu'avez-vous à répondre ? En quoi cette vieille histoire vous concerne-t-elle ?

— Je ne peux que répéter ce que j'ai déjà indiqué à maître Buttress, répondis-je d'un ton calme. Je fais des recherches pour le compte d'un client au sujet de la famille Fettiplace. Je me suis rendu hier à la fonderie avec le vieux maître Harrydance et nous avons trouvé le corps. Je suis désolé de créer des ennuis mais il est clair que la découverte d'un cadavre dans la retenue nécessite l'ouverture d'une enquête. Votre fils doit y être cité comme témoin. Je souhaite seulement que justice soit faite et que toutes les personnes concernées soient convoquées.

— Qu'êtes-vous venu faire dans le Sussex ?

— Traiter une affaire juridique dans le Hampshire. Je séjourne dans une maison située à quelques milles au nord de Portsmouth. Le prieuré de Hoyland. Je m'occupe d'un dossier relevant de la Cour des tutelles. » Je jugeai préférable de ne pas l'informer que je travaillais normalement pour la Cour des requêtes. Ses traits se détendirent quelque peu. « Selon le révérend Seckford, poursuivis-je, votre fils est venu le jour de l'incendie pour demander la main de sa fille à maître Fettiplace.

— Cette fille, dit lady West d'un ton amer, n'appartenait pas à notre milieu. Philip n'aurait jamais dû s'enticher d'elle. Après l'incendie, elle est devenue folle… Et on l'a emmenée. Allez-vous jouer un rôle officiel dans l'enquête ? demanda-t-elle soudain.

— Ayant découvert le corps, j'y suis désormais

impliqué. » Je scrutai son visage. Était-ce elle qui avait organisé l'enlèvement ?

Elle sembla soudain s'affaisser. « Nous pensions que c'était une affaire classée. Mais à présent, un meurtre... Et mon fils qui doit subir un interrogatoire...

— Je souhaite mettre au jour la vérité, madame. Un point c'est tout. »

Elle me fixa longuement, le regard dur, puis sembla avoir pris une décision. « Alors il faut que je vous dise quelque chose. Cela sera révélé tôt ou tard, et je préfère vous le dire en premier à vous, plutôt qu'à Buttress. Vous comprenez sans doute, messire Shardlake, que, dans les petites villes, il existe souvent une rivalité entre les familles de bonne naissance, comme la mienne, et des hommes de son genre.

— L'ayant rencontré, j'imagine aisément que c'est une personne... difficile.

— Si je vous faisais une révélation qui montre que mon fils n'a pas rencontré mam'zelle Fettiplace ce jour-là, peut-être Philip n'aurait-il pas à être convoqué comme témoin.

— C'est possible.

— Il refuserait d'en parler, même aujourd'hui. Mais je dois faire mon possible pour le protéger. Il aurait dû le signaler lors de la première enquête. Même si nous avons tous cru alors qu'il s'agissait d'un accident. » Elle commença à se tordre les doigts, et je compris qu'elle avait peur, qu'elle était au bord de la crise de nerfs. Elle se maîtrisa cependant, me fixa et se mit à parler à toute vitesse.

« Il y a dix-neuf ans, mon fils avait vingt-deux ans. Il était monté très haut pour un jeune homme de son âge. Deux ans plus tôt, feu mon mari et moi lui avions trouvé un poste dans la maisonnée du roi. Il travaillait pour le grand veneur de Sa Majesté. Nous étions tous enchantés. » Son visage se détendit, l'espace d'un instant, et elle sourit au souvenir. « Vous auriez dû voir Philip en ce temps-là. C'était un beau jeune homme robuste, insouciant, adonné aux activités viriles. C'étaient les derniers jours d'une époque, voyez-vous, celle où tout en Angleterre semblait stable et sûr. Le roi était marié à la reine Catherine d'Aragon depuis près de vingt ans, et, bien qu'ils n'eussent pas de fils, nous les croyions heureux. Nous ne savions pas qu'il avait déjà jeté son dévolu sur Anne Boleyn.

— Je m'en souviens très bien.

— Donc, mon fils aidait à organiser les chasses royales. Il paraît qu'aujourd'hui le roi peut à peine marcher, mais à l'époque il passait son temps à la chasse. Philip s'est fait remarquer par le roi, qui aimait les jeunes hommes partageant son amour de la chasse. Dès 1526, sans faire partie de son entourage immédiat, c'était l'un de ses compagnons de plaisirs, et on l'invitait parfois à jouer avec lui aux dés ou aux cartes. » Elle parlait avec fierté, puis elle ajouta d'un ton plus grave : « Il arrivait que le roi ait recours à Philip pour porter des missives privées. Il lui faisait désormais une grande confiance. Des missives adressées à... Anne Boleyn », précisa-t-elle en serrant les lèvres.

Je me rappelai l'exécution d'Anne Boleyn à laquelle lord Cromwell m'avait forcé à assister. Comment la tête avait sauté au moment où elle s'était détachée du corps... Comment le sang avait jailli. Je fermai les yeux un instant. Étrangement, je ne m'en étais pas souvenu quand j'avais rencontré lady Élisabeth, sa fille.

Lady West soupira. « Cela n'a plus d'importance

à présent. Catherine d'Aragon et Anne Boleyn sont toutes les deux mortes depuis longtemps, mais grand Dieu, c'en avait à l'époque. En 1526, personne, en dehors de la Cour, n'avait entendu parler d'Anne Boleyn. Le roi avait déjà eu des maîtresses, mais Anne Boleyn a insisté pour qu'il divorce de Catherine et qu'il l'épouse. Vous connaissez l'histoire... Elle lui a promis un fils », ajouta-t-elle avec un rire amer. Mais, pensai-je, elle ne lui a donné qu'Élisabeth. Je me rappelai la fillette qui levait vers moi un regard pénétrant en m'interrogeant sur le métier d'avocat.

« Eh bien, en 1526, au cours de l'un de ses voyages de chasse, le roi s'est rendu dans les parcs royaux du Sussex. La reine Catherine l'accompagnait, ainsi que Philip. Anne Boleyn se trouvait dans sa demeure familiale dans le Kent. Mais le roi lui écrivait régulièrement et Philip était l'un de ses messagers favoris. Quel était le contenu de ces lettres, jusqu'où les choses étaient-elles allées à ce moment-là ?.... Je n'en sais rien et Philip l'ignorait tout autant. Mais la reine Catherine se faisait du souci...

— Déjà à ce moment-là ? Je n'étais pas au courant...

— Ah, la reine Catherine avait toujours eu ses espions ! »

Elle se mit à arpenter la salle, sa jupe bruissant sur le plancher parsemé de joncs.

« Durant le mois d'août de cette année-là, la Cour résidait à Petworth Castle, dans le Sussex, à plus de vingt milles d'ici. Vous devez comprendre, messire Shardlake, que la situation de mon fils l'obligeait à passer beaucoup de temps à Londres et qu'il ne pouvait venir que de temps en temps à Rolfswood. Souvent, plusieurs semaines s'écoulaient entre ses visites à Ellen Fettiplace. Je pense aujourd'hui que, s'il l'avait vue plus souvent, il se serait aperçu que ce n'était pas du tout une épouse pour lui.

— Elle ne vous plaisait pas.

— Pas du tout ! s'écria-t-elle avec force. Son père l'avait élevée trop librement, et elle soufflait le chaud et le froid sur mon fils. Mais plus elle se montrait impudente, plus il se sentait amoureux. » Elle eut à nouveau un rire amer. « Exactement comme le roi avec cette fourbe et infidèle Anne Boleyn. Et voyez comment ça s'est terminé… En outre, poursuivit-elle d'un ton triste, il y avait déjà quelque chose d'instable, de désaxé dans la nature d'Ellen. Gare à celui qui osait la contrarier !

— Que voulez-vous dire ?

— Je sais certaines choses. »

Je fronçai les sourcils, me rappelant ce qu'avait dit Philip West à propos de la propension d'Ellen à allumer des feux.

« Philip nous avait annoncé par lettre qu'il avait l'intention de demander sa main à Ellen Fettiplace et qu'il avait obtenu la permission du grand veneur de nous rendre visite. Juste avant son départ, le roi l'a fait appeler et l'a prié de porter une missive à Hever, dans le Kent, après sa visite chez nous. La missive était frappée du sceau royal.

— Le roi était-il au courant de la future demande en mariage de votre fils ?

— Oui. Et c'est pourquoi il avait permis à Philip de venir ici en premier. » Elle s'approcha de moi et me fixa du regard. J'aurais voulu qu'elle s'asseye. « Mais, messire Shardlake, lorsque Philip est venu de Petworth il n'était pas seul… » Sa voix tressaillit. « Il avait un ami à la Cour, un jeune juriste, qui s'était proposé de l'accompagner pour le plaisir de la chevauchée et de sa compagnie. Il devait ensuite se diriger vers le Hampshire. »

Un nœud se forma dans ma gorge. Ils étaient donc deux. « Ils étaient si forts, je ne pouvais pas bouger ! » Je dus faire un grand effort pour empêcher ma voix de trembler. « Comment s'appelait cet ami ? » demandai-je.

Elle posa sur moi un regard où se lisait soudain une requête désespérée. « Là se trouve la difficulté, monsieur. Je n'en sais rien.

— Mais si Philip a séjourné chez vous… ?

— Je vais vous raconter comment les choses se sont passées. La lettre de Philip est arrivée de Petworth par messager royal. Il nous annonçait qu'il serait le lendemain parmi nous. Puisqu'il devait ensuite aller porter la missive du roi – à l'époque nous ne savions pas à qui elle était destinée –, il ne pourrait rester chez nous qu'une nuit. Il avait l'intention d'aller directement chez les Fettiplace, l'après-midi, pour parler à William Fettiplace. S'il lui accordait la main de sa fille, Philip ferait sa demande à Ellen le jour même. » Ce n'est pas tout à fait ce que Philip m'a dit, pensai-je. D'après lui, il allait solliciter l'accord de maître Fettiplace et voir Ellen deux jours plus tard, car il devait retourner à Petworth le soir même.

« Si Ellen acceptait, reprit lady West, il les amènerait ensuite, elle et son père, au manoir. Il indiquait qu'un ami l'accompagnerait. Nous nous préparâmes à l'accueillir. C'était le neuf août, date dont je me souviens chaque année.

— Le jour de l'incendie. »

Elle posa sur moi un long regard évaluateur, puis elle alla s'asseoir lourdement sur un tabouret. Elle commençait à avoir l'air fatiguée. « Feu mon mari et moi l'avons attendu, après avoir sorti le meilleur vin pour célébrer l'événement, même si, à vrai dire, nous espérions que Philip serait seul, qu'Ellen Fettiplace aurait repoussé sa demande. L'heure tournait, la nuit était tombée, mais personne n'arrivait. Nous avons continué à attendre patiemment. Puis, vers minuit, il est apparu. Mon pauvre garçon, lui qui avait été si heureux d'être admis à la Cour, qui était si plein de vie et d'énergie, avait l'air abattu, désespéré… Terrifié », ajouta-t-elle après un court silence.

Par conséquent, pensai-je, Ellen l'a éconduit. « L'avait-elle repoussé ? » demandai-je.

Elle secoua la tête. « Non. Il ne l'avait pas vue. Il n'était pas du tout au courant de l'incendie. Quelque chose était arrivé entre-temps qui lui avait glacé le sang et qui a glacé le nôtre quand il nous a raconté ce qui s'était passé. Messire Shardlake, son ami l'avait trahi. Pendant le voyage, à quelques milles de Rolfswood, ils s'étaient arrêtés pour boire un verre dans une auberge de campagne. Ils se sont alors disputés, et Philip peut devenir fou furieux quand on le nargue. Le motif était dérisoire, une querelle idiote au sujet de chevaux, mais ils se sont retrouvés sur le sol, à se battre.

— Ce genre de chose arrive entre jeunes hommes.

— Après la bagarre, l'ami de Philip l'a traité de tous les noms et lui a dit qu'il allait rentrer à Petworth. Philip s'est ensuite rendu compte que l'ami avait sans doute provoqué volontairement la dispute. Car, peu après, sur le chemin de la maison, il s'est aperçu que la lettre du roi qu'il portait sur lui avait disparu. Et, voyez-vous, son ami faisait partie de la maisonnée de la reine. Elle avait dû, d'une manière ou d'une autre, entendre parler de la lettre et utiliser le jeune juriste comme l'un de ses espions.

— Ainsi donc, son ami a volé une lettre du roi destinée à Anne Boleyn ? fis-je, incrédule. Pour la remettre à Catherine d'Aragon ? Il jouait avec sa vie.

— Ah, la reine allait le protéger. On savait qu'elle était loyale à ses serviteurs. » Quelqu'un d'autre m'a déjà dit ça, pensai-je… Warner, l'avocat de l'actuelle reine. Qui y avait-il comme jeunes juristes au service de Catherine d'Aragon en 1526 ? Mon cœur se mit à battre la chamade.

« Philip a d'abord cru que la lettre était tombée durant la bagarre. Il est donc retourné ventre à terre à l'auberge, mais il ne l'a pas retrouvée. Aussi ne lui restait-il plus qu'à regagner la Cour pour annoncer au roi qu'il l'avait perdue.

— Mais on la lui avait dérobée… ? »

Elle secoua la tête d'un air agacé. « Mon mari lui a conseillé de dire qu'il l'avait perdue. Ne comprenez-vous pas ? Il valait mieux que le roi croie qu'elle était perdue plutôt que déjà entre les mains de la reine Catherine. Mon mari a même prié Philip de ne pas nous révéler le nom de cet ami, car nous serions plus en sûreté si nous ne le connaissions pas… Or cette nouvelle enquête va s'intéresser aux mouvements de Philip ce soir-là et il devra alors donner le nom, de peur d'être considéré comme suspect. Cet homme constitue son alibi… Qu'il expie enfin son forfait ! s'écria-t-elle soudain d'un ton haineux.

— Seigneur Dieu, dans cette lettre le roi indiquait

peut-être son désir d'épouser Anne Boleyn ! Si la reine Catherine avait eu assez tôt connaissance de son intention, cela pourrait expliquer son refus, dès le début, d'accepter de divorcer. Madame, si le roi avait vent du mensonge de votre fils, il pourrait le payer cher, même aujourd'hui. »

Elle serra ses mains l'une contre l'autre. « Il vaut mieux que la négligence de mon fils soit révélée plutôt qu'il ne soit accusé de meurtre. J'y ai réfléchi toute la nuit, messire Shardlake, et j'ai pris ma décision. » Elle me fixa, attendant ma réaction. Je comprenais pourquoi elle ne voulait pas que Buttress soit le premier à entendre ce récit.

« Par conséquent, votre fils n'a pas vu Ellen ?

— Non. Il a dormi chez nous et est reparti de bonne heure, le lendemain matin, pour retourner directement à Petworth. Nous ne savions rien encore au sujet de l'incendie. Quand il a annoncé au roi que la lettre avait été perdue au cours du voyage, il a été chassé de la Cour, bien sûr. Puis il a appris la nouvelle de l'incendie. Il est immédiatement revenu et s'est rendu chez Ellen, mais elle a refusé de le recevoir. Mon mari et moi l'avons supplié de la laisser tranquille, mais il a insisté pour la voir, presque jusqu'au jour où elle a quitté Rolfswood. »

Je plongeai mon regard dans le sien. Pour la première fois, elle baissa les yeux. Oui, pensai-je, c'est toi qui as comploté avec Priddis pour faire enfermer Ellen à Bedlam.

« Philip s'est engagé dans la marine royale, poursuivit-elle. Pour lui, c'était une question d'honneur, car il avait l'impression d'avoir trahi le roi. Il n'a pas quitté la marine depuis. Je suis persuadée que le roi prendrait en compte ses honorables états de service si la vérité apparaissait au grand jour à présent. »

Je la regardai avec étonnement. Selon ce que je savais du roi, j'en doutais.

« Depuis la mort de mon mari, Philip a laissé entre mes mains la gestion de nos biens. Près de vingt ans après les événements, on dirait qu'il continue de se punir d'avoir perdu cette lettre. » Elle me fit un sourire triste. « Voilà l'histoire, messire Shardlake. Ainsi, voyez-vous, mon fils ne savait rien de l'incendie, ni de ces morts. »

Je joignis le bout des doigts. Drôle de coïncidence, vraiment, que la lettre ait disparu justement la nuit de l'incendie… À l'évidence, lady West ne mettait nullement en doute le récit de son fils et était assez vaniteuse et coupée du monde extérieur pour croire que tout le monde en ferait autant. Mais les déclarations de Philip constituaient les seules preuves de l'existence de l'ami et de la lettre. Je me souvenais de lui à Portsmouth. C'était un homme hanté par un souvenir, de toute évidence. S'agissait-il seulement de celui d'une lettre perdue ou d'un événement plus funeste ? Et s'il y avait bien un ami, était-il un alibi ou un complice ?

« Votre fils vous a-t-il jamais dit ce qu'il était advenu de son ami, le juriste ? »

Elle haussa les épaules. « Je n'en sais rien. J'imagine qu'il a retourné sa veste lorsque la reine Catherine est tombée en disgrâce. Il n'aura pas été le seul.

— C'est bien vrai. »

Elle prit une profonde inspiration. « Pensez-vous que si on révélait ces faits aujourd'hui cela aiderait mon fils ?

— En vérité, madame, je n'en sais rien.

— J'aimerais que vous ne rapportiez pas mes propos à maître Buttress. Pas pour le moment. Laissez-lui… Laissez une chance à mon fils d'accomplir son devoir dans la bataille qui risque d'avoir lieu. »

Je pensai que ça ne tirait pas à conséquence de garder secrète cette histoire, pour le moment. Et cela me laisserait le temps de poursuivre ma propre enquête.

« Très bien. Je promets de me taire à ce sujet. »

Son attitude changea alors du tout au tout. Elle se fit presque implorante. « Merci. Vous êtes un homme réfléchi, impartial. Et peut-être…

— Peut-être quoi, madame ?

— Peut-être y a-t-il quelque moyen de régler cette affaire à l'amiable, sans que Philip soit humilié lors de l'enquête.

— Que suggérez-vous par là ?

— Je n'en sais rien. Si vous pouviez user de votre influence…

— Je vais y réfléchir, répondis-je d'un ton neutre.

— Si vous souhaitez reprendre cette conversation, vous pouvez m'envoyer un message chez moi, à Carlen Hall.

— Moi, je séjourne au prieuré de Hoyland, à huit milles au nord de Portsmouth, sur la route de Portsmouth. »

Tu as beau être inquiète et avoir peur pour ton fils, je n'éprouve aucune pitié pour toi, pensai-je sans la quitter des yeux. En temps voulu, je te tirerai les vers du nez à propos de l'enlèvement d'Ellen.

Elle m'adressa un sourire malheureux. « Évidemment, longtemps avant que l'enquête ne démarre, mon fils risque d'avoir donné sa vie pour le pays. Je suis persuadée qu'il préférerait mourir au champ d'honneur plutôt que d'entendre cette triste histoire contée de son vivant. » Ses lèvres tremblèrent et ses yeux se mouillèrent de larmes. « Mourir pour le roi et me laisser toute seule dans le vaste monde. »

35

Une heure plus tard, nous chevauchions en direction du sud, sur la route de Hoyland. Les propos de lady West m'avaient beaucoup donné à réfléchir. Quand je lui avais fait part de sa version des faits, la réaction de Barak avait été instantanée : « Je n'en crois pas un traître mot. West a raconté cette histoire à sa mère pour l'obliger à se taire. Il est plus probable que lui et son ami ont agressé Ellen et que l'ami en question a ensuite pris la fuite.

— Et le feu ? Et les morts de la fonderie ?

— Il est possible que Gratwyck et le père d'Ellen les aient surpris pendant qu'ils violentaient Ellen. Peut-être avait-elle refusé d'épouser West et que cela l'avait rendu fou. Ensuite, une bagarre a éclaté, et Gratwyck et maître Fettiplace sont morts. Et il n'y a jamais eu de missive... Voilà qui dégagerait la responsabilité d'Ellen, n'est-ce pas ?

— Que tu aies raison ou que West ait plus ou moins dit la vérité, c'est lui qui possède la clef du mystère. De toute façon, je pense que lady West a soudoyé Priddis pour que l'enquête débouche sur une conclusion de mort accidentelle. Il se peut que ce soit elle qui paie depuis lors la pension d'Ellen à Bedlam.

— Si c'est le cas, Philip West sait où elle se trouve. »

Je hochai lentement la tête. « Et s'il est responsable de tout ce qui est arrivé, un sentiment de culpabilité a pu le pousser à s'engager dans la marine royale, à chercher le danger et la mort.

— Il risque de les trouver sous peu.

— Mais qui était l'ami qui l'accompagnait ce jour-là avant de disparaître ? » Je fronçai les sourcils. « S'il a menti, c'est un bien dangereux mensonge. Le roi aurait été furieux d'apprendre qu'un courtisan de second rang avait raconté une telle histoire. La chronologie semble correcte. En 1526, le roi désirait Anne Boleyn, mais personne ne pouvait penser qu'il avait l'intention de l'épouser. Il n'existe qu'un moyen de découvrir la vérité, dis-je d'un ton résolu. Je vais retourner à Portsmouth et parler à West. »

Barak ouvrit de grands yeux. « C'est impossible ! On est le quinze juillet, le jour où le roi est censé arriver. Sans parler de la flotte française qui fait voile dans notre direction. Pour l'amour du ciel, vous pourrez vous occuper de ça quand on sera de retour à Londres ! »

Je soutins son regard. « Il se peut que West ne soit plus en vie alors.

— J'avais l'impression que vous commenciez à mettre les choses en perspective. En ce moment, vous ne pouvez pas retourner à Portsmouth.

— C'est peut-être le seul moyen de connaître la vérité. Et une pensée, qui ne me plaît guère, vient de me traverser l'esprit. À propos de l'identité de l'ami de West.

— Qui donc ?

— Messire Warner est membre de la maisonnée de la reine depuis l'époque de Catherine d'Aragon, et il est juriste. Il a survécu à cinq changements de reine. Et il a à peu près l'âge idoine.

— Je croyais que c'était votre ami.

— J'ai déjà été trahi par des amis.

— La reine Catherine Parr lui fait confiance.

— En effet. Et elle a un bon jugement. Mais il ne devait pas y avoir beaucoup de juristes de son âge dans la maisonnée de la reine. Et je l'ai entendu dire que la reine actuelle était la souveraine la plus loyale à ses serviteurs depuis Catherine d'Aragon. »

Il réfléchit quelques instants. « Edward Priddis pourrait aussi être l'homme que vous recherchez. Ainsi que Dyrick, d'ailleurs.

— Et Dyrick travaillait dans les services royaux. Priddis a dit qu'il a vécu à Londres pendant un certain temps, sans préciser ce qu'il y faisait.

— S'il était impliqué dans cette histoire, son père aurait eu une bonne raison pour étouffer l'affaire. »

Nous nous retournâmes en entendant un strident grincement de roues. Deux gros chariots nous dépassèrent, chacun tiré péniblement par quatre chevaux. Ils étaient chargés de caisses de boulets de canon en acier, nouvellement fondus, sans doute, dans les fourneaux de Wealdon.

« J'espère que nous aurons des lettres à notre retour à Hoyland, dit Barak. Il serait grand temps. »

✝

Aucun serviteur ne travaillait dans les jardins du prieuré quand nous franchîmes les grilles. Les parterres de fleurs d'Abigail commençaient à avoir l'air négligé. À mon grand étonnement, Hugh s'exerçait tout seul sur le terrain de tir. Il nous regarda sans nous adresser le moindre signe de reconnaissance, avant de se pencher pour appliquer une nouvelle flèche à la corde de son arc.

Au moment où nous mettions pied à terre, Fulstowe apparut devant la façade de la maison, comme toujours tiré à quatre épingles, la barbe fraîchement taillée, ses façons de propriétaire des lieux encore plus affirmées. Il inclina brièvement le buste. Je lui demandai si nous avions reçu des lettres.

« Aucune, monsieur. Mais le coroner est arrivé et souhaite vous voir.

— Merci. Un valet peut-il conduire nos chevaux à l'écurie ?

— Je crains que tout le monde ne soit trop occupé pour le moment, répondit-il avec un petit sourire. Bon, veuillez m'excuser », ajouta-t-il, avant de s'éloigner.

« Ce type se croit tout permis à présent, dit Barak. Sacrebleu, ajouta-t-il d'un ton furieux, il faut que j'aie des nouvelles de Tamasin !

— Si le roi est arrivé à Portchester, il se peut que les routes soient plus dégagées demain. »

Il secoua la tête avec rage. « Je vais conduire les chevaux à l'écurie, puisque personne ne veut s'en charger. »

J'entrai dans la grande salle. Je m'arrêtai brusquement, les yeux écarquillés, en constatant que les murs étaient nus, les tapisseries représentant les scènes de chasse ayant été enlevées. Et, à ma grande surprise, je vis que le vieux sir Quintin Priddis était à nouveau assis dans le fauteuil près de la cheminée vide. Il leva la tête, son habituel demi-sourire sardonique s'étalant sur la moitié du visage qui n'était pas paralysée.

« Nous nous retrouvons donc, messire Shardlake. Je me suis laissé dire que vous vous étiez rendu dans le Sussex.

— C'est exact, monsieur. »

Ses yeux bleus s'étrécirent. « Voyage couronné de succès ? »

Je pris une profonde inspiration. De toute façon, il l'apprendrait bientôt. « Je me suis rendu à Rolfswood d'où est originaire la famille Fettiplace. On a trouvé un corps dans la retenue du moulin, un bloc de métal attaché à la cuisse. Selon toute probabilité, il s'agit de feu William Fettiplace. Il semble qu'il ait été assassiné. Une nouvelle enquête va être ordonnée », ajoutai-je.

Il fit preuve d'un remarquable sang-froid. Son regard perçant ne se troubla pas. Je regrettai qu'Edward ne soit pas là, car j'aurais aimé voir sa réaction. « Eh bien, eh bien, fit le vieil homme, vous semblez avoir la mort aux trousses... J'espère que mon fils vous a été utile, poursuivit-il en changeant de sujet, lorsque vous avez inspecté les terres boisées du jeune Curteys.

— En effet.

— Avez-vous décidé de laisser tomber ce dossier ridicule ? Je suis certain que cette malheureuse famille serait soulagée d'avoir un souci de moins.

— Je réfléchis toujours à la question... Je ne m'attendais pas à vous retrouver là, sir Quintin. »

Il s'esclaffa, émettant cet étrange son de ferraille rouillée. « Une affaire dont je devais m'occuper à Winchester a été annulée. L'évaluation des terres d'un jeune pupille, mais il est décédé. L'homme qui a pris la tutelle en charge a fait un mauvais investissement. Puisqu'on n'a pas besoin de nous à Winchester avant la semaine prochaine, j'ai décidé de m'arrêter ici en chemin afin de voir le résultat de l'enquête concernant Mme Hobbey. Et le coroner du Hampshire étant incompétent, je peux lui apporter mon aide. » Il grimaça et fit prendre à son corps une position plus confortable. La pensée me traversa l'esprit qu'il était peut-être revenu pour en apprendre davantage sur mon lien avec Rolfswood.

Une porte s'ouvrit et Edward fit son entrée, habillé discrètement comme son père, en noir, et accompagné par un petit homme renfrogné d'une soixantaine d'années, vêtu d'une robe d'avocat. Quand il m'aperçut, Edward plissa ses yeux bleus au regard glacial. Comme j'inclinais le buste, je me demandai si un homme aussi maître de lui pouvait commettre un viol, avant de me rappeler que les êtres qui, en général, se contrôlent le mieux peuvent se montrer les plus dangereux quand ils perdent le contrôle d'eux-mêmes.

Sir Quintin leva son bras valide et me désigna d'un grand geste. « Sir Harold, ce sont ce monsieur et son clerc qui ont découvert le corps. Je vous présente le sergent royal Matthew Shardlake. Sergent royal Shardlake, voici sir Harold Trevelyan, coroner du Hampshire. »

Sir Harold me regarda d'un air grincheux. « Ainsi donc, vous voilà de retour. Ayant été les premiers à découvrir le corps, vous auriez dû rester sur place jusqu'à mon arrivée. Un avocat devrait savoir cela. Je veux commencer l'enquête demain après-midi. J'ai déjà assez affaire à Portsmouth avec ces décès à bord des galéasses. Je ne sais pas à quoi pensait le roi en prenant pour équipage les ivrognes du rebut de Londres. Avec un peu de chance, cette enquête devrait aboutir assez vite puisqu'on a déjà arrêté un suspect.

— Vous risquez de constater une insuffisance de preuves », rétorquai-je.

Il eut l'air vexé. « Messire Dyrick affirme que le dénommé Ettis est un rebelle qui en veut à la famille. Son seul alibi est fourni par son domestique. De toute façon, je jugerai par moi-même, en temps voulu.

— A-t-on déjà choisi les jurés ?

— Oui. J'ai autorisé l'intendant de M. Hobbey à choisir certains des villageois.

— Mais le village est divisé en deux camps ! répliquai-je avec véhémence. Fulstowe ne choisira que des villageois qui soutiennent M. Hobbey.

— C'est la procédure normale d'utiliser l'intendant pour désigner les jurés. Et puis-je vous demander, monsieur, en quoi cela vous regarde ? On me dit que vous êtes là pour mener une enquête sur les terres de Hugh Curteys, le pupille de M. Hobbey. On me dit également que vous êtes l'un des sergents royaux de la Cour des requêtes. Par conséquent, peut-être avez-vous un préjugé contre les propriétaires terriens. »

Sir Quintin gloussa. « Sir Harold est un grand propriétaire terrien près de Winchester. » Je jurai à part moi. On n'aurait pu trouver pire homme pour conduire cette mission avec impartialité. « On croule sous les enquêtes ces jours-ci, poursuivit-il. Selon messire Shardlake, il y en aura une autre dans la ville du Sussex d'où il revient. Bien que j'imagine que celle-là ira moins vite et que le résultat risque d'être peu concluant. Un corps a été trouvé près de vingt ans après. »

Sir Harold opina du chef. « Ce ne sera guère une priorité pour le coroner du Sussex. » Priddis échangea un regard avec Edward qui contemplait la scène en silence.

« Veuillez m'excuser, dis-je. Je dois aller présenter mes respects à M. Hobbey. »

Hobbey était à nouveau dans son cabinet de travail, en compagnie de Dyrick, mais cette fois-ci c'était l'avocat qui était installé derrière le grand bureau. Hobbey était assis dans un fauteuil, les yeux fixés sur le tableau de l'ancienne abbesse, posé sur ses genoux. Il leva à peine les yeux quand j'entrai. Il avait le visage hâve, le teint grisâtre.

« Eh bien, messire Shardlake, me lança Dyrick. Vous voilà de retour. Votre absence a beaucoup agacé le coroner.

— Je lui ai parlé. Il paraît que maître Fulstowe a choisi les jurés parmi les villageois. Les ennemis d'Ettis, j'imagine.

— C'est le rôle de l'intendant. Dites-moi, confrère, avez-vous décidé d'accepter notre proposition en ce qui concerne les frais ?

— Je suis toujours en train d'y réfléchir, répondis-je sèchement. Si l'enquête aboutit à la conclusion qu'Ettis a commis le meurtre il sera jugé à Winchester. On devra composer un jury d'habitants de la ville. Ayant découvert le corps, je serai convoqué comme témoin et je vous promets que je m'assurerai que le procès soit équitable. »

Dyrick se tourna vers Hobbey. « Vous l'entendez, monsieur ? Voilà qu'il considère qu'il peut intervenir dans le procès du meurtrier de votre femme. Vraiment, on n'en fait pas deux comme lui ! »

Hobbey leva les yeux. Accablé de tristesse, il paraissait à peine intéressé. « On n'y peut rien, Vincent. » Il fit tourner le tableau sur ses genoux, nous montrant la vieille abbesse, le voile sombre et la guimpe blanche entourant le visage à l'air énigmatique. « Voyez sa façon de sourire, dit-il, comme si elle savait quelque chose. Peut-être ont-ils raison ceux qui affirment que sont maudits les gens qui, comme nous, ont transformé les bâtiments monastiques en maisons d'habitation. Et si les Français nous envahissent, qui sait s'ils ne vont pas incendier la mienne.

— Nicholas…, commença impatiemment Dyrick.

— C'est peut-être pour ça qu'elle sourit… Qu'en pensez-vous, messire Shardlake ? me demanda-t-il en posant sur moi un étrange regard.

— Je pense, monsieur, que c'est de la superstition. »

Il ne répondit pas. Je compris qu'il s'était complètement replié sur lui-même et que, désormais, c'étaient Dyrick et Fulstowe qui dirigeaient la maison. Et s'il fallait pendre Ettis pour mettre fin au mouvement d'opposition aux clôtures dans le village, ils n'hésiteraient pas, qu'il soit coupable ou non.

Le dîner, ce soir-là, fut l'un des repas les plus tristes auxquels j'aie jamais assisté. Hobbey était affalé à un bout de la table, chipotant d'un air distrait. Debout derrière lui, Fulstowe le surveillait et échangea plusieurs fois des regards avec Dyrick. Hugh fixait son assiette, oublieux de tous, y compris de David, assis à côté de lui. Négligé d'aspect, David portait un pourpoint maculé de graisse, son visage pâle était hérissé de poils noirs et ses yeux protubérants étaient rouges à force d'avoir pleuré. De temps en temps, l'air hagard, il regardait dans le vague, comme quelqu'un qui cherche à se réveiller d'un horrible cauchemar. Hugh, cependant, était aussi soigneusement vêtu que d'habitude et s'était même rasé.

Je tentai d'entamer la conversation avec lui, mais il ne me répondit que par monosyllabes. Je devinai qu'il était toujours en colère après notre échange de propos au sujet de son commentaire devant le corps d'Abigail. Je jetai un coup d'œil autour de la table : il n'y avait que des hommes… Une femme s'assiérait-elle jamais là, en ce lieu où, une décennie plus tôt, ne logeaient que des femmes ? Levant les yeux vers le grand vitrail ouest, je me rappelai ma première soirée, les centaines de papillons de nuit qui étaient entrés dans la pièce. Il y en avait peu ce soir-là. Qu'était-il advenu de tous les autres ?

Je regardai à nouveau les murs nus. « M. Hobbey a fait décrocher les tapisseries, hier. Il ne supportait plus de les voir, expliqua Dyrick.

— C'est tout à fait compréhensible. » Assis à côté de Dyrick, Hobbey n'avait pas réagi.

Mon voisin, Edward Priddis, prit la parole : « Mon père m'apprend qu'on a fait une découverte à Rolfswood. Que William Fettiplace n'est pas mort dans l'incendie, mais dans la retenue du moulin. » Comme d'habitude, il parlait d'une voix calme et posée.

« C'est exact. J'étais présent quand le corps a été trouvé. » Je lui expliquai comment le cadavre avait refait surface quand l'écluse de la retenue s'était rompue. Je notai que, assis de l'autre côté d'Edward, son père écoutait attentivement notre conversation, sans prêter la moindre attention aux propos de sir Harold, qui racontait que, sur la côte, des villageois avaient accidentellement allumé le feu d'une tour d'alarme, au cours d'un exercice de préparation au débarquement éventuel des Français.

« Je suppose qu'il faudra appeler le coroner du Sussex pour ouvrir une nouvelle enquête ? demanda Edward.

— Oui. Le connaissez-vous ?

— Non. Mais mon père, oui. » Il se pencha vers le vieil homme et lança à haute voix : « Messire Shardlake m'interroge sur le coroner du Sussex. »

Priddis inclina la tête. « Samuel Pakenham va garder sous le coude un aussi vieux dossier. Il s'en occupera en temps voulu. C'est ce que je ferais à sa place.

— Ils vont vous convoquer, monsieur, lui dis-je. Puisque vous aviez mené la première enquête.

— C'est probable. Mais ils ne trouveront aucun élément nouveau, après vingt ans. Peut-être Fettiplace a-t-il tué son ouvrier avant de se suicider. Il existe des cas de folie dans la famille, vous savez. Sa fille est devenue folle. » Il planta sur moi son regard perçant. « Je me rappelle à présent avoir organisé son transport chez des parents de Londres. J'ai oublié de qui il s'agissait... Quand on est vieux et paralytique, messire Shardlake, on a des trous de mémoire, à propos d'évé-

nements qui se sont passés à une époque si reculée »,
ajouta-t-il avec son demi-sourire malveillant.

Plus décidé que jamais à assister à l'enquête du
Sussex, je me retournai vers Edward et, m'efforçant de
lui faire un sourire charmeur, je lui dis : « Nul doute
qu'on convoque également le jeune homme qui avait
une relation avec mam'zelle Fettiplace, à l'époque…
Philip West, membre d'une famille de la région que
je vous ai déjà citée.

— Le nom me dit quelque chose. Père, n'a-t-il pas
appartenu à la Cour ? »

Sir Quintin hocha la tête. « Sa mère était une femme
fière, imbue d'elle-même… Elle disait à tout le monde,
gloussa-t-il, que son fils chassait avec le roi.

— Vous n'avez pas vous-même appartenu à la Cour
quand vous étiez jeune ? demandai-je à Edward.

— Non, monsieur. Quand j'étais à Londres, j'étudiais à Gray's Inn. Je travaillais comme un chien pour
obtenir mon diplôme. Mon père m'obligeait à garder
le nez dans mes livres.

— Les étudiants en droit, répliqua le père d'un
ton sec, doivent travailler comme des chiens. Ils sont
censés apprendre à japper et à mordre. » S'appuyant
sur son bras valide, il se pencha en avant et s'adressa à
Dyrick : « Ce en quoi vous semblez être passé maître,
monsieur. » Il émit à nouveau son rire qui évoquait le
grincement de vieux gonds rouillés.

« Je prends cela comme un compliment, répliqua
Dyrick d'un ton guindé.

— Bien sûr. »

Le silence se fit autour de la table. La paire d'yeux
bleus d'Edward et celle de son père me décochèrent
des regards acérés, puis sir Quintin déclara : « Vous

paraissez fort intéressé par ce qui se passe à Rolfswood. Vous y êtes allé deux fois et n'êtes jamais revenu bredouille.

— Comme je l'ai expliqué à votre fils, l'un de mes clients cherchait à retrouver la famille Fettiplace.

— Et maintenant vous allez, tôt ou tard, devoir refaire tout le chemin de Londres jusqu'au Sussex. Je dis toujours que c'est une erreur de se mêler de ce qui ne nous regarde pas. Messire Dyrick affirme que ce genre d'attitude vous a jadis attiré des ennuis avec le roi, par le passé. »

Ayant lancé sa pique, il s'appuya contre le dossier de sa chaise, tandis que Dyrick me gratifiait de son sourire sardonique.

✝

La première séance de l'enquête sur la mort d'Abigail Hobbey se tint le lendemain après-midi dans la grande salle. Il faisait à nouveau un soleil éclatant, mais la salle était sombre et lugubre. La grande table avait été poussée sous l'antique vitrail ouest. Sir Harold Trevelyan présidait, Edward Priddis, dont on avait à l'évidence requis les services pour prendre des notes, était assis à sa droite. À sa gauche – au mépris de toute procédure établie –, siégeait sir Quintin, qui parcourait la salle du regard, sa main valide agrippée à sa canne. Les jurés, douze villageois, étaient assis sur des chaises placées contre le mur. Je reconnus plusieurs d'entre eux, qui avaient servi de valets de chasse et que Fulstowe avait certainement dans sa poche.

Barak et moi, Fulstowe et sir Luke Corembeck étions installés côte à côte, devant quelques domestiques, y compris la vieille Ursula, ainsi qu'une vingtaine de villageois et villageoises, dont la jolie épouse d'Ettis, le corps raide et le visage tendu de peur et de colère. À la façon dont ses voisins la réconfortaient par la parole et le geste, je devinai qu'ils représentaient la faction du village fidèle à Ettis. Je remarquai que les jurés leur lançaient des regards gênés.

Au premier rang se trouvaient les membres de la famille Hobbey et Dyrick. Tremblant légèrement, David était penché en avant, les yeux fixés sur le sol, la tête dans les mains. À côté de lui, Hugh était assis tout droit. Quand il était entré dans la pièce, je l'avais regardé droit dans les yeux pour lui montrer que je me souvenais des paroles qu'il avait prononcées devant le corps d'Abigail. De l'autre côté de Hugh, Nicholas Hobbey avait toujours une mine atroce et regardait les gens entrer, l'air étonné et déconcerté.

Ettis arriva en dernier. Avant son entrée, j'entendis un cliquetis de chaînes et échangeai un regard avec Barak. Nous reconnaissions tous les deux ce bruit pour l'avoir entendu dans les prisons de Londres. Deux hommes l'encadraient. Le chef de village, jadis fier et plein d'assurance, était devenu un individu mal rasé, aux yeux creux. On le jeta sans ménagement sur une chaise placée contre le mur. Derrière moi, un murmure parcourut le groupe de villageois et un ou deux jurés prirent un air penaud.

« Silence ! lança sir Harold en tapant sur la table avec un petit marteau. Je n'admettrai ni bavardage ni bruit intempestif dans mon prétoire ! Un bruit de plus et je fais évacuer la salle. »

Il m'appela en premier, pour témoigner sur la découverte du corps. Ce fut ensuite le tour de Barak, qui confirma mon témoignage, suivi immédiatement de Fulstowe, lequel, avec une grande facilité d'élocution, d'une voix claire et froide, évoqua la façon dont Ettis menait la faction du village qui s'opposait aux clôtures, l'antagonisme existant entre lui et les Hobbey, surtout Abigail, ainsi que ses dons bien connus d'archer.

« En effet, renchérit sir Harold. Et le seul alibi de maître Ettis c'est son domestique qui, à ce moment-là, selon l'accusé, marquait ses moutons avec lui. Appelez-le, donc. »

Un vieux paysan se leva. Il confirma qu'il avait été avec son maître ce jour-là. D'un ton brutal, sir Harold lui fit reconnaître qu'il travaillait pour Ettis depuis vingt ans.

« Par conséquent, vous avez toutes les raisons d'apporter un témoignage favorable à votre maître, déclara-t-il avec froideur.

— S'il est pendu, précisa sir Quintin, ses biens seront confisqués par l'État et vous vous retrouverez à la rue.

— Je dis seulement la vérité, messire.

— C'est ce que nous espérons, l'ami. Des châtiments existent pour punir les faux témoins. »

« Peut-on faire quelque chose ? me chuchota Barak. Cette vieille chèvre paralytique n'a pas le droit d'interroger qui que ce soit. » Je secouai la tête.

Sir Harold renvoya le vieux serviteur. À ce moment-là, sir Quintin plongea son regard dans le mien en haussant les sourcils, histoire de me montrer son pouvoir. Sir Harold tapa sur la table avec son petit marteau pour faire cesser de nouveaux murmures. J'attendis que le silence soit revenu, puis me levai.

« Monsieur, dis-je, il serait juste de chercher à savoir

si d'autres personnes pourraient avoir une raison de tuer Abigail Hobbey. »

Sir Harold étendit les mains. « Qui d'autre, demanda-t-il, aurait pu vouloir tuer cette pauvre femme ? »

Je restai muet quelques instants, conscient que ce que j'allais dire serait terrible pour la famille Hobbey, mais Ettis avait droit à un procès équitable. « Je suis là depuis plus d'une semaine, monsieur, et, hélas, presque toutes les personnes que j'ai rencontrées détestaient Mme Hobbey. M. Hobbey, lui-même, l'a reconnu. Il y a eu un incident… La mort de son chien. »

Un murmure parcourut à nouveau l'assistance, et David se tourna vers moi, absolument horrifié. Dyrick et Nicholas Hobbey me fixèrent du regard, les yeux exorbités, tandis que Hugh continuait à regarder droit devant lui. Hobbey se leva, soudain revenu au monde réel. « Monsieur le coroner, il s'agissait là d'un accident. »

Dyrick se leva également. « Et il y a bel et bien eu un incident impliquant Ettis. Il a eu l'insolence de venir nous apostropher, M. Hobbey et moi, jusque dans le cabinet de travail de M. Hobbey. Mme Hobbey est alors entrée et l'a traité de tous les noms. J'étais présent et j'ai tout entendu. »

Sir Harold reprit la parole. « Suggérez-vous qu'un membre de sa famille pourrait être le meurtrier ?

— Je dis que c'est possible… Je pourrais en dire plus », poursuivis-je, après une courte pause.

Hugh se tourna alors vers moi, l'air furieux. Je soutins son regard. Il hésita, puis se leva. « Puis-je intervenir ? » fit-il.

Le coroner regarda sir Quintin. « C'est le pupille, expliqua celui-ci.

— Eh bien, mon garçon ?

— Messire Shardlake a raison, répondit Hugh. Tout le monde détestait la pauvre Mme Hobbey. Si vous deviez interroger tous ceux qui ont souffert de sa langue acérée, il vous faudrait convoquer un très grand nombre de témoins.

— Et vous, la détestiez-vous ? »

Il hésita, puis répondit. « En effet. Peut-être avais-je tort. » Sa voix défaillit. « Voilà de nombreuses années qu'elle était bizarre, qu'elle avait du mal à contenir ses nerfs. Quand je l'ai vue morte, j'ai dit : "Tu l'as bien mérité !" Mais j'ai également déposé une fleur dans son giron, parce qu'elle avait l'air extrêmement pitoyable. »

Stupéfaits, sir Harold et sir Quintin échangèrent un long regard.

« "Tu l'as bien mérité !" répéta sir Harold. Pourquoi avez-vous dit cela ?

— C'est ce que je ressentais, monsieur.

— La semaine dernière, intervint sir Quintin d'un ton sec, quand nous avons parlé à Portsmouth, vous avez déclaré que vous n'aviez aucune plainte à formuler à propos de votre vie ici.

— C'est vrai, monsieur. Mais je n'ai pas dit que j'étais heureux. »

Un murmure plus sonore que les précédents parcourut l'assistance. Puis on entendit un bruit inattendu. Nicholas Hobbey avait éclaté en sanglots. Le visage enfoui dans son mouchoir, il se leva et sortit de la salle. « Vous voyez ce que vous avez fait ? » me lança Dyrick avec fureur.

Fulstowe suivit son maître du regard et, pour la première fois, la mine calculatrice avait cédé la place à une expression d'angoisse. Comme Hobbey, voyait-il son monde s'effondrer autour de lui ? Ou son inquiétude avait-elle un autre motif ? Assis sur sa chaise, enchaîné, Ettis regardait Hugh avec une sorte d'espoir.

Il y eut une autre interruption. David avait bondi sur ses pieds, renversant sa chaise avec fracas. « Tu mens ! hurla-t-il en pointant son doigt sur Hugh. Tu es une vipère que ma famille a nourrie en son sein ! Tu nous as toujours enviés parce que tu n'es pas comme nous et que tu ne seras jamais comme nous ! Mon père aimait ma mère, tout comme moi. J'aimais vraiment ma mère ! » Bouleversé, il parcourut la salle du regard.

Sir Harold semblait inquiet. Il chuchota quelque chose à sir Quintin. Je perçus le terme « ajournement ». Sir Quintin secoua vigoureusement la tête, puis frappa le sol de sa canne. « Taisez-vous ! Vous tous ! » Il se tourna vers moi, ses yeux lançaient des éclairs. « Monsieur, votre comportement est inqualifiable ! Vous transformez cette audience en théâtre de foire. Vous n'avez apporté aucune preuve. Il est clair que toute cette famille est accablée de chagrin. Continuons, sir Harold. »

Le coroner promena son regard sur l'assistance avant de s'adresser à moi. « Sergent royal Shardlake, détenez-vous une pièce à conviction désignant le coupable ?

— Non, monsieur. Je dis seulement qu'étant donné que beaucoup de personnes ont eu des... difficultés... avec Mme Hobbey, et vu l'absence de preuves irréfutables dénonçant maître Ettis, le verdict devrait être "meurtre dont l'auteur est inconnu".

— Ce sera aux jurés d'en décider. Asseyez-vous ou je vous poursuis pour outrage à magistrat. »

Je ne pouvais qu'obtempérer. Sir Harold n'appela aucun autre témoin. Les jurés quittèrent la salle afin de délibérer. Ils revinrent vite, munis de leur verdict.

Meurtre – il ne pouvait en être autrement, bien sûr – commis par Leonard Ettis, franc-tenancier de Hoyland, qui serait à présent incarcéré à la prison de Winchester jusqu'aux prochaines assises, en septembre.

Comme on l'emmenait, Ettis me lança à nouveau un regard suppliant. Je fis un vigoureux hochement de tête. En face de moi, Hugh restait assis, le dos raide, droit comme un I. À côté de lui, David continuait à pleurer en silence. Fulstowe s'avança, lui prit le bras et le fit sortir de la salle. J'avais échoué dans ma tentative d'élargir le champ de l'enquête, tout en faisant terriblement souffrir la famille. Il ne se passerait rien pendant des mois. J'enfouis ma tête dans mes mains. La pièce se vidait. J'entendis le tap-tap de la canne de sir Quintin, comme il traversait la salle. Le bruit s'arrêta près de moi. Je levai les yeux. Si le vieil homme semblait épuisé, il arborait également un air de triomphe. Edward le soutenait. Priddis se pencha lentement vers moi et me dit d'un ton calme : « Vous voyez, messire Shardlake, ce qui se passe quand on se comporte maladroitement durant un procès. »

36

Nous sortîmes l'un après l'autre de la grande salle et débouchâmes dans le soleil. Les jurés descendirent l'allée en groupe, tandis que la plupart des villageois entouraient l'épouse d'Ettis. Elle s'était effondrée et sanglotait. Je me dirigeai vers elle.

« Mame Ettis », murmurai-je.

Elle leva les yeux et s'essuya le visage. « Vous avez pris la défense de mon mari, répondit-elle d'un ton calme. Merci.

— Je ne peux pas faire grand-chose pour le moment, mais je vous promets que, lorsque le procès aura lieu, je m'assurerai qu'il soit mené selon les règles. Et il n'existe aucune preuve tangible contre votre mari, ajoutai-je d'un ton encourageant.

— Doit-on s'adresser à la Cour des requêtes à propos de nos bois, monsieur ? Mon mari ne voudrait sûrement pas qu'on renonce. »

Derrière moi, j'aperçus Dyrick et Fulstowe qui nous regardaient sur le perron. Je parcourus du regard l'attroupement de villageois. Certains semblaient abattus, mais beaucoup arboraient un air de défi. « Je pense, répondis-je d'une voix forte, qu'il faut à tout prix que vous présentiez votre requête et que vous ne vous laissiez pas intimider par ce qui s'est passé aujourd'hui. À mon avis, c'était, en partie, le but de la manœuvre et je ne crois pas qu'un jury puisse condamner maître Ettis. Nommez un autre chef de village jusqu'à ce qu'il soit libéré. » Je pris une profonde inspiration et ajoutai : « Envoyez-moi les documents et je défendrai votre dossier.

— Écoutez mon maître, renchérit Barak. Ne vous laissez pas faire. Luttez. »

Mame Ettis opina de la tête. Tout le monde se retourna alors en entendant un cheval arriver au galop. Vêtu de la livrée royale, un cavalier avait débouché dans l'allée. Il s'arrêta devant le perron, mit pied à terre et s'avança vers Fulstowe. Il y eut un bref échange et le messager entra dans la maison. L'intendant hésita, puis descendit les marches pour nous rejoindre. Dyrick ne bougea pas. Force me fut d'admirer le courage de Fulstowe. Près d'une vingtaine de villageois, très remontés, étaient présents, mais il se dirigea tout droit vers moi. « Messire Shardlake, le messager a apporté une liasse de lettres pour vous. Il attend dans la cuisine. » Il se tourna vers les villageois. « Allez-vous-en ! Partez tous ! À moins que vous ne souhaitiez être arrêtés pour violation de propriété. »

Un ou deux hommes le foudroyèrent du regard. « Vous êtes sûr que le petit dément n'a pas tué sa mère ? s'écria l'un des villageois.

— Oui-da ! renchérit un autre. Il est possédé du démon, celui-là.

— Non ! s'écria mame Ettis. Ce n'est qu'un gosse. Laissez-le tranquille ! » Puis elle lança d'une voix forte à Fulstowe : « Ce n'est pas le gamin qui a envoyé mon mari en prison. C'est vous. » Elle désigna Dyrick et ajouta : « Et ce corbeau noir ! »

Il y eut de nouveaux murmures. Un homme se pencha en avant, ramassa un caillou de l'allée et le jeta vers Dyrick, qui fit un bond de côté, tourna les talons, et se précipita dans la maison. Le groupe éclata de rire.

Je levai les mains. « Rentrez chez vous et ne causez aucun trouble ! N'intimidez pas les jurés. Déposez votre plainte auprès de moi à Lincoln's Inn !... Bon. Maintenant, monsieur l'intendant, je vais aller voir le messager. Barak, accompagne-moi. »

✝

Le messager était assis à la table de la cuisine. Ursula lui avait offert de la bière, du pain et du fromage. Lorsque nous entrâmes, il se leva et s'inclina, puis me tendit une liasse de missives. Je la défis et trouvai une lettre de Warner, une de Guy et une troisième pour Barak, que je lui tendis. « Merci, mon gars, dis-je au messager. Vous venez de loin ?

— Du château de Portchester. La suite royale y est arrivée hier. Messire Warner m'a dit de venir ici immédiatement car le courrier privé a été retardé. Il y a plusieurs jours que les lettres de Londres sont parties. »

Je le remerciai derechef. « Allons dans ta chambre, dis-je à Barak. Pour avoir un peu d'intimité. » Comme nous contournions la maison, il déclara : « Tout à l'heure, les villageois auraient pu faire du grabuge.

— Je sais. »

Il eut un rire de mépris. « Vous avez vu Dyrick prendre ses jambes à son cou quand on a jeté le caillou vers lui ? Il fait partie de ceux qui sont durs en paroles

657

mais qui s'enfuient au moindre signe de violence. Quel dommage que le petit Feaveryear n'ait pas été là pour assister au spectacle !

— Je n'ai pas encore compris pourquoi Feaveryear a été éloigné si soudainement. Ç'avait quelque chose à voir avec Hugh et David, j'en suis certain. »

Il posa sur moi un regard grave. « Vous avez définitivement coupé les ponts avec la famille. Vous ne les avez pas ménagés.

— Il fallait bien que je fasse quelque chose pour Ettis. J'ai cru que si on révélait ce que les gens pensaient d'Abigail nous pourrions aboutir à un verdict de meurtre dont l'auteur est inconnu. Priddis m'a mis des bâtons dans les roues. Tu as entendu ce qu'il m'a dit après l'audience ?

— Oui. C'est un homme dangereux.

— Je le sais. Je me demande si mame Ettis a les tripes pour prendre le relais de son mari dans l'affaire des bois. Je suppose que les villageois vont compter sur elle.

— Elle m'a donné l'impression d'être une femme de caractère. Par certains côtés, elle m'a rappelé Tamasin, en plus âgée. Bon, ouvrons ces lettres à présent. »

Une fois dans sa chambre, Barak déchira l'enveloppe de la lettre de Tamasin et en dévora le contenu, tandis que je prenais connaissance de celle de Guy. Elle était datée du douze juillet, quatre jours plus tôt.

Cher Matthew,

J'ai bien reçu votre lettre. Vous serez content d'apprendre que l'état de Tamasin est toujours très satisfaisant, même si elle est de plus en plus fatiguée à l'approche de sa délivrance. À la maison, depuis mon rappel à l'ordre, Coldiron se montre maussade, mais pas insolent. Josephine paraît avoir un peu plus confiance en elle. Je l'ai entendue dire au jeune Simon, qui affirmait vouloir aller se battre, que la guerre est une horrible chose et qu'elle souhaitait de tout son cœur que Dieu instaure la paix universelle parmi son peuple. Cela m'a fait plaisir d'entendre ça, mais cela m'a rappelé la fois où elle a juré en français.

Je suis allé revoir Ellen. Au premier abord, elle semble gaie, a repris sa vie normale et s'est remise au service des patients, comme si de rien n'était. Elle m'a affirmé être en bonne forme et que je n'avais pas besoin de revenir. Elle n'a pas du tout parlé de vous et j'ai senti que son apparente tranquillité dissimulait un tumulte intérieur.

Comme je quittais l'asile, Hob Gebons est venu à ma rencontre pour m'informer que, deux jours plus tôt, le chef gardien Shawms avait reçu une visite du directeur Metwys. Connaissant votre désir d'être informé de tout ce qui peut concerner Ellen, il a prêté l'oreille mais n'a pas entendu grand-chose. À un moment, cependant, il y a eu des éclats de voix. Metwys a crié qu'il fallait « la » déplacer si sa langue se déliait, et Shawms a répliqué qu'il n'en était pas question, car vous jouissiez de la protection de la reine.

Il me semble, Matthew, que vous devriez revenir dès que vous le pourrez.

Affectueusement,
Guy

Je levai les yeux vers Barak. « Que dit Tamasin ? »

Il sourit. « Qu'elle s'ennuie, qu'elle est fatiguée et qu'elle se sent lourde. Elle veut que je rentre. » Il poussa un long soupir de soulagement. « Et Guy ? »

Je lui passai la lettre et ouvris celle de Warner. Il me l'avait fait parvenir très rapidement car elle était datée de la veille. Quand je l'ouvris, je compris pourquoi : à l'intérieur se trouvait un petit mot plié écrit par la reine. Je brisai le sceau. Elle portait la date du quinze juillet et avait été écrite à Portchester.

Cher Matthew,
J'ai reçu votre lettre et j'ai été bouleversée d'apprendre le décès de la malheureuse Mme Hobbey. Il semble donc qu'il n'y ait rien, ou pas grand-chose à reprocher à M. Hobbey, et si ce pauvre garçon ne souhaite pas poursuivre l'affaire, nous ne devons pas, pour le moment, le faire happer par l'engrenage des Tutelles. Je sais que mame Calfhill sera d'accord.
Nous venons d'arriver au château de Portchester. Le roi se rendra à Portsmouth dans deux jours. Les derniers rapports concernant le nombre des navires français et leur progression dans la Manche sont très alarmants. Vous devriez retourner immédiatement à Londres.

Je pris ensuite connaissance de la lettre de Warner. Elle était brève, rédigée à la hâte, l'écriture n'étant pas aussi soignée què d'habitude.

Cher Matthew,
Ci-joint une lettre de la reine. La Cour est arrivée au château de Portchester. Nous pensons tous les deux que vous devez rentrer à Londres le plus vite possible. Acceptez, je vous prie, l'offre du confrère Dyrick, au sujet des frais. J'espère que l'enquête a

identifié l'assassin. À ce propos, on me dit que celle concernant le décès de maître Mylling a conclu à une mort accidentelle.

Le roi est très préoccupé de l'approche de la flotte française. Il se peut que je ne puisse plus vous écrire avant que nous soyons sortis, d'une manière ou d'une autre, de cette atroce situation.

Recevez mes sincères salutations,
Robert Warner

Je tendis les deux lettres à Barak. « C'est la première fois que je reçois une lettre de la reine.

— Vous avez de la chance. Voilà donc la fin du dossier Curteys.

— En effet… L'atmosphère est moite dans cette chambre. Sortons d'ici. »

Nous nous retrouvâmes dans le parc par une soirée d'été sans un souffle d'air. Je contemplai les tuiles du toit, les vieux murs robustes et les toutes nouvelles hautes cheminées du prieuré de Hoyland.

« Dieu merci, c'est notre dernière nuit ici, dit Barak. Pensez-vous toujours que Warner ait pu jouer quelque rôle dans l'affaire concernant Ellen ?

— Je n'en sais rien. » Je pris une profonde inspiration. « On partira de très bonne heure demain matin. J'irai à Portsmouth et, toi, tu prendras le chemin de Londres. Avec un peu de chance je n'y passerai que quelques heures et je te rattraperai sur la route, le lendemain.

— N'y allez pas !

— J'y suis obligé.

— Les Français risquent de débarquer.

— Il faut que je parle à West. C'est moi qui ai mis le feu aux poudres à Rolfswood.

— Et vous allez tenter de l'éteindre.

— Je vais tenter de découvrir ce qui s'est passé à la fonderie. »

Il secoua la tête. « Et puis, merde ! Écoutez, je vous accompagnerai à Portsmouth demain.

— Non. Rentre à Londres. J'irai voir Leacon. Peut-être pourra-t-il m'aider à trouver West.

— Vous ne devez pas y aller seul.

— Tu es sûr ?

— Du moment qu'on repart dès que vous aurez vu West. Si je ne vous accompagne pas, je crains que vous ne prolongiez votre séjour et que vous ne vous retrouviez dans un nouveau pétrin. »

— Eh bien, merci, alors, répondis-je, reconnaissant.

— Quand nous rentrerons à Londres, poursuivit-il avec une soudaine fermeté, il faudra que vous changiez votre mode de vie. Vous ne pouvez pas continuer de la sorte. Ni moi non plus. » Il posa sur moi un regard dur où, malgré tout, la sollicitude le disputait à la critique.

Je souris tristement. « Leacon m'a dit quelque chose de semblable. À propos du vieillissement.

— Et de l'obsession. Vous devenez de plus en plus obsédé.

— Par conséquent, il semble que, désormais, j'aie besoin que tu me guides. Merci, Jack. »

☩

Nous regagnâmes la maison. Il a raison, pensai-je. Quand nous rentrerons, il sera temps que je me construise une vie personnelle, au lieu de vivre les tragédies des autres. Car c'est bien ce que je faisais depuis des années. Il y en avait eu tant, à cause des violents changements et des conflits que le roi avait imposés à l'Angleterre. Peut-être s'agissait-il de ma réaction personnelle à la folie ambiante.

Dans la grande salle, Fulstowe contemplait le mur où étaient jadis accrochées les tapisseries. Il se retourna et me foudroya du regard, sa barbe et ses cheveux blonds ressortant sur son pourpoint de deuil, noir comme le jais.

« Savez-vous où se trouvent sir Quintin et son fils ? lui demandai-je d'un ton sec.

— Ils sont partis.

— Et les membres de la famille ? »

Il me lança un nouveau regard noir et, oubliant toute marque de respect, répondit : « Je refuse que vous les ennuyiez… Pas après l'état où vous les avez réduits lors de l'audience.

— Soyez poli, intendant, dis-je d'un ton calme.

— Je suis chargé de la maisonnée, sous la direction de M. Hobbey, et je vous répète que je refuse que vous les dérangiez.

— Et messire Dyrick, où se trouve-t-il ?

— Avec M. Hobbey.

— Nous repartons demain. Dites à messire Dyrick qu'il faudra que je lui parle avant de partir. »

La nouvelle parut le soulager. « D'accord. Le dîner ne sera pas servi dans la grande salle ce soir, mais dans les chambres. » Sur ce, il tourna les talons et s'éloigna.

Je montai dans ma chambre. On frappa peu après à ma porte et Dyrick entra, le visage sombre, l'air furieux. « Vous serez content d'apprendre, monsieur, dit-il, que M. Hobbey est prostré. Et que David est complètement bouleversé.

— Pas aussi bouleversé que maître Ettis, je suppose. »

Si j'avais un peu honte d'avoir fait ce que je croyais être mon devoir durant l'audience, pour Dyrick je ne ressentais que colère et mépris. Au début, j'avais pensé que, malgré son attitude ridiculement désagréable, il croyait sincèrement que je traitais injustement Hobbey à propos de Hugh. Mais, à sa manière de harceler Ettis, j'avais compris qu'il était cruel et corrompu.

« Ettis, ricana-t-il, dont la femme sera sans doute votre cliente maintenant.

— Vous serez sûrement ravi d'apprendre qu'on m'a officiellement chargé d'accepter votre proposition de refermer le dossier concernant Hugh sur la base des frais partagés.

— Ah oui, le messager royal. Et, ajouta-t-il avec son sourire narquois, j'ai remarqué que vous et le jeune Hugh ne semblez plus amis. Après ce que vous lui avez fait faire cet après-midi, j'imagine qu'il sera content d'être débarrassé de vous, comme tout le monde ici.

— Oh, tout n'est pas terminé, confrère Dyrick, répondis-je d'un ton serein. Et, entre parenthèses, on n'a toujours pas trouvé l'assassin.

— Si fait.

— Je ne crois pas que même vous pensiez qu'Ettis soit coupable.

— Corbleu ! Vous êtes le plus grand enquiquineur que j'aie jamais rencontré !

— Calmez-vous, confrère.

— Je retrouverai mon calme quand vous et votre clerc insolent aurez quitté cette maison.

— Et j'espère que vous resterez calme quand nous nous reverrons, au procès d'Ettis ou à la Cour des requêtes. J'ai compris qui vous étiez, Dyrick. Vous n'avez plus de secrets pour moi.

— Vous ne comprenez rien. Vous n'avez jamais rien compris. À propos, je crois que M. Hobbey et sa famille peuvent se passer de vos adieux. » Sur ce, il s'en alla brusquement et claqua la porte avec un fracas assourdissant.

✝

Nous nous levâmes de bonne heure, le lendemain matin. Nous prîmes le petit déjeuner dans la cuisine et dîmes au revoir à la vieille Ursula, qui y travaillait dur comme d'habitude et qui nous remercia de l'intérêt que nous avions porté à Hugh. « Même si vous n'avez pas découvert pourquoi ils ont raconté ce vilain mensonge à propos de maître Calfhill qui aurait aimé monsieur Hugh, pas vrai, monsieur ?

— Non, Ursula. Et sans la coopération de Hugh, je ne pense pas qu'on le puisse.

— Vous allez quand même aider maître Ettis ? me demanda-t-elle, l'air suppliant. C'est un honnête homme. Il n'a pas tué Mme Hobbey.

— Bien sûr. » Je plantai sur elle un regard grave. « Et vous, avez-vous une idée de l'identité du coupable, Ursula ?

— Aucune, monsieur. Malgré ces manières bizarres, elle ne méritait pas un tel sort. Que Dieu lui pardonne !

— Amen. Je ne reviendrai pas ici, mais si vous entendez parler de quelque chose, il faudra me le faire savoir. Si l'occasion se présente, accepterez-vous d'en informer mame Ettis ? Elle sait comment entrer en contact avec moi.

— D'accord, monsieur. Sauf si les Français nous tombent dessus avant. » Elle fit une profonde révérence, mais je voyais que mon échec l'avait déçue.

Le temps était à nouveau chaud et calme. Nous chargeâmes nos sacoches de selle sur Oddleg et sur le cheval de Barak. Dans trois ou quatre jours, pensai-je, nous les rendrons au loueur de Kingston.

« Qu'allez-vous faire à propos de l'enquête de Rolfswood ? s'enquit Barak une fois que nous fûmes en selle.

— Dès que nous serons rentrés à Londres je prendrai contact avec le coroner du Sussex. Je m'assurerai que Priddis soit interrogé et je demanderai à la reine d'user de son influence, si besoin est.

— Cela prendra du temps.

— J'en suis conscient.

— Regardez », fit-il à voix basse.

Je suivis son regard et vis David et Hugh, munis de leurs arcs et de leurs carquois, sortir de la maison et se diriger vers le terrain de tir. Hugh nous aperçut. Il posa son arc et s'approcha de moi, le visage fermé. David s'immobilisa et nous regarda fixement.

« Donc, vous partez ? demanda Hugh tout à trac.

— Oui. Et on va sous peu vous notifier que nous ne donnons pas suite à la plainte auprès de la Cour des tutelles.

— Je regrette qu'elle ait jamais été déposée. »

Je lui tendis la main. « Adieu, Hugh. »

Il la regarda, puis leva vers moi des yeux froids.

« Allez-vous dire adieu à mon maître ? lança Barak

d'un ton véhément. Il a essayé de vous aider, espèce de sale gosse ! »

Hugh soutint son regard. « Comme, par exemple, en me faisant dire à l'audience ce que je pensais de Mme Hobbey ? Étrange façon de m'aider. Et maintenant, je vais tenter de distraire David en lui faisant pratiquer honnêtement le tir à l'arc. Nous ne sommes peut-être que des gosses, mais si les Français surgissent sur cette route on risque d'avoir besoin de nous. » Sur ce, il tourna les talons et s'éloigna.

« Viens, Jack, dis-je d'une voix sereine. Il est grand temps de partir. »

Par cette journée d'été, nous traversâmes à nouveau la forêt en direction du sud. On abattait toujours des arbres dans les bois appartenant à Hugh. Deux chariots chargés de troncs de chênes, la coupe encore humide de sève, sortirent d'un sentier transversal et s'ébranlèrent en direction de Portsmouth.

Nous poursuivîmes notre route à bonne allure, traversant la luxuriante campagne par cette matinée d'été, l'atmosphère se réchauffant au fur et à mesure que l'heure avançait. Nous gravîmes la longue pente abrupte de la colline de Portsdown, montée pénible pour les chevaux, et atteignîmes la crête de l'escarpement, où nous nous arrêtâmes pour contempler à nouveau l'extraordinaire panorama. Presque toute la flotte semblait mouiller dans le Solent, tandis que seules quelques petites embarcations se trouvaient dans la rade de Portsmouth. Les bateaux étaient regroupés en trois longues files, à part trois d'entre eux – un gigantesque vaisseau, sans doute le *Great Harry* et deux autres grands navires qui longeaient la côte de l'île de Portsea et se dirigeaient vers l'est.

« Ils sont en formation de combat », commenta tranquillement Barak.

Je regardai vers l'extrémité est de l'île de Wight. Quelque part, encore invisible, l'ennemi approchait sur la mer bleue et calme.

✝

À la hauteur du pont qui reliait l'île de Portsea à la terre ferme, sur les deux rives du cours d'eau à marée, se trouvaient de vastes camps militaires et de lourds canons. J'avais enfilé ma robe d'avocat et on nous laissa passer lorsque je dis que nous avions affaire en ville. Les fournitures continuaient à arriver, un grand nombre de chariots roulant vers la longue rangée de tentes dressées le long de la côte.

Comme nous descendions la pente, Barak expliqua : « Derrière ce petit lac, là-bas, ce sont les pavillons royaux.

— C'est exact. » Une rangée de vingt énormes tentes d'une infinité de formes et de couleurs différentes s'étirait parallèlement à la côte, et l'on en érigeait de nouvelles.

« Pensez-vous que le roi va assister à la bataille navale si elle a lieu ?

— C'est possible. Et la reine aussi, peut-être.

— Force nous est d'admirer le courage du vieil Henri.

— Ou sa folle témérité. Viens ! Il faut trouver Leacon. »

✝

Devant l'enceinte de la ville, où des ouvriers travaillaient toujours sans répit pour renforcer les murs de pisé, plusieurs compagnies faisaient des exercices militaires. Les soldats couraient en tenant de longues piques devant eux ou, armés de hallebardes, se mettaient en ordre de combat, ou encore pratiquaient le tir à l'arc contre des cibles accrochées à des buttes improvisées. Ayant passé beaucoup de temps au soleil, tous les hommes étaient hâlés. Des officiers, la plupart du temps à cheval, les surveillaient, mais je n'aperçus pas Leacon. Il y avait tant de nouvelles tentes que nous avions du mal à nous repérer. L'odeur d'excréments était insupportable.

Nous retrouvâmes l'endroit où la compagnie de Leacon s'était installée et mîmes pied à terre. Dans cette partie du campement, toutes les tentes étaient vides et fermées, sauf une, un peu à l'écart, où un jeune soldat était assis et mangeait du pain et du fromage sur un tranchoir en bois. Je le reconnus comme l'un des hommes de Leacon. Son visage était parsemé de marques de piqûres de moustique et le long col de sa tunique crasseuse était élimé. Je lui demandais s'il savait où se trouvait le reste de la compagnie.

« Ils sont à bord des navires, monsieur. Pour acquérir le pied marin et s'exercer à tirer d'un bateau. On m'a laissé ici pour garder les tentes. Ils seront de retour dès ce soir.

— On a vu des navires de guerre en mer.

— Oui. Il paraît que le *Great Harry*, le *Mary Rose*

669

et le *Murrain* sont en mer avec cinq compagnies à bord.

— Merci beaucoup.

— Cette vie te plaît, l'ami ? lui demanda Barak.

— J'ai jamais rien vu de pareil. Le roi vient voir la flotte demain. On raconte que les Français seront là dans quelques jours. Y a deux semaines j'étais l'assistant d'un marguillier. Ça m'apprendra à m'exercer au tir à l'arc.

— Oui, ça peut être dangereux. »

Le soldat désigna son tranchoir. « Regardez cette merde qu'il nous donne à manger. Du fromage à moitié moisi et du pain dur comme de la pierre. Ça me rappelle la famine de vingt-sept, quand j'étais tout gosse. C'est à cause de ça que j'ai les jambes arquées. » Il but dans une chope de bois, posée à côté de lui et sur laquelle était inscrite une formule en latin : « Si Dieu est avec nous, qui peut être contre nous ? »

« J'espère que vous recevrez une affectation sans risque, mon gars, dis-je.

— Merci. »

Nous repartîmes. « Où va-t-on maintenant ? demanda Barak.

— À l'hôtel-Dieu. Pour voir si on peut nous dire où se trouve Philip West.

— Au port, sans doute, sur le *Mary Rose*.

— Il se peut qu'il soit à terre en ce moment ou qu'il revienne ce soir. On aurait intérêt à chercher une auberge en ville. Il est possible que nous devions passer la nuit ici, dis-je d'un ton hésitant.

— D'accord, soupira-t-il. Une nuit, s'il le faut. Seigneur Jésus, quand je pense que j'aurais pu être à la place de ce soldat... Aussi, je vous dois bien une nuit dans cette ville. »

Je regardai les murailles comme nous poursuivions notre chemin vers la ville. Les soldats allaient et venaient le long de la plate-forme de tir. Les tours étaient hérissées de gros canons, longs tubes noirs pointés sur nous.

37

Nous dûmes attendre longtemps à la porte de la ville. Craignant sans doute les espions français, les soldats interrogeaient tout le monde sur le but de leur visite à Portsmouth. Quand vint notre tour, je leur répondis que j'avais des affaires juridiques à traiter à l'hôtel de ville, et cela nous permit d'entrer.

Il y avait encore plus de monde à Portsmouth que la fois précédente. Des tentes avaient été montées partout à l'intérieur des murs et des soldats s'entraînaient. Nous descendîmes la grand-rue, nous frayant un chemin entre la foule des marchands, des ouvriers, des soldats et des marins, anglais ou étrangers. Un grand nombre de soldats, comme celui du camp, commençaient à avoir l'air sales et haillonneux. De lourds chariots continuaient à rouler en cahotant vers le quai, les conducteurs criant aux gens de dégager le passage. Partout l'aigre odeur de la sueur se mêlait aux âcres effluves des brasseries.

Barak se tortilla sur sa selle. « Merde ! J'ai déjà rechopé des puces.

— Tu as dû les attraper au camp. Essayons de trouver une auberge propre avant d'aller à l'hôtel-Dieu. »

Nous tournâmes dans Oyster Street et nous dirigeâmes vers le quai. C'était marée haute et le Camber était plein de bateaux à rames attendant leur tour pour aller ravitailler les navires. Nous allâmes presque jusqu'au quai. De là, nous pouvions voir, au-delà de la Pointe peu élevée, la triple rangée de navires mouillant dans le Solent. Ils paraissaient encore plus impressionnants que lors de notre précédente visite car, à présent, il y en avait une bonne cinquantaine de toutes les tailles, depuis les petits bateaux de quarante pieds jusqu'aux gigantesques navires de guerre. Rares étaient ceux qui avaient hissé la moindre voile, et même la *Galley Subtle* était immobile, les rameurs au repos. L'immobilité même de la flotte ajoutait à l'impression de puissance, les seules choses qui bougeaient étaient les drapeaux des grands bateaux de guerre, claquant dans le vent léger. Accroché au mât de misaine du *Mary Rose*, un immense drapeau frappé de la croix de Saint-Georges flottait au vent, au-dessus du triple pont aux couleurs éclatantes du gaillard d'avant. L'énorme masse du *Great Harry* s'éloignait en direction du Solent, certaines de ses grandes voiles blanches ayant été hissées.

Nous trouvâmes une auberge dans Oyster Street, dont les clients appartenaient à la classe fortunée. Sur un grand écriteau près de la porte, on pouvait lire cet avertissement griffonné : « Interdit aux braillards et aux bagarreurs. » L'aubergiste exigea un shilling pour nous loger, refusant de baisser son prix, arguant qu'on avait de la chance de trouver une chambre de libre.

« Il paraît que le roi arrive demain, fis-je.

— Oui. Demain matin. Pour voir les bateaux. On a demandé au peuple de faire la haie le long des rues.

— De nombreux officiels royaux doivent chercher à se loger en ville. »

Il secoua la tête. « Que nenni ! Ils sont tous à leur aise dans les pavillons royaux, le long de la côte. Si Portsmouth est assiégée, ils s'enfuiront à cheval. Et nous, pauvres citadins, on sera pris au piège. »

Nous mîmes les chevaux à l'écurie, montâmes nos sacoches dans notre petite chambre, avant de ressortir. Nous reprîmes Oyster Street en direction de la place devant la tour Carrée, les mains sur la ceinture, à cause des coupeurs de bourses se faufilant au milieu de la foule grouillante. Sur la plate-forme, armés de hallebardes garnies de pointes, les soldats marchaient au pas cadencé et faisaient demi-tour au son du tambour. Un groupe de gamins les regardaient et poussaient des vivats.

Soudain, je bondis en arrière après avoir entendu un bruit fracassant. Barak tressaillit, alors que les soldats gardaient le rythme. L'un des gamins me désigna et s'esclaffa. « Vous avez vu le bond qu'a fait le bossu ? Hé, hé ! Dos voûté ! »

« Foutez-moi le camp, espèce de petits merdeux ! » hurla Barak. Les gamins s'enfuirent en riant. Nous levâmes les yeux vers la tour Carrée où des panaches de fumée gris-noir se dispersaient dans le ciel. Des soldats se penchèrent pour recharger l'un des énormes canons pointés sur la mer. Ils s'entraînent, pensai-je.

Nous atteignîmes le portail de l'hôtel-Dieu. Cette fois-ci, Leacon n'était pas là pour nous faciliter l'entrée. Je dis au garde que nous avions une affaire à

674

traiter avec un officier supérieur du *Mary Rose*, le commissaire Philip West, et que nous aimerions savoir où le trouver. « Il s'agit d'une affaire juridique, une question familiale de toute première importance, précisai-je. Nous ne serions pas venus à Portsmouth aujourd'hui si cela n'avait pas été absolument nécessaire.

— Personne ne vient ici en ce moment pour le plaisir. Adressez-vous à l'un des clercs de l'ancienne infirmerie.

— Merci. »

Nous passâmes dans la cour. Barak me regarda d'un air dubitatif. « Est-ce une bonne idée de mentir à ces gens ?

— C'est la seule façon de pouvoir rencontrer West.

— Vous vous rendez compte qu'il n'a peut-être pas envie de répondre à vos questions.

— Je lui dirai que les renseignements que je possède viennent de sa mère. Ce qui est la vérité. »

Je jetai un coup d'œil à l'entour. Partout marchaient en bavardant des hommes en uniforme ou portant les robes aux couleurs chatoyantes des personnages officiels. Nous arrivâmes devant la porte de l'ancienne infirmerie. Je répétai au garde mon histoire à propos de la nécessité où j'étais de voir West. Il nous laissa passer.

L'infirmerie, qui conservait encore ses vitraux représentant des saints en position de prière ou de supplication, avait été divisée en un alignement de pièces. Par une porte ouverte, j'aperçus deux fonctionnaires en train de discuter, une feuille de papier entre eux. « Je te dis qu'il ne peut pas prendre ces cent soldats de plus, insistait l'un des deux d'un ton fébrile. Les travaux de radoub l'ont encore alourdi.

— Il est venu sans encombre depuis Deptford, non ? rétorqua l'autre. Voici le nombre de soldats supplémentaires que recevra chaque bateau, indiqua-t-il en frappant le feuillet de la main. Il s'agit de la décision personnelle du roi. Tu veux aller à Portchester pour lui tenir tête ? » Levant les yeux, l'homme croisa mon regard. Fronçant les sourcils d'un air agacé, il tendit le bras et claqua la porte.

Un clerc en robe noire passa, accompagné d'un homme en robe d'avocat. Je me plaçai devant lui. « Veuillez m'excuser, confrère, pourriez-vous m'aider ? Il faut que je parle de toute urgence à un officier de marine… Philip West. Je crois qu'il est du *Mary Rose*. »

Le clerc s'arrêta, impressionné par ma robe de sergent royal. « Tous les officiers restent à bord désormais. Je doute qu'on laisse monter un civil. Peut-être pourriez-vous lui faire porter un message. »

Mauvaises nouvelles. Je réfléchis un court instant. « Je connais un officier de l'armée de terre. Je crois comprendre que sa compagnie est en mer aujourd'hui.

— On les ramènera dans des canots à rames au crépuscule. Il n'y a pas assez de place sur les bateaux pour que les soldats puissent y dormir.

— Je vois. Merci du renseignement. »

Les deux hommes s'éloignèrent d'un pas pressé. « Je veux voir Leacon quand il reviendra à terre, dis-je à Barak. Je lui demanderai s'il peut me faire monter à bord du *Mary Rose*.

— Quoi ? Vous allez essayer de parler à West à bord de son navire ? Si c'est lui qui a agressé Ellen, vous allez vous retrouver à sa merci.

— À bord d'un bateau plein de soldats et de marins ?

Aucun risque. Et j'irai seul, ajoutai-je. Une conversation en privé sera plus efficace. Ne discute pas ! Ma décision est prise. Allons, viens ! Allons passer l'après-midi à l'auberge, à l'abri de ces miasmes. »

Il me dévisagea d'un air inquiet. Je me dirigeai à nouveau vers la cour animée. Près des marches de l'infirmerie, deux hommes, âgés d'une bonne trentaine d'années, étaient en train de discuter. L'un d'eux avait un visage austère, une courte barbe noire et portait une longue robe sombre. L'aspect de l'autre m'était familier : la barbe cuivrée se détachait sur le pourpoint vert et une rangée de perles ornait le bonnet. C'était sir Thomas Seymour, que j'avais vu pour la dernière fois en compagnie de Rich devant une porte de Hampton Court. Il écoutait attentivement son interlocuteur.

« D'Annebault est un militaire, pas un marin, affirmait avec assurance l'homme à la barbe noire. Il n'est pas capable de commander une flotte de cette taille…

— La milice qui opère entre ici et le Sussex est prête à empêcher tout débarquement », répliqua Seymour avec fierté.

Barak et moi changeâmes brusquement de direction afin que Seymour nous tourne le dos. « Il se retrouve donc ici avec tout le monde, murmurai-je. L'homme qui était avec lui c'est Thomas Dudley, lord Lisle. C'est le lord amiral, qui commande toute la flotte. On me l'a montré une fois à Westminster.

— Il a un air farouche. »

Je lui jetai un coup d'œil par-dessus mon épaule. Il avait la réputation d'être un valeureux guerrier, un habile administrateur, et un homme impitoyable. Il croisa mon regard et me fixa quelques instants, le noir des yeux tranchant sur la pâleur du visage. Je détournai vivement la tête.

« Je ne crois pas que vous devriez monter à bord de ce bateau, insista Barak avec force.

— Il faut que je parle à West. Il faut que je voie sa réaction quand il apprendra qu'on a trouvé le corps du père d'Ellen… On quittera Portsmouth demain matin, à la première heure, avant l'arrivée du roi. Je monterai à bord dès ce soir s'il le faut », ajoutai-je d'un ton agacé.

✝

Nous retournâmes à la taverne et commandâmes un repas à apporter dans la chambre. Nous tentâmes ensuite de nous reposer, mais les bavardages et cris ininterrompus qui montaient d'Oyster Street et du quai nous en empêchèrent. J'étais, en outre, impatient, conscient du peu de temps qu'il me restait pour voir West. Soudain, nous entendîmes à nouveau des coups de canon, tirés de très près et qui secouaient les volets que nous avions fermés à cause de la puanteur extérieure. Un autre coup de canon, tiré de plus loin, répondit au premier.

Barak se leva du lit d'un bond et ouvrit les volets. « Dieu du ciel, est-ce que ce sont les Français ? »

Je le rejoignis à la fenêtre et regardai vers le Camber, au-delà d'Oyster Street. La marée se retirait, révélant la vase répugnante. Des hommes s'affairaient autour des canons dans la tour Ronde. Il y eut un nouveau bruit assourdissant, suivi d'un nuage de fumée.

« Allons voir ce qui se passe », dit Barak.

Comme nous ressortions, nous rencontrâmes l'aubergiste qui venait de la salle avec un plateau chargé de chopes de bière. « Qu'est-ce que c'était que ces coups de canon ? » lui demandai-je.

Mon air inquiet le fit rire. « On fait des essais de canon à la tour Ronde et là-bas, à Gosport. On s'assure qu'on pourra protéger l'entrée du port si les Français arrivent… Vous avez remarqué le gros cabestan près de la tour ? ajouta-t-il d'un air narquois.

— En effet.

— Il paraît qu'à l'entrée du port on doit tendre, de part en part, une chaîne avec des anneaux mesurant un pied de long qui est censée barrer le passage à n'importe quel navire. On l'a enlevée l'année dernière et on l'a emportée pour la réparer. Mais on l'a jamais rapportée. Par conséquent, si les Français arrivent on aura besoin de canons.

— J'ai bien cru à un moment que c'était le cas.

— Quand ils seront là, il y aura davantage de vacarme et de remue-ménage. » Sur ce, il s'éloigna.

« Ça m'a un peu secoué, reconnut Barak. Allons faire un tour ! »

✝

Nous sortîmes de l'auberge et nous engageâmes dans la grand-rue. Devant l'hôtel de ville, une foule s'était rassemblée pour regarder passer une étrange compagnie de soldats. Au lieu d'une armure, sous un gilet court et très décoré, ils portaient une tunique tombant jusqu'aux genoux. Les jambes nues, ils n'étaient pas chaussés de sandales mais de bottes. La plupart étaient grands et robustes et avaient un visage dur sous le casque.

« Encore des mercenaires, à en juger par leur mine, dis-je. Mais d'où viennent-ils, ceux-là ? »

Un gamin qui se trouvait à côté de nous, lança, tout excité : « D'Irlande, messire ! Ce sont des fantassins irlandais ! On les paie pour qu'ils se battent contre les Français plutôt que contre les soldats du roi. »

La troupe irlandaise continua sa marche, au pas cadencé, sans regarder ni à droite ni à gauche. La foule s'étant dispersée, j'aperçus un homme qui contemplait la scène depuis le seuil de l'hôtel de ville. C'était Edward Priddis. Il nous fixa un instant, puis tourna les talons et rentra dans le bâtiment. Barak posa sa main sur mon bras et désigna une fenêtre ouverte.

« Regardez », dit-il à voix basse.

Assis à une table, sir Quintin nous foudroyait du regard. Un autre homme était à côté de lui. Lorsqu'il se tourna, je vis qu'il s'agissait de sir Richard Rich.

« Merde alors ! » chuchota Barak.

Rich se leva et quitta la pièce d'un pas vif. Quelques secondes plus tard, il apparut sur le seuil. Des taches rouges marquaient ses joues pâles et je ne lui avais jamais vu un air aussi furieux. Il traversa la rue à grandes enjambées et se dirigea vers moi.

« Que diable faites-vous là ? » Il parlait de sa voix calme habituelle mais le ton narquois avait cédé la place à un sifflement malveillant. « Pourquoi harcelez-vous sir Quintin Priddis de la sorte ? » Un petit tressaillement était apparu au coin de son œil. « On m'a fait part de votre attitude honteuse durant l'audience concernant la mort de cette femme. »

Je me forçai à le regarder droit dans les yeux. « Je ne savais pas que vous connaissiez les Hobbey, sir Richard.

— Je ne les connais pas. Mais j'ai jadis eu l'occasion de rencontrer sir Quintin et il m'a parlé de votre obsession à propos d'une prétendue injustice dont serait victime le jeune Hugh Curteys et du harcèlement (il cracha presque le mot) que vous exercez sur cette famille. Vous allez trop loin, monsieur l'avocat. Rappelez-vous où cela vous a déjà conduit. Si vous êtes venu ennuyer à nouveau sir Quintin...

— Ma présence à Portsmouth n'a rien à voir avec ce dossier, sir Richard.

— Eh bien, alors, que faites-vous là ?

— Une affaire juridique...

— Quelle affaire ? Concernant qui ?

— Sir Richard, vous savez bien que je suis tenu par le secret professionnel. »

Les yeux gris à fleur de tête lançaient des éclairs et les pupilles noires me transperçaient comme des aiguilles. « Pour combien de temps êtes-vous là ?

— Je repars demain.

— Quand le roi arrivera à Portsmouth vous avez intérêt à avoir déguerpi. » Il se pencha en avant. « N'oubliez pas que je fais partie du Conseil privé, messire Shardlake, et que cette ville se prépare à la guerre. Si je le voulais, je pourrais demander au gouverneur Paulet de vous faire incarcérer comme espion à la solde des Français. »

38

Nous reprîmes la grand-rue. Des pensées de toutes sortes se bousculaient dans ma tête. « Jack, dis-je. C'est plus complexe que je ne l'imaginais. Rich est personnellement impliqué.

— Vous avez vu le tressaillement de son œil ? J'ai cru qu'il allait vous frapper.

— Je crois qu'il est parti avant de perdre son sang-froid. Par conséquent, la rencontre de Rich et de Seymour à Hampton Court n'était absolument pas fortuite. C'est lui qui a organisé l'agression contre moi des petits voyous de Londres. Rich est plus ou moins lié à ce qui est arrivé à Hugh. Il s'est passé quelque chose... Il se passe quelque chose... » Je me tus un instant, puis poursuivis : « Et Michael Calfhill est mort. Et le clerc Mylling... C'est une affaire dont l'envergure...

— Raison supplémentaire de fiche le camp d'ici. Vous savez à quel point Rich est dangereux. »

Je réfléchis un moment. « Il aurait pu me faire arrêter sur-le-champ, s'il l'avait voulu, pour un motif fabriqué. Mais il n'en a rien fait. Ce qui le lie aux Hobbey et à Hugh, quoi que ce soit, il ne veut pas que j'en parle, à Paulet ou à quiconque.

— Comment a-t-il pu apprendre si tôt que vous alliez vous occuper de cette affaire ?

— La seule autre personne, répondis-je d'un ton grave, qui était au courant du but de ma visite chez la reine ce jour-là était Robert Warner.

— Lequel, pensez-vous, peut aussi être impliqué dans l'affaire de Rolfswood.

— Et susceptible de subir un chantage si c'est le cas. Le chantage est l'une des spécialités de Rich. »

Tout en marchant, Barak regardait soigneusement à l'entour. « Vu la foule qui grouille dans la ville, Rich pourrait facilement envoyer quelqu'un pour vous donner un coup de couteau dans le ventre.

— Non. Je suis sous la protection de la reine. Si un malheur m'arrivait maintenant, elle remuerait ciel et terre pour en connaître la cause et les auteurs. Malgré ses fanfaronnades, Rich ne peut rien faire contre moi.

— Vous pensez plaire à la reine à ce point. Rich a toujours la faveur du roi. On l'a gardé malgré le scandale déclenché par l'affaire de corruption, l'année dernière.

— Elle ne m'abandonnerait pas. Si la reine ordonnait une enquête, qui sait sur quoi cela pourrait déboucher ? Non. Rich peut surveiller mes mouvements, mais rien de plus.

— Pensez-vous que Seymour ait partie liée avec Rich dans le dossier Curteys ? »

Je secouai la tête. « Je crois plus probable que Rich et Seymour étaient tous les deux à Hampton Court ce jour-là et que Rich a invité Seymour à attendre avec lui que je ressorte. Cela amuserait Seymour et aiderait Rich à m'intimider. »

Barak s'immobilisa soudain au milieu de la rue, sans

prêter attention au juron poussé par un porteur d'eau.
« Ne vaudrait-il pas mieux repartir tout de suite ?

— Pars, si tu veux. Moi, je reste. Jusqu'à demain matin, comme nous en sommes convenus. »

Il soupira. « Alors, pour l'amour de Dieu, soyez sur vos gardes. Venez, nous serons davantage en sûreté sur le quai. Ce soir, on dort, le poignard dégainé, et demain matin on file à la première heure.

— Mais qu'est-ce qui peut lier Rich à de petits hobereaux comme les Hobbey ?

— Attendons qu'on soit rentrés à Londres, répondit-il sèchement. Il sera alors temps de chercher à le savoir. »

De retour sur Oyster Street, nous prîmes le chemin du quai. De l'autre côté de la Pointe, d'un mouvement lent, solennel, majestueux, les mâts et le hunier se dressant très haut dans le ciel, le *Great Harry* retournait vers la file de navires de guerre. Sûr de lui, le léviathan manœuvra pour prendre sa place dans la première rangée des vaisseaux, devant le *Mary Rose*. Plusieurs navires avaient détaché les grands bateaux à rames qu'ils tiraient dans leur sillage, lesquels avançaient prudemment pour se placer sur le flanc du gigantesque navire de guerre. J'aperçus de minuscules silhouettes en train de descendre une sorte d'échelle pour rejoindre les embarcations à rames. Deux bateaux de guerre, plus petits que le *Great Harry*, mais imposants quand même, apparurent et se dirigèrent lentement vers la rangée de vaisseaux.

« J'ai l'impression que les soldats reviennent à terre », dit Barak.

Nous nous assîmes sur le banc devant l'un des entrepôts, le dos appuyé contre le mur. Je regardai la rive de Gosport, de l'autre côté du port, où, en face de la tour Ronde, se dressait une autre forteresse. Le soleil était bas et le ciel rougeoyant annonçait une nouvelle journée de grande chaleur.

Je ne reconnus pas le premier groupe de soldats. Ils débarquèrent sur le quai en silence, sans les habituels bavardages et plaisanteries, certains trébuchant un peu sur les marches. Un sergent instructeur les fit mettre en rangs et la troupe s'éloigna, au pas cadencé.

Plusieurs groupes firent de même avant que Leacon n'apparaisse au sommet des marches. Une moitié de la compagnie environ le suivait. Des visages familiers se détachaient : Carswell et Tom Llewellyn, Pygeon et Sulyard. Comme parmi les groupes précédents, certains portaient des hoquetons, d'autres des pourpoints de cuir ou de laine, et Pygeon arborait la brigandine de Sulyard, trophée de son combat contre ce dernier. Soufflant, ahanant, Snodin gravit les marches le dernier. Comme ceux des autres groupes, les hommes de Leacon étaient inhabituellement silencieux. Même Carswell ne semblait pas d'humeur à plaisanter. Seul cet imbécile de Sulyard plastronnait à nouveau et paraissait en pleine forme. Alignés en file irrégulière sur le quai, les hommes n'avaient pas remarqué notre présence car nous nous trouvions dans l'ombre de l'entrepôt. L'un d'eux retira son casque et se gratta la tête. « Ces foutus poux !

— Je t'ai assez entendu ! » hurla Snodin. À l'évidence, le sergent instructeur était de mauvais poil. « Misérable roquet pleurnichard ! » Plusieurs soldats lui lancèrent des regards furieux.

Je m'avançai et appelai Leacon. Il se tourna vers moi, comme tous les soldats. Le visage de Carswell s'éclaira un peu. « C'est notre mascotte ! Monsieur, montez avec nous demain, à bord du *Great Harry*. Portez-nous chance ! » Les autres hommes contemplaient la scène, surpris de me revoir ici. J'entendis Sulyard marmonner : « Les bossus, ça porte la poisse, pas la chance. »

« Rompez les rangs, les gars ! ordonna Leacon. Attendez là-bas, jusqu'à l'arrivée du reste de la compagnie. » Les hommes se dirigèrent d'un pas las vers un espace vide entre deux entrepôts, tandis que Leacon venait me serrer la main.

« Je croyais que vous étiez reparti, Matthew.

— Demain.

— Le roi arrivera dans la matinée. En tant qu'archers principaux nous devons défiler devant lui, à l'extérieur de la ville.

— Nous serons déjà partis.

— Absolument ! renchérit Barak avec force. Nous partons à la première heure. »

Leacon jeta un coup d'œil vers ses hommes, dont beaucoup paraissaient fatigués et inquiets. Pygeon jeta sa brigandine par terre, ce qui produisit un cliquetis. Sulyard lui lança un regard noir. « Sergent Snodin, demanda Carswell à l'instructeur, est-ce qu'on peut rentrer au camp, pour manger un morceau ?

— De la vraie nourriture, dit un autre soldat. Pas un biscuit qu'il faut d'abord débarrasser de ses charançons ! » Un murmure d'assentiment parcourut le groupe.

« On partira dès que les autres arriveront avec sir Franklin ! » cria Snodin.

« C'était leur première journée à bord ? demandai-je à Leacon.

— Oui. Et ça ne s'est pas bien passé. »

Surpris par un fracas assourdissant, tout le monde sursauta et regarda à l'entour. C'était un nouveau tir de canon depuis la tour Ronde, auquel répondit un autre « boum » accompagné d'éclairs, en provenance de la rive de Gosport.

« Que font-ils ?

— Ils s'exercent à protéger le port, me répondit Leacon, au cas où les Français chercheraient à y accéder. On devrait être capables de les en empêcher, car ces canons ont plus d'un mille de portée. Mais s'ils battent notre flotte en mer, rien ne pourra leur interdire de débarquer ailleurs.

— George... Puis-je encore vous demander un service ?

— Oui ? fit-il d'un air curieux.

— C'est confidentiel », précisai-je en désignant les hommes du menton.

Il poussa un soupir. « Allons là-bas, sur le côté de l'entrepôt. »

Nous tournâmes le coin du bâtiment et nous arrêtâmes dès que nous fûmes sûrs que personne ne pouvait nous entendre.

« Donc, ça ne s'est pas bien passé aujourd'hui ?

— La compagnie est montée à bord du *Great Harry*.

Morbleu, vous n'imaginez pas la taille de ce navire ! Il possède assez de canons pour conquérir l'enfer lui-même. Aucun des gars n'avait jamais rien vu de pareil. Juste au moment où on grimpait à l'échelle de corde, il y a eu une rafale de vent et l'échelle s'est mise à voltiger, tandis qu'on s'y accrochait comme des escargots à un tuyau de descente. Les hommes avaient une peur bleue de tomber dans la mer. Une fois à bord, ils se sont tous mis à déraper et à se casser la figure à la moindre vaguelette. Et se retrouver sous les filets ne les a pas rassurés.

— J'ai entendu parler de ces filets. Ils sont fixés au-dessus des ponts. En cas d'abordage par les Français, ceux-ci s'y emmêleront les membres et des soldats armés de petites piques les attaqueront par en dessous.

— Si quelque chose arrivait au bateau et qu'il chavire on serait pris au piège. » Il s'esclaffa de façon exagérément nerveuse, ce qui me fit froncer les sourcils. « Même si la plupart des soldats ne savent pas nager. On aurait dû nous donner davantage de temps pour nous exercer, puisqu'on est là depuis une semaine. Les hommes s'ennuient et l'oisiveté les rend irritables. D'où les désertions. Et il est difficile de remplacer des archers expérimentés. Leurs glissades ont fait rire les marins, eux qui vont pieds nus et s'agrippent au pont comme des chats, ce qui n'a pas facilité les choses.

— Les soldats et les marins devront mener les mêmes combats, le cas échéant.

— Dans deux ou trois jours, à ce qu'on dit. » Son visage reprit l'air hagard qu'il avait eu l'autre jour. « Il paraît qu'on sera à bord du *Great Harry*. Étant donné que c'est le vaisseau amiral, il sera en tête. Les hommes sont tous abattus et Snodin enfonce le clou en les engueulant chaque fois qu'ils se plaignent. Comme on était à bord il n'a pas bu un seul verre de la journée, ce qui n'améliore pas son caractère. » Il soupira. « Bien, Matthew, de quel service avez-vous besoin ?

— Je ne vous ennuierais pas si ce n'était pas important. Mais le sort d'une femme est peut-être en jeu. Il faut que je parle de nouveau à Philip West, la personne que j'ai vue à l'hôtel-Dieu. » Je pris une profonde inspiration. « Il est sur le *Mary Rose*. J'aimerais savoir si vous pouvez m'aider à monter à bord, ce soir, afin que je m'entretienne avec lui. »

Il eut l'air sceptique. « Matthew, on ne laisse monter sur les bateaux que les personnes chargées d'une mission officielle. » Il regarda vers la mer. Les grands bateaux à rames avaient désormais allumé leurs lanternes, petits points de lumière dansant sur l'eau. Les navires de guerre se profilaient à contre-jour sur le flamboyant soleil couchant.

« Je vous en prie, fis-je. C'est important. »

Il réfléchit quelques instants. « C'est assez facile de payer un batelier pour nous emmener jusqu'au *Mary Rose*, mais monter sur le pont risque d'être une autre paire de manches, même si je vous accompagne. En tout cas, sans moi, vous n'avez aucune chance... Bon, d'accord. Mais je n'ai pas beaucoup de temps, car il faut que je regagne le camp. Les hommes n'ont pas le moral et ils doivent s'exercer avant de défiler devant le roi, demain matin. » Il chassa un des moustiques qui, avec la tombée de la nuit, commençaient à bourdonner autour de nos oreilles.

« George, je vous suis extrêmement reconnaissant.

— Mais, avant ça, je dois attendre que le reste de

la compagnie arrive, avec sir Franklin. Il pourra les ramener au camp, ensuite… »

Il s'interrompit soudain. Sans le voir, on entendait Snodin hurler comme un fou. « Allez, debout ! Relevez-vous, espèces de limaces ! »

« Morbleu, marmonna Leacon. Il dépasse les bornes… » Il contourna vivement l'entrepôt. Je lui emboîtai le pas et rejoignis Barak. Un grand nombre de soldats étaient à présent couchés par terre. « Sales paresseux ! Debout ! Vous n'êtes pas dans vos masures crasseuses ! » hurlait Snodin.

Personne ne bougeait. « On n'en peut plus ! rétorqua Carswell. Pourquoi est-ce qu'on peut pas se reposer ?

— Le lieutenant vous a dit d'attendre, pas de vous vautrer par terre comme de foutus crapauds ! » vociféra l'instructeur, hors de lui, ses bajoues empourprées tremblant de rage.

Tous les soldats se tournèrent vers Leacon quand il apparut. « Carswell, ne parlez pas sur ce ton au sergent Snodin ! » lança-t-il d'un ton sec.

Pygeon se leva et pointa un index tremblant vers le sergent. « Il nous a insultés toute la journée, mon lieutenant. Tout ce qu'on voulait, c'est reposer nos jambes, après avoir passé la journée sur ce fichu navire !

— T'as eu la trouille, Oreilles-de-marmite ? » demanda Sulyard avec mépris.

Une nouvelle voix se fit alors entendre. « Si c'est un grand honneur d'être à bord du vaisseau amiral, alors je laisse ma place au roi ! » Snodin fixa Tom Llewellyn d'un air étonné. D'habitude si réservé, le jeune gars s'était levé pour lui faire face. « Que le roi Henri vienne faire ce boulot pour six pence par jour, qui aujourd'hui en valent moins de cinq !

— Et rentrons chez nous pour préparer la moisson ! » s'écria un autre soldat. Le regard de Snodin passait si vite de l'un à l'autre des indociles que cela en fit rire certains. Leacon s'approcha du sergent instructeur et l'attrapa par l'épaule. « Doucement, sergent, lui dit-il à voix basse. Doucement. »

Snodin s'immobilisa, tout essoufflé. « Mon lieutenant, il faut qu'ils soient prêts pour le combat.

— Ils le seront ! Allons, les gars, lança Leacon d'une voix forte, ç'a été une rude journée ! Mais je suis déjà monté à bord de bateaux et on retrouve vite son équilibre. Je me suis assuré qu'on a tué une vache pour le dîner. Levez-vous à présent pour attendre l'arrivée de sir Franklin. Regardez, le reste de la compagnie est en train d'accoster ! »

Durant quelques secondes, rien ne se passa. Puis, lentement, ils se levèrent tous les uns après les autres. Leacon emmena Snodin à l'écart et lui parla tout bas à l'oreille. Barak et moi rejoignîmes Carswell et le jeune Llewellyn qui se tenaient un peu à l'écart. « Tu n'as pas mâché tes mots, dit Barak à Llewellyn.

— J'en ai plein le dos ! répliqua-t-il, l'air toujours furieux. Après cette journée, on en a tous plein le dos. »

Carswell se tourna vers moi. Son air espiègle avait désormais disparu. « Maintenant, c'est pour de vrai, dit-il. Je vois ce qui va se passer s'il y a des combats. Si le *Great Harry* affronte un navire de guerre français, les canons vont nous déchiqueter et, si on monte à l'abordage, les piques des Français vont nous éventrer depuis leurs ponts. J'ai toujours cru, messire Shardlake, que j'avais une imagination fertile, mais jamais je n'aurais pu inventer quelque chose comme ce bateau.

— Rien que la taille ! s'extasia Llewellyn. Il est aussi grand que l'église du village et les mâts sont comme des flèches de clocher. Comment est-ce qu'un truc pareil peut flotter ? j'ai pensé. Chaque fois que le pont bougeait je croyais qu'on coulait.

— Au début, le tangage fait une drôle d'impression, dis-je, mais le lieutenant Leacon a raison, on s'y habitue.

— On s'est exercés à tirer des flèches depuis les ponts supérieurs, reprit Carswell, mais le bateau n'arrêtait pas de bouger et de nous faire perdre l'équilibre. L'équipage riait à gorge déployée, la vermine ! Et c'est difficile de bien bander l'arc sous ces filets. »

Pygeon s'était approché de nous. « T'as raison, Tom, dit-il. Tout ça pour sauver le roi Harry, qui s'en fiche comme d'une guigne qu'on vive ou qu'on crève.

— Si les Français gagnent, intervint Carswell, ils nous feront ce qu'on leur a fait, l'année dernière. Y a pas à tortiller, il va falloir se battre.

— Qu'est-ce que tu complotes, Pygeon ? hurla de loin Sulyard. Espèce de traître papiste.

— Il a essayé de se remonter le moral toute la journée, expliqua Carswell avec mépris. Plus il hurle, plus on sait qu'il a la frousse… Pourquoi êtes-vous revenu dans cet endroit maudit, monsieur ? » me demanda-t-il.

Soudain, une voix à l'accent distingué cria : « Eh bien, que se passe-t-il ? » Sir Franklin était apparu en haut des marches, portant comme d'habitude son beau pourpoint, au col et aux manches de dentelle, suivi du reste de la compagnie. « Où est Leacon ? » Leacon s'avança vers lui, un Snodin renfrogné sur les talons. Sir Franklin les regarda en plissant les yeux. « Ah, vous voilà... Tout va bien ?

— Oui, sir Franklin. Pourriez-vous ramener les hommes au camp ? Messire Shardlake m'a demandé un service.

— Pour une affaire juridique ? s'enquit sir Franklin d'un air dubitatif. Vous voici de retour parmi nous, monsieur ? Leacon, vous avez intérêt à ne pas trop vous lier à des avocats.

— Ça ne devrait pas prendre beaucoup plus d'une heure.

— Je vous serais très reconnaissant de lui donner votre autorisation, sir Franklin.

— Eh bien, grogna celui-ci, ne restez pas trop longtemps absent, Leacon. Venez Snodin. Vous avez l'air d'un type qui a reçu un sac de farine sur la tête.

— Attends-moi à l'auberge, Jack », dis-je à Barak.

Il se pencha tout près de moi. « Vous ne devriez pas demander à Leacon de vous accompagner, vu l'humeur de ses hommes. Ils auraient balancé Snodin dans l'eau s'il ne les en avait pas empêchés.

— Il a accepté, rétorquai-je d'un ton brusque.

— À mon avis, vous avez envie de rester pour affronter également Rich.

— Peut-être bien. Pour en finir, une fois pour toutes.

— C'est pourquoi je commence à m'inquiéter pour votre santé mentale. »

Il s'éloigna, tandis que je rejoignais Leacon qui regardait sir Franklin reconduire les hommes au camp.

« Ça ira bien pour vos hommes ? fis-je.

— J'ai demandé à Snodin de ne pas les brusquer, et ils ne vont pas contester l'autorité de sir Franklin. Bien. Au *Mary Rose*, à présent ! »

✟

Le Camber était encombré de bateaux à rames qui s'amarraient pour la nuit. Nous trouvâmes un batelier, un homme d'âge moyen trapu, qui accepta de nous transporter jusqu'au *Mary Rose*, de nous attendre et de nous ramener. Nous descendîmes derrière lui les marches glissantes. Au-dessus de nous, de la musique et des bruits de voix s'échappaient des tavernes d'Oyster Street. Le batelier plaça les rames dans les tolets, puis nous nous éloignâmes du quai, en direction des enfilades de navires. La lumière du soleil couchant prenait une teinte bleu foncé sur laquelle se détachait nettement la forêt de mâts.

D'un seul coup, nous nous retrouvâmes dans un monde de silence presque complet, les bruits de la ville s'estompant peu à peu. L'atmosphère était soudain dégagée et l'air avait un goût saumâtre. L'eau était calme mais, en mer pour la première fois depuis quatre ans, je me sentais mal à l'aise. M'agrippant fortement au plat-bord de la barque, je regardai le rivage par-dessus mon épaule. J'apercevais l'enceinte de la ville, la tour Carrée, et, au-delà des murs, les tentes des soldats, alignées le long de la côte et rosies par les feux du couchant.

« Merci de faire ça pour moi, dis-je à Leacon. Après ces ennuis avec vos hommes.

— Dieu merci, je me suis assuré qu'ils aient de la viande fraîche ce soir. Les biscuits moisissent. Deux soldats ont la colique et un autre s'est blessé accidentellement avec son couteau. En tout cas, je crois que c'était un accident. La compagnie est réduite à quatre-vingt-huit hommes. »

Je regardai à nouveau s'éloigner le quai. On pouvait maintenant voir jusqu'au château de Southsea, petit bloc rosé par le soleil couchant qui rapetissait au fur et à mesure qu'on avançait dans le Solent. Je détournai la tête à contrecœur.

Comme nous approchions lentement des navires de guerre, nous commencions à distinguer le halo diffus des bougies et des lampes scintillant au-dessus des ponts. Le son d'un pipeau et d'un tambour parvint jusqu'à nous par-dessus les eaux. L'air préoccupé, Leacon regardait fixement devant lui. Soudain, d'une voix à la fois sereine et désespérée, il déclara : « Il faut que j'encourage mes hommes, c'est nécessaire. Je dois leur remonter le moral, bien que je sache quel cauchemar les attend sans doute.

— Dieu sait que vous faites tout votre possible.

— Le sait-Il vraiment ? »

Nous avions presque atteint la rangée de navires, les mâts et les hauts gaillards paraissant incroyablement gigantesques, tandis que d'immenses cordes tressées descendaient jusqu'au fond de l'eau pour retenir les ancres. La nuit étant presque tombée, la peinture brillante des ponts supérieurs prenait diverses nuances de gris. Le batelier fit pivoter l'embarcation pour éviter un flot d'excréments en provenance des latrines du coltis. Comme l'énorme masse du *Great Harry* se dressait devant nous, nous entendîmes de la musique et un bruit de voix. Quelque chose se passait sur le pont principal. On avait construit une petite plateforme qui se projetait au-dessus de l'eau et à laquelle était accrochée une poulie dont on se servait pour soulever un objet qu'une grande embarcation à rames avait transporté jusque-là. À ma grande surprise, je découvris qu'il s'agissait d'un gros fauteuil à haut dossier, recouvert d'une toile cirée et dans lequel on avait attaché un énorme cochon mort.

« Attention ! cria une voix. Ça cogne contre le flanc.

— Qu'est-ce que ça peut bien être ? demandai-je au batelier.

— Une farce de marin de mauvais goût », répondit-il d'un ton désapprobateur.

Dépassant le vaisseau amiral, nous nous dirigeâmes vers le *Mary Rose*, la rose emblématique au-dessus du beaupré à peine visible. Je me démanchai le cou pour embrasser du regard tout le navire.

La section centrale, la plus basse du navire, devait avoir une vingtaine de pieds de haut, le long gaillard d'arrière, comportant au moins deux étages, en mesurait le double. Le gaillard d'avant était encore plus haut, avec ces trois niveaux de ponts qui se projetaient au-dessus de la proue, telles de gigantesques marches. Une brise se leva soudain et j'entendis un étrange bruit dans l'entrelacs du gréement qui s'élevait des ponts au mât de hune. Comme nous approchions du navire, un cri fut poussé depuis la hune militaire, située très haut sur le grand mât. « Ohé, de la barque ! »

Le batelier se dirigea vers le centre du bâtiment de guerre, entre les deux hauts gaillards. Regardant avec appréhension l'énorme coque sombre, je me demandai par où nous pourrions grimper à bord. Mon regard se porta vers des carrés couverts de goudron, les sabords de batterie, sans doute, de grosses cordes partant d'anneaux au centre et montant vers des trous dans les carrés peints au-dessus, le vert et le blanc des Tudors alternant avec des croix rouges sur fond blanc, les couleurs de saint Georges.

« Comment monte-t-on ? » demandai-je d'une voix inquiète.

Leacon désigna du menton les carrés peints. « On peut faire glisser ces panneaux et on va faire descendre une échelle de corde par l'une des ouvertures. »

Nous abordâmes par le travers, notre embarcation cognant bruyamment contre la coque du *Mary Rose*. Un panneau fut déplacé et une tête apparut. Une voix cria le mot de passe que j'avais entendu dans le camp : « Dieu sauve le roi Henri !

— Et qu'il règne longtemps sur nous ! répondit Leacon. Sous-lieutenant Leacon. Des archers du Middlesex ! Mission officielle auprès du commissaire adjoint West ! »

La tête disparut et, quelques instants plus tard, on jeta une échelle de corde, qui se déroula et tomba dans l'eau à côté de nous avec un « plouf » sonore.

39

Notre batelier attrapa l'échelle, puis se tourna vers nous. « Montez, messieurs. Un à la fois, s'il vous plaît. »

Leacon saisit les cordes et posa le pied sur le premier échelon et commença à grimper. Je le regardai avec appréhension comme il montait d'un mouvement régulier, une main passant au-dessus de l'autre. Je sursautai au moment où, un peu au-dessus de ma tête, le panneau d'un sabord de batterie s'ouvrit soudain vers l'extérieur. On entendit un grincement de roues à l'intérieur et la bouche d'un énorme canon, animée d'une étrange trépidation, apparut dans l'embrasure. « L'essieu a besoin d'être graissé ! » lança une voix perçante. Le canon fut rentré et le panneau du sabord se referma en claquant. Je levai les yeux vers le haut de l'échelle, où Leacon était parvenu. Passant les mains dans l'étroite ouverture dont le volet avait été poussé, il se glissa à bord.

« À vous, maintenant, monsieur ! » dit le batelier. Je pris une profonde inspiration, saisis les échelons et commençai à monter, sans regarder en bas. Le léger balancement du bateau était déconcertant. J'atteignis l'ouverture et des mains se tendirent pour m'aider à entrer. Il fallait sauter sur le pont d'une hauteur de plusieurs pieds, et je trébuchai et faillis tomber. « C'est un foutu avocat ! » s'étonna quelqu'un.

Je regardai à l'entour. Au-dessus du pont s'étendait un filet à mailles serrées fait d'épais cordages. Il était attaché au bastingage, au-dessus des panneaux, et à un espar central en bois placé à une hauteur de sept pieds au-dessus de nos têtes, soutenu par de gros piliers sur toute la longueur de la partie découverte du pont. Le large espar servait de passerelle entre les deux gaillards et un marin était en train d'avancer dessus, pieds nus. Deux longs canons de bronze très décorés, et disposés de façon à pouvoir tirer vers l'extérieur, se projetaient depuis le gaillard d'arrière haut de vingt pieds. Deux autres sortaient du gaillard d'avant, pointés dans la direction opposée.

« C'est de la belle ouvrage », murmurai-je. Dominé par trois canons d'acier de chaque côté, longs de douze pieds et attachés sur des affûts roulants, le pont découvert mesurait une quarantaine de pieds de large et presque autant de longueur. Il était éclairé par des halos de lumière diffuse émanant de chandelles de suif placées à l'intérieur de hautes lanternes à parois de corne. Assis en petits groupes entre les canons, une soixantaine de marins jouaient aux dés ou aux cartes. Pieds nus, la plupart portaient des pourpoints par-dessus leurs chemises et certains étaient coiffés de bonnets ronds en laine, car une brise fraîche s'était levée. Si beaucoup étaient jeunes, tous avaient déjà le visage tanné. Un petit lévrier bâtard se trouvait près d'un des groupes et regardait avec grande attention une partie de cartes. Plusieurs marins me jetèrent un regard à la fois tranquille et curieux. Sans doute se demandaient-ils qui j'étais. D'autres marins parlaient en une langue que je reconnus être de l'espagnol, et d'autres encore écoutaient attentivement un pasteur qui lisait un passage de la Bible à haute voix. « Alors, s'étant levé, il menaça les vents et la mer, et il se fit un grand calme. » De petites bouffées de vapeur et une odeur rance de viande montaient de certaines des écoutilles recouvertes de lourds caillebotis de bois, à divers endroits du pont.

« C'est la première fois que vous montez sur un navire de guerre, monsieur ? me demanda l'un des matelots qui m'avaient aidé à monter à bord et qui, peut-être par curiosité, était resté avec nous.

— Oui. » À travers les mailles du filet, je regardai la hune militaire, située très haut sur le mât de misaine et où se tenait le marin qui avait signalé notre présence et qui surveillait à nouveau la mer. Un petit mousse grimpait au gréement, aussi vite que le singe de la reine dans sa cage à Hampton Court.

Un matelot assis tout près me lança d'un ton extrêmement narquois : « Êtes-vous venu pour les obliger à nous apporter le repas, monsieur l'avocat ? » Je remarquai alors que presque tous avaient à côté d'eux des cuillers en bois et des écuelles vides. « On a l'estomac dans les talons.

— Espérons que ce sera mangeable », grommela un autre, tout en triturant quelque chose sous ses ongles à l'aide d'un instrument métallique tiré d'un minuscule étui de manucure. Il fit la grimace en extrayant une grosse écharde.

« Ça suffit, Trevithick, répondit notre marin. Ce monsieur est ici en mission officielle... La nourriture, poursuivit-il en baissant la voix, s'abîme à force de rester dans les barriques. Les odeurs qui montent d'en bas ne nous plaisent guère. On était censés recevoir des provisions fraîches aujourd'hui, mais bernique !

— La nourriture est le principal souci des soldats depuis toujours », renchérit Leacon. Il regarda les marins aux pieds nus. « La nourriture et les chaussures, même si vous, les marins, ne semblez pas vous préoccuper de celles-ci.

— Les soldats devraient ôter les leurs quand ils montent à bord, ça leur éviterait de glisser et de déraper à chaque fois. »

Le *Mary Rose* se balançait légèrement sous la brise et je faillis à nouveau trébucher. Sur la passerelle au-dessus de ma tête, deux matelots, chargés d'une longue et lourde caisse, avançaient sans guère prêter attention à l'endroit où ils mettaient les pieds. Ils disparurent par une porte du gaillard d'arrière. S'ennuyant avec nous, notre marin s'éloigna.

« Je comprends pourquoi vos hommes ont été impressionnés, dis-je à voix basse à Leacon. Je suis déjà monté sur des bateaux, mais celui-ci... »

Il opina du chef. « Soit. Mais je ne doute pas de leur courage au moment du combat. » Je levai à nouveau les yeux vers le gaillard d'arrière. Un filet s'étendait également au-dessus du pont supérieur, attaché à un espar central et faiblement éclairé par la lumière des lampes placées au-dessous. Quelqu'un pinçait les cordes d'un luth, le son descendant jusqu'à nous. Leacon suivit mon regard. « Aujourd'hui, sur le gaillard d'arrière du *Great Harry*, nous nous sommes exercés à tirer par les sabords du pont supérieur. Ç'a n'a pas été facile de réussir un bon tir.

— Les marins ne semblent pas avoir le moral.

— Ils sont difficiles à discipliner. On les a fait venir contre leur gré des quatre coins du royaume et même d'ailleurs. Certains sont des corsaires. »

Je souris. « Vous montrez vos préjugés, George. Non ?

— Ils ne se sont pas gênés récemment pour montrer les leurs, en se moquant de mes soldats. »

Un homme mince, tout en nerfs, vêtu d'un pourpoint rayé, avança vers nous avec précaution. Il portait une lanterne à parois de corne dont la lumière était plus vive que celle des marins, car elle contenait une bonne bougie à la cire d'abeille. Il s'inclina rapidement, avant de s'adresser à Leacon avec un accent gallois. « Vous avez affaire avec le commissaire adjoint West, lieutenant ?

— C'est ce monsieur. Il doit lui parler de toute urgence.

— Il se trouve dans la coquerie avec le cuistot. Il faudra que vous alliez l'y retrouver, monsieur.

— Très bien. Pouvez-vous m'y conduire ? » fis-je.

Il me regarda d'un air sceptique. « La coquerie est dans la cale. Serez-vous capable de descendre, monsieur ?

— Je suis bien monté à bord, non ? rétorquai-je d'un ton vif.

— Ça risque d'abîmer votre robe, monsieur. Vous auriez intérêt à l'enlever. »

Leacon m'en débarrassa. « Je vais vous attendre ici, dit-il. Mais, je vous en prie, dépêchez-vous. »

Je restai en manches de chemise, frissonnant. « Ne vous en faites pas, monsieur, dit le marin. Il fera plutôt chaud, là où on va... »

Il prit la direction du gaillard d'arrière. Je trébuchai contre des joueurs de cartes et, par inadvertance, envoyai dinguer un minuscule dé, qu'un matelot rattrapa au vol. « Désolé », fis-je. Il me foudroya du regard.

Juste avant le gaillard d'arrière, nous atteignîmes une écoutille ouverte où une large échelle descendait dans le noir. Le marin se tourna vers moi. « Nous descendons ici.

— Comment vous appelez-vous ?

— Morgan, monsieur. Maintenant, suivez-moi en faisant bien attention, s'il vous plaît. »

Il posa le pied sur l'échelle. Avant de commencer à descendre, j'attendis que disparaisse le sommet de sa tête.

Dans la pénombre, je cherchais soigneusement les échelons du pied, remerciant Dieu que le bateau bougeât à peine. Il faisait de plus en plus chaud. De l'eau dégoulinait quelque part. Il y avait un peu de lumière au pied de l'échelle, et des lanternes étaient suspendues aux poutres. C'était la batterie. Mesurant plus de cent pieds de long, ce pont se trouvait sous les deux gaillards et faisait presque toute la longueur du bateau. Un peu plus loin, certaines zones étaient divisées en petits compartiments desquels dépassait la culasse des canons. À ma grande surprise, le plafond était assez haut pour qu'on puisse se tenir droit. Je regardai les canons placés sur leurs affûts à roues. Le plus proche était en acier et son voisin, en bronze. Celui-ci, frappé d'une large rose, l'emblème des Tudors, surmontée d'une couronne, luisait d'un étrange éclat dans la lumière de la lanterne. Une âcre odeur de poudre se mêlait aux relents de cuisine. Des sachets de feuilles de genêt et de laurier attachés aux parois pour adoucir l'air n'avaient guère d'effet.

À l'aide de planches de bois percées de grosses ouvertures circulaires, des matelots vérifiaient la taille des boulets de canon en pierre ou en acier avant de les placer soigneusement sur des plateaux triangulaires à côté de chaque canon. Deux officiers surveillaient la manœuvre, l'un, barbu et d'âge moyen, un sifflet d'argent suspendu à son cou par un ruban de soie, l'autre plus jeune. « Ce travail aurait dû être fini avant la tombée de la nuit », grogna le premier officier. Il nous aperçut et, posant sur moi un regard étonné, leva le menton d'un air interrogateur. Morgan lui fit un profond salut.

« Ce monsieur vient du port et a un message pour le commissaire adjoint West, qui est dans la coquerie.

— Ne gênez pas les matelots », me déclara l'officier d'un ton sec. Morgan me conduisit un peu plus loin. Nous parvînmes à une autre écoutille, où se trouvait une échelle. « Ça mène directement à la coquerie, monsieur.

— Qui était-ce ?

— Le second. Il dirige le bateau.

— Je croyais que c'était le commandant qui dirigeait le bateau.

— Le commandant, c'est le capitaine de vaisseau Grenville, malheureusement il connaît pas le *Mary Rose*, s'esclaffa Morgan. Mais lui, au moins, c'est un marin, contrairement à la majorité des commandants de navires de guerre. La plupart sont des aristocrates, vous voyez, qu'on a mis là pour nous intimider. » Comme sir Francis chez les archers, pensai-je.

Il mit le pied sur le premier barreau de l'échelle et commença à descendre avec agilité. Je le suivis.

Nous longeâmes un autre pont où, dans des compartiments cloisonnés, s'entassaient des provisions et du matériel. Je distinguai des barriques, des coffres et des rouleaux de cordages épais. Des nuages de fumée chaude montaient à présent du niveau inférieur. Grinçant et craquant, le bateau bougea légèrement et l'un de mes pieds dérapa. On apercevait en bas un rougeoiement, accompagné d'une vague de chaleur, tandis qu'une odeur de viande avariée empestait de plus en plus. Je jetai un coup d'œil à Morgan. Éclairé par la lumière qui montait de la coquerie, son visage rutilait. « D'où êtes-vous originaire ? lui demandai-je.

— De St David, monsieur. J'ai un bateau de pêche, ou, plutôt, j'en avais un avant d'être enrôlé, comme la moitié du pays de Galles de l'Ouest. Même s'ils n'ont toujours pas assez de marins... Un tiers de l'équipage est composé d'Espagnols ou de Flamands.

— Combien de marins y a-t-il à bord ?

— Deux cents. Et trois cents soldats si nous devons livrer bataille, d'après ce qu'on nous a dit. Ce serait trop, et certains affirment que, s'ils montent tous sur les gaillards, ça risque de faire chavirer le navire. »

Nous passâmes par une autre écoutille ; mes bras me faisaient mal désormais. Nous débouchâmes alors dans la cale. Une vapeur épaisse et malodorante me fit hoqueter et presque vomir, tandis que mon visage se couvrait instantanément de sueur. On sentait aussi une odeur de sel et de pourriture qui, devinai-je, provenait des galets de la plage utilisés comme lest. À ma gauche, se dressaient deux grands fours en brique, placés sur un socle également en brique. Des flammes jaunes dansaient sous des baquets où bouillonnait un potage sur lequel flottaient de gros bouts de viande grise. Les flammes, les chaudrons et les parois suintantes faisaient ressembler l'endroit à l'enfer tel que le décrirait un pasteur radical. Torse nu, deux jeunes gars touillaient le potage. L'un des deux s'arrêta pour aller chercher un morceau de bois sur un petit tas et le jeter dans l'un des feux. De l'autre côté des baquets, deux hommes en bras de chemise examinaient quelque chose dans une louche. L'un était Philip West et l'autre le cuisinier, sans doute.

Celui-ci déclara : « On ne peut pas servir ça, commissaire. On devrait tout jeter par-dessus bord et essayer de trouver une barrique de stockfisch qui ne soit pas abîmé.

— Il en reste ? demanda West d'un ton agacé. On aurait dû nous livrer aujourd'hui de nouvelles barriques contenant les provisions pour une semaine ! Mais vous avez raison, on ne peut pas servir cette viande avariée aux hommes. » C'est alors qu'il m'aperçut, et une expression de stupéfaction, mêlée d'une certaine répulsion, se lut sur son visage. Il fit un pas en avant. « De quoi s'agit-il ? hurla-t-il à Morgan.

— Monsieur désire vous parler, répondit le matelot d'un ton humble. Il dit que c'est urgent.

— Commissaire, dit le cuisinier, il reste trois barriques de stockfisch. On peut essayer d'en ouvrir une.

— Allez-y ! » lança West, tout en continuant à me dévisager. Il avait le teint marbré de taches rouges à cause de la chaleur et de la vapeur. Le cuisinier fit signe à l'un des deux hommes qui remuaient le potage et ils sortirent par une porte coulissante. West se tourna vers moi – la colère faisait étinceler ses yeux enfoncés.

« Monsieur le commissaire, commençai-je, je viens de la part de votre mère…

— Ma mère ! Vous… » Il se tut, conscient que Morgan et le second matelot lui jetaient des regards intrigués. « Un instant », me dit-il. Je demeurai silencieux, tandis que des grognements et des heurts se faisaient entendre de l'autre côté de la porte. Puis le cuisinier et son aide rentrèrent dans la coquerie en roulant un lourd tonneau. Ils le redressèrent en un tournemain et le cuisinier ouvrit le couvercle à l'aide d'un ciseau. J'aperçus une masse blanche de poisson à l'intérieur et l'éclat du sel. Le cuisinier y plongea un bras maigre, en retira une poignée de poisson et la renifla. « C'est encore bon, fit-il avec un soupir de soulagement.

— Débarrassez-vous du porc et faites cuire le poisson, dit West. Vous reste-t-il des tonneaux d'eau douce ?

— Oui, commissaire. »

West se tourna vers Morgan. « Remontez et informez le commissaire principal de ce que nous sommes en train de faire. Dites-lui qu'il faut que nous recevions dès ce soir les nouvelles provisions. Il ne reste presque plus rien. » Il regarda Morgan grimper l'échelle, puis se pencha, prit un bougeoir par terre et l'alluma avec une fine bougie. « Eh bien, messire Shardlake, déclara-t-il d'un air sinistre en désignant l'échelle, montons discuter. »

✝

Nous montâmes jusqu'au pont où étaient entreposées les marchandises. Au moment où nous posâmes le pied sur le plancher, j'entendis des rats s'enfuir. West s'éloigna de quelques pas de l'écoutille, posa la bougie sur un tonneau et se tint face à moi. Dans la pénombre, je ne distinguais pas l'expression de son visage. Autour de moi, dans les compartiments, s'empilaient des coffres et des caisses. Loin de la chaleur étouffante, la sueur sécha rapidement sur mon visage et j'eus soudain froid. Le bateau oscilla et j'attrapai l'échelle pour garder l'équilibre.

« Eh bien ? fit West.

— Il s'est passé quelque chose à Rolfswood. » Je l'informai de la découverte des restes de maître Fettiplace, de la visite que sa mère m'avait faite et de ce qu'elle m'avait dit au sujet de la lettre perdue, destinée à Anne Boleyn.

« Ainsi donc, l'histoire de la lettre va être enfin rendue publique », dit-il lorsque j'eus terminé mon récit. Le ton était ferme, furieux. Je regrettai de ne pas bien voir son visage.

« Une nouvelle enquête devra être ordonnée, indiquai-je d'une voix calme. Votre mère me dit qu'il faudra révéler l'histoire de la lettre pour vous protéger. »

Il eut un rire amer. « En ce moment, on ne peut pas me convoquer pour participer à une enquête. Au cas où vous ne l'auriez pas remarqué, messire Shardlake, j'ai une tâche à accomplir. Il se peut même que je meure bientôt. Pour protéger des gens comme vous. Pour expier mes péchés, ajouta-t-il d'un ton aigre.

— Je sais aussi bien que vous ce qui risque de se produire, répondis-je d'une voix grave. C'est pourquoi je suis venu ce soir, afin que vous me révéliez ce qui s'est passé à Rolfswood, il y a dix-neuf ans. Monsieur le commissaire, qui était l'ami qui vous a volé la lettre ? »

Il fit un bond en avant, me saisit au collet et me plaqua contre la paroi du bateau. « Pourquoi vous intéressez-vous à cette histoire ? éructa-t-il. Il doit s'agir d'une affaire personnelle pour que vous veniez me relancer jusqu'ici. Répondez-moi ! » Il desserra légèrement l'étreinte de sa main sur ma gorge pour me permettre de parler. De près, je voyais le feu qui brûlait dans ses yeux enfoncés.

« Je veux découvrir ce qui est exactement arrivé à Ellen Fettiplace, cette nuit-là.

— Savez-vous où elle se trouve ?

— Et vous ? »

Il resta muet, et je compris qu'il savait qu'Ellen était à Bedlam. Semblant soudain abandonner la lutte, il s'écarta. « Mon ami m'a trahi, ce soir-là, reprit-il avec amertume. Puis j'ai découvert ce qui était arrivé à Ellen. C'est à cause de ces deux événements que je me suis engagé dans la marine.

— Dites-moi le nom de votre ami, pendant qu'il en est encore temps.

— Travaillez-vous pour quelqu'un appartenant à la Cour ? fit-il d'un ton à nouveau agressif. Qui peut avoir intérêt à raviver cette vieille histoire ?

— Non. Je jure que je ne m'intéresse qu'à ce qui s'est passé à Rolfswood. L'homme s'appelait-il Robert Warner ? »

Il me fixa d'un air perplexe. « Je n'ai jamais entendu ce nom. » Il hésita un long moment. « Mon ami s'appelait Gregory Jackson.

— C'était un avocat appartenant à la maison de la reine ?

— Du roi. Mais il était soudoyé par la reine.

— Que lui est-il arrivé, commissaire ?

— Il est mort, répondit-il d'une voix monocorde. Il y a des années. De la suette. »

Je le fixai du regard. Mentait-il ? Ce long silence avant qu'il prononce ce nom me poussait à le penser, car il aurait dû sortir de sa bouche sur-le-champ. West s'étant éloigné de la lumière de la bougie, son visage s'effaça quelque peu. « Savez-vous ce qui est arrivé à Ellen Fettiplace ? lui demandai-je de nouveau.

— Je ne l'ai jamais revue depuis ce jour-là », rétorqua-t-il d'un ton de nouveau hostile.

« Que se passe-t-il ? » Nous nous retournâmes tous les deux vers l'échelle en entendant une voix tranchante, furieuse. Un officier d'âge moyen, en pourpoint jaune, était descendu sur le pont. Il planta un regard furibond sur moi puis sur West. « Monsieur le commissaire principal, dit West en inclinant le buste.

— Morgan m'a transmis votre message. Les matelots ont faim. Ils piaillent et tapent leurs cuillers contre leurs écuelles.

— On est en train de préparer une barrique de stockfisch. C'est tout ce qui reste. Le porc est avarié. Il faut qu'on soit ravitaillés dès ce soir. »

Le commissaire principal se tourna vers moi. « Êtes-vous l'avocat chargé du message ?

— Oui, monsieur le commissaire.

— Vous l'avez transmis ? » Il regarda West qui avait repris un air serein.

« En effet...

— Alors, fichez le camp ! On n'aurait pas dû vous laisser monter à bord.

— Je…

— Morbleu ! Fichez le camp ! À l'instant ! »

✝

Les hommes étaient assis sur le pont, l'air maussade, des écuelles et des cuillers sur les genoux. Des officiers arpentaient le pont. Le second sortit du gaillard d'avant. Il se tint sur la passerelle au-dessus de nous, donna un strident coup de sifflet puis cria d'une voix forte et claire : « Le repas arrive, les gars ! Le porc était avarié, mais on prépare du stockfisch ! Dès ce soir, on va nous livrer de nouvelles victuailles ! Et on m'a annoncé que, lorsque le roi arrivera à Portsmouth demain, il viendra inspecter le *Mary Rose* ! Il doit dîner à bord du *Great Harry*, avant de venir nous voir. Tout le monde sait que le *Mary Rose* est son bateau préféré ! Alors, allez-y les gars ! Criez : "Que Dieu sauve le roi Henri !" »

Les matelots se regardèrent les uns les autres, puis des cris de « Dieu sauve le roi ! » se firent entendre çà et là sur le pont. Ne comprenant pas, certains des marins étrangers échangèrent des regards perplexes. « Saluez le roi, espèces de chiens ! » leur lança une voix. Le second avança sur la passerelle, se dirigeant vers le gaillard d'arrière. Je m'approchai de Leacon qui se tenait près des panneaux et contemplait la scène. Il me rendit ma robe. Je fus content de l'enfiler car, après la chaleur de la coquerie, l'air nocturne me faisait frissonner.

« Que se passe-t-il, Matthew ? demanda-t-il. On dirait que vous avez vu un fantôme.

— On se serait cru en enfer dans cette coquerie.

— J'espère qu'ils vont vraiment pouvoir manger quelque chose. »

La voix du second résonna du haut du gaillard d'arrière, suivie de nouveaux vivats en l'honneur du roi.

« Avez-vous trouvé le commissaire West ? Avez-vous obtenu les réponses que vous vouliez ?

— Quelques-unes seulement, soupirai-je. Le commissaire principal est arrivé et m'a jeté dehors. J'ai eu assez de réponses, malgré tout, pour me faire du souci. »

Il me regarda d'un air grave. « Il est grand temps que je rentre au camp.

— Bien sûr. De toute façon, je ne peux rien faire d'autre ici. »

Leacon se pencha par le panneau et fit un signe au batelier. Puis il m'aida à passer par l'ouverture. Je posai le pied sur le premier échelon et nous descendîmes jusqu'à l'embarcation. Le batelier empoigna ses rames et nous nous éloignâmes sur la mer qui luisait sous la lumière lunaire. Je me retournai vers le *Mary Rose*, puis regardai le *Great Harry*. « Maintenant on sait ce qu'il faisait avec ce cochon, dis-je. Ils s'entraînaient à hisser le roi à bord. Il ne pourra jamais grimper une échelle.

— En effet. Le second a eu raison de reprendre les matelots en main. Une mauvaise ambiance commençait à se faire sentir sur le pont. Par la Vierge Marie, ces gens qui organisent l'approvisionnement... Fournisseurs voleurs, administrateurs corrompus. »

Comme sir Richard, pensai-je.

« Vivement que les Français arrivent et qu'ils mettent un terme à cette attente ! s'écria Leacon d'un ton passionné. Il faut en finir, d'une manière ou d'une autre. »

Je regardai son visage troublé, mais préférai me taire. Quand nous atteignîmes le quai, ce fut un soulagement de retrouver la terre ferme. Dans Oyster Street, armés de bâtons, des sergents du guet conduisaient un groupe d'hommes dépenaillés. L'un d'eux protestait haut et fort : « Je travaille à l'entrepôt !

— Je t'ai vu mendier près du cimetière. Tous les mendiants doivent quitter Portsmouth ce soir ! »

« Vous vous rappelez les mendiants qu'on chassait de York avant l'arrivée du roi ? demandai-je à Leacon.

— En effet… Connaissez-vous l'heure de l'arrivée du souverain ? demanda-t-il au chef.

— Neuf heures. Il arrivera de Portchester à cheval, après avoir traversé l'île de Portsea et franchi les portes de la ville. En compagnie du lord amiral Lisle et de tout le Conseil privé. Il sera transporté jusqu'aux navires, puis passera la nuit dans les pavillons royaux.

— La reine les accompagnera-t-elle ? demandai-je.

— Le cortège ne comprendra aucune femme, d'après ce qu'on m'a dit. Bien, monsieur, avec votre permission, il faut que je fasse sortir ces vauriens de la ville. »

Leacon poussa un long et profond soupir, puis me tendit la main. « Nos chemins se séparent ici, Matthew.

— Merci, George. Merci pour tout. » Je me tus un court instant avant de poursuivre : « Quand tout cela sera terminé, je serais heureux de vous recevoir chez moi, à Londres.

— Ce sera avec plaisir. Saluez Jack de ma part.

— Bonne chance, George.

— À vous aussi. »

Je scrutai ses traits tirés. Il inclina le buste, avant de s'éloigner d'un pas rapide. Le cœur triste, je regagnai l'auberge, me forçant à me rappeler les renseignements que m'avait fournis West, ce qu'ils signifiaient et où cela me menait.

✝

Couché sur son lit, Barak relisait les lettres de Tamasin. Je tirai mes bottes et m'assis sur mon lit, tout en me demandant comment lui annoncer la décision que j'avais prise.

« George Leacon te salue, lui dis-je. Je lui ai dit adieu. Le roi arrive à Portsmouth demain matin, à neuf heures. Il va inspecter les bateaux.

— Par conséquent, il faut qu'on soit partis avant, déclara Barak d'un ton ferme en se redressant.

— Oui. En effet.

— Vous êtes monté à bord du *Mary Rose* ?

— Oui.

— Comment c'était ?

— Extraordinaire. À la fois splendide et terrifiant.

— Vous avez vu West ?

— Oui. » Je me frottai le cou. « Il s'est mis en colère et m'a saisi au collet.

— Je vous avais dit que c'était une démarche dangereuse ! s'écria-t-il, agacé.

— Le commissaire principal nous a interrompus avant que je puisse apprendre tout ce que je souhaitais et m'a ordonné de quitter le navire.

— Vous avez obtenu le nom de son ami ?

— Je lui ai demandé à brûle-pourpoint s'il s'agissait de Warner. Il m'a répondu que ce n'était pas lui. Il m'a donné un nom que je n'avais jamais entendu et je crains qu'il ne l'ait inventé. Jack, je suis certain qu'il sait qu'Ellen se trouve à Bedlam.

— Si l'histoire de la lettre est vraie, pourquoi garder encore secret le nom de cet homme ?

— Peut-être parce qu'ils ont violé Ellen ensemble. »

Il s'allongea à nouveau sur son lit. « Encore des hypothèses…

— Si seulement le commissaire principal ne nous avait pas interrompus…

— Eh bien, vous avez fait votre possible. Bon, maintenant, rentrons à Londres !

— Je dois d'abord aller au château de Portchester. Il faut que je voie la reine. Et Warner. Puisqu'elle n'accompagne pas le roi à Portsmouth c'est une occasion idéale. Je dois découvrir si Warner était à Rolfswood ce jour-là. »

Il se redressa à nouveau. « Non, dit-il posément, vous allez laisser tomber cette affaire et rentrer à Londres.

— Et si Warner m'a trahi auprès de Rich ? En tant qu'agent de Rich dans la maison de la reine !

— Même si c'était vrai, vous savez bien qu'à la Cour tout le monde espionne tout le monde. Dans le cas contraire, vous risquez de perdre l'amitié et la protection de Warner.

— Je suis redevable à la reine. Si l'un de ses conseillers en qui elle a confiance est à la solde de Richard Rich…

— Vous ne devez rien à la reine, répliqua-t-il en

détachant les mots. C'est elle qui vous est redevable, et elle l'a toujours été. Vous lui avez sauvé la vie, vous vous en souvenez ? J'aurais préféré qu'elle vous laisse en dehors des affaires de la Cour. Aller à Portchester est une folie. Et si Rich s'y trouve ?

— Tous les membres du Conseil privé logeront dans les pavillons. Mais la reine restera sur place. Et, par conséquent, sa maisonnée.

— Que comptez-vous faire avec Warner, de toute façon ?

— Lui poser des questions directes.

— Ce n'est pas du courage, vous savez, mais de l'obstination, de l'opiniâtreté, de l'entêtement aveugle.

— Tu n'es pas obligé de venir. »

Il me regarda et je vis qu'il était épuisé, las au-delà de toute expression. « Vous m'avez déjà dit ça à plusieurs reprises, répondit-il sereinement. Mais je vous ai accompagné, comme je l'ai presque toujours fait au cours de ce maudit voyage. Vous savez pourquoi ? Parce que j'avais honte. Et j'ai eu honte dès l'instant où on a rencontré les soldats sur la route, honte de m'être défilé, de ne pas avoir partagé leur destin. Mais je n'ai pas assez honte pour vous suivre dans l'antre du lion. Par conséquent, si vous allez au château de Portchester, cette fois, ce sera sans moi.

— Je ne savais pas que tu avais l'impression...

— Bien sûr ! C'était commode de m'avoir sous la main. Exactement comme ce malheureux Leacon.

— Ce n'est pas juste ! répliquai-je, piqué.

— Non ? Vous l'avez utilisé deux fois pour rencontrer West, bien qu'il ait la responsabilité d'une compagnie d'archers. Mais le nombre de services qu'on peut demander à quelqu'un est limité. » Il se détourna et s'allongea à nouveau.

Je restai assis sur mon lit en silence. Dehors, deux ivrognes marchaient dans la rue en criant : « Le roi Harry arrive ! Le roi Harry arrive pour chasser les Français ! »

40

Barak et moi parlâmes peu durant le reste de la soirée, nous contentant de discuter des détails pratiques du voyage du lendemain, d'un ton à la fois poli et gêné. Je comprenais parfaitement à présent qu'il m'avait soutenu à contrecœur pendant les diverses étapes de ce qu'il considérait de plus en plus comme une folie. Il avait, semblait-il, décidé de ne plus me tenir tête, ce qui me troubla encore plus que ses reproches véhéments. Nous nous couchâmes de bonne heure, mais j'eus du mal à m'endormir.

Nous avions demandé à l'aubergiste de nous réveiller à sept heures, mais le maudit bonhomme oublia et ne nous appela qu'à huit heures passées. C'est ainsi qu'à l'orée d'une des journées les plus chargées et les plus terribles de ma vie, Barak et moi enfilâmes à la hâte nos vêtements et nos bottes, avant de nous précipiter, le ventre vide, vers l'écurie. Lorsque nous sortîmes à cheval dans Oyster Street, la rue était déjà bordée de soldats qui attendaient le roi, les casques et les hallebardes bien astiqués brillant d'un éclat vif. Une somptueuse barge surmontée d'un dais était amarrée au quai, une douzaine de rameurs prêts à entrer en action. Les navires attendaient au large, d'immenses banderoles vert et blanc, d'environ quatre-vingts pieds de long, flottant doucement au sommet des mâts de hune.

Pour gagner du temps, nous évitâmes les rues principales, longeant un sentier entre les champs de la ville jusqu'aux portes. En cette matinée d'été du samedi dix-huit juillet, le temps était à nouveau splendide. Casqués et portant des hoquetons, et parfois des brigandines, partout les soldats attendaient devant leurs tentes, tandis que les capitaines à cheval arboraient d'étincelants plastrons et des casques emplumés. Tout cela me rappelait le premier rassemblement militaire que j'avais vu à Londres près d'un mois auparavant.

« Merde ! souffla Barak. Regardez ! » Il désignait un homme barbu, au garde-à-vous à côté d'un capitaine à cheval, la hallebarde dressée, le sourcil froncé, l'air solennel et important.

Je fixai l'homme du regard, stupéfait. « Goodryke ! » Barak détourna la tête pour éviter d'être reconnu par le recruteur qui avait déployé tant d'efforts pour l'enrôler, et nous passâmes précipitamment devant lui.

✝

Une foule grouillait à l'endroit où les rues se rejoignaient devant la porte de la ville. Un grand nombre de cavaliers, des marchands, à en juger par leur aspect, essayaient de la franchir, mais les soldats les repoussaient. « Je dois rapporter cinq chariots de blé aujourd'hui, criait un homme rougeaud. Il me faut à tout prix gagner la route pour aller à leur rencontre.

— Le passage doit rester dégagé pour le roi. Personne

n'entre ni ne sort avant qu'il ait franchi la porte. Il sera là dans quelques minutes. »

« Morbleu ! soufflai-je. Viens, rebroussons chemin. » Je tentai de faire faire demi-tour à Oddleg, mais la foule était trop compacte. « Le voilà ! cria un capitaine depuis la porte. Que chacun reste où il est ! »

Nous attendîmes donc, juchés sur nos montures. Derrière les soldats alignés le long de la grand-rue, j'aperçus des centaines de citadins, certains brandissant des drapeaux anglais. Des tapis et des tentures étaient suspendus aux fenêtres des premiers étages et il y avait même des gens debout sur les toits. Tournant la tête, je découvris Edward Priddis et son père à cheval, derrière la foule. Ils me regardaient fixement, Edward d'un air morne et sir Quintin, la mine sinistre. Détournant les yeux, j'observai le chemin de ronde, bourré de soldats, au sommet des murs de la ville. Je tapotai l'encolure d'Oddleg qui, pareil à beaucoup des chevaux au milieu de cette cohue, se montrait nerveux.

Les mains en cornet autour de la bouche, l'un des soldats hurla du haut du mur : « Le voilà ! »

Comme les soldats poussaient des vivats, j'enfonçai mon bonnet jusqu'aux yeux pour dissimuler mon visage. Un martèlement de pas se fit entendre, et une compagnie de piquiers franchirent la porte. Vêtus de fourrures et de satin, un groupe de courtisans suivaient, et parmi eux se trouvait Rich. Enfin, la silhouette aisément reconnaissable du roi pénétra lentement dans la ville, son énorme cheval enveloppé dans un caparaçon brodé d'or. Il portait une robe écarlate aux parements de fourrure, incrustée de joyaux qui étincelaient au soleil, et était coiffé d'un bonnet noir orné de plumes blanches. La dernière fois que je l'avais vu, quatre ans plus tôt, il était gros, mais son corps était maintenant colossal. Enserrées dans des chausses tissées d'or, ses jambes avaient l'air de troncs d'arbres et s'écartaient des flancs du cheval. À côté de lui, chevauchait lord Lisle, l'air aussi austère que lorsque je l'avais aperçu à l'hôtel-Dieu, ainsi qu'un homme corpulent en qui je reconnus, pour l'avoir vu à York, le duc de Suffolk. Il avait à présent une longue barbe blanche fourchue. C'était désormais un vieillard.

Des hourras retentirent dans les rues et une salve d'artillerie de bienvenue fut tirée depuis le Camber. Je lançai un coup d'œil furtif au visage du roi comme il passait à quinze pieds de moi, puis fixai sur lui un regard étonné, tant il avait changé en quatre ans. Les minuscules yeux enfoncés, le nez crochu et la petite bouche étaient désormais entourés d'une grosse plaque de graisse qui semblait ramasser ses traits au centre de la tête. La barbe était clairsemée et presque entièrement grise. Il souriait malgré tout et se mit à saluer de la main la foule qui l'acclamait, tandis que les petits yeux perçants la parcouraient de toute part en pivotant vivement. Dans ce visage grotesque, je crus lire de la douleur et de la lassitude et quelque chose d'autre. De la peur ? À l'approche de l'invasion française, cet homme à la suffisance démesurée se demandait-il, lui aussi, ce qui risquait d'arriver ? Voire : qu'ai-je donc fait ?

Saluant toujours la foule de la main, il continua à chevaucher dans la grand-rue, en direction de la barge qui devait le transporter jusqu'au *Great Harry*.

✝

Une demi-heure passa avant que toute la suite royale ait pénétré dans la ville et que nous puissions en sortir. De nouvelles salves d'artillerie retentirent au moment où le roi arrivait sur le quai. Au-delà de la porte, les soldats qui avaient constitué la double haie d'honneur rompaient les rangs et s'épongeaient le front.

« Corbleu, qu'est-ce qu'il a vieilli ! fit Barak. Quel âge a-t-il à présent ? »

Je fis un rapide calcul. « Cinquante-quatre ans.

— Pas plus ? Grand Dieu, imaginez la reine obligée de coucher avec ça !

— Je préfère ne pas y penser.

— Ça ne m'étonne pas. » Il risqua un sourire et je lui souris moi aussi, tristement, content que la glace soit brisée.

Nous traversâmes le pont pour gagner la terre ferme et chevauchâmes rapidement jusqu'à la petite ville de Cosham. À partir de là, une route partait vers le nord, longeait Hoyland et continuait jusqu'à Londres, tandis qu'une autre tournait à gauche en direction du château de Portchester. Nous fîmes halte et Barak déclara : « Continuons notre chemin. Rentrons à la maison.

— Pas question. J'ai toujours l'intention d'aller voir la reine. Il y a une heure de route aller et retour et je passerai une heure ou deux au château. J'essaierai de te rattraper dès demain.

— Je n'ai toujours pas l'intention de vous accompagner.

— Je comprends. Je sais que tu penses que je suis fou. » J'essayai de sourire.

« Je vous attendrai à cette auberge, là-bas, jusqu'à trois heures. Mais si vous n'êtes pas de retour à l'heure dite, je reprendrai la route.

— D'accord. »

Je tournai donc en direction de l'ouest, suivant la côte pendant environ deux milles. Peu à peu, les hautes murailles blanches normandes du château de Portchester, érigé sur une péninsule qui s'étendait jusqu'à la rade de Portsmouth, devinrent plus nettes. Je croisai deux compagnies de soldats.

L'enceinte du château, un quadrilatère presque parfait de pierre entouré de douves, encerclait un espace de plusieurs acres. Au centre de la muraille se trouvait un grand corps de garde, tandis qu'à l'extrémité ouest se dressait un donjon carré particulièrement massif. Des soldats en demi-armure, munis d'épées et de hallebardes, étaient en faction devant le pont-levis en face du corps de garde. Je remis la lettre – rédigée la veille à l'intention de Warner pour solliciter un rendez-vous – à un jeune officier, un sous-lieutenant, devinai-je. Il posa sur moi un regard interrogateur. « Je crois comprendre que la reine et sa maisonnée sont restées à Portchester, dis-je.

— En effet.

— Je me suis occupé à Portsmouth d'un dossier juridique que m'a confié la reine. Un élément nouveau m'oblige à m'entretenir avec messire Warner. »

L'officier fixa sur moi un regard incrédule. « Je pense qu'ils sont trop occupés pour se soucier de chicaneries d'avocat.

— L'affaire a commencé avant la crise actuelle. Je crois que messire Warner souhaitera me recevoir. »

Il émit un grognement de désapprobation, mais fit un signe à un jeune soldat, à qui il confia la lettre pour qu'il la remette à Warner. Le soldat se précipita vers le pont-levis.

« Avez-vous vu Sa Majesté entrer dans Portsmouth ?
me demanda l'officier.

— Le roi est arrivé juste avant mon départ et il a
reçu un chaleureux accueil. »

Rejetant la tête en arrière, il désigna le château du
menton. « On risque de devoir défendre le château
contre les Français, dit-il. Il paraît qu'ils sont trente
mille... Des chicaneries d'avocat... », marmonna-t-il
en ricanant amèrement. Nous attendîmes en silence,
sous un soleil de plomb, jusqu'au retour du jeune
soldat, qui revint en courant. « Il va recevoir l'avocat,
mon lieutenant », dit-il.

✝

L'un des soldats prit mon cheval et l'officier me fit
passer le pont-levis à contrecœur. Après avoir franchi
le grand corps de garde protégé par d'autres soldats en
faction, nous débouchâmes dans un immense espace
où se trouvaient des tentes militaires. Des hommes
étaient à l'exercice ou s'entraînaient au tir à l'arc sur
l'herbe fraîchement tondue. Devant moi se dressait un
gigantesque entrepôt dont la porte ouverte me permit
de voir qu'il était presque vide, la plupart des provisions ayant dû être transportées à Portsmouth. Une
allée traversait le domaine de part en part et conduisait à une grille s'ouvrant sur le port de l'autre côté.
Des soldats patrouillaient sur le chemin de ronde où
j'aperçus les formes sombres de canons. Si les Français
réussissaient à entrer dans le port, il se pourrait qu'ils
cherchent à s'emparer de cet endroit.

Nous tournâmes à gauche en direction du haut
donjon intérieur, entouré d'une série de petits bâti-

ments, isolé par une enceinte interne et protégé par un prolongement des douves. Avant qu'on l'autorise à me faire traverser le fossé interne pour passer dans la cour centrale, le sous-lieutenant dut expliquer sa mission aux gardes de faction. Le roi étant absent, il ne restait pas grand monde au château. Nous franchîmes un haut portail à la décoration très travaillée, avant de gravir une volée de marches menant à une grande salle dotée d'un splendide plafond avec des saillies de poutres formant console. On me confia à un agent officiel qui me conduisit le long d'un étroit couloir jusqu'à une petite antichambre où il me dit d'attendre. Je m'effondrai sur l'une des chaises rembourrées. Tout était calme. Une horloge posée sur un bahut indiquait que le temps passait à un rythme régulier. Le soleil se déversait par une fenêtre cintrée.

La porte s'ouvrit et Warner fit son entrée, ma lettre à la main, l'air agité. « Matthew, fit-il, de quoi s'agit-il ? J'espère que c'est urgent. »

Je me levai et inclinai le buste. « Ça l'est. Robert, il faut que je vous parle.

— Pourquoi n'êtes-vous pas rentré à Londres ? demanda-t-il sèchement. La reine vous avait conseillé de partir. Vous savez que le roi est ici ?

— Je l'ai vu entrer dans Portsmouth, il y a deux heures.

— Rassurez-moi, je vous prie… Rien d'autre n'est arrivé au prieuré de Hoyland ? La reine a été bouleversée d'apprendre la mort de cette femme.

— Un homme, un franc-tenancier du village, a été arrêté pour le meurtre d'Abigail Hobbey, mais je le crois innocent. »

Il fit un grand geste impatient. « La reine ne peut pas s'occuper de ça en ce moment.

— J'ai été averti que je devais laisser tomber le dossier Curteys. Par sir Richard Rich en personne. »

Je surveillai soigneusement sa réaction, mais il parut seulement surpris. « En quoi, grand Dieu, Rich a-t-il affaire avec Hoyland ?

— Je n'en sais rien. Mais je me rappelle que le jour où je suis venu voir la reine à Hampton Court, au moment où je l'ai quittée, Rich se tenait dans la cour de l'Horloge. En compagnie de sir Thomas Seymour. Ils en ont profité pour me houspiller. Si j'ai alors cru que cette rencontre relevait de la malchance, je n'en suis plus aussi sûr aujourd'hui. »

Il secoua la tête. « Tout ça n'a aucun sens pour moi.

— Je crois vous avoir dit, continuai-je, que je souhaitais saisir l'occasion pour m'occuper d'une autre affaire dans la région.

— En effet... Mais si cette affaire a un rapport avec le dossier concernant Hugh Curteys, ajouta-t-il en se renfrognant, vous auriez dû en parler à la reine.

— Je viens tout juste de découvrir qu'il peut exister un lien... Un certain sir Quintin Priddis.

— Matthew, en ce moment, on ne peut pas déranger la reine avec cette histoire, répliqua-t-il d'un ton sec. Le roi a besoin de son soutien sans faille. On vous avait dit de retourner chez vous...

— J'essaie de savoir comment une femme du nom d'Ellen Fettiplace, m'empressai-je de dire, a été enfermée à Bedlam, il y a dix-neuf ans, malgré l'absence d'attestation de démence. Sir Quintin Priddis est impliqué dans cette affaire. Mon enquête m'a mené à Rolfswood, une ville à la lisière du Sussex, où le corps de son père vient d'être découvert. Il semble qu'il ait été assassiné. J'ai parlé à l'homme qui devait épouser la jeune femme. Il est à présent commissaire adjoint sur le *Mary Rose*. Il s'appelle Philip West. »

Comme je récitai cette liste de noms, j'avais les yeux rivés sur les siens, mais il continuait à paraître à la fois déconcerté et agacé. « Le commissaire West m'a raconté une histoire extraordinaire, repris-je. Durant sa jeunesse, il a servi à la Cour. Il était un favori du roi qui lui aurait confié une lettre à porter de Petworth au château de Hever, le même été 1526 où le père d'Ellen a disparu et où elle a été internée à Bedlam. La lettre a été volée par le compagnon de voyage de West, un jeune juriste au service de Catherine d'Aragon.

— Mais quel rapport avec... ?

— Il pense que le juriste était un espion, poursuivis-je implacablement, à la solde de Catherine d'Aragon et qu'il lui a remis la lettre. Ce qui a pu lui faire deviner à l'avance que le roi avait l'intention de divorcer. West a raconté au roi que la lettre avait été perdue et non pas subtilisée. Il prétend que l'homme qui l'a dérobée s'appelait Gregory Jackson et qu'il est mort, mais je me demande si West ne ment pas. »

Warner me fixa du regard, puis s'empourpra et ses traits se durcirent. « Où voulez-vous en venir ? » fit-il. Je ne bronchai pas. « Vous savez que j'étais à l'époque un jeune juriste dans la maison de Catherine d'Aragon... Et vous me soupçonnez d'avoir été son espion », déclara-t-il sans hausser le ton. Il prit une profonde inspiration. « Fort bien. »

Il pivota sur ses talons et se dirigea vers la porte. « Attendez ici ! » lança-t-il. Avant que je puisse réagir, il était parti et avait refermé la porte. Je l'entendis crier à un garde de se poster devant la porte.

✝

La sueur au front, j'attendis durant une demi-heure. Barak a raison, pensai-je, c'est devenu une idée fixe chez moi. S'il m'avait accompagné, je nous aurais mis tous les deux en danger. Quand la porte s'ouvrit, je sursautai, l'estomac noué. Warner apparut, flanqué de deux gardes armés de hallebardes. « Suivez-moi ! » me dit-il d'une voix brusque. Nous sortîmes de la pièce, les gardes derrière moi.

Nous descendîmes l'escalier, nos pieds martelaient les dalles de pierre. Nous sommes dans un château fort et un château fort a sûrement des cachots, pensai-je, horrifié. Mais il s'arrêta au rez-de-chaussée, longea un corridor et ouvrit une porte qui, à ma grande surprise, donnait sur un jardinet clos, bordé d'arbres. Des plantes grimpantes s'accrochaient à des treillages et des fleurs poussaient dans de petits parterres près des murs. La reine était assise à l'ombre d'un treillage, Rig, l'épagneul, sur ses genoux, tandis que deux dames d'honneur se tenaient derrière elle. Elle portait une robe cramoisie, sa couleur favorite, et une toque à fleurs, de minuscules diamants cousus dans les pétales. Elle leva vers moi un visage tendu aux yeux cernés. Guindée, le corps raide, elle avait l'air en colère. Je fis une profonde révérence.

« Matthew ! » La reine parlait à voix basse, d'un ton blessé. « Messire Warner me dit que vous le soupçonnez d'être à la solde de ce scélérat de Richard Rich. »

Je me tournai vers Warner, qui me regarda droit dans

les yeux. « Je ne soupçonne personne, Votre Majesté, mais je craignais…

— Je sais. Mais il me semble que le moment n'est pas bien choisi pour venir semer le trouble dans ma maison.

— Votre Majesté, je m'inquiétais pour vous. »

Elle ferma les yeux. « Oh, Matthew, Matthew », dit-elle. Elle plongea son regard dans le mien. « Avez-vous raconté cette histoire à quelqu'un d'autre ?

— Seulement à Barak.

— En tout cas, il est vrai que le dénommé West vous a menti… Robert, racontez-lui l'histoire, ajouta-t-elle avec un geste las.

— En effet, commença Warner d'un ton glacial, un jeune juriste nommé Gregory Jackson appartenait bien à la maison de Catherine d'Aragon. Il travaillait pour moi, mais il est mort en 1525, une année avant que West ne perde la lettre. De la suette, il m'en souvient. Je me rappelle avoir assisté à son enterrement. Par conséquent, l'homme dont ont parlé le dénommé West et sa mère ne peut pas être Jackson. Mais ce n'était pas moi non plus. Sans doute la reine Catherine d'Aragon avait-elle ses espions qui devaient tenter d'apprendre ce qu'ils pouvaient sur les maîtresses du roi. Mais, pour la plupart, il s'agissait de serviteurs appartenant à la maisonnée du roi. Je jure que je n'étais pas un espion. J'étais alors avocat, tout comme aujourd'hui. Et je n'ai aucun lien avec Richard Rich, aucun rapport avec cet individu, si je peux l'éviter. J'ai pensé qu'il valait mieux que j'informe personnellement la reine de vos… insinuations.

— Et j'ai une entière confiance en Robert… Me croyez-vous si stupide, Matthew, poursuivit-elle en haussant le ton, que je ne m'assure pas de la loyauté des membres de ma maison, quand je sais ce qui peut arriver aux reines de ce pays ? »

Mon regard passait de l'un à l'autre. La colère marquait les deux visages. Je compris que je m'étais trompé. « Je vous supplie humblement de m'excuser, Votre Majesté, et vous aussi, messire Warner.

— D'ailleurs je me demande si cette lettre a jamais existé, dit la reine à Warner.

— Je n'en sais rien, Votre Majesté. Je n'en ai jamais entendu parler, mais je ne recevais guère les confidences de Catherine d'Aragon, car elle savait, ou devinait, que je commençais à avoir une certaine sympathie pour la réforme.

— Néanmoins, dis-je, West a menti à propos du Jackson en question. »

Warner acquiesça d'un air contraint. Je m'adressai à nouveau à la reine : « Cela ne résout toujours pas la question de l'implication de Rich dans l'affaire Curteys. Il existe un lien entre le dossier Curteys et l'affaire du Sussex, à savoir sir Quintin Priddis, le curateur de fief, qui a jadis été le coroner du Sussex. C'est un vieil ami de Rich. »

La reine réfléchit quelques instants. « La mort de la pauvre dame Hobbey... Vous avez dit à Robert qu'un homme a été inculpé ?

— Un franc-tenancier du village. Il s'était opposé aux tentatives de M. Hobbey d'installer des clôtures à Hoyland.

— Et vous le croyez innocent ?

— Oui. Il n'y a aucune preuve tangible contre lui.

— Existe-t-il des preuves contre quelqu'un d'autre ? »

J'hésitai. « Non.

— Alors il aura un procès. À ce moment-là, on recherchera la vérité.

— Mais pour le moment il est en prison et j'ai proposé aux villageois de présenter leur dossier à la Cour des requêtes.

— Vous n'avez pas chômé, commenta ironiquement Warner.

— Et l'homme qui a été retrouvé mort à Rolfswood, le père de votre… amie… qui se trouve à Bedlam. Que va-t-il se passer là-bas ? demanda la reine.

— Il va y avoir une enquête, mais je ne sais pas quand elle commencera.

— C'est donc à ce moment-là qu'il faudra chercher à dénicher la vérité. Quant à Hugh Curteys, quelle que soit la corruption qui ait affecté la gestion de ses terres, s'il ne souhaite pas entamer des poursuites, on ne peut pas le faire à sa place. Matthew, je sais fort bien que lorsque vous avez décidé de vous occuper d'une affaire vous aimez la mener jusqu'au bout, mais, dans cette vie, il arrive qu'on soit obligé de se résigner. Ces dossiers suivront leur cours légal, et je vous conseille de rentrer à Londres. Les Français arrivent, il y a peut-être danger mortel. » Elle leva la main et se pinça l'arête du nez.

« Vous allez bien, Votre Majesté ? demandai-je.

— Je suis lasse, rien de plus grave. Le roi a mal dormi la nuit dernière et m'a appelée pour que je bavarde avec lui. Désormais, sa douleur à la jambe l'empêche souvent de dormir.

— Vous ne vous rendez pas compte à quel point la vie est difficile pour la reine en ce moment ! s'écria Warner avec colère. Pourquoi pensez-vous que le roi a laissé Sa Majesté à Portchester ? Parce que si, à

Dieu ne plaise, il devait être tué ou capturé ces jours prochains, la reine serait régente au nom du prince Édouard, comme elle l'a été lorsque le roi s'est rendu en France l'année dernière. Elle aura alors affaire à tous les autres... Gardiner, Norfolk, les Seymour, Cranmer. Et Rich. » Il fit un pas vers la reine, s'approchant d'elle comme pour lui servir de rempart. « Ces deux dernières années, la reine vous a protégé de la manière le plus discrète possible, de peur que le souvenir de votre dernière rencontre avec lui n'agace le roi. Et voilà que vous vous incrustez dans le Hampshire contre son gré et venez ici, en roulant les épaules et en lançant de ridicules accusations contre moi... »

La reine leva les yeux, un léger sourire sur les lèvres. Elle posa la main sur la manche de Warner. « Allons, allons, Robert... Matthew ne roule jamais les épaules. Laissez-nous parler un peu en tête à tête, quelques instants, puis reconduisez-le afin qu'il puisse regagner Londres en toute hâte. »

Warner fit une profonde révérence à la reine, avant de s'éloigner d'un pas raide, sans m'accorder le moindre regard. La reine fit un signe de tête aux dames d'honneur qui se dirigèrent vers l'ombre qui s'étendait près de la porte.

« Je sais que cela partait d'un bon sentiment, Matthew. Mais n'oubliez jamais que, comme le dit l'Évangile, l'enfer est pavé de bonnes intentions.

— Je suis désolé. Désolé d'avoir accusé messire Warner et encore plus désolé de vous avoir fourni une raison d'être en colère contre moi. »

Elle posa sur moi un regard intense. « Vous comprenez que j'ai de bonnes raisons ? Après que vous m'avez désobéi ?

— Oui. Oui, je m'en rends compte. »

Elle opina du chef, puis regarda son chien. « Vous souvenez-vous du jour de votre visite à Hampton Court ? demanda-t-elle d'un ton plus léger. Lady Élisabeth était présente. Elle a apprécié vos réponses à ses questions, m'a-t-elle dit plus tard. Je crois que vous vous êtes fait une amie, ce jour-là. Et je vous assure qu'elle n'aime pas tout le monde.

— Je m'en suis également souvenu, ces dernières semaines. Elle lisait le *Toxophilus* de Roger Ascham. C'est aussi l'un des livres préférés de Hugh Curteys. Il me l'a prêté. J'avoue avoir trouvé l'auteur un peu... suffisant.

— J'ai rencontré messire Ascham. Lui, il... roule les épaules ! s'esclaffa-t-elle. Mais c'est un savant. Lady Élisabeth a souhaité correspondre avec lui. Quelle enfant extraordinaire ! Maître Grindal est un bon précepteur et il fait partie de ces hommes qui croient qu'une femme peut être aussi douée pour l'étude qu'un homme. C'est une bonne chose. Je regrette souvent de ne pas avoir reçu une meilleure instruction. » Elle sourit à nouveau et ses yeux pétillèrent. « Même si je préférerais, ajouta-t-elle d'un air amusé, qu'elle ne jure pas comme un garçon. Je lui dis que ce n'est pas digne d'une dame. » Elle parcourut le petit jardin du regard. Le soleil filtrait à travers les feuillages, dessinant des figures sur le sol. La brise faisait bouger les branches, tandis que des oiseaux gazouillaient. « C'est un petit endroit paisible, commenta-t-elle, le regard songeur. Dites-moi. Quel genre de garçon est Hugh Curteys ?

— Il est... disons... indéchiffrable. Mais il pleure toujours sa sœur. »

Elle se rembrunit à nouveau. « Il risque d'y avoir

bientôt beaucoup d'Anglais en deuil. Je regrette que le roi ait... » Elle s'interrompit brusquement, se mordit la lèvre et tendit le bras pour me toucher la main. « Je suis désolée d'avoir exprimé ma contrariété, Matthew. Je suis si lasse.

— Dois-je vous quitter, Votre Majesté ?

— Oui. Il se peut que j'aille me reposer dans ma chambre. Mais je prie Dieu que nous nous revoyions, sains et saufs, à Londres. »

Je lui fis un profond salut et me dirigeai vers la porte. Je lui étais extrêmement reconnaissant de m'avoir pardonné et je regrettai beaucoup à présent d'avoir accusé Warner à tort. J'avais peut-être gagné une amie en la personne de la petite lady Élisabeth, mais je risquais également d'en avoir perdu un. Soudain, je fronçai les sourcils. Quelque chose me turlupinait. Quelque chose qu'avait dit la reine à propos d'Élisabeth. Il y eut un bruissement de robes quand les dames d'honneur s'écartèrent pour me laisser passer. Warner m'attendait de l'autre côté de la porte, son attitude toujours réservée, voire hostile.

« Robert, fis-je, je vous renouvelle mes excuses...

— Venez. Il est temps pour vous de partir. »

Nous montâmes l'escalier que j'avais descendu dans une si grande frayeur. « Messire Warner, dis-je, lorsque nous parvînmes en haut des marches, avec votre permission, j'aimerais vous poser une dernière question.

— Je vous écoute, répondit-il d'un ton bourru.

— À propos de quelque chose que vous m'avez dit à Hampton Court. Que la reine était, comme Catherine d'Aragon, totalement loyale à ses serviteurs.

— Ne vous en faites pas, répliqua-t-il avec mépris. La reine le demeurera aussi envers vous.

— Ce n'est pas ce que je voulais dire. J'évoquais autre chose. Vous avez dit que Catherine d'Aragon avait ses défauts. Que vouliez-vous dire par là ?

— C'est assez simple. Elle vous ressemblait, monsieur, en ceci qu'elle refusait d'abandonner la partie quand le bon sens et la décence indiquaient que c'était la meilleure chose à faire. Quand le roi a déclaré qu'il souhaitait divorcer, le pape lui a envoyé un message. Je l'ai su, car j'étais l'avocat de la reine. Le pape, à qui, en tant que catholique, Catherine d'Aragon devait allégeance avant tout autre, suggéra que, afin de résoudre les problèmes qui commençaient à déchirer le pays, elle se retire dans un couvent, ce qui, selon le droit canon, permettrait au roi de se remarier sans avoir à divorcer.

— C'eût été là une excellente solution.

— C'eût été la meilleure solution. Elle n'avait plus l'âge d'enfanter et, de toute façon, le roi ne voulait plus coucher avec elle. Elle aurait gardé sa position, les honneurs dus à son rang, et joui d'une vie confortable. Et sa fille, Marie, qu'elle adorait, aurait conservé sa place dans l'ordre de succession au trône, au lieu d'être menacée, comme c'est arrivé plus tard, de la peine capitale. Cela eût évité tout ce sang versé et tous ces ennuis. Le plus ironique, c'est que l'entêtement de Catherine d'Aragon a abouti à la séparation d'avec Rome, ce qu'elle craignait par-dessus tout.

— Effectivement. »

Il fit un sourire contraint. « Mais elle croyait que Dieu désirait qu'elle reste mariée au roi. Et comme cela se passe souvent, la volonté de Dieu et la sienne s'accordaient parfaitement. Voilà donc, voyez-vous, où peut conduire l'obstination. Heureusement que notre reine a un fort sens des réalités. Plus fort que la plupart des hommes, bien qu'elle ne soit qu'une faible femme. »

Il pivota sur ses talons et m'escorta jusqu'à la sortie. Soudain, ces dernières paroles provoquèrent un déclic en moi. D'un seul coup, je compris ce qui s'était passé à Hoyland, quel était le secret connu de toute la famille et jalousement gardé. Je poussai un soupir qui se termina en grognement. Warner se tourna vers moi et me regarda, tout surpris.

✝

Une heure plus tard, Barak et moi chevauchions vers le nord en direction de Londres. Quand j'étais arrivé à l'auberge, j'avais été touché par le soulagement que j'avais lu sur son visage. Je lui avais dit que Warner était innocent et que la reine m'avait fait des reproches mérités.

« Eh bien, avait-il commenté. Je vous avais prévenu.
— C'est vrai. Je le reconnais. »

Comme nous poursuivions notre route, je restai silencieux. Barak pensait sans doute qu'on m'avait rabattu le caquet, mais j'étais, en fait, plongé dans mes réflexions, depuis l'éclair qui avait jailli dans ma cervelle au moment où j'avais quitté le château de Portchester, examinant la situation sous toutes les coutures. Je craignais de me forger à nouveau de vaines chimères. Mais cette fois-ci, toutes les pièces s'emboîtaient à la perfection. Et il serait facile de découvrir la vérité. Très facile.

« Je veux m'arrêter à Hoyland. Très brièvement. »
L'espace d'un instant, je crus qu'il allait tomber

de sa selle. « À Hoyland ? Êtes-vous devenu complètement fou ? Quelle sorte d'accueil pensez-vous y recevoir ?

— Je sais maintenant ce que les Hobbey dissimulent depuis des années, ce qui a tant bouleversé le malheureux Michael Calfhill quand il est venu à Hoyland, et pourquoi Feaveryear est parti.

— Une nouvelle hypothèse, Seigneur Dieu !

— Facile à vérifier. Ça ne devrait prendre qu'une demi-heure. Si je me trompe, je ne causerai aucun tort, et on pourra poursuivre notre chemin.

— Vous croyez savoir qui a tué Abigail ? demanda-t-il sèchement.

— Je n'en suis pas encore certain. Mais, si j'ai raison, le meurtrier est un membre de la maisonnée et ne vient pas du village... Je me trompe peut-être, dis-je en le fixant d'un air suppliant, mais si j'ai raison on pourra peut-être prouver l'innocence d'Ettis. Une demi-heure. Mais, si tu préfères, continue ton chemin et trouve un lit à Petersfield. »

Il regarda la route poudreuse et ombragée, puis, se tournant vers moi, à mon grand soulagement, il secoua la tête et éclata de rire. « Je me rends, fit-il. Je viens. Après tout, cette fois-ci, on n'aura que les Hobbey à affronter. »

41

Je savais que si nous arrivions devant la porte d'entrée du prieuré de Hoyland, Fulstowe pourrait nous voir et nous enjoindre de rebrousser chemin. C'est pourquoi nous empruntâmes le chemin qui longeait le terrain de chasse et menait au portail de derrière. Des branches nous frôlaient comme nous avancions en silence. Je me remémorai la partie de chasse, le grand cerf aux abois, ainsi que le jour où la flèche s'était fichée dans l'arbre au-dessus de nos têtes, à Barak et moi.

Nous mîmes pied à terre près du portail, attachâmes les chevaux et entrâmes discrètement en territoire connu. Devant nous se trouvait le terrain gazonné où poussaient quelques arbres et, à notre gauche, le chenil et les autres dépendances. Barak lança un regard vers celles où lui et le clerc de Dyrick avaient logé. « On n'a fait aucun mal à Feaveryear, n'est-ce pas ? demanda-t-il soudain.

— Non. On l'a renvoyé à Londres avec pertes et fracas parce qu'il avait découvert quelque chose.

— Mais quoi donc, Dieu du ciel ?

— Je veux que tu le constates par toi-même. »

Je regardai les fenêtres de la grande salle dont les

vitres étincelaient au soleil. Il n'y avait personne à l'entour et tout était très calme. Nous sursautâmes au moment où deux ramiers passèrent d'un arbre à l'autre en battant bruyamment des ailes. Il faisait très chaud, le soleil se trouvant presque à la verticale. Le bord de ma calotte échauffait mon front et j'essuyai la sueur avec ma main. Je me rendis compte que j'avais faim, car on avait largement dépassé l'heure du déjeuner. En voyant l'ancien cimetière des nonnes, le terrain de tir, je me rappelai que Hobbey semblait croire qu'il s'était attiré la malédiction de Dieu en achetant le couvent.

L'un des domestiques, un jeune villageois, sortit de la dépense. Il eut l'air stupéfait de nous voir, comme si nous étions des fantômes. Tous les serviteurs devaient savoir que j'avais maltraité la famille Hobbey à l'audience. Je m'avançai vers lui en souriant. « Bonjour, l'ami. Savez-vous si M. Hobbey est chez lui ?

— Je... J'en sais rien, monsieur. Il va au village aujourd'hui, avec maître Fulstowe et messire Dyrick.

— Dyrick est toujours là ?

— Oui, monsieur, mais je sais pas s'ils sont déjà partis. Vous êtes revenu ?

— Pour une brève visite. Il y a quelque chose dont je dois parler à M. Hobbey. Je vais aller à la maison. » Nous nous éloignâmes sous son regard perplexe.

« Que peuvent-ils avoir à faire au village ? demanda Barak.

— Sans doute vont-ils tenter d'intimider les villageois à propos des bois. »

Nous longeâmes le côté de la grande salle, tournâmes le coin et arrivâmes devant la façade de la maison. Dans le jardin d'Abigail, les fleurs non arrosées se desséchaient dans la chaleur. « Tu te rappelles quand le lévrier a tué le chien d'Abigail ? Tu te souviens qu'elle a dit que j'étais un imbécile de ne pas voir ce qui me crevait les yeux ? Si j'avais compris alors elle serait peut-être toujours vivante. Mais ils étaient tous si malins. Viens ! m'écriai-je avec rage. Finissons-en, une fois pour toutes ! »

Nous atteignîmes le portail d'entrée. Assis sur les marches, Hugh était en train d'huiler son arc. Il portait une blouse grise et un chapeau à large bord pour protéger son visage du soleil. Quand il nous vit, il se leva d'un bond, l'air stupéfait.

« Bonjour, Hugh, dis-je d'un ton calme.

— Que voulez-vous ? fit-il d'une voix tremblante. Vous n'êtes pas le bienvenu ici.

— Il faut que je parle à M. Hobbey. Savez-vous où il se trouve ?

— Je crois qu'il est allé au village.

— Si vous le permettez, je vais entrer dans la maison pour vérifier vos dires.

— Fulstowe va vous jeter dehors. »

Je soutins son regard et, cette fois-ci, je laissai mes yeux parcourir sans gêne son long visage hâlé et fixer les cicatrices de la petite vérole. Il détourna la tête. « Viens, Jack », fis-je. Nous passâmes devant lui et gravîmes les marches.

La grande salle était silencieuse et vide. Sur le vitrail ouest, les saints levaient toujours les mains au ciel. Les murs étaient toujours nus. Où avait-on mis les tapisseries ? Soudain, à l'autre bout de la pièce, une porte s'ouvrit, laissant passer David, en vêtements de deuil. Comme le serviteur et Hugh, il nous regarda d'un air incrédule. Puis, s'avançant vers nous, il adopta une posture agressive.

« Vous ! s'exclama-t-il d'un ton rageur. Que faites-vous là ?

— Je dois m'entretenir d'un sujet particulier avec votre père.

— Il n'est pas là ! hurla-t-il. Il est allé au village avec Fulstowe pour remettre ces manants à leur place.

— Dans ce cas, nous allons attendre son retour.

— De quoi s'agit-il ?

— D'une affaire d'importance. » Je plongeai mon regard dans ses grands yeux bleus furieux. « De quelque chose que j'ai découvert à propos de votre famille. » Il tordait sa bouche pulpeuse et son air farouche céda la place à la peur.

« Fichez le camp ! En l'absence de mon père c'est moi le maître des lieux. Et je vous ordonne de partir ! cria-t-il. Je vous ordonne de quitter cette maison ! » Il respirait bruyamment, haletant presque.

« Très bien, David, répondis-je d'un ton serein. Nous allons partir. Pour le moment. » Je fis demi-tour et me dirigeai vers la porte. Barak me suivit tout en jetant des coups d'œil par-dessus son épaule à David, qui nous fixait sans bouger, avant de tourner les talons et de s'éloigner à grandes enjambées. Une porte claqua.

Nous ressortîmes dans le soleil. Au loin, Hugh lançait des flèches contre la butte de tir. « David semble s'être senti démasqué, dit Barak.

— En effet. Il s'en est rendu compte. Il n'est pas tout à fait aussi idiot qu'il en a l'air.

— On aurait dit qu'il allait avoir une autre crise.

— Le pauvre malheureux, fis-je tristement. Plus que tous les autres, il mérite qu'on s'apitoie sur son sort.

— D'accord ! s'exclama Barak. Foin des devinettes ! Expliquez-moi ce qui se passe.

— Je t'ai dit que je voulais que tu le découvres de tes propres yeux. Suis-moi. »

Je contournai la maison. De là nous voyions Hugh parfaitement. Les pieds fermement plantés sur le gazon, il portait, accroché à la ceinture, un étui plein de flèches qu'il tirait l'une après l'autre contre la cible, où plusieurs d'entre elles étaient déjà plantées. Il se pencha en avant, appliqua une nouvelle flèche à la corde, se redressa, banda l'arc et tira. La flèche se ficha dans le centre de la cible.

« Dieu du ciel, s'écria Barak, il s'améliore de jour en jour ! »

J'éclatai d'un rire amer. Barak me regarda d'un air déconcerté.

« Il y a quelque chose qu'aucun de nous n'avait vu, dis-je, à part Feaveryear qui s'en est rendu compte et s'est précipité pour en faire part à Dyrick. Je pense que Dyrick l'ignorait aussi avant que Hobbey ne le lui apprenne lors de la mort de Lamkin. Je me rappelle qu'il a paru troublé après cet événement. Il a sans doute exigé que Hobbey lui révèle à quoi faisait allusion Abigail quand elle avait dit que je ne voyais pas ce qui crevait les yeux.

— Il ignorait quoi ? demanda Barak d'un ton exaspéré. Tout ce que je vois, c'est Hugh Curteys sur la pelouse, en train de tirer à l'arc. Nous avons assisté à ce spectacle chaque jour durant une semaine.

— Ce n'est pas Hugh Curteys », dis-je calmement.

Barak eut alors l'air de craindre pour ma santé mentale. « Alors qui est-ce, nom de Dieu ! lança-t-il, sa voix montant de plusieurs tons.

— Hugh Curteys est mort il y a six ans. Cette personne est Emma, sa sœur.

— Qu'est-ce… ?

— Ils ont tous les deux attrapé la petite vérole. Mais je crois que c'est Hugh qui est mort, pas Emma. On sait que Hobbey avait des difficultés financières. Il pouvait rassurer ses créanciers en signant des traites durant un certain nombre d'années et en tirant l'argent des terres boisées des enfants. Je pense que c'est la raison pour laquelle il a acheté la tutelle.

— Pourtant, cette personne est un garçon…

— Permets-moi de continuer…, poursuivis-je d'une voix à la fois sereine et ferme. Rappelle-toi comment fonctionne le système des tutelles. Un garçon doit avoir vingt et un ans pour s'émanciper et prendre possession de ses terres, pour une fille cet âge est ramené à quatorze ans. Emma aurait automatiquement hérité de la part des terres de Hugh. Hobbey avait dû penser qu'il pourrait disposer de leurs biens pendant neuf ans au moins, et voilà qu'il risquait de les perdre beaucoup plus tôt, ce qui ne lui laisserait pas le temps de payer ses dettes. C'est pourquoi je pense qu'ils ont transformé Emma en Hugh.

— C'est impossible…

— Si, c'est possible. Grâce au fait que les enfants avaient presque le même âge et se ressemblaient, même si quelqu'un qui les connaissait bien tous les deux n'aurait pu s'y tromper. Voilà pourquoi ils ont immédiatement congédié Michael Calfhill et ont rapidement quitté Londres.

— Mais Michael a dit qu'il avait assisté à l'enterrement d'Emma.

— C'est Hugh qui se trouvait dans le cercueil.

— Grand Dieu !

— Michael n'a jamais rien fait de mal avec

Hugh : au printemps dernier, lorsqu'il est venu rendre visite à la famille, il a reconnu Emma. »

Barak se pencha en avant, scrutant attentivement la silhouette de l'archer au moment où il décochait une nouvelle flèche, qui, comme la précédente, se ficha au centre de la cible. « Vous vous trompez, ce n'est pas une fille. Et quel profit en tirerait-elle, elle ?

— Cela lui éviterait d'épouser David, j'imagine. Bien sûr, Michael lui avait peut-être appris que le mal caduc de David lui permettait de signaler à la Cour des tutelles qu'un mariage avec lui constituerait une mésalliance. Mais, après le départ de Michael et son sort se trouvant entre les mains des Hobbey, c'eût été difficile pour une jeune fille de treize ans de faire cette démarche sans aucun appui. Et ce travestissement allait lui procurer un certain pouvoir sur les Hobbey. Elle disposerait d'un imparable moyen de pression qu'elle pourrait exercer en cas de besoin. Je suppose qu'Emma a accepté l'idée de cette substitution parce que cela signifiait qu'un mariage avec David devenait impossible. C'est sans doute la seule chose qui a compté pour elle, à l'époque... Mais, hélas, une fois qu'ils ont mis le projet en œuvre, ils se sont tous retrouvés pris au piège. »

Barak mit sa main en visière et regarda à nouveau Hugh. « Ce n'est pas une fille. C'est impossible.

— Ne parle pas si fort. Non, elle donne parfaitement le change. Pourtant une fille peut apprendre à bien tirer à l'arc et devenir aussi instruite qu'un garçon. Et si elle a appris à marcher comme un garçon, à s'habiller comme un garçon, à se conduire et à tirer à l'arc comme un garçon, alors elle peut tromper des inconnus pendant des années.

— Mais sa poitrine et la barbe naissante ? Hugh se fait régulièrement raser.

— On peut camoufler la poitrine avec des bandages. En outre, je ne lui ai jamais vu de poil au menton. Toi, si ?

— Mais les coupures dues au rasoir...

— C'est un excellent moyen de donner le change.

— Pas de pomme d'Adam...

— Certains hommes ont une pomme d'Adam proéminente, comme Feaveryear, par exemple, alors que celle d'autres garçons est à peine visible. Et ses cicatrices empêchent de regarder son cou de trop près. »

Barak scruta le visage de Hugh encore plus attentivement. « Mais faire durer cette supercherie pendant toutes ces années...

— Oui. Ç'a dû créer une tension chez tous les membres de la famille. C'est ce qui a troublé l'esprit d'Abigail et de David. Ils ont mis Fulstowe dans la confidence, bien sûr, sa collaboration était essentielle, et cela explique sa position dominante au sein de la famille. Les Hobbey ont alors dû comprendre qu'ils étaient pris au piège, à jamais. Parce que, une fois l'engrenage enclenché, il était impossible de revenir en arrière. Si le secret était révélé, ils auraient pu se retrouver en prison.

— Mais pourquoi aujourd'hui Emma continuerait-elle à jouer la comédie ? Grand Dieu, il – ou elle – veut s'engager dans l'armée !

— Peut-être que, maintenant, répliquai-je, agacé, elle ne sait plus vraiment qui elle est et ce qu'elle est.

— Écoutez. Je sais que tout s'emboîte à merveille, mais vous avez intérêt à être sûr de ce que vous avancez...

— Quand nous sommes arrivés tout à l'heure, répondis-je avec tristesse, j'ai bien regardé son visage marqué de cicatrices. Et j'ai constaté que Hugh pourrait facilement être une fille.

— Hugh – Emma – a-t-il – a-t-elle – tué Abigail ? »

Il avait parlé trop fort. La personne svelte et souple sur le terrain de tir à l'arc venait de se redresser pour décocher une nouvelle flèche. Elle abaissa l'arc et se tourna vers nous. Complètement immobiles tous les trois, nous formions un étrange tableau. Puis, en moins de temps qu'il n'en faut pour le dire, l'être que nous avions connu sous le nom de Hugh appliqua une flèche sur la corde, redressa l'arc et visa ma poitrine. Je savais que ni Barak ni moi ne pouvions rien faire. Avant d'avoir eu le temps de nous éloigner de quelques pas en courant, Emma Curteys aurait tiré une flèche, en aurait placé une seconde sur la corde et nous aurait tué tous les deux.

Je levai les bras, comme si je pouvais repousser la pointe acérée de la flèche. « Ne tirez pas ! m'écriai-je. Ça ne vous rapporterait rien ! »

À cette distance, je ne pouvais pas bien voir son visage sur lequel le chapeau projetait une ombre, l'une des ruses, je m'en rendais compte à présent – comme porter la main à ses cicatrices –, qu'Emma avait utilisées au cours des ans pour éviter qu'on ne distingue nettement ses traits. L'arc bougea un peu et je reculai d'un pas en poussant un cri, mais je m'aperçus que l'arc tremblait dans sa main, qu'il était légèrement secoué de gauche à droite, même si Emma continuait à me viser.

« Courez ! » cria Barak.

Je lui saisis le bras. « Non ! Ne fais aucun geste

brusque !… Je suis votre ami ! lançai-je à Emma d'une voix ferme. Ne l'avez-vous pas compris ? Je veux vous aider ! »

Elle restait toujours immobile, l'arc tremblant entre ses mains. Toute la scène ne dura sans doute que quelques secondes, mais cela me parut une éternité. J'aperçus alors une silhouette à la lisière de mon champ de vision, une forme sombre et massive qui se précipitait vers la jeune fille.

« Hugh ! cria David (il l'appelait toujours Hugh). Arrête ! Ça ne te servirait à rien ! Ils savent tout. Tout est fini. Abaisse ton arc. »

Elle se tourna, dirigea son arc sur David comme il courait vers elle. La flèche le frappa au flanc avec une telle force qu'il se mit à tituber. Il s'effondra sur la pelouse, poussa un seul gémissement, puis se tut. À ce moment précis, sans doute attiré par les cris, Fulstowe apparut sur le seuil de la maison. David avait menti. L'intendant sortit dans le jardin et se dirigea vers le jeune Hobbey, suivi de quelques domestiques. Lançant un bras en arrière, Emma appliqua prestement une autre flèche à la corde de son arc et visa l'intendant. Fulstowe s'arrêta net. L'une des servantes poussa un cri strident. Je crus qu'Emma allait tirer sur Fulstowe mais, au contraire, elle recula, pas à pas, jusqu'au portail, tout en continuant à le viser. Elle jeta un regard à David, qui gisait sur le gazon, totalement immobile à présent. Pendant tout ce temps, elle n'avait pas prononcé un seul mot.

Elle franchit le portail à reculons, puis tourna les talons et partit en courant. Fulstowe et quelques-uns des serviteurs se précipitèrent vers David. Quelqu'un hurla. « Au meurtre ! À l'assassin ! »

42

David n'était pas mort. De l'endroit où il gisait sur l'herbe, me parvenait un gémissement désespéré. Fulstowe courut vers lui, Barak et moi sur ses talons. Du sang s'échappait de la blessure, d'où sortait, d'une façon presque indécente, la tige de la flèche.

« Aidez-moi, geignit-il.

— Reste calme, mon garçon, lui dit gentiment Barak.

— Vite ! Que l'un de vous prenne un cheval et aille chercher le chirurgien barbier à Cosham ! hurla l'intendant aux serviteurs qui s'étaient attroupés sur le bord de la pelouse. Et déchirez des draps !

— Mon cheval est déjà sellé, criai-je. Il est attaché au portail de derrière. Prenez-le ! »

Fulstowe me regarda d'un air hagard. « Que s'est-il passé ? Que diable faites-vous là ?

— C'est Hugh qui a tiré sur David et je pense qu'il nous aurait tués si David n'était pas intervenu.

— Quoi ?

— Lâchez-moi ! » lança une voix stridente depuis le seuil de la maison. Hobbey se tenait là tandis que Dyrick lui agrippait le bras. Repoussant l'avocat, il

748

se précipita vers David, s'agenouilla à côté de lui et se mit à caresser tendrement la tête brune, des larmes coulant sur ses joues. L'adolescent leva la main avec difficulté et son père la serra dans la sienne.

Je sentis une main saisir mon bras, des ongles s'y enfoncer, et je découvris le visage furieux de Dyrick. « Corbleu ! s'exclama-t-il d'un ton rageur. Qu'avez-vous fait ?

— J'ai découvert la vérité, répondis-je calmement. Emma Curteys a endossé l'identité de son frère défunt. Fini la comédie, Dyrick.

— Je l'ignorais ! fulmina-t-il. Ils se sont moqués de moi pendant toutes ces années. Je ne l'ai appris que le jour…

— … de la mort de Lamkin, lorsque vous avez demandé à Hobbey ce qu'avait voulu dire Abigail quand elle a déclaré que je ne voyais pas ce qui me crevait les yeux. Ensuite, Feaveryear a deviné la super-cherie. »

Les traits durs de Dyrick se tordirent de colère. « Cet imbécile était tombé amoureux de Hugh, ce qui le faisait geindre et prier Dieu pour qu'Il lui accorde son pardon. Puis il a percé le mystère. Il m'a dit qu'il n'avait pas arrêté de regarder Hugh de près et qu'il avait soudain découvert le pot aux roses.

— Vous auriez dû alors cesser de représenter Hobbey. Mais vous ne supportiez pas l'idée d'avoir l'air d'un imbécile, n'est-ce pas ? ajoutai-je avec mépris. Vous ne supportiez pas l'idée qu'on vous avait berné ?

— Minable bossu moralisateur ! » s'écria-t-il en se jetant sur moi, me martelant le corps de ses poings osseux, tandis que Hobbey pleurait, penché au-dessus de son fils. Soudain, Dyrick se retrouva allongé sur la pelouse, les quatre fers en l'air. Barak se dressait au-dessus de lui.

« Espèce de petite merde prétentieuse ! lança-t-il. Vous êtes fini. Fermez votre bouche de fouine ou je vous flanque la raclée dont je rêve depuis des semaines ! »

Étendu sur le dos, le visage empourpré, la robe étalée sous lui, Dyrick haletait. Toujours agenouillé à côté de David, Hobbey ne s'était même pas retourné. « Mon malheureux fils, murmurait-il d'une voix douce. Mon pauvre enfant... »

✝

Le chirurgien barbier arriva peu après. Aidé par Fulstowe, il transporta David à l'intérieur de la maison, suivi de Hobbey et des domestiques. Dyrick les accompagna. Barak et moi n'allâmes pas plus loin que la grande salle. Je priai un domestique d'informer Dyrick que je voulais lui parler dès que possible. Silencieux, choqués, nous nous assîmes à la table et attendîmes.

« D'après vous, où va aller Emma ? demanda Barak.

— À Portsmouth, je suppose. Pour tenter de se faire enrôler dans l'armée. À mon avis – qu'à Dieu ne plaise ! –, elle risque de chercher à mettre glorieusement un terme à toute cette histoire, au milieu d'un feu d'artifice.

— Est-ce elle qui a tué Abigail ? »

Je secouai la tête. « Je suis persuadé qu'elle n'avait jamais perdu son sang-froid jusqu'aujourd'hui. Non, c'est quelqu'un d'autre.

— Si je n'avais pas parlé si fort... »

Un bruit de pas nous fit lever la tête. Fulstowe s'approcha de nous, les yeux étincelant de haine. « M. Hobbey souhaite s'entretenir avec vous. »

J'opinai du chef. « Viens, Barak. » Je souhaitais qu'un témoin assiste à l'entretien.

L'intendant nous introduisit dans le cabinet de travail de Hobbey. Affalé derrière son bureau, son mince visage grisâtre, il fixait le sablier sans le voir. Dyrick était assis à côté de lui, tandis que Fulstowe se postait près de la fenêtre et contemplait la scène. « M. Hobbey souhaite vous parler. Sachez qu'il agit contre mon avis, déclara Dyrick.

— Votre avis, murmura Hobbey, où m'a-t-il mené ? Depuis le début, lorsque vous m'avez affirmé que l'achat de la tutelle des enfants était une bonne affaire. » Il tourna vers moi ses yeux creux. « David va survivre. Le chirurgien barbier a extrait la flèche. Mais il pense que la moelle épinière est atteinte, car David n'arrive pas à bouger correctement les jambes. Il faut que nous consultions un médecin. » Sa voix défaillit un instant. « Mon pauvre enfant, dans quel chemin ardu l'ai-je conduit en ce bas monde. C'était au-dessus de ses forces... En fin de compte, messire Shardlake, vous n'êtes pas ma Némésis, l'instrument du châtiment divin. Je suis ma propre Némésis. J'ai causé le malheur de ma famille. » Il ferma les yeux. « Vincent me dit que vous avez découvert nos errements.

— En effet, répondis-je doucement, ce matin même.

— Nous avons dit à tout le monde qu'un accident est survenu sur le terrain de tir et que, pris de panique, Hugh s'est enfui. Je pense que l'explication est crédible… À moins que vous ne nous contredisiez, poursuivit-il après un bref silence.

— L'autre jour, c'est David qui a tiré sur Barak et moi, n'est-ce pas ? Je crois même qu'il m'a suivi le soir de mon arrivée.

— Je le crois aussi.

— Et c'est lui qui a tué sa mère, n'est-ce pas ? »

Il baissa la tête. Dyrick fit un signe de la main. « Nicholas… »

Hobbey releva la tête. « C'est ce que j'ai craint dès le début. David… Il avait fini par considérer chacun comme son ennemi. À part moi et Emma qu'il… aimait. Il m'a dit plus d'une fois qu'il tuerait quiconque tenterait de nous dénoncer. Je pense que, ce jour-là, dans les bois, il a peut-être vraiment voulu vous tuer mais qu'il vous a raté, ajouta-t-il, la mine sombre. Il n'a jamais été aussi bon tireur qu'Emma.

— Grand Dieu ! fit Barak.

— Voilà pourquoi j'ai laissé Fulstowe et Vincent me persuader d'essayer de faire inculper Ettis. Le cerveau de David… » Il secoua la tête. « Mais à présent tout est fini. » Il regarda le sablier avec un sourire triste, brisé. « Le sable s'est entièrement écoulé, comme je le craignais depuis si longtemps.

— Avez-vous forcé Emma à endosser l'identité de son frère parce que la loi permet à une fille d'hériter de ses biens beaucoup plus tôt qu'un garçon ?

— Quand j'ai acheté cette maison, il y a six ans, j'étais un marchand prospère, un "homme qui avait réussi". » Il prononça la formule d'un ton amer. « Puis les Français et les Espagnols ont mis l'embargo sur le commerce anglais. J'avais trop investi au mauvais moment et j'étais menacé de ruine. Quand les parents de Hugh et d'Emma sont morts, j'ai vu que je pouvais exploiter les bois de Hugh. Quatre-vingts livres de bénéfices pendant neuf ans : le temps qu'il me fallait pour rembourser mes créanciers. L'achat de la tutelle de Hugh et d'Emma constituait à mes yeux la seule façon de m'en sortir. Des amis m'ont conseillé de consulter Vincent.

— Par conséquent, dis-je à Dyrick, dès le début vous faisiez partie du projet consistant à spolier les enfants.

— Mais c'est monnaie courante ! s'écria Dyrick d'un ton agacé. Et cela permettait à M. Hobbey et à sa famille d'éviter de tomber dans la misère. En outre, cela procurait un toit aux enfants, qui étaient seuls au monde.

— Et peut-être une épouse à David, qu'Emma ait envie ou non de l'avoir pour mari.

— Nous espérions qu'avec le temps, dit Hobbey, Emma finirait par aimer David. Selon Abigail, il avait besoin d'une femme équilibrée et réservée comme elle. Et elle avait raison.

— Et ses besoins à elle ? m'exclamai-je, soudain furieux. C'était une orpheline, non ?

— Écoutez, s'exclama Dyrick, fi des leçons de morale dont vous raffolez ! Que va-t-il se passer à présent ? Voilà la question à laquelle il faut trouver impérativement une réponse.

— En effet, renchérit Hobbey. Que va-t-il arriver à Emma ? Et à David ?

— D'abord, je veux connaître toute l'affaire, répondis-je. Tout, du début à la fin. Ce qui s'est exactement passé, qui y a participé. Donc, Dyrick vous a fait obtenir la tutelle des enfants et vous avez essayé de pousser gentiment Emma dans les bras de David. J'imagine que Hugh et Michael Calfhill lui ont tous les deux conseillé de résister à la pression.

— C'est exact.

— C'est alors que les choses ont mal tourné, n'est-ce pas ? Hugh est mort. Emma a hérité des terres de son frère. Et, sauf si elle épousait David, elle en disposerait à quatorze ans au lieu de vingt et un ans.

— Nous avons été pris de panique, répondit Hobbey, car nous craignions de faire faillite. Après la mort de Hugh, nous avons prié, supplié Emma d'épouser David, mais elle a refusé tout net. Elle nous a menacés de signaler à la Cour des tutelles que David n'était pas un mari acceptable parce qu'il souffrait du mal caduc. Même si on savait qu'elle ne pourrait pas faire cette démarche sans l'aide d'un avocat. » Il baissa la tête. « C'est alors que... ma femme a eu l'idée de remplacer Hugh par Emma.

— Et Emma a accepté ?

— Facilement. Peut-être trop facilement. Je ne comprends toujours pas pourquoi elle détestait tant mon fils, mais... c'est ainsi. C'est, en fait, David qu'Abigail et moi avons dû persuader d'accepter notre projet.

— Vous vous êtes ensuite débarrassés de Michael Calfhill et êtes venus vous installer ici. Là où personne n'avait jamais vu les enfants.

— C'est ça. Et c'est seulement à ce moment-là que nous avons compris que nous étions tous pris au piège. David, Abigail, Emma et moi. Si la vérité apparaissait au grand jour, nous risquerions tous d'avoir de graves ennuis. Fulstowe était la seule autre personne que nous avions mise dans la confidence... Ç'a toujours été un excellent intendant et il a toujours très bien su prévoir les difficultés. Quant à Emma, elle s'est repliée sur elle-même et s'est réfugiée dans les livres et dans la pratique du tir à l'arc.

— Qu'elle avait déjà pratiqué avec Michael.

— Oui. Et avec les autres précepteurs. Nous ne les gardions jamais très longtemps. Au début, ç'a été assez facile de les tromper, mais, plus elle grandissait, plus cela devenait compliqué. Nous nous sommes mis à... à avoir peur d'elle. Elle ne nous laissait jamais lire dans ses pensées. Elle jouait si bien le rôle de son frère qu'il m'arrivait de croire qu'elle était réellement Hugh. Cela me détendait l'esprit, en quelque sorte. Ça n'a jamais été le cas d'Abigail... S'il m'arrivait de dire "Hugh" au lieu d'"Emma" en sa présence, elle hurlait et me traitait de tous les noms. Mais elle avait une peur bleue qu'on perce notre secret. Et lorsque vous êtes arrivé il ne restait que trois ans avant qu'Emma puisse, sous l'identité de Hugh, légalement réclamer ses terres. Je n'ai aucune idée de ce qui se serait passé alors. » Ni moi, pensai-je. Emma s'était véritablement rendue impénétrable.

« Plus les années passaient, poursuivit Hobbey, plus cette supercherie nous affectait. Abigail surtout. C'est elle qui devait conseiller Emma sur la façon de s'occuper de ses règles, de fabriquer et de nouer ses bandages ! Ça semblait la rendre encore plus odieuse aux yeux d'Emma, et, en un sens, on s'est tous mis à en vouloir à Abigail. Surtout David. Ce n'était pas juste puisque le but était de payer mes dettes. Mais même moi j'ai fini par le lui reprocher. Ma pauvre femme.

— Et Michael est revenu. »

Il tressaillit. « Il s'est immédiatement rendu compte que Hugh était en réalité Emma. Les grains de beauté sur son visage ont suffi à l'en convaincre. Il a menacé de nous démasquer publiquement. Mais Emma l'en a dissuadé… Et vous, continua-t-il en regardant Dyrick, aviez découvert quelque chose sur Michael, n'est-ce pas ?

— Vous vous en doutiez vous-même, rétorqua vivement Dyrick. Vous m'avez demandé de voir ce que je pouvais dénicher.

— Quelqu'un à Londres, reprit Hobbey en baissant les yeux, m'avait appris qu'on racontait que Michael avait entretenu une relation… inconvenante… avec un autre étudiant de Cambridge. Et Vincent a découvert que ce n'était pas la seule.

— Alors vous avez menacé de le dénoncer ?

— C'est vrai. J'ai demandé à Vincent d'aller lui rendre visite. Que Dieu me pardonne !

— La sodomie est passible de la pendaison ! lança sèchement Dyrick. J'ai prévenu Calfhill que je le démasquerais s'il déposait une plainte auprès de la Cour des tutelles. Comment aurais-je pu prévoir qu'il allait se suicider ?

— Par conséquent, c'était bien un suicide, dis-je.

— Mais que croyiez-vous donc que ce fût ? s'exclama Dyrick.

— Vous l'avez menacé, dis-je en le regardant avec mépris. Vous avez poussé ce jeune homme, qui avait seulement toujours voulu aider les deux enfants, à mettre fin à ses jours.

— Je ne savais pas qu'il était aussi faible de caractère ! s'écria Dyrick d'un ton de défi.

— Espèce de salaud ! lança Barak.

— On m'a agressé à Londres et on m'a enjoint

d'abandonner cette affaire, dis-je en regardant Dyrick droit dans les yeux. Était-ce sur votre ordre ? »

Dyrick et Hobbey échangèrent un regard étonné, puis se tournèrent vers moi. « Nous n'avons rien à voir avec ça. »

Je fronçai les sourcils et me plongeai dans mes pensées. « Ainsi donc, Michael avait pris son courage à deux mains pour déposer une plainte auprès de la Cour des tutelles. Puis, terrifié par ce que vous pourriez raconter, il s'est suicidé. Quel cas de conscience ç'a dû être pour lui ! Peut-être espérait-il que sa mère reprendrait le dossier, qu'elle le présenterait à la reine, qui avait été bonne avec lui.

— Vous parlez de conscience, dit Hobbey d'une voix extrêmement triste. J'en avais une, jadis. Mais mon ambition l'a tuée. On y est bien obligé. On continue à jouer son rôle. Mais la mort de Michael me hante. » Des larmes roulèrent sur ses minces joues grisâtres. « Et cette pauvre Abigail. Ah, si on avait pu prévoir où nous conduirait cette imposture ! Et ça a ravagé l'esprit de mon pauvre fils. » Il plaça sa tête entre ses mains et éclata en sanglots. Dyrick s'agita sur son siège. Fulstowe lança à son maître un regard de mépris.

Quelques instants plus tard, Hobbey s'essuya le visage et fixa sur moi des yeux las. « Monsieur, qu'allez-vous faire à propos de David ? Allez-vous révéler qu'il a tué sa mère ?

— N'en a-t-il pas le devoir ? demanda Barak d'un ton brusque.

— Mon fils avait l'esprit troublé, gémit Hobbey. C'était ma faute. » Ses traits s'animèrent soudain. « Si je le pouvais, me dit-il, je vendrais Hoyland, ficherais la paix aux villageois et irais quelque part où passer le reste de ma vie à m'occuper de mon fils pour... pour essayer de le guérir. Même si je pense qu'il accepterait volontiers de mourir maintenant.

— Nicholas, intervint Dyrick, Hoyland est votre vie...

— Cette époque est terminée, Vincent. Et vous, Fulstowe, nous vous avons accordé notre confiance, mais vous vous en êtes servi pour prendre du pouvoir sur notre famille. Vous nous avez utilisés. Vous n'aviez de sentiment pour aucun d'entre nous. Je le sais depuis longtemps. Vous pouvez partir à présent. Sur-le-champ. »

Fulstowe planta sur lui un regard incrédule. « Vous ne pouvez pas me donner congé. Écoutez. Sans moi...

— Si, je le peux, l'interrompit Hobbey, un regain d'autorité dans la voix. Fichez le camp ! Immédiatement ! »

Fulstowe se tourna vers Dyrick. Mais son complice dans le projet de destruction du village se contenta de désigner la porte d'un coup de menton en disant : « Ne parlez d'Emma à personne ! Jamais ! Vous êtes autant impliqué dans la tromperie que votre maître.

— Après tout ce que j'ai fait pour vous... » Son regard passa à nouveau de Hobbey à Dyrick, puis il quitta la pièce en claquant la porte derrière lui.

« Il faut libérer Ettis, dis-je à Dyrick. Fulstowe et vous étiez prêts à le laisser mourir pour mener à bien vos intrigues.

— Ne dites pas de bêtises, rétorqua-t-il sèchement. Il n'aurait jamais été déclaré coupable. Mais, lui en prison, les villageois auraient été plus raisonnables.

— Messire Shardlake, intervint Hobbey. Je ne veux

pas qu'Emma soit inculpée. Si seulement on pouvait la ramener…

— J'ai peur qu'elle ne se soit rendue à Portsmouth pour s'enrôler dans l'armée. Il se peut qu'elle cherche la compagnie de mon ami George Leacon. Ils ont tous vu qu'elle était très douée pour le tir à l'arc.

— Pourriez-vous… Accepteriez-vous d'aller la chercher ? »

Je m'appuyai contre le dossier de mon siège pour réfléchir. David et Emma… Leur destinée était désormais entre mes mains.

« J'ai deux autres questions à vous poser, dis-je à Hobbey. D'abord, ai-je raison de penser que sir Quintin Priddis savait que Hugh était en réalité Emma ?

— Ne répondez pas à cette question, Nicholas ! s'écria Dyrick. On risque d'avoir besoin de Priddis… »

Hobbey ne lui prêta aucune attention. « Oui, il le savait, me répondit-il.

— Depuis le début ?

— Non. Mais il est venu réclamer sa part lorsque j'ai commencé à abattre les arbres sur les terres d'Emma. Sir Quintin est un très bon observateur et, en regardant Emma de près, il s'est rendu compte de la supercherie. C'est le seul qui s'en soit jamais rendu compte, à part vous et Feaveryear. Il a accepté de se taire en échange d'une plus grosse part.

— Et son fils ?

— Je ne le pense pas. Sir Quintin est un homme qui, même à son âge, tient à son pouvoir, et détenir un secret c'est avoir du pouvoir. Détenir les secrets des autres, bien sûr. Nos propres secrets sont une malédiction. »

Je pris une profonde inspiration, avant de demander : « Et sir Richard Rich ? De quelle façon est-il mêlé à cette affaire ? »

Hobbey eut l'air sincèrement étonné. « Rich ? Le conseiller du roi ? Je ne l'ai jamais rencontré. Je l'ai vu pour la première fois le jour où il s'est approché de vous à l'hôtel de ville.

— En êtes-vous sûr, monsieur Hobbey ? »

Il étendit les mains. « Au point où j'en suis, pourquoi dissimulerais-je quelque chose ? »

Dyrick me regardait, lui aussi, d'un air surpris. Je me rendis compte que ni l'un ni l'autre ne saisissaient ce dont je parlais. Mais alors pourquoi Rich s'était-il montré aussi agité à Portsmouth ? Pourquoi avait-il, comme je le croyais de plus en plus, lancé ses petits voyous contre moi et fait tuer le clerc Mylling ? Je me concentrai intensément et je finis par tout comprendre. Une fois de plus, je m'étais livré à des conclusions hâtives.

✞

À présent, il fallait que je prenne une décision. Je regardai la mine désespérée de Hobbey, le visage furieux de Barak, puis Dyrick qui commençait à avoir l'air à la fois mal à l'aise et effrayé. Si on apprenait qu'il avait aidé à dissimuler l'identité d'Emma, il risquait de graves sanctions professionnelles. Je ne pourrais jamais faire confiance à Dyrick, mais, pour le moment, son sort était entre mes mains. « Voici ce que je suis disposé à accepter. Si Ettis est libéré, je ne révélerai pas que David a tué sa mère. »

Barak se redressa sur son siège. « C'est impossible !

Il l'a tuée ! Il risque de récidiver ! Et pouvez-vous croire qu'ils ne sont pas de mèche avec Rich...

— Non. Ils n'ont jamais rien eu à voir avec lui. Je crois comprendre maintenant ce qui s'est passé. Mais, dis-moi, Jack, penses-tu que David était sain d'esprit quand il a tué Abigail ? Penses-tu que le faire passer en jugement et qu'il soit ou déclaré fou ou pendu servirait à quelque chose ? À qui profiterait un tel verdict ?

— Il risque de tirer sur quelqu'un d'autre.

— Non. C'est impossible, répliqua Hobbey. Il est même fort possible qu'il ne puisse plus jamais remarcher correctement. Et, je le répète, désormais, j'ai l'intention de m'occuper de lui jour et nuit... »

Je levai la main. « Je pose trois conditions, monsieur Hobbey.

— Tout ce que vous voulez...

— Primo, vous allez faire en sorte – peu importe comment – qu'Ettis soit libéré. Mais s'il doit être tôt ou tard jugé pour meurtre, je veux être présent pour m'assurer que justice soit faite et qu'il soit déclaré innocent. Et je veux pouvoir lui révéler, dès maintenant, sous le sceau du secret, que tel sera le verdict. »

Hobbey se tourna vers Dyrick. « Je suis certain, Vincent, que nous pouvons régler cette affaire. Sir Luke...

— Quelles sont vos autres conditions ? demanda Dyrick.

— La deuxième condition, monsieur Hobbey, est que vous vendiez Hoyland, après avoir confirmé le titre de propriété des villageois concernant les terres boisées, et que vous emmeniez David là où vous pourrez le garder en sécurité et sous surveillance.

— Soit, s'empressa-t-il de répondre. Tout à fait d'accord. »

Barak me regarda en secouant la tête. Et même si je doutais que David fît à nouveau courir le moindre danger à quiconque, je savais que je prenais des risques. Mais je croyais sincèrement que Hobbey tiendrait ses promesses.

« Ma dernière condition concerne Emma. Je vais retourner à Portsmouth et si je découvre qu'elle essaie de s'enrôler dans l'armée, je l'en empêcherai.

— Non…, fit Barak.

— Il serait obligé de révéler que c'est une fille, Nicholas, s'insurgea Dyrick. S'il fait ça nous serons en grand danger.

— Si elle a été enrôlée dans la compagnie de mon ami, ou dans toute autre, je n'aurai pas besoin de leur raconter toute l'histoire. Simplement qu'une jeune patriote se fait passer pour un garçon.

— Je suis d'accord, dit Hobbey. J'accepte toutes vos conditions.

— Mais je ne ramènerai pas Emma ici. Elle viendra à Londres avec moi. Et vous, monsieur Hobbey, vous vendrez la tutelle de Hugh, puisque les tutelles sont constamment achetées et revendues. Mais, même si la transaction est officielle, elle n'impliquera, bien sûr, aucun échange d'argent. Messire Dyrick préparera le document. »

Même à ce moment-là, après cette tragédie, Dyrick saisit l'occasion de marquer un point. « Vous allez en tirer un profit…

— Je vais m'assurer que les terres des Curteys soient vendues à un prix correct et que l'argent soit gardé en sécurité jusqu'à ce qu'Emma atteigne sa majorité sous le nom de Hugh. Cela signifie qu'on perpétuera la duperie, en ce qui concerne la Cour des tutelles, en tout cas. Mais des centaines de supercheries y sont pratiquées, même si elles ne sont pas aussi graves que celle-ci. Et vous devrez à nouveau coopérer, Dyrick.

— Mais Emma a essayé de tuer David et elle a failli nous trucider nous aussi ! s'écria Barak, qui, apparemment, ne se laissait pas facilement convaincre.

— Elle ne nous a pas trucidés, alors qu'elle aurait pu aisément le faire. Et je ne pense pas qu'elle avait l'intention de tuer David. Elle aurait pu le viser au cœur. Mais elle ne l'a pas fait. Je suppose qu'elle va terriblement regretter son geste. J'en ai suffisamment appris sur le caractère de ce garçon – de cette fille – quand nous séjournions ici pour en être sûr.

— "Ce garçon", "cette fille", morbleu, ça suffit comme ça ! s'exclama Barak. Allez-vous le – la – ramener chez vous ? Et allez-vous lui faire porter des chausses ou des jupes ?

— Je vais l'aider à trouver un logement à Londres. Son avenir dépendra d'elle seule. C'est la seule chance que j'ai de tenir la promesse que j'ai faite à la reine et à mame Calfhill, dont le fils est mort parce qu'il pensait qu'il était de son devoir d'aider Emma. Nous devons aussi quelque chose à Michael.

— Je peux négocier pour vous un meilleur accord, proposa Dyrick à Hobbey.

— Ne soyez pas idiot, Vincent », rétorqua sèchement Hobbey. Puis il me tendit la main. « J'accepte toutes vos conditions. Absolument toutes, je le répète. Merci, messire Shardlake, merci. »

Il m'était impossible de lui serrer la main. Je le regardai droit dans les yeux. « Je ne fais pas ça pour vous, monsieur Hobbey. Je le fais pour Emma, et pour

David. Afin de tenter de leur bâtir un avenir sur ce champ de ruines. »

Barak et moi quittâmes la maison une heure plus tard. On était en début d'après-midi. Le soleil était haut dans le ciel et il faisait très chaud. Une fois franchie la grille du prieuré, nous arrêtâmes nos chevaux.

« Vous êtes fou à lier, me dit Barak.

— Peut-être, mais il est temps que tu rentres chez toi. Finies les discussions, à présent. Si tu piques des deux, tu as des chances d'atteindre Petersfield dès ce soir. Je vais essayer de trouver Emma et ensuite je te suivrai. Si je ne te rattrape pas ce soir, reprends la route demain et je te rejoindrai en chemin.

— Comment pouvez-vous faire confiance à Hobbey et à Dyrick ?

— Hobbey est un homme brisé, tu as pu le constater. Il ne lui reste plus que David. Et Dyrick sait où se trouve son intérêt.

— Voilà ce qui en coûte à Dyrick de croire que ses clients ont toujours raison. Il est aussi corrompu que Hobbey.

— Je continue à croire qu'il pensait que Hobbey était dans son bon droit. En tout cas jusqu'au moment où il a découvert la véritable identité de Hugh. Certains avocats ont besoin de faire confiance à leurs clients. Mais, oui, après cette découverte, son seul souci a été de protéger sa position. Et en ce qui concerne ce qu'il aurait fait aux villageois… »

Barak se retourna pour regarder à travers la grille les parterres de fleurs abandonnés. « La malheureuse Abigail… Elle, elle n'obtiendra pas justice. Vous vous en rendez compte, n'est-ce pas ?

— Je pense qu'au fond de son cœur elle aurait

aimé que David et Emma s'en sortent sains et saufs. Je crois qu'elle était bourrelée de remords, elle aussi.

— Et Rich ? Et Mylling ? Et les petits voyous de Londres ? Vous avez cru Hobbey et Dyrick quand ils disent tout ignorer de leurs rôles dans votre affaire ?

— Je pense connaître le fin mot de cette histoire. Et Hobbey et Dyrick n'y sont mêlés en rien. Je m'occuperai de tout cela à mon retour à Londres. Je n'en dirai pas plus pour le moment… Si j'ai raison, pour ta sécurité, il vaut mieux que tu n'en saches rien. Mais j'en parlerai à la reine. Cette fois-ci, Richard Rich risque de comprendre qu'il a été trop loin.

— Vous êtes certain de ne pas vouloir m'en parler ?

— Sûr et certain. Tamasin n'aimerait pas cela du tout.

— Emma a toujours voulu s'enrôler. Pourquoi ne pas la laisser suivre sa voie ?

— Son esprit a été si longtemps confiné, répondis-je d'un ton ferme, qu'elle n'a pas la lucidité nécessaire pour prendre la mesure d'une telle décision. »

Barak secoua la tête. « Vous êtes décidé à la sauver avec ou contre son gré. Quelles que soient les conséquences. Comme avec Ellen.

— C'est exact.

— Et si elle ne se trouve pas à Portsmouth ?

— Alors je ne pourrai rien faire, et je reviendrai seul. Bon. Au revoir, Jack. » Je lui tendis la main. « À ce soir, ou à demain !

— Vous êtes fou. À lier. Dieu du ciel, essayez de vous protéger du danger ! »

Il fit tourner son cheval, donna des éperons, partit au galop vers la route de Londres et disparut au tournant

du chemin. Je tapotai l'encolure d'Oddleg. « Allons-y !
lui dis-je. Cap sur Portsmouth ! »

✝

La route du Sud était étrangement calme. C'est
dimanche, pensai-je. Non, dimanche c'est demain. À
plusieurs reprises, je sentis une odeur de fumée qui
émanait des chemins creux. Les fours à charbon de
bois fonctionnent-ils aussi loin dans le Sud ? J'entendais également des cris.

Je commençai la lente montée de la colline de Portsdown. Puis, comme j'approchais du sommet, l'atmosphère se chargea de fumée et je vis une tour du feu
d'alarme en action, tandis que des hommes s'agitaient
tout autour. Mon cœur cognant dans ma poitrine, je
gagnai la crête. Colline après colline, la fumée montait
de toute une enfilade de tours. Je dirigeai mon regard
vers la mer, au-delà de l'île de Portsea. Je restai bouche
bée et saisis fortement les rênes.

La plupart des navires de guerre mouillaient toujours
dans le Solent, même si certains des petits bateaux
se trouvaient encore dans le port. Vus d'en haut, ce
n'étaient que de petites taches et, devant les navires
de guerre, une demi-douzaine de plus grosses taches
manœuvraient rapidement en tout sens. J'entendis une
sorte de roulement de tonnerre, des salves d'artillerie,
à l'évidence. Ces bateaux se déplacent si rapidement,
pensai-je, nul doute que ce sont des galères, aussi
grandes que la *Galley Subtle*. J'aperçus alors au loin,
à l'extrémité est de l'île de Wight, une énorme tache
sombre. La flotte française était arrivée. L'invasion
avait commencé.

SIXIÈME PARTIE

LA BATAILLE

43

Juché sur ma monture, je demeurai immobile quelques instants pour contempler l'extraordinaire spectacle qui se déroulait au loin. Les navires anglais, à l'ancre et au bas ris, paraissaient terriblement vulnérables. Ne comprenant pas pourquoi l'énorme flotte française n'avançait pas, je me dis qu'elle devait avoir le vent debout. À quelques pas de moi, près de la tour du feu d'alarme allumée, des paysannes regardaient la bataille. La mine angoissée, elles restaient silencieuses. Des hommes de leurs familles se trouvaient-ils là-bas, à bord des bateaux ?

Je pressentis que j'arrivais trop tard et que je devrais rebrousser chemin. Mais Emma avait, tout au plus, trois heures d'avance sur moi. Si elle était déjà à Portsmouth, elle n'avait sûrement pas eu le temps de participer aux combats. Je repensai à sa vigilance, à son langage soigneusement choisi. Les diverses compagnies manquant de soldats, il était tout à fait possible qu'elle parvienne à se faire enrôler, l'arrivée des Français lui facilitant la tâche. Je me rappelai que Hobbey m'avait expliqué comment Abigail l'avait aidée à bander ses seins lorsqu'ils commencèrent à se développer et revis la façon dont « Hugh » se frottait la poitrine comme si ses seins le gênaient. Comme Emma avait dû être mal à l'aise durant ces six dernières années !

Sur le pont reliant la terre ferme à l'île de Portsea, tout avait changé depuis le matin. On essayait maintenant de quitter l'île au lieu de chercher à y accéder. Venant du côté de la mer, un flot de gens traversait le pont. Des femmes avec des bébés, des enfants, des vieillards appuyés sur des cannes, avançaient en chancelant, tous fuyaient l'éventualité d'un siège. C'étaient des pauvres, pour la plupart, chargés d'un baluchon ou convoyant leurs biens sur des chariots branlants. Je me souvenais du récit de Leacon sur les paysans français affamés qu'il avait vus au bord des routes. Ces scènes étaient-elles sur le point de se dérouler chez nous ?

J'attendis que les réfugiés aient passé le pont. Ils commencèrent à gravir péniblement la colline de Portsdown. Un couple âgé se mit à se quereller. Devaient-ils abandonner le chariot qui contenait un lit à roulettes déglingué, des vêtements usés, de la vaisselle en étain et deux tabourets ? Des gens qui essayaient de se frayer un chemin crièrent aux deux vieux de dégager le passage. Puis j'entendis des tambours, et une compagnie de miliciens, munis d'armes hétéroclites, dévalèrent la colline au pas cadencé. Les réfugiés se précipitèrent sur le côté. Martelant le sol, les soldats passèrent rapidement devant moi. La demi-armure de certains d'entre eux cliquetait ou claquait bruyamment. Les sentinelles qui gardaient le pont les saluèrent au moment où ils le franchirent dans un nuage de poussière jaune.

Une fois qu'ils eurent disparu, j'avançai vers le garde le plus proche et lui demandai quelles étaient les dernières nouvelles. Il me regarda d'un air agacé.

« Les fichus Français sont arrivés, v'là les dernières nouvelles ! » C'était un simple soldat qui normalement n'aurait pas osé répondre sur ce ton à un homme de ma classe mais, comme je l'avais maintes fois constaté, la guerre balayait les barrières sociales.

« Puis-je entrer dans la ville ?

— Tout le monde essaie de la quitter.

— Il faut que je tente d'en faire sortir quelqu'un. Un ami.

— Eh bien, monsieur l'avocat, si vous arrivez à les persuader de vous laisser entrer, je vous souhaite bonne chance. » Il m'adressa à contrecœur un regard de respect et, d'un geste, il m'invita à passer.

✝

Sur l'île de Portsea, il y avait toujours les tentes militaires, mais elles étaient toutes vides à présent. Les rabats en étaient repliés et elles n'étaient gardées que par une poignée de soldats. De petits objets parsemaient l'herbe – écuelles, cuillers, bonnets –, les hommes ayant été appelés de toute urgence.

Au moment où j'approchais des murs de la ville, où l'on continuait à travailler d'arrache-pied pour renforcer les fortifications, je croisai un autre groupe de réfugiés qui se dirigeaient cahin-caha vers le pont. Parmi eux se trouvait une bande de prostituées, le visage poussiéreux et dégoulinant de maquillage. Je dus une nouvelle fois me ranger sur le côté pour laisser passer une compagnie de soldats qui marchaient au pas. Des mercenaires étrangers, cette fois-ci. Ils portaient des pourpoints à crevés aux couleurs éclatantes et parlaient en allemand. D'où j'étais, je voyais

771

la flotte, les navires toujours à l'ancre et, parmi eux, le *Great Harry* et le *Mary Rose*. Il y avait également la *Galley Subtle* et les galéasses, entre les navires de guerre et les énormes galères françaises, un demi-mille plus loin. Leacon et sa compagnie étaient-ils déjà à bord du *Great Harry* ? Un nuage de fumée noire sortit de l'avant d'une galère française, suivi d'un lointain boum. Une galéasse anglaise avait riposté.

J'atteignis les tentes qui se trouvaient à l'extérieur de la ville. Comme je le craignais, elles aussi étaient vides. Levant les yeux vers les murs, je vis que les soldats alignés en haut, sur le chemin de ronde, me tournaient le dos et regardaient ce qui se passait en mer. Je menai Oddleg vers les tentes, dans l'espoir qu'on avait laissé une sentinelle qui pourrait me renseigner, mais je ne vis personne. Cela faisait bizarre de passer à cheval parmi les tentes et de n'entendre personne, aucun cri, aucun fracas. Comme les autres, les tentes de la compagnie de Leacon étaient vides. J'étais sur le point de rebrousser chemin lorsque je perçus un faible appel.

« Avocat Shardlake, par ici ! »

Je me dirigeai vers la tente d'où venait la voix et d'où émanait une odeur de fosse d'aisances. Regardant avec prudence par l'ouverture, je distinguai dans la pénombre des écuelles et des vêtements jetés pêle-mêle sur le sol. Dans un coin, était étendu un homme, à moitié enfoui sous une couverture. C'était Sulyard, la petite brute, qui s'était montré si fanfaron la veille. Son visage laid, osseux, était blanc comme un linge. « C'est bien vous, dit-il. J'ai cru que j'avais des hallucinations.

— Sulyard ? Qu'est-ce qui ne va pas ?

— On a eu une barrique de bière tournée, hier soir.

Quand on est entrés dans Portsmouth ce matin, quatre d'entre nous ont été renvoyés à cause de la colique. » Il fit un petit sourire et je vis qu'il était ravi.

« Où se trouve le reste de la compagnie ?

— À bord du *Great Harry*. Écoutez, est-ce que vous pouvez m'apporter quelque chose à boire ? Y a de la bière dans la tente qui a le drapeau vert. »

Je trouvai la tente en question. Il y avait là plusieurs tonneaux de bière et des chopes. J'en remplis une et la lui portai. Il la vida à grands traits puis me fit un sourire amusé, ironique.

« Vous êtes venu chercher le jeune gars ?

— Quel jeune gars ? demandai-je vivement. Vous voulez dire Hugh Curteys ?

— Celui qui était avec vous la première fois que vous êtes venu ici. Le bon archer.

— Vous l'avez vu ? Répondez-moi, s'il vous plaît.

— On était censés monter sur les bateaux, ce matin, mais le roi se trouvait à bord du *Great Harry*, alors pas question de nous embarquer avant qu'il en soit descendu. On attendait sur le quai quand votre jeune gars est arrivé. Poussiéreux, en sueur, et avec son arc. Il a reconnu le sous-lieutenant Leacon et lui a demandé la permission de s'enrôler dans sa compagnie. À ce moment-là, on était quatre, accroupis près d'un mur, à chier comme des chiens. Comme la compagnie manquait déjà d'hommes, le sous-lieutenant l'a engagé et a renvoyé les malades.

— Il faut que je le retrouve.

— Ça va pas être facile. Juste après, y a eu tout un raffut, et la barge royale a regagné la rive à toute vitesse. Ensuite, la flotte française est apparue au tournant de l'île de Wight. » Il se redressa avec difficulté et s'appuya sur ses coudes. « Est-ce que vous savez ce qui est arrivé depuis ? Les Français ont-ils débarqué ? » Je compris alors la raison de son inhabituelle politesse. Il ne voulait pas seulement que j'aille lui chercher une bière, il avait peur que les Français ne viennent le massacrer dans sa tente.

« Non. Il y a des escarmouches en mer. Mais, dites-moi, ont-ils fait monter le jeune gars à bord du *Great Harry* ?

— Sûrement.

— Il faut que je le retrouve. Il faut que j'entre dans la ville.

— On vous laissera pas passer. Toute la matinée, ils en ont fait partir les civils. Il faudrait que vous alliez au bureau de l'intendant militaire, aux pavillons royaux.

— Où se trouve le roi en ce moment ?

— Il paraît qu'il est allé au château de Southsea pour regarder la bataille. Je l'ai vu débarquer... Dieu du ciel, il a fallu huit hommes pour lui faire monter les marches. Écoutez, est-ce que vous pouvez me faire sortir d'ici ? Me faire quitter l'île.

— Non, Sulyard, ça m'est impossible. Je vous l'ai dit, je vais entrer dans Portsmouth. »

Il fronça les sourcils, puis me lança un coup d'œil égrillard. « Il vous plaît bien ce petit gars, hein ? »

Je poussai un soupir. « Puis-je faire quelque chose d'autre pour vous ?

— Non. Vous nous avez déjà assez porté malheur. »

Ma seule chance à présent était d'essayer de trouver l'intendant militaire. Comme je l'avais indiqué à

Hobbey, j'avais l'intention de dire qu'Emma était une jeune fille que le patriotisme avait poussée à se travestir en homme pour s'enrôler dans l'armée. J'avais déjà entendu ce genre d'histoire de taverne. Mais je craignais qu'elle n'ait déjà été embarquée en toute hâte à bord du *Great Harry*.

Je longeai les murs de la ville. Les pavillons royaux avaient été érigés derrière le long lac peu profond appelé le Great Morass – le Grand Marais. Il y en avait plus d'une trentaine, chacun de la taille d'une maisonnette et fabriqué dans l'épaisse toile aux couleurs chatoyantes qui m'avaient frappé à York. Le plus grand et le plus impressionnant, fortement gardé, orné de dessins complexes et tissé de fil d'or et d'argent, devait être celui du roi. Des soldats et des administrateurs s'agitaient en tout sens. Sur tous les pavillons, flottaient mollement les drapeaux anglais et celui de la dynastie des Tudors. Le soleil va bientôt se coucher, pensai-je. Les bateaux ne combattent pas la nuit. Ce sera le moment de faire descendre Emma du *Great Harry*.

Sur le côté mer du marais, le terrain sableux et broussailleux grouillait de soldats. On avait regroupé quelques compagnies pour former des régiments de plusieurs centaines d'hommes que les capitaines inspectaient à cheval. Tout près, une troupe de trois cents piquiers environ se tenaient au garde-à-vous, leurs armes hautes de quinze pieds. Si les Français tentaient de débarquer, ils les chargeraient sur la plage. Quelque part, un tambour battait doucement, régulièrement. Tout le long de la côte, d'autres groupes de piquiers et de hallebardiers étaient prêts à réagir. Il n'y avait que quelques archers au premier rang de chaque groupe, la plupart devant se trouver à bord des bateaux.

Le sol du rivage s'élevait jusqu'à un petit talus, ce qui m'empêchait de voir la mer. Des hommes plaçaient des canons au sommet, tandis que d'autres creusaient des trous et plantaient obliquement, en direction de la mer, des pieux pointus. On traînait d'autres canons vers le talus. En face de moi, se dressait le nouveau château de Southsea, quadrilatère compact, massif et doté de bastions aux angles obtus. Il était hérissé de canons, comme un autre fort, plus petit, situé un peu plus loin sur la côte. Sur la tour, tout en haut, on apercevait un groupe de silhouettes aux vives couleurs, celle du milieu étant beaucoup plus volumineuse que les autres. C'était le roi qui regardait ce qui se passait en mer.

Il y eut une terrible explosion et un nuage de fumée s'éleva du château de Southsea. On avait tiré une salve d'artillerie, sans doute contre les galères françaises. Des vivats furent poussés par les soldats qui se tenaient sur le talus, ce qui laissait supposer que l'un des navires avait été touché. Je me rappelai que Leacon m'avait dit que les plus gros canons pouvaient tirer à plus d'un mille.

Je me détournai, me rendant compte que mes jambes tremblaient. À nouveau, je réprimai une puissante envie de rebrousser chemin. Pensant à Barak, qui devait sans doute être en train de chevaucher vers le nord, je remerciai Dieu d'avoir insisté pour qu'il parte. Puis, serrant les mâchoires, je me dirigeai lentement vers le campement royal. Le soleil commençait à descendre vers l'horizon.

Je me trouvai à trois cents pieds du pavillon le plus proche lorsqu'un soldat se plaça devant mon cheval, la hallebarde dressée. Je fis halte. « Qu'est-ce que vous voulez, monsieur ? demanda-t-il d'un ton brusque.

— Il faut que je parle à quelqu'un des services de l'intendant militaire. Il s'agit d'une affaire urgente. Je suis le sergent royal Matthew Shardlake, de Lincoln's Inn.

— Attendez ici. » Comme à Portchester – mon entretien avec la reine avait-il eu lieu seulement quelques heures plus tôt ? –, je dus patienter tandis que le soldat disparaissait parmi les pavillons. Je dirigeai mon regard vers le château de Southsea : le petit groupe de silhouettes aux couleurs étincelantes contemplaient toujours la mer. J'entendis des salves d'artillerie tirées au loin sur l'eau : sans doute les galères françaises canonnaient-elles nos bateaux. Je tremblai car le *Great Harry* constituait une cible énorme. Ainsi que le *Mary Rose* où devait se trouver Philip West.

Deux capitaines en demi-armure émergèrent des pavillons les plus proches. Ils passèrent devant moi en parlant très fort et de façon très animée. « Pourquoi d'Annebault a-t-il fait avancer un si petit nombre de galères ? La plupart se trouvent toujours près du rivage de l'île de Wight... »

S'approchant de moi à grands pas, le soldat reparut, accompagné d'un deuxième. Cette fois-ci, il me parla avec respect. « Venez avec moi, monsieur. Mon camarade va s'occuper de votre cheval. » Le second soldat plaça un montoir à côté d'Oddleg pour que je descende de ma selle. Je sentis une bouffée de soulagement. J'avais craint qu'un administrateur très occupé n'ait pas eu le temps de me recevoir.

Je mis pied à terre. « Merci, fis-je. Je ne vais pas le déranger très longtemps. »

Il hocha la tête et me conduisit vers les pavillons. Certains étaient fermés, mais, quand les rabats étaient relevés, j'apercevais, assis à des tables à tréteaux, des militaires et des administrateurs en pleine discussion. On me conduisit à une grande tente conique, située au milieu du campement, de couleur crème et ornée de dessins bleus en son sommet, le rabat à demi replié. D'un grand geste, le soldat m'invita à entrer.

À l'intérieur, dans la pénombre, un homme avait la tête penchée au-dessus de documents. Une clochette et un chandelier se trouvaient sur sa table. Bien habillé, il portait un pourpoint de soie verte.

J'ôtai ma calotte. « Merci de me recevoir, monsieur l'intendant militaire, commençai-je, je souhaite... » Puis, au moment où l'homme leva la tête, je me tus brusquement.

Richard Rich sourit. « Parfait, dit-il d'un ton calme, où perçait une certaine satisfaction. Bienvenue dans mon lieu de travail. Donc, vous êtes venu chercher le jeune homme. Ou, plutôt, la jeune fille. Je m'y attendais. »

Je le fixai, éberlué.

« Où est Emma ? » fis-je.

Il sourit à nouveau, révélant ses petites dents pointues. « Elle est tout à fait en sécurité, pour le moment. Elle fait partie de la compagnie du sous-lieutenant Leacon, qui se trouve à présent sous l'égide du commissaire de marine Philip West. Sur le *Mary Rose*. Et, maintenant, messire Shardlake, le moment est venu, me semble-t-il, d'avoir une véritable conversation. »

44

Rich me fit signe de m'asseoir sur l'un des tabourets placés devant sa table. Puis il se pencha en avant, joignit ses deux petites mains soignées et y posa son menton. Ses manches bruissèrent. Il avait un air d'enfant espiègle, bien que ses yeux gris fussent froids et durs.

« Il paraît que les galères françaises se sont retirées, commença-t-il du ton de la conversation. Mon valet vient de m'en avertir. Je crois que ce qui s'est passé aujourd'hui n'a été qu'une escarmouche avant la vraie bataille. » La voix était toujours douce et agréable. « Même si les choses risquent de changer demain.

— On m'a dit que les canons peuvent les empêcher de pénétrer dans la rade de Portsmouth.

— En effet. Mais si les Français y enfermaient notre flotte – ce qu'ils ont peut-être tenté de faire aujourd'hui – ou s'ils la coulaient, ils pourraient utiliser leurs galères pour effectuer un débarquement sur les rivages de l'île de Portsea. Vous avez dû voir qu'on amenait les canons et qu'on plantait des pieux dans le sol pour protéger les archers. » Il se tut et me regarda fixement quelques instants. « Par conséquent, il peut y avoir une grande bataille. Peut-être juste là, dans le port », précisa-t-il en désignant du menton le rabat de la tente. Je restai silencieux. Qu'il parle, et voyons ce qu'il révèle ! pensai-je. Sait-il exactement ce que j'ai déjà deviné ? Sans aucun doute, car, autrement, il ne m'aurait pas reçu. Il eut un tic sous les yeux et je me rendis compte à quel point il était nerveux.

« Bon. Occupons-nous de notre affaire ! s'écria-t-il soudain. Cette fille, hein ? Quelle étrange chose de venir ici et de s'enrôler en se faisant passer pour un garçon...

— Vous savez que Hugh Curteys est, en fait, Emma ?

— Oui. Mais seulement depuis hier. C'est mon vieux compère, sir Quintin Priddis, qui me l'a appris à l'hôtel de ville, juste avant que je sorte pour vous parler. Il me l'a dit parce qu'il craignait que vous n'ayez mis au jour la supercherie. Il y est impliqué.

— Je le sais.

— Quand avez-vous découvert le pot aux roses ?

— Aujourd'hui même. C'est parce que je l'ai démasquée qu'Emma Curteys s'est précipitée à Portsmouth. Elle avait toujours voulu s'enrôler dans l'armée. Et maintenant elle n'a plus rien à perdre. »

Il inclina la tête comme un oiseau de proie. « Seulement aujourd'hui, messire Shardlake ? Je vous aurais cru capable de détecter cette duperie beaucoup plus tôt. Je vous avais surestimé. » Il réfléchit un instant. « J'imagine que la jeune Curteys est l'une de ces personnes dont vous souhaitez faire le bien, hein ? Comme Elizabeth Wentworth, quand nous nous sommes rencontrés pour la première fois, ou le vieux messire Wrenne à York ?

— Puisque vous saviez que Hugh Curteys est, en fait, Emma, pourquoi l'avez-vous laissée monter à bord du *Mary Rose* ?

— C'était une occasion à saisir, confrère Shardlake, répondit-il en souriant. Je passe mon temps à les guetter. Voilà pourquoi j'appartiens au Conseil privé. Étant donné que je m'occupe de l'approvisionnement, je lis les rapports journaliers en ce qui concerne l'état du contingent : nombre de déserteurs, de malades, de nouvelles recrues. Voici ce qu'on m'a apporté il y a deux heures. » Il feuilleta d'un doigt les documents qui se trouvaient sur son bureau, en tira une liste qu'il me remit. Un nom me sauta aux yeux : « Hugh Curteys, 18 ans, Hoyland. Compagnie de sir Franklin Giffard. »

« Vous pouvez imaginer, reprit Rich, que ce nom me fit écarquiller les yeux. Et, comme Priddis m'avait informé qu'il, ou plutôt qu'elle était l'une de vos protégées, je me suis dit que vous alliez peut-être la suivre jusqu'ici. Si vous ne l'aviez pas fait, je n'aurais pas trop su comment vous régler votre compte. Étant donné que vous n'aviez prêté aucune attention à mon premier avertissement, que j'avais chargé quelques apprentis de vous transmettre. » Son ton était devenu méchant. « Si vous aviez eu un accident fatal, votre ami Barak serait intervenu, et nul doute qu'il aurait fait appel à votre protectrice, la reine. Il faut se méfier de Catherine Parr. Elle est loin d'être une idiote. » Son tic à l'œil reprit. « Mais, à présent, je pense que nous pouvons parvenir à un accord. Voilà pourquoi, bien que je connaisse la véritable identité de Hugh Curteys, je lui ai permis de s'enrôler.

— Vous allez l'utiliser pour parvenir à un compromis avec moi... »

Il se pencha en avant. « Après avoir vu la liste, j'ai enfourché mon cheval et je suis allé tout droit à Portsmouth. La flotte française était apparue, le roi avait quitté le *Great Harry*, des soldats grouillaient sur le quai en attendant de monter à bord des bateaux. Certains officiers supérieurs étaient descendus à terre pour s'assurer que chaque bateau reçoive le nombre de soldats auquel il a droit. Y compris Philip West, ajouta-t-il en me regardant droit dans les yeux.

— C'est ça, dis-je d'un ton neutre. West.

— Les archers de votre ami, le sous-lieutenant Leacon, devaient embarquer sur le *Great Harry*, mais j'ai parlé à West et on s'est arrangés pour qu'ils aillent plutôt avec lui sur le *Mary Rose*. De cette manière, il pourra surveiller Emma Curteys pour moi. Ensuite, je suis revenu ici pour voir si vous alliez vous lancer à ses trousses. Je ne m'intéresse pas à elle, bien sûr. Je ne m'y suis jamais intéressé. Les jeunes garnements que j'ai envoyés pour vous agresser ne se sont pas fait clairement comprendre, et ils ont été punis pour ça. » Il plongea son regard glacial dans le mien. « Le dossier que vous deviez laisser tomber n'était pas celui de Hugh Curteys. C'était l'autre, sur lequel, selon mon employé, maître Mylling, de la Cour des tutelles, vous faisiez une enquête.

— Ellen Fettiplace, dis-je d'une voix accablée. Voilà votre rapport avec West. C'est vous qui étiez avec lui à Rolfswood, il y a dix-neuf ans. »

Il se cala dans son fauteuil, le visage impassible. « Ainsi donc, vous savez.

— Quand j'ai compris que vous n'aviez aucun rapport avec l'affaire Curteys, j'ai su que c'était ça.

— Qui d'autre est au courant ? demanda-t-il d'un ton vif.

— Barak, mentis-je. Et je l'ai renvoyé à Londres. »

Il se plongea dans ses réflexions. « Monsieur ? » appela à ce moment-là une voix de l'extérieur.

Rich fit une grimace d'agacement. « Entre, Colin ! » répondit-il d'un ton exaspéré.

Le rabat s'ouvrit et un jeune homme corpulent, aux traits lourds, vêtu d'une tunique ornée des lettres RR, entra, portant une longue et fine chandelle. Rich indiqua le chandelier et le valet alluma les bougies qui répandirent une lumière jaune dans la tente. « Quelles sont les nouvelles ? demanda Rich.

— Les Français sont repartis.

— Les soldats vont-ils rester à bord ce soir ?

— Oui, monsieur. Ils doivent être prêts à repousser les Français dès l'aube s'il le faut. Monsieur, un messager est venu annoncer qu'une réunion du Conseil privé se tiendra dans une heure, sous la tente du roi.

— Mordieu ! s'exclama Rich. Pourquoi ne me l'as-tu pas dit tout de suite ?

— Je…, commença le valet, le rouge au front.

— Il faut transmettre immédiatement les messages du Conseil privé… Je te l'ai répété cent fois. Bon, va-t'en maintenant, mais laisse ton oreille à portée de sonnette.

— Oui, monsieur. » Il inclina le buste et sortit de la tente. Rich secoua la tête. « Peel est un nigaud, expliqua-t-il, mais il est parfois utile d'avoir à ses côtés des gens qui ne comprennent pas grand-chose et qui vous craignent. » Il se composa à nouveau un masque à la fois souriant, méprisant et hautain. Mais je vis que cela lui coûtait beaucoup.

« Eh bien, confrère Shardlake, voilà ce que je vous propose. Une lettre de ma part à l'intention de Philip West vous permettra de monter à bord du *Mary Rose*. Vous pourrez alors révéler à votre ami Leacon que le jeune homme qu'il a enrôlé aujourd'hui est, en fait, une jeune fille, et vous pourrez la ramener. Mon valet vous procurera un canot à rames qui vous transportera jusqu'au navire et vous ramènera. En échange, vous ne raconterez à personne ce qui est arrivé à Rolfswood, il y a dix-neuf ans. Entre parenthèses, c'est Philip West, qui, depuis toutes ces années, paie la pension d'Ellen Fettiplace à Bedlam.

— Je m'en doutais.

— Vous pouvez vous charger dorénavant de la régler, si vous voulez. Ça m'est égal.

— Vous l'avez épargnée tout ce temps... Et si elle avait parlé du viol...

— Elle ne savait pas qui j'étais. Et je suis resté tout ce temps sous la menace de West qui n'aurait pas hésité à me dénoncer s'il lui était arrivé quelque chose. » Il eut à nouveau son tic à l'œil et cligna les paupières d'un air agacé. « Eh bien, confrère Shardlake, que décidez-vous ? Il y aura une bataille demain, ou, au plus tard, après-demain.

— J'ai besoin de connaître toute l'histoire », répondis-je d'une voix sereine. J'avais aussi besoin de temps pour réfléchir.

« Sommes-nous obligés d'entrer dans les détails ? s'écria-t-il avec impatience.

— Absolument. La mère de West m'a parlé d'une lettre du roi à Anne Boleyn qu'il portait ce jour-là.

— Il m'a dit qu'elle le savait. Quelle idiote, cette vieille bique !

— Et je veux savoir ce qui s'est passé à la fonde-rie. » Il me fallait savoir si Ellen avait joué un rôle dans la mort de son père et de Gratwyck.

Les yeux de Rich s'étrécirent.

« Vous deviez avoir près de trente ans alors, repris-je. Vous étiez beaucoup plus âgé que West. Selon lui, il était accompagné d'un courtisan de second rang.

— En effet. Malgré tous mes efforts, toutes mes tentatives pour devenir l'un des protégés de Thomas More, je n'avais obtenu qu'un modeste poste auprès du grand chambellan du roi. » Il eut un étrange sou-rire. « Croyez-vous à la chance, messire Shardlake ? Au destin ?

— Non.

— J'aime jouer. Le monde ressemble à une partie de cartes. On attend la chance et lorsqu'elle arrive on utilise son talent pour en tirer le maximum de profit. Ce qui est arrivé à cette lettre a été le point de départ de cette période de chance qui m'a mené jusqu'au Conseil privé.

— Comment connaissiez-vous son contenu ?

— Je ne le connaissais pas ! s'esclaffa-t-il. Autre-ment, je n'aurais pas osé la prendre. J'ai cru seulement que la vieille Catherine cherchait à savoir combien de temps risquait de durer la liaison du roi avec Anne Boleyn. Quelle grotesque vieille bonne femme ! Vous auriez dû la voir alors ! Se déplaçant cahin-caha, un chapelet entre les doigts, grosse et difforme après avoir été enceinte de tous ces gosses mort-nés. J'avais déployé beaucoup d'efforts pour connaître tous ceux qui comptaient à la Cour et j'avais fait ami-ami avec une dame d'honneur de la reine, l'une de ces merveilleuses vieilles commères, au courant des agissements de tout le monde. Je lui ai dit que j'étais un loyal serviteur de la reine, quelqu'un qui n'aimait pas la voir humiliée par la Boleyn, etc. » Il sourit, tout fier de sa duplicité. « Elle en a parlé à la reine Catherine, qui m'a suggéré par son intermédiaire de cultiver l'amitié de West, car la reine savait qu'il lui arrivait de porter des lettres à Anne Boleyn. Puis elle m'a prié d'intercepter celle-là. Les espions de Catherine dans la maison du roi avaient dû lui signaler que la missive contenait quelque chose d'important. Aussi ai-je décidé d'accompagner Philip West à Rolfswood.

— Comment vous êtes-vous emparé de la lettre ?

— Il suffit que vous sachiez que je l'ai eue en ma possession.

— Non, sir Richard. Si vous voulez qu'on parvienne à un accord, je dois tout savoir. Rappelez-vous qu'en ce moment même Barak est en route pour Londres. »

Il serra ses lèvres minces. « Vous avez rencontré Philip West. C'est un homme dominé par ses passions, et il l'était encore davantage dans sa jeunesse. Et comme beaucoup de ceux qui se considèrent comme des types honorables, ce qui compte avant tout pour lui c'est sa dignité. Sa réputation, son orgueil. Ce que pense sa mère de lui. » Il fronça son nez pointu. « Je l'ai donc accompagné, ce jour-là, à Rolfswood, et l'ai attendu dans une auberge du coin pendant qu'il allait faire sa demande en mariage à Ellen Fettiplace.

— Je croyais qu'il y avait eu une bagarre et qu'il n'avait pas eu l'intention de faire sa demande ce jour-là, qu'il souhaitait seulement parler au père d'Ellen.

— Non, non ! C'était là un mensonge fabriqué pour ses parents. » Il haussa les sourcils. « Il éprouvait une véritable passion pour cette femme. Ce n'était pas une grande beauté, mais c'est ainsi. » Il se tut quelques instants. « Ah, cela vous ennuie que je dise ça. Peut-être vous .êtes-vous, vous aussi, entiché d'elle.

— Non. Ce n'est pas le cas. »

Il haussa les épaules. « Quoi qu'il en soit, Philip était convaincu qu'elle accepterait sa proposition, qu'elle considérerait comme une bonne prise un homme ayant sa position sociale. Mais, quand il est revenu, il m'a appris qu'elle l'avait éconduit, car elle ne l'aimait pas. Il était furieux, révolté, humilié. Il vociférait comme un démon de diablerie. J'ai écouté ses jérémiades, je l'ai encouragé à se saouler, dans l'espoir de subtiliser la lettre, mais il ne cessait pas de porter la main à l'endroit de sa chemise où il la gardait. Pas question qu'il l'oublie. Sauf s'il était distrait par quelque chose de sensationnel. Finalement, il a décidé de reprendre la route. Nous venions de remonter en selle quand ma seconde carte est sortie… Ellen Fettiplace en personne. »

Bien qu'il ait fait chaud sous la tente, j'avais froid. Un papillon de nuit entra par quelque fente et se mit à voleter autour des bougies. Je me rappelai le geste de Dyrick lorsqu'il avait abattu une phalène, à Hoyland. Rich n'y prêta aucune attention. « Que représente pour vous Ellen Fettiplace ? demanda-t-il. Êtes-vous certain qu'elle n'est qu'une de vos déshérités sans défense, et rien de plus ?

— Non. Rien de plus », répondis-je d'une voix triste.

Il planta sur moi un regard dur. « Voilà des années qu'elle constitue pour moi un sujet de tracas. » Son œil tressaillit à nouveau. « Avez-vous vraiment besoin que je continue ?

— Oui, sir Richard. Si nous devons conclure un marché, j'ai besoin de tout savoir sur ce qui est arrivé à Ellen. Ainsi qu'à son père et à son ouvrier.

— Je peux nier que cette conversation ait jamais eu lieu, vous en êtes conscient, n'est-ce pas ? Il n'y a aucun témoin.

— Bien sûr. »

Il fronça les sourcils et continua d'une voix hachée. « La fille nous a vus arriver à cheval et elle s'est arrêtée. La mine de West l'a effrayée, il me semble. J'ai alors dit à West : "Prends-la tout de même, il n'y a personne à l'entour." Il s'est écrié que le diable l'emporte s'il ne le faisait pas. Il était trop ivre pour envisager les conséquences. J'ai dû l'aider à détacher son épée – en tant que gentlemen nous portions tous les deux une épée –, puis à mettre pied à terre. J'ai pensé que la fille allait s'enfuir mais, comme on courait vers elle pour l'attraper, elle est restée là, figée sur place, la mâchoire pendante. West a pris son plaisir. Je l'ai aidé à la tenir, et pendant qu'il était sur elle, j'ai subtilisé la lettre. Il ne s'en est pas aperçu, car il était déjà en elle, et la fille le griffait et lui donnait des coups de poing. Vu l'état d'ébriété où il se trouvait, j'ai été surpris qu'il puisse faire la chose. J'ai subtilisé la lettre et je suis parti en courant. Hélas ! j'ai dû laisser mon cheval.

— Vous n'aviez pas peur que la fille ne parle ?

— J'avais l'intention de dire qu'elle n'avait plus les idées claires, que j'avais essayé d'arrêter West et que j'avais couru chercher de l'aide quand je m'étais aperçu que je n'y parvenais pas. » Il réfléchit un instant. « Et j'étais disposé à prendre ce risque pour devenir le protégé de la reine. »

Je fronçai les sourcils. « Mais vous avez obtenu votre promotion grâce à Thomas Cromwell, l'ennemi de Catherine d'Aragon.

— Ah oui ! Cromwell s'est rendu compte que je pouvais lui être utile.

— Poursuivez, je vous prie, sir Richard. » Il fixa sur moi un long regard glacial. Je réprimai un frémissement de peur en pensant au sort qu'il aurait aimé me faire subir si je n'avais pas joui de la protection de la reine.

« Après avoir quitté West, j'avais l'intention de me rendre à la ville la plus proche pour louer un cheval. Mais je me suis perdu dans les bois et il a fait bientôt si noir que je n'arrivais même plus à me repérer. J'ai alors entendu West qui errait parmi les arbres en jurant et en m'appelant à grands cris. Il s'était rendu compte de la disparition de la lettre. Et il connaissait ces bois puisqu'il avait été élevé dans le coin. J'ai réussi à le semer, et, ayant aperçu une lumière devant moi, je me suis dirigé vers elle. J'ai cru que c'était une maison ou quelque auberge où je pourrais trouver refuge. » Une ombre passa sur son visage et je devinai que, seul au milieu des bois, il avait eu très peur ce soir-là.

« C'était la fonderie, dis-je.

— En effet. C'était la fonderie Fettiplace. Assis sur une paillasse, un vieil homme était en train de boire. Je lui ai dit que j'étais perdu et il m'a indiqué le chemin de Rolfswood. Il m'a invité à rester un moment, car je crois qu'il était très impressionné d'accueillir un gentleman, apparemment tombé du ciel. Je décidai d'attendre là que West abandonne sa poursuite ou s'affale par terre, ivre mort. Ce qui arriva d'ailleurs, comme je l'ai appris plus tard, pendant que je lisais la lettre, le fichu cachet s'étant brisé quand je l'avais prise sur West. Stupéfait, j'ai découvert que le roi avait l'intention d'épouser Anne. Il croyait que, si Catherine n'était pas d'accord, il réussirait à obtenir l'appui du pape. Je n'avais pas prévu cela, pensant que la lettre ne contiendrait que des ridicules paroles d'amour.

— Donc, vous avez apporté la lettre à Catherine d'Aragon, lui révélant ainsi les intentions du roi.

— Oui. Mordieu, le roi a dû être fou furieux lorsque West lui a raconté qu'il avait perdu la lettre ! Je m'étonne que West ait gardé sa tête. Par conséquent, quand, l'année suivante, le roi a annoncé à la reine qu'il croyait que le mariage violait la loi biblique et que c'était la raison pour laquelle ils n'avaient pas eu de fils, elle était déjà au courant de ses projets. Voilà des mois qu'elle bouillait de rage.

— Si le roi avait découvert ce que vous aviez fait...

— Catherine d'Aragon ne lui a jamais révélé qu'elle avait intercepté la lettre. Elle protégeait toujours ses serviteurs, ça faisait partie de sa stratégie pour qu'on lui reste fidèle. C'est ce soir-là que j'ai commencé à gravir les échelons. J'ai changé d'allégeance quand, au cours de la lutte qui s'est ensuivie, j'ai compris que c'est Anne Boleyn qui en sortirait victorieuse.

— Donc, ce que vous avez aidé West à faire à Ellen a facilité votre ascension.

— Si vous voulez. Mais ça n'a pas été aussi simple que ça. Cette nuit-là, comme j'étais assis dans la vieille fonderie, la porte s'est brusquement ouverte. J'ai eu peur que West ne m'ait retrouvé, mais c'est la fille qui est apparue, échevelée, l'air hagard. Quand elle m'a vu, elle s'est mise à crier et à hurler en me pointant du doigt : "Au viol !" Alors, oubliant sa boisson, le dénommé Gratwyck s'est avancé vers moi, un bâton à la main. Ayant, heureusement, gardé mon épée, je lui en ai donné plusieurs coups. Je ne l'ai pas tué, mais il est tombé dans le feu qu'il avait allumé, et, quelques instants plus tard, il était lui-même en flammes, titubant et poussant des cris stridents. » Il s'arrêta et me regarda fixement. « Il s'agissait d'un cas de légitime défense, voyez-vous, et non d'un meurtre. J'avoue que cela m'a bouleversé, et lorsque je me suis retourné vers la fille, elle n'était plus là. J'ai cherché à la rattraper dans la nuit, mais elle avait disparu. Je devais prendre une décision. Je suis retourné à la fonderie mais elle était en feu et Gratwyck continuait à hurler, quelque part à l'intérieur. Aussi j'ai suivi le sentier qui longe la retenue pour essayer de retrouver la fille.

— Qu'auriez-vous fait si vous l'aviez retrouvée ? »

Il haussa les épaules. « Je ne l'ai pas retrouvée. Mais j'ai buté contre un homme âgé en tunique.

— Maître Fettiplace.

— Il a hurlé. "Qui êtes-vous ?" Je suppose qu'il était parti à la recherche de sa fille et qu'il était venu à la fonderie pour voir si elle était là, mais je n'en sais rien, en fait. Il s'est agrippé à moi, alors je lui ai passé l'épée à travers le corps. » Rich parlait d'un ton tout à fait neutre, comme s'il lisait sa déposition au tribunal. « Je savais qu'il fallait que je me débarrasse de lui avant que l'incendie n'attire des curieux. Je ne pouvais pas l'abandonner dans le bâtiment, qui désormais était complètement en feu. Mais, grâce au clair de lune, j'ai aperçu une embarcation. Alors j'ai mis le corps dans la barque, ai ramé jusqu'au milieu de la retenue et, lesté d'un bloc de fer que j'avais trouvé tout près, je l'ai jeté à l'eau. Ensuite j'ai marché jusqu'à la pointe du jour, avant de louer un cheval pour rentrer à Petworth. »

Après ce que tu avais fait, pensai-je, tu marchais dans la nuit, la peur au ventre.

« Le lendemain, poursuivit Rich, West m'a retrouvé. J'ai nié avoir allumé l'incendie, affirmé être rentré directement à Petworth. Même s'il me soupçonnait, il n'avait aucune preuve. Quant à la lettre et au viol, je lui ai dit que nous devions tous les deux nous taire. Mais l'imbécile est retourné à Rolfswood pour essayer de parler à Ellen. C'était dangereux et ça m'a coûté quelques nuits blanches. Mais, heureusement, la fille avait perdu l'esprit, et, après un certain temps, avec le concours de Priddis, West et sa famille ont organisé son transport à l'asile de Bedlam. Comme vous pouvez l'imaginer, Priddis a été grassement payé pour qu'il s'abstienne de poser la moindre question.

— Par conséquent, vous avez négocié un nouvel accord avec Philip West.

— En effet. Je suis très bon dans ce domaine.

— Il avait insisté pour que la vie d'Ellen soit épargnée. »

Il se renfrogna. « Il a dit que s'il lui arrivait malheur il révélerait toute l'affaire. Pétri de remords, il avait décidé de s'engager dans la marine. Il est à moitié fou et je pense qu'il a, en un sens, envie de mourir. Mais en gardant son honneur, ricana-t-il. Voilà pourquoi, quand je l'ai rencontré aujourd'hui, il a accepté de prendre à bord la jeune Curteys, afin que nous puissions négocier vous et moi votre silence.

— Mon silence sur ce qui s'est passé à Rolfswood,

en échange du débarquement d'Emma. Je vois. Et qu'en est-il d'Ellen ?

— Je la laisserai en sécurité à Bedlam, sous votre regard. Je crois comprendre qu'elle ne voudra jamais quitter l'asile, même si elle en avait la possibilité. »

Je me plongeai dans mes réflexions. Rich avait raison. Je pourrais peut-être le détruire, mais alors je ne pourrais jamais faire descendre Emma du *Mary Rose*. Rich, tu vas réussir à t'en tirer sain et sauf et éviter d'expier ton crime. Mais ce ne sera pas la première fois. Je me rappelai comment il avait trahi Thomas More et sa persécution des hérétiques dans l'Essex. « Comment pouvez-vous être sûr, lui demandai-je, que je ne vais pas faire débarquer Emma du bateau, la mettre en sécurité, puis vous dénoncer quand même ?

— Oh, j'ai également réfléchi à cette éventualité.

— J'en suis certain. Vous avez fait tuer Mylling, n'est-ce pas ? ajoutai-je.

— Je l'avais à ma solde. Et il était censé m'informer si quelqu'un posait des questions à propos d'Ellen Fettiplace. Il m'avait dit que vous aviez farfouillé dans les dossiers. Et ne voilà-t-il pas qu'il essaie d'exercer un chantage sur moi et qu'il me demande davantage d'argent. Il ne savait pas que je soudoyais également son jeune clerc. Ne pouvant prendre aucun risque, j'ai prié le clerc de lui régler son compte. L'enfermer dans la "fosse puante" était une bonne idée. S'il survivait, on pourrait toujours dire que la porte s'était accidentellement refermée sur lui. Le jeune Alabaster l'a remplacé. » Il baissa la tête pour compulser ses papiers. « Et maintenant, conclut-il allègrement, le voici… Votre testament. »

Je me rejetai en arrière, manquant de tomber de

mon tabouret. Il éclata d'un rire moqueur. « Ne vous en faites pas. Tout le monde écrit son testament dans ce camp, puisque la bataille est proche. Lisez-le. On a laissé des blancs pour que vous puissiez y inscrire les biens que vous léguez. »

J'examinai le document. « Je rédige ce testament à Portsmouth, face à la flotte française, en prévision de ma mort. » Puis venait la clause concernant l'exécuteur testamentaire : « Je nomme sir Richard Rich, originaire de l'Essex, membre du Conseil privé de Sa Majesté le roi, comme mon seul et unique exécuteur testamentaire. » Ensuite, le premier don était déjà inscrit : « Au susnommé sir Richard Rich, auquel je demande de me pardonner les nombreuses et honteuses accusations que j'ai lancées contre lui durant de nombreuses années, mais qui m'a désormais montré sa véritable amitié : 50 marks. » Des blancs avaient été laissés afin qu'on puisse y insérer d'autres legs, suivis de la date – « 18 juillet 1545 » – et d'un espace où deux témoins et moi-même devions signer.

Rich me tendit deux feuilles vierges par-dessus la table. « Recopiez ce texte deux fois, m'enjoignit-il d'un ton allègre, à nouveau maître de la situation. Une copie pour moi, car je ne doute pas que vous rédigiez un nouveau testament quand vous rentrerez à Londres. Cela n'a guère d'importance, les cinquante marks constituant, à l'évidence, une modique somme. Si je veux ce testament – deux honorables témoins, choisis dans ce camp et qui ne nous connaissent ni vous ni moi, pourront témoigner que vous n'avez subi aucune coercition pendant la rédaction de cet acte –, c'est pour le montrer au tribunal, au cas où vous vous aviseriez un jour de lancer des accusations contre moi. » Il inclina légèrement la tête de côté. « Entre parenthèses, Ellen Fettiplace ne doit hériter de rien. »

Je relus ce projet de testament. Clair, net et précis, comme tout ce que faisait Rich, excepté cette première aventure à Rolfswood lorsqu'il avait pris un énorme risque et, saisi de panique, tué un homme. Me tendant une plume, il me déclara d'un ton calme : « Si vous me trahissez et si, à cause de vous, je n'ai plus rien à perdre, alors, croyez-moi, quelque chose arrivera à Ellen Fettiplace. Donc, nous sommes enchaînés l'un à l'autre, pieds et poings liés. »

Je pris la plume et commençai à écrire. À ce moment-là, j'entendis des voix dehors, une cavalcade et divers bruits. C'était le cortège royal qui revenait du château de Southsea. Des gens parlaient à voix basse, d'un ton grave, en passant devant la tente de Rich.

Une fois que j'eus fini, Rich lut soigneusement les deux exemplaires du testament. Il hocha la tête. « Oui. Comme je m'y attendais, je vois que vous faites de généreux legs à Jack et Tamasin Barak, ainsi qu'à Guy Malton. De petits dons aux gamins qui travaillent chez vous. » Il leva alors la tête, l'air amusé. « Mais qui est cette Josephine Coldiron à qui vous laissez cent marks ? Entretenez-vous quelque catin à Chancery Lane ?

— Non. Elle travaille aussi chez moi. »

Il haussa les épaules, examina les documents une fois de plus, à la recherche d'une faute d'inattention ou d'une erreur volontaire, puis, satisfait, hocha la tête, avant d'agiter la clochette se trouvant sur son bureau. Un instant après, Peel entra. « Va chercher deux messieurs, lui dit Rich. Plus haut sera leur rang, mieux ça vaudra. Des administrateurs, pas des gens qui risquent d'être impliqués dans les combats de demain. Je veux qu'ils survivent afin qu'ils se souviennent d'avoir vu mon ami Shardlake signer son testament. » Il regarda le sablier. « Dépêche-toi car le temps presse. »

Peel parti, Rich déclara : « À l'arrivée des témoins, nous devrons faire semblant d'être amis. Seulement quelques instants.

— Je comprends, répondis-je, accablé.

— Vous étiez jadis l'ami de lord Cromwell. Si vous ne vous étiez pas brouillé avec lui, vous auriez pu monter très haut.

— Son prix était trop élevé.

— Ah oui. Nous, les membres du Conseil privé, sommes de méchantes gens. Mais je pense que ce que vous aimez par-dessus tout, c'est avoir bonne conscience. Défendre la veuve et l'orphelin. Être "justifié", comme disent les protestants intransigeants. Peut-être cela vous console-t-il de votre aspect physique. » Il eut un sourire ironique. « Vous savez, il y a des hommes de haute conscience au Conseil privé. Des gens comme moi, Paulet et Wriothesley les écoutons quand nous siégeons autour de la table du Conseil. Hertford vitupère Gardiner et Norfolk à propos de l'orthodoxie religieuse. Ensuite, nous les écoutons comploter pour s'envoyer mutuellement au bûcher. En revanche, certains, comme nous encore, ainsi que l'explique si bien sir William Paulet, préfèrent plier plutôt que rompre sous le vent. En fin de compte, les êtres dotés d'une conscience sont trop obnubilés par le bien-fondé de leur cause pour survivre. Mais le roi connaît la valeur des conseils directs, sans concession… Voilà pourquoi nous survivons, tandis que d'autres doivent poser la tête sur le billot.

— Des hommes qui n'ont pas de cœur, même pas un cœur de pierre.

— Oh si ! Nous avons un cœur. Pour nos familles, nos enfants que nous élevons et rendons prospères, grâce aux terres que nous octroie le roi et aux présents offerts par nos clients. Mais, bien sûr, ricana-t-il, le mot "famille" ne peut avoir aucun sens pour vous. »

On entendit un bruit de pas dehors. Peel revint, accompagné de deux inconnus, qui firent une profonde révérence à Rich, lequel contourna la table et entoura mes épaules de son bras mince. Je réprimai un frisson. « Merci d'être venus, messieurs, dit-il. Vu les événements qui nous attendent, mon ami, messire Shardlake, ici présent, souhaite mettre ses affaires en ordre. Me ferez-vous l'amitié de servir de témoins à la signature de son testament ? »

Ils acceptèrent tous les deux. Ils se présentèrent à moi et me regardèrent signer le testament et la copie, avant d'apposer leur signature à tour de rôle, en tant que témoins. Rich ramassa des documents et son bonnet sur le bureau, ainsi que deux lettres fermées et sa copie du testament. « Merci, messieurs, dit-il. Je dois partir maintenant, car il me faut assister à une séance du Conseil privé… Je suis ravi, mon ami Shardlake, ajouta-t-il à voix haute afin d'être entendu par les deux témoins, d'avoir pu vous rendre service en ce qui concerne la jeune fille.

— Je n'en attendais pas moins de vous… »

Les deux messieurs inclinèrent le buste et s'éloignèrent. Rich avait toujours la main sur mon épaule. Il l'ôta et donna une vigoureuse petite tape sur ma bosse, tout en me chuchotant à l'oreille. « J'ai souvent eu envie de faire ça. » Puis, se tournant vers Peel, il lui dit d'un ton brusque, professionnel : « Bien, Colin. Accompagne messire Shardlake à Portsmouth. Trouve une embarcation et emmène-le jusqu'au *Mary Rose*. » Il plaça les deux lettres dans un sac en cuir, qu'il donna à Peel. « Celle qui n'est pas scellée est l'ordre de mission portant mon nom. Elle te permettra d'entrer dans Portsmouth et d'obtenir une embarcation. Tu dois remettre l'autre, en main propre, à son destinataire, Philip West. Et à lui seul. Si quelque officier te la demande, invoque tes instructions et mon nom. Ensuite, attends le retour de messire Shardlake dans l'embarcation et ramène-le à terre. Il sera accompagné par quelqu'un. Bon, vas-y ! Mon cheval se trouve-t-il dans l'écurie ?

— Oui, sir Richard.

— Tu es sûr d'avoir compris tout ce que je t'ai dit ? demanda-t-il d'un ton moqueur.

— Oui, monsieur.

— Confrère Shardlake, reprenez-le s'il se trompe. Et maintenant, au revoir. » Il s'inclina vers moi, puis sortit de la tente. Peel me regarda fixement.

« Vous avez bien rangé les lettres ? m'enquis-je.

— Oui, monsieur.

— Alors, allons-y, je vous prie. Il s'agit d'une affaire urgente. »

45

« Vous avez un cheval, monsieur ? me demanda Peel.

— Oui.

— Je vais aller le chercher. On sera plus vite rendus au quai du Camber. » Il salua d'un signe de tête et partit en courant. J'attendis près des pavillons en regardant la mer. Le soleil déclinait vers l'horizon. C'était une nouvelle soirée d'été paisible. Au château de Southsea, des soldats s'affairaient autour des canons. Des hommes traînaient un autre gros canon sur la rive sableuse et broussailleuse. Des soldats avaient allumé de petits feux pour faire la cuisine, d'autres s'égaillaient vers les tentes. L'atmosphère se rafraîchissait rapidement comme le soir tombait.

Peel revint avec Oddleg et un autre cheval. « Est-ce que je peux vous aider à vous mettre en selle ? » demanda-t-il poliment.

Je le regardai attentivement, me rappelant comment il avait subi les insultes de Rich sans broncher. « Merci. Travaillant pour sir Richard, vous avez assisté à une bonne partie des préparatifs en prévision de l'invasion, l'ami ? »

Il prit un air méfiant. « Je n'écoute pas. Je ne suis qu'un valet. J'effectue mes petites tâches et je me bouche les oreilles.

— C'est plus prudent ainsi », acquiesçai-je.

Nous gagnâmes la ville, contournant le Great Morass. « Eh bien, demandai-je. Que pensez-vous de tout cela ?

— Je prie pour que mon maître ait le temps de partir si les Français débarquent. Mais c'est un homme intelligent.

— Ça, ça ne fait aucun doute. »

Il n'y avait aucun oiseau sur les eaux calmes du Morass. Ils avaient dû s'envoler, effrayés par les coups de canon. Nous approchâmes des murs de la ville, où les ouvriers qui renforçaient les fortifications étaient en train de ranger leurs équipements.

« Êtes-vous allé à Portsmouth avec votre maître aujourd'hui ?

— Non, monsieur. Je suis resté au camp. Nous sommes tous sortis des tentes en courant quand on a crié que les bateaux arrivaient. Ensuite, le roi est revenu de Portsmouth. »

Nous longeâmes les murs pour gagner la porte principale. Peel montra au garde l'ordre de mission de Rich et on nous laissa passer.

À part la présence de patrouilles de soldats, la grand-rue était désormais vide. Les volets des fenêtres des maisons et des boutiques étaient fermés. Les propriétaires avaient-ils tous fui ? Un chien hurlait à l'intérieur d'une maison. Dégouttant de sang, qui tombait dans la poussière, et chargé de morceaux de bœuf récemment découpés, un unique chariot cahotait dans la rue.

En revanche, comme d'habitude, Oyster Street

grouillait de monde, soldats et marins se mêlant aux ouvriers. Maintenant que les Français s'étaient retirés, on entassait de nouvelles provisions dans les embarcations amarrées aux quais. Nous fîmes halte près des entrepôts. De l'autre côté du Camber, des soldats montaient la garde sur la digue à présent déserte, au-delà de la tour Ronde. Les navires de guerre anglais mouillaient dans le Solent.

« Vous croyez qu'on pourra avoir une barque ? demandai-je à Peel d'un ton inquiet.

— Ça devrait être possible, monsieur, grâce à mon ordre de mission. Attendez-moi ici, s'il vous plaît. Je vais faire mettre les chevaux à l'écurie.

— Vous avez bien l'autre lettre ? Celle pour le commissaire West ? »

Il tapota son sac. « Elle est bien rangée, là, monsieur... Je ne suis pas un imbécile, ajouta-t-il d'un ton blessé.

— Bien sûr que non. » Je regardai les navires. « Mais, hâtez-vous, s'il vous plaît », ajoutai-je.

Nous mîmes pied à terre, et Peel emmena les chevaux. J'aperçus l'extraordinaire masse du *Great Harry*. Il avait dû y avoir une grande panique à bord quand ils avaient vu arriver les Français. Je vis le *Mary Rose*, où Emma se trouvait avec les troupes de Leacon. Une compagnie de soldats avança au pas dans Oyster Street. Ils venaient sans doute tout droit de la campagne, car ils fixaient la mer, ébahis.

Un appel monta d'en bas. Baissant la tête, j'aperçus Peel debout, à côté d'un batelier, dans une petite barque à rames, au pied de quelques marches. « Dépêchez-vous, monsieur ! lança-t-il d'un ton pressant. Avant que quelqu'un ne la réquisitionne... »

Le batelier, un jeune gars, lança l'embarcation sur l'eau, ramant à toute force, dépassant des ravitailleurs lourdement chargés. On apercevait, au loin, les navires français, une forêt dense de mâts rougeoyant dans le soleil couchant. Retentissant sur les eaux calmes, une salve d'artillerie fut soudain tirée depuis ces bateaux. Peel se redressa, les yeux écarquillés.

« Ils essaient de nous faire peur, dit le batelier. Ces salauds d'esclaves français. Mais ils sont trop loin pour atteindre une cible. » Il vira de bord et se dirigea vers la rangée de navires de guerre. Si certains des plus petits s'étaient retirés dans le port, une quarantaine d'entre eux se trouvaient en double file, séparés les uns des autres de cent toises, tournant lentement sur leurs ancres, comme la marée baissait. Nous nous dirigeâmes vers le *Mary Rose*. Il était imposant et magnifique... Coque puissante, mâts dressés vers le ciel, presque délicats en comparaison, entrelacs du gréement où grimpaient des matelots, gaillards recouverts de bandes, de barres et d'écus peints en une dizaine de couleurs rutilantes. Les sabords de batterie étaient fermés et les cordages grâce auxquels on les ouvrait à partir du pont supérieur pendaient mollement. Une embarcation l'avait déjà accosté et, par des ouvertures dans le bastingage, on hissait sur le pont découvert ce qui semblait être des caisses de flèches.

« Je vais faire le tour du bateau pour me ranger contre l'autre flanc », annonça le batelier. Il contourna la proue et les immenses cordages des ancres jumelles, avant de passer sous le haut mât de misaine dont la base était ornée de la rose emblématique des Tudors. Il n'y avait aucun bateau ravitailleur de ce côté-ci. Nous nous y appuyâmes. À nouveau, un cri fut poussé des hauteurs : « Ohé, de la barque ! » Un visage se pencha à travers un panneau ouvert.

« J'ai une lettre pour le commissaire adjoint West, de la part de sir Richard Rich ! » hurla Peel. Quelques instants plus tard, une échelle de corde nous fut lancée. Des éclaboussures jaillirent quand l'extrémité heurta l'eau. Le batelier l'attrapa et Peel et moi nous levâmes avec précaution. Peel regarda l'échelle avec inquiétude.

« Montez derrière moi, lui dis-je. Ce n'est pas si difficile que ça. Agrippez-vous fermement et ne faites pas attention au balancement... Vous risquez d'avoir à attendre un peu, dis-je au batelier.

— Très bien, monsieur », répondit-il en se levant et en étirant ses bras ankylosés.

✝

Un matelot m'aida à nouveau à passer par une ouverture dans le bastingage. Cette fois-ci je pus descendre sur le plancher du pont découvert avec un peu plus de dignité. Peel me suivit, l'air secoué. Le pont grouillait de marins et de soldats. Muni d'un sifflet pendant sur son écharpe pourpre, un jeune officier nous attendait. « Vous avez un message pour le commissaire West de la part de sir Richard Rich ? » s'enquit-il d'un ton brusque. Peel prit la lettre dans le sac et la tendit à l'officier pour qu'il voie le sceau.

« Est-ce au sujet des vivres que nous attendons ? » me demanda l'officier.

J'hésitai. « La lettre doit être remise en main propre au commissaire West. Ensuite, je dois lui parler personnellement. Désolé. »

L'officier se détourna. « Attends mon retour ici avec

eux ! » ordonna-t-il à un matelot avant de s'éloigner à grands pas, en direction du gaillard d'avant.

Je parcourus le pont du regard. Un grand nombre de soldats étaient assis entre les canons, le dos appuyé contre le bastingage. Certains étaient en train de nettoyer de longues arquebuses. Tout le monde se prépare à la bataille, pensai-je. Le soleil couchant répandait sur le pont une nappe de lumière rouge, sur laquelle l'ombre du filet formait un étrange lattis. Des marins portaient chacun en bandoulière deux boulets de canon, injuriant les soldats qui traînaient sur le pont pour qu'ils dégagent le passage, avant de déposer leur charge dans des plateaux triangulaires, à côté des canons. Sur la passerelle surplombant le filet, des caisses de matériel étaient transportées du gaillard d'avant au gaillard d'arrière. Levant les yeux vers le gaillard d'arrière, j'aperçus des têtes qui bougeaient sous le filet, mais elles étaient trop haut perchées pour que je puisse reconnaître des soldats appartenant à la compagnie de Leacon.

Je me tournai vers le matelot. C'était un petit homme barbu, d'une quarantaine d'années, un vieillard par rapport à tous ces jeunes hommes. « Combien y a-t-il de soldats à bord en ce moment ? lui demandai-je.

— Près de trois cents, répondit-il calmement avec un accent gallois, avant de poser sur moi un regard intense. Excusez-moi, monsieur, mais j'ai entendu que vous aviez un message de la part de sir Richard Rich. Est-ce qu'on va débarquer des soldats ? Nous, on pense qu'ils sont trop nombreux. La plupart des officiers sont d'accord, mais le roi a donné le commandement du bateau au vice-amiral Carew et il ne veut rien savoir alors qu'il n'est jamais monté sur ce bateau.

— Désolé, mais ce n'est pas l'objet de mon message, répondis-je gentiment. Où se trouvent les nouveaux archers qui ont été embarqués aujourd'hui ?

— Là-haut, sur les gaillards. C'est là qu'ils vont dormir ce soir, car les Français peuvent arriver à l'aube si le vent leur est favorable. Monsieur, un grand nombre de soldats n'arrivent même pas à marcher normalement sur le pont. Tout à l'heure, il y a eu une rafale de vent et ils vomissaient partout. Le gaillard d'arrière pue déjà. Dieu seul sait dans quel état ils seront en pleine mer ! Monsieur, si vous pouviez transmettre un message à sir Richard Rich…

— Je crains de n'avoir aucune influence sur lui. » Je jetai un coup d'œil à Peel, qui secoua vigoureusement la tête. Le matelot se détourna. Un peu plus loin, un petit groupe qui se tenait entre deux canons bavardait dans une langue étrangère. Des Flamands, pensai-je. L'un d'eux récitait nerveusement son chapelet dont il faisait cliqueter les grains entre ses doigts. Voilà un certain temps que je n'avais pas vu pareille scène car l'usage de cet objet était interdit par la loi depuis l'époque de lord Cromwell. Sans doute la règle était-elle assouplie en temps de guerre pour les marins étrangers.

Je saisis des bribes de conversation. « J'ai vu un cygne aujourd'hui entrant et sortant de nos bateaux, sans s'en faire. Peut-être est-ce de bon augure. Un signal envoyé par Dieu. Un oiseau royal…

— S'Il avait la bonté de nous en envoyer un assez gros pour qu'on puisse grimper dessus et s'envoler sur son dos…

— Si les Français montent à l'abordage, plante-leur ta pique entre les jambes…

— Ils vont nous renvoyer leurs galères dès l'aube. Nous sommes une cible facile... »

Je regardai le haut gaillard d'avant avec ses trois ponts où se trouvaient les cabines des officiers supérieurs. J'admirai une fois de plus cette merveilleuse structure qu'est un navire de guerre, le rapport étroit existant entre toutes ses parties.

Une forte rafale de vent fit rouler le *Mary Rose*. Cela ne dura qu'un bref instant, mais si les marins n'y prêtèrent aucune attention, deux soldats, qui se trouvaient tout près de nous, chancelèrent, et des cris furent poussés sur les gaillards. Des matelots éclatèrent de rire, tandis que d'autres fronçaient les sourcils, l'air inquiet. Je vis alors West venir du gaillard d'avant, seul. Les hommes s'écartaient pour le laisser passer.

✝

West se tenait devant nous, ses poings serrés pendant de chaque côté. Ses yeux enfoncés étaient injectés de sang. « Vous », fit-il d'une voix pâteuse.

Peel inclina le buste et lui remit la lettre. « De la part de sir Richard Rich, monsieur le commissaire. » West rompit le sceau et lut la lettre, puis planta sur moi un regard perplexe. « Rich me dit, fit-il à voix basse, que vous êtes venu chercher l'un des archers montés à bord aujourd'hui. »

Il ne savait donc pas que Hugh était une fille, en fait. Rich ne le lui avait pas dit, de peur, peut-être, qu'il ne le débarque de son propre chef.

Je regardai fixement l'homme qui avait détruit la vie d'Ellen. « C'est bien ça, commissaire West. Selon le marché que vous avez passé avec lui.

806

— Il faut que je parle au second. C'est lui qui commande ce bateau, pas sir Richard. On aura du mal à le persuader de laisser partir un soldat.

— J'ai appris quelque chose à propos de Hugh Curteys qui devrait le convaincre de le libérer. »

West jeta un autre coup d'œil à la lettre puis me regarda à nouveau. « Sir Richard me dit que vous et lui avez conclu un accord. À propos de… l'autre affaire.

— En effet. »

Il se tourna vers Peel. « Tu es l'un des valets de sir Richard ?

— Oui, monsieur, répondit Peel en baissant les yeux.

— Alors tu sauras tenir ta langue. » Jusque-là, West avait parlé à voix basse. Il regarda les hommes autour de nous. « Venez avec moi, messire Shardlake. Allons dans un endroit calme pour discuter de la meilleure façon de débarquer le dénommé Curteys. » Il leva les yeux vers le gaillard d'avant et poursuivit : « Pas dans ma cabine, car nous n'aurions pas la paix. »

Il commença à traverser le pont encombré pour gagner une écoutille près de l'énorme grand mât, sous le gaillard d'arrière, et par laquelle j'étais déjà descendu. Des matelots tiraient sur les cordages du gréement au son d'un tambour. Je levai à nouveau les yeux vers le gaillard d'arrière, me demandant si Leacon pouvait entendre le son qui lui rappelait le siège de Boulogne. Agenouillé, un marin allumait avec précaution les bougies d'une rangée de lanternes placées sur le pont. West en saisit une et, après m'avoir lancé un regard d'acier, commença à descendre l'échelle. Je pris une profonde inspiration et le suivis.

Nous descendîmes jusqu'à la batterie. West nous

attendit au pied de l'échelle. L'endroit était vide. Je regardai à nouveau la double rangée de canons pointés vers les sabords fermés. Des boulets étaient soigneusement empilés dans des plateaux près des canons. Marqué d'une croix blanche, un tonneau était fermement attaché à la paroi : de la poudre noire. Une faible lueur tombait des grilles des panneaux du pont situé au-dessus de nos têtes, sur lesquelles des pieds nus passaient et repassaient. Le plancher avait été lavé.

« Tout est prêt pour les combats de demain, expliqua West d'un ton lugubre. Suivez-moi. Il y a une réserve à ce niveau. À cause de la désorganisation qui règne à terre, elle ne contient qu'une barrique de porc avarié. »

Heureusement qu'il avait pris la lampe, car il me conduisit à la partie de la batterie qui se trouvait juste au-dessous du gaillard d'arrière. Entre un canon d'acier et une grande cabine qui surplombait la batterie, se trouvait une petite pièce fermée par une porte coulissante, munie d'un cadenas. West sortit une clef et fit coulisser la porte. Il s'agissait d'une minuscule réserve d'à peine cinq pieds carrés où ne se trouvait qu'un gros tonneau attaché par des cordes à des crochets fixés dans le mur, afin d'empêcher qu'il ne glisse au gré des mouvements du bateau. Malgré le couvercle, une odeur de viande avariée s'en échappait.

Une fois à l'intérieur, la porte refermée, West me regarda en silence quelques instants. À travers le plancher, divers bruits montaient du faux-pont : crissements, marmonnements, jurons. « Voilà dix-neuf ans que je m'occupe de cette femme, dit-il. Rich voulait la faire tuer.

— Je le sais.

— Moi, je l'ai protégée ! s'écria-t-il d'un ton farouche, la voix tremblante.

— Vous l'avez violée.

— Elle m'avait provoqué. »

Je fis une grimace de dégoût. « J'ai conclu le marché. Votre secret est en sécurité.

— Oui. En effet », acquiesça-t-il en hochant la tête. Il me fixa un instant de plus, puis rouvrit la porte. Peel se tenait à l'extérieur. Un Peel étrangement différent. La mine impassible, respectueuse, du serviteur avait cédé la place à un large sourire narquois. Il entra dans le local, tandis que West me repoussait contre la paroi. Il n'y avait guère de place pour trois personnes, mais ils parvinrent à me faire pivoter et à me ramener les bras derrière le dos. West referma la porte du pied tandis que Peel tirait un mouchoir de son pourpoint et me le fourrait dans la bouche, m'étouffant presque. Puis West sortit un poignard et me le mit sous la gorge. « Si vous faites le moindre mouvement, je vous tue, chuchota-t-il. Toi, attache-le ! »

Peel plongea la main dans son sac et y prit une longue corde avec laquelle ils me lièrent les bras. Je comprenais maintenant pourquoi Rich avait insisté pour que son valet remette la lettre à West en main propre. J'avais fait l'erreur de croire que je pouvais conclure un marché avec lui. Il avait élaboré minutieusement son plan, dont même la prétendue stupidité de son valet faisait partie.

Un coup de pied dans les jambes me fit chanceler et je m'affalai lourdement sur le sol, les quatre fers en l'air. Je hoquetai, levant des yeux hagards. Peel me regardait, un large sourire sardonique s'étalant sur son visage. Je me rappelai la façon dont le jeune

Carswell avait évoqué le talent des acteurs. Il aurait pu prendre des leçons auprès de Peel qui possédait un don inné, sans doute fort apprécié de Rich. Il se pencha et attacha mes jambes avec une autre corde, qu'il utilisa également pour fixer fermement le bâillon autour de ma tête, avant de m'asseoir tout droit contre la barrique et d'enrouler la corde deux fois autour de ma taille et de la barrique. J'étais pieds et poings liés, incapable de parler, totalement impuissant.

Les mains sur les hanches, West se dressait au-dessus de moi, l'air en colère, comme si c'était lui la victime. « Je vous l'ai dit, murmura-t-il d'une voix tremblante. Ça fait dix-neuf ans que je protège cette femme. Si ça peut vous consoler, je n'ai pas cessé d'avoir honte. Mais j'ai lavé mon honneur au service du roi et je n'ai pas l'intention de permettre à un minable gratte-papier d'avocat de ruiner ma réputation, la veille d'une bataille. Pas question de courir le moindre risque. Il se peut que je meure, et alors quel effet produirait sur ma pauvre mère la révélation de la vérité ? Cela ne vous fait sans doute ni chaud ni froid. Rich a élaboré ce stratagème pour vous régler votre compte et je serai ravi de vous voir mort.

— On le tue maintenant ? demanda Peel. J'ai un poignard... »

West secoua la tête impatiemment. « Non. Nous devons être prudents, car il jouit de la faveur de la reine. Si son corps est rejeté sur le rivage, il faudra que ça ait l'air d'un accident. Je l'assommerai quand il fera nuit, puis je lesterai son corps et m'arrangerai pour le balancer par-dessus bord. Je suis le seul à posséder la clef de ce cadenas. »

Peel me fit un grand sourire. « Vous voyez, messire

Shardlake, des accidents peuvent se produire sur les bateaux. Il arrive que des civils qui montent à bord au crépuscule tombent à la mer. »

West se mordit la lèvre. « Il faut que j'aille commander des vivres. On n'en a pas assez pour ce soir… » Un bruit de pas lui fit hausser les sourcils. Il s'empressa de sortir du local, referma la porte et me laissa avec Peel. Je reconnus la voix du commissaire principal. « Que faites-vous là ? » demanda-t-il à West. Il paraissait déconcerté mais pas soupçonneux.

« Je vérifiai l'état du dernier tonneau de porc, commissaire. Il est avarié.

— Les vivres ne sont pas encore arrivés. Le cuisinier affirme qu'il n'y a pas assez de stockfisch, puisque tous les soldats restent à bord ce soir. Le second dit qu'il faut que vous vous rendiez vous-même immédiatement aux entrepôts pour aller chercher de quoi les nourrir, autrement, il y aura du grabuge. Prenez l'une des barques qui retournent à terre.

— Dois-je y aller en personne ?

— C'est vous qui êtes censé négocier. Allez-y sans plus tarder. »

Les pas du commissaire principal s'éloignèrent. La porte coulissa à nouveau et West rentra. Peel me donna un violent coup de pied dans le tibia. « Alors ainsi, vous allez nous causer des ennuis jusqu'au bout ?

— Écoute, lui dit West d'un ton pressant. Tu vas retourner à terre sinon le batelier qui vous a amenés jusqu'ici va attirer l'attention. Je m'occuperai de Shardlake plus tard. Il faut que je parte sur-le-champ. À mon retour, j'attendrai un moment tranquille dans la nuit, je le tuerai et je jetterai son corps par l'un des sabords. » Il me regarda d'un air angoissé. Je compris que, contrairement à Peel, il n'éprouverait aucun plaisir à tuer quelqu'un de sang-froid. Mais je savais aussi qu'il passerait quand même à l'acte. Comme l'avait affirmé Rich, c'était un homme préoccupé avant tout de son honneur. Il était non seulement capable de mourir pour le sauver mais également de tuer.

✝

Je restai dans le noir complet. J'entendais vaguement des bruits de pas et des murmures dans le gaillard d'arrière au-dessus de ma tête, un coup de sifflet donné par un officier. Leacon et ses hommes sont là-haut, pensai-je, ainsi qu'Emma. Désormais, il serait impossible de l'emmener. J'étais assis sur le sol, impuissant. L'odeur émanant du tonneau derrière moi était atroce. J'étais fou furieux contre West et Rich, mais aussi contre moi-même. Ma quête anxieuse de la vérité au sujet d'Ellen et de Hugh s'achevait ici. Qu'adviendrait-il d'Ellen ? West allait-il continuer à la protéger de Rich après ces événements ? J'aurais mieux fait de ne jamais quitter Londres.

J'entendis quelqu'un se déplacer dans la cabine contiguë, mais je n'avais aucun moyen d'attirer l'attention. Je tentai de taper des pieds contre le sol, chaque mouvement déclenchant une vive douleur dans mon dos, mais j'étais si étroitement attaché que je ne parvenais qu'à produire un léger crissement, trop faible pour qu'on puisse l'entendre de la pièce d'à côté.

Un peu plus tard, je remarquai de minuscules points lumineux, lueurs vacillantes au-dessus et au-dessous de moi. Il s'agissait de lampes dont la lumière passait

812

par des interstices entre les planches. La nuit avait dû tomber.

L'odeur de viande avariée qui émanait du tonneau empira dans la chaleur de l'atmosphère confinée, étouffante. Deux fois, des gens passèrent devant la porte mais s'éloignèrent sans s'arrêter. Puis j'entendis des heurts, des grognements et des marmonnements sur l'échelle des cabines que j'avais descendue et qui menait au pont supérieur. Étaient-ce les vivres que West avait été chercher ? « Voulez-vous qu'on en mette dans la petite réserve, commissaire ? demanda une voix.

— Non. Descendez tout à la coquerie », répondit West d'un ton sec.

Le bruit continua un bon bout de temps. Quand il cessa, j'entendis à nouveau West. Son ton était furieux. « Que faites-vous là tous les trois ? »

Une voix à l'accent du Devon lui répondit. « On doit rester ici pour surveiller les canons, monsieur le commissaire, pour s'assurer que tout est en sécurité si le bateau se met à rouler. C'est un ordre du commandant en second. Il y a là un baril de poudre plein. »

Il y eut un silence. J'avais l'impression de voir West en train de se demander comment se débarrasser de ces hommes, avant de me tuer et de faire disparaître mon cadavre. Puis, à mon grand soulagement, je l'entendis s'en aller.

Je demeurai là des heures durant. Je bougeai constamment pour tenter d'atténuer les douleurs qui accablaient mon corps ligoté. Je craignais que West ne trouve le moyen de se débarrasser des marins qui surveillaient la batterie. Pendant tout ce temps, je voyais passer puis disparaître de minuscules points lumineux de faible intensité et je percevais des voix assourdies et des coups de sifflet sur le pont du dessus. Je doute que, cette nuit-là, quelqu'un ait beaucoup dormi sur le *Mary Rose*.

46

Malgré les douleurs, épuisé, je m'assoupissais par
intermittence, des élancements dans le dos ou dans les
épaules me réveillant brusquement. Des pas dans la
coursive me firent plusieurs fois sursauter car je craignais le retour de West, mais ils s'éloignèrent chaque
fois. Les bruits du bateau se calmèrent quelque temps,
et il y eut une heure ou deux d'un silence inquiétant,
presque total, brisé seulement par la cloche annonçant
le changement de quart. J'avais horriblement soif et
ma bouche était aussi sèche que le bâillon qu'y avait
enfoncé Peel.

Je m'assoupis à nouveau et me mis à rêver. J'entrais
à cheval dans le Hampshire avec les soldats, m'enfonçant dans les sentiers, tunnels de verdure. J'avançais
à la tête de la compagnie, à côté de Leacon, qui se
tourna soudain en s'écriant : « Qui est-ce ? » Suivant
son regard, je m'aperçus que certains des soldats que
je connaissais, Carswell, Llewellyn, Pygeon et Sulyard
portaient une bière dans laquelle gisait un corps recouvert d'un linceul. C'était Ellen.

Je me réveillai en sursaut. Quelque part une voix
lança : « Dépêchez-vous ! » J'entendais d'autres bruits

au-dessus de ma tête : on marchait, on courait, des coups de sifflet retentissaient. Bien que je n'aie eu aucun moyen de le vérifier, je devinai alors que l'aube s'était levée. Quelqu'un cria à l'équipage de prendre position et je fus soulagé de constater que les canonniers étaient descendus. Ils allaient sans doute rester là le reste de la journée, ce qui empêcherait West de s'occuper de moi. Sa mission à terre et la mise en place des gardes postés pour surveiller les canons l'avaient empêché de me régler mon compte en pleine nuit.

Il y eut de nouveaux coups de sifflet puis un grondement prolongé qui fit vibrer le plancher de mon cachot. Encore un autre coup de sifflet, suivi d'une série de claquements. Les sabords avaient dû être ouverts, les canons avancés puis rentrés. Était-ce un exercice ? Sans doute, car cela se passa deux ou trois fois encore. À en juger par les bruits divers, il semblait y avoir de l'activité dans tout le bateau. Je tentai de comprendre ce qu'on disait mais ne saisis que des bribes de mots.

Il m'était impossible d'évaluer le passage du temps. Il faisait à nouveau très chaud dans le local, qui s'était un peu rafraîchi au milieu de la nuit, et l'odeur de viande avariée devint encore plus nauséabonde. Un peu plus tard, je perçus de lointains coups de canon. Étaient-ils tirés par nos navires ou par les galères françaises ? Impossible de le dire. À un moment, j'entendis pousser de grands vivats depuis les ponts au-dessus de moi et un « Touchée, la galère ! » très clair. Il y eut de nouvelles salves d'artillerie, parfois tirées très près, parfois au loin. Après un coup de canon, je sentis un tremblement sourd sous mon corps et quelqu'un cria dans la coursive : « On est touchés ? » Puis un certain nombre d'hommes dévalèrent l'échelle des cabines et continuèrent à descendre jusqu'aux ponts inférieurs. Je crus entendre : « La pompe ! » Mon cœur cogna dans ma poitrine à la pensée d'être coincé dans ce minuscule local si le bateau était touché, mais rien ne se passa. J'avais envie de vomir et, malgré la douleur que l'effort causa dans mes bras attachés, je me penchai le plus en avant possible, car si je vomissais je m'étoufferais à cause du bâillon. Un coup fut alors frappé à la porte, un coup discret, délicat, et une voix lança : « Matthew ? » C'était Leacon.

Une vague de soulagement monta en moi. J'essayai de bouger malgré la douleur qui me traversa le corps, terrifié à l'idée qu'il allait repartir. Je réussis à racler le sol de mes talons liés. « Matthew ? » répéta-t-il. Il m'avait entendu. Je raclai à nouveau le sol. Il y eut un silence, puis un craquement, au moment où Leacon donna un coup d'épaule dans la porte. Quelqu'un dans la coursive cria : « Eh, là ! »

« Quelqu'un est enfermé là-dedans ! » Sur ce, la fragile porte fut défoncée dans un énorme fracas et la lumière s'engouffra dans la réserve, me brûlant les yeux.

La voix dans la coursive lança à nouveau : « Mais, mon vieux, qu'est-ce qui se passe, Dieu du ciel ? »

Éberlué, stupéfait, Leacon regardait par l'ouverture. « Il y a un civil à l'intérieur ! » répondit-il. Il donna un second coup d'épaule dans la porte et élargit le trou pour pouvoir entrer. L'officier qui l'avait apostrophé s'approcha et me regarda fixement, les yeux écarquillés.

« Que diable… Vous le connaissez ?

— Oui. C'est un ami.

— Tudieu ! Qui l'a ligoté et enfermé là-dedans ? Faites-le sortir de la batterie ! »

Leacon pénétra dans la réserve. Il sortit son couteau, coupa mes liens et enleva le bâillon. Je m'allongeai sur le dos et gémis, aspirant de l'air, incapable de bouger pour le moment.

« Mordieu, qui vous a fait ça ? » Il avait le visage fatigué, sale, dégoulinant de sueur. Il portait un casque, un hoqueton rembourré et son épée d'officier.

« Philip West, hoquetai-je. J'ai découvert... quelque chose... qu'il a fait jadis.

— Vous êtes monté à bord pour le défier ? demanda Leacon, incrédule.

— Oui. Quelle heure est-il ?

— Plus de trois heures de l'après-midi.

— Grand Dieu ! Je suis là depuis hier soir. Qu'est-ce qui se passe ? J'ai entendu des coups de canon...

— Les Français ont fait à nouveau avancer cinq de leurs galères, mais nos canons les obligent à rester à une certaine distance. On en a touché une. Elle a regagné le gros de la flotte péniblement, en donnant de la gîte. Il n'y a pas de vent, ce qui fait que ni nos navires ni les leurs ne peuvent bouger. Les Français ont utilisé un certain nombre de galères pour débarquer sur l'île de Wight. Ils ont allumé des incendies. Tant mieux, car s'ils les avaient toutes envoyées contre nous ce serait plus grave. S'il y a du vent, quand la marée nous sera favorable, on ira les affronter.

— Qu'est-ce qui se passe à ce niveau ? J'ai entendu qu'on bougeait les canons, mais on n'a pas tiré.

— Les canonniers s'exercent pour passer le temps. L'attente est pénible.

— Quelqu'un a crié quelque chose à propos d'une pompe. J'ai cru qu'on avait été touchés…

— Des hommes sont allés la vérifier en bas, mais il semble qu'elle fonctionne normalement. »

Je soupirai de soulagement. « Comment m'avez-vous trouvé ?

— J'ai entendu deux marins dire qu'un avocat était monté à bord, hier soir, et qu'il était descendu avec West, mais que la barque était repartie sans lui. Ils disaient que vous étiez sur le bateau et que vous n'étiez pas remonté des ponts inférieurs. Ils ont dit… » Il hésita.

« Je peux deviner ce qu'ils ont dit. Que les bossus portent la poisse. Eh bien, cette fois-ci leur superstition m'a sauvé la vie.

— Je les ai interrogés et ils étaient absolument certains de ce qu'ils affirmaient. Aussi suis-je descendu voir ce qui se passait. J'ai commencé par longer la batterie, j'ai aperçu cette porte fermée, et je vous ai retrouvé.

— Où est West ?

— Quelque part à bord. Il est descendu à terre, hier soir, pour aller chercher des vivres, mais la moitié de la bière qu'il a rapportée est tournée. Mes hommes sont assoiffés. Il est sans doute là-haut, sur le gaillard d'avant, avec le commissaire principal. J'ai dit à sir Franklin que j'allais essayer de voir ce qui se passait avec la bière.

— Merci. Merci. Vous m'avez sauvé la vie. Comment vont les hommes ?

— Ils sont fatigués et ont faim. Plus de la moitié se trouvent sur le gaillard d'arrière, y compris la section que vous connaissez. Je suis avec eux. D'autres sont allés sur les ponts du gaillard d'avant. Ils sont déterminés. Ils se battront et mourront s'il le faut. » Dans sa voix, l'orgueil le disputait à la tristesse. « Il faut que je les rejoigne. Pouvez-vous vous relever si je vous aide ? »

Je me forçai à me mettre debout, me mordant la lèvre pour refouler la douleur. « Mordieu ! s'écria Leacon. Il faut que West soit fou pour vous laisser ici !

— Il avait l'intention de me régler mon compte durant la nuit, mais quand il a eu fini de rapporter les vivres des hommes avaient été postés pour surveiller les canons. Lui et Richard Rich ont planifié tout ça hier. J'avais cru avoir conclu un accord avec Rich. Mon Dieu, quelle naïveté ! »

Il secoua la tête d'un air triste. « West a la réputation d'être un officier juste et compétent… Vous auriez dû m'avertir qu'il était dangereux ! me lança-t-il d'un ton accusateur.

— Ce n'est qu'hier que je me suis aperçu à quel point il l'était. Mais Barak m'a reproché de vous utiliser, et il a raison. Je suis désolé.

— Où est Jack ?

— Assez loin, sur la route de Londres. » Je pris une profonde inspiration. « George, il y a autre chose qui va vous sembler difficile à croire. Quelque chose dont s'est servi Rich pour me faire monter à bord. Et c'est la raison pour laquelle votre compagnie a été placée sur le *Mary Rose*. Hier, vous avez engagé une nouvelle recrue. Hugh Curteys.

— Oui, répondit-il, sur la défensive. Il est arrivé l'après-midi, il voulait s'engager et je l'ai accepté. Je me rappelai l'avoir vu l'autre fois et avoir admiré ses talents d'archer. Il a affirmé que son tuteur était d'accord.

— Et vous l'avez cru ? fis-je avec un sourire ironique.

— Les compagnies sont toutes en sous-effectif. Si je l'avais refusé, il n'aurait eu que l'embarras du choix pour se faire enrôler dans une autre.

— George, Hugh Curteys n'est pas ce qu'il prétend être. Il n'est même pas un garçon. C'est une fille, la sœur de Hugh. Voilà plusieurs années qu'elle fait semblant d'être lui.

— Quoi ? fit-il, éberlué.

— Hobbey, cet horrible bonhomme, l'a forcée à jouer ce rôle, pour assouvir sa cupidité. Il a reconnu les faits. S'il vous plaît, George, conduisez-moi au gaillard d'arrière. Laissez-moi vous montrer ce qu'il en est.

— Pouvez-vous monter jusque là-haut ? demanda-t-il d'un ton sceptique.

— Oui. Avec votre aide. Si vous le voulez bien. »

Il me regarda droit dans les yeux. « Vous vous rendez compte que vous devriez essayer de descendre du bateau tout de suite. Quelques barques font la navette entre les navires et le quai pour porter des messages.

— Je dois ramener Emma Curteys avec moi. Je ne suis pas arrivé jusqu'ici, malgré tous les obstacles que mes ennemis ont mis au travers de mon chemin, pour échouer maintenant.

— Venez ! dit-il.

— Merci encore, George. »

Au moment où je m'éloignai, ma robe s'accrocha à une écharde de la paroi en bois. J'ôtai ce vêtement salc et poussiéreux, arrachai également ma calotte, puis quittai la petite réserve et suivis Leacon. Comme j'en sortais, j'entendis des coups de canon, qui semblaient tirés de très près.

✝

Autour de chaque canon se tenaient une demi-douzaine de marins torse nu ou en bras de chemise prêts à bouter le feu. Les sabords étaient ouverts. L'odeur des corps sales rendait l'atmosphère irrespirable. Chaque canonnier était à sa place : l'un tenait une longue louche, un autre un boutefeu en bois et une grande bougie incandescente, prêt à allumer la poudre, tandis qu'un troisième, un boulet en acier au pied, se préparait à en charger le canon. Les maîtres canonniers se trouvaient derrière les pièces, le regard tourné vers un officier, lequel, vêtu d'un pourpoint et de hauts-de-chausse, l'épée au côté et un sifflet autour du cou, arpentait nerveusement la double rangée de canons. Les hommes levèrent vers nous des visages fatigués, aux traits tirés. L'officier fit un pas en avant et me lança un regard noir. « Qui diable êtes-vous ? Qui donc vous a enfermé là-dedans ?

— Le commissaire adjoint West. Il... »

Un coup de sifflet strident retentit depuis le haut de l'échelle. L'officier tendit brusquement le bras pour nous empêcher de bouger. « N'avancez pas ! Restez où vous êtes ! »

Le coup de sifflet était un signal. L'officier siffla lui aussi et je contemplai le déroulement d'un autre exercice, les hommes se mirent en mouvement avec grâce, rapidité et souplesse. Les canons en acier furent chargés de boulets par l'arrière, tandis que ceux en bronze – tirés pour cette opération par des ouvertures dans le collet – furent remplis de poudre. Les canons en bronze furent ensuite roulés en avant après qu'on eut relâché les cordes qui les retenaient au mur. Cette opération fit à nouveau trembler le pont. Chaque maître canonnier plaça la bougie près d'un orifice à l'arrière de chaque pièce d'artillerie, dans lequel un autre homme avait déjà fait semblant de verser une petite quantité de poudre d'un flacon. Puis tous s'arrêtèrent et attendirent trente secondes, aussi immobiles que les personnages d'un tableau, jusqu'au moment où retentit un nouveau coup de sifflet. Les canons furent rentrés à nouveau et les boulets retirés. Chacun reprit son ancienne position. « Pas mal ! cria l'officier. On va les réduire en bouillie ! » Sur ce, il nous fit un signe de tête et nous lança : « Partez ! Vite ! »

Nous passâmes entre les canonniers. Un homme qui tenait un boutefeu me dévisagea au moment où je passai devant lui. Petit, torse nu, barbu, il avait un visage carré et un corps musclé. Il me regarda comme si j'étais une créature d'un autre monde, une apparition.

Lorsque nous arrivâmes au pied de l'échelle, Leacon me demanda : « Êtes-vous capable de monter ?

— Après tout ce que j'ai enduré pour arriver jusqu'ici ? Bien sûr. »

Je le suivis péniblement, les épaules cisaillées par de vives douleurs. Les bouffées d'air marin frais qui descendaient vers moi me firent un instant tourner la tête. Une fois qu'il eut atteint le pont, Leacon me prit la main pour m'aider à monter dessus. À travers l'épais filet, je vis à nouveau les grands mâts se dresser vers le ciel bleu, par cette nouvelle chaude journée de juillet. Les voiles étaient toujours ferlées mais, sur le pont et dans le gréement, les matelots se tenaient prêts à les larguer quand on leur en donnerait l'ordre. Il y avait plus de monde que jamais et chacun avait pris sa position de combat. Tout comme sur le pont inférieur, les canonniers étaient postés près des canons. La moitié des panneaux étaient ouverts, ce qui me permettait de voir, d'un côté, le *Great Harry* – et, au-delà, les autres bateaux de guerre –, et, de l'autre, l'île de Wight, où, dans le lointain, de la fumée montait de plusieurs grands feux.

Je parcourus le pont du regard. Des archers se tenaient devant certains des panneaux ouverts et, disposés là pour repousser des assaillants montés à l'abordage, une cinquantaine de piquiers attendaient leurs ordres de pied ferme, la pointe de leurs piques, longues de neuf pieds, passée à travers les mailles du filet. Un officier, un sifflet autour du cou, contemplait la scène et jetait des regards vers la hune militaire, où se trouvaient les hommes de vigie, les seuls à jouir d'une vue dégagée sur tout ce qui se passait à l'entour.

Près de nous, de l'autre côté du pont, trois officiers discutaient. L'un deux était le commissaire principal, un autre était Philip West, qui, les traits tendus, parlait à un troisième homme, un officier âgé d'une quarantaine d'années de haute taille, richement vêtu, et dont le visage renfrogné en lame de couteau était encadré par une longue barbe brune. Ce dernier portait un grand sifflet, accroché à une longue chaîne en or passée autour de son cou, et, à la ceinture, son épée et un sachet aromatique. Il examinait ce qui ressemblait à un minuscule cadran solaire. Il leva les yeux quand West se tut.

« Si la bière est tournée, s'écria-t-il d'un ton agacé, eh bien, ils devront s'en passer !

— Les hommes sont assoiffés et commencent à râler…, commença le commissaire principal.

— Donnez-leur ce qu'on a !

— Ils refusent de boire cette bière, sir George ! rétorqua West, exaspéré. Elle est tournée…

— Ne me parlez pas sur ce ton, misérable ! riposta sir George Carew. Mordieu, ils ont intérêt à se tenir tous à carreau ! Le roi regarde depuis le château de Southsea et il va particulièrement surveiller notre navire ! »

À ce moment-là, West tourna la tête et me vit. Il resta bouche bée de stupéfaction et d'horreur. Je plantai sur lui un regard dur. Dans cette circonstance, il ne pouvait rien contre moi. Leacon le fixa d'un air furieux, lui aussi. « Montons ! » me dit-il.

Nous nous glissâmes à travers l'ouverture qui se trouvait sous le gaillard d'arrière, près du grand mât, et arrivâmes sur le pont inférieur du gaillard d'arrière, où des hommes casqués, armés d'arquebuses et munis de balles, s'appuyaient contre la paroi du bateau. Là, il n'y avait pas de panneau, seulement des sabords à hauteur d'yeux à travers lesquels passer leurs armes. Par une large porte ouverte, je voyais la passerelle reliant les deux gaillards par-dessus le filet. Deux marins en chemise à carreaux se tenaient dans l'encadrement de la porte qui menait au gaillard d'arrière et regardaient deux soldats, venus du gaillard d'avant, qui portaient une longue boîte sur la passerelle. De chaque côté de la porte, les deux longs canons que j'avais vus depuis le pont découvert, la première fois que j'étais venu, étaient en position de tir, dirigés de

manière à faire feu à travers un espace dans le gréement. Des canonniers se trouvaient à côté d'eux. Les
pièces d'artillerie étaient en bronze et magnifiquement
décorées. J'aperçus aussi deux rangées d'arquebusiers,
les pieds fermement plantés sur le pont, leurs lourdes
armes passées à travers de petits sabords. Si le *Mary
Rose* affrontait un navire français, ils lanceraient une
grêle de balles et de pierres contre l'équipage adverse.

« De nouvelles flèches, dirent les soldats en attei-
gnant la porte.

— Donnez-les ! » Les marins prirent la boîte et la
portèrent jusqu'à l'échelle, qui ne s'arrêtait pas à ce
niveau. Ils gravirent les échelons avec agilité, puis
redescendirent pour reprendre leurs postes dans l'encadrement de la porte. Leacon et moi montâmes jusqu'au
pont supérieur du gaillard d'arrière et débouchâmes
dans le soleil sous un autre filet, fixé à des supports en
bois, qui enfermait le pont. Le gaillard d'arrière était
beaucoup plus long que le pont découvert et tout aussi
encombré de monde. La moitié de la compagnie de
Leacon environ se trouvait là : une vingtaine d'hommes
se tenaient devant les panneaux ouverts sur chaque
bord, d'autres étaient postés derrière eux pour remplacer ceux qui tomberaient. Snodin arpentait lentement le
pont, son visage rebondi très crispé. Quand il m'aperçut, il fronça les sourcils et me fixa d'un air stupéfait.
Comme les hommes sur le pont de dessous, la plupart
des soldats portaient des casques et des hoquetons de
coton. Un peu à l'écart, Pygeon arborait la brigandine
rutilante de Sulyard. Les hommes avaient posé leurs
arcs, les cordes déjà fixées, soigneusement inclinés à
côté d'eux, de façon qu'ils ne touchent pas le filet. Ils
portaient des bracelets de protection au poignet et un

étui à flèches était suspendu à leur taille. Au milieu du pont, la boîte de flèches était ouverte. Çà et là, les archers étaient séparés par des canonniers maniant des pierriers fixés au bastingage, au-dessus des panneaux. Ces minces canons à pivot longs de six pieds étaient au repos, la gueule dressée et la longue queue posée sur le pont. À l'extrémité du gaillard d'arrière, sous le gigantesque drapeau de Saint-Georges, l'air déterminé et les traits tendus, sir Franklin Giffard avait le regard baissé vers le pont. Par le panneau ouvert près de moi, je voyais la mer, quarante pieds plus bas. J'avalai ma salive et détournai les yeux. Puis je regardai en arrière et restai ébahi. Je pouvais voir non seulement nos bateaux et, au loin, la flotte française, qui ne paraissait pas avoir bougé depuis la veille, mais aussi, à environ un demi-mille devant nous, les galères françaises. Quatre de ces monstres marins nous faisaient face. Placés poupe contre poupe, telle une roue à quatre rayons qui tournait lentement sur l'eau scintillante, afin que nous soyons dans la ligne de tir des canons de chaque proue, l'une après l'autre. Je voyais les rames étinceler et les formes sombres des deux canons. Certaines de nos galéasses, pitoyablement petites en comparaison, leur faisaient face. Soudain, une bouffée de fumée apparut, puis se dispersa. Une galère tirait sur l'un de nos navires quelque peu éloigné du nôtre. Une salve d'artillerie retentit au-dessus de l'eau.

Je me retournai pour regarder la rangée d'archers. Carswell et Llewellyn se trouvaient devant des panneaux contigus et je reconnus certains visages, tous moites de sueur.

Ce ne fut pas facile de distinguer le visage d'Emma, mais je la découvris en casque et hoqueton, tout près de la poupe. Elle portait toujours le bel arc mince aux embouts en corne que j'avais vu à Hoyland. Quand elle m'aperçut, elle s'empourpra de rage et sa main se porta instinctivement à sa gorge. Leacon dirigea son regard vers elle et leurs yeux se rencontrèrent. Le visage marqué de cicatrices d'Emma tressaillit un instant, avant de se durcir.

Sir Franklin nous avait vus. Il passa à grandes enjambées entre les rangs, les sourcils froncés et la main sur la garde de son épée. Il était sans doute étonné par ma nouvelle apparition, cette fois-ci, à bord du *Mary Rose*. Je suivis Leacon qui marchait au-devant de lui. Une forte brise se leva soudain, ébouriffant mes cheveux. Le bateau gîta un peu et plusieurs canonniers chargés des pierriers chancelèrent. Ayant rejoint sir Franklin, Leacon se pencha pour lui chuchoter quelque chose à l'oreille. Au même moment, j'entendis des coups de sifflet et des cris monter du pont principal.

Sir Franklin se redressa brusquement, fixa Leacon, puis moi. « Comment ? s'esclaffa-t-il.

— Il est assez facile d'en avoir le cœur net, mon capitaine », dit Leacon. Sir Franklin fixa Emma et hocha la tête. Lui et Leacon se dirigèrent vers elle. Je leur emboîtai le pas.

« Est-ce vrai ? lui demanda Leacon d'un ton sec. Ce que messire Shardlake vient de me dire sur vous ? »

Elle hésita, puis répondit tranquillement. « Je ne comprends pas, mon lieutenant. »

L'ombre d'un doute passa sur le visage de Leacon. Dans son uniforme, Emma était parfaitement convaincante. « Si c'est nécessaire, répondit-il tout aussi calmement, je vais sur-le-champ percer ce mystère. Devant tout le monde.

— Il n'y a aucun mystère à percer, mon lieutenant. »
Force m'était d'admirer son aplomb et son courage.

Leacon prit une profonde inspiration, puis tendit la main et souleva le casque très ajusté d'Emma. Il regarda les cheveux bruns coupés à ras du crâne et étudia à nouveau son visage. « Retirez votre hoqueton, soldat ! » ordonna-t-il.

Des murmures parcoururent les rangs. Les hommes gardaient la position, mais la plupart avaient tourné la tête pour contempler la scène. Lentement, Emma détacha son étui à flèches, ôta son hoqueton et le laissa tomber sur le pont, puis resta immobile. Le vent qui s'était levé faisait onduler sa chemise blanche. Leacon posa sa main sur le col d'Emma et déchira la chemise. Suspendue à son cou, dans son petit étui de cuir, la perle-du-cœur reposait sur une bande de tissu blanc qui comprimait fortement sa poitrine, mais, au-dessus, le haut des seins gonflait légèrement. Je craignis que Leacon ne lui demande de défaire le bandage mais il en avait assez vu. Il y eut des marmonnements fébriles parmi les hommes.

« Qu'est-ce que c'est que ça ? Un pansement ? Il est blessé ?

— Merde ! Je crois que c'est une femme.

— Du calme ! s'écria sir Franklin.

— Pourquoi avez-vous agi ainsi, demanda Leacon à voix basse. Pourquoi avez-vous ridiculisé ma compagnie ? »

Elle croisa les bras. « Je voulais me battre, mon lieutenant. Vous avez pu constater que je suis un bon archer. »

Sir Franklin s'approcha d'elle. Quand il leva la main, je crus qu'il allait la frapper, mais il se tourna vers

Leacon et, la voix tremblante de fureur, lui demanda :
« Peut-on la faire descendre du bateau ?

— Peut-être. Si une barque est disponible.

— Allez en chercher une. Pour le moment, cachez-la. Sous le gaillard d'arrière. N'importe où. »
Il jeta un regard aux soldats médusés. Les bras serrés contre sa poitrine, Emma me fixait, les yeux emplis de douleur et de rage.

Le *Mary Rose* gîta brusquement. Plusieurs soldats titubèrent à nouveau, s'agrippèrent au bastingage ou attrapèrent le filet au-dessus de leurs têtes. J'avais été conscient qu'on donnait de nouveaux coups de sifflet et qu'on hurlait des ordres sur le pont inférieur et, à présent, j'entendais un fracas sonore à la poupe. On hissait les ancres. En me retournant, je vis les immenses voiles blanches se gonfler sur le beaupré et le mât de misaine. Elles s'agitaient et claquaient dans le vent qui fraîchissait. À notre gauche, des voiles se déployaient aussi sur le *Great Harry*, ainsi que sur les autres navires. Le *Mary Rose* se balança une fois de plus puis commença à glisser lentement vers les galères. On entrait dans la bataille.

47

Plusieurs brefs coups de sifflet stridents retentirent au pied de l'échelle. « À vos postes ! » hurla sir Franklin.

Leacon nous jeta un regard lugubre, à Emma et moi. « Descendez sous le gaillard d'arrière et restez-y ! » nous lança-t-il, avant d'aller rejoindre ses hommes. La plupart d'entre eux avaient toujours la tête tournée dans notre direction mais, à présent, ils regardaient, au-delà de nous, du gaillard d'avant et de la misaine larguée, les galères qui nous faisaient face. Il y eut un nouveau claquement et un nouveau déploiement de toile quand la voile latine fut hissée à l'arrière du bateau. Bien que je n'eusse guère ressenti de mouvement – à peine un léger tangage –, le *Mary Rose* s'approchait des galères à une vitesse considérable. Je jetai un coup d'œil aux soldats. Carswell me fit un sourire effrayé et haussa les épaules, comme pour dire : « On est tous dans le même bateau ! Vous y compris… » Transpirant sous sa brigandine, Pygeon se signa. Leacon alla se placer au centre du gaillard d'arrière, à côté de Snodin, près de l'endroit où gisait le hoqueton d'Emma. « Restez calmes, les gars », prononça le vieux sous-officier d'un ton serein et amical que je ne lui connaissais pas.

Le pont bougea et je faillis tomber. Un marin près de nous, posté à côté du gréement du mât de hune, nous hurla : « Enlevez vos chaussures ! Et descendez de ce pont ! Allez, débarrassez le plancher ! »

J'ôtai mes souliers en agitant les pieds puis courus vers l'échelle. Emma hésita puis m'imita. Au moment où nous atteignîmes l'écoutille, je regardai par-dessus mon épaule. Le *Mary Rose* avait laissé les autres bateaux dans son sillage. Le *Great Harry* se trouvait derrière nous et tous les autres navires paraissaient le suivre. Par le panneau ouvert de l'archer posté à côté de moi, j'apercevais au loin le château de Southsea. Comme le *Mary Rose* fendait les flots, baissant les yeux, je vis tout en bas les vagues écumantes. J'eus un haut-le-cœur.

Je commençai à descendre. Je jetai un coup d'œil à Emma. Elle hésita, puis me suivit, après m'avoir lancé un regard rageur. Sur le pont inférieur, les arquebusiers regardaient toujours par leurs petits sabords, tandis que, de part et d'autre de l'échelle, les canonniers se tenaient prêts, à côté des deux longs canons. Par la vaste porte qui donnait sur la passerelle, au-dessus du filet, je vis qu'on voguait toujours à grande vitesse vers les galères. Postés à gauche et à droite de la porte, les deux matelots regardaient droit devant eux. Puis le *Mary Rose* commença à tourner, penchant à bâbord, mouvement qui me fit dégringoler de l'échelle. Mon épaule heurta le pont et je poussai un cri. Les marins qui se trouvaient près de nous se retournèrent un bref instant. Le bateau gîta encore plus, avant de se redresser.

Lorsque je tentai de me relever, je sentis une vive douleur me traverser le bras. Je réussis à me remettre sur pied. Emma me regardait, hésitante. Je lui dis : « Je ne peux plus m'agripper à l'échelle.

— On nous a dit de descendre sous le gaillard d'arrière.

— Allez-y. Moi je n'y arriverai pas. »

Pour la première fois, elle eut l'air indécise, irrésolue. Elle descendit de l'échelle et se tint à côté de moi. Le bateau continuait à virer, certains arquebusiers s'accrochant d'une main aux sabords. Regardant devant moi, je me rendis compte que le *Mary Rose* avait l'intention d'affronter les galères par le travers et de pointer ses canons sur elles. Pris de vertige, je m'affalai sur le sol. Emma baissa les yeux vers sa chemise déchirée, la perle-du-cœur se balançant au bout de son cordon. Il était toujours difficile de croire qu'elle n'était pas un garçon. Elle rajusta sa chemise et s'assit à côté de moi. « Vous avez peur, messire Shardlake ? demanda-t-elle d'un ton froid.

— Leacon a raison. Tout le monde doit avoir peur de mourir.

— Il vaut mieux mourir en combattant qu'au bout d'une corde », ricana-t-elle. Sa voix était montée de plusieurs tons. Voilà un autre élément qu'elle avait dû maîtriser durant toutes ces années.

« David n'est pas mort, mais il est grièvement blessé », dis-je.

Elle baissa la tête. « Je n'avais pas l'intention de le tuer, c'est de vous et Barak que j'ai voulu un moment me débarrasser mais je n'en ai pas eu la force, dit-elle à voix basse.

— Je le sais. »

Elle ne répondit pas. Elle s'assit, la tête toujours baissée. Je regardai à nouveau devant moi. Les quatre galères étaient très proches désormais. Leurs flancs étaient richement ornés des armes de la France peintes en or. Toujours en formation carrée, elles tournaient, positionnant leurs canons pour tirer sur le *Mary Rose*. « Nous y sommes, fis-je aussi calmement que me le permettaient les forts battements de mon cœur.

— Advienne que pourra ! répondit Emma, sans lever les yeux.

— Si nous nous en sortons, Hobbey me transmettra votre tutelle. Et alors, libre à vous de décider ce que vous souhaiterez faire. »

Elle releva la tête. Ses traits s'étaient durcis à nouveau. « Si nous survivons, je trouverai une autre compagnie. Je me battrai peut-être contre les Écossais.

— J'ai pris de grands risques pour essayer de vous sauver.

— Pourquoi ? demanda-t-elle. Pourquoi donc ? Je n'ai jamais voulu…

— Pour vous donner une chance. Le choix… »

Un violent coup de canon me coupa la parole. Des nuages de fumée gris sombre s'échappèrent de l'avant de la galère qui nous faisait face. Il y eut un étrange silence qui dura une vingtaine de secondes, puis l'un des marins déclara : « Il n'est pas passé loin. »

L'ordre de faire feu monta d'en bas, suivi du bruit le plus fort que j'aie jamais entendu, au moment où tous les canons de tribord du *Mary Rose* tirèrent sur les galères, l'un après l'autre, sans discontinuer, salve de coups de tonnerre assourdissants. Je sentis la déflagration monter dans mes jambes, littéralement secouer mes os et déclencher un atroce bourdonnement dans mes oreilles. Les ponts tremblèrent et grincèrent. Je me tournai vers Emma : elle dressait la tête et ses yeux brillaient d'excitation.

Après que la fumée se fut dispersée, je vis que les galères n'avaient subi aucun dommage. Le *Mary Rose* vira brusquement à bâbord. J'entendis un claquement de voiles, et, par la porte ouverte, je sentis une forte rafale de vent.

« C'est trop rapide », dit l'un des matelots.

Le bateau gîta à tribord. Je crus qu'il allait se redresser, comme au cours de la dernière manœuvre, mais il pencha de plus en plus. Les soldats à bâbord, le côté qui montait très haut tandis que le navire penchait de plus en plus à tribord, s'agrippaient aux sabords, leurs armes s'échappant de leurs mains et heurtant bruyamment le pont. Comme je regardais par la porte, un homme fut éjecté du mât de hune et s'affala dans le gréement et des canons à pivot tombèrent dans la mer depuis le bastingage du pont supérieur. Des bruits de chute et des cris retentirent sous le filet tendu au-dessus du pont découvert : des hommes et du matériel dérapaient et faisaient la culbute. Tout cela ne prit que quelques secondes. Les soldats et leurs armes dévalèrent le pont et heurtèrent le bastingage de tribord. Les longs canons de bâbord commencèrent à glisser de leurs affûts.

« Fichons le camp d'ici ! » hurla à son camarade le matelot posté à côté de nous. Ils se mirent à quatre pattes et gagnèrent rapidement la passerelle au-dessus du filet, agrippant le plat-bord, car le bateau gîtait tellement qu'il était impossible de marcher sans prendre appui quelque part. Sous le filet, des hommes hurlaient. Des bras se tendaient et passaient à travers les mailles.

« Venez ! » criai-je à Emma. J'avançai à quatre pattes derrière les marins, la douleur aux épaules me faisant serrer les dents. Je crus un instant qu'elle n'allait pas bouger, puis j'entendis qu'elle rampait derrière moi. Nous atteignîmes la passerelle. Des hommes tailladaient le robuste filet à coups de couteau. Une main me saisit le bras, tandis qu'une voix hurlait : « Aidez-nous ! » Les flots nous submergèrent soudain, le froid me produisant un choc, et je me sentis emporté loin du bateau. Durant les quelques secondes où je flottai sur les vagues déferlantes, je vis des dizaines de soldats surgir par les panneaux ouverts ou brisés et dégringoler du haut du gaillard d'arrière. J'aperçus l'épaisse brigandine rouge de Pygeon au moment où, les yeux écarquillés de peur, il passa près de moi, telle une pierre qui tombe, et le corps grassouillet de Snodin, ses deux bras faisant de grands moulinets, un hurlement sortant de sa bouche ouverte. Les hommes provoquaient d'immenses gerbes d'eau en heurtant les flots avant de disparaître, le poids des vêtements et des casques les entraînant vers le fond. Tous ces hommes, absolument tous. J'entendis les horribles hurlements poussés par les centaines d'hommes pris au piège sous le filet et sur les ponts inférieurs. Puis l'eau froide passa par-dessus ma tête et je me dis, nous y sommes, voici la fin que je craignais, la mort par noyade. Et soudain, toutes les douleurs de mon corps disparurent.

Je connus quelques instants d'absolue terreur. Je me sentis ensuite poussé vers le haut et emporté au loin, puis je refis surface. J'aspirai goulûment l'air, donnant de frénétiques coups de pied dans l'eau. J'avais été entraîné à quelques toises du *Mary Rose*. Le navire géant était à présent sur le flanc et coulait rapidement. Une partie de la misaine flottait, le mât de hune et le mât de misaine penchaient presque à l'horizontale au-dessus de la mer écumante. De minuscules créatures marron étaient en train d'y grimper et je compris que c'étaient des rats. Étonnamment, deux hommes juchés dans la hune militaire avaient survécu. Appelant désespérément au secours, ils s'accrochaient à l'immense mât qui ne se trouvait qu'à quelques pieds au-dessus de l'eau, alors que quelques instants plus tôt j'aurais à peine dû me démancher le cou pour en regarder la pomme. Les atroces hurlements des soldats et des marins pris au piège du filet avaient cessé. Je jetai des regards anxieux à l'entour. Comme moi, une bonne vingtaine d'hommes se débattaient dans la mer en criant. Quelques corps flottaient sur le ventre. Des rats s'agitaient sur l'eau. Une énorme bulle d'air éclata à quelques pas de moi. Le bateau s'enfonça davantage.

Une force m'attirait à nouveau vers le bas. Peut-être était-ce le bateau qui se posait sur le fond de la mer, à une profondeur de cinquante pieds, car, au moment où ma tête repassa sous la surface, j'aperçus, au milieu de centaines de bulles, la forme floue du gaillard d'avant, qui semblait se déplacer et se détacher de la coque. Comme je fermai les yeux pour ne pas assister à l'horrible spectacle, j'eus l'impression de voir le visage de l'homme que j'avais jadis noyé me regarder d'un air peiné.

Puis je cessai de m'enfoncer. Je donnai de violents coups de pied pour remonter à la surface et ma tête sortit à nouveau à l'air libre que j'aspirai de toutes mes forces. Non loin de là, le *Great Harry* se dirigeait à toutes voiles vers les galères françaises. Après ce qui était arrivé au *Mary Rose*, il n'allait pas présenter le travers. L'une des galères lâcha une bordée à laquelle répondit le tonitruant tir des canons de proue du *Great Harry*. Des panaches de fumée survolèrent l'eau. J'attrapai désespérément un morceau de bois qui passait près de moi. C'était un arc, trop léger pour supporter mon poids. J'avais affreusement froid et soudain la tête vide. Je me sentis couler à nouveau, me rappelant avoir entendu dire que, lorsqu'on se noie, la troisième fois qu'on replonge est la dernière.

C'est alors qu'une main me saisit le bras et me tira vers le haut. J'ouvris de grands yeux et vis Emma. Elle s'accrochait à une grande planche de bois ronde, ornée d'une rose aux pétales alternativement rouges et blancs et à laquelle était attaché un court espar. C'était l'emblème de proue du *Mary Rose*. Je jouai des pieds et des mains pour m'y accrocher. Ce n'était pas assez lourd pour nous porter tous les deux, mais, en agitant les pieds dans l'eau, nous réussîmes à garder la tête à l'air libre. Ma douleur à l'épaule revint à cause de l'effort que je devais faire pour ne pas lâcher prise et je commençai à claquer des dents de froid. Même en s'agrippant à l'emblème, il était impossible de demeurer longtemps en vie. On entendait encore de faibles cris par-dessus les eaux, poussés par les rares survivants.

Les galères se dispersèrent et se retirèrent à la rame pour rejoindre la flotte française. À présent, nous étions beaucoup plus près d'elle et je pouvais distinguer les divers navires. Il y en avait des dizaines et des dizaines, peints en noir, jaune et vert, alignés trois par trois en une longue colonne. L'un des premiers arborait un immense drapeau papal représentant les clefs de Saint-Pierre. Je regardai Emma, de l'autre côté de l'espar. Elle avait l'air hagarde, le regard fou. « Où sont-ils tous ? demanda-t-elle. Les soldats, les marins ?

— Partis, réussis-je à éructer. Noyés. » Je jetai un coup d'œil à l'endroit où s'était trouvé le *Mary Rose*. Il n'y avait plus rien à voir sur la mer qui bouillonnait toujours, à part le sommet des deux mâts, émergeant de quelques pieds, les hommes qui s'accrochaient toujours à la hune militaire, ainsi que la voile qui flottait sur l'eau.

Un cri me fit me retourner et je vis approcher une barque appartenant à l'un des bateaux anglais. D'autres suivaient et repêchaient les survivants. La barque arriva à notre hauteur et des mains se tendirent pour nous tirer de l'eau. Emma fut hissée la première, puis on me lâcha sur elle comme un poisson ferré. Tournant la tête, je vis le visage horrifié d'un marin. « Le *Mary Rose* a sombré (corps et biens) », déclara-t-il.

48

Je me réveillai dans la pénombre. Je compris que j'étais allongé sur la terre ferme, car le sol sous moi ne bougeait pas. De ma vie, je n'avais eu aussi soif. La partie de mon corps comprise entre ma poitrine et mon nez était complètement desséchée. J'avalai ma salive, qui avait un goût salé, et je me redressai avec difficulté sur les coudes. Mes épaules étaient douloureuses. Je me trouvais dans une longue salle, basse de plafond. Par les petites fenêtres qui s'ouvraient en haut des murs, je vis qu'il faisait sombre dehors. J'étais étendu sous une couverture malodorante, sur des sacs rugueux, placés à même un sol poussiéreux. Il y avait plusieurs rangées d'hommes allongés le long des murs. Quelqu'un gémissait. Munis de chandelles, deux hommes se déplaçaient ici et là. J'essayai d'appeler mais je ne parvins qu'à émettre un grognement. L'un des deux hommes s'approcha de moi d'un pas lourd et en boitant. D'âge moyen, il avait un visage ridé et couturé. « À boire…, s'il vous plaît », grommelai-je.

Il s'agenouilla près de moi et plaça le goulot d'une gourde en cuir contre mes lèvres. « Doucement, l'ami, fit-il, et un filet de bière légère coula délicieusement dans mon gosier. N'avalez pas trop vite. »

Je me rallongeai, haletant. « Où sommes-nous ?

— Dans l'un des entrepôts d'Oyster Street. C'est ici qu'on a amené tous les survivants. Je m'appelle Edwin. D'habitude, je travaille au chargement.

— Combien ? Combien ont survécu ? demandai-je d'une voix brisée.

— On en a sorti de l'eau trente-cinq en vie. Ceux qui étaient en piteux état ont été transportés ici. Vous êtes quinze. L'un est mort tout à l'heure. Dieu ait son âme !

— Trente-cinq, soupirai-je. Sur…

— Sur cinq cents. Les autres sont au fond du Solent. » Son visage hâlé, tanné, était empreint de tristesse. « J'en connaissais certains. J'étais marin jusqu'à ce que je me fracasse la jambe, il y a cinq ans.

— Des soldats ont-ils survécu ?

— Deux ou trois qui se trouvaient dans la hune militaire ont réussi à s'accrocher. Aucun autre. Les vêtements des soldats étaient très lourds. Ils…

— … se sont noyés. Je l'ai vu. J'ai entendu les hommes hurler sous le filet… » Mes yeux me brûlèrent soudain, mais je ne pouvais verser la moindre larme, n'ayant plus en moi une seule goutte d'eau.

« Tout doux, fit le vieux marin. Tenez, buvez encore un peu de bière. Vous avez rendu beaucoup d'eau dans le bateau avant de perdre connaissance.

— Vous avez vu ce qui s'est passé ? Vous avez assisté au naufrage ?

— Comme tous ceux qui se trouvaient sur la rive. Et on a tous entendu les cris, comme le roi au château de Southsea.

— Il a vu sombrer le *Mary Rose* ?

— Il paraît qu'il a crié : "Oh, mes vaillants gentlemen ! Oh, mes vaillants hommes !" Il a d'abord pensé aux gentlemen, bien sûr, ajouta-t-il d'un ton amer.

— Mais pourquoi ? Pourquoi a-t-il sombré ? »

Il secoua la tête. « Certains pensent que les sabords n'ont pas été refermés assez vite quand le bateau a viré. D'autres affirment qu'il était déséquilibré à cause du poids de tous les canons et du grand nombre de soldats à bord. On dit aussi qu'il a pu être touché par les galères. Quelle que soit la cause, tous ces hommes sont morts à présent.

— Et les Français ? Que s'est-il passé pour eux ? Le *Great Harry* a tiré sur les galères...

— Les galères sont retournées vers le gros de la flotte. Elles cherchaient à nous faire gagner le large pour qu'on affronte la flotte française, mais lord Lisle n'avait pas l'intention de se laisser faire. On aurait été largement dominés.

— J'ai vu des incendies sur l'île de Wight.

— Les Français y ont débarqué près de deux mille hommes, mais on les repousse. Les deux flottes gardent toujours leurs distances. Heureusement pour nous, les Français sont mal dirigés. Mais si le vent leur est favorable, leurs bateaux pourraient quand même nous attaquer. Vous devriez partir dès que vous vous en sentirez capable. » Il me donna de nouveau un peu de bière, puis me regarda d'un air curieux. « Monsieur, nous nous sommes demandé ce que vous faisiez à bord. Vous n'êtes ni marin ni soldat, et vous parlez comme un gentleman.

— Je n'aurais pas dû me trouver là. J'avais l'intention de descendre mais le bateau est parti avant que j'en aie le temps.

— Où est-ce que vous étiez sur le *Mary Rose* ?

— Sur le gaillard d'arrière. Près de la passerelle qui passait au-dessus du filet. J'ai réussi à y grimper à quatre pattes. »

Il hocha la tête. « Et vous étiez en chemise. C'est pourquoi vous n'avez pas coulé à pic comme tant d'autres. »

Je m'allongeai à nouveau. Des fragments de souvenirs me revenaient par à-coups. Le bateau qui penchait horriblement, l'homme qui s'est agrippé à moi comme je marchais à quatre pattes sur la passerelle, tandis qu'Emma me suivait. « Il y avait quelqu'un dans l'eau avec moi... »

Le dénommé Edwin se redressa en faisant la grimace. La fracture qu'il avait eue sous le genou avait été mal réduite et la jambe avait pris un angle bizarre. « Oui, dit-il, on a repêché un jeune gars en même temps que vous. Vous vous accrochiez tous les deux à l'emblème du *Mary Rose*. Vous avez eu de la chance. Les rameurs ont essayé de le rapporter, mais il a coulé...

— Un jeune gars ?

— Oui ? Un gars bien bâti, avec un visage marqué de cicatrices. Votre fils, peut-être ?

— Non. Mais elle... il m'a sauvé. Où est-il ?

— Il est parti. J'étais l'un de ceux qui aidaient les survivants à descendre des canots. Il était couché à plat ventre sous vous. Il avait l'air inconscient, mais quand la barque a touché le quai, il vous a repoussé, a escaladé les marches comme un singe et s'est enfui le long d'Oyster Street. On l'a appelé. Il paraissait blessé car il tenait son bras serré contre sa poitrine. Mais il a continué à courir. Vous ne le connaissiez pas ?

— Non. Je me demandais seulement ce qui lui était arrivé. C'est lui qui m'a tiré pour me faire attraper l'espar. Dites-moi, certains officiers ont-ils survécu ?

— Non. Ils se trouvaient tous sous le filet. »

Je me rappelai West en train de discuter avec Carew et le second. Il était donc mort, lui aussi. Ils étaient tous morts. D'horribles souvenirs surgirent par éclairs dans mon esprit, et je revis les soldats de la compagnie de Leacon tomber du bateau et couler comme des pierres au fond de la mer.

Je dormis par intermittence. L'homme qui gémissait se tut. Il avait dû mourir, car je vis Edwin et ses collègues emporter un corps enveloppé dans une couverture. Je préférais dormir, car, éveillé, je pensais constamment à la mort de Leacon et de ses hommes. Puis je me les remémorais en train de marcher au pas dans les chemins de campagne. Je me souvenais des discussions, des plaisanteries, des petites gentillesses. Je me rappelais Leacon chevauchant en tête, en compagnie de sir Franklin et comme je détestais le son du tambour. Edwin et ses collègues me donnèrent encore à boire et, plus tard, essayèrent de me faire prendre un peu de soupe, mais je n'avais aucun appétit.

Lorsque je me réveillai la fois suivante, il faisait grand jour. Je me sentais reposé, physiquement, en tout cas. Je regardai l'homme couché à côté de moi sur les sacs. C'était un jeune marin, qui me dit quelques mots en espagnol, mais, trop fatigué pour me souvenir des quelques termes que je connaissais dans cette langue, je secouai la tête, l'air contrit. Je réussis péniblement à me lever mais ne parvins qu'à faire trois pas avant que la tête me tourne. Je dus m'appuyer à un pilier. Edwin vint vers moi en boitant. « Vous êtes toujours faible, monsieur, me dit-il. Vous êtes resté inconscient un certain temps et vous devriez vous allonger à nouveau. Essayez de manger quelque chose.

— Ça m'est impossible. » Une atroce pensée me traversa l'esprit. « Certains des représentants officiels du roi sont-ils venus ici ? »

Il eut un rire amer. « Non. L'entourage du roi n'a pas quitté le château de Southsea, ni les pavillons.

— La reine… Est-elle avec eux ?

— Non. Elle est à Portchester. Le seul visiteur que nous ayons eu c'est un membre du conseil municipal. Les échevins discutent avec le gouverneur Paulet pour savoir si c'est le conseil ou l'armée qui doit payer les soins que l'on dispense ici aux rescapés. » Il me regarda de son air curieux. « Vous attendiez quelqu'un ? »

Je secouai la tête. Je lâchai le pilier et regagnai les sacs en titubant.

✝

Quand je me réveillai à nouveau, il faisait nuit. Conscient de la présence de quelqu'un à côté de moi, je me redressai brusquement. C'était Barak, assis sur un tabouret, une lampe posée près de lui.

« Jack ? » demandai-je d'une voix hésitante, car mes rêves avaient été peuplés de fantômes.

Il prit une profonde inspiration. « Lui-même.

— Que fais-tu ici ?

— Comme je ne vous ai pas vu arriver à Petersfield, je suis retourné à Hoyland pour voir si on avait des nouvelles de vous ou d'Emma. Lorsqu'on m'a dit que vous n'étiez revenus ni l'un ni l'autre, j'ai décidé d'aller à Portsmouth. Je suis arrivé ce matin et j'ai appris que la compagnie de Leacon avait coulé avec le *Mary Rose*. J'ai vu le sommet émergé des mâts. J'ai pensé que vous étiez mort, nom de Dieu ! s'écria-t-il avec colère. Puis on m'a dit que certains survivants avaient été transportés ici. Alors je suis venu voir si vous en faisiez partie.

— Je me trouvais sur le gaillard d'arrière et j'ai réussi à m'en sortir en tombant dans la mer. C'est Emma qui m'a sauvé la vie.

— Elle a survécu elle aussi ?

— Oui. Mais elle s'est enfuie dès que la barque nous a déposés sur la terre ferme. Sur le bateau… j'ai révélé à Leacon sa véritable identité. Il lui a fait enlever son hoqueton et son casque et a déchiré sa chemise. J'ai montré que c'était une femme. Mais ça l'a sauvée. Jack, ils sont tous partis… Leacon, Carswell, Llewellyn, tous ceux que nous connaissions. » Des larmes me montèrent aux yeux. « C'est ma faute. C'est à cause de moi que Rich les a transférés sur ce bateau… » Je me mis à pleurer.

Barak eut alors un geste inattendu. Il se pencha en avant et me prit dans ses bras.

✝

Un peu plus tard, je réussis à me dresser sur mon séant. Je racontai à Barak toute mon histoire : comment j'avais été enfermé par West, les scènes sur le gaillard d'arrière, comment je m'étais échappé par la passerelle et comment Emma m'avait aidé dans l'eau. Il m'informa qu'il avait pris les lettres qu'on avait apportées à Hoyland : si Tamasin allait bien, elle se faisait du souci parce qu'il n'était pas encore rentré à Londres. Guy disait que sa façon de protéger Josephine agaçait Coldiron qui se montrait désagréable.

« Ça ne me surprend pas », dis-je.

Il ne répondit pas tout de suite, puis s'exclama d'un ton furieux : « Pourquoi ne m'avez-vous pas envoyé un message ?

— Désolé. Je ne pensais qu'à nos amis qui étaient morts à cause de moi.

— Si ça n'avait pas été la compagnie de George Leacon, c'en aurait été une autre, et d'autres épouses et d'autres enfants seraient aujourd'hui en deuil.

— Mais le fait de les connaître... » Je secouai la tête tristement. « Les connaître fait toute la différence.

— C'est Richard Rich le responsable de tout ça.

— Il savait que West s'y trouvait. Je les ai vus tomber dans l'eau. Ils n'avaient aucune chance de s'en tirer. J'aurais dû mourir avec eux. Ce n'aurait été que justice.

— Et ça aurait servi à quoi ? À ajouter un mort à la liste ? Et c'est moi qui aurais dû apprendre la nouvelle à Tamasin et à Guy ? J'ai bien cru que j'allais devoir le faire, vous savez.

— Désolé, soupirai-je. Comment va David ? J'aurais dû déjà te le demander... Apparemment, j'ai du mal à mettre de l'ordre dans mes pensées.

— Dyrick était toujours au prieuré et il m'a empêché de voir Hobbey et David. » Il planta sur moi un regard dur. « Il faut que vous alliez leur dire qu'Emma est vivante. Ils doivent déjà savoir que le *Mary Rose* a sombré avec cinq cents hommes à bord et ils vont se faire du souci s'ils n'ont pas de ses nouvelles. Vous pourriez vous lever si vous mangiez quelque chose. Le dénommé Edwin affirme que vous refusez.

— Il m'est impossible de manger quoi que ce soit. » Je restai silencieux quelques instants. « Philip West... Il a eu la mort au combat qu'il souhaitait.

— Au combat ? Il est mort parce que les imbéciles qui ont commis ce gâchis ont surchargé le *Mary Rose* et en ont confié le commandement à un type qui ne connaissait rien aux bateaux. C'est ce qu'on raconte dans les tavernes, en tout cas.

— Juste avant que Leacon et moi montions sur le gaillard d'arrière nous avons vu West. Je l'ai regardé et j'ai compris qu'il savait que j'allais l'obliger à rendre des comptes. Je me prenais pour un véritable... justicier. Ç'a toujours été le cas, d'ailleurs.

— Rich croit-il que vous êtes mort ?

— Je n'en sais rien. J'ai craint qu'il n'ait pris la peine de venir vérifier sur place mais je n'ai reçu la visite d'aucun membre de la Cour.

— West mort, Ellen est peut-être en danger à cause de lui. Vous y avez pensé ? »

Je pris ma tête entre mes mains. « Je ne peux penser à rien d'autre qu'à ces hommes... »

Il me saisit la main sans ménagement. « Il est temps que vous repreniez vos esprits. Allons, secouez-vous ! On a encore du pain sur la planche. »

49

Ce ne fut que le surlendemain que je me sentis capable de repartir. Barak m'avait forcé à manger et était même allé à Portsmouth m'acheter de nouveaux vêtements qui me donnaient l'aspect d'un gentleman, sinon d'un avocat. Toute la journée, on entendit gronder le canon. Barak m'annonça que si les Français avaient été repoussés de l'île de Wight, les deux flottes continuaient, cependant, à se faire face. Les Français envoyaient des galères pour tenter de toucher nos navires et chercher à les attirer vers eux, mais, après la perte du *Mary Rose*, seules nos galéasses étaient passées à l'attaque.

« Ils craignent que les Français n'essaient de débarquer ailleurs. D'autres soldats arrivent, et j'ai entendu dire que le roi avait ordonné un nouveau recrutement à Londres et commandé de nouvelles munitions aux fonderies du Sussex. Il est vraiment temps de s'en aller », conclut Barak.

Nous nous trouvions toujours dans l'ancien entrepôt. Assis sur des tabourets, près du tas de sacs qui me servait de lit, nous mangions de la potée. La plupart des hommes qui avaient été amenés là étaient désormais partis. À part moi, il n'en restait que trois qui souffraient de fractures aux membres, ainsi qu'un malheureux matelot, très jeune, qui paraissait avoir perdu l'esprit et passait le plus clair de son temps à pleurer dans un coin. Je n'avais pas encore eu le courage de sortir de l'hôpital de fortune, terrifié à l'idée de revoir la mer. Est-ce ainsi, pensai-je, que tout avait commencé pour Ellen ?

« On a l'intention de tenter de renflouer le *Mary Rose*, dès que ce sera possible, expliqua Barak. On veut faire venir des ingénieurs italiens pour au moins récupérer les canons… À marée basse, les mâts de hune émergent », ajouta-t-il après une brève hésitation.

Je ne réagis pas. Barak reposa son bol. « Bon, dit-il d'un ton professionnel. Vous savez ce qu'on fait demain ?

— Oui. Nous allons au château de Portchester où je dois demander audience à la reine.

— Elle y est toujours et le roi se trouve dans son pavillon. Dès que vous aurez parlé à la reine nous rentrerons chez nous. Les chevaux sont toujours dans l'écurie de l'auberge. Sur le chemin du retour, on peut faire une halte à Hoyland, si vous le souhaitez. »

Je lui souris tristement. « Nous avons vraiment échangé les rôles, n'est-ce pas ? C'est toi qui organises tout et qui élabores les projets que je dois mettre en œuvre.

— Ç'a toujours été le cas, en fait. »

J'éclatai de rire, mais le cœur n'y était pas. Ma pensée retournait sans cesse aux images du *Mary Rose* en train de sombrer et il arrivait qu'elles envahissent mon esprit au point que je ne pouvais plus réfléchir. C'est Barak qui avait décidé que, pour la sécurité d'Ellen, il fallait que je me rende chez la reine et que je lui révèle le secret de Rich.

« De toute façon, même si je ne m'étais mêlé de rien, West serait mort sur le *Mary Rose*, pas vrai ?

— Évidemment, répondit Barak du ton à la fois patient et agacé que je commençais à percevoir dans sa voix.

— En tout cas, je ne suis en rien responsable de sa mort.

— Ni de celle des autres. C'est parce que le bateau était surchargé de soldats et que les sabords situés près de la ligne de flottaison étaient restés ouverts, ou pour toute autre raison, parmi celles colportées par la rumeur. Quoi qu'il en soit, vous n'y êtes pour rien.

— Je pense que je ne serai plus le même, murmurai-je. Cette épreuve m'a brisé.

— Avec le temps vous remettrez tout en perspective. Vous le faites toujours.

— Je l'espère, Jack. Je l'espère. »

✝

Nous partîmes le lendemain matin, par une nouvelle chaude journée de juillet. Dès que je me retrouvai à l'air libre, mon cœur se mit à battre la chamade.

« Les navires n'ont pas bougé, dit Barak. Les Français n'ont pas encore fait avancer leurs galères. »

Je regardai au-delà de la Pointe. La flotte mouillait toujours dans le Solent. En fait, de nouveaux petits bateaux l'avaient rejointe, mais il manquait un grand navire. Tressaillant d'appréhension, je parcourus néanmoins du regard la surface de l'eau. « D'ici, vous ne pouvez pas voir les mâts, me dit gentiment Barak.

— Va-t-on envoyer un message aux familles des hommes qui ont perdu la vie ? Les soldats de la compagnie de Lincoln étaient originaires du Hertfordshire. »

Barak regarda les bateaux. « On ne pourra pas envoyer un messager. Ce sont les soldats qui l'apprendront aux familles, quand tout sera terminé.

— Je préviendrai au moins la famille de Leacon. J'irai dans le Kent. Grand Dieu, je leur dois bien ça !

— Réglons nos affaires puis rentrons à Londres », dit-il d'une voix douce.

Nous prîmes le chemin de l'auberge pour récupérer Oddleg. Nous fûmes dépassés par une compagnie de soldats à l'air fatigué qui marchaient au pas en direction du quai. Je scrutai leurs visages puis demandai à Barak : « Hier, quand tu étais en ville, je suppose que tu n'as vu aucune trace d'Emma ?

— J'ai parlé à plusieurs personnes, j'ai interrogé les soldats qui gardent la porte, mais personne ne se souvenait d'un garçon brun, portant une chemise déchirée. J'ai l'impression qu'elle a pris la poudre d'escampette. »

✝

Nous trouvâmes les chevaux et franchîmes les portes de la ville. Je quittai Portsmouth pour la dernière fois, la tête basse et incapable de regarder en arrière. De nouveaux soldats occupaient les tentes de la compagnie de Leacon. Nous mîmes nos chevaux au petit galop, traversâmes l'île de Portsea par le nord, puis passâmes le pont enjambant la rivière boueuse pour atteindre la terre ferme du Hampshire. Nous tournâmes à gauche et prîmes la direction du château de Portchester. J'évitai de regarder du côté de la mer. C'était au-dessus de mes forces.

Cette fois-ci, je n'avais aucune lettre de mission, aucune raison officielle de pénétrer dans le château, et je n'osai pas demander à parler à Warner. Or, face aux gardes postés près des douves, mon appréhension et ma peur disparurent comme par enchantement. Mon talent oratoire et mes ruses d'avocat me revinrent et je leur déclarai – c'était la vérité, d'ailleurs – que j'étais un avocat qui travaillait pour la reine et que j'avais été sur le *Mary Rose*. Je réussis à en prononcer le nom, même si cela me fit à nouveau tressaillir.

J'avais cru impressionner l'officier de garde, mais il se contenta de me regarder d'un air sceptique. « Que faisait un avocat sur le *Mary Rose* ? Il y a à Portsmouth des dizaines de quidams qui prétendent être des survivants du naufrage. La plupart espèrent en tirer une pension. Et si vous êtes avocat, où est donc votre robe ?

— Au fond du Solent ! m'écriai-je, hors de moi. Je vous affirme que j'étais à bord de ce vaisseau, et ce souvenir me hantera toute ma vie ! Et maintenant, transmettez un message de ma part à la reine, c'est urgent. Elle va me recevoir. Si elle refuse, vous pourrez me jeter dans les douves. Je m'en fiche éperdument. »

Il me regarda à nouveau d'un air dubitatif mais envoya cependant un soldat porter mon message. Barak me tapota le bras. « Bravo, fit-il. Vous voyez, vous avez repris du poil de la bête. »

Je ne relevai pas. Revoir des soldats m'avait fait repenser à Leacon et à sa compagnie, aux gerbes d'eau qu'ils avaient soulevées en tombant dans la mer avant de couler à pic. J'agrippai les rênes d'Oddleg si fortement que mes phalanges devinrent exsangues.

✝

Une demi-heure plus tard, on me fit entrer dans une pièce richement meublée. On avait ordonné à Barak d'attendre dans la cour. Assise devant un secrétaire, la reine était en train d'écrire. Comme toujours, deux dames d'honneur étaient présentes et occupées à coudre dans le renfoncement d'une fenêtre en saillie. Elles se levèrent et firent une révérence. Robert Warner se tenait à côté du secrétaire. Il me lança un regard noir au moment où je fis un profond salut à la reine. Elle se leva et je vis qu'elle avait encore l'air tendue et fatiguée.

« Le garde m'a appris que vous étiez sur le *Mary Rose*, Matthew ? dit-elle d'une voix douce.

— C'est vrai, Votre Majesté », répondis-je en refoulant mes larmes. Sur un signe de tête de la reine, Warner me proposa de m'asseoir sur un siège. La reine resta debout, les mains nouées devant elle.

« Que s'est-il passé ? » me demanda-t-elle gentiment.

Je pris une profonde inspiration, mais restai muet durant quelques instants. « Désolé, Votre Majesté. Je me suis hâté de venir ici, mais…, pardonnez-moi, j'ai du mal à parler, répondis-je, la voix tremblante.

— Prenez votre temps… Rosamond, apportez du vin », dit-elle en faisant un geste en direction de ses dames d'honneur.

Je repris bientôt mes esprits. « J'ai la réponse à propos de ce qu'on a fait à Hugh Curteys. Et au pauvre

854

Michael Calfhill, qui a été poussé au suicide. Et je dois aussi vous dire quelque chose à propos de sir Richard Rich et de la femme que je connais à Bedlam. Il s'agit d'un sombre secret. »

Warner intervint pour la première fois. « Votre Majesté, dit-il, si Rich est impliqué, vous devez prendre garde. Messire Shardlake, la reine peut-elle connaître ce secret en toute sécurité ? »

J'hésitai puis déclarai : « Vous avez peut-être raison. Dieu seul sait que j'ai manqué de jugeote, ces derniers temps. »

La reine sourit. « Non, Matthew ! s'exclama-t-elle, incapable de réprimer son sens de l'humour. Vous en avez trop dit ou pas assez. Racontez-moi tout et je verrai ce que l'on peut en faire. » Elle se rassit.

C'est ainsi que je lui racontai ce que j'avais découvert à Hoyland et la façon dont Emma s'en était prise à David. Je minimisai, néanmoins, la gravité des blessures subies par l'adolescent et cachai qu'il avait tué Abigail. Je relatai la fuite d'Emma à Portsmouth, expliquai le marché que j'avais passé avec Rich, évoquai le trajet jusqu'au *Mary Rose*, la façon dont West m'avait enfermé dans le réduit et comment le bateau avait chaviré, avant de sombrer. Ma voix défaillit à nouveau.

Lorsque j'eus terminé mon récit, la reine resta silencieuse un long moment. Ses épaules s'affaissèrent, puis elle se redressa avec détermination. « Vous n'avez aucune idée de ce qui est arrivé à Emma Curteys ? demanda-t-elle.

— Non. Mais elle n'a pas d'argent et elle a quitté Portsmouth en chemise.

— Les vauriens ! s'exclama-t-elle avec une fureur inouïe, rouge de colère. Les crapules ! Faire ça à une jeune fille par cupidité. Quant aux méfaits de Rich, ils sont encore pires. Eh bien, la jeune Emma s'est peut-être enfuie mais, en tout cas, Rich ne mettra pas en danger la sécurité de la pensionnaire de Bedlam !

— Que comptez-vous faire, Votre Majesté ? demanda Warner d'un ton inquiet. Le roi... »

Elle secoua la tête. « Je vais m'en occuper personnellement. » Elle se leva. « Il me semble que sir Richard Rich est ici, à Portchester. Envoyez-le chercher.

— Mais, Votre Majesté...

— Envoyez-le chercher, répéta-t-elle d'un ton acéré. Laissez-nous, dit-elle aux dames d'honneur. Il s'agit d'une affaire privée. »

Warner hésita, puis inclina le buste et sortit, suivi des dames d'honneur, nous laissant seuls, la reine et moi. La colère qui avait étincelé dans ses yeux bruns avait cédé la place à la sollicitude. Les larmes me montèrent à nouveau aux yeux.

« Le *Mary Rose*, cela a dû être terrible. Le roi l'a vu couler. Il en a été bouleversé. Lady Carew était avec lui. Il l'a réconfortée.

— C'est à cause de moi qu'on avait fait monter à bord les archers de Leacon. Barak me dit que si ça n'avait pas été eux, ç'aurait été une autre compagnie, et il a raison, mais... je les revois constamment, et je me dis que je suis responsable de leur mort.

— C'est naturel, mais ce n'est pas juste. » Elle sourit à nouveau, tristement, cette fois-ci. « Les mots n'apportent aucune consolation, n'est-ce pas ? Seuls le temps et la prière y parviennent.

— La prière, Votre Majesté ? répétai-je d'un ton incrédule.

— Oui, la prière.

— Je ne suis plus compétent en la matière. »

Elle posa sa main sur la mienne. C'était une jolie main, douce et parfumée. Elle la retira brusquement au moment où on frappa à la porte. « Entrez ! » lança-t-elle, et Warner fit entrer Richard Rich, sa petite tête pointue enfouie dans l'épaisse fourrure du col de sa robe grise, la chaîne en or, emblème de sa fonction, autour du cou. Ses petits yeux durs balayèrent la pièce. Quand il m'aperçut, il écarquilla les yeux et recula d'un pas. Barak avait raison, pensai-je. Tu me croyais mort. Il tituba et serait tombé si Warner ne l'avait pas rattrapé par ses frêles petites épaules. Rich regarda la reine, se rappela où il était et fit une profonde révérence. La reine fixa sur lui un regard aussi dur que le sien.

« Sir Richard, dit-elle d'une voix lugubre. Je constate que vous croyiez messire Shardlake mort. »

Il se ressaisit. « J'ai entendu dire qu'il se trouvait sur le *Mary Rose*, Votre Majesté. Il paraît que seuls un petit nombre de marins et de soldats ont survécu. »

Sans quitter Rich des yeux, la reine lui répondit calmement. « Je sais que vous l'avez envoyé sur le *Mary Rose* afin qu'il soit tué par le dénommé West, qui est mort à présent et qui, malgré son horrible forfait, a au moins essayé de protéger la femme dont vous l'avez aidé à saccager la vie. »

Il me lança un regard féroce. « Je ne sais pas ce que vous a raconté cet homme, Votre Majesté, mais c'est mon ennemi et il dira tout ce...

— Je le crois sur parole, sir Richard. Tout est logique, vu ce dont vous êtes capable. Le meurtre du clerc Mylling...

— Il s'est enfermé dans cette pièce...

— Le complot que vous avez ourdi avec West pour assassiner messire Shardlake, poursuivit-elle, comme s'il n'avait rien dit, l'autorisation que vous avez donnée pour qu'Emma Curteys puisse monter à bord du *Mary Rose*, tout en connaissant sa véritable identité... Je sais tout. En remontant jusqu'à la fois où vous avez volé la lettre du roi à Anne Boleyn pour la remettre à Catherine d'Aragon... »

Il passa la langue sur ses lèvres fines et pointa son doigt sur moi. « On ne peut rien prouver à ce sujet. West est mort...

— Mais sa mère est toujours en vie. Elle pourra témoigner que la lettre avait été volée. S'ils ne sont plus nombreux aujourd'hui, ceux qui étaient à la Cour il y a dix-neuf ans, peut-être certains d'entre eux se rappelleront-ils tout de même que vous aviez accompagné West. Je pourrais diligenter une enquête. Et le roi se souviendra sans doute de cette lettre... »

Le tic à l'œil de Rich reparut.

« Faites apporter une bible, Votre Majesté, et je vais jurer dessus devant vous...

— Quand avez-vous vendu votre âme au diable ? » demanda la reine d'un ton égal.

Il s'empourpra, ouvrit la bouche, puis la referma brusquement et redressa son petit menton pointu.

« Écoutez-moi, Richard Rich, reprit la reine. Ellen Fettiplace et la mère du commissaire West sont désormais sous ma protection personnelle. Puisque West est mort, c'est moi qui paierai la pension d'Ellen à Bedlam, tant qu'elle souhaitera y demeurer. Si quelque chose arrive à Ellen ou à Matthew, sur ma foi – et je ne jure pas sur ma foi à la légère –, je raconterai au roi tout ce que vous avez fait, en commençant par le vol de cette lettre, qui a prévenu Catherine d'Aragon qu'il avait l'intention de demander le divorce. »

Rich resta silencieux. Le visage de la reine devint rouge de colère.

« Vous comprenez ? Répondez à votre reine, misérable !

— Je comprends, Votre Majesté, répondit-il à voix basse.

— Il y a autre chose, dis-je d'une voix que la haine que je ressentais pour Rich rendait rauque. Il existe un testament, qu'il m'a fait signer par ruse. Il en possède une copie qu'il faut détruire. »

La reine se tourna vers Warner. « Robert, messire Rich vous apportera son exemplaire dans l'heure. Et vous le détruirez personnellement. »

L'air aux abois, les yeux agités de tics, Rich regarda la reine. « Je l'apporterai, Votre Majesté, dit-il.

— Bon. Et maintenant, sortez d'ici et que je ne vous revoie plus ! »

Il fit une révérence, puis quitta la pièce à reculons. Du seuil de la porte, il me lança un regard qui signifiait clairement que, si je me retrouvais un jour à sa merci, il me regarderait mourir lentement dans de grandes souffrances.

Lorsque la porte se referma derrière lui, je poussai un profond soupir. Warner était lui aussi visiblement détendu. Seule la reine continuait à fixer la porte close d'un air furieux.

✝

Warner nous reconduisit, Barak et moi, jusqu'à la porte du château. Il n'avait rien dit jusque-là mais, au moment de nous laisser, il déclara : « En ce qui concerne sir Quintin Priddis et son fils, la reine risque de vouloir intenter une action contre eux, mais je vais chercher à l'en dissuader. Cela rendrait publique cette affaire et écornerait la réputation de la Cour des tutelles. Le roi apprécie beaucoup les bénéfices qu'elle rapporte et je ne souhaite pas que la reine lui tienne tête.

— Je comprends. »

Il prit une profonde inspiration. « Désormais, je pense qu'il serait plus sage que la reine ne vous confie plus de dossiers juridiques.

— Vu où celui-ci nous a menés ?

— Si, comme moi, vous l'aimez, vous la laisserez désormais en paix.

— D'accord, messire Warner. Et je suis désolé de vous avoir accusé. »

Il hocha la tête, puis me tendit la main. « Au revoir, Matthew.

— Au revoir, Robert. Et merci… Méfiez-vous de Richard Rich, ajoutai-je, après un instant d'hésitation. Je crains d'avoir fait de lui un ennemi de la reine.

— Je veillerai à ce qu'il ne lui fasse aucun tort. »

Barak et moi traversâmes à cheval le pont qui enjambait le fossé. Mon regard se tourna vers la mer, puis, clignant des paupières, je détournai la tête et aspirai une grande bouffée d'air.

« À Hoyland, dis-je. Et ensuite, à la maison ! »

Nous reprîmes la route et nous éloignâmes du château de Portchester, et de la mer.

50

Deux heures plus tard, nous suivions une fois de plus l'étroit sentier menant au prieuré de Hoyland. Nous franchîmes la grille et contemplâmes la maison. La plupart des malheureuses fleurs d'Abigail étaient mortes et l'herbe des pelouses, autrefois très bien entretenue, avait beaucoup poussé. Les volets des fenêtres étaient fermés et la butte de tir près du cimetière des nonnes avait été rasée.

Entrer à l'intérieur des terres m'avait soulagé, mais, alors que nous avancions vers le perron, le léger balancement du cheval me rappela soudain le mouvement d'un pont de navire soulevé par les vagues. Je tirai sur les rênes pour arrêter Oddleg, fermai les yeux et respirai profondément.

« Ça va ? me demanda Barak d'un ton inquiet.

— Oui. Donne-moi juste quelques instants.

— Voilà Dyrick. »

Je rouvris les yeux. Dyrick était sorti sur le perron. Vêtu de sa robe noire, il nous regardait en fronçant les sourcils. Son apparition me revigora, car je n'avais pas l'intention de lui laisser voir ma faiblesse. Il lança un appel par-dessus son épaule et un gamin sortit du vestibule pour mener nos chevaux à l'écurie.

« Vous voilà enfin de retour, dit-il de sa voix râpeuse. Nous vous attendons depuis quatre jours. M. Hobbey est fou d'inquiétude. Où est Emma ? Vous l'avez retrouvée ? »

Je ne pus m'empêcher de sourire en constatant que, même dans ces circonstances, il fallait qu'il se montre querelleur. Il était cependant clair qu'il s'était fait beaucoup de souci à l'idée que ce que les Hobbey avaient fait à Emma puisse être rendu public.

« Je l'ai retrouvée, Dyrick. Mais elle a refusé de revenir avec moi. Elle s'est à nouveau enfuie et je n'ai aucune idée de l'endroit où elle se trouve.

— Nous avons appris le naufrage du *Mary Rose* et l'attaque de l'île de Wight.

— Les Français n'ont pas réussi à s'en emparer, bien qu'ils soient toujours sur le Solent. » J'avais décidé avec Barak de ne pas parler de ma présence à bord du *Mary Rose*. C'était inutile. « La pelouse commence à paraître très négligée, dis-je.

— La moitié des domestiques sont partis. Même la vieille Ursula a rendu son tablier, sous prétexte que la maison est hantée. Ils sont tous rentrés au village pour essayer de se mettre dans les petits papiers d'Ettis. Au fait, on l'a libéré. M. Hobbey a tenu parole.

— Où est-il ?

— Dans son cabinet de travail. Il n'en sort que pour aller voir son fils.

— Et David, comment va-t-il ?

— Il se remet de ses blessures, mais on pense qu'il ne remarchera jamais normalement. Et Dieu seul sait ce qui se passe dans sa tête… Je crains qu'il ne révèle toute l'histoire, ajouta Dyrick d'un ton aigre. Il faut qu'on le garde quelque part où il puisse être surveillé. »

Je le fixai du regard. Ses paroles me rappelaient la façon dont West et Rich s'étaient protégés mutuellement après le viol d'Ellen. J'avais bien l'intention de m'assurer que David ne subisse pas un sort similaire.

✝

Nicholas Hobbey était assis à son bureau. Lorsque nous entrâmes dans la pièce, l'air triste et hagard qui n'avait pas quitté son visage depuis la mort d'Abigail se changea en une expression de fol espoir. Je notai qu'il avait perdu du poids.

« Emma ! Avez-vous de ses nouvelles ? Nous n'avons pas cessé d'en attendre. » Il avait désormais le ton d'un vieillard acariâtre.

« Nous avons été retenus à Portsmouth. Il y a eu des combats…

— Oui. On nous a annoncé la perte du *Mary Rose*. Mais Emma, monsieur… »

Je pris une profonde inspiration et lui dis : « Je l'ai retrouvée, mais elle s'est enfuie une nouvelle fois. Elle a quitté Portsmouth et je ne sais pas où elle se trouve à présent. »

Ses traits s'affaissèrent. « Continue-t-elle à… faire comme si elle était son frère ?

— Je pense qu'elle va continuer à jouer ce rôle. Elle n'a pas connu d'autre identité depuis de trop nombreuses années.

— Cela ne pourra pas durer bien longtemps, intervint Dyrick. Elle n'a pris aucun argent.

— Il est possible qu'elle tente de se faire enrôler dans une compagnie de soldats.

— Dormir à l'abri de haies, gémit Hobbey, voler sa nourriture dans les potagers...

— Et, à tout moment, s'exclama Dyrick avec colère, elle peut être arrêtée et démasquée !

— Emma est intelligente, répliquai-je. Elle se rendra compte qu'elle ne peut pas subvenir à ses besoins et que son subterfuge risque d'être découvert. J'ai bon espoir qu'elle cherche à prendre contact avec moi.

— À Londres ? demanda Hobbey.

— Je lui ai dit que je me chargerai de sa tutelle et que je la laisserai décider de ce qu'elle souhaite faire de sa vie.

— Alors, prions Dieu qu'elle s'adresse à vous ! soupira-t-il, avant d'ajouter : Je projette de retourner moi-même à Londres, de vendre cette infortunée demeure et d'acheter une petite maison, quelque part au calme. Ce sera plus facile pour David, et ses infirmités y seront mieux soignées.

— Car il est vraiment infirme, renchérit Dyrick.

— Pensez-vous que je ne m'en rende pas compte ! rétorqua Hobbey. Je vais obtenir un bon prix pour la maison et tous les bois, poursuivit-il en se tournant vers moi. Sir Luke Corembeck a manifesté son intérêt... Assurez-vous du prix, dit-il à Dyrick, retrouvant son ton sec de jadis. Je vous laisse négocier la vente. La somme obtenue sera tout ce que David et moi aurons pour vivre à l'avenir, une fois payées mes vieilles dettes. Messire Shardlake, garderez-vous en sécurité la part d'Emma si elle ne revient pas avant la vente de Hoyland ?

— Bien sûr.

— Nous obtiendrions un meilleur prix si nous possédions les bois du village, grommela Dyrick.

— Mais nous ne les possédons pas, répliqua Hobbey. Partez demain, Vincent. Commencez les négociations depuis Londres. Je vous ai assez vu », ajouta-t-il. Dyrick se rembrunit, tandis que Hobbey se tournait vers moi. « Messire Shardlake, j'aimerais que vous voyiez David, si vous le voulez bien. Pour que vous le rassuriez en lui disant que vous n'avez pas l'intention de révéler ce qui est arrivé à sa mère. »

J'acquiesçai. Je me sentais toujours moralement obligé de garder ce secret. Et j'avais besoin de voir comment allait David.

✝

Hobbey et moi montâmes à l'étage. Il avançait lentement en s'accrochant à la rampe. « Avant de voir David, messire Shardlake, je voulais vous demander quelque chose.

— Oui ?

— J'espère que vous avez raison et qu'Emma va venir vous voir à Londres, mais, si elle est démasquée, pensez-vous qu'elle révélera... (il fit une grimace et s'agrippa à la rampe)... que David a tué sa mère ? Je crois qu'elle a deviné que c'était lui le coupable », ajouta-t-il en me fixant attentivement. Il se souciait avant tout de son fils.

« J'en doute. D'après ce qu'elle m'a dit à Portsmouth, elle regrette amèrement ce qu'elle a fait à David. »

Il gravit une autre marche, puis s'arrêta de nouveau et me regarda droit dans les yeux. « Pourquoi ai-je agi de la sorte ? À quoi pensions-nous durant toutes ces années ?

— Je ne crois pas qu'aucun de vous n'ait eu les idées claires, pas suffisamment longtemps en tout cas. Vous aviez tous trop peur. Sauf Fulstowe qui cherchait à profiter au mieux de la situation. »

Il parcourut du regard la grande salle, le couronnement de toutes ses ambitions. « Et je ne voyais pas que mon fils devenait... mentalement dérangé... Je me sens responsable de son acte. Eh bien, tout est fini à présent, soupira-t-il. Dyrick essaie de me dissuader de m'en aller, mais ma décision est prise. »

Il me conduisit à la chambre de David. Elle était meublée d'un beau lit à colonnes, de fauteuils et de coussins. Une tapisserie ancienne représentant une bataille de l'époque romaine était accrochée au mur. Contrairement à la chambre de Hugh, celle de David ne contenait aucun livre. Il était couché et regardait le plafond, mais, quand nous entrâmes, il s'efforça de se redresser. Hobbey leva la main.

« Non, non ! fit-il. Tu vas tirer sur tes bandages. »

David fixa sur moi un regard apeuré. Allongé dans son lit, il avait l'air d'un petit garçon terrifié, pris au piège, le duvet sur ses joues le rendant encore plus pitoyable.

« Comment allez-vous, David ? demandai-je doucement.

— Ça fait mal. Le docteur m'a recousu.

— David a été très brave, dit Hobbey. Il n'a pas poussé un seul cri, n'est-ce pas, mon fils ? » Il prit une profonde inspiration. « Messire Shardlake est venu te dire qu'il ne dénoncera pas ce qui est arrivé à ta mère. »

Les yeux du jeune homme se mouillèrent de larmes. « Il me semble que j'ai eu une crise de folie, monsieur. J'ai lancé une flèche contre vous et puis j'ai tué ma pauvre mère. Apparemment, je ne pensais qu'à tirer sur les gens, constamment. Il fallait que je protège notre secret et que je garde Emma auprès de nous. Même s'il me fallait tuer pour ça… » Il avait parlé trop vite, bredouillant presque, mais, se reprenant soudain, il me regarda fixement et me demanda d'un ton vibrant : « Monsieur, Dieu peut-Il pardonner un tel péché ? »

Je plongeai mon regard dans ses yeux fous. « Je ne suis pas pasteur, David, mais, si un être se repent sincèrement, on dit qu'Il pardonne même les plus grandes fautes.

— Je ne cesse de prier, monsieur, dit-il à travers ses larmes. Pour être pardonné et pour ma mère.

— C'est tout ce que tu peux faire, David », lui dit son père en avançant pour lui prendre la main. Ses paroles me rappelèrent ce que Catherine Parr m'avait dit quelques heures auparavant. Je baissai les yeux vers le sol.

« A-t-on des nouvelles d'Emma ? fit-il d'une voix tremblante.

— Messire Shardlake l'a vue à Portsmouth. Elle est sincèrement désolée de ce qu'elle t'a fait.

— Je l'ai bien mérité. » Il me regarda, et je vis qu'il l'aimait toujours. Je frissonnai en pensant à ce qui s'était passé dans sa tête durant les six dernières années et comment cela lui avait complètement déformé l'esprit. « Où est-elle à présent ? » reprit-il.

Hobbey hésita. « Nous n'en sommes pas sûrs. Mais nous pensons qu'elle est en sécurité.

— La reverrai-je ?

— Je ne le crois pas, David. Si elle va voir quelqu'un ce sera messire Shardlake.

— Je l'aimais, voyez-vous, me dit-il. Je l'ai aimée durant toutes ces années. Je ne l'ai jamais considérée comme étant Hugh. Voilà pourquoi, quand j'ai eu peur qu'on soit effectivement démasqués, je crois... je crois que le diable s'est emparé de moi. Mais je l'aimais. J'aimais aussi ma pauvre mère. Je m'en suis aperçu dès que je l'ai... dès que je l'ai tuée. » Il éclata en sanglots et des larmes ruisselèrent sur son visage.

Hobbey baissa la tête.

« Je me demandais... », commençai-je. Hobbey me regarda. J'hésitai, car j'avais déjà envoyé à Guy pas mal de cas désespérés. Toutefois, il adorait traiter les patients les plus difficiles. D'ailleurs, peut-être avait-il besoin en ce moment de quelque chose de ce genre. En outre, ce serait une façon pour moi de garder un œil sur les Hobbey. « Si vous venez à Londres, lui dis-je, je connais un médecin, un homme de bien. Il se peut qu'il puisse aider David.

— Pourrait-il lui permettre de remarcher normalement ?

— Je ne peux pas vous le promettre.

— Je ne le mérite pas ! s'écria David avec passion.

— C'est à Dieu de juger », répliquai-je. Histoire de réconforter le pauvre garçon.

Une heure plus tard, Barak et moi quittâmes pour toujours le prieuré de Hoyland, et nous engageâmes sur la route de Londres. J'avais fait une dernière chose avant de partir. Je m'étais rendu dans la chambre d'Emma pour récupérer la petite croix dans le tiroir de la table de nuit.

« Retour à la maison, dit Barak. Enfin chez moi ! Pour assister à la naissance de mon fils. » Je notai la disparition du petit ventre qu'il avait pris à Londres. Il suivit mon regard. « Je vais bientôt reprendre du poids, dit-il d'un ton joyeux. Il me suffira de me reposer et de boire quelques chopes de bonne bière. »

Nous fûmes cependant retardés. Nous avions dépassé le tournant de la route menant à Rolfswood et j'avais jeté un coup d'œil au chemin conduisant au Sussex entre les talus escarpés. Or, à deux milles de là, nous tombâmes sur trois soldats qui barraient la route, empêchant tout passage. Ils nous apprirent qu'un pont s'était effondré un peu plus loin et qu'on était en train de le réparer. Le jour tombant, les soldats nous invitèrent à trouver un endroit où dormir cette nuit-là.

Ce contretemps mit Barak en colère. « N'y a-t-il pas un moyen de passer quand même ? Nous ne sommes que tous les deux et ma femme est sur le point d'accoucher à Londres.

— Personne ne passe jusqu'à ce que le pont soit réparé. Des soldats, des vivres et du matériel militaire attendent pour gagner Portsmouth. »

Barak paraissait sur le point de répondre, mais je lui dis : « Jack, faisons de nécessité vertu et allons à Rolfswood. »

Il arracha son regard à celui du soldat. « Eh bien, allons-y alors », marmonna-t-il. Il attendit que nous soyons hors de portée de voix pour lâcher une bordée d'injures.

✝

Comme à l'accoutumée, en cet après-midi d'été, Rolfswood était calme et paisible. Nous passâmes devant la maison de Buttress. « Qu'allez-vous faire de ce voyou ? demanda Barak.

— Pas plus qu'avec Priddis, je doute de pouvoir faire quelque chose. Si je cherche à savoir comment lui et Priddis se sont alliés pour imiter la signature d'Ellen, cela soulèvera la question du viol. Et je ne pense pas que cela serve la cause de quiconque en ce moment.

— Quoi qu'il en soit, cette histoire a rogné les ailes de Rich.

— Un petit peu seulement. Et autant laisser croire à la mère de West que son fils est mort en héros.

— Et à quoi va aboutir l'enquête sur le malheureux maître Fettiplace ?

— "Meurtre dont l'auteur est inconnu", sans aucun doute. Oublions cette affaire. »

Nous nous rendîmes à l'auberge où nous trouvâmes des chambres pour la nuit. Nous dînâmes, puis je quittai Barak car j'avais une visite à faire.

✝

Le presbytère était toujours aussi mal tenu. Au milieu du jardin laissé à l'abandon, le cerisier au tronc noueux était couvert de feuilles. Le révérend Seckford répondit au coup que je frappai à sa porte. Pour une fois, il avait l'air à jeun, bien qu'il y eût une tache de bière sur son surplis. Il me fit entrer. Je lui racontai toute l'histoire de West et d'Ellen, de David et d'Emma et des hommes que j'avais vus mourir sur le *Mary Rose*.

Il faisait nuit quand je terminai mon récit. Seckford avait allumé des chandelles dans sa salle et m'avait persuadé de partager une cruche de bière avec lui. J'avais bu une chope pendant qu'il en avalait trois. Quand je me tus, il resta assis, la tête baissée, les mains tremblant sur ses genoux. Puis il leva les yeux. « Ce roi a fait trois fois la guerre à la France et il a chaque fois perdu. Et tout cela pour sa propre gloire. L'Église, vous savez, a une doctrine appelée la "guerre juste". Saint Thomas d'Aquin a écrit sur ce sujet, quoique la doctrine soit bien plus ancienne. Un État ne doit déclarer la guerre qu'après avoir épuisé toutes les autres options. Il doit avoir la justice de son côté et poursuivre un but honorable. Aucune des guerres d'Henri ne répond à ces critères. Alors qu'il prétend être le représentant de Dieu sur terre.

— Quelles guerres ont la justice de leur côté, révérend Seckford ? »

Il porta sa chope à ses lèvres d'une main tremblante. « Certaines, peut-être. Mais pas celles de ce roi... Considérez-le comme coupable, s'écria-t-il d'un ton soudain rageur, comme responsable de la mort des hommes disparus sur le *Mary Rose*, de celle des femmes et des enfants en France. Et même de celle de Philip West. Que Dieu lui pardonne ses péchés !

— Je revois constamment le visage de mon ami et de tous les autres soldats. Je les revois en train de tomber dans l'eau. Sans cesse... Une femme que j'admire énormément, ajoutai-je avec un sourire contraint, me conseille de me réfugier dans la prière.

— Elle a raison.

— Comment Dieu permet-Il ces choses ? m'exclamai-je. Oui, comment ? Je revois le navire chavirer, je pense à la férocité dont les réformateurs et les catholiques font preuve les uns envers les autres, à Emma, Hobbey et à David, et il m'arrive de croire – pardonnez-moi – que Dieu se paie notre tête. »

Il reposa sa chope. « Je comprends comment aujourd'hui on peut parfois avoir ce genre d'idées. Si Dieu était tout-puissant, peut-être auriez-vous raison. Mais les Évangiles relatent une autre histoire. La Croix, voyez-vous. Personnellement, je crois que le Christ souffre avec nous.

— À quoi cela sert-il, mon révérend ? En quoi cela nous aide-t-il ?

— L'époque des miracles est passée depuis long-temps. Voyez, poursuivit-il, en reprenant sa chope, Il ne parvient même pas à me faire arrêter de boire, même si je le Lui demande.

— Pourquoi donc ? Pourquoi n'y parvient-Il pas ? »

Il sourit tristement. « Je n'en sais rien. Je ne suis qu'un vieux vicaire de campagne ivrogne. Mais j'ai la foi. C'est la seule façon d'accepter le mystère. »

Je secouai la tête. « Moi, je l'ai perdue. »

Il sourit. « Vous n'aimez pas les mystères, pas vrai ? Vous aimez les résoudre. Comme vous avez résolu celui qui concernait Ellen.

— Oui. Mais à quel prix ! »

Il plongea son regard dans le mien. « Vous allez prendre soin d'elle ?

— Je ferai tout mon possible.

— Et cette pauvre petite Emma… Et la tragédie de la famille Hobbey…

— Je ferai tout ce qui est en mon pouvoir. »

Il se pencha en avant, posa sa main tremblante sur

mon bras. « "Foi, espérance et charité, cita-t-il, mais la charité est la plus grande de ces qualités."

— C'est une doctrine démodée aujourd'hui.

— C'est la meilleure, malgré tout, messire Shardlake. Rappelez-moi au bon souvenir d'Ellen quand vous la verrez. Et ce soir j'allumerai des cierges à l'église pour votre ami George Leacon et ses soldats. Je créerai un flamboiement de couleurs en leur honneur. »

Il plaça sa main tremblante dans la mienne. Mais son geste ne m'apporta qu'un piètre réconfort.

51

Nous arrivâmes à Londres, Barak et moi, cinq jours plus tard, l'après-midi du vingt-sept juillet. Nous étions restés absents presque un mois. Nous avions rendu les chevaux à Kingston et, comme à l'aller, avions effectué en bateau la dernière étape du voyage. Si le léger mouvement du fleuve, dû à la marée, me mettait mal à l'aise, je m'efforçai de n'en rien laisser paraître.

Nous traversâmes Temple Gardens. Dyrick serait bientôt de retour dans son cabinet. Si Emma réapparaissait, je devrais me mettre en rapport avec lui pour obtenir la tutelle de Hugh, nom sous lequel la Cour des tutelles connaissait Emma. Mais si elle ne réapparaissait pas, je ne pourrais rien faire.

Fleet Street et le Strand présentaient le même aspect que lorsque nous étions partis. Des groupes de garnements en blouse bleue dévisageaient insolemment les passants. Des affiches collées sur les murs des bâtiments mettaient en garde contre les espions français. D'après le batelier, on envoyait des renforts en soldats dans le Sud et les Français se trouvaient toujours sur le Solent.

Barak m'invita à l'accompagner chez lui pour voir

Tamasin, mais, sachant qu'il préférait que leurs retrouvailles aient lieu en tête à tête, je lui répondis que je devais me rendre à mon cabinet et nous nous séparâmes au bas de Chancery Lane. Il promit de venir au cabinet le lendemain matin. Je continuai à avancer et entrai par le grand portail de Lincoln's Inn. Je voulais voir ce qui s'y passait et réfléchir à la façon dont j'allais m'y prendre avec Coldiron quand je rentrerais chez moi.

†

Il faisait chaud et ça sentait la poussière dans Gatehouse Court par cette journée ensoleillée d'été. Les juristes et les clercs allaient et venaient dans le carré bordé de bâtiments en brique rouge. Il n'y avait là aucun signe de guerre et, au milieu de ce cadre familier, je commençai à me détendre en marchant vers mon cabinet. D'Esher j'avais envoyé un mot à Skelly pour lui annoncer mon retour imminent et il se leva pour m'accueillir avec un grand sourire.

« Vous allez bien, monsieur ? » Étant donné le ton hésitant de sa voix, je devinai que l'épreuve que j'avais traversée avait marqué mon visage.

« Assez bien. Et vous ? Et votre épouse et vos enfants ?

— Nous sommes tous en bonne santé. Grâce à Dieu.

— Tout va bien ici ?

— Oui, monsieur. Il y a un certain nombre de nouveaux dossiers qui doivent passer durant la session de ce trimestre.

— Bien. Vive les nouveaux dossiers ! soupirai-je.

— On a entendu dire que les Français ont essayé

d'envahir l'île de Wight et que le *Mary Rose* a coulé sous les yeux du roi lui-même. On envoie un nouveau contingent de quinze cents Londoniens...

— En effet. Pendant notre retour, nous avons rencontré des hommes et des chariots chargés de vivres et de matériel qui se dirigeaient vers Portsmouth.

— Personne ne sait ce qui va se passer maintenant. Le *Hedgehog* a explosé sur la Tamise le jour du naufrage du *Mary Rose*. Si certains affirment que ce sont des espions français qui l'ont fait sauter, d'autres pensent que l'explosion est due au fait que la surveillance de la réserve de poudre à canon qu'il transportait laissait à désirer...

— C'est probablement la véritable raison. Y a-t-il eu beaucoup de victimes ?

— Un bon nombre. Vous allez bien, monsieur ? » Il se précipita vers moi au moment où j'agrippai le coin d'une table, le sol semblant se dérober sous moi.

« Je suis fatigué, c'est tout. Ç'a été un long voyage. Bon. Les nouveaux documents se trouvent-ils dans mon bureau ? Il faut que j'y jette un coup d'œil.

— Monsieur..., commença Skelly.

— Quoi donc ? fis-je d'un ton agacé.

— Comment va Jack ? A-t-on des nouvelles de sa femme ? Il me semble qu'elle est sur le point d'accoucher. »

Je souris. « Jack va bien. Tamasin également, je crois. Quand je l'ai quitté, il allait la rejoindre. »

J'entrai dans mon cabinet de travail, refermai la porte et m'appuyai dessus. Moite de sueur, j'attendis que cesse la sensation que le sol bougeait sous mes pieds.

✝

Je parcourus les nouveaux dossiers, puis pensai à la question de Coldiron et Josephine. Je réfléchissais toujours à la façon dont j'allais m'occuper de lui lorsqu'on frappa. Skelly entra et referma la porte.

« Monsieur, un jeune homme souhaite vous voir. Il est déjà passé, il y a deux jours. Il dit vous avoir connu dans un endroit appelé Hoyland. Bien qu'il… »

Je me redressai d'un seul coup sur mon siège. « Faites-le entrer, dis-je, en essayant de maîtriser ma voix et de ne pas laisser paraître mon soulagement et ma joie. Immédiatement. »

Mon cœur cognait dans ma poitrine, je m'attendais à voir Emma mais c'est Sam Feaveryear que Skelly fit entrer dans la pièce. Il se tint devant moi, refaisant son geste familier d'écarter de la main une mèche de cheveux gras. Je m'efforçai de dissimuler ma déception.

« Eh bien, Feaveryear, dis-je d'un ton sombre, m'apportez-vous un message de votre maître ?

— Non, monsieur, répondit-il après une brève hésitation. J'ai décidé de ne plus travailler pour messire Dyrick. » Je haussai les sourcils. « J'ai fait une erreur, monsieur, poursuivit-il, les mots se bousculant dans sa bouche. J'ai découvert quelque chose à Hoyland. J'ai laissé messire Dyrick me renvoyer à Londres, mais j'aurais dû vous en parler. C'est, depuis lors, un poids sur ma conscience. Hugh était, en fait…

— Je sais, Emma Curteys. »

Il prit une profonde inspiration. « Quand j'ai rencontré Hugh, il y avait quelque chose… quelque chose qui m'attirait vers lui. » Il se mit à tordre ses doigts

877

minces. « J'ai cru… J'ai cru que le diable cherchait à me pousser à commettre un odieux péché. J'ai prié pour que Dieu me guide, mais je ne parvenais pas à étouffer mes sentiments. Il n'aimait pas que je le regarde mais c'était plus fort que moi. Puis un jour, je me suis rendu compte…

— Et vous en avez parlé à Dyrick.

— J'ai cru qu'il allait faire quelque chose pour… pour la demoiselle. Mais il a répondu qu'il devait protéger le secret de son client et il m'a renvoyé à Londres. J'ai réfléchi, j'ai prié et j'ai compris… Ce n'est pas normal, monsieur, ce qui lui est arrivé.

— Des années durant, la famille, dis-je d'un ton dur, l'a obligée à prendre la place de son frère mort. Mais Emma s'est enfuie et personne ne sait où elle se trouve.

— Ah, monsieur ! » Il avala sa salive. « Puis-je m'asseoir ? »

Je lui indiquai un tabouret. Il s'affala dessus, l'image même du désespoir.

« Et savez-vous, demandai-je, ce qui est arrivé à Abigail Hobbey ?

— Oui, murmura-t-il. Mon maître me l'a écrit. Il m'a dit que le bonhomme Ettis avait été arrêté et accusé de l'avoir tuée.

— Il a été relâché. Il n'était pas coupable. » Je me penchai en avant. « Pourquoi, lui dis-je avec colère, n'avez-vous révélé à personne ce que vous aviez découvert à propos de Hugh ?

— Je ne pouvais pas être déloyal envers mon maître. Mais j'ai beaucoup réfléchi et prié. Et lorsque messire Dyrick m'a écrit qu'il rentrait demain, je me suis rendu compte que… » Il fixa sur moi un regard intense et suppliant. « Ce n'est pas un homme de bien, n'est-ce pas ? »

Je haussai les épaules.

« Je… Je me demandais, monsieur, si je pourrais venir travailler pour vous. Vous avez la réputation d'être un bon avocat, un défenseur des pauvres. »

Je regardai son visage ravagé par la tristesse. Dans quelle mesure s'adressait-il à moi, poussé par sa conscience, et dans quelle mesure le faisait-il dans le seul espoir de changer de cabinet ? Je n'en avais aucune idée.

« Feaveryear, répondis-je, je n'ai pas les moyens d'engager un clerc supplémentaire. Je vous conseille de chercher du travail auprès d'un vieux bourru cynique qui prend tous les dossiers qu'on lui présente et qui ne s'imagine pas que ses clients sont toujours dans leur bon droit, chimère qu'il m'est arrivé, hélas, de caresser. Peut-être qu'alors, n'ayant plus la possibilité de vous réfugier dans l'ombre de quelqu'un, vous mûrirez enfin. »

Il baissa la tête, l'air déçu. J'ajoutai alors d'un ton plus amène : « Je verrai si je peux trouver un avocat qui aurait besoin d'un clerc. »

Il leva les yeux, l'air soudain décidé. « Je ne retravaillerai plus pour messire Dyrick. Je ne retournerai pas dans son cabinet, quoi qu'il arrive. »

Je souris. « Par conséquent, tous les espoirs vous sont permis, Feaveryear. Je verrai ce que je peux faire pour vous. »

✝

Je quittai mon cabinet peu après et parcourus la courte distance qui me séparait de ma maison. J'ouvris la porte et me tins dans le vestibule. J'entendis les voix des gamins dans la cuisine. Me rappelant Joan, j'eus un accès de profonde tristesse. Je me rendis alors compte que quelqu'un me regardait du haut de l'escalier. C'était Coldiron, qui commença à descendre de son pas léger, l'œil brillant de curiosité. « Ravi de vous revoir, monsieur. Soyez le bienvenu. Avez-vous vu quelque chose à Portsmouth ? J'ai entendu dire qu'il y avait eu une bataille et que les Français avaient été repoussés sous les yeux du roi en personne. »

Je ne répondis pas. Parvenu au bas de l'escalier, il s'arrêta, posa sur moi un regard hésitant, devinant que quelque chose clochait. « On fait partir des hommes de Londres, reprit-il. Le petit Simon veut toujours s'enrôler si la guerre se prolonge.

— Je m'y opposerai de toutes mes forces, répondis-je calmement. Où est le Dr Malton ?

— Dans la salle. Je…

— Rejoignez-nous-y dans un quart d'heure. » Sur ce, je m'éloignai, le laissant tout décontenancé.

Assis dans la salle, Guy était en train de lire. Il leva les yeux vers moi et, à la fois surpris et ravi, se leva, s'approcha de moi et me saisit les bras. Je fus content de voir qu'il semblait être redevenu lui-même, l'expression de lassitude et de tristesse de son visage basané s'étant estompée.

« Vous voilà enfin de retour, dit-il. Mais vous avez l'air fatigué.

— J'ai vu des choses horribles, Guy. Pires que j'aurais pu l'imaginer. Je vous en parlerai plus tard. »

Il se rembrunit. « Jack va-t-il bien ?

— Oui. Ç'a été un véritable roc, durant ces dernières semaines. Il est allé rejoindre Tamasin. Et elle, comment est-elle ?

— Grosse, fatiguée et irritable. Mais tout va bien. Elle devrait accoucher dans une dizaine de jours, dirais-je.

— Et vous, comment allez-vous ?

— Il y a longtemps que je ne me suis pas senti aussi bien. Vous savez, mon énergie semble revenir. Je veux rentrer chez moi pour exercer à nouveau. Et si les petits voyous reparaissent... Eh bien, tout est entre les mains de Dieu.

— Je m'en réjouis de tout cœur.

— Vous savez ce qui m'a aidé à reprendre le dessus ? Tenir Coldiron en bride. Grand Dieu, la première semaine, le misérable s'est montré très insolent ! Mais je ne me suis pas laissé faire ! Je l'ai vertement remis à sa place, comme je vous l'ai dit dans ma lettre. Ensuite il s'est calmé et s'est montré obéissant pendant un certain temps, mais, la semaine dernière, il s'est mis à nouveau en colère contre Josephine...

— Vous me l'avez écrit.

— Il l'a menacée avec une louche. Je la lui ai arrachée.

— Bien. Je l'ai prié de venir nous rejoindre ici. Mais d'abord il faut que je vous dise quelque chose sur lui, quelque chose que je n'ai pas voulu vous écrire, de peur que ce gredin n'ouvre la lettre. »

Je lui racontai ce que le soldat m'avait dit à Portsmouth sur l'origine de Josephine et sur la façon dont Coldiron avait déserté, après avoir volé l'argent de sa compagnie. « On le recherche, conclus-je.

— Cela ne me surprend pas. Qu'allez-vous faire ?

— Vous allez voir », répondis-je d'un ton lugubre.

Quelques instants plus tard, on frappa à la porte et Coldiron entra. Il se mit au garde-à-vous, au milieu de la pièce.

« Eh bien, Coldiron, lui dis-je. Ou devrais-je vous appeler William Pile ? »

Il ne bougea pas, mais il se raidit.

« J'ai rencontré à Portsmouth l'un de vos anciens camarades. Quelqu'un avec qui vous jouiez aux cartes. Un certain John Saddler. »

Il prit une profonde inspiration. « Je me souviens bien de Saddler. Un type malhonnête. Les soldats aigris sont prompts à raconter des mensonges, monsieur.

— Il se trouvait à Flodden avec vous, lorsque vous étiez trésorier, à l'arrière. Il se rappelle comment, plus tard, vous avez pris Josephine en France quand c'était encore une petite fille. »

Il avala sa salive, sa pomme d'Adam montant et descendant dans son cou maigre. « Ce sont des mensonges ! s'écria-t-il. Des mensonges et des calomnies... Oui, des calomnies. J'ai arraché Jojo à un village français en feu. Je lui ai sauvé la vie.

— Non. Ce n'est pas vrai. Vous l'avez prise comme si c'était une serve quand vous avez décidé de déserter après avoir volé l'argent de votre compagnie. C'est un délit passible de la pendaison.

— Ce ne sont que des menteries ! » hurla Coldiron. Il avala à nouveau sa salive et parvint à se maîtriser. Sa voix se fit mielleuse. « Pourquoi prêtez-vous foi aux propos de Saddler, ce fieffé menteur ? On ne rend jamais justice aux vieux soldats, ajouta-t-il d'un ton plaintif.

— Il sera assez facile de découvrir la vérité si on fait une enquête. Et, à ce moment-là, vous obtiendrez la justice que vous méritez. »

Il eut soudain l'air aux abois.

« Josephine connaît-elle sa véritable identité ? demandai-je d'un ton sec.

— Elle se rappelle le village en feu, sa vie dans le camp. Elle sait que je lui ai donné une nouvelle vie, une place dans le monde. Je l'ai sauvée et je suis tout ce qu'elle a. Je l'ai traitée comme ma fille.

— Guy, dis-je. Pourriez-vous me rendre un petit service ? Allez chercher Josephine. »

Comme Guy se dirigeait vers la porte, Coldiron lui lança d'une voix suppliante : « Monsieur, vous ne croyez pas ces mensonges ? »

Guy ne répondit pas. Une fois Guy sorti, Coldiron et moi restâmes face à face. Il se passa la langue sur les lèvres. « Je vous en prie, monsieur, ne me dénoncez pas. Si cela aboutissait à un procès, on risquerait de croire les mensonges de Saddler.

— Il sera possible de comparer ce qu'il affirme avec les archives de la compagnie. Et alors la vérité se fera jour.

— Laissez-nous partir, Josephine et moi, supplia-t-il. Nous nous en irons dès que vous voudrez. Bien que je sois un vieil homme, blessé au service du roi...

— Blessé quand vous avez été surpris à tricher aux cartes », m'a-t-on dit.

L'espace d'un instant, son visage se tordit de colère, mais il se contint. La porte se rouvrit et Guy entra, suivi de Josephine, qui paraissait effrayée.

« Monsieur, dit-elle immédiatement, ai-je mal fait quelque chose ? Père...

— Ferme-la, Jojo, lui enjoignit Coldiron d'un ton menaçant. Tais-toi.

— Josephine, répondis-je, on ne vous reproche rien. Mais je sais que William Coldiron n'est pas votre père. Coldiron n'est même pas son vrai nom. »

Elle se dandinait d'un pied sur l'autre, mais elle s'immobilisa alors, plissa les yeux et prit un air méfiant. Je me rendis soudain compte que sa stupidité et sa gaucherie étaient en grande partie feintes. C'était un rôle qu'elle avait appris à jouer au fil des ans, comme Emma Curteys avait appris à assumer l'identité de son frère. Sans doute était-ce ainsi que Coldiron voulait qu'elle fût : idiote, maladroite et dépendante.

« Lorsque j'étais à Portsmouth, poursuivis-je, j'ai appris un certain nombre de choses sur maître Coldiron. Comment il a été blessé, en fait…

— C'était à Flodden, monsieur, dit-elle.

— C'est un mensonge. Et, des années plus tard, il a déserté et il vous a emmenée avec lui. »

Elle regarda Guy, qui hocha la tête. Elle se tourna alors vers Coldiron. « Père, tu avais dit que tu avais dû partir, car les hommes s'apprêtaient à se conduire mal avec moi et que tu voulais me protéger…

— Je t'ai dit de la boucler, siffla Coldiron. Stupide femelle française ! »

Elle se tut sur-le-champ. « Je vais vous laisser partir, Coldiron, repris-je. Je ne dénoncerai pas vos méfaits, car je ne veux pas que la réputation de Josephine en pâtisse. Partez immédiatement. Mais vous, Josephine, j'aimerais que vous restiez travailler pour moi. Si vous le souhaitez. »

Sa lèvre trembla. « Mais monsieur, vous savez – et le Dr Malton le sait aussi – que je suis une incapable.

— C'est la vérité ! s'écria vivement Coldiron. Tu as besoin de moi pour que je t'empêche de tout rater. »

Je me tournai vers elle. « Non. C'est faux.

— Nous nous occuperons de vous, Josephine », lui dit gentiment Guy. Le regard de la jeune femme passa de l'un à l'autre, puis ses traits se plissèrent. Elle éclata en sanglots et porta les mains à son visage. Guy s'approcha d'elle et lui tapota l'épaule.

« Laissez-la tranquille, fichu merdeux basané ! hurla Coldiron. Et vous aussi, espèce de sale bossu ! Vous m'en avez toujours voulu. Vous détestez les soldats, les vrais hommes, ceux qui ne sont pas des mauviettes et des lâches... »

Perdant soudain la tête, je me jetai sur lui. Surpris, il recula d'un bond. Je l'attrapai par les épaules, l'obligeai à faire demi-tour et à passer dans le vestibule. Ayant entendu les éclats de voix, Simon et Timothy se tenaient bouche bée dans l'encadrement de la porte de la cuisine.

« Tim ! lançai-je. Ouvre la porte !

— Non ! Pas devant les gamins ! Non ! » cria Coldiron. Il se débattit tandis que Timothy courait ouvrir la porte toute grande. Je l'envoyai dinguer sur le seuil. Il franchit la porte d'un trait et s'affala à plat ventre sur le sol, au bas du perron. Hurlant comme un porc qu'on égorge, il se retourna et me fixa du regard, l'air stupéfait. Comme je lui claquai la porte au nez, je fus ravi qu'il ait pu voir Simon et Timothy en train de rire et d'applaudir derrière moi.

52

Je retournai dans la salle. Plus calme désormais, Josephine était assise à la table, à côté de Guy. Elle leva les yeux vers moi, me regardant franchement et non pas de biais comme d'habitude. « Est-il parti, monsieur ? » s'enquit-elle d'une voix tremblante.

Je haletais et j'avais mal aux épaules. « Oui. Il est parti.

— Vous souvenez-vous de votre nom de famille, Josephine ? lui demanda Guy avec douceur. Celui que vous portiez quand vous étiez petite ?

— Non. » Elle baissa la tête. « Mais je me rappelle le village et la maison en feu… Je me rappelle, continua-t-elle en se tournant vers moi, la gentillesse de certains des soldats du camp. Ensuite, il m'a emmenée… Comment vais-je me débrouiller sans lui ? soupira-t-elle.

— Souhaitez-vous essayer ? fit Guy. Sinon, il n'est pas trop tard pour le suivre.

— Je ne suis rien. Je ne suis personne. »

De violents coups furent frappés à la porte d'entrée. Josephine se leva brusquement et saisit la main de

Guy. « Il est revenu ! Il va être furieux ! Aidez-moi, monsieur ! S'il vous plaît. »

Je sortis de la salle à grands pas et allai ouvrir. Le visage rayonnant de joie, Simon et Timothy se trouvaient toujours à côté de la porte, que j'ouvris brusquement. Coldiron se tenait sur le seuil. Mon expression le fit tressaillir un instant, puis il dit : « Mes affaires, monsieur. L'argent de mon coffret, mes vêtements, mes petits souvenirs… Vous ne pouvez pas les conserver !… C'est illégal, hurla-t-il. Et vous me devez mes gages ! Gardez Jojo ! Gardez-la ! Mais j'exige mes gages ! »

Je m'adressai aux garçons : « Allez dans la chambre de Coldiron, rangez toutes ses affaires dans son coffre, puis descendez-le et déposez-le sur le perron. Ne prenez pas la peine de les ranger soigneusement. » Coldiron s'était avancé et essayait de rentrer dans la maison, mais je lui reclaquai la porte au nez.

« D'accord, monsieur ! » Timothy escalada les marches quatre à quatre. Je donne le mauvais exemple à ces gamins, pensai-je. Comme Simon s'apprêtait à suivre Timothy, je posai ma main sur son épaule. « Attends, lui dis-je.

— Oui, monsieur ? »

Je fixai le mince visage sous la tignasse blonde. Il était aussi grand que moi maintenant. « Veux-tu toujours devenir soldat ? » lui demandai-je.

Il hésita, puis répondit : « Après votre départ, monsieur, j'ai fini par comprendre… Maître Coldiron a raconté beaucoup de mensonges, pas vrai, monsieur ?

— En effet. Mais, Simon, si tu songes toujours à t'enrôler, viens d'abord me voir et je chercerai des hommes qui se sont réellement battus pour que tu les interroges. Et alors, si tu n'as pas changé d'avis, je ne t'en empêcherai pas.

— Monsieur, j'ai réfléchi. Avant votre départ, vous avez parlé de m'aider à devenir apprenti... »

Je souris. « Avec plaisir. Si c'est ce que tu veux. »

Il tourna la tête. Guy et Josephine se trouvaient dans l'encadrement de la porte de la salle. Josephine tremblait et son visage ruisselait de larmes. Elle avait entendu Coldiron affirmer qu'on pouvait la garder. Simon la regarda fixement, puis se retourna vers moi, le rouge aux joues.

« Josephine va-t-elle rester ? demanda-t-il.

— Eh bien, Josephine ? fis-je doucement.

— Oui, Simon. Je reste », répondit-elle d'une voix tremblante.

Peu après, les gamins descendirent, en faisant bruyamment sauter sur les marches le petit coffre de Coldiron. J'ouvris la porte. L'air morose, il était assis sur le perron. Puis, traînant son coffre, il franchit la grille de mon jardin et s'engagea dans Chancery Lane. Il se retourna et secoua son poing maigre dans ma direction. Ce fut la dernière fois que je le vis.

Le soir tombait. Debout dans la salle, je regardai le jardin. Guy se trouvait dans la cuisine avec Josephine, l'aidant à ébaucher une vie normale, lui faisant préparer le dîner avec les gamins. Il revint, l'air songeur. « Il va me falloir un nouvel intendant, lui dis-je en souriant. Le travail vous plairait-il ? »

Il haussa les sourcils. « Recommencer à exercer la médecine sera sans doute plus aisé. » Il hésita, puis déclara avec une réticence inattendue. « Je pense rentrer chez moi la semaine prochaine.

— Avant, je vais demander aux gamins de nettoyer votre maison. Les gamins et Josephine... Va-t-elle réussir à se débrouiller sans Coldiron ? demandai-je d'un ton grave.

— Ce ne sera pas facile. Si vous pouviez trouver un bon et honnête vieux type pour remplacer Coldiron, cela pourrait l'aider, lui donner le sentiment rassurant qu'il existe toujours un certain ordre autour d'elle. Elle aura besoin de ça. Pendant un certain temps, en tout cas. Et il faudra que vous trouviez quelqu'un pour s'occuper de la maisonnée, autrement des rumeurs risquent de courir sur vos relations avec elle. »

Je hochai la tête en souriant. « Dans ce cas, je confierais volontiers cette tâche au jeune Simon. Je pense que cette charge devrait l'intéresser.

— Je l'ai remarqué. Je pense que vous devriez dire à Simon qu'elle a besoin d'aide, mais également de paix et de calme. C'est un brave garçon. Je pense qu'il comprendra. »

Je m'assis et me tus quelques instants. « Bien, repris-je. Je me suis occupé de Coldiron, mais j'ai un autre sujet à traiter.

— Ellen ?

— Au cours de mon voyage, j'ai découvert ce qui lui était arrivé. L'un des hommes impliqués dans son viol est mort et l'autre n'est plus en mesure de lui faire du mal. Désormais, c'est la reine qui va payer sa pension.

— Que s'est-il passé dans le Hampshire, Matthew ? me demanda-t-il en me regardant droit dans les yeux.

— C'est une longue histoire. À ce propos, il se peut

que vous ayez bientôt à vous occuper d'un nouveau patient que j'ai songé à vous adresser. Un malheureux garçon triste, grièvement blessé par une flèche. Il a fait quelque chose d'affreux et cela pèse énormément sur sa conscience. Il est, disons, très malade, mentalement. Mais il a été blessé en essayant de nous sauver la vie, à Barak et à moi.

— Est-ce Hugh Curteys ?

— Non. Il s'appelle David Hobbey. Guy, je vous raconterai tout, mais il faut d'abord que j'aille à Bedlam pour dire à Ellen qu'elle est en sécurité, et libre.

— Soyez prévenant avec elle, Matthew. Et je ne suis pas certain qu'elle puisse jamais être libre.

— Si auparavant je n'avais que des questions à lui poser, aujourd'hui je peux lui fournir les réponses. C'est moi qui dois m'en charger. »

✝

J'allai chercher Genesis à l'écurie et pris le chemin de Bedlam. Ce fut Hob Gebons qui m'ouvrit la porte. Ses lourds traits s'affaissèrent. « Vous êtes de retour ?

— En effet. Et j'aimerais parler au chef gardien Shawms... Hob, je sais désormais tout sur Ellen. »

Le chef gardien était dans son cabinet de travail. Je m'assis sans lui demander sa permission. Il me fixa, une expression rusée sur son visage gras, mal rasé. Il portait le même pourpoint taché que la dernière fois. Que fait-il de tout l'argent qu'il gagne ? pensai-je.

« Metwys est venu me voir, grogna-t-il.

— Laissez-moi deviner ce qu'il vous a dit... Ellen

890

est à présent sous la protection de la reine, qui va dorénavant payer sa pension.

— C'est exactement ça. Comment vous êtes-vous débrouillé ?

— En découvrant la vérité à propos du viol dont Ellen a été victime, il y a dix-neuf ans. Le violeur était celui qui payait sa pension, Philip West. Il est mort, à présent. Un second homme était impliqué, mais il ne peut plus lui faire de tort maintenant qu'elle jouit de la protection de la reine Catherine. Metwys vous a-t-il dit de qui il s'agit ?

— Non. Et je ne veux pas le savoir. Ellen va-t-elle partir maintenant ? Ça m'est égal. Elle peut aller où elle veut si c'est le bon vouloir de la reine. Il n'y a pas…

— … de certificat de démence, et il n'y en a jamais eu. Ça aussi, je le sais. Beatrice West a dû graisser généreusement la patte du directeur de l'asile pour qu'il la prenne en pension, il y a fort longtemps. Par l'intermédiaire de sir Quintin Priddis, à n'en pas douter. Je suppose que vous préféreriez qu'elle débarrasse le plancher. Eh bien, moi aussi j'aimerais beaucoup qu'elle sorte d'ici, mais je doute qu'elle le veuille. » Je me penchai en avant. « Veillez à ce qu'elle soit bien traitée et payez-la également pour le travail qu'elle accomplit ici, car, autrement, je m'assurerai que la reine soit mise au courant. »

Il me regarda en secouant la tête. « Vous êtes diablement têtu, nom d'un chien !

— C'est vrai. » Je me levai. « Et maintenant, où est-elle ?

— Dans sa chambre. Écoutez, je ne veux pas que

votre visite déclenche une nouvelle crise. Ce n'est bon pour personne.

— Il faut qu'elle connaisse sa situation. Au revoir, maître Shawms. »

✝

Je regardai Ellen par le guichet de la porte de sa chambre. Assise sur son lit, elle cousait tranquillement. Elle semblait triste mais calme. Me rappelant son expression de terreur, la dernière fois que je l'avais vue, je me jurai de ne plus jamais provoquer chez elle une telle réaction.

Je frappai et entrai. Elle leva la tête et me jeta un regard dur et froid.

« Bonjour, Ellen, fis-je.

— Vous êtes rentré, répondit-elle d'un ton serein.

— Oui. Ce matin. Avez-vous été bien traitée durant mon absence ?

— Oui. Gebons a été inhabituellement amical. Je me suis demandé si vous l'aviez payé pour qu'il le soit.

— Je voulais m'assurer que l'on ne vous maltraitait pas pendant mon absence. » Elle resta silencieuse. « Maître Shawms vous a-t-il dit quelque chose ? poursuivis-je.

— Non. » Elle se raidit. « À propos de quoi ? »

Je pris une profonde inspiration. « Ellen, dis-je avec douceur, je ne veux pas remuer le passé. » Elle eut soudain l'air tendu et méfiant. « Mais je suis allé dans le Sussex, continuai-je. Et vous n'avez plus rien à craindre de ces hommes. » J'avais décidé de ne pas parler de la découverte du corps de son père. « La reine va désormais régler personnellement votre pension ici. Et libre à vous de partir, si vous le souhaitez. »

Elle fixa sur moi un regard à la fois intense et apeuré. « Qu'est-il advenu de lui ? De... Philip ? »

J'hésitai. « Dites-le-moi ! s'écria-t-elle.

— Il est mort, Ellen. Il a coulé avec le *Mary Rose*. »

Elle resta immobile, le regard vague. Puis elle murmura d'un ton froid et dur : « Il l'a bien mérité. » C'était la même formule utilisée par Emma devant le corps d'Abigail et par David à propos de ce qui lui était arrivé, à lui.

« Il vous avait fait quelque chose d'horrible. »

Elle me regarda d'un air extrêmement las. « Et l'homme qui était avec lui, ce jour-là ? Qu'en est-il de lui ?

— Connaissez-vous son identité ? demandai-je après une brève hésitation.

— Je me rappelle seulement un petit gars maigre. » Elle tressaillit des pieds à la tête et je devinai l'intensité des émotions qu'elle avait réprimées durant toutes ces années gâchées.

« C'est maintenant un grand personnage du royaume. Il vaut mieux que vous ne connaissiez pas son nom. Mais il ne peut plus vous faire souffrir.

— Parce que vous avez raconté à la reine ce qu'on m'avait fait ? fit-elle, la voix vibrante de colère.

— C'était la seule façon de vous assurer une protection sans faille. »

Elle regarda dans le vide, ses mains tremblant sur son ouvrage. Puis elle le posa à côté d'elle et plongea son regard dans le mien. « J'étais satisfaite ici, aussi satisfaite que je pourrais jamais l'être. Vous n'auriez pas dû vous en mêler.

— Je vous ai libérée d'une grave menace. »

Elle eut un rire amer. « Pour faire cela, il aurait fallu que vous soyez à Rolfswood, il y a dix-neuf ans. Vous parlez comme si je me souciais le moins du monde de ce qui peut m'arriver aujourd'hui. J'ai dépassé ce stade. Cela m'a importé un certain temps, quand j'ai cru que vous m'aimiez, mais je constate maintenant que c'est impossible. Savez-vous qui me l'a fait comprendre ?

— Non.

— Votre ami Guy. Oh, il n'a rien dit clairement, mais il me l'a laissé entendre. Il est fin, ajouta-t-elle avec aigreur. Pourtant, pendant deux ans vous m'avez laissée croire qu'il y avait de l'espoir. Vous n'avez pas eu le courage de me dire la vérité. Vous êtes lâche, Matthew.

— J'aurais pu me faire tuer en cherchant à découvrir la vérité sur ce qui vous est arrivé ! m'exclamai-je.

— Je ne vous avais rien demandé ! » Elle prit deux profondes inspirations, avant de déclarer d'un ton méprisant et amer : « Avez-vous jamais aimé quelqu'un ? En êtes-vous capable ?

— On ne choisit pas qui on aime. J'aime... » Je me tus.

« Peu m'importe désormais, répondit-elle en détournant le yeux. Laissez-moi. Je ne veux plus vous revoir. À présent, je vous déteste. » Sa voix n'était plus empreinte de colère, seule demeurait la lassitude.

« Est-ce que vous souhaitez vraiment, demandai-je, que je ne revienne jamais plus ?

— C'est ça, répondit-elle, sans me regarder. Et c'est ce que vous voulez, au fond de vous. Je m'en rends bien compte. Quand les fous sont amenés à voir les choses, ils les voient très clairement.

— Vous n'êtes pas folle.

— Je vous ai dit de partir. »

Elle ne me regarda pas franchir le seuil. Je refermai la porte derrière moi et lui jetai un dernier regard par le guichet, avant de m'éloigner.

✝

Je remontai à cheval et pris le chemin du retour. L'esprit vide, incapable de réfléchir, je ne prêtai guère attention au spectacle d'un homme d'aspect étranger que pourchassait et huait un groupe de jeunes voyous. Je mis Genesis à l'écurie et, contournant la maison, me dirigeai vers le perron. Simon regardait par une fenêtre du premier étage. Au moment où j'ouvris la porte, il descendait l'escalier quatre à quatre pour venir à ma rencontre.

« Messire Shardlake…

— Qu'est-ce qui se passe ? Josephine est-elle… ?

— Elle va bien, monsieur, Mais mame Tamasin… Sa servante est venue chercher messire Guy. Son bébé arrive trop tôt et elle a peur qu'il y ait quelque chose qui cloche… »

Je fis demi-tour et me mis à dévaler Chancery Lane en direction de la maison de Barak, croisant des juristes qui s'arrêtaient pour me dévisager.

✝

Dépeigné, les yeux fous, une chope de bière dans la main, Barak m'ouvrit la porte. Des cris de douleur sortaient de la chambre située de l'autre côté du vestibule.

Il me tira par le bras pour me faire entrer, avant de s'affaler sur le petit banc à dossier.

« Guy est-il… ? m'enquis-je.

— Dans la chambre, avec elle. Je n'étais là que depuis une demi-heure quand elle a perdu les eaux. Cela arrive presque deux semaines plus tôt que prévu. La dernière fois le bébé était né à la date attendue.

— Où est mame Marris ?

— Avec Guy. Ils m'ont fermé la porte au nez.

— Attends… » Je lui retirai la chope de la main, car il gesticulait tant que je craignais qu'il ne renverse sa bière. « Qu'a dit Guy ?

— Que le bébé est seulement en avance, mais mame Marris a eu peur et elle a couru le chercher…

— Tu sais bien que les deuxièmes bébés peuvent naître plus tôt. »

Il lança un regard angoissé vers la chambre fermée d'où sortaient des cris.

« Cela signifie seulement que le bébé se présente…

— Si quelque chose arrive à Tamasin je ne le supporterai pas, s'exclama-t-il d'un ton désespéré. Je me remettrai à boire… Elle est tout…

— Je sais. Je sais.

— Peu m'importe si c'est une fille… » Il se tut. Les cris avaient cessé. Il y eut un long silence terrifiant. Puis nous entendîmes un autre son, très faible : le vagissement d'un nouveau-né. Barak resta bouche bée. La porte s'ouvrit et Guy sortit de la chambre en s'essuyant les mains dans une serviette.

« Jack, vous êtes père d'un beau garçon en pleine santé. »

Barak se leva d'un bond et courut secouer la main

de Guy. « Merci ! Merci ! s'écria-t-il, haletant de soulagement.

— C'est Tamasin qu'il faut remercier. Elle a fait tout le travail. Ç'a été assez facile à la fin… » Mais, le contournant, Barak s'était précipité dans la chambre. Je le suivis plus lentement.

Debout près du lit, mame Marris tenait un petit corps enveloppé dans un lange. Barak se jeta sur Tamasin. « Fais attention, idiot », fit-elle tendrement. Elle sourit et lui caressa la tête. « Va voir ton fils. »

Il s'approcha de l'enfant. Guy et moi regardâmes par-dessus l'épaule de mame Marris. « Il est… Il est splendide, dit Barak en prenant délicatement les mains minuscules du bébé dans les siennes.

— C'est vrai », renchéris-je, même si, à mes yeux, tous les bébés se ressemblent et ont l'air de petits vieux. Il paraissait toutefois en bonne santé, vu la façon dont il s'époumonait. Le duvet qu'il avait sur la tête était blond comme les cheveux de sa mère.

Barak se tourna vers Guy, l'air momentanément soucieux. « Il va bien, n'est-ce pas ?

— Je n'ai jamais vu un bébé aussi sain. »

Il regarda à nouveau son fils. « Pensez, dit-il, que s'il vit assez vieux il pourra voir l'arrivée d'un nouveau siècle. Pensez-y, pensez-y donc !

— Ton John », répondit Tamasin depuis son lit.

Barak réfléchit quelques instants, me jeta un coup d'œil, avant de demander : « Tammy, cela t'ennuierait-il si on l'appelait autrement ?

— Comment ? fit-elle, surprise.

— Appelons-le George, murmura-t-il. Comme notre premier enfant. J'aimerais l'appeler George Llewellyn Carswell. » Il se tourna vers moi. « En leur honneur. »

Épilogue

Novembre 1545 – quatre mois plus tard

Un vent glacial soufflait dans le cimetière. Les dernières feuilles étaient tombées et tourbillonnaient en bruissant autour de mes pieds. Tout en marchant vers l'église, je serrai davantage mon manteau contre mon corps. L'hiver était arrivé.

Je m'arrêtai devant la tombe de Joan et plaçai l'une des dernières roses de mon jardin sur la stèle. Je restai quelques instants immobile, me demandant ce qu'elle aurait pensé des événements qui s'étaient produits dans la maisonnée, cet été-là. Je n'avais toujours pas d'intendant. J'avais fait passer un entretien à plusieurs hommes, mais aucun n'avait la sensibilité que je jugeais nécessaire pour diriger Josephine. Elle allait beaucoup mieux, mais la moindre erreur de sa part, la plus petite critique la rendaient terriblement maladroite. Quand je revenais de Lincoln's Inn, je la voyais scruter la rue par la fenêtre, d'un air étrange. Je devinais qu'elle guettait l'arrivée de Coldiron. Dans quelles proportions se mêlaient en elle la peur et le besoin d'être rassurée par sa présence ? Je n'en avais aucune idée.

J'avais repris mon travail, appréciant désormais le

train-train quotidien, mais, quand j'étais fatigué, j'avais toujours l'atroce sensation que le sol se dérobait sous mes pieds. Je poursuivis mon chemin jusqu'à la tombe de mon ami Roger. Les pluies d'automne avaient laissé des traînées sales sur le marbre. Il faut que j'envoie l'un des gamins pour la nettoyer, me dis-je. Simon allait bientôt me quitter pour devenir apprenti chez un drapier, l'échevin Carver m'ayant aidé à lui trouver une place. Je me rappelai comment, après la mort de Roger, j'avais voulu épouser sa veuve. Cela faisait plusieurs mois que je n'avais aucune nouvelle de Dorothy. Je n'en avais pas reçu non plus de la reine ni de Warner. Je n'avais pas espéré en avoir d'ailleurs.

Il y avait un banc devant la vieille église. J'en balayai quelques feuilles de la main avant de m'asseoir. Je regardai vers le mur du cimetière, me rappelant la revue d'armes au mois de juin sur Lincoln's Inn Fields. Les Français ayant abandonné leur projet d'invasion de l'Angleterre, leur flotte était repartie vers la France où le siège de Boulogne traînait en longueur, les troupes anglaises à l'intérieur de la ville et l'armée française à l'extérieur. Quel gâchis et quelle perte de temps ! Le roi avait enfin compris, disait-on, que son attaque contre la France avait complètement échoué et un traité devait être signé dès la nouvelle année.

Je me tournai vers la porte du cimetière. Cette fois-ci, je n'étais pas venu ici pour y méditer mais pour un entretien qu'il valait mieux avoir loin des oreilles indiscrètes de Lincoln's Inn. La porte s'ouvrit et un être élancé en lourd manteau, coiffé d'un bonnet de couleur sombre, s'avança vers moi. Emma Curteys continuait à se comporter en garçon, à s'habiller en garçon et à ressembler à un garçon. Je l'invitai à s'asseoir à côté de moi. Elle demeura assise en silence quelques instants, puis posa sur moi un regard interrogateur. Je notai la pâleur de son visage marqué de cicatrices.

« Tout est réglé, dis-je.

— Y a-t-il eu des difficultés ?

— Non. Puisque tout le monde était d'accord. Dyrick était présent pour valider la vente de la tutelle. Ainsi qu'Edward Priddis pour approuver le montant du transfert. C'est lui le curateur de fief du Hampshire, depuis la mort de son père, au mois de septembre. Sir William Paulet n'a soulevé aucune objection. L'affaire est donc réglée... Vous êtes désormais ma pupille. Ou plutôt je suis le tuteur de Hugh Curteys.

— Merci. »

Elle avait fait son apparition dans mon cabinet au mois d'août. Heureusement que j'étais là car Skelly aurait refusé l'entrée au mince adolescent crasseux qui demandait à me parler. Elle n'avait pas eu envie de venir, m'expliqua-t-elle, mais après un mois de vagabondage sur les routes, sans le sou, obligée de voler dans les fermes, épuisée, elle avait ravalé son amour-propre. Je lui avais donné de l'argent et trouvé une chambre en ville jusqu'à ce qu'un jugement soit prononcé sur la demande de transfert de la tutelle.

« Hobbey était également présent, dis-je d'un ton hésitant, au cas où on aurait besoin de lui. Le prieuré de Hoyland a été vendu à sir Luke Corembeck.

— Comment va David ?

— Il marche tant bien que mal. Mais il a eu plusieurs accès du mal caduc. Hobbey le surveille constamment. Mon médecin pense qu'il le protège trop... David est toujours malade de honte et bourrelé de remords.

— M. Hobbey a toujours eu besoin de s'occuper des gens. » Elle se tut puis s'écria d'un ton soudain passionné : « Je pense constamment à David, à ce que je lui ai fait. Je réparerais mes torts si je le pouvais.

— Je le sais.

— Et je repense aux soldats. Je rêve que je les vois tomber dans l'eau. J'entends les cris des hommes pris au piège.

— Moi aussi. » Ne voulant pas qu'elle partage mon irrépressible sentiment de culpabilité, je ne lui avais jamais dit que, sans les machinations de Rich, une autre compagnie de soldats se serait trouvée à bord du *Mary Rose*. Je me rappelai ma visite aux parents de Leacon dans le Kent pour leur apprendre la mort de leur fils et, dans la mesure de mes moyens, leur offrir mon aide financière. Les deux vieillards étaient désespérés, brisés.

« Merci, messire Shardlake. Je regrette de ne pas vous avoir fait confiance dès le début. Ne croyant pas qu'on pouvait me libérer de Hoyland et me débarrasser des Hobbey, j'avais finalement cessé de vouloir m'en éloigner. »

Me penchant en avant, je posai mes coudes sur mes genoux et la regardai droit dans les yeux. « Pourquoi les avez-vous laissés faire, Emma ?

— Au début, c'était pour éviter d'épouser David. Ensuite… quand je suis devenu un garçon, je me suis rendu compte qu'un homme a tellement plus de pouvoir qu'une femme en ce monde. Et… bizarrement, en portant les vêtements de mon frère et en faisant semblant d'être lui, j'avais l'impression qu'il était toujours vivant. Pouvez-vous comprendre ça ?

— Peut-être. Mais, plus tard, vous auriez pu

reprendre votre véritable identité et récupérer vos terres. Les Hobbey n'auraient rien pu faire contre vous. »

Elle secoua la tête. « Il y avait trop longtemps que j'étais Hugh. Cela aurait provoqué un scandale. Et je voulais tellement devenir soldat. » Elle eut un rire sans joie. « Que suis-je ? Peut-être un phénomène que le monde n'a jamais connu. »

Je ne savais que répondre. Nous restâmes silencieux quelques instants, puis elle déclara : « J'ai entendu dire qu'après plusieurs tentatives on avait renoncé à renflouer le *Mary Rose*. Les mâts se sont effondrés et il s'est envasé. Avec les restes de tous les hommes. Que Dieu ait leurs âmes ! »

Nous nous tûmes un bref moment. « Qu'allez-vous faire à présent ? repris-je. Comme je vous l'ai déjà dit, désormais vous pouvez mener votre vie à votre guise. C'était mon but. La Cour des tutelles m'a permis de garder tout votre argent. Je suis contraint de le conserver durant trois ans, mais il vous suffira de me demander ce que vous voudrez et je vous le donnerai. Cet argent vous appartient. Dieu sait combien vous le méritez, après ce qu'il vous a coûté. Il est en anciennes pièces en or de bon aloi et sera ainsi protégé de la chute constante de la valeur de la monnaie. »

Elle secoua à nouveau la tête. « Je ne sais pas, messire Shardlake. Je me plais dans mon logement. Je pensais, voyez-vous, qu'il serait plus difficile de passer pour un garçon en ville. Mais, en fait, personne ne vous regarde vraiment, et il est facile de se fondre dans la foule. Merci, en tout cas, de m'avoir envoyé de l'argent pour acheter les livres.

— Vous pouvez acheter ce que vous désirez à présent. Vous êtes riche.

— Mais je ne sais toujours pas qui je suis et ce que je suis. En tout cas, je ne veux pas être une femme, me conduire en créature obéissante et soumise, porter ces vêtements inconfortables.

— Vous devriez rencontrer Tamasin, l'épouse de Barak. Personne ne peut la traiter de femme soumise. Et une femme peut être indépendante quand elle a de l'argent. »

Emma soupira et détourna la tête. « Il y a un jeune homme qui a une chambre dans la même maison que moi et avec qui je suis allée parfois boire un verre, le soir. Je… Je l'aime beaucoup. Il s'appelle Bernard. » Elle rougit un peu, ce qui accentua la pâleur de ses cicatrices. « Mais je crains qu'il ne devine la vérité, comme l'avait fait Sam Feaveryear. L'amour, ajouta-t-elle d'un ton amer, est une chose dangereuse.

— Je sais que vous auriez du mal à assumer l'identité d'une femme désormais. Mais j'ai pensé que Tamasin pourrait vous aider, vous apprendre à vous habiller et à vous comporter en femme. On peut lui confier votre histoire, et je suis certain qu'elle vous plairait.

— Ne vient-elle pas d'avoir un bébé ?

— Oui. Mais je suis sûr qu'elle serait ravie de vous aider.

— Non. Je ne supporte pas l'idée de devoir apprendre à devenir quelqu'un d'autre. Pas à nouveau. Même si votre amie Tamasin est bonne et généreuse, cela me rappellerait l'époque où Hobbey et Fulstowe m'ont appris à jouer le rôle de Hugh. Et si je devais porter de nouveau des jupes, je serais aussi désemparée, aussi désespérée qu'après la mort de mon frère.

904

Même si j'en avais le désir, je ne crois pas que j'y parviendrais. » Elle respira profondément. « Messire Shardlake, j'ai songé à partir pour l'étranger, loin de l'Angleterre, aux Pays-Bas peut-être. Et même voir si je peux m'inscrire dans une université. Je ne pourrais plus être soldat maintenant. Pas après ce qui est arrivé.

— En effet.

— Vous voyez, je pense que vous aviez raison. Peut-être suis-je faite pour les études. Mais il n'y a pas d'érudites, si ?

— Il y a des femmes savantes. La reine elle-même a écrit un livre, et lady Élisabeth… »

Elle secoua vigoureusement la tête. « Comme membres de la famille royale, elles jouissent de certains privilèges. »

Je réfléchis quelques instants, puis demandai : « Fuyez-vous l'attirance que vous ressentez pour le jeune Bernard ? »

L'émotion la fit grimacer, tirant sur les cicatrices. « J'ai besoin de temps, messire Shardlake. Il faut que je trouve une occupation. Me laisseriez-vous partir pour l'étranger ?

— C'est votre vie. Je suis déjà trop intervenu dans la destinée d'autrui. Je vous aiderai. Mais seulement sur votre demande.

— Bon. Eh bien, alors je vais prendre un bateau pour les Flandres. Je vous écrirai de là-bas. Pour vous donner de mes nouvelles.

— Vous partez. C'est donc décidé ?

— Oui. » Elle se leva du banc et me tendit une main aux longs doigts.

« Emma, repris-je. Il y a une chose que je ne vous

ai jamais demandée. Portez-vous toujours la perle-du-cœur ? »

Elle fixa sur moi un regard chaleureux que je ne lui connaissais pas, puis secoua la tête. « Non, répondit-elle d'une voix sereine. Je l'ai jetée dans la Tamise. Cela faisait partie de mon ancienne vie chez les Hobbey. Aujourd'hui, je porte la croix que ma mère m'avait offerte, celle que vous êtes allé chercher à Hoyland et que vous m'avez donnée en août. »

Je souris. « Très bien.

— J'aurais voulu pouvoir remercier la bonne vieille dame pour ce qu'elle et le pauvre Michael ont fait pour moi, mais il m'aurait été impossible... » Sa voix s'érailla.

« De la tromper ? Cela va de soi. Je lui ai envoyé un mot pour lui annoncer que tout va bien pour Hugh.

— Merci pour tout, messire Shardlake. Mais j'ai trouvé ma voie désormais. Où qu'elle me mène. »

Je lui pris la main. Les cals formés par des années de pratique du tir à l'arc disparaissaient peu à peu. Je regardai Emma Curteys s'éloigner dans l'allée. Vêtue d'un beau manteau et coiffée d'un bonnet noir couvrant de courts cheveux bruns, on aurait dit un jeune gentleman qui marchait d'un pas ferme, tandis que les feuilles mortes jaunies tourbillonnaient autour de ses pieds.

Note historique

La guerre que Henri VIII livra à la France de 1544 à 1546 fut sans doute le résultat d'une des pires décisions politiques qu'il ait prises. On a parfois dépeint Henri VIII comme un roi « modernisateur », mais, en fait, sa façon de concevoir la guerre était médiévale. Dès le début de son règne, il chercha la gloire des conquêtes françaises dont avaient jadis été auréolés ses prédécesseurs du Moyen Âge. Or la France était désormais un État prospère, unifié, et bien plus peuplé que l'Angleterre.

N'ayant rien appris de l'échec de deux précédentes tentatives, en 1544, Henri envahit le nord de la France, après avoir formé une alliance précaire avec Charles Quint, le chef du Saint-Empire. L'objectif des forces de Henri et de Charles était de converger sur Paris, mais Henri fit dévier son armée pour attaquer Boulogne, qu'il espérait relier à Calais, toujours possession anglaise, afin d'agrandir le territoire anglais en France. Or, quand, après un long et sanglant siège, Henri s'empara de cette ville, ses propres forces y furent encerclées par l'armée française. Charles Quint et François Ier, le roi de France, signèrent une paix séparée, et, ravitaillées avec difficulté depuis l'Angleterre, les forces anglaises allaient demeurer coincées à Boulogne pendant dix-huit mois. Henri portait désormais seul le poids de la guerre contre la France. En outre, la France envoya des troupes à l'Écosse, son alliée.

La guerre fut absolument ruineuse. Pour la financer, Henri vendit une grande partie des terres monastiques, prises à l'Église dans les années 1530, saigna l'Angleterre à blanc à force d'impôts et alla jusqu'à dévaluer la monnaie en réduisant la quantité d'argent contenue dans les pièces, ce qui déclencha une inflation galopante. Toutes les couches de la société furent affectées, mais ce furent les pauvres, qui, n'ayant pas la possibilité d'augmenter le prix de leur travail, souffrirent le plus.

Durant l'été de 1545, les Français décidèrent de régler le problème, une fois pour toutes, en envahissant l'Angleterre, ce qui constitua un réel et très grave danger. Ils assemblèrent une flotte de guerre environ trois fois supérieure à celle de l'Angleterre et transportant trente mille soldats. Le pape envoya un bateau. C'était une opération de plus grande envergure que l'Invincible Armada espagnole, quarante années plus tard. Pour faire face à la menace, Henri ordonna un recrutement massif de soldats parmi la population civile. Si on inclut la milice et les forces navales, plus de cent mille hommes se retrouvèrent sous les drapeaux, ce qui, compte tenu du nombre d'habitants d'alors, correspondrait à bien plus d'un million d'hommes aujourd'hui, le pourcentage étant comparable à celui de la mobilisation pour résister au projet d'invasion du royaume par Hitler en 1940.

Heureusement pour l'Angleterre, les Français étaient piètrement dirigés par leur commandant en chef, l'amiral d'Annebault, car, à l'instar de l'Angleterre, pour conduire ses forces, la France choisissait toujours des aristocrates, plutôt que des chefs expérimentés. Si d'Annebault avait concentré ses ressources, les Français auraient peut-être réussi à prendre le contrôle de l'île de Wight, ou, s'ils étaient parvenus à débarquer sur l'île de Portsea, à assiéger Portsmouth, comme les Anglais, Boulogne. Les débarquements amphibies à grande échelle sont notoirement difficiles, mais il y aurait eu, en tout cas, de sérieux combats dans l'Angleterre du Sud.

Finalement, cependant, après la bataille peu concluante du Solent – décrite dans mon roman –, la guerre s'effilocha et la plupart des recrues purent rentrer chez elles pour faire les moissons, bien que certaines aient été envoyées en France pour continuer à assiéger Boulogne. Le traité de paix de 1546 permit à l'Angleterre de conserver Boulogne – qui, entre-temps, avait été réduit à un tas de pierres – pendant dix ans. On accorda également une indemnité à Henri, goutte d'eau dans la mer des énormes sommes gaspillées.

La guerre n'aboutit qu'à la mort de milliers de soldats et de marins, anglais, écossais, irlandais, gallois, français, et d'hommes originaires d'autres pays. Au nombre des victimes, on doit ajouter beaucoup de civils français et écossais.

Henri VIII mourut six mois après la signature du traité de paix. Il laissa en héritage à ses enfants un pays isolé du reste de l'Europe, une guerre contre l'Écosse, des conflits religieux, l'inflation, l'impécuniosité du royaume et un début de révolte sociale. Dans les années 1550, Boulogne fut rendu à la France et, en 1558, l'Angleterre perdit Calais, sa dernière possession française.

✝

Le naufrage du *Mary Rose*, le 19 juillet 1545, comme il s'apprêtait à livrer bataille, a été expliqué de très nombreuses manières. Il paraît certain que les sabords de tribord n'étaient pas fermés, au moment où une soudaine rafale de vent, comme il y en a fréquemment dans le Solent, s'engouffra dans les voiles et fit chavirer le vaisseau en train de virer de bord, et que de l'eau s'engouffra par les sabords. Il est aussi possible que le bateau ait été dangereusement surchargé, à cause du grand nombre de canons et de soldats, et qu'il ait été déséquilibré par les hommes se trouvant dans les gaillards. Il est également possible que le *Mary Rose* ait pris l'eau après avoir subi des tirs de canon obliques effectués par les galères françaises. Quelle que soit la cause, ou la combinaison de diverses causes, le navire sombra en quelques minutes, tandis que la majorité des hommes se trouvaient pris au piège des filets antiabordage. On pouvait entendre leurs cris depuis la rive. Il y eut environ trente-cinq survivants sur, estime-t-on aujourd'hui, cinq cents personnes à bord.

Henri avait dîné la veille sur le *Great Harry*, son vaisseau amiral, qu'il avait brusquement quitté quand on avait aperçu la flotte française à la pointe est de l'île de Wight. J'ai inventé son projet d'aller ensuite rendre visite au *Mary Rose*. On ne sait pas où il logea durant son séjour à Portsmouth en 1545, mais ce fut sans doute au château de Portchester ou dans les pavillons royaux érigés sur le terrain communal de Southsea. On ne sait pas non plus où se trouvait Catherine Parr durant l'été de 1545, mais un élément me conduit à penser qu'elle avait accompagné le roi à Portsmouth. Dans sa dépêche relatant la bataille du Solent, Francis Van der Delft, l'ambassadeur de Charles Quint, indique que le chancelier de la reine lui a fait voir les navires. Étant donné l'organisation de la maison royale, si le chancelier de la reine était à Portsmouth, c'est qu'elle-même s'y trouvait.

J'ai inventé la présence à Portsmouth de sir Richard Rich. D'après les archives, il n'était pas l'un des conseillers privés qui accompagnaient le roi. Mais la description de son rôle dans l'organisation financière de l'invasion de la France en 1544 est exacte, tout comme celle de la perte de cette mission quand on le soupçonna de s'être un peu trop rempli les poches. Il resta cependant au Conseil privé et sa carrière ne fut pas affectée par ces soupçons.

Robert Warner était l'avocat de Catherine Parr et, en 1544, elle eut recours à ses services pour défendre l'une de ses servantes accusée d'hérésie.

Durant l'été de 1526, Henri VIII et Catherine d'Aragon, sa première femme, firent un voyage officiel qui les mena à Petworth. Henri entretenait alors une correspondance avec Anne Boleyn. Ce fut aussi sans doute en 1526 qu'il décida de divorcer de Catherine et d'épouser Anne, mais l'interception d'une lettre annonçant cette intention est imaginaire. Il est toutefois vrai que le pape suggéra plus tard à Catherine d'entrer au couvent pour résoudre les problèmes soulevés par le désir d'Henri de divorcer et qu'elle refusa parce qu'elle pensait que Dieu souhaitait qu'elle restât mariée à Henri. Paradoxalement, si elle avait suivi ce conseil, Henri ne se serait jamais séparé de Rome.

✝

L'utilisation abusive de la Cour des tutelles comme source de revenus, dont un grand nombre d'enfants concernés souffrirent beaucoup financièrement (sans parler du coût émotionnel), fut un moyen supplémentaire élaboré par Henri VIII pour soutirer de l'argent au peuple. Cette utilisation abusive se prolongea sous Élisabeth Ire et Jacques Ier et prit des proportions pharaoniques sous Charles Ier. La fin de l'exploitation des mineurs par cette institution était réclamée avec insistance par le Parlement avant la Guerre civile et son abolition constitue l'une des réalisations oubliées de la République anglaise, qui dura de 1649 à 1660. Vu les sentiments de la population à cet égard, après la Restauration, même le régime corrompu de Charles II n'osa pas revenir en arrière.

✝

Bien que le personnage d'Emma Curteys soit totalement fictionnel, l'histoire est jalonnée d'exemples de femmes se faisant passer pour des hommes et combattant comme soldats parfois durant plusieurs années.

Ainsi, il est prouvé que, pendant la guerre de Séces-
sion américaine, dans les deux camps, des centaines
de femmes ont prétendu être des hommes et ont été
souvent considérées comme des soldats particulièrement courageux.

Remerciements

Je suis très reconnaissant aux nombreuses personnes qui m'ont aidé et conseillé pendant l'écriture de ce roman, lequel m'a conduit dans des domaines que je connaissais mal, en particulier en ce qui concerne l'aspect naval et militaire. J'espère, en tout cas, que le produit final fait un tant soit peu honneur à la compétence de ceux qui m'ont prodigué leurs conseils, et toute erreur m'est, bien sûr, imputable.

C'est Antony Topping, mon agent, qui eut le premier l'idée d'un roman dont l'intrigue serait liée à la guerre de 1544-1546. Une fois encore, je le remercie pour ses encouragements et lui suis reconnaissant d'avoir lu et commenté le manuscrit. Merci aussi à Maria Rejt pour sa mise en forme extrêmement habile du texte, à Liz Cowen pour sa préparation minutieuse du manuscrit, et à Becky Smith pour la dactylographie. Michael Holmes m'a depuis le tout début conseillé sur l'aspect naval du roman, m'a plusieurs fois emmené en voiture à Portsmouth et a également lu le premier jet du roman, comme Roz Brody, Jan King et William Shaw. À nouveau, je les remercie chaleureusement pour leurs intelligentes remarques. James Willoughby m'a gentiment traduit la devise de la Cour des tutelles. Glennan Carnie, de l'English Warbow Society (www. englishwarbowsociety.com), m'a beaucoup aidé pour tout ce qui a trait au tir à l'arc militaire et, là encore, toute erreur serait de mon fait. Robyn Young a eu la gentillesse de commenter le chapitre décrivant la chasse à courre au prieuré de Hoyland.

Il existe une énorme quantité de matériaux archéologiques concernant le *Mary Rose*, mais assez peu de documents sur son naufrage. Quand le navire de guerre coula, un côté fut conservé dans la vase au fond du Solent et cette partie a été renflouée en 1982. Les plongeurs découvrirent des centaines d'éléments – remontés à la surface depuis lors – allant des canons aux arcs, en passant par des vêtements, des chaussures et les effets personnels de l'équipage, sans parler des restes d'un grand nombre d'infortunés marins. Je suis reconnaissant aux membres du personnel du Mary Rose Trust, où sont conservés ces divers éléments, d'avoir pris le temps de lire le manuscrit et je les remercie pour leurs commentaires et leurs conseils. Merci de tout cœur au contre-amiral John Lippiett, à Sally Tyrrell, Alex Hildred et Christopher Dobbs pour leur aide. Je me suis efforcé de fonder sur des documents authentiques ma description du *Mary Rose* et de son équipage et, là encore, toute erreur serait de mon seul fait. La description du bateau, et en particulier des gaillards, qui n'ont jamais été récupérés, s'inspire du beau tableau du *Mary Rose*, peint en 2009 pour le cinq centième anniversaire de la construction du navire.

Le Mary Rose Museum recueille en ce moment des fonds en vue de l'édification d'un nouveau musée, dont l'ouverture est prévue en 2012[1], et où sera exposée la moitié du vaisseau qui a été renflouée, complétée par une maquette de l'autre bord. Les divers éléments récupérés seront remis à leurs places d'origine. (Certains des effets et objets personnels des soldats apparaissent dans le présent roman.) Cette reconstruction donnera une remarquable idée de la vie des marins et des soldats. On peut se renseigner sur les expositions et les activités en cours, ainsi que sur les futurs projets du musée, en tapant www.maryrose.org.

Sir Anthony Browne, le grand écuyer de Henri VIII, qui se trouvait à Portsmouth, commanda une série d'imposants tableaux pour son manoir de Cowdray House dans le Sussex. L'un d'entre eux représente le camp anglais à Portsmouth en 1545. Il montre les flottes anglaise et française et, dépassant à peine de l'eau, les mâts du *Mary Rose*, qui vient de sombrer. C'est un tableau très intéressant, les bateaux étant placés avec une extrême exactitude, même si les personnes se trouvant sur la rive, menacées qu'elles étaient par une invasion, devaient, sans aucun doute, avoir l'air beaucoup moins heureuses que sur le tableau. En ce sens, il s'agit là d'une œuvre de propagande. En outre, Henri VIII paraît bien plus jeune et bien plus mince qu'il ne l'était en 1545. Hélas ! les originaux disparurent dans l'incendie de Cowdray House, en 1793, mais on avait exécuté une série de gravures d'après les tableaux, lesquelles ont survécu. La gravure

1. Pour rappel, cet ouvrage a été écrit en 2010 et publié en France pour la première fois en 2011. Le « nouveau » Mary Rose Museum a depuis ouvert ses portes en mai 2013. L'adresse internet indiquée plus loin est toujours d'actualité. *(N.d.E.)*

représentant le camp de Portsmouth a été étudiée de près par le Pr Dominic Fontana, de l'université de Portsmouth, qui a également étudié la ville à l'époque des Tudors. Je lui suis très reconnaissant de toute son aide et le remercie d'avoir, lui aussi, lu et commenté mon manuscrit. On peut trouver d'autres renseignements sur les gravures de Cowdray, le naufrage du *Mary Rose* et le Portsmouth de l'époque Tudor en consultant son site : www.domonicfontana.co.uk.

La campagne de France de 1544 est unique, en ce sens qu'un compte rendu fut rédigé par un officier gallois, Elis Gruffudd : *The Entreprises of Paris and Boulogne* [« Les Opérations de Paris et Boulogne »], trad. M. B. Davis (Le Caire, 1944). Le récit de Leacon sur les ravages perpétrés dans la campagne française est fondé sur ce témoignage de première main. Les guerres à l'époque Tudor entraînaient souvent la spoliation de la population civile, mais, en général, comme effets secondaires des campagnes militaires. Or, en 1544, Henri donna l'ordre exprès de terroriser les civils en France et, surtout, en Écosse.

Rolfswood est un lieu fictionnel. Tout comme le prieuré de Hoyland, même si son ancienne maison mère, le prieuré de Wherwell, a réellement existé. Un grand nombre de monastères furent vendus dans les années 1530 et, comme je l'ai déjà indiqué, bien davantage encore dans les années 1540, afin de lever des fonds destinés à financer la guerre de Henri. Le livre de Jeremy Hodgkinson, *The Wealden Iron Industry* [« L'Industrie sidérurgique du Weald »] (Stroud, 2009), m'a été très utile en ce qui concerne l'industrie sidérurgique, tout comme l'exposition du Lewes Museum, dans le Sussex. C'est dans ce musée qu'on peut voir le contrecœur remarqué par Shardlake à Liphook. Le *Toxophilus* de Roger Ascham est toujours disponible (Lightning Source, UK). Sur le tir à l'arc, l'ouvrage de Richard Wadge, intitulé *Arrowstorm : the World of the Archer in the Hundred Years War* [« Tempête de flèches : l'univers de l'archer pendant la guerre de Cent Ans »] (Staplehurst, 2007), m'a été particulièrement utile, comme l'ont été, pour le *Mary Rose*, le livre d'Ann Stirland, *The Men of the Mary Rose : Raising the Dead* [« Les Hommes du *Mary Rose* : la résurrection des morts »] (Stroud, 2005), et celui de David Childs, *The Warship Mary Rose* [« Le Navire de guerre *Mary Rose* »] (Londres, 2007). *The Military Obligations of the English People, 1511-1558* [« Les Obligations militaires des Anglais, 1511-1558 »] (thèse de doctorat, 1955) m'a été extrêmement précieux à propos du recrutement des armées au début de l'époque Tudor. En ce qui concerne la Cour des tutelles, j'ai consulté l'ouvrage de H. E. Bell intitulé *An Introduction to the History and Records of the Court of Wards and Liveries* [« Introduction à l'histoire et aux archives de la Cour des tutelles et de l'émancipation des pupilles »] (Cambridge, 1953) et celui de J. Hurstfield, *The Queen's Wards* [« Les Pupilles de la reine »] (Londres, 1958).

Malgré la profusion des travaux sur l'époque Tudor, personne n'a encore écrit une histoire de la guerre de 1544-1546. Quelqu'un devrait s'en charger.

Postface

Lorsque je conçus le projet d'un nouveau roman de la série des Shardlake dans lequel tous les fils de l'intrigue se noueraient à bord du *Mary Rose*, au moment où, au mois de juillet 1545, le navire de guerre de Henri VIII se préparait à appareiller pour affronter la flotte française à l'approche, je n'avais qu'une vague idée de la quantité d'éléments disponibles à Portsmouth. Je savais, bien sûr, que le bateau avait soudain sombré par une chaude journée de juillet, tandis qu'il se dirigeait vers les vaisseaux français, et que sa partie inférieure avait été préservée, le limon au fond du Solent ayant modéré l'érosion. En 1982, j'avais assisté à la télévision au renflouage du bâtiment que j'étais ensuite allé voir à Portsmouth, alors qu'il n'était visible que de loin, à travers une fenêtre, la membrure devant être constamment aspergée d'eau et de produits chimiques pour sa conservation.

Après avoir rédigé une première esquisse du roman, j'allai visiter le Mary Rose Museum et je pris contact avec son personnel, compétent et passionné, qui me fit découvrir un monde entièrement nouveau pour moi. Non seulement le navire dans tous ses détails et son extraordinaire complexité – les navires de l'époque Tudor étaient à la pointe du progrès technique et mécanique –, mais, plus fascinant encore à mes yeux, l'univers des hommes qui servaient à son bord.

En effet, en même temps que le navire, les plongeurs, qui travaillèrent pendant plusieurs années dans des eaux boueuses et souvent périlleuses, ont récupéré de nombreux éléments enfouis dans la vase. Il s'agit là, sans doute, de la plus riche collection au monde d'objets de l'époque Tudor. La diversité est extraordinaire : vêtements et chaussures portés par les soldats et les marins ; armes, armures, chapelets, dés, arcs, écuelles, couteaux ; plats et restes de nourriture, sans parler des restes des hommes eux-mêmes qui périrent au cours du naufrage. L'examen de leur squelette a montré que la plupart avaient une vingtaine d'années, qu'ils étaient costauds, juste un peu plus petits que les gens d'aujourd'hui, et qu'un nombre étonnant d'entre eux étaient des recrues étrangères. Nous savons que, faute de soins dentaires, beaucoup devaient avoir mal aux dents, que certains souffraient de rachitisme, probablement à cause de la malnutrition pendant la « grande disette » de 1527-1528. Durant l'hiver, après une très mauvaise récolte, de nombreux pauvres s'étaient retrouvés dans un état proche de l'inanition. (Au même moment, leur roi s'efforçait d'obtenir l'annulation de son mariage avec Catherine d'Aragon.) Nous devinons qu'un des hommes avait un problème au pied – sans doute un oignon – car il avait pratiqué une entaille dans sa chaussure pour soulager la douleur.

✝

Cette incroyable profusion d'éléments concernant l'existence ordinaire des hommes du *Mary Rose* – officiers, soldats ou matelots – constituait pour moi une occasion fascinante, voire un défi. Je vis là ma chance d'orner le décor d'un drame historique par une grande richesse de détails sur la vie intime des protagonistes. J'avais déjà relaté un événement spectaculaire de l'époque Tudor lorsque, dans *Sang royal*, je décrivais le voyage dans le nord de l'Angleterre de Henri VIII, en 1541. Toutefois, puisqu'on ne sait pas grand-chose sur la vie quotidienne de ce cortège royal, j'avais dû faire un important effort d'imagination. Or, cette fois-ci, j'avais à ma disposition non seulement les vestiges du navire, mais également les objets récupérés au fond de la mer.

✝

L'actuel Mary Rose Museum, qui doit, dans un souci de préservation du bateau, conserver les objets à part, ne peut présenter qu'une petite partie de la collection. par manque de place. On m'a cependant donné accès à la remarquable quantité de matériaux entreposés dans les réserves et dont je n'ai pu offrir qu'un petit aperçu dans *Corruption.* Ayant, d'autre part, choisi de placer une compagnie d'archers au centre de l'intrigue, les effets des soldats y occupent une place prépondérante par rapport à celle accordée aux affaires des marins. L'utilisation de la totalité du matériau disponible aurait entraîné tout un développement supplémentaire. J'ai pu en utiliser cependant une belle quantité... par exemple, la tenue recherchée de sir Franklin Giffard, les pourpoints de laine des hommes, leurs chaussures, leurs arcs, leurs couteaux aux complexes ciselures, la nourriture qu'ils consommaient dans leurs campements, les cure-oreilles et peignes à poux, les pièces de monnaie. Tous ces éléments, empruntés aux collections du Mary Rose Museum, m'ont servi à décrire la vie à bord, du petit jeu de dés dont se servaient les marins (un très grand nombre des possessions des soldats et des marins, des dés aux livres de prières, étaient minuscules, pour réduire l'encombrement à bord et dans les camps) aux énormes fours de brique placés dans les entrailles du bateau où l'on faisait la cuisine.

La carcasse du *Mary Rose* n'ayant désormais plus besoin d'être continuellement traitée chimiquement, le Museum Trust a fait montre d'un esprit particulièrement imaginatif. Le nouveau musée, qui doit ouvrir ses portes à Portsmouth en 2012, projette de présenter la moitié restante du navire en face d'un fac-similé de la moitié disparue, et d'y placer, aux endroits précis où ils se seraient normalement trouvés, non plus une petite sélection mais la majorité des objets remontés à la surface. Il s'agira non seulement d'une reconstruction minutieuse de l'énorme navire de guerre de l'époque Tudor (y compris les gigantesques canons, à la décoration souvent extrêmement travaillée, fixés à la place qu'ils occupaient à la batterie), mais aussi d'une reconstruction de la routine quotidienne de l'équipage. Ce sera un spectacle unique au monde.

Au moment où j'écris ces lignes (décembre 2010) ce projet a encore besoin de trois millions de livres sterling (trente-trois millions ont déjà été recueillis) pour que tout soit parfaitement réglé. Tous ceux qui sont intéressés par l'histoire de l'époque Tudor, notamment par le déroulement de la vie quotidienne, feraient œuvre utile en aidant, par un don, le financement de cette exceptionnelle entreprise.

Composé par Nord Compo
à Villeneuve-d'Ascq (Nord)

Imprimé en France par

MAURY IMPRIMEUR
à Malesherbes (Loiret)
en septembre 2013

POCKET – 12, avenue d'Italie – 75627 Paris Cedex 13

N° d'impression : 184521
Dépôt légal : octobre 2013
S22770/01